L'Âge des extrêmes

Le Court Vingtième Siècle
1914-1991

*« Ouvrage traduit avec le concours
du Centre national du livre »*

Copyright © E. J. Hobsbawm 1994
Copyright pour l'édition française © Éditions Complexe
ISBN 2-87027-745-8
D/1638/1999/35

Eric J. Hobsbawm

L'Âge des extrêmes
Le Court Vingtième Siècle
1914-1991

Traduit de l'anglais

Bibliothèque Complexe

LE MONDE
diplomatique

PRÉFACE À L'ÉDITION FRANÇAISE

L'ouvrage que voici est paru en 1994 en Grande-Bretagne et, peu après, aux États-Unis sous le titre *Age of Extremes : The Short Twentieth Century, 1914-1991*. Il devait être bientôt publié dans toutes les grandes langues de culture internationale sauf une : en allemand, en espagnol et en portugais (dans des éditions européenne et américaine), en italien, en chinois (à Taiwan, mais aussi en Chine populaire), en japonais et en arabe. Une édition russe est en préparation. D'autres éditions furent rapidement mises en chantier dans *toutes* les langues officielles de l'Union européenne, sauf une ; et dans les langues des anciens États communistes de l'Europe centrale et orientale : en polonais, en tchèque, en magyar, en roumain, en slovène, en serbo-croate et en albanais. Mais, jusqu'à aujourd'hui, pas en français. À la différence des éditeurs de Lituanie (3,7 millions d'habitants), de Moldavie (4,3 millions) et d'Islande (270 000), les éditeurs français (58,4 millions) n'ont apparemment pas jugé possible, ou souhaitable, de traduire le livre dans leur langue. La revue *Le Débat* (janvier-février 1997) l'a pourtant estimé suffisamment important pour y consacrer un dossier critique d'une petite centaine de pages, même si d'éminents éditeurs français s'y efforçaient d'expliquer pourquoi c'était un livre qu'on ne saurait publier en France. N'était l'initiative d'un éditeur belge et du *Monde diplomatique*, il serait encore inaccessible au monde francophone.

La résistance des éditeurs français, seuls parmi les éditeurs des quelque trente pays qui ont traduit *L'Âge des extrêmes*, ne laisse pas d'intriguer. L'auteur de ces pages, mais il n'est pas le seul, en a été assurément surpris. Mes précédents livres ont été, pour la plupart, traduits en français, et certains même dernièrement réédités en poche. Je ne m'attendais certes pas à ce que la maison qui avait publié les trois volumes de mon histoire du XIXᵉ siècle, toujours disponibles, refuse, sans commentaire ni explication, de publier *L'Âge des extrêmes* qui clôt la série. Était-il probable, comme des éditeurs français l'ont suggéré, que ce livre, à la différence des précédents titres de l'auteur, eût été publié à perte ? À en juger par l'accueil reçu dans tous les pays où il a été édité et par les ventes, son manque d'intérêt pour le public français est une hypothèse peu plausible. Que tous les éditeurs français, unanimes, aient refusé ce livre nécessite donc un mot d'explication.

L'explication la plus concise nous vient de *Lingua Franca*, revue universitaire américaine dont la spécialité est de rendre compte des débats et des scandales intellectuels : « Il y a vingt-cinq ans de cela, observe Tony Judt, historien de la New York University, *L'Âge des extrêmes* eût été traduit dans la semaine." Que s'est-il donc passé ? Il semble que trois forces se soient conjuguées pour empêcher la traduction de ce livre : l'essor d'un antimarxisme hargneux parmi les intellectuels français ; les restrictions budgétaires touchant l'édition des sciences humaines ; et, ce n'est pas le facteur le moins important, le refus ou la peur de la communauté éditoriale de contrer ces tendances. »[1] Que ce livre soit paru peu avant le dernier grand succès de François Furet, *Le Passé d'une illusion*, « analyse tout aussi ambitieuse de l'histoire du XXᵉ siècle, mais beaucoup plus conforme aux goûts parisiens dans sa manière de traiter le communisme soviétique », a fait « hésiter les éditeurs français à sortir un ouvrage comme celui d'Hobsbawm ». On trouve une explication très semblable dans la nouvelle *Newsletter* du « Committee on Intellectual Correspondance » parrainé par l'American Academy of Arts and Sciences, le Wissenschaftskolleg de Berlin et la Fondation Suntory (Japon)[2]. Que Hobsbawm soit demeuré un homme de gauche impénitent serait « une gêne » pour la mode intellectuelle en vogue aujourd'hui à Paris.

Tel est aussi le point de vue de Pierre Nora, des éditions Gallimard, dans le tableau clair et autorisé qu'il brosse de la situation telle que la voit un éditeur français : « Tous [les éditeurs], bon gré mal gré, sont bien obligés de tenir compte de la conjoncture intellectuelle et idéologique dans laquelle s'inscrit leur production. Or, il y a de sérieuses raisons de penser [...] que [ce] livre apparaîtrait dans un environnement intellectuel et historique peu favorable. D'où le manque d'enthousiasme à parier sur ses chances. [...] La France ayant été le pays le plus longtemps et le plus profondément stalinisé, la décompression, du même coup, a accentué l'hostilité à tout ce qui, de près ou de loin, peut rappeler cet âge du philosoviétisme ou pro-communisme de naguère, y compris le marxisme le plus ouvert. Cet attachement, même distancé, à la cause révolutionnaire, Eric Hobsbawm le cultive certainement comme un point d'orgueil, une fidélité de fierté, une réaction à l'air du temps ; mais en France et en ce moment, il passe mal. »[3] On ne sait pas très bien si, ni dans quelle mesure, l'éditeur lui-même se reconnaît dans cette France où l'attitude de l'auteur « passe mal ».

Au vu de ces arguments, le lecteur pourrait s'attendre à découvrir essentiellement, comme dans *Le Passé d'une illusion* de François Furet, une longue polémique politique et idéologique. Mais *L'Âge des extrêmes* n'a pas été écrit dans cet esprit. Le lecteur s'en apercevra aussitôt : ce n'est pas du tout le même genre de livre. Il s'agit d'une histoire d'ensemble du XXe siècle (et du dernier volume d'une série commencée il y a de longues années, qui se présente comme une histoire du monde depuis la fin du XVIIIe siècle, c'est-à-dire l'Ère des révolutions) : c'est à cette aune qu'il convient d'en juger les mérites. Il a été reconnu et pris au sérieux dans des pays aux régimes et aux modes intellectuelles aussi différents que ceux de la République populaire de Chine et de Taiwan, d'Israël et de la Syrie, du Canada, de la Corée du Sud et du Brésil, pour ne dire mot des États-Unis. Le plus souvent à la grande satisfaction financière de l'auteur et de ses éditeurs, il s'est aussi très bien vendu – et lu – sur trois continents. On observera au passage que les éditeurs de pays au moins aussi profondément « stalinisés » en leur temps que la France, et exposés à une « décompression » encore plus spectaculaire, à savoir les anciens États communistes, n'ont pas hésité à le publier. (À l'époque communiste, les ouvrages historiques de l'auteur n'ont jamais été édités en Russie, en Pologne et en Tchécoslovaquie.)

La publication de cette traduction française de *L'Âge des extrêmes* permettra donc de découvrir si les critiques et le public français intelligent sont vraiment aussi différents que le suggère Pierre Nora dans son évaluation peu flatteuse de l'état intellectuel de la France.

Il permettra aussi au lecteur de juger un autre argument avancé pour justifier le refus persistant de publier *L'Âge des extrêmes* en France : le temps d'être traduit, l'ouvrage serait déjà périmé, et sa lecture devenue superflue. De mon point de vue, l'heure de sortir une version révisée n'est pas encore venue. La situation mondiale n'a pas fondamentalement changé depuis le milieu des années 1990. En conséquence, si mon analyse historique générale et mes observations sur le monde en cette fin de siècle nécessitent une révision de grande ampleur, ce n'est pas que la suite des événements les auraient invalidées. La situation internationale demeure telle que je l'ai esquissée dans la première partie du chapitre 19. Les événements dramatiques et terribles de la région des Grands Lacs, en Afrique centrale (Rwanda et Zaïre), n'en fournissent qu'une illustration supplémentaire. Que le « Court Vingtième Siècle » se soit terminé par une crise générale de tous les systèmes, et pas simplement par un effondrement du communisme, est l'une des thèses centrales de ce livre. Si besoin est, l'éruption, en 1997-1998, de la crise de l'économie capitaliste la plus grave depuis les années 1930 le confirme. À vrai dire, elle laisse penser que l'auteur a péché par optimisme en suggérant que l'économie mondiale « devait entrer dans une autre ère de prospérité et d'expansion avant la fin du millénaire », même si c'était pour ajouter aussitôt, à juste raison, que celle-ci risquait d'être « entravée pour un temps par les contrecoups de la désintégration du socialisme soviétique, par l'effondrement de régions entières du monde dans l'anarchie et la guerre, et peut-être par un attachement excessif à la liberté mondiale des échanges ». Bref, du point de vue de l'auteur, ce qui s'est produit dans le monde depuis 1994 – date de la première édition anglaise de ce livre – n'a pas sensiblement affecté les mérites et les faiblesses de son interprétation du XXᵉ siècle.

Aussi, hormis des corrections de détail, le texte présenté au public français est-il le même que le texte publié, ou sur le point de l'être, dans les autres langues. Au lecteur de juger.

Pour terminer, l'auteur aimerait adresser ses remerciements aux éditions Complexe, qui ont rendu cette publication possible, en même temps qu'au *Monde diplomatique*, et aux traducteurs qui ont superbement rendu un texte anglais long et difficile, ainsi qu'à ses amis parisiens qui, dans les dernières années, ont prouvé que tous les intellectuels français ne voyaient pas d'un mauvais œil que leurs compatriotes lussent les ouvrages d'auteurs qui n'avaient pas les faveurs des modes bien-pensantes des années 1990.

Eric Hobsbawm
Londres, décembre 1998

NOTES

[1] « Chunel Vision », *Lingua Franca*, novembre 1997, p. 22-24.
[2] « Furet *vs* Hobsbawm », *Newsletter*, automne/hiver 1997-1998, p. 10.
[3] P. Nora, « Traduire : nécessité et difficultés », *Le Débat*, n° 93, janvier/février 1997, p. 93-95.

PRÉFACE ET REMERCIEMENTS

Nul ne saurait écrire l'histoire du xxᵉ siècle comme celle d'une autre époque, ne serait-ce que parce qu'on n'écrit pas sur son temps comme on peut (et doit) écrire sur une période que l'on connaît seulement « de l'extérieur », de deuxième ou de troisième main, à partir de sources d'époque, ou d'œuvres d'historiens plus tardifs. Ma vie personnelle coïncide avec le plus clair de la période dont traite ce livre, et, de l'adolescence jusqu'à aujourd'hui, j'ai été attentif aux affaires publiques : autrement dit, j'ai accumulé sur elle des vues et des préjugés en contemporain autant qu'en chercheur. C'est, entre autres, la raison pour laquelle sous ma casquette d'historien professionnel j'ai, pendant la majeure partie de ma carrière, évité de travailler sur l'après 1914, sans pour autant m'en priver à d'autres titres. « Ma période », comme on dit dans le métier, c'est le xixᵉ siècle. Je crois désormais possible d'appréhender le Court Vingtième Siècle, de 1914 à la fin de l'ère soviétique, dans une perspective historique, mais je l'aborde sans la connaissance des études spécialisées et *a fortiori* des archives, hormis une infime partie, qu'ont accumulée les historiens du xxᵉ siècle, au demeurant fort nombreux.

Il est, bien sûr, absolument impossible pour une personne seule de connaître l'historiographie de ce siècle, fût-ce en une seule langue importante, comme l'historien de l'Antiquité classique ou de l'Empire byzantin pouvait connaître ce qui s'est écrit durant et sur ces longues périodes. Mon savoir n'en est pas moins réduit et parcellaire, rien qu'au regard des normes de l'érudition historique dans le champ de l'histoire contemporaine. Au mieux ai-je pu me plonger dans le dossier des questions particulièrement épineuses et controversées – mettons, dans l'histoire de la guerre froide ou dans celle des années 1930 – pour me convaincre que les vues exposées dans ce livre étaient défendables à la lumière des travaux des spécialistes. Et naturellement, je n'ai pu réussir. Il est certainement plusieurs questions sur lesquelles je ne fais qu'étaler mon ignorance en même temps que j'expose des opinions contestables.

Ce livre repose donc sur des fondements étrangement inégaux. Outre mes lectures amples et variées durant de longues années, complétées par celles nécessaires pour enseigner l'histoire du XXe siècle aux étudiants de la New School for Social Research, j'ai puisé dans le savoir accumulé, les souvenirs et les opinions de quelqu'un qui a traversé le Court Vingtième Siècle, en qualité de ce que les anthropologues appellent un « spectateur engagé » *(participant observer)*, ou simplement en voyageur attentif dans bon nombre de pays – ce que mes ancêtres eussent appelé un *kibbitzer*. La valeur historique de telles expériences ne tient pas à ce qu'on a été témoin de grands événements, que l'on a connu ou rencontré d'éminents hommes d'État ou encore des hommes qui font l'histoire. En fait, mon expérience épisodique de journaliste enquêtant sur tel ou tel pays, essentiellement en Amérique latine, m'aura appris que les interviews de présidents ou d'autres décideurs sont habituellement décevantes, pour la raison évidente que l'essentiel de leur propos est destiné au public. Les lumières viennent de ceux qui peuvent ou veulent bien parler librement, de préférence s'ils n'ont pas de responsabilité dans les affaires publiques. Néanmoins, si partielle et trompeuse que puisse être cette expérience, le fait d'avoir connu des hommes et des lieux divers m'a été d'une aide considérable. Il suffit parfois de voir la même ville à trente ans d'intervalle – Valence (Espagne) ou Palerme – pour se faire une idée du rythme et de l'ampleur de la transformation sociale dans le troisième quart de ce siècle. Ce peut être le simple souvenir d'un propos tenu lors d'une conversation et emmagasiné, parfois sans raison bien claire, pour un usage futur. Si l'historien est en mesure de dégager quelque sens de ce siècle, c'est en grande partie parce qu'il a su observer et écouter. J'espère avoir communiqué aux lecteurs une partie de ce que j'ai appris ainsi.

Le livre repose aussi, et nécessairement, sur les renseignements glanés auprès de collègues ou d'étudiants et de tous ceux que j'ai pu cueillir (les renseignements ou les collègues) au passage alors que j'y travaillais. Dans certains cas, la dette est totale. Le chapitre sur les sciences a été soumis à mes amis Alan Mackay (membre de la Royal Society), spécialiste de cristallographie doublé d'un encyclopédiste, et John Maddox, directeur de la revue *Nature*. Mon collègue de la New School, Lance Taylor, autrefois au MIT (Massachusetts Institute of Technology), a relu une partie de mes pages sur le développement économique. Le plus souvent, cependant, je me suis appuyé sur la lecture d'articles, les discussions et conférences portant sur divers problèmes macro-économiques qui furent organisées à l'Institut mondial de recherche sur le développement économique de l'Université des Nations unies, à Helsinki (UNU/WIDER), lorsque, sous l'égide du Dr Lal Jayawardena, celui-ci s'est transformé en grand centre de recherche et de débat. D'une manière générale, les étés que j'ai pu passer dans cette admirable institution en ma qualité de « McDonnell Douglass visiting scholar » m'ont été très précieux, notamment en raison de l'intérêt porté, dans ses dernières années, à l'URSS toute proche. Je n'ai pas toujours suivi le conseil de ceux que j'ai consultés et, même quand je l'ai fait, les erreurs demeurent de mon fait. J'ai tiré grand profit des conférences et colloques au cours desquels les universitaires consacrent une bonne partie de leur temps à rencontrer leurs collègues, essentiellement afin de solliciter leurs lumières. Je ne saurais saluer tous les collègues qui ont éclairé ma lanterne ou corrigé mes erreurs dans telle ou telle occasion formelle ou informelle, ni même signaler tous les renseignements que j'ai glanés au passage en ayant la chance de dispenser mon enseignement à la New School devant un public d'étudiants du monde entier. Toutefois, je crois devoir signaler précisément tout ce que j'ai appris des études trimestrielles de Ferdan Ergut et d'Alex Julca sur la révolution turque ainsi que sur la nature des migrations et de la mobilité sociale dans le tiers-monde. Je suis aussi redevable à la thèse de doctorat de mon élève Margarita Giesecke sur l'APRA (Alliance révolutionnaire populaire américaine) et le soulèvement de Trujillo en 1932.

À mesure que l'historien du XXe siècle se rapproche du présent, il devient de plus en plus tributaire de deux types de sources : la presse quotidienne ou périodique et les rapports périodiques, les enquêtes économiques et autres, les compilations statistiques et les publications des administrations nationales et des institutions internationales. Ma dette envers le *Guardian* de Londres, le *Financial Times* et le *New York Times* devrait être assez claire. Celle envers les précieuses publications des Nations unies et de ses diverses agences ou de la Banque mondiale est signalée en bibliographie. Il ne faut pas non plus oublier l'institution qui les a précédées : la Société des Nations. Bien qu'en pratique son échec ait été presque total, ses admirables enquêtes et analyses, dont le rapport pionnier de 1945, *Industrialisation and World Trade*, méritent notre gratitude. Aucune histoire des changements économiques, sociaux et culturels de ce siècle ne saurait être écrite sans ces sources.

Les lecteurs devront accepter de confiance l'essentiel de ce que j'ai écrit dans ce livre, hormis les évidents jugements personnels de l'auteur. Il ne rime à rien de surcharger un livre de ce genre d'un immense appareil critique et autres signes d'érudition. J'ai essayé de limiter mes références aux sources des citations, aux statistiques et autres données quantitatives – les chiffres variant parfois selon les documents – et, à l'occasion, à la confirmation de certains points de vue controversés de l'auteur ou de propos que le lecteur pourrait trouver surprenants, inhabituels ou inattendus. Ces références sont indiquées entre parenthèses dans le corps du texte. Le titre complet des sources figure en fin de volume. Cette bibliographie n'est rien de plus qu'une liste complète des sources réellement citées ou évoquées dans le texte. Ce n'est pas un guide de lecture systématique. L'appareil de références, en l'état, est donc tout à fait dissocié des notes en bas de page, qui se contentent d'apporter des précisions ou des nuances.

Néanmoins, il n'est que justice de signaler certains ouvrages sur lesquels je me suis beaucoup appuyé ou auxquels je suis particulièrement redevable. Je m'en voudrais que leurs auteurs passent inaperçus. D'une manière générale, je dois beaucoup au travail de deux amis : Paul Bairoch, historien de l'économie et infatigable compilateur de données quantitatives, et Ivan Berend, ancien président de l'Académie hongroise des Sciences, à qui je dois l'idée de Court Vingtième Siècle. Pour l'histoire politique générale du monde depuis la Seconde Guerre mondiale, P. Calvocoressi *(World Politics Since 1945)* a été un guide solide et parfois, on le comprend, caustique. Pour la Seconde Guerre mondiale, je dois beaucoup au superbe livre d'Alan Milward, *War, Economy and Society 1939-1945* ; et sur l'économie après 1945, les ouvrages qui m'ont été les plus utiles sont ceux de Hermann van der Wee, *Prosperity and Upheaval : The World Economy 1945-1980*, et de Philip Armstrong, Andrew Glyn et John Harrison, *Capitalism Since 1945*. Le livre de Martin Walker, *The*

Cold War, mérite bien mieux que les tièdes recensions dont il a fait l'objet. Pour l'histoire de la gauche depuis la Seconde Guerre mondiale, je suis largement redevable au Dr Donald Sassoon du Queen Mary and Westfield College, University of London, qui a eu la gentillesse de me donner à lire, avant sa publication, son immense et pénétrante étude du sujet, *One Hundred Years of Socialism : The West European Left in the Twentieth Century*. Pour l'histoire de l'URSS, je dois beaucoup aux études de Moshe Lewin, d'Alec Nove, de R. W. Davies et de Sheila Fitzpatrick ; pour la Chine, à celles de Benjamin Schwartz et de Stuart Schram ; pour le monde islamique, à Ira Lapidus et Nikki Keddie. Mes vues sur les arts doivent beaucoup aux travaux de John Willett (et aux discussions que j'ai eues avec lui) sur la culture de Weimar ainsi qu'à Francis Haskell. Dans le chapitre 6, ma dette envers le *Diaghilev* de Lynn Garafola devrait être évidente.

J'adresse des remerciements particuliers à tous ceux qui m'ont aidé à préparer ce livre, à commencer par mes assistantes de recherche, Joanna Bedford, à Londres, et Lise Grande, à New York. Je tiens particulièrement à dire ma dette envers l'exceptionnelle Mme Grande, sans qui je n'aurais pu combler les immenses lacunes de mon savoir, et qui a vérifié des faits et des références dont je n'avais qu'un souvenir parcellaire. Je sais aussi gré à Ruth Sayers, qui a dactylographié mes diverses versions, et à Marlene Hobsbawm, pour avoir lu les chapitres du point de vue du non-spécialiste qui s'intéresse au monde moderne et à qui ce livre s'adresse.

J'ai déjà mentionné ma dette envers les étudiants de la New School qui ont suivi mes cours, quand je tentais de formuler mes idées et mes interprétations. Ce livre leur est dédié.

Eric Hobsbawm
Londres-New York, 1993-1994

Le siècle à vol d'oiseau

Douze regards sur le XXᵉ siècle

« J'ai traversé le plus clair du XXᵉ siècle sans, je dois le préciser, souffrir d'épreuves personnelles. Je m'en souviens seulement comme du siècle le plus terrible de l'histoire occidentale. »

Isaiah Berlin (philosophe, Grande-Bretagne)

« Il est une contradiction flagrante entre l'expérience qu'on a de la vie – enfance, jeunesse et vieillesse, écoulées paisiblement et sans grandes péripéties – et les réalités du XXᵉ siècle [...], les événements terribles que l'humanité a traversés. »

Julio Caro Baroja (anthropologue, Espagne)

« Nous qui avons survécu aux camps ne sommes pas de vrais témoins. C'est une idée embarrassante à laquelle je me suis peu à peu rallié en lisant ce que d'autres survivants ont écrit, moi compris, quand j'ai relu mes écrits après quelques années. Nous, les survivants, ne sommes qu'une minorité infime mais aussi exceptionnelle. Nous sommes ceux qui, la prévarication, l'habileté ou la chance aidant, n'ont jamais touché le fond. Ceux qui l'ont touché, et qui ont vu le visage de la Gorgone, n'en sont pas revenus, ou sont revenus sans paroles. »

Primo Levi (écrivain, Italie)

« Je n'y vois qu'un siècle de massacres et de guerres. »

René Dumont (agronome, France)

« Il y a eu malgré tout des révolutions pour le mieux au cours de ce siècle [...] : l'essor du quatrième état, et l'émergence des femmes après des siècles de répression. »

Rita Levi Montalcini (prix Nobel de Sciences, Italie)

« *Je ne puis m'empêcher de penser que ce siècle a été le plus violent de toute l'histoire humaine.* »

William GOLDING (prix Nobel de littérature, Grande-Bretagne)

« *La principale caractéristique du XXe siècle est la terrible multiplication de la population mondiale. C'est une catastrophe, un désastre. Nous ne savons que faire à ce propos.* »

Ernst GOMBRICH (historien d'art, Grande-Bretagne)

« *Si je devais résumer le XXe siècle, je dirais qu'il a suscité les plus grandes espérances qu'ait jamais conçues l'humanité et détruit toutes les illusions et tous les idéaux.* »

Yehudi MENUHIN (musicien, Grande-Bretagne)

« *L'aspect le plus fondamental est le progrès de la science, qui a été véritablement extraordinaire. [...] Voici ce qui caractérise notre siècle.* »

Severo OCHOA (prix Nobel, homme de science, Espagne)

« *D'un point de vue technique, l'essor de l'électronique m'apparaît comme l'une des évolutions les plus significatives du XXe siècle ; en termes d'idées, le passage d'une vision des choses relativement rationnelle et scientifique à une vision non rationnelle et moins scientifique.* »

Raymond FIRTH (anthropologue, Grande-Bretagne)

« *Notre siècle démontre que la victoire des idéaux de justice et d'égalité est toujours éphémère, mais aussi que, si nous parvenons à préserver la liberté, nous pouvons toujours repartir à zéro. [...] Nul n'est besoin de désespérer, jusque dans les situations les plus désespérées.* »

Leo VALIANI (historien, Italie)

« *Les historiens ne sauraient répondre à cette question. Pour moi, le XXe siècle n'est que l'effort sans cesse renouvelé pour le comprendre.* »

Franco VENTURI (historien, Italie)[1]

I

Le 28 juin 1992, le président François Mitterrand effectua une visite surprise, aussi soudaine qu'inattendue, à Sarajevo, déjà au centre d'une guerre des Balkans qui allait coûter plusieurs milliers de vies humaines dans le restant de l'année. Son objectif était de rappeler à l'opinion mondiale la gravité de la crise bosniaque. La présence d'un éminent homme d'État, âgé et visiblement fragile, sous les tirs d'armes de petit calibre et de l'artillerie fut largement remarquée et admirée. Il est cependant un aspect de la visite de M. Mitterrand qui passa pratiquement inaperçu, alors même qu'il était essentiel : la date. Pourquoi le président français avait-il choisi ce jour-là pour se rendre à Sarajevo ? Parce que le 28 juin était l'anniversaire de l'assassinat en 1914, à Sarajevo, de l'archiduc François-Ferdinand d'Autriche-Hongrie qui, en l'espace de quelques semaines, déboucha sur la Première Guerre mondiale. Pour tout Européen cultivé de l'âge de Mitterrand, le lien entre la date, le lieu et le rappel d'une catastrophe historique précipitée par des erreurs de calcul politiques sautait aux yeux. Comment mieux souligner les conséquences possibles de la crise bosniaque qu'en choisissant une date aussi symbolique ? Hormis une poignée d'historiens et de personnes très âgées, rares sont ceux qui perçurent l'allusion. La mémoire historique n'était plus vivante.

La destruction du passé, ou plutôt des mécanismes sociaux qui rattachent les contemporains aux générations antérieures, est l'un des phénomènes les plus caractéristiques et mystérieux de la fin du XXe siècle. De nos jours, la plupart des jeunes grandissent dans une sorte de présent permanent, sans aucun lien organique avec le passé public des temps dans lesquels ils vivent. Les historiens, dont le métier est de rappeler ce que les autres oublient, en deviennent plus essentiels que jamais en cette fin du deuxième millénaire. Mais, pour cette raison, ils doivent être plus que de simples chroniqueurs, compilateurs ou hommes de la mémoire, bien que ce soit aussi une de leurs fonctions nécessaires. En 1989, tous les gouvernements, et surtout tous les ministères des Affaires étrangères du monde eussent tiré profit d'un séminaire sur les règlements de paix conclus à l'issue des deux guerres mondiales, que la plupart d'entre eux avaient visiblement oubliés.

L'objectif de ce livre n'est pas de raconter l'histoire de la période qui en est le sujet, à savoir le Court Vingtième Siècle de 1914 à 1991, même si toute personne à qui un étudiant américain a fait remarquer que si on parlait de « Seconde Guerre mondiale », c'est donc qu'il y en avait eu une Première, ne peut tenir pour acquise la connaissance des événements historiques les plus élémentaires du siècle. Mon but est de comprendre et d'expliquer *pourquoi* les choses ont suivi ce cours et comment elles s'agencent. Pour un homme de ma génération, qui a vécu la totalité ou la majeure partie de ce Court Vingtième Siècle, c'est inévitablement, aussi, une démarche autobiographique. C'est de nos souvenirs que nous parlons, pour les amplifier et les corriger. Et nous nous exprimons en hommes ou en femmes d'un temps et d'un pays particuliers, engagés, de diverses manières, dans son histoire : en tant qu'acteurs de ses drames – si insignifiants que soient nos rôles –, en tant qu'observateurs de notre époque et, ce qui n'est pas le moins important, en tant qu'individus dont les vues sur le siècle se sont formées au gré des événements qui nous paraissaient décisifs. Nous faisons partie de ce siècle. Il fait partie de nous. Les lecteurs d'une autre époque, par exemple l'étudiant qui entre à l'université alors que j'écris ces pages, pour qui même la guerre du Viêt-nam appartient à la préhistoire, ne doit pas le perdre de vue.

Pour les historiens de ma génération et de mes origines, le passé est indestructible, non seulement parce que nous appartenons à une génération où l'on donnait encore aux rues et aux lieux publics le nom d'hommes et d'événements notoires (la gare Wilson, à Prague, avant la guerre, la station de métro Stalingrad, à Paris), où l'on signait encore des traités de paix, auxquels il fallait bien donner un nom (le traité de Versailles), et où les monuments aux morts rappelaient le passé, mais aussi parce que les événements publics ont tissé notre existence. Loin d'être de simples repères, ils sont également ce qui a formé notre vie, publique comme privée. Pour l'auteur de ces pages, le 30 janvier 1933 n'est pas simplement le jour où Hitler est devenu Chancelier mais cet après-midi d'hiver à Berlin où un jeune garçon de quinze ans et sa petite sœur tombèrent sur la une des journaux en sortant de leurs écoles voisines de Wilmersdorf pour regagner leur maison à Halensee. Cette une, je la vois encore, comme en songe.

Mais le passé ne fait pas partie du présent permanent des seuls historiens âgés. Sur d'immenses étendues de la planète, chacun, passé un certain âge et indépendamment de ses origines et de son itinéraire, a traversé les mêmes expériences décisives. Celles-ci nous ont tous marqués, jusqu'à un certain point de la même façon. Le monde qui s'est morcelé à la fin des années 1980 était le monde façonné par l'impact de la Révolution russe de 1917. Nous en avons tous été marqués, par exemple, pour autant que nous ayons pris l'habitude de penser l'économie industrielle moderne en termes de pôles opposés, le « capitalisme » et le « socialisme », comme des systèmes inconciliables, l'un étant identifié aux économies organisées sur le modèle de l'URSS, l'autre au reste du monde. Il devrait être clair aujourd'hui que c'était une construction arbitraire et, jusqu'à un certain point, artificielle, qui ne saurait se comprendre que dans le cadre d'un contexte historique particulier. Et pourtant, à l'heure où j'écris, il n'est pas facile, même avec le recul, de concevoir des critères de classification plus réalistes que ceux qui plaçaient les États-Unis, le Japon, la Suède, le Brésil, la République fédérale d'Allemagne et la Corée du Sud sous une même catégorie ; et les économies étatiques ou les systèmes en vigueur dans la zone d'influence soviétique – qui se sont effondrés à la fin des années 1980 – dans le même ensemble que les économies asiatiques de l'Est et du Sud-Est qui, elles, ne se sont pas écroulées.

Encore une fois, même le monde qui a survécu à la fin de la révolution d'Octobre est un monde dont les institutions et les principes ont été façonnés par ceux qui se sont retrouvés dans le camp des vainqueurs de la Seconde Guerre mondiale. Ceux qui étaient dans le camp des perdants, ou leur étaient associés, n'ont pas été seulement silencieux ou réduits au silence : ils ont été pratiquement rayés de l'histoire et de la vie intellectuelle, si ce n'est en tant qu'« ennemi » dans le drame moral universel du Bien contre le Mal. Sans doute est-ce ce qui arrive aussi aux perdants de la guerre froide de la seconde moitié du siècle, bien que probablement pas avec la même ampleur ni pour aussi longtemps. Telle est la rançon de la vie dans un siècle de guerres de religion. L'intolérance en est le trait saillant. Même ceux qui vantaient le pluralisme de leurs non-idéologies ne croyaient pas que le monde fût assez grand pour une coexistence permanente avec des religions séculières rivales. Les affrontements religieux et idéologiques, comme ceux dont ce siècle est rempli, dressent des barricades sur le chemin de l'historien, dont la tâche essentielle est non pas de juger mais de comprendre, y compris ce qui résiste le plus à notre entendement. Notre compréhension se heurte à nos convictions passionnées, mais aussi à l'expérience historique qui les a forgées. Les premières sont les plus faciles à surmonter, car il n'est pas vrai, comme on dit en français, que « tout comprendre, c'est tout pardonner ». Comprendre la période nazie de l'histoire allemande et la replacer dans son contexte historique, ce n'est pas pardonner le génocide. Quoi qu'il en soit, qui a vécu ce siècle extraordinaire ne saurait s'abstenir de juger. C'est comprendre qui devient difficile.

II

Comment dégager le sens du Court Vingtième Siècle – du début de la Première Guerre mondiale à l'effondrement de l'URSS –, de ces années qui, comme nous le voyons avec le recul, forment une période historique cohérente désormais terminée ? Nous ignorons ce que la suite nous réserve, à quoi ressemblera le troisième millénaire, mais nous pouvons être certains que le Court Vingtième Siècle l'aura façonné. On ne saurait cependant sérieusement douter qu'une ère de l'histoire mondiale s'est achevée à la fin des années 1980 et au début des années 1990, et qu'une ère nouvelle a commencé. Tel est l'essentiel pour les historiens du siècle : car, bien qu'ils puissent spéculer sur l'avenir à la lumière de leur compréhension du passé, leur métier n'est pas celui d'un turfiste. Les seules courses de chevaux qu'ils puissent prétendre relater et analyser, sont celles déjà gagnées ou perdues. Quoi qu'il en soit et indépendamment des qualités professionnelles des experts, le bilan des prévisions annoncées au cours des trente ou quarante dernières années est à ce point mauvais que seuls quelques gouvernements et instituts de recherche économique leur font ou prétendent leur faire encore un tant soit peu confiance. Il est même possible que les choses se soient dégradées depuis la Seconde Guerre mondiale.

Dans ce livre, la structure du Court Vingtième Siècle apparaît comme une sorte de triptyque ou de sandwich historique. À une Ère de catastrophes, de 1914 aux suites de la Seconde Guerre mondiale, succédèrent quelque vingt-cinq ou trente années de croissance économique et de transformation sociale extraordinaires, qui ont probablement changé la société humaine plus profondément qu'aucune autre période d'une brièveté comparable. Avec le recul, on peut y déceler une sorte d'Âge d'or, et c'est bien ainsi qu'on l'a perçu presque au moment où il touchait à sa fin, au début des années 1970. La dernière partie du siècle a été une nouvelle ère de décomposition, d'incertitude et de crise – et, pour une bonne partie du monde, telle que l'Afrique, l'ex-URSS et l'ancienne Europe socialiste, de catastrophe. Les années 1980 s'effaçant devant les années 1990, ceux qui réfléchissent sur le passé et le futur du siècle cédèrent à une humeur morose de plus en plus fin-de-siècle. Au cours des années 1990, le Court Vingtième Siècle aura connu un bref Âge d'or, sur la route d'une ère de crise à une autre, pour entrer dans un futur inconnu et problématique, mais pas nécessairement apocalyptique. Cependant, comme les historiens sont tentés de le rappeler aux auteurs de spéculations métaphysiques sur « la Fin de l'Histoire », il y aura un futur. La seule certitude générale en matière d'histoire, c'est qu'elle continuera aussi longtemps qu'il y aura une espèce humaine.

Le propos de ce livre est organisé en conséquence. Il part de la Première Guerre mondiale, qui marqua l'effondrement de la civilisation (occidentale) du XIXe siècle. Cette civilisation était capitaliste dans son économie ; libérale dans son appareil légal et constitutionnel ; bourgeoise dans l'image de sa classe hégémonique ; fière des avancées de la science, du savoir et de l'éducation, mais aussi du progrès matériel et moral ; et profondément convaincue de la place centrale de l'Europe, mère des révolutions des sciences, des arts, de la politique et de l'industrie, dont l'économie avait pénétré la majeure partie du monde que les soldats avaient conquise et soumise ; dont les populations (avec le flux immense et croissant des immigrants européens et de leurs descendants) avaient augmenté jusqu'à former un tiers de l'espèce humaine ; et dont les principaux États définissaient le système politique mondial[2].

Les décennies qui mènent du début de la Première Guerre mondiale au lendemain de la Seconde furent pour cette société une Ère de catastrophes. Une trentaine d'années durant, elle trébucha d'une calamité à l'autre. Il fut des moments où même des conservateurs intelligents ne pariaient pas sur sa survie. Elle fut secouée par deux guerres, suivies de deux vagues de rébellion et de révolution mondiales, qui portèrent au pouvoir un système qui se prétendait prédestiné par l'Histoire à remplacer la société bourgeoise et capitaliste, d'abord sur un sixième de la surface émergée du monde, et après la Seconde Guerre mondiale sur un tiers de la population de la planète. Les immenses empires coloniaux, édifiés avant et durant l'Ère des empires, se trouvèrent ébranlés et retombèrent en poussière. Toute l'histoire de l'impérialisme moderne, si ferme et si dominateur à la mort de la reine Victoria, n'avait guère duré plus que le temps d'une vie : celle de Winston Churchill (1874-1965), par exemple.

Mais il y a plus : une crise économique mondiale d'une profondeur sans précédent mit à genoux même les économies capitalistes les plus fortes et sembla renverser la création d'une économie mondiale unifiée, l'une des réalisations remarquables du capitalisme libéral du XIXᵉ siècle. Les États-Unis eux-mêmes, à l'abri de la guerre et de la révolution, semblèrent être sur le point de s'effondrer. Tandis que l'économie vacillait, les institutions de la démocratie libérale disparurent pratiquement entre 1917 et 1942, hormis dans une frange de l'Europe et certaines parties de l'Amérique du Nord et de l'Australasie, tandis que le fascisme et ses mouvements autoritaires satellites progressaient.

Seule l'alliance temporaire et bizarre du capitalisme libéral et du communisme, dans une réaction d'autodéfense contre ce *challenger*, put sauver la démocratie, car la victoire sur l'Allemagne hitlérienne fut essentiellement remportée par l'Armée rouge, et ne pouvait l'être que par elle. À bien des égards, cette période d'alliance entre capitalisme et communisme contre le fascisme – en gros les années 1930 et 1940 – forme la charnière de l'histoire du XXᵉ siècle et son moment décisif. C'est un moment de paradoxe historique dans les relations du capitalisme et du communisme, dont l'antagonisme demeura irréductible pendant le plus clair du siècle – sauf dans le bref intermède de l'antifascisme. La victoire de l'Union soviétique sur Hitler a été l'œuvre du régime instauré par la révolution d'Octobre : une comparaison entre les performances de l'économie tsariste russe dans la Première Guerre mondiale et celles de l'économie soviétique dans la

Seconde (Gatrell/Harrison, 1993) suffit à le démontrer. Sans l'URSS, le monde occidental consisterait probablement aujourd'hui (les États-Unis mis à part) en une série de variations sur des thèmes autoritaires et fascistes, plutôt que sur des thèmes libéraux et parlementaires. C'est l'un des paradoxes de cet étrange siècle : le résultat le plus durable de la révolution d'Octobre, dont l'objet était le renversement mondial du capitalisme, fut de sauver son adversaire, dans la guerre comme dans la paix, en l'incitant, par peur, après la Seconde Guerre mondiale, à se réformer. Le communisme rendit en effet la planification économique populaire dans le monde capitaliste, en même temps qu'elle lui donna quelques procédures pour se réformer.

Mais, alors même que le capitalisme libéral avait survécu – et encore de justesse – au triple défi du marasme, du fascisme et de la guerre, il semblait encore confronté à la progression mondiale de la révolution, qui pouvait maintenant se rassembler autour de l'URSS, sortie de la Seconde Guerre mondiale avec le rang de superpuissance.

Et pourtant, on le voit bien aujourd'hui, la force du défi socialiste mondial au capitalisme était la faiblesse de son adversaire. Sans l'effondrement de la société bourgeoise du XIXe siècle dans l'Ère des catastrophes, il n'y aurait eu ni révolution d'Octobre ni URSS. Le système économique improvisé sous le nom de socialisme sur les décombres de l'ancien Empire tsariste, dans les campagnes de la plaine eurasienne, ne se serait pas considéré (ni ne l'aurait été d'ailleurs) comme une solution de rechange globale et réaliste à l'économie capitaliste. C'est la Crise des années 1930 qui lui a donné cette image, de même que c'est le défi fasciste qui a fait de l'URSS l'indispensable instrument de la défaite de Hitler, et donc l'une des deux superpuissances dont les affrontements ont dominé et terrifié la seconde moitié du Court Vingtième Siècle tout en stabilisant à bien des égards sa structure politique. L'URSS ne se serait pas trouvée, l'espace d'une quinzaine d'années au milieu du siècle, à la tête d'un « camp socialiste » comprenant un tiers de l'espèce humaine, et avec une économie qui parut brièvement sur le point de dépasser la croissance économique capitaliste.

Comment et pourquoi le capitalisme, au lendemain de la Seconde Guerre mondiale, s'est-il trouvé propulsé, à la surprise générale, à commencer par la sienne, dans l'Âge d'or sans précédent et peut-être

anormal des années 1947 à 1973 ? C'est probablement la question
majeure qui se pose aux historiens du XXe siècle. Il n'est pas encore de
réponse qui fasse l'unanimité, et je ne prétends pas en apporter une
qui soit convaincante. Sans doute faudra-t-il attendre que l'on puisse
voir en perspective toute la « longue vague » de la seconde moitié du
XXe siècle, parce que si nous pouvons aujourd'hui appréhender l'Âge
d'or comme un tout, les années de crise qui l'ont suivi ne sont pas
encore achevées au moment où s'écrit ce livre. Il est cependant d'ores
et déjà une chose que l'on peut évaluer avec une grande assurance,
c'est l'ampleur et l'impact extraordinaires des transformations économiques, sociales et culturelles qui s'en sont suivies, les plus grandes,
les plus rapides et les plus fondamentales de toute l'histoire. Divers
aspects en sont évoqués dans la deuxième partie de ce livre. Au troisième millénaire, les historiens du XXe siècle situeront probablement
dans cette période étonnante le principal impact de ce siècle sur l'histoire. Car les changements qu'il apporta dans la vie de l'homme à travers la planète ont été aussi profonds qu'irréversibles. Qui plus est, ils
sont toujours à l'œuvre. Les journalistes et les auteurs d'essais philosophiques qui ont cru lire la « fin de l'Histoire » dans la chute de
l'empire soviétique se sont trompés. On pourrait dire, sur des bases
plus solides, que le troisième quart du siècle a marqué la fin des sept
ou huit millénaires d'histoire humaine qui avaient commencé à l'Âge
de pierre avec l'invention de l'agriculture, ne serait-ce qu'en mettant
fin à la longue période où l'écrasante majorité de l'espèce humaine
vivait du travail de la terre et de l'élevage.

En comparaison, l'histoire de la confrontation entre le « capitalisme » et le « socialisme », avec ou sans l'intervention d'États et de
gouvernements comme les États-Unis et l'URSS prétendant représenter l'un ou l'autre, semblera probablement d'un intérêt historique
limité – comparable, sur le long terme, aux guerres de religion des
XVIe et XVIIe siècles, voire aux Croisades. Pour ceux qui ont vécu une
partie, quelle qu'elle soit, du Court Vingtième Siècle, cet affrontement a naturellement occupé une place essentielle : d'où l'importance qui lui est donnée dans ces pages, écrites par un auteur du XXe
siècle pour des lecteurs de la fin du XXe siècle. Les révolutions
sociales, la guerre froide, la nature, les limites et les flétrissures
fatales du « socialisme réellement existant », puis son effondrement
sont longuement évoqués. Il n'importe pas moins de se rappeler que

l'impact majeur et durable des régimes inspirés par la révolution d'Octobre fut un puissant accélérateur de la modernisation de pays agraires et arriérés. Ses principales réalisations, à cet égard, coïncident avec l'Âge d'or du capitalisme. Il ne nous appartient pas de dire ici dans quelle mesure ces stratégies rivales pour enterrer le monde de nos aïeux ont été efficaces, voire ont été épousées en connaissance de cause. Jusqu'au début des années 1960, on le verra, elles semblaient au moins de force égale – ce qui paraît risible à la lumière de l'effondrement du socialisme soviétique, même si, s'entretenant avec le président des États-Unis, un Premier ministre britannique pouvait encore voir en l'URSS un État dont l'« économie dynamique [...] dépassera bientôt la société capitaliste dans la course à la richesse matérielle » (Horne, 1989, p. 303). Observons cependant que, dans les années 1980, la Bulgarie socialiste et l'Équateur non socialiste avaient plus de points communs que n'en avaient jamais eus la Bulgarie ou l'Équateur de 1939.

Si l'effondrement du socialisme soviétique et ses formidables conséquences, encore en partie incalculables mais essentiellement négatives, ont été l'épisode le plus dramatique des Décennies de crise, la crise en question est *universelle* ou mondiale. Elle a affecté les diverses parties du monde de manières différentes et à des degrés divers, mais elle les a toutes touchées, indépendamment de leurs configurations politiques, sociales et économiques, parce que, pour la première fois dans l'histoire, l'Âge d'or avait créé une seule économie mondiale, toujours plus intégrée et universelle, opérant largement par-delà les frontières des États (« de manière transnationale »), et donc de plus en plus par-delà les frontières des idéologies officielles. Ainsi furent minées les idées reçues des institutions de tous les régimes et systèmes. Dans un premier temps, on ne voulut voir dans les ennuis des années 1970 qu'une pause encourageante et momentanée dans le Grand Bond en Avant de l'économie mondiale, tandis que les pays de tous types et de tous modèles économiques et politiques se mirent en quête de solutions temporaires. Il devint clair par la suite que c'était une ère de difficultés à long terme, auxquelles les pays capitalistes cherchaient des solutions radicales, souvent inspirées par les théologiens séculiers d'une liberté effrénée du marché pour rejeter les politiques qui avaient si bien servi l'économie mondiale à l'Âge d'or, mais qui semblaient maintenant défaillantes. Les ultras du laisser-faire n'eurent pas plus de réussite que quiconque. Dans les années 1980 et au début des années 1990, le monde capitaliste vacilla une fois de plus sous des fardeaux semblables à ceux de l'entre-deux-guerres, que l'Âge d'or paraissait avoir écartés : chômage massif, graves récessions cycliques, opposition toujours plus spectaculaire entre les exclus sans domicile fixe et les nantis ; entre les recettes limitées de l'État et les dépenses publiques sans limite. Avec leurs économies languissantes et vulnérables, les pays socialistes se trouvèrent acculés à des ruptures parfois plus radicales encore avec leur passé et ce, nous le savons, jusqu'à l'effondrement. Celui-ci signe la fin du Court Vingtième Siècle, comme la Première Guerre mondiale en a marqué le commencement. C'est à ce point que mon récit s'achève.

Comme il se doit de tout livre terminé au début des années 1990, il se conclut par un coup d'œil dans l'obscurité. L'effondrement d'une partie du monde a révélé le malaise du reste. Les années 1980 s'effaçant, il est devenu clair que la crise mondiale n'était pas uniquement générale au sens économique : elle ne l'était pas moins sur le plan politique. La chute des régimes communistes, entre l'Istrie et Vladivostok, n'a pas seulement produit une immense zone d'incertitude politique, d'instabilité, de chaos et de guerre civile : elle a aussi détruit le système international qui stabilisait les relations internationales depuis une quarantaine d'années. Elle a également révélé la précarité des systèmes politiques intérieurs qui reposaient, au fond, sur cette stabilité. Les tensions travaillant les économies en difficulté ont sapé les systèmes politiques de la démocratie libérale, parlementaire ou présidentielle, qui avaient si bien fonctionné dans les pays capitalistes développés depuis la Seconde Guerre mondiale. Elles ont aussi miné tous les systèmes politiques du tiers-monde. Il n'est pas jusqu'aux unités de base de la vie politique elles-mêmes – les « États-nations » territoriaux, souverains et indépendants, y compris les plus anciens et les plus stables – qui ne se soient trouvés déchirés par les forces d'une économie supranationale ou transnationale, ainsi que par les forces infranationales des régions sécessionnistes et des minorités ethniques. Certaines d'entre elles – telle est l'ironie de l'histoire – ont revendiqué le statut périmé et irréel d'« États-nations » souverains miniatures. L'avenir politique était obscur, mais sa crise à la fin du Court Vingtième Siècle était flagrante.

Plus évidente encore que les incertitudes de l'économie et de la politique mondiales, la crise sociale et morale, reflet des bouleversements qui ont affecté la vie de l'homme depuis 1950, se généralisa, quoique de manière confuse, au cours des Décennies de crise. Ce qui est en crise, ce sont les croyances et les principes sur lesquels se fondait la société moderne depuis que les Modernes avaient gagné leur fameuse bataille contre les Anciens à l'aube du XVIIIᵉ siècle : ces postulats rationalistes et humanistes, communs au capitalisme libéral et au communisme, qui ont rendu possible leur brève mais décisive alliance contre le fascisme, qui les rejetait. En 1993, un observateur allemand conservateur, Michael Stürmer, notait à juste raison que les croyances de l'Est comme de l'Ouest étaient en cause :

> « *Il est un étrange parallélisme entre l'Est et l'Ouest. À l'Est, la doctrine officielle affirmait que l'humanité était maîtresse de sa destinée. Mais nous-mêmes croyions à une version moins officielle et moins extrême du même slogan : l'humanité était en passe de devenir maîtresse de ses destinées. La prétention à l'omnipotence a totalement disparu à l'Est, et relativement chez nous, mais les deux camps ont fait naufrage.* »

Bergedorf, 98, p. 95

Paradoxalement, une ère, dont la seule prétention à avoir comblé l'humanité de ses bienfaits reposait sur les triomphes écrasants d'un progrès matériel fondé sur la science et la technique, s'est achevée sur leur rejet par de larges secteurs de l'opinion publique et des gens se donnant pour des penseurs en Occident.

Cependant, cette crise morale n'est pas seulement une crise des postulats de la civilisation moderne : elle est aussi une crise des structures historiques des relations humaines que la société moderne avait héritées d'un passé pré-industriel et précapitaliste et qui lui avaient permis de fonctionner. Ce n'est pas la crise d'une seule forme d'organisation des sociétés, mais de toutes les formes. Les étranges appels à une « société civile » non autrement identifiée, à la « communauté », émanent de générations perdues et à la dérive. On les a entendus en des temps où, après avoir perdu leurs significations traditionnelles, ces mots sont devenus des formules creuses. Il n'y a plus d'autre moyen de définir une identité de groupe qu'en identifiant les étrangers qui n'y appartiennent pas.

Pour le poète T. S. Eliot, « c'est ainsi que finit le monde – non pas avec un bang, mais avec un geignement ». Le Court Vingtième Siècle s'est terminé avec les deux.

III

Quel est le monde des années 1990 en comparaison de celui de 1914 ? Il compte six milliards d'êtres humains, peut-être trois fois plus qu'au début de la Première Guerre mondiale, et ce bien que dans le Court Vingtième Siècle on ait tué ou laissé mourir délibérément plus d'êtres humains que jamais auparavant dans l'histoire. Une estimation récente des « mégamorts » avance le chiffre de 187 millions (Brzezinski, 1993), soit plus d'un dixième de la population mondiale totale en 1900. Dans la décennie 1990, la plupart des gens sont plus grands et plus lourds que leurs parents, mieux nourris et promis à une existence bien plus longue, bien qu'on ait peine à le croire au vu des catastrophes survenues au cours des années 1980 et 1990 en Afrique, en Amérique latine et dans l'ex-URSS. Le monde est incomparablement plus riche qu'il ne l'a jamais été dans sa faculté de produire des biens et des services d'une infinie diversité. Il n'aurait pu réussir autrement à subvenir aux besoins d'une population mondiale beaucoup plus nombreuse que jamais. Jusque dans les années 1980, la plupart des gens vivaient mieux que leurs parents et, dans les économies avancées, mieux qu'ils ne l'ont jamais espéré ou cru possible. L'espace de quelques décennies, au milieu du siècle, il sembla même que l'on eût découvert le moyen de distribuer, avec un certain degré d'équité, une partie au moins de cette immense richesse aux travailleurs des pays les plus riches, mais à la fin du siècle l'inégalité devait une fois de plus reprendre le dessus. Elle a également fait irruption dans les anciens pays « socialistes », où avait précédemment régné une certaine égalité de pauvreté. L'humanité était bien mieux éduquée qu'en 1914. Pour la première fois dans l'histoire, la plupart des êtres humains peuvent être qualifiés d'alphabétisés, tout au moins selon les statistiques officielles, bien que la signification de ce fait soit beaucoup moins claire à la fin du siècle qu'en 1914, compte tenu de l'écart immense et probablement croissant entre le minimum de compétence officiellement accepté sous cette appellation, et confinant souvent à « l'analphabétisme fonctionnel », et la maîtrise de la lecture et de l'écriture encore attendue des élites.

Le monde est envahi par une technique révolutionnaire et en constante progression, fondée sur des triomphes de la science naturelle qui étaient prévisibles en 1914, mais qui n'en étaient encore qu'à leurs débuts. Sur un plan pratique, la conséquence la plus spectaculaire de ces progrès est peut-être une révolution des transports et des communications qui a quasiment annulé le temps et la distance. C'est un monde qui peut fournir plus d'informations et de divertissements que n'en disposaient les empereurs en 1914 – quotidiennement, heure par heure, dans chaque foyer. Il permet aux gens de se parler par-delà les océans et les continents au contact de quelques touches de clavier en même temps qu'il abolit les avantages culturels de la ville sur la campagne.

Dans ces conditions, pourquoi le siècle ne s'est-il pas achevé sur une célébration de cet extraordinaire progrès sans précédent, plutôt que dans un climat de malaise ? Pourquoi, comme le montrent les épigraphes de ce chapitre, tant d'esprits pénétrants se sont-ils retournés sur lui sans satisfaction, et surtout sans confiance dans l'avenir ? Pas seulement parce qu'il fut sans doute le siècle le plus meurtrier dont nous ayons gardé la trace, tant par l'échelle, la fréquence et la longueur des guerres qui l'ont occupé (et qui ont à peine cessé un instant dans les années 1920) mais aussi par l'ampleur incomparable des catastrophes humaines qu'il a produites – des plus grandes famines de l'histoire aux génocides systématiques. À la différence du « long XIXe siècle », qui semblait et fut en effet une période de progrès matériel, intellectuel *et moral* presque ininterrompu, c'est-à-dire de progression des valeurs de la civilisation, on a assisté, depuis 1914, à une régression marquée de ces valeurs jusqu'alors considérés comme normales dans les pays développés et dans le milieu bourgeois, et dont on était convaincu qu'elles se propageraient aux régions plus retardataires et aux couches moins éclairées de la population.

Puisque ce siècle nous a enseigné, et continue à nous enseigner, que des êtres humains peuvent apprendre à vivre dans les conditions les plus abrutissantes et théoriquement insupportables, il n'est pas facile de saisir l'ampleur du retour, qui va malheureusement en s'accélérant, à ce que nos ancêtres du XIXe siècle eussent appelé les normes de la barbarie. Nous oublions que Friedrich Engels, le vieux révolutionnaire, fut horrifié par l'explosion de la bombe posée par les Républicains irlandais à Westminster Hall : en vieux soldat, il estimait que l'on faisait la guerre à des combattants, pas à des non-combattants. Nous oublions que les pogromes de la Russie tsariste, qui (à juste raison) révoltèrent l'opinion publique et poussèrent les Juifs russes à traverser l'Atlantique par millions entre 1881 et 1914, restèrent limités, presque négligeables, à l'aune des massacres modernes : les morts se comptaient par dizaines, non par centaines, encore moins par millions. Nous oublions qu'une Convention internationale stipulait jadis que, dans la guerre, les hostilités « ne doivent pas commencer sans avertissement préalable et explicite sous la forme d'une déclaration de guerre raisonnée ou d'un ultimatum assorti d'une déclaration de guerre sous conditions ». À quand remonte la dernière guerre qui ait commencé par une déclaration explicite ou implicite de ce genre ? Ou qui se soit achevée par un traité de paix formel négocié entre les États belligérants ? Au cours du XXe siècle, les guerres ont de plus en plus visé l'économie et l'infrastructure des États ainsi que leurs populations civiles. Depuis la Première Guerre mondiale, le nombre de victimes civiles de la guerre a été bien plus important que celui des victimes militaires dans tous les pays belligérants, sauf aux États-Unis. Combien d'entre nous se souviennent qu'en 1914 il était tenu pour acquis que :

> « *La guerre civilisée, comme nous l'enseignent les manuels, se limite, autant que possible, à mettre hors de combat les forces armées de l'ennemi ; sans quoi, les combats continueraient jusqu'à ce que l'une des parties fût exterminée. "Ce n'est pas sans bonne raison [...] que cette pratique est devenue une coutume parmi les nations d'Europe."* »
>
> *Encyclopedia Britannica*, XIe éd., 1911, art. « War »

Si nous voyons bien le regain de la torture, voire du meurtre, redevenus un aspect normal des opérations de sécurité publique dans les États modernes, probablement ne mesurons-nous pas à quel point cela constitue un dramatique retour en arrière par rapport à une longue période de progrès juridique – de la première abolition officielle de la torture dans un pays occidental au cours des années 1780 jusqu'à 1914.

Reste que l'on ne saurait comparer le monde à la fin du Court Vingtième Siècle à ce qu'il était à son commencement en termes de comptabilité historique du « plus » et du « moins ». C'est un monde qualitativement différent à au moins trois égards.

Pour commencer, il a cessé d'être eurocentrique, avec le déclin et la chute de l'Europe, encore à l'aube du siècle le centre incontesté du pouvoir, de la richesse, de l'intelligence et de la « civilisation occidentale ». Du tiers de l'humanité, les Européens et leurs descendants se trouvent aujourd'hui réduits à un sixième au plus : une minorité en voie de diminution vivant dans des pays qui, dans le meilleur des cas, reproduisent à peine leurs populations, cernées par – et le plus souvent (à quelques brillantes exceptions près comme les États-Unis jusqu'aux années 1990) se barricadant contre – la pression de l'immigration venant des régions déshéritées. Les industries dans lesquelles l'Europe avait fait œuvre de pionnier migrent ailleurs. Les pays qui, par-delà les océans, avaient autrefois un œil sur l'Europe, s'en détournent. L'Australie, la Nouvelle-Zélande et même les États-Unis, ouverts sur deux océans, voient l'avenir dans le Pacifique – peu importe le sens exact donné à ces mots.

Les « grandes puissances » de 1914, toutes européennes, ont disparu, comme l'URSS, héritière de la Russie tsariste, ou sont réduites à un statut régional ou provincial, à l'exception possible de l'Allemagne. L'effort même pour créer une seule « Communauté européenne » supranationale et inventer une identité européenne correspondante, qui se substituerait aux anciennes allégeances à l'égard des États et nations de l'histoire, a démontré la profondeur de ce déclin.

Ce changement est-il d'une portée majeure, hormis pour les historiens politiques ? Peut-être pas, puisqu'il ne reflète que des changements mineurs dans la configuration économique, intellectuelle et culturelle du monde. Dès 1914, les États-Unis étaient la principale économie industrielle, le grand pionnier, le modèle et la force de propulsion de la production et de la culture de masse qui ont conquis le monde durant le Court Vingtième Siècle. Et les États-Unis, en dépit de leurs nombreuses particularités, étaient l'extension outre-mer de l'Europe, s'accolant au Vieux Continent sous la bannière de la « civilisation occidentale ». Quelles que soient leurs perspectives d'avenir, les États-Unis se sont retournés depuis les années 1990 sur « le Siècle américain » : l'âge de leur essor et de leur triomphe. L'ensemble des pays industriels du XIXe siècle ont conservé, collectivement, de beaucoup la plus forte concentration de richesse, de puissance économique, scientifique et technique de la planète, et leurs populations jouissent de loin du plus haut niveau de vie. À la fin du siècle, cela compense encore plus que largement la désindustrialisation et le déplacement de la production vers d'autres continents. Dans cette mesure, l'impression d'un vieux monde « eurocentré » ou « occidental » en plein déclin est superficielle.

Le deuxième changement est plus significatif. Entre 1914 et le début des années 1990, le monde s'est largement modifié en une unité opérationnelle unique, ce qui n'était pas le cas et n'aurait pu l'être en 1914. En fait, dans le champ économique notamment, la planète est aujourd'hui la principale unité d'opérations, et des unités plus anciennes telles que les « économies nationales », définies par la politique des États territoriaux, ne font que compliquer les activités transnationales. L'étape atteinte dans les années 1990 dans la construction du « village planétaire » – l'expression a été forgée dans les années 1960 (McLuhan, 1962) – ne semblera pas très avancée aux observateurs du milieu du siècle prochain, mais elle a déjà transformé non seulement certaines activités économiques et techniques, et le fonctionnement des sciences, mais aussi d'importants aspects de la vie privée, essentiellement par l'accélération inimaginable de la communication et des transports. La caractéristique la plus frappante de la fin du XXe siècle est peut-être la tension entre cette accélération de la mondialisation et l'incapacité des institutions publiques comme des êtres humains, dans leur ensemble, à s'en accommoder. Assez curieusement, le comportement privé a eu moins de peine à s'adapter au monde de la télévision par satellite, de l'e-mail, des vacances aux Seychelles et de l'échange transocéanique.

La troisième transformation est à certains égards la plus troublante : c'est la désintégration des anciennes formes de rapports sociaux et, avec elle, la rupture des liens entre les générations, c'est-à-dire entre le passé et le présent. Ce phénomène a été particulièrement flagrant dans les pays les plus développés du capitalisme à l'occidentale, où ont prédominé les valeurs d'un individualisme asocial absolu. Ceci est visible dans les idéologies, officielles ou non, même si ceux qui les professent en déplorent souvent les conséquences sociales. On n'en devait pas moins retrouver ailleurs les mêmes tendances, renforcées par l'érosion des sociétés et des religions traditionnelles, aussi bien que par la destruction, ou l'autodestruction, des sociétés du « socialisme réel ».

Une telle société, constituée d'un assemblage d'individus par ailleurs déconnectés, égocentriques à la recherche de leur propre satisfaction (qu'on l'appelle profit, plaisir ou de quelque autre nom) a toujours été implicite dans la théorie de l'économie capitaliste. Depuis l'Ère des révolutions, des observateurs, toutes couleurs idéologiques confondues, ont prédit qu'il s'ensuivrait une désintégration des anciennes relations sociales et en ont surveillé la progression. L'éloquent hommage que rend le *Manifeste communiste* au rôle révolutionnaire du capitalisme est bien connu : « La bourgeoisie [...], impitoyable, [...] a déchiré les liens multicolores de la féodalité qui attachaient l'homme à son supérieur naturel, pour ne laisser subsister d'autre lien entre l'homme et l'homme que l'intérêt tout nu. »[3] Mais, en pratique, ce n'est pas tout à fait ainsi que la nouvelle société capitaliste révolutionnaire a fonctionné.

Elle a procédé non par la destruction totale de tout l'héritage de l'ancienne société, mais par une adaptation sélective. Il n'y a aucune « énigme sociologique » dans l'empressement de la société bourgeoise à introduire un « individualisme radical dans l'économie et [...] à déchirer au passage tous les liens sociaux traditionnels » (lorsqu'ils se mettaient en travers de son chemin), alors même qu'elle redoute « l'individualisme expérimental radical » dans la culture (ou dans le champ du comportement et de la morale) (Daniel Bell, 1976, p. 18). La manière la plus efficace de bâtir une économie industrielle fondée sur l'entreprise privée était d'y introduire des motivations étrangères à la logique du marché : par exemple, l'éthique protestante, le renoncement à une satisfaction immédiate, l'éthique de la performance au travail, le devoir familial et la confiance, mais certainement pas la rébellion antinomique des individus.

Pourtant, Marx et les autres prophètes de la désintégration des valeurs et des relations sociales d'antan avaient raison. Le capitalisme a été une force de révolution continue et permanente. Logiquement, il devait finir par désintégrer même les dimensions du passé précapitaliste qu'il avait trouvées commodes, voire essentielles, pour son propre développement. Il devait finir par scier au moins l'une des branches sur lesquelles il était assis. C'est ce qui se produit depuis le milieu du siècle. Sous l'impact de l'extraordinaire explosion économique de l'Âge d'or et d'après, et avec les changements sociaux et culturels qui en ont résulté, la plus profonde révolution de la société depuis l'âge de pierre, la branche a commencé à craquer puis à se briser. À la fin de ce siècle, il est devenu possible pour la première fois de voir à quoi peut ressembler un monde dans lequel le passé, y compris le « passé dans le présent », a perdu son rôle, où les cartes et les repères de jadis qui guidaient les êtres humains, seuls ou collectivement, tout au long de leur vie, ne présentent plus le paysage dans lequel nous évoluons, ni les mers sur lesquelles nous faisons voile : nous ne savons pas où notre voyage nous conduit ni même où il devrait nous conduire.

Telle est la situation qu'une partie de l'humanité doit d'ores et déjà affronter à la fin du siècle, et cette partie ne fera que croître au cours du prochain millénaire. On verra alors plus clairement vers où l'humanité se dirige. Libre à nous de nous retourner sur le chemin qui nous a conduits ici : c'est ce que j'ai essayé de faire dans ces pages. Nous ne savons pas quelle forme prendra l'avenir, bien que je n'aie pas résisté à la tentation de réfléchir à quelques-uns de ses problèmes, pour autant qu'ils naissent des décombres de la période qui vient de s'achever. Espérons que ce sera un monde meilleur, plus juste et plus viable. Ce siècle finit mal.

NOTES

[1] Ces douze regards sur le XXᵉ siècle sont extraits de AGOSTI et BORGESE, 1992, p. 42, 210, 154, 76, 4, 8, 204, 2, 62, 80, 140, 160.

[2] J'ai essayé de décrire et d'expliquer l'essor de cette civilisation dans une histoire en trois volumes du « long XIXᵉ siècle » (des années 1870 à 1914) et je me suis efforcé d'analyser les raisons de son effondrement. De temps à autre, lorsque cela semble utile, je renverrai ici à ces volumes : *L'Ère des révolutions, 1789-1848*, Paris, Fayard, 1969, rééd. Complexe 1988 ; *L'Ère du capital, 1848-1875*, trad. É. Diacon, Paris, Fayard, 1978, rééd. Pluriel 1997 ; et *L'Ère des empires, 1875-1914*, trad. J. Carnaud et J. Lahana, Paris, Fayard, 1989, rééd. Pluriel 1997.

[3] K. Marx, éd. M. Rubel, *Œuvres, Économie*, Paris, Gallimard, Bibliothèque de la Pléiade, vol. 1, 1965, p. 163. [n.d.t.]

Première partie

L'Ère des catastrophes

Chapitre 1

L'ÂGE DE LA GUERRE TOTALE

« *En rang de faces grises et murmurantes, masquées
de peur,
Ils quittent leurs tranchées, grimpant sur le talus,
Et l'heure continue à battre insensible à leurs poignets,
Et l'espoir, avec des yeux furtifs et des poings serrés,
S'embourbe. Ô Jésus, arrête ça !* »

Siegfried SASSOON (1947, p. 71)

« *On peut estimer préférable, au vu des allégations de
"barbarie" des attaques aériennes, de sauver les apparences en formulant des règles moins rigoureuses et en limitant encore en principe le bombardement à des cibles qui
sont de caractère strictement militaires […] afin d'éviter de
souligner que la guerre aérienne a rendu de telles restrictions obsolètes et impossibles. Il se passera sans doute
quelque temps avant qu'une nouvelle guerre n'éclate ; d'ici
là, on peut éclairer le public sur la signification de la force
aérienne.* »

Règles du bombardement aérien, 1921
(Townshend, 1986, p. 161)

« *Ici, tout comme à Belgrade, je vois dans les rues un
grand nombre de jeunes femmes aux cheveux grisonnants et
même blancs. Leurs visages sont défaits mais encore jeunes
et les formes de leur corps témoignent mieux encore de leur
jeunesse. Il me semble voir comment au-dessus des têtes de
ces êtres faibles est passée la main de la guerre et les a par-
semées d'une neige précoce.
Cette image ne se conservera pas longtemps, ces têtes
achèveront bien vite de blanchir, puis elles disparaîtront
complètement du fleuve ondoyant des passants vivants. C'est
dommage. Rien ne parlerait mieux et plus clairement aux*

*générations futures de notre époque, que ces jeunes têtes
blanches à qui l'insouciance et la joie de la jeunesse ont été
en partie, ou complètement, volées.*
   Qu'elles soient mentionnées au moins dans cette note. »

Sarajevo, le 14 juin 1946
Ivo Andritch, *Signes au bord du chemin*, 1997, p. 221

I

« Les lampes s'éteignent sur l'Europe entière. Nous ne les rever-
rons pas se rallumer de notre vivant », déclara Edward Grey, secrétaire aux Affaires étrangères de la Grande-Bretagne, les yeux fixés
sur Whitehall, alors que son pays et l'Allemagne venaient d'entrer en
guerre. À Vienne, le grand satiriste Karl Kraus s'apprêtait à dresser la
chronique de cette guerre et à la dénoncer dans un extraordinaire
drame-reportage de 792 pages qu'il intitula *Les Derniers Jours de
l'humanité*. Tous deux voyaient dans la Guerre mondiale la fin d'un
monde, et ils n'étaient pas les seuls. Ce ne fut pas la fin de l'humanité, bien qu'il y eût des moments, au cours des trente et une années
de conflit mondial qui séparent la déclaration de guerre autrichienne
à la Serbie, le 28 juillet 1914, de la reddition sans condition du
Japon, le 14 août 1945 – huit jours après l'explosion de la première
bombe nucléaire – où la fin d'une proportion considérable de l'espèce humaine ne parut pas très éloignée. Il y eut sûrement des
moments où le ou les dieux, dont les hommes pieux croyaient qu'ils
avaient créé le monde et tout ce qu'il contenait, ont pu regretter de
l'avoir fait.

L'espèce humaine a survécu, mais le grand édifice de la civilisation du XIXᵉ siècle s'est écroulé dans les flammes de la guerre mondiale, lorsque ses piliers se sont effondrés. On ne saurait comprendre
le Court Vingtième Siècle sans cela. Ce fut un siècle marqué par la
guerre, qui a vécu et pensé en termes de guerre mondiale, même
lorsque les armes se taisaient et que les bombes n'explosaient pas.
Son histoire et, plus précisément, l'histoire de son épisode initial

dans l'effondrement et la catastrophe doit commencer par celle de trente et un ans de guerre mondiale.

Pour ceux qui avaient accédé à l'âge adulte avant 1914, le contraste était si spectaculaire que nombre d'entre eux – y compris la génération des parents de l'historien qui écrit ces pages ou, du moins, ses membres d'Europe centrale – refusèrent d'y voir la moindre continuité avec le passé. La « paix » signifiait « avant 1914 » : après, vint quelque chose qui ne méritait plus de nom. C'était compréhensible. En 1914, cela faisait un siècle qu'il n'y avait plus eu de grande guerre, de guerre dans laquelle avaient été impliquées toutes les grandes puissances, ou même une majorité d'entre elles – les principaux acteurs du jeu international étant alors les six « grandes puissances » européennes (la Grande-Bretagne, la France, la Russie, l'Autriche-Hongrie, la Prusse agrandie en Allemagne après 1871, et l'Italie après l'unification), les États-Unis et le Japon. Il n'y avait eu qu'une seule guerre, de courte durée, où plus de deux grandes puissances s'étaient affrontées : la guerre de Crimée (1854-1856), qui opposa la Russie à la Grande-Bretagne et à la France. De surcroît, la plupart des guerres mettant aux prises des grandes puissances avaient été relativement rapides. La guerre de loin la plus longue ne fut pas un conflit international, mais une guerre civile aux États-Unis (1861-1865). La durée de la guerre se comptait en mois ou même (comme dans la guerre de 1866 entre la Prusse et l'Autriche) en semaines. Entre 1871 et 1914, l'Europe n'avait pas connu de conflit amenant les armées de grandes puissances à franchir les frontières ennemies, même si en Extrême-Orient le Japon combattit et vainquit la Russie en 1904-1905, précipitant ainsi la Révolution russe.

Il n'y eut aucune guerre *mondiale*. Au XVIIIe siècle, la France et la Grande-Bretagne s'étaient affrontées dans une série de guerres, dont les champs de bataille allaient de l'Inde jusqu'à l'Amérique du Nord en passant par l'Europe et par-delà les océans. Entre 1815 et 1914, aucune grande puissance n'en avait combattu une autre hors de sa région immédiate, même si les expéditions agressives de puissances coloniales, ou qui ambitionnaient de le devenir, contre des ennemis outre-mer plus faibles furent, bien entendu, fréquentes. La plupart d'entre elles furent des batailles spectaculairement unilatérales, comme les guerres des États-Unis contre le Mexique (1846-1848) et l'Espagne (1898) ainsi que les diverses campagnes pour étendre les empires coloniaux britanniques et français. Il arriva certes une ou deux fois que les choses tournent de travers : ainsi lorsque les Français durent se retirer du Mexique dans les années 1860 ou les Italiens de l'Éthiopie en 1896. Même les plus formidables adversaires des États modernes, les arsenaux de plus en plus remplis d'une technologie de mort d'une supériorité écrasante, ne pouvaient espérer, au mieux, que retarder l'inévitable retraite. Loin de présenter un intérêt direct pour la plupart des habitants des États qui y participèrent et en sortirent vainqueurs, ces conflits exotiques nourrirent les récits d'aventure ou les reportages des correspondants de guerre, cette innovation du XIXᵉ siècle.

Tout cela changea en 1914. La Première Guerre mondiale a impliqué *toutes* les grandes puissances et, en fait, tous les États européens sauf l'Espagne, les Pays-Bas, les trois pays scandinaves et la Suisse. Qui plus est, des troupes d'outre-mer furent souvent pour la première fois envoyées se battre et en opération hors de leurs régions. Les Canadiens combattirent en France, les Australiens et les Néo-Zélandais se forgèrent leur conscience nationale sur une péninsule de la mer Égée – « Gallipoli » devint leur mythe national – et, de manière plus significative, les États-Unis rejetèrent la mise en garde de George Washington contre les « complications européennes » et envoyèrent leurs hommes se battre là-bas, déterminant ainsi la forme de l'histoire du XXᵉ siècle. Des Indiens furent dépêchés en Europe et au Moyen-Orient, des bataillons de main-d'œuvre chinoise arrivèrent en Occident, des Africains combattirent dans l'armée française. Bien que l'action militaire hors de l'Europe ne fût pas très significative, sauf au Moyen-Orient, la guerre navale fut une fois encore mondiale : le premier affrontement eut lieu en 1914 au large des îles Malouines, tandis que les campagnes décisives, des sous-marins allemands et des convois alliés, se déroulèrent dans et sous la mer du Nord et au milieu de l'Atlantique.

Que la Seconde Guerre mondiale ait été, littéralement, une guerre mondiale n'a pas besoin d'être démontré. La quasi-totalité des États indépendants du monde y furent entraînés, volontairement ou à leur corps défendant, même si la participation des Républiques d'Amérique latine demeura de pure forme. Les colonies des puissances impériales n'avaient pas le choix. Hormis la future République irlandaise, la Suède, la Suisse, le Portugal, la Turquie et l'Espagne en

Europe, et peut-être l'Afghanistan hors d'Europe, le monde entier ou presque fut belligérant ou occupé, sinon les deux en même temps. Pour ce qui est des champs de bataille, les noms des îles Mélanésiennes et des colonies de peuplement dans les déserts d'Afrique du Nord, en Birmanie et aux Philippines devinrent aussi familiers aux lecteurs de journaux et aux auditeurs de radio – et ce fut, par excellence, la guerre des communiqués par la voie des ondes – que les noms des batailles de l'Arctique et du Caucase, de Normandie, de Stalingrad et de Koursk. La Seconde Guerre a été une leçon de géographie mondiale.

Locales, régionales ou globales, les guerres du XXe siècle devaient être d'une tout autre échelle que celles qu'on avait connues jusquelà. Sur les soixante-quatorze guerres internationales qui se sont succédé entre 1816 et 1965, et que les spécialistes américains, qui aiment à se livrer à ce genre d'exercices, ont classées par nombre de victimes, les quatre premières sont toutes du XXe siècle : les deux guerres mondiales, la guerre des Japonais contre la Chine en 1937-1939 et la guerre de Corée. Elles ont fait plus d'un million de morts au combat. La plus grande guerre internationale du XIXe siècle postnapoléonien sur laquelle on soit bien renseigné, à savoir celle qui opposa la Prusse/Allemagne à la France en 1870-1871, a tué peutêtre 150 000 personnes, soit un ordre de grandeur à peu près comparable aux morts de la guerre du Chaco, en 1932-1935, entre la Bolivie (environ 3 millions d'habitants) et le Paraguay (environ 1,4 million d'habitants). Bref, 1914 inaugure l'ère des massacres (Singer, 1972, p. 66, 131).

Le débat sur les origines de la Première Guerre mondiale n'a pas sa place ici : l'auteur de ces pages a essayé de l'esquisser dans son *Ère des empires*. À ses débuts, elle était une guerre essentiellement européenne entre la triple alliance (France, Grande-Bretagne et Russie) d'un côté, et les « puissances centrales » (l'Allemagne et l'Autriche-Hongrie) de l'autre – la Serbie et la Belgique s'y trouvant aussitôt entraînées par l'attaque autrichienne contre l'une (qui déclencha en fait la guerre) et celle de l'Allemagne contre l'autre (dans le cadre de la stratégie allemande). La Turquie et la Bulgarie rejoignirent bientôt les puissances centrales, tandis que de l'autre côté la Triple Alliance se transforma en une coalition très large. L'Italie se laissa soudoyer ; la Grèce, la Roumanie et (de manière bien plus théorique) le Portugal y furent également impliqués. Plus lourde de conséquences fut l'intervention presque immédiate du Japon pour s'emparer des positions allemandes en Extrême-Orient et dans le Pacifique occidental, même s'il se désintéressa de ce qui se passait hors de sa région. Plus significative encore fut en 1917 l'intervention des États-Unis, qui se révéla décisive.

À cette époque comme lors de la Seconde Guerre mondiale, les Allemands se trouvèrent confrontés à une guerre possible sur deux fronts, et ce en-dehors des Balkans, où les entraîna leur alliance avec l'Autriche-Hongrie. (Cependant, puisque trois des quatre Puissances centrales étaient dans cette région – la Turquie et la Bulgarie aussi bien que l'Autriche –, le problème stratégique n'était pas, en l'occurrence, aussi pressant.) Le plan allemand visait à mettre rapidement la France hors combat à l'Ouest, puis d'en faire autant avec la Russie, à l'Est, avant que l'Empire du tsar ne pût se lancer dans l'action fort du poids de ses immenses troupes. Comme elle le fera plus tard, l'Allemagne se prépara alors à une offensive éclair (ce qu'on appela un *blitzkrieg* au cours de la Seconde Guerre mondiale) parce qu'elle n'avait pas d'autre choix. Le plan faillit réussir. L'armée allemande pénétra en France, notamment à travers la Belgique neutre, et ne fut arrêtée qu'à quelques dizaines de kilomètres de Paris, sur la Marne, cinq ou six semaines après la déclaration de guerre. (En 1940, le plan réussira.) Puis les forces allemandes se retirèrent un peu. Les Français reçurent alors le renfort des troupes belges survivantes et d'une force terrestre britannique, qui devait bientôt prendre une ampleur considérable. Et les deux camps improvisèrent des lignes parallèles de tranchées défensives et de fortifications, qui s'étendirent bientôt sans interruption des côtes de la Manche, dans les Flandres, jusqu'à la frontière suisse, laissant une bonne partie de l'est de la France et la Belgique sous occupation allemande. Les positions ne devaient plus sensiblement bouger au cours des trois années et demie suivantes.

Tel fut le « front occidental », qui devint une machine à massacre d'une ampleur sans doute inédite dans l'histoire de la guerre. Des millions d'hommes se retrouvèrent face à face, par-delà les barrières de sacs de sable des tranchées, où ils vivaient en compagnie des poux et des rats. De temps à autre, leurs généraux cherchaient à sortir de l'impasse. Des jours, voire des semaines de tirs d'artillerie incessants – ce qu'un auteur allemand devait plus tard appeler des « orages d'acier » (Ernst Jünger, 1921) – étaient censés « amollir » l'ennemi et l'obliger à se terrer ; puis, le moment venu, des hommes escaladaient par vagues le parapet, généralement protégés par des rouleaux de barbelés, pour entrer dans un « no man's land », un chaos de cratères d'obus envahis par les eaux, de souches d'arbre déchiquetées, de boue et de cadavres abandonnés, et avancer au-devant des fusils-mitrailleurs qui les fauchaient. En sachant qu'ils allaient être fauchés. L'effort des Allemands pour percer à Verdun en 1916 (de février à juillet) mobilisa deux millions de soldats et fit un million de victimes. Il échoua. Destinée à obliger les Allemands à abandonner l'offensive de Verdun, la bataille de la Somme coûta aux Britanniques 420 000 morts, dont 60 000 le premier jour de l'attaque. Il n'est pas étonnant que dans la mémoire des Britanniques et des Français, qui se battirent pendant le plus clair de la Première Guerre mondiale sur le front ouest, elle soit restée la « Grande Guerre », qu'ils en aient gardé un souvenir plus terrible et traumatisant que de la Seconde Guerre mondiale. Les Français y perdirent près de 20 % de leurs hommes en âge de porter les armes, et si nous ajoutons les prisonniers de guerre, les blessés, les invalides permanents et les « gueules cassées », qui devaient après-coup occuper une place si marquante dans l'image de la guerre, à peine plus d'un soldat français sur trois sortit indemne de ce conflit. Les chances des cinq millions de soldats britanniques, ou à peu près, de survivre à la guerre étaient *grosso modo* identiques. Les Britanniques y perdirent une génération entière : un demi-million d'hommes de moins de trente ans (Winter, 1986, p. 83) – notamment parmi les classes supérieures, dont les jeunes gens, voués par leur qualité de *gentlemen* à devenir des officiers et à donner l'exemple, se lancèrent dans la bataille à la tête de leurs hommes et furent les premiers fauchés. Un quart des étudiants d'Oxford et de Cambridge âgés de moins de vingt-cinq ans et qui servirent dans l'armée britannique en 1914 furent tués (Winter, 1986, p. 98). Si le nombre de leurs morts fut plus élevé que du côté français, les Allemands perdirent une proportion plus limitée de leurs troupes en âge militaire, au départ bien plus importantes : 13 %. Même les pertes apparemment modestes des États-Unis (116 000 contre 1,6 million de Français, près de 800 000 Britanniques et 1,8 million d'Allemands) illustrent bel et bien la nature meurtrière du front occidental, le seul sur lequel ils aient combattu. En fait, les

États-Unis perdirent de 2,5 à 3 fois plus d'hommes dans la Seconde Guerre mondiale que dans la Première : les forces américaines de 1917-1918 ne s'étaient en effet engagées qu'à peine une année et demie, et uniquement dans un secteur étroit.

Les horreurs de la guerre sur le front occidental devaient avoir des conséquences encore plus sombres. L'expérience elle-même a naturellement contribué à rendre la guerre et la politique plus brutales ; si l'on avait pu conduire la première sans comptabiliser ni les coûts humains ni les destructions, pourquoi n'a-t-on pu en faire autant dans la suivante ? La plupart des hommes qui combattirent en 1914-1918 – essentiellement comme conscrits – en sortirent avec une haine farouche de la guerre. Cependant, les anciens soldats qui avaient traversé cette guerre sans se révolter retirèrent parfois de l'expérience partagée de la mort et du courage un sentiment de supériorité incommunicable et barbare (notamment envers les femmes et les non-combattants) qui devait nourrir, après coup, les premiers rangs de l'extrême droite. Adolf Hitler est l'un de ces hommes dont l'expérience formatrice fut celle de *frontsoldat*. La réaction opposée eut des conséquences tout aussi négatives. À l'issue du conflit, il devint évident pour les hommes politiques, au moins dans les pays démocratiques, que les électeurs ne toléreraient plus un bain de sang comme celui de 1914-1918. La stratégie de la Grande-Bretagne et de la France après 1918, comme celle des États-Unis après le Viêt-nam, se fonda sur ce postulat. À court terme, cela aida les Allemands à gagner la Seconde Guerre mondiale à l'Ouest contre une France blottie derrière ses fortifications incomplètes et répugnant à combattre lorsqu'elles furent enfoncées ; et contre une Grande-Bretagne soucieuse avant tout d'éviter de s'engager dans le genre de guerre massive qui avait décimé sa population en 1914-1918. À plus long terme, les gouvernements démocratiques n'ont su résister à la tentation de sauver la vie de leurs citoyens en considérant que celle des ennemis était totalement sacrifiable. Les bombes atomiques larguées sur Hiroshima et Nagasaki en 1945 n'étaient pas indispensables à la victoire, alors acquise : c'était un moyen de sauver la vie de soldats américains. Mais peut-être l'idée qu'elle empêcherait l'URSS, alliée des États-Unis, de revendiquer un rôle de premier plan dans la défaite du Japon n'était-elle pas non plus étrangère à la décision prise par les responsables américains.

Tandis que le front occidental se figeait dans une impasse sanglante, le front oriental demeura en mouvement. Dès le premier mois de la guerre, les Allemands pulvérisèrent à la bataille de Tannenberg une force d'invasion russe maladroite, puis, avec le concours épisodiquement efficace des Autrichiens, boutèrent les Russes hors de la Pologne. Malgré d'occasionnelles contre-offensives russes les Puissances centrales dominaient la situation et il était clair que la Russie livrait un combat d'arrière-garde contre la progression des Allemands. Dans les Balkans, les Puissances centrales avaient aussi la situation en mains, malgré les résultats militaires inégaux de l'empire vacillant des Habsbourg. Au passage, les belligérants locaux, la Serbie et la Roumanie, souffrirent de loin, en proportion, les plus fortes pertes militaires. Malgré l'occupation de la Grèce, les Alliés piétinèrent jusqu'à l'effondrement des Puissances centrales après l'été 1918. L'Italie projetait d'ouvrir un nouveau front contre l'Autriche-Hongrie dans les Alpes, mais son plan échoua essentiellement parce que de nombreux soldats italiens ne voyaient aucune raison de combattre pour le gouvernement d'un État qu'ils ne jugeaient pas leur et dont peu savaient la langue. Après la grande débâcle militaire de Caporetto en 1917, dont l'*Adieu aux armes* d'Ernest Hemingway fut un témoignage littéraire, les Italiens durent même recevoir le renfort d'autres troupes alliées. Pendant ce temps, la France, la Grande-Bretagne et l'Allemagne se saignaient à blanc sur le front ouest, la Russie était de plus en plus déstabilisée par une guerre qu'elle était en train de perdre, et l'Autriche-Hongrie se rapprochait de jour en jour de l'éclatement, dont rêvaient les mouvements nationalistes locaux et auquel les ministres alliés des Affaires étrangères se résignèrent sans enthousiasme, prévoyant à juste raison une Europe instable.

Pour chacun des adversaires, le problème crucial était de trouver le moyen de sortir du cul-de-sac, car sans victoire à l'Ouest ni l'un ni l'autre ne pouvaient espérer sortir vainqueur, d'autant plus que la guerre navale était elle aussi dans l'impasse. Exception faite de quelques navires de course, les Alliés dominaient les océans, mais les flottes de guerre britannique et allemande se faisaient face et se neutralisaient en mer du Nord. L'issue de leur seule tentative pour livrer bataille (1916) demeura indécise, mais, puisqu'elle bloqua la flotte allemande dans ses bases, elle tourna finalement à l'avantage des alliés.

Les deux camps essayèrent de s'en tirer par la technologie. Les Allemands – dont la chimie avait toujours été le fort – introduisirent les gaz toxiques sur le champ de bataille, où ils se révélèrent à la fois barbares et inefficaces, avant de déboucher sur le seul véritable exemple de répulsion humanitaire des gouvernements face à un moyen de conduire la guerre : ce fut la Convention de Genève, en 1925, par laquelle le monde s'engagea à ne pas recourir à la guerre chimique. De fait, bien que tous les pays aient continué à s'y préparer et à penser que l'ennemi emploierait l'arme chimique, aucun des camps ne s'en servit au cours de la Seconde Guerre mondiale, même si les sentiments humanitaires ne devaient pas empêcher les Italiens de gazer des populations coloniales. (Après la Seconde Guerre mondiale, le déclin des valeurs attachées à la civilisation devait finalement permettre le retour du gaz toxique. Dans les années 1980, au cours de la guerre contre l'Iran, l'Irak, alors soutenu avec ferveur par les États occidentaux, y a librement recouru contre les soldats et les civils.) Les Britanniques furent les pionniers du véhicule blindé à chenilles, encore connu sous son nom de code de l'époque, le *tank*, mais leurs généraux, qui étaient loin d'être des lumières, n'avaient pas encore découvert comment s'en servir. Les deux camps engagèrent des avions, appareils nouveaux et encore fragiles, tandis que les Allemands utilisèrent aussi de curieux aéronefs à hydrogène en forme de cigare, expérimentant le bombardement aérien – par bonheur sans grand effet. La guerre aérienne prit aussi son essor, notamment comme moyen de terroriser les civils, au cours de la Seconde Guerre mondiale.

La seule arme technique qui eût un effet majeur sur la conduite de la guerre en 1914-1918 fut le sous-marin, car les deux camps, incapables de vaincre les soldats du camp adverse, répliquèrent en affamant les civils. Comme la Grande-Bretagne ne pouvait s'approvisionner que par la voie des mers, il semblait possible d'étrangler les îles britanniques en menant contre sa flotte une guerre sous-marine de plus en plus implacable. La campagne fut tout près de réussir en 1917, avant qu'on ait trouvé des moyens efficaces de la contrer, mais elle contribua plus que toute autre chose à entraîner les États-Unis dans la guerre. Les Britanniques, à leur tour, firent de leur mieux pour bloquer le ravitaillement de l'Allemagne, c'est-à-dire affamer l'économie de guerre allemande en même temps que sa population. Ils furent plus efficients qu'ils n'auraient dû l'être puisque, nous le verrons, l'économie de guerre du Reich n'était pas gérée avec l'efficacité et la rationalité dont se vantaient les Allemands. À la différence de la machine militaire allemande qui, dans la Première comme dans la Seconde guerre mondiale, se révéla d'une supériorité frappante. Cette seule supériorité aurait bien pu s'avérer décisive, si les Alliés n'avaient pu compter sur les ressources pratiquement illimitées des États-Unis à partir de 1917. De fait, même entravée par l'alliance avec l'Autriche, l'Allemagne obtint une victoire totale à l'Est, éliminant la Russie de la guerre pour la plonger dans la Révolution et la chasser d'une bonne partie de ses territoires européens en 1917-1918. Peu après avoir imposé la paix-sanction de Brest-Litovsk (mars 1918), l'armée allemande, désormais libre de se concentrer à l'Ouest, perça le front occidental et reprit sa progression vers Paris. Grâce au flot des renforts et du matériel américain, les Alliés se rétablirent et, pendant un temps, la partie sembla serrée. Ce fut cependant le dernier sursaut d'une Allemagne épuisée, qui se savait au bord de la défaite. Du jour où les Alliés commencèrent à avancer dans le courant de l'été 1918, la fin ne fut plus qu'une affaire de semaines. Non content de reconnaître leur défaite, les Puissances centrales s'effondrèrent. Dans le courant de l'automne 1918, la Révolution balaya le centre et le sud-est de l'Europe, comme elle avait balayé la Russie en 1917 (*cf.* chapitre 2). Entre les frontières de la France et la mer du Japon, il ne subsistait plus aucun ancien gouvernement. Les belligérants du camp victorieux en furent ébranlés, même s'il est difficile de croire que la Grande-Bretagne et la France ne seraient pas demeurées des entités politiques stables y compris en cas de défaite ; on ne saurait en dire autant de l'Italie. Assurément, aucun des pays vaincus n'échappa à la révolution.

Si l'un des grands ministres ou diplomates du passé – de ceux alors donnés en exemple aux diplomates en herbe, un Talleyrand ou un Bismarck – était sorti de sa tombe pour observer la Première Guerre mondiale, il n'aurait pas manqué de se demander pourquoi des hommes d'État raisonnables n'avaient pas décidé de régler le conflit par quelque compromis avant qu'il ne détruisît le monde de 1914. Nous devons nous aussi nous poser la question. La plupart des guerres non révolutionnaires et non idéologiques du passé n'avaient pas été menées comme des luttes à mort ou jusqu'à l'épuisement total. En 1914, ce n'était certainement pas l'idéologie qui divisait les belligérants, si ce n'est dans la mesure où il fallait combattre des deux côtés en mobilisant l'opinion publique, c'est-à-dire en faisant croire qu'il y allait des valeurs nationales, qu'il s'agissait d'un combat opposant la barbarie russe à la culture allemande, la démocratie française et britannique à l'absolutisme allemand, etc. De surcroît, il se trouva bel et bien des hommes d'État pour recommander un compromis, même en dehors de la Russie et de l'Autriche-Hongrie, qui firent pression en ce sens sur leurs Alliés avec un désespoir croissant à mesure qu'approchait la défaite. Dans ces conditions, pourquoi les puissances dominantes des deux camps menèrent-elles la Première Guerre mondiale comme un jeu à somme nulle, c'est-à-dire comme une guerre qui ne pouvait être que totalement gagnée ou perdue ?

La raison en est que cette guerre, à la différence des conflits antérieurs aux objectifs limités et spécifiables, fut menée à des fins illimitées. Pendant l'Ère des empires, politique et économie se confondaient. La rivalité politique et internationale suivait la croissance économique et la concurrence, mais le trait caractéristique en était précisément qu'elle n'avait point de limite. « Les "frontières naturelles" de la Standard Oil, de la Deutsche Bank ou de la De Beers Diamond Corporation se situaient aux confins de l'univers ou, plus précisément, n'étaient déterminées que par leur capacité d'expansion » (Hobsbawm, 1987, p. 318 ; trad., p. 406). Plus concrètement, pour les deux principaux combattants en lice, le ciel devait marquer la limite, puisque l'Allemagne désirait une position politique et maritime mondiale comme celle dont jouissait alors Londres, et qui reléguerait donc automatiquement une Grande-Bretagne déjà sur le déclin à un statut inférieur. Il n'y avait pas d'autre alternative. Pour la France, alors comme par la suite, les enjeux étaient moins globaux mais tout aussi pressants : il s'agissait de compenser son infériorité démographique et économique croissante, et apparemment inévitable, vis-à-vis de l'Allemagne. Ici aussi, l'enjeu était l'avenir de la France en tant que grande puissance. Dans les deux cas, un compromis n'eût été qu'un ajournement. L'Allemagne, aurait-on pu penser, pouvait attendre que sa taille et sa supériorité croissante finissent par imposer la position qui, aux yeux de ses gouvernements, lui était due – ce qui ne manquerait pas d'arriver tôt ou tard. De fait, la position dominante d'une Allemagne deux fois défaite, dépouillée de toute prétention à devenir une puissance militaire indépendante en Europe, était moins contestée au début des années 1990 que ne l'avaient jamais été les prétentions de l'Allemagne militariste avant 1945. La raison en est que la Grande-Bretagne et la France se virent contraintes, après la Seconde Guerre mondiale, d'accepter, fût-ce à contrecœur, leur relégation au rang de puissance de second ordre. De même, malgré sa croissance économique, la République fédérale reconnut que, dans le monde d'après 1945, sa suprématie, sous la forme d'un État unique, était et resterait hors de portée. En 1900, au faîte de l'ère impériale et impérialiste, la prétention allemande à une place unique dans le monde (« l'esprit allemand régénérera le monde », disait le slogan) et la résistance de la Grande-Bretagne et de la France, qui restaient d'incontestables « grandes puissances » dans un monde eurocentré, étaient encore intactes. Sur le papier, nul doute qu'un compromis eût été possible sur tel ou tel point des « buts de guerre » presque mégalomaniaques que les deux camps formulèrent dès le début des hostilités. Dans les faits, le seul but de guerre qui comptât, c'était la victoire totale, avec, pour l'ennemi, ce que l'on devait appeler au cours de la Seconde Guerre mondiale une « capitulation sans condition ».

C'était un objectif absurde et autodestructeur, qui ruina à la fois les vainqueurs et les vaincus. Il entraîna les seconds dans la révolution, et les vainqueurs dans la faillite et l'épuisement physique. En 1940, la France se fit malmener par des forces allemandes inférieures avec une facilité et une rapidité ridicules. Elle accepta sans hésiter sa subordination à Hitler parce que le pays avait déjà été saigné à mort en 1914-1918. La Grande-Bretagne ne fut plus jamais la même après 1918 parce que le pays avait ruiné son économie en menant une guerre très au-dessus de ses moyens. De surcroît, comme le reconnut aussitôt l'économiste John Maynard Keynes, la victoire totale, ratifiée par une paix-sanction, anéantit les maigres chances qui subsistaient de restaurer quelque chose qui ressemblât même vaguement à une Europe bourgeoise stable et libérale. Si l'Allemagne n'était pas réintégrée dans l'économie européenne, autrement dit si le poids économique du pays au sein de cette économie n'était pas reconnu et accepté, il ne saurait y avoir de stabilité. Mais ce fut le cadet des soucis de ceux qui se battirent pour éliminer l'Allemagne.

Imposé par les grandes puissances victorieuses survivantes (États-Unis, Grande-Bretagne, France et Italie) et généralement connu, de manière approximative, sous le nom de traité de Versailles[1], le règlement de paix obéit à cinq considérations. La plus immédiate fut l'effondrement de nombreux régimes en Europe et l'émergence d'un nouveau régime en Russie, bolchevique et révolutionnaire, voué à la subversion universelle et exerçant un effet d'aimant sur les forces révolutionnaires qui se manifestaient partout ailleurs (*cf.* chapitre 2). La deuxième était le besoin de contrôler l'Allemagne qui, à elle seule, avait failli battre la coalition alliée toute entière. Pour des raisons évidentes, tel était, et tel a toujours été depuis, le principal souci de la France. La troisième était la nécessité de rediviser et de redessiner la carte de l'Europe, tant pour affaiblir l'Allemagne que pour remplir les grands espaces vides laissés, en Europe et au Moyen-Orient, par la défaite et l'effondrement simultanés des empires russe, austro-hongrois et ottoman. Les principaux prétendants à la succession, tout au moins en Europe, étaient divers mouvements nationalistes que les vainqueurs eurent tendance à encourager dès lors qu'ils étaient suffisamment hostiles aux bolcheviks. En Europe, le principe directeur de la réorganisation de la carte consistait à créer des États-nations ethnico-linguistiques, conformément à l'idée du « droit à l'autodétermination » des nations. Le président américain Wilson, dont l'opinion était reçue comme l'expression de la puissance sans qui la guerre eût été perdue, était passionnément attaché à cette idée, à laquelle adhéraient et adhèrent encore aujourd'hui plus facilement ceux qui sont loin des réalités ethniques et linguistiques de régions à diviser en États-nations clairement définis. La tentative fut désastreuse, comme on a pu le voir encore dans l'Europe des années 1990. Les conflits nationaux qui ont déchiré le continent au cours de cette décennie sont les « vieux poulets » de Versailles revenus une fois de plus « se faire rôtir »[2]. Le redécoupage du Moyen-Orient s'opéra suivant les lignes impérialistes traditionnelles – le partage entre la Grande-Bretagne et la France – sauf pour la Palestine, où le gouvernement britannique, soucieux du soutien de la communauté juive internationale au cours de la guerre, avait fait aux Juifs une promesse aussi imprudente qu'ambiguë : celle de créer pour eux un « foyer national ». Cela devait rester comme un vestige problématique et persistant supplémentaire de la Première Guerre mondiale.

Le quatrième ensemble de considérations touchait à la vie politique intérieure des États victorieux – la Grande-Bretagne, la France et les États-Unis – et aux frictions qui existaient entre eux. La conséquence la plus importante de ce jeu politique intérieur est que le Congrès américain refusa de ratifier un règlement de paix largement écrit par ou pour son président, et dont les États-Unis se dégagèrent avec des résultats lourds de conséquences.

Enfin, les puissances victorieuses recherchèrent désespérément un règlement de paix qui rendrait impossible une autre guerre comparable à celle qui venait de dévaster le monde et dont les répercussions étaient partout visibles. Leur échec fut spectaculaire : vingt ans après, le monde était de nouveau en guerre.

Préserver le monde du bolchevisme et redessiner la carte de l'Europe étaient deux tâches qui se chevauchaient, puisque la manière la plus immédiate de faire face à la Russie révolutionnaire (si par hasard elle survivait – ce qui était loin d'être acquis en 1919) était de l'isoler derrière un « cordon sanitaire » (en langage diplomatique contemporain) d'États anticommunistes. Le territoire de ces derniers étant largement ou entièrement découpé dans d'anciennes terres russes, on pouvait être assuré de leur hostilité à Moscou. Du Nord au Sud, on avait : la Finlande, région autonome que Lénine avait laissé faire sécession ; trois nouvelles petites Républiques baltes (Estonie, Lettonie, Lituanie), pour lesquelles n'existait aucun précédent historique ; la Pologne, redevenue après 120 ans un État indépendant, et une Roumanie considérablement agrandie, dont la superficie avait doublé du fait du rattachement de parties hongroises et autrichiennes de l'Empire des Habsbourg et de l'ex-Bessarabie russe. La plupart de ces territoires avaient été détachés de la Russie par l'Allemagne et, sans la Révolution bolchevique, auraient certainement été restitués à cet État. L'effort pour prolonger ce cordon sanitaire au Caucase échoua essentiellement parce que la Russie révolutionnaire trouva un accommodement avec la Turquie non communiste mais révolutionnaire, qui avait peu de goût pour les impérialistes britanniques et français. Aussi les éphémères États arménien et géorgien indépendants, instaurés après Brest-Litovsk, et les efforts déployés par les Britanniques pour détacher l'Azerbaïdjan, riche en pétrole, ne devaient pas résister à la victoire des bolcheviks dans la guerre civile de 1918-1920 et au traité soviéto-turc de 1921. Bref, à l'Est, les

Alliés acceptèrent les frontières imposées par l'Allemagne à la Russie révolutionnaire, dans la mesure où celles-ci avaient encore un sens sur le terrain.

Restait à redessiner la carte de grandes parties de l'Europe, essentiellement de l'ancienne Autriche-Hongrie. L'Autriche et la Hongrie se trouvèrent réduites à des « croupions » allemand et magyar ; la Serbie fut élargie en un grand État nouveau – la Yougoslavie – par sa fusion avec la Slovénie (anciennement autrichienne) et la Croatie (autrefois hongroise), mais aussi avec un petit royaume tribal de bergers et de pillards, jadis indépendant : le Monténégro, massif désolé de montagnes. En réaction à une perte d'indépendance sans précédent, les habitants se convertirent en masse au communisme qui leur paraissait apprécier l'héroïsme. Ce ralliement était aussi lié à l'orthodoxie russe, dont les irréductibles montagnards défendaient la foi depuis des siècles contre les Turcs. Une nouvelle Tchécoslovaquie fut également formée en ajoutant l'ancien cœur industriel de l'empire des Habsbourg, les terres tchèques, aux régions de population rurale slovaques et ruthènes, qui appartenaient autrefois à la Hongrie. La Roumanie s'agrandit pour devenir un conglomérat multinational, tandis que la Pologne et l'Italie y gagnèrent aussi. Il n'y avait rigoureusement aucun antécédent ni aucune logique historiques dans les unions yougoslave et tchécoslovaque, fruits d'une idéologie nationaliste qui croyait à la force de l'ethnicité commune et jugeait peu souhaitable des États-nations trop petits. Tous les Slaves du Sud (= Yougoslaves) appartenaient à un seul État, de même que tous les Slaves occidentaux des terres tchèques et slovaques. Comme on pouvait l'attendre, ces mariages politiques forcés ne se révélèrent pas bien solides. Au passage, exception faite de l'Autriche et de la Hongrie, pays-croupions dépouillés de la plupart de leurs minorités – mais, en pratique, pas de toutes –, les nouveaux États, qu'ils aient été découpés dans la Russie ou dans l'ancien territoire des Habsbourg, n'étaient pas moins multinationaux que leurs prédécesseurs.

Une paix-sanction, justifiée par l'idée qu'un État était exclusivement responsable de la guerre et de toutes ses conséquences (la clause « coupable de la guerre »), fut imposée à l'Allemagne pour la maintenir dans un état de faiblesse durable. Cela ne se fit pas tant par l'amputation de son territoire, bien que l'Alsace-Lorraine ait été restituée à la France et qu'une grande région à l'Est ait été rendue à la

Pologne restaurée (le « couloir de Dantzig », qui séparait la Prusse orientale du reste de l'Allemagne), tandis que les frontières faisaient l'objet d'autres ajustements de moindre ampleur. On chercha plutôt à y parvenir en privant l'Allemagne d'une flotte et d'une aviation efficaces, en limitant son armée de terre à 100 000 hommes et en lui imposant des « réparations » théoriquement indéfinies (prise en charge du coût de la guerre pour les vainqueurs) ; en occupant militairement une partie de l'Allemagne occidentale ; et, ce qui n'est pas le moins important, en lui confisquant toutes ses anciennes colonies d'outre-mer. Celles-ci furent redistribuées entre les Britanniques et leurs dominions, les Français et, dans une moindre mesure, les Japonais. Eu égard à l'impopularité croissante de l'impérialisme, on ne parlera plus de « colonies » mais de « mandats » pour faire avancer les peuples arriérés – mandats que l'humanité donnait aux puissances impériales qui n'auraient jamais songé à les exploiter à d'autres fins. Les clauses territoriales exceptées, il ne restait plus rien du traité de Versailles au milieu des années 1930.

Quant au mécanisme censé empêcher une nouvelle guerre mondiale, il était clair que le consortium des « grandes puissances » européennes supposé y veiller avant 1914 s'était complètement disloqué. L'autre voie, que prôna le président Wilson avec toute la ferveur libérale d'un politologue de Princeton à des politicards européens obstinés, consistait à mettre en place une « Société des Nations » (c'est-à-dire, des États indépendants) à vocation générale, qui réglerait pacifiquement et démocratiquement les problèmes avant qu'ils ne dégénèrent, de préférence par des négociations publiques (« des alliances ouvertes conclues au grand jour »), car la guerre avait aussi rendu suspects la « diplomatie secrète » et les processus habituels et délicats de la négociation internationale. C'était largement une réaction contre les traités secrets conclus au cours de la guerre par les Alliés, qui avaient découpé l'Europe et le Moyen-Orient de l'après-guerre avec un mépris stupéfiant pour les aspirations ou même les intérêts des habitants de ces régions. Découvrant ces documents « sensibles » dans les archives tsaristes, les bolcheviks s'étaient empressés de les porter sur la place publique. Il s'agissait maintenant de limiter les dégâts. La Société des Nations vit donc le jour dans le cadre du règlement de paix : ce fut un fiasco presque total, sauf dans la collecte des statistiques. À ses débuts, elle régla bien un ou deux

conflits mineurs, qui ne faisaient pas courir grand risque à la paix
mondiale : comme lors du différend entre la Suède et la Finlande
autour des îles d'Aland[3]. Mais le refus des États-Unis de rejoindre la
SDN priva celle-ci de toute signification véritable.

Nul n'est besoin d'entrer dans les détails de l'entre-deux-guerres
pour voir que le règlement de Versailles ne pouvait en aucun cas être
la base d'une paix stable. La paix était condamnée dès le départ et
une nouvelle guerre pratiquement certaine. Les États-Unis se désen-
gagèrent presque aussitôt et, dans un monde qui n'était plus ni eurocentrique ni déterminé par l'Europe, un règlement qui n'était pas
ratifié par une grande puissance mondiale n'avait aucune chance de
tenir. On verra que c'était vrai des affaires économiques du monde
comme de la vie politique. Deux grandes puissances européennes, et
en fait mondiales, étaient temporairement éliminées du jeu international ; mieux encore, on ne leur reconnaissait pas la qualité d'acteurs indépendants : l'Allemagne et la Russie soviétique. Dès le
moment où l'une, l'autre, voire les deux, rentreraient en scène, aucun
règlement de paix approuvé uniquement par la Grande-Bretagne et la
France – car l'Italie demeurait elle aussi insatisfaite – ne pouvait
durer. Et tôt ou tard, inévitablement, l'Allemagne, la Russie ou les
deux redeviendraient des acteurs de premier plan.

Le refus des puissances victorieuses de réintégrer les perdants tor-
pilla les maigres chances de paix. Il est vrai que le refoulement total
de l'Allemagne et la mise au ban de la Russie soviétique se révélèrent bientôt impossibles, mais l'adaptation à la réalité se fit lentement
et de mauvais gré. Les Français, en particulier, n'abandonnèrent qu'à
contrecœur l'espoir de maintenir l'Allemagne faible et impuissante.
(Les Britanniques n'étaient pas hantés par le souvenir de la défaite et
de l'invasion.) Quant à l'URSS, les États vainqueurs auraient préféré
qu'elle n'existât point ; après avoir soutenu les armées contre-révolutionnaires dans la guerre civile russe et dépêché des bataillons pour
les épauler, c'est sans enthousiasme qu'ils prirent acte de sa survie.
Leurs hommes d'affaires repoussèrent même les très généreuses
offres de concessions faites aux investisseurs étrangers par un Lénine
qui cherchait désespérément à relancer une économie presque
détruite par la guerre, la révolution et la guerre civile. La Russie
soviétique fut donc obligée de se développer dans l'isolement, même
si, à des fins politiques, les deux États mis au ban de l'Europe, la

Russie soviétique et l'Allemagne, se rapprochèrent au début des années 1920.

Peut-être aurait-il été possible d'éviter, ou tout au moins de retarder, la guerre suivante si l'on était parvenu à restaurer l'économie d'avant-guerre et son système mondial de croissance, de prospérité et d'expansion. Au milieu des années 1920, il sembla un temps que la page des désordres de la guerre et de l'après-guerre était tournée, puis l'économie mondiale plongea dans la crise la plus grave et la plus spectaculaire depuis la révolution industrielle (*cf.* chapitre 3). Et, tant en Allemagne qu'au Japon, celle-ci porta au pouvoir les forces politiques du militarisme et de l'extrême droite bien décidées à briser le *statu quo* par une confrontation, au besoin armée, plutôt que par un changement progressivement négocié. Dès lors, une nouvelle guerre mondiale n'était pas seulement prévisible, mais assez généralement prévue. Ceux qui accédèrent à l'âge adulte dans les années 1930 s'y attendaient. L'image de flottes d'avions larguant leurs bombes sur les villes et de figures cauchemardesques munies de masques à gaz se frayant un chemin à travers un nuage de gaz toxique a hanté ma génération : prophétiquement, dans un cas, par méprise, dans l'autre.

II

Les origines de la Seconde Guerre mondiale ont engendré une littérature historique incomparablement plus mince que les causes de la Première, et ce pour des raisons évidentes. À de très rares exceptions près, aucun historien sérieux n'a jamais douté que l'Allemagne, le Japon et (de manière plus hésitante) l'Italie étaient les agresseurs. Qu'ils fussent capitalistes ou socialistes, les États entraînés dans la guerre contre ces trois pays n'en voulaient pas, et la plupart firent tout leur possible pour l'éviter. Au niveau le plus simple, la question de savoir qui a provoqué la Seconde Guerre mondiale appelle une réponse en un nom : Adolf Hitler.

Les réponses aux questions historiques ne sont, naturellement, pas aussi simples. La situation mondiale créée par la Première Guerre mondiale était intrinsèquement instable, surtout en Europe, mais aussi en Extrême-Orient, et l'on ne pouvait donc compter sur une paix durable. Le *statu quo* ne laissait pas insatisfait les seuls États vaincus, bien que ceux-ci, et notamment l'Allemagne, eussent le sentiment, fondé, de ne pas manquer de motifs de rancœur. Des communistes aux nationaux-socialistes de Hitler, tous les partis allemands s'accordaient à condamner le traité de Versailles, qu'ils jugeaient injuste et inacceptable. Paradoxalement, une véritable révolution allemande aurait sans doute engendré une Allemagne internationalement moins explosive. Les deux pays vaincus qui connurent une vraie révolution, la Russie et la Turquie, étaient beaucoup trop accaparés par leurs propres affaires, y compris par la défense de leurs frontières, pour déstabiliser la situation internationale. Dans les années 1930, ils furent des forces de stabilité et, de fait, la Turquie demeura neutre au cours de la Seconde Guerre mondiale. Mais, tout en étant dans le camp des gagnants, le Japon et l'Italie demeuraient tous deux insatisfaits – même si les Japonais se montrèrent un peu plus réalistes que les Italiens, dont les appétits impériaux dépassaient de beaucoup leurs moyens de les assouvir. Quoi qu'il en soit, l'Italie était sortie de la guerre avec des gains territoriaux considérables dans les Alpes, sur l'Adriatique et jusque dans la mer Égée, même si elle n'avait pas reçu tout le butin que les Alliés lui avaient promis en échange de son ralliement en 1915. Toutefois, le triomphe du fascisme, mouvement contre-révolutionnaire, ultra-nationaliste et impérialiste, souligna l'insatisfaction italienne (*cf.* chapitre 5). Quant au Japon, ses forces militaires et navales très considérables faisaient de lui la puissance de loin la plus redoutable de l'Extrême-Orient, d'autant que la Russie était hors jeu. L'Accord naval de Washington, en 1922, devait, jusqu'à un certain point apporter une consécration internationale à cet état de fait, mettant fin à la suprématie navale britannique en redistribuant les forces en présence suivant la formule 5, 5 et 3, respectivement, pour les flottes américaine, britannique et japonaise. Mais le Japon, dont l'industrialisation progressait à une grande vitesse – même si, dans l'absolu, son économie ne pesait encore que d'un poids modeste : 2,5 % de la production industrielle mondiale à la fin des années 1920 –, avait sans doute le sentiment de mériter une part plus grosse du gâteau extrême-oriental que celle que voulurent bien lui octroyer les puissances impériales. De surcroît, le

Japon avait une conscience aiguë de la vulnérabilité d'un pays quasiment dépourvu de toutes les ressources naturelles nécessaires à une économie industrielle moderne, dont les importations étaient à la merci des flottes étrangères, et les exportations tributaires du marché américain. Les pressions de l'armée pour la création, en Chine, d'un grand empire continental voisin, étaient censées raccourcir les voies de communication japonaises et les rendre ainsi moins vulnérables.

Néanmoins, quelle que fût l'instabilité de la paix après 1918 et la probabilité de son effondrement, on ne saurait nier que la cause concrète de la Seconde Guerre mondiale a été l'agression des trois puissances mécontentes, liées par divers traités datant du milieu des années 1930. La route de la guerre fut parsemée de divers jalons : l'invasion japonaise de la Mandchourie en 1931 ; l'invasion italienne de l'Éthiopie en 1935 ; l'intervention allemande et italienne dans la guerre civile espagnole de 1936-1939 ; l'annexion de l'Autriche au début de 1938 ; le dépècement de la Tchécoslovaquie par les Allemands à la fin de la même année ; l'occupation allemande de ce qui restait de ce pays en mars 1939 (suivie par l'occupation italienne de l'Albanie) ; et les exigences de l'Allemagne concernant la Pologne qui mirent le feu aux poudres. À l'inverse, il y eut des jalons qu'on peut qualifier de « négatifs » : l'absence de réaction de la SDN contre le Japon ; son incapacité à prendre des mesures efficaces contre l'Italie en 1935 ; le fait que la Grande-Bretagne et la France n'aient pas su répondre à la dénonciation unilatérale du traité de Versailles par l'Allemagne, et notamment au réarmement de la Rhénanie en 1936 ; leur refus d'intervenir en Espagne pendant la Guerre civile (« non-intervention ») ; leur absence de réaction à l'occupation de l'Autriche ; leur recul devant le chantage allemand sur la Tchécoslovaquie (l'« Accord de Munich », en 1938) ; et le refus de l'URSS de continuer à s'opposer à Hitler en 1939 (le pacte Hitler-Staline d'août 1939).

Et pourtant, si un camp ne voulait manifestement pas de la guerre et fit tout pour l'éviter, tandis que l'autre la glorifia et, dans le cas de Hitler, la souhaita certainement avec avidité, aucun des agresseurs ne voulait la guerre qu'il eut, au moment où il l'eut et contre l'ennemi – du moins en partie – qu'il eut. Malgré l'influence de l'armée sur sa vie politique, le Japon aurait certainement préféré réaliser ses objectifs – essentiellement la création d'un Empire dans l'Est asiatique –

sans cette guerre *générale* dans laquelle il n'entra que parce que les États-Unis étaient engagés ailleurs. Quel genre de guerre voulait l'Allemagne, quand et contre qui sont autant de questions qui demeurent controversées, puisque Hitler n'était pas homme à étayer ses décisions. Cependant, deux choses sont claires : la guerre contre la Pologne (soutenue par la Grande-Bretagne et la France) en 1939 n'était pas dans ses plans, et celle dans laquelle il se trouva finalement entraîné, aussi bien contre l'URSS que contre les États-Unis, fut un cauchemar pour tous les généraux et diplomates allemands.

L'Allemagne et, par la suite, le Japon, pour les mêmes raisons qu'en 1914, avaient besoin d'une guerre offensive rapide. Les ressources conjointes des ennemis potentiels de chacun, une fois réunies et coordonnées, étaient très supérieures aux leurs. Aucun des deux pays ne s'était préparé efficacement à une longue guerre ni ne comptait sur des armements exigeant une longue période de gestation. En revanche, conscients de leur infériorité sur terre, les Britanniques investirent dès le début dans des formes d'armement très coûteuses et techniquement sophistiquées et se préparèrent à une longue guerre dans laquelle avec leurs alliés, ils dépasseraient de beaucoup la production du camp adverse. Les Japonais réussirent mieux que les Allemands à éviter la coalition de leurs ennemis, puisqu'ils se tinrent à l'écart de la guerre de l'Allemagne contre la Grande-Bretagne et la France, en 1939-1940, puis de la guerre contre la Russie après 1941. À la différence de toutes les autres puissances, ils avaient combattu l'Armée rouge dans une guerre non officielle mais bien réelle sur la frontière sino-soviétique en 1939 et s'étaient faits malmener. Le Japon n'entra dans la guerre contre la Grande-Bretagne et les États-Unis (mais pas contre l'URSS) qu'en décembre 1941. Malheureusement pour lui, la seule puissance qu'il dut combattre, les États-Unis, avait des ressources tellement supérieures aux siennes qu'elle était pratiquement assurée de gagner.

Pendant un temps, il sembla que l'Allemagne eût plus de chance. Dans les années 1930, alors que la guerre approchait, la Grande-Bretagne et la France ne parvinrent pas à s'entendre avec la Russie soviétique, qui préféra finalement trouver un arrangement avec Hitler, tandis que des considérations de politique intérieure empêchaient le président Roosevelt d'apporter autre chose qu'un appui de pure forme au camp qu'il soutenait avec ferveur. La guerre qui commença en

1939 conserva donc d'abord un caractère purement européen. Après que l'Allemagne eut envahi la Pologne, qu'elle écrasa en trois semaines puis se partagea avec l'URSS, désormais neutre, la guerre se mua en un conflit purement ouest-européen de l'Allemagne contre la Grande-Bretagne et la France. Au printemps 1940, l'Allemagne envahit la Norvège, le Danemark, les Pays-Bas, la Belgique et la France avec une ridicule facilité, occupant les quatre premiers pays et divisant la France en deux zones : la zone occupée, directement administrée par les Allemands victorieux, et un « État » français satellite (ses dirigeants, issus des diverses branches de la réaction, ne voulaient plus du nom de « République »), dont la capitale était une ville d'eau de province. Il ne restait plus pour affronter l'Allemagne que la Grande-Bretagne avec une coalition de toutes les forces nationales menée par Winston Churchill sur le principe d'un refus total de toute espèce d'accommodement avec Hitler. C'est ce moment que choisit malencontreusement l'Italie pour renoncer à la neutralité, à laquelle son gouvernement avait eu la prudence de se tenir, pour se ranger aux côtés de l'Allemagne.

Dans les faits, la guerre en Europe était terminée. Même si l'Allemagne ne pouvait envahir la Grande-Bretagne à cause du double obstacle de la mer et de la Royal Air Force, on ne voyait pas ce qui permettrait à la Grande-Bretagne de revenir sur le Continent ni *a fortiori* de vaincre l'Allemagne. Les mois de 1940-1941, où la Grande-Bretagne se retrouva seule, sont une période prodigieuse de l'histoire du peuple britannique, ou en tout cas de ceux qui eurent assez de chance pour en voir la fin, mais les possibilités de victoire du pays étaient maigres. En juin 1940, le programme de réarmement des États-Unis, dit de « Défense hémisphérique », supposait en fait que les nouvelles armes destinées à la Grande-Bretagne ne serviraient à rien. Sa survie étant acquise, le Royaume-Uni allait être avant tout considéré comme une base avancée pour défendre l'Amérique. Pendant ce temps, la carte de l'Europe était redessinée. L'URSS, conformément à l'accord passé, occupa les zones européennes de l'empire tsariste perdues en 1918 (hormis les parties de la Pologne annexées par l'Allemagne) et la Finlande, contre laquelle Staline mena dans le courant de l'hiver 1939-1940 une guerre maladroite, qui eut pour effet d'éloigner de Leningrad les frontières de la Russie. Dans les anciens territoires des Habsbourg, Hitler présida à une révision du règlement de Versailles. Les efforts britanniques pour étendre la guerre aux Balkans eurent le résultat attendu : l'Allemagne conquit toute la Péninsule, y compris les îles grecques.

L'Allemagne traversa la Méditerranée pour mettre le pied en Afrique lorsque son allié italien, puissance militaire plus décevante encore dans la Seconde Guerre mondiale que l'Autriche-Hongrie ne l'avait été dans la Première, parut sur le point d'être chassé de son empire africain par les Britanniques combattant depuis leur principale base, c'est-à-dire l'Égypte. Commandée par l'un des généraux les plus doués, Erwin Rommel, l'Afrika Korps menaça toutes les positions britanniques au Moyen-Orient.

L'invasion de l'URSS, le 22 juin 1941, relança la guerre. Ce fut une date déterminante dans la Seconde Guerre mondiale : cette décision était si absurde – elle engageait l'Allemagne dans une guerre sur deux fronts – que Staline n'imaginait pas que Hitler pût l'envisager. Mais dans la logique de Hitler, la conquête à l'Est d'un immense empire, riche en ressources et en main-d'œuvre servile, devait être l'étape suivante, et, à l'instar de tous les autres experts militaires, excepté les Japonais, il sous-estima spectaculairement la capacité de résistance des Soviétiques. Non, cependant, sans quelque vraisemblance, étant donné la désorganisation de l'Armée rouge suite aux purges des années 1930 (*cf.* chapitre 13), l'état apparent du pays, les effets de la terreur et l'extraordinaire ineptie des interventions de Staline en matière de stratégie militaire. Dans un premier temps, la progression des armées allemandes fut aussi rapide et parut aussi décisive que les campagnes à l'Ouest. Début octobre, elles étaient aux abords de Moscou et tout indique que, l'espace de quelques jours, Staline lui-même fut tellement abattu qu'il envisagea de faire la paix. Mais cela ne dura qu'un temps : le seul volume des réserves d'espace et de main-d'œuvre, la résistance physique et le patriotisme des Russes et un effort de guerre implacable eurent raison des Allemands et donnèrent à l'URSS le temps de s'organiser efficacement, notamment en laissant agir au mieux les chefs militaires de grand talent (dont certains venaient d'être libérés du Goulag). Les années 1942-1945 sont les seules où Staline suspendit sa politique de terreur.

Dès lors que la bataille de Russie n'avait pas été réglée dans les trois mois, comme l'avait espéré Hitler, l'Allemagne était perdue car elle n'avait ni le matériel ni les moyens de mener une guerre longue. Malgré ses triomphes, elle avait et produisait beaucoup moins d'avions et de chars que la Grande-Bretagne et la Russie (pour ne rien dire des États-Unis). La nouvelle offensive allemande de 1942, après un hiver épuisant, parut couronnée d'un succès aussi éclatant que toutes les autres : les armées du Reich s'enfoncèrent dans le Caucase et dans la vallée inférieure de la Volga, mais l'offensive ne pouvait plus décider de l'issue de la guerre. Elles furent contenues, clouées sur place et finalement encerclées et obligées de se rendre à Stalingrad (été 1942-mars 1943). Après quoi, les Russes commencèrent la progression qui devait les conduire à Berlin, à Prague et à Vienne. À compter de Stalingrad, tout le monde sut que la défaite de l'Allemagne n'était plus qu'une question de temps.

Entre-temps, la guerre, encore fondamentalement européenne, était devenue réellement mondiale. En partie en raison de l'agitation anti-impérialiste des sujets et des populations tributaires de la Grande-Bretagne, qui restait le premier des empires mondiaux. Certes, il n'y avait encore aucune difficulté à réprimer cette agitation. En Afrique du Sud, la Grande-Bretagne put interner les sympathisants que Hitler comptait parmi les Boers – ils resurgirent après la guerre pour devenir les architectes du régime d'apartheid en 1948 – tandis que Rashîd 'Alî, qui avait pris le pouvoir au printemps 1941 en Irak, fut rapidement renversé. De manière bien plus significative, le triomphe de Hitler en Europe avait laissé en Asie du Sud-Est un vide impérial partiel dans lequel le Japon s'engouffra en asseyant son protectorat sur l'Indochine, vestige impuissant de l'Empire français. Les États-Unis jugèrent intolérable cette extension des puissances de l'Axe en Asie du Sud-Est et soumirent à de rudes pressions économiques le Japon, dont le commerce et l'approvisionnement dépendaient exclusivement de ses communications maritimes. C'est ce conflit qui mena les deux pays à la guerre. L'attaque des Japonais à Pearl Harbor, le 7 décembre 1941, fit de la guerre un conflit mondial. En l'espace de quelques mois, les Japonais avaient occupé toute l'Asie du Sud-Est, continentale et insulaire, menaçant d'envahir l'Inde depuis la Birmanie, à l'Ouest, et le nord désertique de l'Australie depuis la Nouvelle-Guinée.

Probablement le Japon n'aurait-il pu éviter cette guerre avec les États-Unis, à moins de renoncer à instaurer un puissant empire économique (désigné, par euphémisme, sous le nom de « Grande sphère de coprospérité est-asiatique »), c'est-à-dire à l'essence même de sa politique. Cependant, pour avoir constaté que les puissances européennes étaient incapables de résister à Hitler et à Mussolini, et en avoir observé les conséquences et les résultats, il était inimaginable que les États-Unis de F. D. Roosevelt réagissent à l'expansion japonaise comme la Grande-Bretagne et la France avaient réagi à l'expansion allemande. En tout état de cause, l'opinion publique américaine voyait dans le Pacifique (à la différence de l'Europe) un champ d'action normal pour les États-Unis, un peu comme l'Amérique latine. L'« isolationnisme » américain ne valait que pour l'Europe. En fait, c'est l'embargo occidental (*i.e.* américain) sur le commerce japonais et le gel de ses actifs qui obligea le Japon à intervenir pour éviter que son économie, entièrement tributaire des importations océaniques, ne fût étranglée à brève échéance. C'était un pari dangereux, et qui se révéla suicidaire. Certes, Tokyo saisissait peut-être la seule occasion d'établir rapidement son empire dans le Sud. Mais comme cela nécessitait l'immobilisation de la flotte américaine, la seule force susceptible d'intervenir, le Japon entraîna *immédiatement* dans la guerre les États-Unis, avec leur supériorité écrasante en termes de forces et de ressources.

Reste un mystère : pourquoi Hitler, qui s'enlisait déjà en Russie, a-t-il gratuitement déclaré la guerre aux États-Unis, donnant ainsi au gouvernement de Roosevelt l'occasion d'entrer dans la guerre européenne aux côtés des Britanniques sans se heurter à une trop forte résistance politique intérieure ? Car il n'était guère douteux que, aux yeux de Washington, l'Allemagne nazie représentait un danger beaucoup plus grave et, en tout cas, plus global pour les positions américaines – et le monde – que le Japon. Les États-Unis choisirent donc délibérément de concentrer leur effort de guerre pour vaincre l'Allemagne, avant le Japon, et de mobiliser leurs ressources en conséquence. S'il fallut encore trois ans et demi pour défaire le régime nazi, il suffit ensuite de trois mois pour mettre le Japon à genoux. Il n'est pas d'explication convaincante de la folie de Hitler, même si nous savons qu'il sous-estima systématiquement, et dramatiquement, la capacité d'action des États-Unis, sans parler de leur potentiel économique et technique, parce qu'il croyait les démocraties incapables d'agir. La seule démocratie qu'il prît au sérieux, c'était la britannique, dont il pensait à juste raison qu'elle n'était pas entièrement démocratique.

Le choix d'envahir la Russie et de déclarer la guerre aux États-Unis décida de l'issue de la Seconde Guerre mondiale. Cela ne parut pas d'emblée évident, car les puissances de l'Axe atteignirent le faîte de leur succès au milieu de l'année 1942 et ne perdirent entièrement l'initiative militaire qu'en 1943. De surcroît, les alliés occidentaux ne devaient revenir véritablement sur le Continent européen qu'en 1944, car s'ils parvinrent à chasser les forces de l'Axe de l'Afrique du Nord et à avancer en Italie, l'armée allemande réussit à les tenir en respect. Entre-temps, la puissance aérienne était la seule grande arme des Alliés contre l'Allemagne et, ainsi que l'établirent des recherches ultérieures, celle-ci se révéla spectaculairement inefficace, sauf pour tuer des civils et détruire des villes. Seules les armées soviétiques continuèrent à avancer, et c'est uniquement dans les Balkans – essentiellement en Yougoslavie, en Albanie et en Grèce – qu'un mouvement de résistance armée largement inspiré par les communistes posa à l'Allemagne et plus encore à l'Italie de sérieux problèmes militaires. Winston Churchill n'en avait pas moins raison lorsqu'il affirma, après Pearl Harbor, que la victoire par l'utilisation judicieuse de la force écrasante était assurée (Kennedy, p. 347). À la fin de 1942, personne ne doutait plus de la victoire de la Grande Alliance contre l'Axe. Les Alliés commencèrent à se concentrer sur ce qu'ils allaient faire de leur victoire prévisible.

Il n'est pas nécessaire de suivre plus avant le cours des événements militaires, si ce n'est pour observer qu'à l'Ouest la résistance allemande se révéla très difficile à surmonter, même après que les Alliés furent revenus en force sur le Continent en juin 1944 et que, contrairement à ce qui s'était passé en 1918, il n'y eut aucun signe de révolution allemande contre Hitler. Seuls les généraux, cœur de la puissance et de l'efficacité militaires prussiennes traditionnelles, complotèrent le renversement de Hitler en juillet 1944 parce qu'ils étaient des patriotes rationnels plutôt que des fervents d'une wagnérienne *Götterdämmerung* (crépuscule des dieux), dans laquelle l'Allemagne serait entièrement détruite. Sans soutien au sein du peuple, ils échouèrent et furent massacrés « en masse » par les fidèles de Hitler. En Orient, le Japon se montra plus que jamais décidé à se battre jusqu'au bout : c'est ainsi qu'on justifia le largage d'armes nucléaires sur Hiroshima et Nagasaki. En 1945, la victoire fut donc scellée par une reddition totale, sans condition. Les États ennemis vaincus furent totalement occupés par les vainqueurs. Aucune paix formelle ne fut conclue, puisqu'on ne reconnaissait plus aucune autorité indépendante des forces d'occupation, tout au moins en Allemagne et au Japon. Ce qui devait ressembler le plus à des négociations de paix, ce fut la série de conférences qui se succédèrent entre 1943 et 1945 et au cours desquelles les grandes puissances alliées – les États-Unis, l'URSS et la Grande-Bretagne – décidèrent de se partager les dépouilles de la victoire et essayèrent, sans grand succès, de déterminer ce que seraient leurs relations après la guerre : à Téhéran, en 1943 ; à Moscou, dans le courant de l'automne 1944 ; à Yalta, en Crimée, au début de 1945 ; et à Potsdam, en Allemagne occupée, en août 1945. Avec plus de succès, une série de négociations internationales, entre 1943 et 1945, établit le cadre plus général des relations politiques et économiques entre États, et notamment la mise en place des Nations unies. Mais ces questions relèvent d'un autre chapitre.

Plus encore que la Grande Guerre, la Seconde Guerre mondiale a donc été un combat à mort, sans qu'aucun des camps ne songe sérieusement à un compromis. Seule l'Italie fait exception, qui changea de camp et de régime politique en 1943 et ne fut pas traitée entièrement en territoire occupé, mais plutôt comme un pays défait dirigé par un gouvernement reconnu. Elle profita du fait que, deux années durant, dans une moitié de l'Italie, les Alliés ne purent venir à bout des Allemands et de la « République sociale » fasciste de Mussolini qui dépendait d'eux. À la différence de la Première Guerre mondiale, cette intransigeance des deux camps ne nécessite aucune explication particulière. De part et d'autre, il s'agissait d'une guerre de religion ou, dans la terminologie moderne, d'idéologie. Pour la plupart des pays concernés, c'était un combat pour la vie. Le prix de la défaite devant l'Allemagne nazie fut l'asservissement et la mort : on le vit en Pologne et dans les parties occupées de l'URSS, ainsi qu'avec le sort des Juifs, dont un monde incrédule découvrit peu à peu l'extermination systématique. Aussi la guerre fut-elle livrée sans limite. La Seconde Guerre mondiale vit l'escalade : de conflit de masse, elle devint une guerre totale.

Les pertes sont littéralement incalculables. Et toute estimation est quasiment impossible dans la mesure où cette guerre – à la différence de celle de 1914 – tua aussi bien les civils que les militaires. En outre, de nombreuses tueries survinrent dans des régions et à des moments où personne ne s'en souciait ou n'était capable d'établir le moindre décompte. On avance généralement qu'elle aurait fait entre trois et cinq fois plus de victimes directes que la Première Guerre mondiale (Milward, p. 270 ; Petersen, 1986) ; ou, en d'autres termes, entre 10 et 20 % de la population *totale* de l'URSS, de la Pologne et de la Yougoslavie ; et entre 4 et 6 % de celle de l'Allemagne, de l'Italie, de l'Autriche, de la Hongrie, du Japon et de la Chine. En Grande-Bretagne et en France, les victimes furent bien moins nombreuses qu'au cours de la Première Guerre mondiale – environ 1 % – alors qu'elles furent légèrement plus importantes pour les États-Unis. Ce ne sont cependant que des conjectures. Suivant les époques, les victimes soviétiques ont été estimées, même officiellement, à sept, onze, voire vingt ou même cinquante millions. Mais quel sens peut bien avoir l'exactitude statistique face à des ordres de grandeur si astronomiques ? L'horreur de l'holocauste serait-elle moindre si les historiens en arrivaient à la conclusion qu'il avait exterminé non pas six millions de Juifs (la première estimation approximative, certainement exagérée), mais cinq ou même quatre ? Et si les neuf cents jours du siège allemand de Leningrad (1941-1944) avaient tué un million ou seulement 750 000 ou même un demi million de personnes, de faim ou d'épuisement ? En vérité, pouvons-nous vraiment *saisir* la portée des chiffres au-delà de la réalité accessible à l'intuition physique ? Pour le lecteur ordinaire de cette page, que signifie le fait que sur les 5,7 millions de prisonniers de guerre russes en Allemagne, 3,3 soient morts (Hirschfeld, 1986) ? La seule certitude en termes de victimes, c'est qu'au total la guerre a tué plus d'hommes que de femmes. En 1959, il y avait encore en URSS sept femmes âgées de 35 à 50 ans pour quatre hommes (Milward, 1979, p. 212). Après cette guerre, les bâtiments furent plus faciles à reconstruire que la vie des survivants.

III

Nous tenons pour allant de soi que la guerre moderne implique tous les citoyens et mobilise la plupart d'entre eux ; qu'elle se mène avec des armements qui requièrent un détournement de toute l'économie pour les produire et qui sont employés en quantités inimaginables ; qu'elle engendre des destructions inouïes, mais aussi domine et transforme du tout au tout la vie des pays impliqués. Or tous ces phénomènes sont propres aux guerres du XXe siècle. Certes, il y eut auparavant des guerres tragiquement destructrices, et même des guerres qui préfiguraient la guerre totale des modernes : en France, sous la Révolution, par exemple. À ce jour, le conflit le plus sanglant de l'histoire des États-Unis demeure la guerre civile de 1861-1865, qui a tué autant d'hommes que toutes les guerres ultérieures américaines réunies, y compris les deux guerres mondiales, la Corée et le Viêt-nam. Avant le XXe siècle, les conflits qui embrasaient toute la société restaient néanmoins l'exception. Jane Austen écrivit ses romans durant les guerres napoléoniennes, mais jamais un lecteur qui l'ignorerait ne pourrait le deviner, car elles n'apparaissent pas dans ses pages, alors même qu'un certain nombre de jeunes gens qui les traversent y ont sans conteste participé. On n'imagine guère qu'un romancier puisse évoquer de cette manière la Grande-Bretagne dans les guerres du XXe siècle.

Le monstre de la guerre totale du XXe siècle n'est pas né pleinement formé. Mais à partir de 1914 les guerres furent incontestablement des guerres de masse. Même au cours de la Première Guerre mondiale, la Grande-Bretagne mobilisa 12,5 % de ses hommes, l'Allemagne 14,5 %, la France près de 17 %. Dans la Seconde Guerre mondiale, le pourcentage d'actifs mobilisés sous les drapeaux s'élève assez généralement aux alentours de 20 % (Milward, 1979, p. 216). Un pareil niveau de mobilisation de masse, l'espace de plusieurs années, est inconcevable en dehors d'une économie industrialisée moderne de haute productivité et – ou, inversement – d'une économie largement concentrée entre les mains des parties non combattantes de la population. Les économies agraires traditionnelles ne pourraient mobiliser une aussi forte proportion de leur main-d'œuvre, si ce n'est de manière saisonnière, tout au moins dans la zone tempérée, car il est des périodes de l'année agricole où tous les bras sont nécessaires (pour rentrer les récoltes, par exemple). Même dans les sociétés industrielles une telle mobilisation met à rude épreuve la population active. C'est précisément pourquoi les guerres de masse modernes ont à la fois renforcé les pouvoirs des syndicats et engendré une révolution de l'emploi des femmes hors de leur foyer : à titre temporaire, au cours de la Première Guerre mondiale, de manière définitive lors de la Seconde.

Une fois encore, les guerres du XXe siècle ont été des guerres de masse au sens où elles ont utilisé et détruit au cours des combats des quantités de produits jusque-là inimaginables. D'où ce mot par lequel, en allemand, on désigne les batailles occidentales de 1914-1918 : la *Materialschlacht*, ou bataille de matériel. Heureusement pour les capacités industrielles alors fort restreintes de la France, Napoléon put gagner la bataille d'Iéna en 1806 et abattre la Prusse avec moins de 1 500 salves d'artillerie. Pourtant, dès avant la Première Guerre mondiale, la France se préparait à produire de 10 à 12 000 obus *par jour* ; à la fin, son industrie devait en produire 200 000 *par jour.* Même la Russie tsariste devait en produire 150 000 par jour, soit 4,5 millions par mois. Que les procédés des usines de génie mécanique en aient été révolutionnés n'est guère surprenant. Pour ce qui est du matériel moins destructeur, rappelons qu'au cours de la Seconde Guerre mondiale l'armée américaine commanda plus de 519 millions de paires de chaussettes et plus de 219 millions de caleçons, tandis que, fidèles à leur tradition bureaucratique, les forces allemandes commandèrent en une seule année (1943) 4,4 millions de paires de ciseaux et 6,2 millions de carnets de timbres des bureaux militaires (Milward, 1979, p. 68). La guerre de masse nécessitait une production de masse.

Mais la production réclamait aussi organisation et *management* – même si son objet était la destruction rationalisée de la vie humaine de la manière la plus efficace, comme dans les camps d'extermination allemands. Pour employer les termes les plus généraux, la guerre totale a été la plus grande entreprise que l'homme ait jamais dû sciemment organiser et gérer.

Celle-ci souleva aussi des problèmes inédits. Les affaires militaires avaient toujours été la préoccupation particulière des gouvernements, car, depuis le XVIIe siècle, c'étaient eux qui conduisaient les armées permanentes au lieu de les sous-traiter à des entrepreneurs militaires. En fait, les armées et la guerre devinrent bientôt des « industries » ou des complexes d'activité économique sans commune mesure avec les entreprises du secteur privé, et c'est bien pourquoi, au XIXᵉ siècle, ce sont elles qui fournirent le savoir-faire et les techniques de gestion nécessaires aux gigantesques entreprises privées qui se développèrent à l'ère industrielle, par exemple les voies ferrées ou les installations portuaires. De surcroît, presque tous les gouvernements se mêlèrent de fabriquer des armements ou du matériel de guerre, même si, à la fin du XIXᵉ siècle, se forma un genre de symbiose entre l'État et les producteurs privés spécialisés d'armements, surtout dans des secteurs de haute technologie comme l'artillerie et la marine, annonçant ce qu'il est convenu d'appeler de nos jours le « complexe militaro-industriel » (voir *L'Ère des empires*, chapitre 13). Entre la Révolution française et la Première Guerre mondiale, le postulat de base était néanmoins que l'économie continuerait, autant que possible, à fonctionner en temps de guerre de la même façon qu'en temps de paix (*business as usual*, « les affaires continuent »), même si, naturellement, certaines industries en ressentaient clairement l'impact : par exemple, l'industrie de l'habillement, qui devait produire des vêtements militaires bien au-delà de toute capacité concevable en temps de paix.

Le principal problème des pouvoirs publics était d'ordre budgétaire : comment financer les guerres ? Par l'emprunt, par la fiscalité directe et, dans un cas comme dans l'autre, dans quelles conditions précises ? Aussi est-ce le Trésor ou le ministère des Finances qui commandait l'économie de guerre. La Première Guerre mondiale, qui dura beaucoup plus longtemps que les gouvernements ne l'avaient prévu et « consomma » beaucoup plus d'hommes et d'armements, sonna le glas des pratiques habituelles et de la domination des ministères des Finances, même si les fonctionnaires du Trésor (comme le jeune Maynard Keynes) désapprouvaient encore l'empressement des hommes politiques à rechercher la victoire en dépensant sans compter. Ils avaient raison, bien entendu. La Grande-Bretagne livra deux guerres mondiales très au-dessus de ses moyens, avec des conséquences durables et négatives pour son économie. Pourtant, pour mener une guerre à l'échelle moderne, il fallait non seulement tenir compte de ses coûts, mais aussi organiser et planifier sa production – et, en fin de compte, l'économie toute entière.

C'est l'expérience qui l'apprit aux gouvernements. Lors de la Seconde Guerre mondiale, ils savaient dès le début à quoi s'en tenir, essentiellement du fait de l'expérience de la Première, dont ils avaient tiré assidûment les leçons. Toutefois, c'est seulement peu à peu qu'il apparut que les gouvernements devaient prendre le contrôle total de l'économie et combien étaient devenues décisives la planification matérielle et l'allocation des ressources (autrement que par les mécanismes économiques habituels). Au début de la Seconde Guerre mondiale, deux États seulement, l'URSS et, dans une moindre mesure, l'Allemagne nazie, avaient un mécanisme de contrôle physique de l'économie : ce n'est pas étonnant, puisque les idées soviétiques en matière de planification furent à l'origine inspirées et, jusqu'à un certain point reprises, de ce que les bolcheviks savaient de la planification de l'économie de guerre allemande en 1914-1917 (*cf.* chapitre 13). Certains États, notamment la Grande-Bretagne et les États-Unis, en ignoraient jusqu'aux rudiments.

C'est donc un étrange paradoxe valable pour les deux guerres mondiales : parmi les économies de guerre planifiées et dirigées par l'État (ce qui, dans des guerres totales, voulait dire *toutes* les économies de guerre), celles des États démocratiques occidentaux (la Grande-Bretagne et la France dans la Première ; la Grande-Bretagne et même les États-Unis dans la Seconde) se révélèrent bien supérieures à l'Allemagne avec sa tradition et ses théories de l'administration bureaucratique et rationnelle. (Sur la planification soviétique, *cf.* chapitre 13.) On ne peut qu'essayer d'en deviner les raisons, mais les faits ne sont pas douteux. L'économie de guerre allemande se montra moins systématique et efficace dans la mobilisation de toutes les ressources au service de la guerre – ce qui, naturellement, ne fut nécessaire qu'après l'échec des frappes éclair – et certainement moins soucieuse de la population civile allemande. Les Britanniques et les Français, qui étaient sortis de la Première Guerre mondiale sans dommage, avaient toute chance de se porter un peu mieux qu'avant la guerre, même s'ils étaient plus pauvres, tandis que les revenus réels de leurs ouvriers avaient augmenté. Les Allemands avaient faim, et les salaires réels des travailleurs avaient baissé. Pour la Seconde Guerre mondiale, les comparaisons sont plus difficiles, ne serait-ce que parce que la France fut bientôt éliminée, que les États-Unis étaient plus riches et soumis à des pressions bien moindres, l'URSS plus pauvre et soumise à des pressions beaucoup plus rudes. L'économie de guerre allemande avait pratiquement toute l'Europe à exploiter, mais à la fin du conflit le bilan des destructions matérielles y était bien plus lourd que chez les autres belligérants occidentaux. Une Grande-Bretagne dans l'ensemble appauvrie, dont la consommation civile avait baissé de plus de 20 % en 1943, n'en termina pas moins la guerre avec une population un peu mieux nourrie et plus saine, grâce à une économie de guerre planifiée systématiquement attentive à l'égalité, à l'équité des sacrifices et à la justice sociale. Le système allemand était naturellement, par principe, inéquitable. L'Allemagne exploita à la fois les ressources et la main-d'œuvre de l'Europe occupée, traitant les non-Allemands comme des populations inférieures et, dans les cas extrêmes – les Polonais, mais surtout les Russes et les Juifs – comme une main-d'œuvre servile et corvéable à merci, qu'il n'était pas même nécessaire de garder en vie. En 1944, la main-d'œuvre étrangère formait un cinquième de la force de travail en Allemagne, et 30 % dans les industries d'armements. Malgré tout, au mieux peut-on dire que les revenus réels des ouvriers allemands étaient au même niveau qu'en 1938. En Grande-Bretagne, le taux de mortalité infantile et le pourcentage de malades diminuèrent progressivement au cours de la guerre. Pays traditionnellement riche en nourriture et écarté de la guerre après 1940, la France occupée et dominée vit le poids moyen et la forme physique de ses habitants se dégrader dans toutes les classes d'âge.

La guerre totale a incontestablement révolutionné le *management*. Mais dans quelle mesure a-t-elle révolutionné la technologie et la production ? Ou, pour dire les choses autrement, a-t-elle avancé ou retardé le développement économique ? De toute évidence, elle a fait avancer la technologie, puisque le conflit entre belligérants opposa non seulement des armées, mais aussi des technologies rivales pour les approvisionner en armes efficaces et assurer d'autres services essentiels. Sans la Seconde Guerre mondiale, et la peur que l'Allemagne nazie n'exploite aussi les découvertes de la physique nucléaire, la bombe atomique n'aurait certainement pas été fabriquée, pas plus que n'auraient été consenties les dépenses tout à fait considérables nécessaires pour produire l'énergie nucléaire sous une forme ou sous une autre. D'autres progrès techniques réalisés d'abord à des fins de guerre se sont révélés beaucoup plus facilement applicables en temps de paix : on pense à l'aéronautique et à l'informatique. Cependant, cela ne change rien au fait que la guerre ou la préparation de la guerre a été un grand vecteur d'accélération du progrès technique en « supportant » les coûts nécessaires à l'élaboration d'innovations techniques dans lesquelles jamais personne, en temps de paix, ne se serait lancé sur la base des calculs coûts/bénéfices ou qui se seraient imposées de manière beaucoup plus lente et hésitante (*cf.* chapitre 9).

Reste que cette disposition de la guerre pour la technique n'était pas nouvelle. De surcroît, l'économie industrielle moderne s'est toujours nourrie d'innovations techniques constantes, qui se seraient certainement produites, probablement à un rythme de plus en plus rapide, même sans les guerres (si l'on peut se permettre cette hypothèse irréaliste pour les besoins de l'argumentation). Les guerres, et surtout la Seconde Guerre mondiale, ont largement contribué à diffuser la compétence technique, et elles ont certainement eu un impact majeur sur l'organisation industrielle et les méthodes de production de masse mais, dans l'ensemble, elles ont produit une accélération du changement plutôt qu'une transformation.

La guerre a-t-elle servi la croissance économique ? En un sens, il est clair que non. En dehors même de la population active, les pertes en ressources productives ont été lourdes. Au cours de la Seconde Guerre mondiale, l'URSS a perdu 25 % de ses capitaux fixes, l'Allemagne 13 %, l'Italie 8 %, la France 7 %, mais la Grande-Bretagne seulement 3 % (ces chiffres doivent cependant être corrigés par ceux des nouvelles constructions de guerre). Dans le cas extrême de l'URSS, l'effet économique net de la guerre a été entièrement négatif. En 1945, l'agriculture du pays était entièrement en ruines, de même que l'industrialisation des plans quinquennaux d'avant-guerre. Seules subsistaient une immense industrie d'armements impossible à reconvertir, une population famélique et décimée, et des destructions matérielles massives.

En revanche, il est clair que les guerres ont profité à l'économie américaine. Lors des deux conflits, le taux de croissance a été tout à fait extraordinaire, surtout au cours de la Seconde, où il a avoisiné les 10 % annuels, soit un taux sans équivalent auparavant ni depuis lors. Pendant les deux guerres, les États-Unis ont profité de ce qu'ils étaient loin des combats tout en étant le principal arsenal des Alliés, mais aussi de ce que leur économie était capable d'organiser l'expansion de la production plus efficacement qu'aucune autre. L'effet économique le plus durable des deux guerres a été de donner aux États-Unis, tout au long du Court Vingtième Siècle, une prépondérance mondiale qui n'a commencé à décliner qu'à la fin du siècle (*cf.* chapitre 9). En 1914, l'économie américaine était déjà la première économie industrielle, mais pas encore l'économie dominante. Les guerres, qui l'ont renforcée tout en affaiblissant ses concurrents, en termes relatifs aussi bien qu'absolus, ont transformé sa situation économique.

Si les États-Unis (lors des deux conflits) et la Russie (surtout durant le second) représentent les deux extrêmes des effets économiques des guerres, le reste du monde se situe quelque part entre ces extrêmes ; mais, au total, plus près de l'extrémité russe de la courbe que de l'américaine.

IV

Il reste à évaluer l'impact et les coûts humains de l'ère des guerres. La simple masse des victimes, déjà évoquée, n'en est qu'un aspect. Assez curieusement, sauf en URSS pour des raisons compréhensibles, le nombre très inférieur de victimes de la Première Guerre mondiale a laissé des traces plus profondes que les nombreux morts de la Seconde, comme en attestent les multiples mémoriaux et monuments érigés à l'issue de la Grande Guerre. La Seconde Guerre mondiale n'a produit aucun équivalent des monuments au « soldat inconnu » et, après 1945, la célébration de « l'armistice » (l'anniversaire du 11 novembre 1918) a perdu peu à peu de sa solennité de l'entre-deux-guerres. Les dix millions de morts (peut-être) de la Première Guerre ont été, pour ceux qui n'avaient jamais imaginé pareil sacrifice, un choc plus brutal que les 54 millions de la Seconde pour ceux qui avaient déjà fait l'expérience d'une guerre-massacre.

Le caractère total des efforts de guerre et la détermination des deux camps à mener une guerre sans limite et à n'importe quel prix ont certainement laissé leur marque. Sans cela, la brutalité et l'inhumanité croissantes du XXᵉ siècle s'expliquent mal. Sur cette montée de la barbarie après 1914, il n'y a malheureusement aucun doute. À l'aube du XXᵉ siècle, la torture avait été officiellement supprimée à travers l'Europe occidentale. Depuis 1945, nous nous sommes de nouveau habitués, sans grande répulsion, à la voir utilisée dans au moins un tiers des États membres des Nations unies, y compris dans quelques-uns des plus anciens et des plus civilisés (Peters, 1985).

Si la montée des brutalités s'explique moins qu'on ne pourrait le penser par la libération de la cruauté et de la violence latentes chez l'être humain que la guerre légitime naturellement, on assista bel et bien à un phénomène de ce genre, après la Première Guerre mondiale, chez un certain type d'anciens combattants (de vétérans), surtout chez les escadrons de gros bras ou de tueurs et au sein des « Corps francs » de l'extrême droite nationaliste. Pourquoi des hommes qui avaient tué et vu leurs amis se faire tuer ou mutiler hésiteraient-ils à tuer et à brutaliser les ennemis d'une bonne cause ?

Une raison essentielle en fut l'étrange démocratisation de la guerre. Les conflits à caractère total ont viré en « guerres populaires », parce que les civils et la vie civile sont devenus les cibles toutes désignées, et parfois essentielles, de la stratégie. Ensuite parce que dans les guerres démocratiques, comme dans la vie politique démocratique, les adversaires sont diabolisés afin de les rendre haïssables ou tout au moins méprisables. Les guerres conduites de part et d'autre par des professionnels, ou des spécialistes, surtout quand ils sont de même rang social, n'excluent pas le respect mutuel et l'acceptation de règles, ou même la chevalerie. La violence a ses règles. Ainsi qu'en témoigne *La Grande Illusion*, le film pacifiste de Jean Renoir sur la Première Guerre mondiale, c'était encore évident chez les pilotes de guerre en 1914 comme en 1939. Quand ils ne sont plus entravés par les exigences des scrutins ou de la presse, les professionnels de la politique ou de la diplomatie peuvent déclarer la guerre ou négocier la paix sans haine pour l'adversaire, comme des boxeurs qui se serrent la main avant de commencer le combat ou qui vont boire un verre après. Mais les guerres totales de notre siècle ont été très éloignées de ce modèle bismarckien ou du XVIIIᵉ siècle. Dès lors qu'elle mobilise les sentiments nationaux des masses, aucune guerre ne saurait être aussi limitée que les guerres aristocratiques. Et, il faut le dire, au cours de la Seconde Guerre mondiale, la nature du régime hitlérien et le comportement des Allemands, y compris de la vieille armée allemande non nazie, en Europe de l'Est était largement de nature à justifier une diabolisation.

Il est cependant une autre raison : le tour impersonnel qu'a pris l'art de la guerre, au point que le carnage et la mutilation apparaissent comme une conséquence lointaine d'un bouton que l'on presse ou d'un levier qu'on actionne. La technologie a rendu ses victimes invisibles comme jamais n'auraient pu l'être les hommes éviscérés par des baïonnettes ou vus à travers l'œilleton des armes à feu. Face aux canons installés sur le front occidental, il n'y avait pas des hommes, mais des statistiques – et encore, pas des statistiques réelles, mais des statistiques hypothétiques, ainsi que l'a montré le « décompte des corps » ennemis au cours de la guerre des États-Unis au Viêt-nam. Les bombardiers ne survolaient pas des hommes destinés à être brûlés ou éviscérés, mais des cibles. Des jeunes gens à l'âme sensible, à qui il ne serait certainement jamais venu à l'idée de plonger une baïonnette dans le ventre d'une jeune villageoise enceinte, purent beaucoup plus facilement larguer de grosses charges explosives sur Londres ou Berlin, voire des armes nucléaires sur Nagasaki. Des bureaucrates allemands assidus, qui auraient certainement répugné à conduire eux-mêmes des Juifs faméliques à l'abattoir, purent établir, sans se sentir trop personnellement concernés, les horaires de chemins de fer permettant l'acheminent régulier de convois de la mort vers les camps d'extermination polonais. Les plus grandes cruautés du siècle ont été impersonnelles, liées à des décisions lointaines, au système et à la routine, surtout quand on pouvait les justifier comme de regrettables nécessités opérationnelles.

Ainsi le monde s'est-il habitué à l'expulsion forcée et au massacre sur une échelle astronomique, tous phénomènes si peu familiers qu'il a fallu forger des mots nouveaux pour les désigner : « apatrides » ou « génocides ». La Première Guerre mondiale s'est soldée par le massacre d'un nombre incalculable d'Arméniens par les Turcs – le chiffre le plus courant est de 1,5 million de personnes –, qui demeure la première tentative moderne d'élimination d'une population entière, suivie du massacre mieux connu, perpétré par les nazis, d'environ cinq millions de Juifs – les chiffres demeurent contestés (Hilberg, 1985). La Première Guerre mondiale et la révolution russe se sont traduites par des millions de réfugiés ou par des « échanges de population » forcés entre États, ce qui revenait au même. Au total, 1,3 million de Grecs ont été rapatriés en Grèce ; 400 000 Turcs ont été transvasés dans l'État qui les revendiquait ; quelque 200 000 Bulgares ont rejoint le territoire réduit qui portait leur nom national ; et 1,5 ou peut-être 2 millions de Russes, fuyant la révolution ou se retrouvant dans le camp des perdants de la guerre civile, finirent « apatrides ». C'est essentiellement pour eux, plutôt que pour les 300 000 Arméniens fuyant le génocide, que fut inventé un nouveau document destiné à ceux qui, dans un monde de plus en plus bureaucratisé, n'avaient plus d'existence bureaucratique dans aucun État : le passeport « Nansen » de la Société des Nations, du nom de ce grand explorateur norvégien de l'Arctique qui fit une seconde carrière en tant qu'ami des sans amis. *Grosso modo*, les années 1914-1922 ont engendré entre quatre et cinq millions de réfugiés.

Ce premier flot d'épaves humaines n'était rien en comparaison de ce qui suivit la Seconde Guerre mondiale, ou de l'inhumanité du sort réservé aux populations déplacées. On a pu estimer qu'en mai 1945 l'Europe comptait 40,5 millions de déracinés, sans compter les non-Allemands astreints au travail obligatoire et les Allemands qui fuyaient devant la progression des armées soviétiques (Kulischer, 1948, p. 253-273). Près de treize millions d'Allemands furent expulsés des parties de l'Allemagne annexées par la Pologne et l'URSS, de la Tchécoslovaquie et de diverses régions de l'Europe du Sud-Est, où ils étaient implantés de longue date (Holborn, p. 363). Ils furent accueillis par la nouvelle République fédérale d'Allemagne, qui offrit un toit et la citoyenneté à tout Allemand qui revenait dans la mère-patrie, de même que le nouvel État d'Israël offrit un « droit au retour » à tous les Juifs qui le souhaitaient. Quand, si ce n'est à une époque de fuite massive, des États auraient-il pu faire sérieusement de pareilles offres ? Sur les 11 332 700 « personnes déplacées » de diverses nationalités que les armées victorieuses trouvèrent en 1945 en Allemagne, dix millions regagnèrent bientôt leur pays, mais la moitié d'entre elles furent obligées de le faire contre leur gré (Jacobmeyer, 1986).

Et il ne s'agit là que des seuls réfugiés de l'Europe. En 1947, la décolonisation de l'Inde en produisit quinze millions, obligés de franchir les nouvelles frontières entre l'Inde et le Pakistan (dans les deux sens), sans compter les deux millions de victimes de la guerre

civile qui accompagna ces événements. Autre sous-produit de la
Seconde Guerre mondiale, la guerre de Corée déplaça peut-être cinq
millions de Coréens. Après la création d'Israël – encore un effet de la
guerre – près de 1 million de Palestiniens furent enregistrés à l'Office
de travaux et de secours des Nations unies (UNRWA) ; inversement,
au début des années 1960, 1,2 million de Juifs avaient émigré en
Israël, la majorité en qualité de réfugiés. Bref, la catastrophe
humaine provoquée par la Seconde Guerre mondiale est très certainement la plus grande de l'histoire. Que l'humanité ait appris à vivre
dans un monde où massacres, tortures et exil de masse sont devenus
des expériences quotidiennes que nous ne remarquons plus, n'est pas
l'aspect le moins tragique de cette catastrophe.

Avec le recul, les trente et un ans qui séparent l'assassinat de l'archiduc autrichien à Sarajevo de la capitulation du Japon apparaissent
comme une ère de ravages comparables à la guerre de Trente ans, au
XVIIe siècle, dans l'histoire de l'Allemagne. Et Sarajevo – le premier
Sarajevo – a certainement marqué, dans les affaires du monde, le
début d'une ère générale de catastrophe et de crise qui est le thème
de ce chapitre et des quatre suivants. Néanmoins, dans la mémoire
des générations d'après 1945, la guerre de Trente et un Ans n'a pas
laissé le même genre de souvenir que la guerre plus localisée du XVIIe
siècle.

La raison tient au fait qu'il faut adopter la perspective de l'historien pour n'y voir qu'une seule et même ère de guerre. Ceux qui l'ont
vécue l'ont ressentie comme deux guerres distinctes, quoique liées,
séparées par un « entre-deux-guerres » sans hostilités ouvertes, allant
de treize années pour le Japon (pour lequel la Seconde Guerre commença en Mandchourie en 1931) à vingt-trois ans pour les États-Unis
(qui n'entrèrent dans la Seconde Guerre mondiale qu'en décembre
1941). Mais c'est aussi parce que chacune de ces guerres a eu son
caractère historique et son profil propres. Dans les deux cas, ce
furent des épisodes de carnage sans parallèle, laissant derrière eux
des images de cauchemar technologique qui devaient hanter les nuits
et les jours de la génération suivante : gaz toxique et bombardement
aérien après 1918, le champignon de la destruction nucléaire après
1945. Les deux épisodes se soldèrent par une rupture et, comme nous
le verrons dans le prochain chapitre, par une révolution sociale dans
de grandes régions de l'Europe et de l'Asie. Tous deux laissèrent les

deux belligérants épuisés et affaiblis, exception faite des États-Unis, qui en ressortirent à la fois sans dommages et enrichis, en seigneurs économiques du monde. Et pourtant, comme les différences sont frappantes ! La Première Guerre mondiale n'a rien résolu. Les espoirs qu'elle a pu susciter – d'un monde pacifique et démocratique d'États-nations placé sous l'égide de la SDN, d'un retour à l'économie mondiale de 1913 ; et même (parmi ceux qui saluèrent la révolution russe) d'un renversement du capitalisme mondial par la révolte des opprimés en l'espace de quelques années, voire de quelques mois – furent vite déçus. Le passé était hors de portée, l'avenir ajourné, le présent amer, si ce n'est au cours d'une brève période au milieu des années 1920. La Seconde Guerre mondiale a bel et bien produit des solutions, tout au moins pendant quelques décennies. Les problèmes sociaux et économiques dramatiques du capitalisme, dans son Ère des catastrophes, ont semblé disparaître. L'économie du monde occidental est entrée dans son Âge d'or ; soutenue par une extraordinaire amélioration de la vie matérielle, la démocratie politique occidentale était stable ; la guerre en avait été bannie et repoussée vers le tiers-monde. Par ailleurs, même la Révolution semblait avoir trouvé sa voie et avancer. Les empires coloniaux disparaissaient ou étaient voués à disparaître sous peu. Un consortium d'États communistes, organisés autour de l'Union soviétique désormais transformée en superpuissance, semblait prêt à rivaliser avec l'Occident dans la course à la croissance économique. La suite montra que ce n'était qu'une illusion, mais celle-ci ne commença à se dissiper que dans les années 1960. Ainsi que nous le voyons aujourd'hui, même la scène internationale était stabilisée, bien qu'elle n'en donnât pas l'impression. Contrairement à ce qui s'était passé après la Grande Guerre, les anciens ennemis – l'Allemagne et le Japon – réintégrèrent l'économie mondiale (occidentale), et les nouveaux ennemis – les États-Unis et l'URSS – n'en vinrent jamais aux coups.

Même les révolutions sur lesquelles s'achevèrent les deux guerres furent très différentes. Celles qui suivirent la Première Guerre mondiale s'enracinaient dans un dégoût pour une boucherie qui paraissait de plus en plus absurde à ceux qui l'avaient vécue. Ce furent des révolutions contre la guerre. Les révolutions d'après la Seconde Guerre mondiale furent le fruit de la participation populaire à une lutte mondiale contre divers ennemis : l'Allemagne, le Japon, plus généralement l'impérialisme. Si terrible fût-elle, cette lutte semblait juste à ceux qui la menèrent. Et pourtant, comme les deux guerres mondiales, les deux formes de révolution d'après-guerre apparaissent à l'historien comme un processus unique.

CHAPITRE 2
LA RÉVOLUTION MONDIALE

« *En même temps,* [Boukharine] *ajouta : "Je crois que nous sommes entrés dans une période de révolution qui peut durer cinquante ans avant que la révolution ne soit enfin victorieuse dans toute l'Europe et finalement dans le monde entier."* »

Arthur RANSOME,
Six Weeks in Russia in 1919 (1919, p. 54)

« *Comme c'est terrible de lire le poème de Shelley (pour ne rien dire des chants des paysans égyptiens, il y a trois mille ans), qui dénonce l'oppression et l'exploitation. Les lira-t-on dans un avenir encore plein d'oppression et d'exploitation que l'on dira encore : "Même en ce temps-là..."* »

Bertolt BRECHT, en lisant « Le Masque d'Anarchie »
de Shelley en 1938 (Brecht, 1964)

« *Depuis la Révolution française s'est levée en Europe une révolution russe, et celle-ci a de nouveau appris au monde que l'on peut chasser même les envahisseurs les plus forts, dès lors que le destin de la patrie est réellement confié aux pauvres, aux humbles, aux prolétaires, aux travailleurs.* »

Journal mural de la *19 Brigata Eusebio Giambone*
des Partisans italiens, 1944 (Pavone, 1991, p. 406)

La révolution est la fille de la guerre du XXe siècle : particulièrement, la révolution russe de 1917, qui a créé l'Union soviétique devenue une superpuissance dans la seconde phase de la guerre de Trente et un Ans ; mais, plus généralement, la révolution comme constante générale de l'histoire du siècle. La guerre seule ne conduit pas nécessairement à la crise, à l'effondrement et à la révolution dans les pays belligérants. En fait, avant 1914, c'est l'hypothèse contraire qui dominait, tout au moins concernant les régimes établis qui jouissent d'une légitimité traditionnelle. Napoléon Ier avait déploré amèrement que l'empereur d'Autriche pût survivre sans dommage à cent batailles perdues, comme le roi de Prusse survécut à un désastre militaire et à la perte de la moitié de ses terres, tandis que lui-même, enfant de la Révolution française, était à la merci d'une seule défaite. Mais les tensions de la guerre totale du XXe siècle sur les États et les peuples impliqués ont été si irrésistibles et sans précédent qu'elles ont presque poussé les uns et les autres à leurs limites et à leur point de rupture. Seuls les États-Unis sont sortis des hostilités comme ils y étaient entrés, et même relativement plus forts. Pour tous les autres, la fin des guerres a été synonyme de bouleversement.

Que le vieux monde fût condamné paraissait évident. La vieille société, la vieille économie, les anciens systèmes politiques avaient « perdu le mandat du Ciel », comme disent les Chinois. L'humanité attendait une alternative. Et celle-ci était familière en 1914. Comptant sur le soutien des classes ouvrières en pleine expansion et forts de la conviction que leur victoire était historiquement inéluctable, les partis socialistes étaient l'incarnation de cette alternative dans la plupart des pays européens (voir *L'Ère des empires*, chapitre 5). Il semblait que les peuples n'attendaient qu'un signal pour se lever, remplacer le capitalisme par le socialisme et transformer ainsi les absurdes souffrances de la guerre en quelque chose qui apparaîtrait comme les douleurs de l'enfantement et les convulsions sanglantes d'un nouveau monde en gésine. La révolution russe ou, plus précisément, la révolution bolchevique d'Octobre 1917 devait donner ce signal au monde. Dans l'histoire de ce siècle, elle est donc devenue un événement aussi central que la révolution de 1789 dans celle du XIXe siècle. De fait, ce n'est pas un hasard si l'histoire du Court Vingtième Siècle, tel qu'il est défini dans ce livre, coïncide pratiquement avec la durée de vie de l'État né de la révolution d'Octobre.

Celle-ci a eu cependant des répercussions bien plus profondes et globales que son ancêtre. Car, s'il est clair aujourd'hui que les idées de la Révolution française ont survécu au bolchevisme, les conséquences pratiques de 1917 ont été bien plus grandes et plus durables que celles de 1789. La révolution d'Octobre a engendré le mouvement révolutionnaire organisé de loin le plus formidable de l'histoire moderne. Son expansion mondiale a été sans parallèle depuis les conquêtes de l'Islam au premier siècle de son histoire. À peine trente ou quarante ans après l'arrivée de Lénine à la gare de Finlande, à Petrograd, un tiers de l'humanité vivait sous des régimes directement dérivés des « dix jours qui ébranlèrent le monde » (Reed, 1919) et du modèle d'organisation de Lénine, le parti communiste. La plupart d'entre eux suivirent l'URSS dans une deuxième vague de révolutions déclenchée par la seconde phase de la longue guerre mondiale de 1914-1945. Le présent chapitre traite de cette révolution en deux temps, même s'il se concentre naturellement sur la révolution originale et formatrice de 1917 et le style bien particulier qu'elle imposa aux révolutions qui lui succédèrent.

En tout état de cause, elle les a largement dominées.

I

Pendant une bonne partie du Court Vingtième Siècle, le communisme soviétique a prétendu être un système alternatif et supérieur au capitalisme, appelé par l'histoire à en triompher. Au cours de cette période, même ceux qui rejetaient ses prétentions étaient loin d'être convaincus de l'impossibilité de son triomphe. Et, à l'exception significative des années 1933 à 1945 (*cf.* chapitre 5), la meilleure façon de comprendre la politique internationale du Court Vingtième Siècle à partir de la révolution d'Octobre est d'y voir l'affrontement entre les forces de l'ordre ancien et celles de la révolution sociale, alliées ou dépendantes de la bonne fortune de l'Union soviétique et du communisme international qui en était, selon elles, l'incarnation.

À mesure qu'on avança dans le Court Vingtième Siècle, cette image de la politique mondiale comme un duel entre deux systèmes sociaux (l'un et l'autre mobilisés, après 1945, derrière une superpuissance dotée d'armes de destruction globale) devint de plus en plus irréaliste. Dans les années 1980, elle avait aussi peu de rapport avec les réalités de la politique internationale que les Croisades. Nous pouvons pourtant comprendre comment cette vision s'est formée. Car, de manière plus complète et plus inflexible encore que la Révolution française à l'époque jacobine, la révolution d'Octobre se percevait elle-même comme un événement moins national qu'œcuménique. Son but n'était pas d'apporter la liberté et le socialisme à la Russie, mais de promouvoir la révolution prolétarienne mondiale. Dans l'esprit de Lénine et de ses camarades, la victoire du bolchevisme en Russie était avant tout une bataille pour la victoire du bolchevisme dans le monde, et elle ne pouvait guère se justifier qu'ainsi.

La Russie tsariste était mûre pour la révolution. Elle la méritait largement et, depuis les années 1870, tous les observateurs sensés de la scène mondiale convenaient que cette révolution ne manquerait pas de renverser le tsarisme (voir *L'Ère des empires*, chapitre 12). Après 1905-1906, quand la révolution eut bel et bien mis le tsarisme à genoux, nul n'en doutait sérieusement. Avec le recul, il se trouve des historiens pour soutenir, que, sans l'accident de la Première Guerre mondiale et la révolution bolchevique, la Russie tsariste aurait évolué vers une société industrielle libérale et capitaliste florissante et qu'elle était bien engagée sur cette voie, mais il faudrait un microscope pour détecter de telles prophéties avant 1914. En fait, le régime tsariste ne s'était guère remis de la révolution de 1905 lorsque, toujours aussi incompétent et indécis, il se trouva une fois encore fouaillé par la vague montante du mécontentement social. N'était la ferme loyauté de l'armée, de la police et de l'administration dans les derniers mois précédant la guerre, le pays paraissait de nouveau au bord de l'explosion. De même qu'en bien des pays belligérants, l'enthousiasme et le patriotisme de masse après le déclenchement des hostilités désamorcèrent la crise politique en Russie, mais pas pour longtemps. En 1915, les problèmes du régime tsariste s'avéraient une fois encore insurmontables. Rien ne sembla moins surprenant et inattendu que la révolution de mars 1917[1], qui renversa la monarchie russe et fut saluée par toute l'opinion politique occidentale, sauf par les réactionnaires traditionalistes les plus indécrottables.

Et pourtant, à l'exception des romantiques pour qui les pratiques collectives de la communauté villageoise russe menaient tout droit au socialisme, il était également acquis pour tout le monde qu'une révolution russe ne pouvait être et ne serait pas socialiste. Les conditions d'une telle transformation n'étaient pas réunies dans un pays paysan synonyme de pauvreté, d'ignorance et d'arriération, et où le prolétariat industriel, fossoyeur prédestiné du capitalisme selon Marx, n'était qu'une minuscule minorité si même elle était stratégiquement localisée. Les révolutionnaires marxistes russes eux-mêmes partageaient ce point de vue. En soi, le renversement du tsarisme et du système de propriété foncière devait produire, et ne pouvait produire, qu'une « révolution bourgeoise ». La lutte des classes entre bourgeoisie et prolétariat (qui, toujours selon Marx, ne pouvait avoir qu'une seule issue) continuerait alors dans les nouvelles conditions politiques. Naturellement, la Russie ne vivait pas dans l'isolement et une révolution dans cet immense pays, qui s'étendait des abords du Japon à ceux de l'Allemagne, et dont le gouvernement faisait partie de la poignée de « grandes puissances » qui dominaient la scène mondiale, ne pouvait avoir que des conséquences internationales de grande ampleur. Karl Marx lui-même, à la fin de sa vie, avait espéré qu'une révolution en Russie serait une sorte de détonateur, déclenchant la révolution prolétarienne dans les pays occidentaux industriellement plus développés, où étaient réunies les conditions d'une révolution socialiste prolétarienne. À la fin de la Première Guerre mondiale, ce scénario semblait sur le point de se réaliser.

Il n'y avait qu'une seule difficulté. Si la Russie n'était pas mûre pour la révolution socialiste prolétarienne des marxistes, elle ne l'était pas davantage pour leur « révolution bourgeoise » libérale. Même ceux qui souhaitaient s'en tenir à celle-ci devaient trouver un moyen d'y parvenir sans compter sur les forces modestes et faibles de la bourgeoisie libérale russe – une infime minorité à qui manquaient les assises morales, le soutien public et une tradition institutionnelle de gouvernement représentatif. Les Cadets, le parti du libéralisme bourgeois, comptaient moins de 2,5 % de députés dans l'Assemblée constitutionnelle librement élue (et bientôt dissoute) de 1917-1918. De deux choses l'une : ou la Russie bourgeoise et libérale triompherait à la faveur du soulèvement des paysans et des ouvriers (qui n'en avaient que faire, à supposer même qu'ils en eussent la moindre idée) sous l'égide de partis révolutionnaires qui souhaitaient autre chose ; ou, solution la plus probable, les forces accomplissant la révolution la poursuivraient, au-delà de sa phase libérale et bourgeoise, vers une phase plus radicale (la « révolution permanente », pour employer la formule adoptée par Marx et ressuscitée par le jeune Trotski au cours de la révolution de 1905). En 1917 Lénine, dont les espoirs n'étaient guère allés au-delà d'une Russie bourgeoise et démocratique en 1905, conclut également dès le départ que le cheval libéral n'avait aucune chance dans la course révolutionnaire en Russie. C'était une appréciation réaliste. En 1917, toutefois, il était clair à ses yeux, comme à ceux de tous les autres marxistes russes et non russes, que les conditions d'une révolution *socialiste* n'étaient pas réunies en Russie. Pour les révolutionnaires marxistes de ce pays, leur révolution *devait* se propager partout.

Or rien ne paraissait plus probable, car la Grande Guerre se termina par un effondrement politique et une crise révolutionnaire généralisés, surtout dans les États belligérants vaincus. En 1918, les dirigeants des quatre puissances défaites (Allemagne, Autriche-Hongrie, Turquie et Bulgarie) avaient tous perdu leur trône, suivant ainsi le tsar de Russie qui avait dû abdiquer en 1917 après la victoire de l'Allemagne. De surcroît, les troubles sociaux, qui avaient pris un tour presque révolutionnaire en Italie, ébranlèrent même les belligérants européens du camp victorieux.

Les sociétés européennes commencèrent à flancher sous les extraordinaires pressions de la guerre de masse. La vague initiale de patriotisme qui avait suivi le déclenchement des hostilités était retombée. En 1916, la lassitude se transformait en une hostilité morose et silencieuse à un carnage apparemment sans fin et peu concluant auquel nul ne semblait prêt à mettre fin. Tandis qu'en 1914 les adversaires de la guerre s'étaient sentis démunis et isolés, en 1916 ils avaient le sentiment de pouvoir parler pour la majorité. Que le 28 octobre 1916 Friedrich Adler, fils du chef de file et fondateur du parti socialiste autrichien, ait délibérément et de sang froid assassiné le Premier ministre autrichien, le comte Stürgkh, dans un café de Vienne – c'était le temps de l'innocence avant l'apparition des gorilles – pour protester publiquement contre la guerre montre à quel point la situation avait changé.

L'hostilité à la guerre rehaussa le profil politique des socialistes, qui renouèrent de plus en plus avec l'antimilitarisme caractéristique de leurs mouvements avant 1914. À vrai dire, certains partis (par exemple, en Russie, en Serbie et en Grande-Bretagne – l'Independant Labour Party) n'avaient jamais cessé de s'y opposer et, même dans les pays où les partis socialistes avaient approuvé la guerre, c'est dans leurs rangs que se trouvèrent ses adversaires les plus bruyants[2]. En même temps, et dans tous les grands pays belligérants, le mouvement syndical des immenses industries d'armement devint le centre du militantisme industriel et antimilitariste. Dans ces usines, les militants de base, les hommes en position de force pour négocier (les *shop stewards* ou « délégués d'atelier » en Grande-Bretagne, les *Betriebsobleute* en Allemagne) devinrent les fers de lance du radicalisme. Les ouvriers mécaniciens des nouveaux navires de haute technologie, qui ressemblaient un peu à des usines flottantes, évoluèrent dans la même direction. Tant en Russie qu'en Allemagne, les principales bases navales (Cronstadt, Kiel) allaient devenir de grands centres révolutionnaires ; plus tard, une mutinerie des marins français dans la mer Noire devait mettre fin à l'intervention militaire française contre les bolcheviks au cours de la guerre civile russe de 1918-1920. La rébellion contre la guerre trouva donc un épicentre et un agent. Que les censeurs austro-hongrois, surveillant la correspondance des troupes, aient alors commencé à remarquer un changement de ton n'est pas pour étonner : « Si seulement le bon Dieu pouvait nous apporter la paix » se transformait en « Nous en avons ras-le-bol », ou même « On dit que les socialistes vont faire la paix ».

Que, toujours suivant la censure de l'empire des Habsbourg, la révolution russe ait été le premier événement politique depuis le début de la guerre à trouver un écho jusque dans les lettres des épouses des paysans et des ouvriers n'a donc rien d'étonnant. Et il n'est pas surprenant non plus que, surtout quand la révolution d'Octobre eut porté au pouvoir les bolcheviks de Lénine, le désir de paix se soit confondu avec le désir de révolution sociale : parmi les lettres censurées entre novembre 1917 et mars 1918, un tiers des correspondants disait attendre la paix de la Russie, un tiers de la révolution, et 20 % d'un mélange des deux. Qu'une révolution en Russie aurait de grandes répercussions internationales avait toujours été clair : même la première, en 1905-1906, avait en son temps ébranlé les vieux empires survivants, de l'Autriche-Hongrie à la Chine en passant par la Turquie et la Perse (voir *L'Ère des empires*, chapitre 17). En 1917, l'Europe entière était un amas d'explosifs sociaux qui n'attendait que sa mise à feu.

II

Lasse de la guerre, au bord de la défaite, et mûre pour la révolution, la Russie fut le premier des régimes d'Europe centrale et orientale à s'effondrer sous l'effet des tensions de la Première Guerre mondiale. L'explosion était attendue, bien que nul n'eût pu prédire l'heure et l'occasion de la détonation. Quelques semaines avant la révolution de février, Lénine, depuis son exil suisse, se demandait encore si elle se produirait de son vivant. Le régime du tsar s'effondra lorsqu'une manifestation d'ouvrières (le 8 mars, traditionnelle « Journée des femmes » pour le mouvement socialiste) et un arrêt de travail aux usines métallurgiques Poutilov, réputées pour leur militantisme, débouchèrent sur une grève générale : traversant le fleuve gelé, la foule envahit le centre de la capitale, essentiellement pour réclamer du pain. La fragilité du régime apparut au grand jour lorsque les troupes, même les toujours fidèles Cosaques, hésitèrent, puis refusèrent de charger la foule et fraternisèrent avec elle. Lorsque, après quatre jours de chaos, elles se mutinèrent, le tsar abdiqua, laissant la place à un « gouvernement provisoire » libéral, qui jouissait d'une certaine sympathie et de l'appui des alliés occidentaux de la Russie, lesquels craignaient que le régime tsariste aux abois ne se retirât de la guerre et signât une paix séparée avec l'Allemagne. Quatre jours d'insurrection spontanée et dépourvue de chef mirent fin à un Empire[3]. Mieux encore : la Russie était à ce point mûre pour la révolution sociale que les masses de Petrograd assimilèrent aussitôt la chute du tsar à la proclamation de la liberté universelle, de l'égalité et de la démocratie directe. L'extraordinaire entreprise de Lénine consista à transformer ce soulèvement populaire incontrôlable et anarchique en un pouvoir bolchevique.

Ainsi, plutôt qu'une Russie libérale et constitutionnelle tournée vers l'Occident, prête et disposée à combattre les Allemands, émergea une situation révolutionnaire : un « gouvernement provisoire » impuissant d'un côté, et de l'autre, une multitude de « conseils » (soviets) surgissant spontanément à la base comme des champignons après la pluie[4]. Localement, ceux-ci détenaient la réalité du pouvoir, ou tout au moins un droit de veto, mais ils ne savaient qu'en faire et n'avaient aucune idée de ce qu'ils pouvaient ou devaient en faire. Les divers partis et organisations révolutionnaires – les bolcheviks et les mencheviks sociaux-démocrates, les socialistes-révolutionnaires et de nombreuses factions de gauche de moindre importance, alors sorties de l'illégalité – tentèrent de s'imposer dans ces assemblées, de les coordonner et de les rallier à leur ligne politique, même si, dans un premier temps, Lénine fut le seul à y voir la base d'un nouveau gouvernement (« Tout le pouvoir aux soviets »). Cependant, à la chute du tsar, assez peu de gens en Russie savaient ce que représentaient ces étiquettes des partis révolutionnaires. Ou, s'ils le comprenaient, peu s'y retrouvaient entre leurs appels contradictoires. Ce dont ils étaient sûrs, c'est qu'ils n'acceptaient plus la moindre autorité, pas même celle des révolutionnaires qui prétendaient savoir mieux qu'eux ce qu'il fallait faire.

Dans les villes, les pauvres exigeaient avant tout du pain, et les ouvriers de meilleurs salaires et des horaires allégés. Les 80 % de Russes qui vivaient de l'agriculture revendiquaient, comme toujours, de la terre. Tous se retrouvaient pour réclamer la fin de la guerre, même si, dans un premier temps, la masse des paysans-soldats qui formaient l'armée s'insurgea moins contre la guerre en tant que telle que contre la discipline trop rude et les mauvais traitements qui leur étaient infligés par les officiers. Ces slogans, « du pain, la paix et des terres », valurent à ceux qui les propageaient des soutiens de plus en plus nombreux ; c'est vrai en particulier pour les bolcheviks de Lénine, qui passèrent de quelques milliers d'adhérents en mars 1917 à près d'un quart de million au début de l'été. Contrairement à la mythologie de la guerre froide, qui voyait essentiellement en Lénine un organisateur de coups de force, le seul véritable atout des bolcheviks était leur aptitude à reconnaître ce que voulaient les masses, c'est-à-dire à les diriger en sachant les suivre. Lorsque, par exemple, Lénine reconnut que, contrairement au programme socialiste, les paysans souhaitaient un partage de la terre en fermes familiales, il n'hésita pas un instant à rallier les bolcheviks à cette forme d'individualisme économique.

Inversement, le gouvernement provisoire et ses partisans ne se rendaient nullement compte qu'ils étaient bien incapables de soumettre la Russie à leurs lois et décrets. Quand les hommes d'affaires et les cadres essayèrent de rétablir la discipline du travail, ils ne firent que radicaliser les ouvriers. Lorsqu'en juin 1917 le gouvernement provisoire voulut à tout prix lancer une nouvelle offensive militaire, l'armée en eut assez, et les paysans-soldats regagnèrent leurs villages pour prendre part au partage de la terre avec leurs parents. La révolution se propagea suivant les lignes de chemins de fer qui les reconduisaient chez eux. L'heure n'était pas encore mûre pour la chute immédiate du gouvernement provisoire, mais à compter de l'été la radicalisation s'accéléra aussi bien dans l'armée que dans les grandes villes, et de plus en plus au bénéfice des bolcheviks. Bien entendu, la paysannerie se rallia en masse aux héritiers des narodniks (voir *L'Ère du capital*, chapitre 9), c'est-à-dire aux socialistes-révolutionnaires, mais il se forma en leur sein une aile gauche plus radicale, qui se rapprocha des bolcheviks et les rejoignit brièvement au gouvernement après la révolution d'Octobre.

Les bolcheviks – alors essentiellement un parti ouvrier – se retrouvant majoritaires dans les grandes villes russes, en particulier dans la capitale, Petrograd, et à Moscou, mais aussi gagnant rapidement du terrain dans l'armée, l'existence du gouvernement provisoire devint de plus en plus précaire : surtout, en août, lorsqu'il lui fallut faire appel aux forces révolutionnaires de la capitale pour réprimer une tentative de coup d'État contre-révolutionnaire conduite par un général monarchiste. La lame de fond de leurs partisans radicalisés poussa inévitablement les bolcheviks à la prise du pouvoir. De fait, lorsque sonna l'heure, le pouvoir n'était plus tant à prendre qu'à ramasser. On a dit qu'il y avait eu plus de blessés lors du tournage du grand film d'Eisenstein, *Octobre*, qu'au cours de la prise du Palais d'hiver, le 7 novembre 1917. Sans personne pour le défendre, le gouvernement provisoire se dissipa.

Depuis la chute du gouvernement provisoire jusqu'à aujourd'hui, la révolution d'Octobre a toujours été noyée dans des polémiques, le plus souvent fallacieuses. La question n'est pas de savoir si, comme l'ont soutenu les historiens anticommunistes, ce fut un putsch ou un coup d'État conduit par un Lénine foncièrement hostile à la démocratie, mais qui, ou ce qui devait ou pouvait suivre la chute du gouvernement provisoire. À compter du début du mois de septembre, Lénine tâcha non seulement de convaincre les éléments hésitants de son parti que le pouvoir risquait de leur échapper s'ils ne se préparaient pas à le prendre dans le bref laps de temps où il était à leur portée, mais aussi – peut-être avec une égale urgence – de répondre à la question, « les bolcheviks pourraient-ils conserver le pouvoir ? », s'ils venaient à s'en emparer. De fait, que pouvait faire *quiconque* aspirait à gouverner l'éruption volcanique de la Russie révolutionnaire ? En dehors des bolcheviks de Lénine, aucun parti n'était prêt à envisager cette responsabilité seul – et la brochure de Lénine laisse penser que tous les bolcheviks n'étaient pas aussi déterminés que lui. Compte tenu de la situation politique favorable à Petrograd, à Moscou et au sein des armées du Nord, il était difficile de s'opposer à l'idée que, au lieu d'attendre la suite des événements, il fallait prendre le pouvoir au plus vite. La contre-révolution militaire commençait à peine. Plutôt que de s'effacer devant les soviets, un gouvernement aux abois risquait de livrer Petrograd à l'armée allemande, déjà présente sur la frontière nord de l'actuelle Estonie, c'est-à-dire à quelques kilomètres seulement de la capitale. De surcroît, Lénine hésitait rarement à regarder en face les faits les plus sombres. Si les bolcheviks laissaient passer l'heure, une « vague d'anarchie peut devenir *plus forte que nous ne le sommes* ». En dernière analyse, l'argumentation de Lénine ne pouvait que convaincre son parti. Si un parti révolutionnaire ne prenait pas le pouvoir lorsque les circonstances et les masses le réclamaient, en quoi différait-il d'un parti non révolutionnaire ?

À supposer même que la prise du pouvoir à Petrograd et à Moscou pût être étendue au reste de la Russie et qu'il pût se maintenir contre l'anarchie et la contre-révolution, ce sont les perspectives à plus long terme qui étaient problématiques. Le programme de Lénine, atteler le nouveau gouvernement des soviets (c'est-à-dire essentiellement le Parti bolchevique) à la « transformation socialiste de la République russe » était fondamentalement un pari sur la conversion de la révolution russe en une révolution mondiale ou, tout au moins, européenne. Qui pourrait imaginer, aimait-il à répéter, que le socialisme puisse triompher « autrement que par la destruction complète de la bourgeoisie russe et européenne » ? En attendant, le premier devoir des bolcheviks, en vérité le seul, était de tenir. Le nouveau régime ne fit pas grand-chose en matière de socialisme, si ce n'est déclarer que tel était son objectif, prendre le contrôle des banques et soumettre les instances dirigeantes en place au « contrôle ouvrier », c'est-à-dire donner l'estampille officielle à ce qui se passait de toute façon depuis la révolution, tout en les pressant de continuer à produire. Il n'avait rien d'autre à leur dire[5].

Le nouveau régime tint bon. Il survécut à la paix-sanction imposée par l'Allemagne à Brest-Litovsk, quelques mois avant que les Allemands furent à leur tour vaincus : la Pologne, les provinces baltes, l'Ukraine et de larges portions du sud et de l'ouest de la Russie mais aussi, *de facto*, la Transcaucasie furent alors détachées de l'ancien Empire (l'Ukraine et la Transcaucasie seront ensuite récupérées). Les Alliés ne virent aucune raison de se montrer plus généreux envers le centre de la subversion mondiale. Diverses armées et régimes contre-révolutionnaires (« blancs ») se dressèrent contre les soviets et furent financés par les Alliés, qui dépêchèrent sur le sol russe des troupes britanniques, françaises, américaines, japonaises, polonaises, serbes, grecques et roumaines. Aux pires moments de la guerre civile brutale et chaotique des années 1918-1920, la Russie soviétique se trouva réduite à une carcasse de territoire quelque part entre la région de l'Oural et les actuels États baltes, coupée de la mer, hormis la toute petite pointe avancée de Petrograd, tournée vers le golfe de Finlande. Les seuls atouts majeurs dont disposât le nouveau régime, qui à partir de rien improvisa l'Armée rouge finalement victorieuse, étaient l'incompétence et la division des forces « blanches » déchirées par des querelles incessantes, leur capacité de s'aliéner la paysannerie grand-russe et le soupçon fondé, parmi les puissances occidentales, qu'on ne pouvait sans risque engager contre les bolcheviks des soldats et des matelots prêts à se mutiner. À la fin de 1920, les bolcheviks avaient gagné.

Contre toute attente, la Russie soviétique avait survécu. Les bolcheviks réussirent à conserver le pouvoir, et en réalité à l'étendre, non seulement plus longtemps que la Commune de Paris en 1871 (ainsi que le nota Lénine avec fierté et soulagement après deux mois et quinze jours), mais tout au long d'années de crises et de catastrophes ininterrompues : conquête allemande, paix-sanction, sécessions régionales, contre-révolution, guerre civile, intervention des armées étrangères, famine et effondrement économique. Le nouveau régime ne pouvait avoir d'autre stratégie ou d'autre perspective que de choisir, au jour le jour, entre les décisions nécessaires pour parer au plus pressé et celles qui risquaient d'entraîner une catastrophe immédiate. Qui pouvait se permettre d'envisager les conséquences possibles à long terme de décisions qui devaient être prises *maintenant*, sans quoi ce serait la fin de la révolution et il n'y aurait plus d'autres conséquences à envisager ? Les mesures nécessaires furent prises l'une après l'autre. Lorsque la nouvelle République soviétique sortit de ses épreuves, ce fut pour s'apercevoir qu'elle s'était engagée dans une direction très éloignée de celle à laquelle pensait Lénine à la gare de Finlande.

Quoi qu'il en soit, la révolution avait survécu, pour au moins trois grandes raisons. En premier lieu, avec un parti communiste centralisé et discipliné fort de 600 000 membres, elle possédait un instrument d'une puissance incomparable, presque un embryon d'État. Quel que fût son rôle avant la révolution, ce modèle d'organisation, dont Lénine s'était fait depuis 1902 le propagateur et défenseur infatigable, avait fini par s'imposer. Presque tous les régimes révolutionnaires du Court Vingtième Siècle devaient l'adopter sous une forme ou sous une autre. En deuxième lieu, c'était de toute évidence le seul gouvernement capable et désireux d'assurer la cohésion de la Russie en tant qu'État, ce qui lui valait des soutiens considérables parmi des patriotes russes, par ailleurs politiquement hostiles, comme les officiers, sans lesquels jamais l'Armée rouge n'aurait pu être mise sur pieds. Pour ceux-ci, comme pour l'historien après-coup, le choix, en 1917-1918, n'était pas entre une Russie libérale et démocratique et une Russie non libérale, mais entre la Russie et la désintégration, c'est-à-dire le destin qu'avaient connu les autres empires archaïques et vaincus, à savoir l'Autriche-Hongrie et la Turquie. Contrairement à ces derniers, la révolution russe préserva pour l'essentiel l'unité territoriale multinationale de l'ancien État tsariste – tout au moins pour encore soixante-quatorze ans. En troisième et dernier lieu, la révolution avait permis à la paysannerie de prendre possession de la terre. À l'heure critique, le gros des paysans grand-russes – le noyau dur de l'État comme de sa nouvelle armée – estima que ses chances de conserver la terre étaient meilleures sous les Rouges qu'avec le retour de la noblesse. Cela donna un avantage déterminant aux bolcheviks dans la guerre civile de 1918-1920. En fait, les paysans russes étaient trop optimistes.

III

La Révolution mondiale, au nom de laquelle Lénine avait engagé son pays sur la voie du socialisme, ne fut pas au rendez-vous, condamnant la Russie soviétique à une génération d'isolement dans l'appauvrissement et l'arriération. Les options concernant son développement futur étaient déterminées ou tout au moins étroitement circonscrites (*cf.* chapitres 13 et 16). Pourtant, dans les deux années qui suivirent Octobre, une vague révolutionnaire balaya la planète, et les espoirs des bolcheviks assiégés ne semblaient pas irréalistes : *Völker hört die Signale*, « Peuples, entendez les signaux », proclamait le premier vers du refrain de l'Internationale en allemand. Les signaux arrivèrent clairs et sonores de Petrograd puis, après le transfert de la capitale en un lieu plus sûr en 1918, de Moscou[6] ; ils furent entendus partout où existaient des mouvements ouvriers et socialistes, indépendamment de leur idéologie, et même au-delà. À Cuba, où rares étaient ceux qui savaient localiser la Russie, les ouvriers des manufactures de tabac créèrent des « soviets ». En Espagne, les années 1917-1919 devaient être connues sous le nom de « biennium bolchevik », bien que la gauche locale fut passionnément anarchiste, c'est-à-dire aux antipodes de Lénine. Des mouvements estudiantins révolutionnaires surgirent à Pékin en 1919 et à Córdoba, en Argentine, en 1918, puis essaimèrent rapidement à travers l'Amérique latine pour donner, localement, naissance à des chefs et à des partis marxistes révolutionnaires. Le militant nationaliste indien M. N. Roy tomba aussitôt sous le charme au Mexique, où la révolution locale, qui entra dans sa phase la plus radicale en 1917, reconnut naturellement ses affinités avec la Russie révolutionnaire : Marx et Lénine en devinrent les icônes, à côté des représentations de Moctezuma, Emiliano Zapata et divers travailleurs indiens, que l'on voit encore sur les grandes fresques de ses artistes officiels. Quelques mois plus tard, Roy se retrouva à Moscou, où il joua un rôle décisif dans l'élaboration de la politique de libération anti-coloniale de la nouvelle Internationale communiste. En partie par l'entremise de socialistes hollandais résidents comme Henk Sneevliet, la révolution d'Octobre marqua aussitôt de son empreinte Sarekat Islam, la principale organisation de masse du mouvement indonésien de libération nationale. « Le jour viendra, écrivait un journal turc de province, où cette action du peuple russe se transformera en un soleil qui éclairera l'humanité entière. » Au cœur de l'Australie, les rudes tondeurs de moutons (en majorité des catholiques irlandais) sans intérêt évident pour la théorie politique saluèrent dans les soviets la naissance d'un État ouvrier. Aux États-Unis, les Finlandais, qui étaient de longue date la communauté immigrée la plus attachée au socialisme, se convertirent en masse au communisme, multipliant les réunions dans les lugubres villes minières du Minnesota : « La seule mention du nom de Lénine faisait battre le cœur. [...] Dans un silence mystique, proche de l'extase religieuse, nous admirions tout ce qui venait de Russie » (Koivisto, 1983). Bref, la révolution d'Octobre fut universellement reconnue comme un événement qui ébranlait le monde.

Même nombre de ceux qui voyaient la révolution de près, situation moins propice à l'extase religieuse, se convertirent : des prisonniers de guerre qui regagnèrent leurs pays en bolcheviks convaincus et en futurs dirigeants communistes, comme le mécanicien croate Josip Broz (Tito), des journalistes de passage, comme Arthur Ransome, du *Manchester Guardian*, qui n'était pas vraiment une tête politique et était surtout connu pour sa passion de la voile qu'il savait faire passer dans de merveilleux livres pour enfants. Plus éloigné encore des bolcheviks, l'écrivain tchèque Jaroslav Hasek – futur auteur de ce chef-d'œuvre que sont *Les Aventures du brave soldat Chvéïk* – se trouva pour la première fois de sa vie militant d'une cause ; plus surprenant encore, assure-t-on, il était devenu sobre. Il participa à la guerre civile en qualité de commissaire de l'Armée rouge, après quoi il reprit dans la vie de bohème de Prague son rôle plus familier d'anarchiste et d'ivrogne sous prétexte que, contrairement à la révolution, la Russie soviétique post-révolutionnaire n'était pas son style. Mais la révolution l'avait malgré tout inspiré.

Les événements de Russie devaient inspirer non seulement des révolutionnaires mais aussi, ce qui est plus important, des révolutions. En janvier 1918, quelques semaines après la prise du Palais d'hiver, et alors que les bolcheviks essayaient désespérément de négocier la paix à tout prix avec une armée allemande qui avançait, une vague de grèves politiques générales et de manifestations contre la guerre balaya l'Europe centrale : le mouvement commença à Vienne, se propagea *via* Budapest et les régions tchèques jusqu'en Allemagne, pour culminer avec la révolte des marins de la flotte austro-hongroise dans l'Adriatique. Les derniers doutes quant à la débâcle des Puissances centrales se dissipant, leurs armées finirent par se défaire. En septembre, les paysans-soldats bulgares rentrèrent chez eux, proclamèrent la République et marchèrent sur Sofia, même s'ils furent encore désarmés avec l'aide des Allemands. En octobre, la monarchie des Habsbourg se disloqua après les dernières batailles perdues sur le front italien. Divers États-nations furent proclamés dans l'espoir (justifié) que les Alliés victorieux les préféreraient aux dangers de la Révolution bolchevique. Et, de fait, la première réaction occidentale aux bolcheviks qui appelaient les peuples à faire la paix – et à la publication des traités secrets dans lesquels les Alliés s'étaient partagé l'Europe – avait été les Quatorze Points du président Wilson, qui jouaient la carte nationaliste contre l'appel international de Lénine. Une zone de petits États-nations devait faire barrage au virus rouge. Au début novembre, les matelots et les soldats qui se mutinèrent propagèrent la révolution allemande de la base navale de Kiel à travers le pays tout entier. La République fut proclamée, l'empereur se retira aux Pays-Bas et fut remplacé à la tête de l'État par un ancien bourrelier.

La Révolution, qui balaya ainsi tous les régimes, de Vladivostok jusqu'au Rhin, fut une révolte contre la guerre ; l'instauration de la paix désamorça donc une bonne partie de la charge explosive qu'elle recelait. En tout état de cause, son contenu social était flou, sauf parmi les paysans-soldats (et leurs familles) des empires des Habsbourg et des Romanov ou de l'Empire ottoman comme des petits États du sud-est de l'Europe. En l'occurrence, il tenait en quatre points : la terre et la méfiance à l'égard des villes, des étrangers (en particulier des Juifs) et/ou des gouvernements. Cela fit des paysans des révolutionnaires, mais pas des bolcheviks, dans de larges parties de l'Europe centrale et orientale, hormis en Allemagne (sauf quelques-uns en Bavière), en Autriche et dans certaines parties de la Pologne. Les autorités durent se les concilier en acceptant une dose de réforme agraire, même dans certains pays conservateurs, voire contre-révolutionnaires, comme la Roumanie et la Finlande. Par ailleurs, dans les pays où les paysans représentaient la majorité de la population, les socialistes, sans parler des bolcheviks, n'avaient aucune chance de sortir vainqueurs d'élections générales démocratiques. Sans qu'on vît naître pour autant des bastions conservateurs paysans, c'était un handicap fatal pour les socialistes démocrates ; ailleurs, comme en Russie soviétique, cela conduisit à abolir la démocratie électorale. C'est pour cette raison que les bolcheviks, après avoir exigé une Assemblée constituante (tradition révolutionnaire familière depuis 1789), décidèrent de la dissoudre à peine réunie, quelques semaines après Octobre. Et, même si elle fut loin d'éliminer les conflits nationaux dans la zone des révolutions, l'instauration de petits États-nations suivant les principes wilsoniens réduisit aussi le champ de la révolution bolchevique. Telle avait été, en fait, l'intention des pacificateurs alliés.

D'autre part, l'impact de la révolution russe sur les bouleversements européens de 1918-1919 était si évident que le scepticisme n'était guère de mise à Moscou quant aux chances de propager la révolution du prolétariat mondial. Pour l'historien – comme pour certains révolutionnaires sur le terrain –, l'Allemagne impériale était un État d'une grande stabilité sociale et politique, avec un mouvement ouvrier fort, mais foncièrement modéré, qui, sans la guerre, n'aurait jamais songé à une révolution armée. À la différence de la Russie tsariste ou d'une Autriche-Hongrie croulante, mais aussi de la Turquie, proverbial « homme malade de l'Europe », ou des montagnards farouches et armés du sud-est du Continent, qui étaient capables de tout, l'Allemagne n'était pas un pays où il fallait s'attendre à des bouleversements. Et, en vérité, en comparaison des situations authentiquement révolutionnaires qui prévalaient dans la Russie et dans l'Autriche-Hongrie vaincues, le gros des soldats, des marins et des ouvriers révolutionnaires allemands demeuraient aussi modérés et respectueux de la loi que dans ces blagues, peut-être apocryphes, des révolutionnaires russes : « Qu'une pancarte indique "pelouse interdite", et les insurgés allemands marcheront naturellement sur les chemins ! »

C'est pourtant là que les marins révolutionnaires portèrent l'étendard des Soviets à travers le pays, que l'exécutif d'un soviet des ouvriers et soldats de Berlin désigna un gouvernement socialiste de l'Allemagne, que Février et Octobre semblaient ne faire qu'un, puisque, dès l'instant où l'empereur abdiqua, les socialistes radicaux semblaient déjà détenir la réalité du pouvoir dans la capitale. C'était une illusion résultant de la paralysie totale, mais temporaire des anciennes structures – armée, État, pouvoir – sous le double choc d'une défaite écrasante et de la révolution. Quelques jours passèrent et l'ancien régime républicanisé remonta bientôt en selle, sans que les socialistes ne représentent plus une gêne sérieuse : aux premières élections, pourtant organisées quelques semaines après la révolution, ils n'obtinrent même pas la majorité[7]. Il fut encore moins troublé par le Parti communiste nouvellement improvisé, dont les dirigeants, Karl Liebknecht et Rosa Luxemburg, furent bientôt assassinés par des tueurs des « corps francs ».

La révolution allemande de 1918 n'en confirma pas moins les espoirs des bolcheviks russes, d'autant qu'une éphémère république socialiste fut bel et bien proclamée en Bavière en 1918 et qu'au printemps 1919, après l'assassinat de son chef, une brève République soviétique fut mise en place à Munich, la capitale de l'art allemand, de la contre-culture intellectuelle et de la bière (politiquement moins subversive). Cette révolution recoupa un autre effort plus sérieux pour porter le bolchevisme vers l'Ouest, avec la République hongroise des conseils de mars-juillet 1919[8]. Les deux révolutions furent bien entendu écrasées avec la brutalité attendue. De surcroît, déçus par les sociaux-démocrates, les ouvriers allemands se radicalisèrent rapidement, beaucoup changeant alors d'allégeance au profit des Socialistes indépendants et, après 1920, du Parti communiste, qui devint en conséquence le premier parti de ce genre hors de l'Union soviétique. Après tout, ne pouvait-on s'attendre à une révolution d'Octobre en Allemagne ? Alors même que 1919, l'année où les troubles sociaux avaient atteint leur faîte en Occident, avait vu l'échec des seuls efforts pour propager la Révolution bolchevique, et qu'en 1920 la vague révolutionnaire se retirait à vue d'œil, les dirigeants bolcheviques de Moscou n'abandonnèrent tout espoir de révolution en Allemagne qu'à la fin de 1923.

C'est en 1920 que les bolcheviks commirent une erreur qui, avec le recul, paraît capitale : la division définitive du mouvement ouvrier international, qu'ils scellèrent en structurant leur nouveau mouvement communiste international sur le modèle du parti léniniste d'avant-garde composé d'une élite de « révolutionnaires professionnels » à plein-temps. La révolution d'Octobre, on l'a vu, avait suscité une large vague de sympathie dans les mouvements socialistes internationaux, presque tous sortis radicalisés de la guerre et considérablement renforcés. À de rares exceptions près, les partis socialistes et travaillistes comptaient de nombreux partisans de l'adhésion à la Troisième Internationale, ou Internationale communiste, que les bolcheviks fondèrent pour remplacer la Deuxième (1889-1914), discréditée et brisée par la guerre mondiale à laquelle elle n'avait pas su résister[9]. Les partis socialistes français, italien, autrichien et norvégien ainsi que les Socialistes indépendants en Allemagne votèrent l'adhésion, laissant sur la touche une minorité de vieux adversaires du bolchevisme. Ce que voulaient Lénine et les bolcheviks, ce n'était pas un mouvement international de sympathisants socialistes de la révolution d'Octobre, mais un corps de militants entièrement dévoués et disciplinés, une sorte de force de frappe mondiale au service de la conquête révolutionnaire. Les partis peu désireux d'accepter la structure léniniste furent tenus à l'écart ou exclus de la nouvelle Internationale qui ne pouvait qu'être affaiblie en acceptant ces cinquièmes colonnes de l'opportunisme et du réformisme, sans parler de ce que Marx avait autrefois appelé le « crétinisme parlementaire ». Dans la bataille imminente, il n'y avait de place que pour des soldats.

L'argument n'avait de sens qu'à la condition que la révolution mondiale soit encore en marche et les batailles une perspective immédiate. Pourtant, alors que la situation européenne était loin d'être stabilisée, il était clair en 1920 que la révolution bolchevique n'était pas à l'ordre du jour à l'Ouest, même si, en Russie, le pouvoir léniniste était désormais consolidé. Sans doute, au moment où se réunissait l'Internationale, il semblait qu'il y eût une chance que l'Armée rouge, victorieuse dans la guerre civile, propageât la révolution à l'Ouest par la force des armes dans le cadre de la brève guerre russo-polonaise née des ambitions territoriales de la Pologne. Redevenue un État après un siècle et demi d'inexistence, la Pologne exigeait maintenant ses frontières du XVIIIe siècle, qui s'enfonçaient profondément en Biélorussie, en Lituanie et en Ukraine. La progression soviétique, à laquelle Isaac Babel a élevé un superbe monument avec sa *Cavalerie rouge*, fut saluée par un éventail exceptionnellement large de contemporains, depuis le romancier autrichien Joseph Roth, plus tard poète élégiaque des Habsbourg, à Mustafa Kemal, le futur dirigeant de la Turquie. Mais il n'y eut pas d'insurrection ouvrière en Pologne et l'Armée rouge fut repoussée devant les portes de Varsovie. Dorénavant, et malgré les apparences, ce fut « à l'Ouest, rien de nouveau ». Il est vrai que les perspectives de la Révolution se déplacèrent vers l'Est, en Asie, à laquelle Lénine avait toujours prêté une vive attention. En fait, de 1920 à 1927, les espoirs de révolution mondiale semblèrent reposer sur la révolution chinoise en marche sous l'égide du Kuomintang, alors parti de la libération nationale, dont le chef, Sun Yat-sen (1866-1925), réserva bon accueil au modèle et à l'aide militaire soviétiques ainsi qu'au nouveau Parti communiste chinois. Depuis ses bases en Chine du Sud, l'alliance du Kuomintang et des communistes devait balayer le Nord au cours de la grande offensive de 1925-1927, plaçant à nouveau la majeure partie du pays sous le contrôle d'un gouvernement unique pour la première fois depuis la chute de l'empire en 1911, avant que le général qui dirigeait le Kuomintang, Chiang Kai-shek, ne se retournât contre les communistes et ne les massacrât. Pourtant, avant même cette preuve que l'Orient n'était pas encore mûr, lui non plus, pour Octobre, la promesse de l'Asie ne pouvait dissimuler l'échec de la révolution à l'Ouest.

En 1921, cet échec était indéniable. La révolution battait en retraite en Russie, bien que politiquement le pouvoir bolchevique ne pouvait plus être renversé (p. 491-492). Elle n'était plus à l'ordre du jour en Occident. Le troisième congrès du Komintern le reconnut sans l'admettre tout à fait en prônant un « front uni » avec ces mêmes socialistes que le deuxième congrès avait chassés de l'armée du progrès révolutionnaire. Ce que cela signifiait au juste devait diviser les révolutionnaires des générations suivantes. Quoi qu'il en soit, il était trop tard. Le mouvement était définitivement scindé, la majorité de la gauche socialiste, individus et partis, retournèrent dans le giron du mouvement social-démocrate, très largement dominé par des modérés anticommunistes. Les nouveaux partis communistes restaient minoritaires dans la gauche européenne et en règle générale – à quelques exceptions près, comme l'Allemagne, la France ou la Finlande – des minorités assez petites, quoique passionnées. Leur situation ne devait pas changer avant les années 1930 (*cf.* chapitre 5).

IV

Cependant, de ces années de bouleversement, il ne restait pas qu'un seul pays, immense et arriéré, désormais dirigé par les communistes et engagé dans la construction d'une société qui remplacerait le capitalisme. Il y avait aussi un gouvernement, un mouvement international discipliné et, ce qui est peut-être tout aussi important, une génération de révolutionnaires attachés à la perspective de la révolution mondiale sous l'étendard brandi en Octobre et sous la direction inévitable de Moscou. Plusieurs années durant, on avait espéré pouvoir le transférer rapidement à Berlin et, entre les deux guerres, c'est l'allemand, non le russe, qui resta la langue officielle de l'Internationale. Sans doute le mouvement ne savait-il pas vraiment comment la révolution mondiale devait avancer après sa stabilisation en Europe et sa défaite en Asie. Les différentes tentatives éparses d'insurrection armée des communistes (en Bulgarie et en Allemagne en 1923, en Indonésie en 1926, en Chine en 1927 et – anomalie plus tardive – au Brésil en 1935) furent des catastrophes. Mais comme la Grande Crise et l'ascension de Hitler allaient bientôt le prouver, l'état du monde entre les deux guerres n'était guère de nature à décourager des espérances apocalyptiques (*cf.* chapitres 3 à 5). Cela n'explique pas la soudaineté avec laquelle le Komintern adopta la rhétorique de l'ultra-révolutionnarisme et du gauchisme sectaire entre 1928 et 1934 puisque, quelle qu'en fût la nature, le mouvement n'espérait pas prendre le pouvoir et ne s'y préparait, d'ailleurs, nulle part. Le changement de cap, qui se révéla politiquement catastrophique, s'explique plutôt par la situation politique au sein du Parti communiste soviétique, dont Staline prit le contrôle, mais aussi, peut-être, par la tentative de compenser les divergences de plus en plus patentes entre les intérêts de l'URSS, c'est-à-dire d'un État qui devait inévitablement coexister avec les autres – le régime commença à être reconnu sur la scène internationale à partir de 1920 – et le mouvement dont l'objectif était de subvertir et de renverser tous les autres gouvernements.

Les intérêts étatiques de l'Union soviétique finirent par l'emporter sur les intérêts révolutionnaires mondiaux de l'Internationale communiste, que Staline transforma en un simple instrument de politique intérieure sous le contrôle strict du Parti communiste soviétique, décidant à sa guise d'en purger, d'en dissoudre ou d'en réformer les composantes. La révolution mondiale appartenait à la rhétorique du passé et, en vérité, il n'était de révolution tolérable que a) si elle n'entrait pas en conflit avec les intérêts de l'État soviétique et b) si les Soviétiques pouvaient la contrôler directement. Les gouvernements occidentaux qui, dans la progression des régimes communistes après 1944, virent avant tout une extension de la puissance soviétique percevaient correctement les intentions de Staline ; mais ce fut aussi le cas des révolutionnaires de vieille souche qui reprochaient amèrement à Moscou de ne pas vouloir que les communistes prissent le pouvoir et de décourager tous leurs efforts en ce sens, même quand ils se révélaient fructueux, comme en Yougoslavie et en Chine (*cf.* chapitre 5).

Néanmoins, jusqu'à la fin, l'Union soviétique demeura, même aux yeux de sa *nomenklatura* largement corrompue, quelque chose de plus qu'une grande puissance parmi d'autres. L'émancipation universelle, la construction d'une société meilleure que le capitalisme, étaient, après tout, sa principale raison d'exister. Pourquoi, sinon, les sévères bureaucrates de Moscou auraient-ils continué à financer et à armer les guérillas du Congrès national africain allié aux communistes, dont les chances de renverser le système de l'*apartheid* en Afrique du Sud semblaient et étaient de fait minimes des décennies durant ? (Assez curieusement, le régime communiste chinois reprocha à l'URSS, après la rupture entre les deux pays, d'avoir trahi les mouvements révolutionnaires mais il n'a pas à son actif de bilan comparable de soutien concret aux mouvements de libération du tiers-monde.) L'URSS avait appris de longue date que l'humanité ne serait pas transformée par une révolution mondiale inspirée par Moscou. Dans le long crépuscule des années brejnéviennes, même la conviction sincère de Nikita Khrouchtchev, que le socialisme

« enterrerait » le capitalisme du fait de sa supériorité économique, finit par se dissiper. L'érosion complète de cette croyance en la vocation universelle du système explique sans doute pourquoi il finit par se désintégrer sans résistance (*cf.* chapitre 16).

Aucune de ces hésitations ne troubla la première génération de ceux que l'éclat d'Octobre poussa à consacrer leur vie à la révolution mondiale. Comme les premiers chrétiens, la plupart des socialistes d'avant 1914 croyaient au grand changement apocalyptique qui abolirait tout ce qui était mauvais et accoucherait d'une société sans malheur ni oppression, sans inégalité ni injustice. À l'espoir millénariste, le marxisme apportait la garantie de la science et de l'inéluctabilité historique ; la révolution d'Octobre était la preuve que le grand changement avait commencé.

Le nombre total de ces soldats de l'armée nécessairement impitoyable et disciplinée de l'émancipation humaine ne dépassait peut-être pas les quelque dizaines de milliers ; le nombre des professionnels du mouvement international, qui « changeaient de pays plus souvent que de paire de chaussures », comme le dit Bertolt Brecht dans un poème écrit en leur honneur, ne dépassait peut-être pas quelques centaines au total. Il ne faut pas les confondre avec ce que les Italiens, au temps où le PC comptait les militants par millions, appelaient le « peuple communiste », des millions de partisans et de militants de base, dont le rêve d'une société nouvelle et bonne était réel, même si, dans les faits, leur militantisme quotidien était semblable à celui de l'ancien mouvement socialiste. De même, leur engagement était moins personnel qu'il n'était lié à leur appartenance à une classe ou à une communauté. Cependant, bien que leurs effectifs fussent réduits, on ne saurait comprendre le XXᵉ siècle en en faisant abstraction.

Sans ce parti léniniste « d'un nouveau type », encadré par ces « révolutionnaires professionnels », il eût été inimaginable qu'à peine plus de trente ans après Octobre un tiers de l'espèce humaine vécût sous des régimes communistes. Leur foi et leur loyauté sans réserve envers le QG de la révolution mondiale à Moscou permit aux communistes de se considérer (sociologiquement parlant) comme les membres d'une Église universelle et non d'une secte. Les partis communistes d'obédience moscovite perdirent leurs chefs à la suite de sécessions et de purges, mais tant que subsista le cœur du mouve-

ment, c'est-à-dire jusqu'en 1956, ils ne firent pas scission, contrairement aux groupes de dissidents marxistes qui, après avoir suivi
Trotski, ne cessèrent de se fragmenter, et aux groupuscules
« marxistes-léninistes » encore plus fissipares du maoïsme d'après-
1960. Même en nombre réduit – et lorsque Mussolini fut renversé, en
1943, le Parti communiste italien comptait environ 5 000 militants,
hommes et femmes, pour la plupart sortant de prison et d'exil –, ils
étaient comparables aux bolcheviks de février 1917 : autrement dit,
ils formaient le noyau d'une armée de millions d'hommes, les dirigeants en puissance d'un peuple et d'un État.

Pour cette génération, en particulier pour ceux qui, si jeunes fussent-ils, avaient vécu ces années de bouleversement, la révolution fut
la grande affaire de leur vie ; les jours du capitalisme étaient inévitablement comptés. L'histoire contemporaine était l'antichambre de la
victoire ultime pour ceux qui vivraient assez longtemps pour en être
les témoins, même s'il ne devait y avoir parmi ceux-ci que quelques
soldats de la révolution (« les morts en permission », comme le dit le
communiste russe Leviné, peu de temps avant d'être exécuté par
ceux qui renversèrent le Soviet de Munich en 1919). Si la société
bourgeoise elle-même avait tant de raisons de douter de son avenir,
pourquoi ces soldats de la révolution seraient-ils assurés de sa
survie ? Leur vie même en démontrait la réalité.

Prenons l'exemple de deux jeunes Allemands qui furent un
temps amants et dont la révolution bavaroise des Soviets, en 1919,
changea la vie : Olga Benario, fille d'un avocat prospère de
Munich, et Otto Braun, instituteur. Olga devait organiser la révolution dans l'hémisphère occidental, liée puis finalement mariée à
Luis Carlos Prestes, qui avait pris la tête d'une longue marche
insurrectionnelle à travers les forêts de l'intérieur du Brésil avant
de convaincre Moscou de soutenir un soulèvement au Brésil en
1935. L'insurrection échoua, et les autorités brésiliennes livrèrent
Olga à l'Allemagne hitlérienne, où elle trouva finalement la mort
dans un camp de concentration. Avec plus de succès, Otto entreprit
à la même époque de participer à la révolution en Orient en qualité
d'expert militaire du Komintern en Chine ; il fut le seul non-Chi-
nois à prendre part à la fameuse « longue marche » des communistes chinois avant de regagner Moscou et, finalement, la RDA.
(L'expérience le laissa sceptique à l'égard de Mao.) Quand, si ce

n'est dans la première moitié du XXe siècle, ces deux vies entremêlées auraient-elles pu suivre un cours pareil ?

Ainsi, pour la génération d'après 1917, le bolchevisme absorba toutes les autres traditions sociales-révolutionnaires ou les rejeta en marge des mouvements radicaux. Avant 1914, l'anarchisme avait été, pour les militants révolutionnaires d'une grande partie du monde, une idéologie beaucoup plus mobilisatrice que le marxisme. En dehors de l'Europe de l'Est, Marx apparaissait comme le gourou des partis de masse dont il avait démontré la progression inévitable, mais non pas explosive, vers la victoire. Dans les années 1930, l'anarchisme avait cessé d'être une force politique de poids, sauf en Espagne, et même en Amérique latine où les couleurs rouges et noires avaient traditionnellement davantage inspiré les militants que le drapeau rouge. (En Espagne, la guerre civile devait détruire l'anarchisme tout en faisant le lit des communistes, jusque-là relativement insignifiants.) De fait, les groupes sociaux-révolutionnaires qui existaient hors du communisme moscovite prirent dorénavant pour point de référence Lénine et la révolution d'Octobre et furent presque invariablement conduits ou inspirés par quelque figure dissidente ou exclue d'un Komintern, engagé dans une chasse aux hérétiques de plus en plus implacable, alors que Joseph Staline prenait en mains, puis verrouillait, le Parti communiste soviétique et l'Internationale. Politiquement, rares sont ces centres bolcheviques dissidents qui arrivèrent à grand-chose. Léon Trotski, l'hérétique de loin le plus prestigieux et le plus célèbre, l'un des meneurs de la révolution d'Octobre et l'architecte de l'Armée rouge, essuya un échec total dans ses entreprises pratiques. Destinée à rivaliser avec la Troisième Internationale stalinisée, sa « Quatrième Internationale » demeura quasiment invisible. En 1940, lorsque Staline le fit assassiner dans son exil mexicain, son poids politique était totalement négligeable.

Bref, être un révolutionnaire, c'était de plus en plus être en même temps un disciple de Lénine et de la révolution d'Octobre, et un membre ou un partisan de quelque Parti communiste aligné sur Moscou ; à plus forte raison lorsque, après le triomphe de Hitler en Allemagne, ces partis adoptèrent la politique d'union antifasciste, qui leur permit de sortir de leur isolement sectaire et de rallier massivement les ouvriers aussi bien que les intellectuels (*cf.* chapitre 5). Les jeunes impatients de renverser le capitalisme devinrent des communistes orthodoxes et identifièrent leur cause au mouvement international dont le centre était Moscou. Le marxisme, dont Octobre avait fait à nouveau l'idéologie du changement révolutionnaire, était maintenant celui de l'Institut Marx-Engels-Lénine de Moscou, désormais centre mondial de la propagation des grands textes classiques. Personne d'autre n'offrait à la fois d'interpréter le monde et de le changer, ou ne paraissait mieux à même de le faire. Les choses devaient rester en l'état jusqu'en 1956, lorsque la désintégration de l'orthodoxie stalinienne en URSS, mais aussi du mouvement communiste international centré sur Moscou eut pour effet de remettre en selle les penseurs, les traditions et les organisations de la gauche hétérodoxe jusque-là marginalisés. Malgré tout, ceux-ci vivaient toujours dans l'ombre gigantesque d'Octobre. Quiconque avait un minimum de connaissances de l'histoire idéologique pouvait reconnaître l'esprit de Bakounine, voire de Netchaïev, plutôt que de Marx chez les étudiants de 68 et des années suivantes. Il n'en reste pas moins que ces événements ne débouchèrent pas sur une renaissance significative de la théorie ou des mouvements anarchistes. Au contraire, 1968 fut à l'origine d'une immense vogue intellectuelle du marxisme dans la théorie – généralement dans des versions qui eussent surpris Marx – et de toute une série de sectes et de groupes « marxistes-léninistes », unis par le rejet de Moscou et des anciens partis communistes jugés insuffisamment révolutionnaires ou léninistes.

Paradoxalement, cette prise de contrôle quasi complète de la tradition sociale-révolutionnaire survint à un moment où le Komintern avait manifestement abandonné les stratégies révolutionnaires originales de 1917-1923 ou, plutôt, envisageait des stratégies de transfert du pouvoir très différentes de celles de 1917 (*cf.* chapitre 5). À compter de 1935, les publications de la gauche critique ne cessèrent d'accuser les mouvements moscovites de laisser passer les occasions révolutionnaires, de les rejeter, voire de les trahir. Avant que le mouvement soviéto-centrique et fièrement « monolithique » ne commençât à se disloquer de l'intérieur, ces arguments n'eurent guère d'effets. Aussi longtemps que le mouvement communiste garda son unité et sa cohésion, faisant preuve d'une remarquable immunité à la fission, il fut le seul à compter aux yeux de l'immense majorité de ceux qui croyaient à la nécessité de la révolution mondiale. De plus, qui pouvait nier que les pays en rupture avec le capitalisme dans la seconde grande vague de révolution sociale mondiale, de 1944 à 1949, le firent sous les auspices de partis communistes orthodoxes d'obédience soviétique ? C'est uniquement après 1956 que les révolutionnaires eurent véritablement le choix entre divers mouvements qui pouvaient réellement prétendre à une efficacité politique ou insurrectionnelle. Même les diverses moutures du trotskisme, le maoïsme et les groupes inspirés par la révolution cubaine de 1959 (*cf.* chapitre 15) étaient encore plus ou moins d'inspiration léniniste. Quant aux anciens partis communistes, ils restaient encore de loin les groupes les plus importants de l'extrême gauche, mais à cette époque le vieux mouvement communiste n'inspirait plus guère de flamme.

V

La force des mouvements qui militaient pour la révolution mondiale résidait dans la forme d'organisation communiste, le « parti d'un type nouveau » cher à Lénine – formidable innovation du génie social du XXe siècle, comparable aux ordres monastiques chrétiens du Moyen Âge. Parce que le parti pouvait obtenir de ses membres un dévouement et une abnégation extraordinaires, supérieurs à la discipline et à l'esprit de corps d'une armée, ainsi qu'une concentration totale à exécuter les décisions du parti, ces organisations même petites faisaient montre d'une efficacité disproportionnée par rapport à leur taille. Ce qui ne manquait pas d'impressionner même les observateurs hostiles. Pourtant, la relation entre le modèle du « parti d'avant-garde » et les grandes révolutions qu'il était destiné à accomplir (chose qu'il réussissait à l'occasion), était loin d'être claire ; de toute évidence, ce modèle ne s'imposait qu'*après* des révolutions réussies ou au cours de guerres. Car les partis léninistes étaient essentiellement construits sur des élites (des avant-gardes) de chefs ou plutôt, avant que des révolutions ne réussissent, sur des « contre-élites ». Or, comme le montra 1917, les révolutions sociales dépendent de ce qui se passe parmi les masses, dans des situations que ni les élites ni les contre-élites ne sauraient pleinement maîtriser. Le modèle léniniste exerça bel et bien un attrait considérable sur les jeunes membres des anciennes élites, en particulier dans le tiers-monde : ceux-ci rejoignirent ces partis en nombres disproportionnés malgré les efforts héroïques, et partiellement couronnés de succès, de ces mouvements pour attirer d'authentiques prolétaires. La grande expansion du communisme brésilien dans les années 1930 se nourrit de la conversion de jeunes intellectuels issus des familles de l'oligarchie des propriétaires fonciers et de jeunes officiers (Martins Rodrigues, 1984, p. 390-397).

Par ailleurs, les sentiments des « masses » (y compris, parfois, des partisans actifs des « avant-gardes ») étaient souvent en désaccord avec les idées de leurs chefs, parfois même en des temps d'insurrection des masses. Ainsi, en juillet 1936, la rébellion des généraux espagnols contre le gouvernement du Front populaire provoqua aussitôt la révolution sociale dans de grandes régions d'Espagne. Que les militants, surtout les anarchistes, aient alors entrepris de collectiviser les moyens de production n'avait rien de surprenant, même si le Parti communiste et le gouvernement central devaient s'y opposer par la suite et, chaque fois que possible, revinrent sur cette transformation. Aujourd'hui encore, les tenants de chaque tendance continuent à débattre de ces questions. Toutefois, l'événement provoqua aussi la plus grande de toutes les vagues d'iconoclasme et d'homicide anticlérical, depuis que cette forme d'activité s'était manifestée pour la première fois en Espagne lors des agitations populaires de 1835 : insatisfaits d'une corrida, les Barcelonais avaient alors réagi en incendiant diverses églises. Près de sept mille ecclésiastiques – c'est-à-dire de 12 à 13 % des prêtres et des moines du pays, mais aussi, dans une moindre proportion, des religieuses – furent tués, tandis que dans un seul diocèse catalan (Gérone) plus de six mille effigies furent détruites (Hugh Thomas, 1977, p. 270-271 ; M. Delgado, 1992, p. 56).

Dans cet épisode terrifiant, deux choses sont claires : si anticléricaux qu'ils aient été, les chefs ou les porte-parole de la gauche révolutionnaire espagnole ont dénoncé ces actions, y compris les anarchistes dont la haine des prêtres était notoire ; pourtant, pour ceux qui les perpétrèrent, aussi bien que pour de nombreux témoins, c'était en *cela* plus qu'en toute autre chose que résidait le vrai sens de la Révolution : le renversement de l'ordre de la société et de ses valeurs, pas simplement pour un bref moment symbolique, mais pour toujours (M. Delgado, 1992, p. 52-53). Les chefs avaient beau répéter, comme ils l'ont toujours fait, que l'ennemi principal était le capitaliste, non le prêtre : dans leurs fibres, les masses sentaient les choses autrement. (Dans une société moins machiste que la société ibérique, la politique populaire aurait-elle été aussi iconoclaste et meurtrière ? La question relève de l'histoire contre-factuelle, sur laquelle des recherches sérieuses concernant l'attitude des femmes pourrait néanmoins jeter quelque lumière.)

Quoi qu'il en soit, le genre de révolution qui voit la structure de l'ordre politique et de l'autorité s'évaporer soudainement, laissant l'homme (et, pour autant qu'elle y soit autorisée, la femme), livré à lui-même dans la rue, fut un phénomène rare au XXᵉ siècle. Même l'autre exemple le plus proche d'effondrement d'un régime établi, la révolution iranienne de 1979, ne fut pas tout à fait dépourvu de structure, malgré l'extraordinaire unanimité de la mobilisation des masses de Téhéran contre le Shah, qui devait être largement spontanée. Grâce aux structures du cléricalisme iranien, le nouveau régime était déjà présent dans les ruines de l'ancien, même s'il mit quelque temps à trouver sa forme définitive (*cf.* chapitre 15).

En laissant de côté quelques explosions localisées, la révolution-type selon le modèle d'Octobre devait soit être amorcée par un coup d'État (presque toujours militaire), et une prise de la capitale, soit être l'aboutissement d'une longue lutte armée, essentiellement rurale. Comme les jeunes officiers – beaucoup plus rarement des sous-officiers – radicaux ou ayant des sympathies de gauche étaient nombreux dans les pays pauvres et retardataires où la vie militaire offrait des perspectives alléchantes à des jeunes gens capables et éduqués sans relations familiales ni richesse, les initiatives de ce genre se retrouvent généralement dans des pays comme l'Égypte (la révolution des Officiers libres, en 1952) et d'autres du Moyen-Orient (Irak, 1958 ; Syrie, à diverses reprises depuis les années 1950, et la Libye en 1969). De même, les militaires font partie du tissu de l'histoire révolutionnaire de l'Amérique latine, bien qu'ils se soient rarement, ou durablement, emparés du pouvoir national pour des causes clairement de gauche. Par ailleurs, à la surprise de la plupart des observateurs, en 1974, ce fut un putsch militaire conduit par de jeunes officiers déçus et radicalisés par de longues guerres coloniales d'arrière-garde qui renversa le plus vieux régime de droite alors en place dans le monde : la « révolution des œillets » au Portugal. L'alliance entre un puissant parti communiste, sorti de la clandestinité, et divers groupes marxistes radicaux allait bientôt éclater, au plus grand soulagement de la Communauté européenne, que le Portugal rejoignit peu après.

La structure sociale, les traditions idéologiques et les fonctions politiques des forces armées dans les pays développés ont généralement amené les militaires tentés par la politique à choisir la droite. Les coups d'État en alliance avec les communistes, ou même les socialistes, n'entraient pas dans leur ligne. Dans les mouvements de libération de l'Empire français, il est vrai, d'anciens soldats des forces autochtones levées dans les colonies – ils avaient rarement été des officiers – en vinrent à jouer un rôle éminent (notamment en Algérie). Leur expérience durant et après la Seconde Guerre mondiale les avait laissés insatisfaits : à cause de l'habituelle discrimination, mais aussi parce que la majorité des soldats coloniaux des forces de la France Libre de De Gaulle, comme la plupart des membres d'origine étrangère de la résistance armée en France, avaient été rapidement repoussées dans l'ombre.

Dans les défilés officiels de la victoire, après la Libération, les armées de la France Libre étaient beaucoup plus « blanches » que les troupes gaullistes qui s'étaient retirées de la guerre avec les honneurs. Dans l'ensemble, néanmoins, les armées coloniales des puissances impériales, même encadrées par des autochtones, restèrent loyales, ou plutôt apolitiques, même en tenant compte des quelque cinquante mille officiers indiens qui rejoignirent l'Armée nationale indienne sous les Japonais (M. Echenberg, 1992, p. 141-145 ; M. Barghava et A. Singh Gill, 1988, p. 10 ; T. R. Sareen, 1988, p. 20-21).

VI

C'est assez tard, dans le XXᵉ siècle, que les révolutionnaires découvrirent que la route de la révolution pouvait passer par une longue guerre de guérilla. Peut-être est-ce parce que, historiquement, cette forme d'activité essentiellement rurale avait souvent été associée à des mouvements aux idéologies archaïques, que les observateurs citadins sceptiques confondaient volontiers avec le conservatisme, voire avec la réaction ou la contre-révolution. Après tout, les formidables guerres de guérilla de la période révolutionnaire et napoléonienne, en France, avaient été invariablement dirigées *contre*, jamais *pour* la France et la cause de sa Révolution. Le mot même de « guérilla » ne devait faire partie du vocabulaire marxiste qu'après la révolution cubaine de 1959. Les bolcheviks, qui avaient mené des opérations irrégulières aussi bien que régulières au cours de la Guerre civile, employaient le mot de « partisan », qui devint classique dans les mouvements de résistance d'inspiration soviétique au cours de la Seconde Guerre mondiale. Avec le recul, on s'étonne que les actions de guérilla n'aient joué presque aucun rôle dans la guerre d'Espagne, alors même que le champ lui était largement ouvert dans les zones de la République occupées par les troupes franquistes. Après la Seconde Guerre mondiale, les communistes allaient organiser de l'extérieur des noyaux de guérilla très significatifs. Avant cette guerre, elle ne faisait tout simplement pas partie du « kit » des faiseurs de révolution.

Sauf en Chine, où certains communistes (mais pas tous, loin de là) furent les pionniers de cette nouvelle stratégie. Ceci se passa après que le Kuomintang de Chiang Kai-shek se fut retourné contre ses anciens alliés communistes en 1927 et après l'échec spectaculaire de l'insurrection communiste dans les villes (comme à Canton, en 1927). Principal champion de la nouvelle stratégie – qui devait finalement le conduire à la tête de la Chine communiste –, Mao Zedong comprit que, après plus de quinze ans de révolution, de grandes régions de la Chine échappaient au contrôle de toute administration centrale. En fervent admirateur d'*Au bord de l'eau*, le grand classique chinois sur les brigands, il savait également que la tactique de la guérilla faisait traditionnellement partie du conflit social en Chine. Aucun Chinois ayant fait des études classiques ne pouvait ignorer la similitude entre l'instauration de la première zone libre de guérilla dans les montagnes du Kiangsi en 1927 et la forteresse montagnarde des héros d'*Au Bord de l'eau*, que le jeune Mao avait invité ses camarades étudiants à imiter en 1917 (Schram, 1966, p. 43-44).

Si héroïque et inspirante fût-elle, la stratégie chinoise ne semblait pas adaptée aux pays pourvus de communications internes et de gou-

vernements modernes habitués à administrer la totalité de leur territoire, quelles que fussent les distances et les difficultés matérielles.
Elle ne se révéla pas fructueuse à court terme, même en Chine, où le
gouvernement national, après plusieurs campagnes militaires, força
en 1934 les communistes à abandonner les territoires soviétiques
libérés dans les régions centrales du pays pour battre en retraite, au
cours de la légendaire Longue Marche, vers une région frontalière du
Nord-Ouest peu peuplée.

Après que les lieutenants rebelles brésiliens comme Luís Carlos
Prestes furent passés, pour ainsi dire, des forêts au communisme à la
fin des années 1920, aucun groupe de gauche de quelque importance
ne choisit ailleurs la route de la guérilla. Seule exception, la lutte du
général César Augusto Sandino contre les marines américains au
Nicaragua (1927-1933), qui devait inspirer la révolution sandiniste
cinquante ans plus tard. (Même si, de manière assez invraisemblable,
l'Internationale communiste tenta de présenter sous ce jour Lampião,
le célèbre brigand brésilien héros d'un millier de livres de colpor-
tage.) Mao lui-même ne devint un guide pour les révolutionnaires
qu'après la Révolution cubaine.

La Seconde Guerre mondiale constitua néanmoins un incitant plus
rapide et plus général à s'engager sur la route de la guérilla vers la
révolution : la nécessité de résister à l'occupation de la majeure partie de l'Europe continentale, y compris de larges portions de l'Union
soviétique européenne, par les armées de l'Allemagne hitlérienne et
de ses alliés. La résistance, et surtout la résistance armée, qui prit une
grande ampleur après l'attaque de Hitler contre l'URSS, mobilisa les
divers mouvements communistes. Lorsque l'armée allemande fut
enfin vaincue, avec le concours variable de divers mouvements de
résistance locaux (*cf.* chapitre 5), les régimes de l'Europe occupée ou
fasciste se désintégrèrent, tandis que des régimes sociaux-révolutionnaires sous la coupe des communistes prirent le pouvoir, ou essayèrent de le faire, dans divers pays où la résistance communiste avait
été la plus efficace (Yougoslavie, Albanie et – n'était l'aide militaire
britannique et finalement américaine – la Grèce). Probablement les
communistes auraient-ils pu prendre le pouvoir, mais pas pour longtemps, en Italie dans l'Apennin septentrional ; cependant, pour des
raisons encore débattues dans la gauche révolutionnaire, ils ne le tentèrent pas. Les régimes communistes qui furent instaurés en Asie de

l'Est et du Sud-Est après 1945 (en Chine, dans une partie de la Corée et de l'Indochine française) devraient aussi être considérés comme des fruits de la résistance. Même en Chine, l'avancée en masse des armées rouges de Mao vers le pouvoir ne commença qu'après que les troupes japonaises eurent entrepris de conquérir le gros du territoire chinois en 1937. La seconde vague de révolution sociale mondiale est donc née de la Seconde Guerre mondiale, comme la première était née de la Grande Guerre, bien que de manière totalement différente. Cette fois, ce fut la participation au conflit et non son rejet, qui porta la révolution au pouvoir.

La nature et la politique des nouveaux régimes révolutionnaires seront abordées ailleurs (*cf.* chapitres 5 et 13). Ce qui nous intéresse ici, c'est la révolution proprement dite. Les révolutions du milieu du siècle, qui survinrent à la fin de longues guerres victorieuses, différaient de deux façons du scénario classique de 1789 ou d'Octobre, ou même de la lente dislocation d'anciens régimes comme ceux de la Chine impériale ou du Mexique de Porfirio Díaz (voir *L'Ère des empires*, chapitre 12). En premier lieu – et, à cet égard, ils ressemblent aux coups d'État militaires réussis –, il n'y avait aucun doute sur qui avait fait la révolution et qui exerçait le pouvoir : le ou les groupes politiques associés aux forces armées victorieuses de l'URSS, puisque ni l'Allemagne ni le Japon ni l'Italie n'auraient pu être défaites par les seules forces de la résistance (même en Chine cela n'aurait pas été possible). (Les armées occidentales victorieuses étaient bien entendu hostiles aux régimes dominés par les communistes.) Il n'y eut ni interrègne ni vacance du pouvoir. Inversement, les seules situations où de puissantes forces de résistance manquèrent de prendre le pouvoir juste après l'effondrement des puissances de l'Axe furent celles où les alliés occidentaux gardèrent un pied dans les pays libérés (Corée du Sud, Viêt-nam) ou celles où les forces intérieures contre l'Axe étaient elles-mêmes divisées, comme en Chine. Là, après 1945, sous le regard notoirement peu enthousiaste de l'URSS, les communistes avaient encore à s'imposer contre un régime du Kuomintang corrompu et qui s'affaiblissait à vue d'œil, mais cobelligérant.

En second lieu, la route de la guérilla vers le pouvoir s'éloignait inévitablement des villes et des centres industriels, où se trouvait la force traditionnelle du mouvement ouvrier socialiste, pour s'enfoncer dans l'arrière-pays. Plus précisément, la guérilla n'est jamais plus facile que dans la brousse, les montagnes, les forêts et autres terrains semblables, dans des territoires clairsemés et éloignés des grandes concentrations de population. Pour reprendre le mot de Mao, la campagne encerclerait la ville avant de la conquérir. Dans les termes qui étaient ceux de la résistance en Europe, l'insurrection urbaine – le soulèvement de Paris durant l'été 1944 ; de Milan au printemps 1945 – dut attendre que la guerre fût pratiquement terminée, tout au moins dans leur région, pour se produire. Ce qui se passa à Varsovie, en 1944, fut la rançon d'un soulèvement urbain prématuré : dans la guerre de résistance on ne remporte pas la victoire en lançant un seul missile, même de forte puissance. Bref, pour la majeure partie de la population, y compris d'un pays révolutionnaire, la route de la guérilla vers la révolution obligeait à attendre longtemps un changement venu d'ailleurs, et auquel on ne pouvait pas grand-chose. Les résistants efficaces, avec toute leur infrastructure, ne formaient qu'une très petite minorité.

Sur leur territoire, bien entendu, les guérillas ne pouvaient agir sans l'appui des masses, ne serait-ce que parce que, dans des conflits prolongés, leurs forces devaient se contenter d'un recrutement local : ainsi, comme en Chine, un parti des ouvriers et des intellectuels put aisément être transformé en armées d'anciens paysans. Mais leurs relations avec les masses étaient loin d'être aussi simples que ne le suggérait la formule de Mao comparant la guérilla à un poisson dans l'eau du peuple. Presque n'importe quel groupe de hors-la-loi harcelé, respectant toutefois les normes locales, pouvait compter sur la sympathie d'une large partie de la population opposée aux envahisseurs étrangers ou, en l'occurrence, aux agents du gouvernement national dans un pays de guérilla. Toutefois, les divisions étaient également si profondes dans les campagnes qu'en gagnant des amis on risquait de se faire automatiquement des ennemis. Les communistes chinois, qui établirent leurs zones rurales soviétiques dans les années 1927-1928, eurent la surprise de constater que rallier un village dominé par un clan les aidait à établir un réseau de « villages rouges » fondé sur des clans apparentés, mais en même temps les entraînait dans une guerre contre les ennemis traditionnels de ces clans, qui formaient, dès lors, un réseau symétrique de « villages noirs ». « Dans certains cas, déploraient-ils, la lutte des classes se transformait en combat d'un village contre un autre. Il est des cas où nos troupes durent assiéger et détruire des villages entiers » (Räte-China, 1973, p. 45-46). Les guérilleros qui réussirent apprirent à naviguer dans ces eaux troubles mais, comme cela ressort clairement des souvenirs de Milovan Djilas sur la guerre des partisans en Yougoslavie, la libération était bien plus complexe qu'un simple soulèvement unanime d'un peuple opprimé contre des conquérants étrangers.

VII

Ce n'étaient point là des réflexions de nature à ternir la satisfaction des communistes qui se trouvaient maintenant à la tête de tous les gouvernements entre l'Elbe et les mers de Chine. La révolution mondiale, qui les avait inspirés, avait visiblement avancé. À la place d'une URSS faible et isolée, une douzaine d'États avaient émergé, ou émergeaient, de la seconde grande vague de révolution mondiale, dirigée par l'une des deux puissances mondiales qui méritât vraiment ce nom (le terme de superpuissance est attesté dès 1944). L'élan de la révolution mondiale n'était pas non plus épuisé, puisque la décolonisation des anciennes possessions impérialistes d'outre-mer était encore en plein essor. Ne pouvait-on attendre qu'elle conduisît à de nouveaux progrès de la cause communiste ? La bourgeoisie internationale n'avait-elle pas elle-même des craintes quant à l'avenir du capitalisme, tout au moins en Europe ? Les industriels de la famille du jeune historien, Emmanuel Le Roy Ladurie, ne se demandaient-ils pas, en reconstruisant leurs usines, si la nationalisation, voire l'Armée rouge, n'allaient pas apporter une solution définitive à leurs problèmes ? Ce sont ces sentiments, devait rappeler l'historien d'âge mûr devenu conservateur, qui le confortèrent dans sa décision d'adhérer au PC en 1949 (Le Roy Ladurie, 1982, p. 37). En mars 1947, un sous-secrétaire d'État américain au Commerce n'expliquait-il pas à l'administration Truman que la plupart des pays européens étaient au bord de l'abîme et qu'un rien pouvait les y entraîner à tout moment, tandis que d'autres étaient gravement menacés (Loth, 1988, p. 137) ?

Tel était l'état d'esprit des hommes et des femmes qui sortirent de l'illégalité, de la bataille et de la résistance, de prison, des camps de concentration ou de l'exil, pour prendre en charge l'avenir de pays pour la plupart en ruines. Peut-être certains d'entre eux observèrent-ils que, une fois de plus, le capitalisme s'avérait plus facile à renverser quand il était faible ou qu'il existait à peine que dans ses bastions. Et pourtant, qui aurait nié que le monde avait pris un virage à gauche ? Si, dans l'immédiat après-guerre, les communistes qui dirigeaient ou codirigeaient leurs États transformés s'inquiétaient de quelque chose, ce n'était certes pas de l'avenir du socialisme. Leur principal souci était de reconstruire des pays appauvris, épuisés et en ruines, au milieu de populations parfois hostiles, et face au danger d'une guerre lancée par les puissances capitalistes contre le camp socialiste avant que la reconstruction ne l'eût mis à l'abri. Paradoxalement, les mêmes craintes hantaient le sommeil des hommes politiques et des idéologues occidentaux. La guerre froide qui s'installa dans le monde après la seconde vague de révolution mondiale a été, on le verra, une bataille de cauchemars. Que les peurs de l'Est ou de l'Ouest fussent ou non justifiées, elles faisaient partie de l'ère de révolution mondiale inaugurée par Octobre 1917. Mais cette période elle-même touchait à sa fin, même s'il fallut attendre encore quarante ans avant de pouvoir rédiger son épitaphe.

Elle n'en a pas moins changé le monde, quoique autrement que Lénine et ceux qu'inspira la révolution d'Octobre ne le prévoyaient. Hors de l'hémisphère occidental, les doigts des deux mains suffisaient pour compter les rares États qui n'étaient pas passés par quelque mélange de révolution, de guerre civile, de résistance à l'occupation étrangère et de libération, ou de décolonisation prophylactique par des Empires condamnés dans une ère de révolution mondiale. (La Grande-Bretagne, la Suède, la Suisse et peut-être l'Islande sont les seules exceptions en Europe.) Même dans l'hémisphère occidental (si l'on omet les nombreux changements violents de gouvernement toujours assimilés localement à des « révolutions ») de grandes révolutions sociales – au Mexique, en Bolivie, la révolution cubaine et ses suites – ont transformé la scène latino-américaine.

Les révolutions réelles accomplies au nom du communisme se sont épuisées, même s'il est encore trop tôt pour prononcer leurs oraisons funèbres, puisque les Chinois, un cinquième de l'espèce humaine, continuent à vivre sous un gouvernement communiste. Il n'en est pas moins évident qu'un retour à l'Ancien Régime est aussi impossible qu'il l'était en France après l'ère révolutionnaire et napoléonienne ou que le fut le retour des anciennes colonies à la vie précoloniale. Lors même qu'on est revenu sur l'expérience communiste, le présent des anciens pays communistes et probablement leur avenir portent et continueront à porter les marques spécifiques de la contre-révolution qui a remplacé la révolution. On ne saurait rayer de l'histoire de la Russie ou du monde l'ère soviétique, comme si elle n'avait jamais été. Il est exclu que Saint-Pétersbourg revienne jamais à 1914.

Les conséquences indirectes de l'ère de bouleversements ouverte par 1917 ont été cependant aussi profondes que les conséquences directes. L'après Révolution russe a amorcé le processus d'émancipation coloniale et de décolonisation tout en provoquant une nouvelle donne politique en Europe : celle de la contre-révolution effrénée (sous la forme du fascisme et d'autres mouvements de même nature – *cf.* chapitre 4) et de la social-démocratie. On oublie souvent que, jusqu'en 1917, tous les partis travaillistes et socialistes (hors de l'Australasie, quelque peu périphérique) avaient choisi de s'en tenir à une opposition permanente avant que sonnât l'heure du socialisme. Hors du Pacifique, les premiers gouvernements sociaux-démocrates ou de coalition furent formés en 1917-1919 (Suède, Finlande, Allemagne, Autriche, Belgique), suivis, quelques années après, par la Grande-Bretagne, le Danemark et la Norvège. Nous avons tendance à oublier que la modération de ces partis, de même que l'empressement de l'ancien système politique à les intégrer, fut largement une réaction au bolchevisme.

Bref, on ne saurait comprendre l'histoire du Court Vingtième Siècle sans la révolution russe et ses effets directs ou indirects. Notamment parce qu'elle fut en fait le sauveur du capitalisme libéral : en permettant à l'Occident de gagner la Seconde Guerre mondiale contre l'Allemagne hitlérienne, mais aussi en incitant le capitalisme à se réformer – et paradoxalement – du fait de l'apparente immunité de l'Union soviétique à la Grande Crise, et à renoncer à l'orthodoxie du marché. C'est ce que nous verrons dans le chapitre suivant.

Chapitre 3
Au fond du gouffre économique

« Jamais le Congrès des États-Unis réuni pour dresser l'état de l'Union n'a été confronté à des perspectives plus souriantes qu'aujourd'hui. [...] Les immenses richesses créées par nos entreprises et notre industrie, mais aussi épargnées par notre économie, ont été réparties de la manière la plus large au sein de la population et ont été canalisées en un flux régulier au service de la charité et des affaires du monde. Les conditions de vie ont franchi le cap de la nécessité pour entrer dans la région du luxe. La production toujours plus grande est absorbée par une demande intérieure croissante et un commerce extérieur en expansion. Le pays peut considérer le présent avec satisfaction et envisager l'avenir avec optimisme. »

Le président Calvin COOLIDGE,
message au Congrès 4 décembre 1928

« Avec la guerre, le chômage a été la maladie la plus répandue, la plus insidieuse et la plus délétère de notre génération : il est, de nos jours, la maladie sociale spécifique de la civilisation occidentale. »

The Times, 23 janvier 1943

I

Supposons que la Première Guerre mondiale n'ait été qu'une perturbation temporaire, bien que catastrophique, d'une économie et d'une civilisation par ailleurs stables. Les décombres de la guerre une fois déblayés, l'économie aurait repris plus ou moins son cours normal et continué sur sa lancée. Un peu comme le Japon enterra les 300 000 morts du tremblement de terre de Tokyo en 1923, balaya les ruines qui avaient fait deux ou trois millions de sans abri et reconstruisit une ville semblable à l'ancienne, mais relativement plus résistante aux tremblements de terre. Dans cette hypothèse, à quoi aurait ressemblé le monde de l'entre-deux-guerres ? Nous n'en savons rien et il ne rime à rien de spéculer sur ce qui ne s'est pas produit et, très certainement, n'aurait pu se produire. Pour autant, la question n'est pas vaine, car elle nous aide à saisir l'effet profond de l'effondrement économique du monde entre les deux guerres sur l'histoire du XXᵉ siècle.

Sans cette crise, il n'y aurait certainement pas eu de Hitler. Il n'y aurait presque certainement pas eu de Roosevelt. Le système soviétique n'aurait très probablement pas été considéré comme un rival économique sérieux susceptible de remplacer le capitalisme mondial. Esquissées ailleurs, les conséquences de la crise économique dans le monde non européen ou non occidental furent dramatiques. En un mot, le monde de la seconde moitié du XXᵉ siècle est incompréhensible si l'on n'a pas une idée claire de l'impact de la banqueroute économique.

La Première Guerre mondiale n'a ravagé que certaines parties du vieux monde, essentiellement en Europe. La révolution mondiale, l'aspect le plus spectaculaire de la chute de la civilisation bourgeoise du XIXᵉ siècle, a essaimé beaucoup plus largement : du Mexique à la Chine et, sous la forme de mouvements de libération anti-coloniale, du Maghreb à l'Indonésie. On n'aurait cependant aucun mal à trouver des coins de la planète dont les habitants furent préservés sur les deux fronts : les États-Unis, notamment, mais aussi de grandes régions de l'Afrique coloniale subsaharienne. La guerre 14-18 n'en a pas moins été suivie par une espèce de faillite véritablement mondiale, tout au moins partout où la vie des hommes et des femmes était prise dans les transactions d'un marché impersonnel, ou régies par elles. En fait, loin d'être un havre à l'abri des convulsions des continents moins heureux, les fiers États-Unis eux-mêmes devinrent l'épicentre du plus grand séisme mondial jamais mesuré sur l'échelle de Richter des historiens de l'économie : la Grande Crise de l'entre-deux-guerres. En un mot : l'économie capitaliste mondiale a paru s'écrouler. Nul ne savait vraiment comment elle pourrait se rétablir.

Le fonctionnement d'une économie capitaliste n'est jamais sans à-coups, et les fluctuations de durée variable, souvent très fortes, font partie intégrante de cette manière de gérer les affaires du monde. La succession d'expansion et de récession, ou « cycle économique », était bien connue de tous les hommes d'affaires du XIX⁰ siècle. Le cycle en question était censé se répéter, avec des variations, entre sept et onze ans. Une périodicité relativement plus longue avait commencé à attirer l'attention à la fin du XIX⁰ siècle, tandis que les observateurs se retournaient sur les péripéties inattendues des décennies précédentes. De 1850 environ au début des années 1870, une phase d'essor spectaculaire et sans précédent avait été suivie par une vingtaine d'années d'incertitudes économiques (il s'est trouvé des économistes pour parler, de manière un peu fallacieuse, de Grande Dépression), puis d'une autre poussée manifestement séculaire de l'économie mondiale (voir *L'Ère du capital* et *L'Ère des empires*, chapitre 2). Au début des années 1920, un économiste russe, N. D. Kondratiev, qui fut par la suite l'une des premières victimes de Staline, discerna, à compter de la fin du XVIII⁰ siècle, un modèle de développement économique passant par une série de « cycles longs » de cinquante à soixante ans. Mais ni lui ni personne d'autre ne put donner d'explication satisfaisante de ces mouvements, et il s'est même trouvé des statisticiens sceptiques pour en nier l'existence. Depuis lors, ils sont devenus universellement connus sous le nom de Kondratiev dans la littérature spécialisée. Au passage, rappelons que Kondratiev conclut à l'époque que le cycle long de l'économie mondiale conduirait à la récession[1]. Il avait raison.

Par le passé, hommes d'affaires et économistes avaient accepté les vagues et les cycles, longs, moyens et courts, un peu comme les paysans acceptaient les caprices du temps, qui avait ses hauts et ses bas. On n'y pouvait rien : ils créaient des occasions ou des problèmes, ils pouvaient signifier l'abondance ou la faillite pour des individus ou des industries mais, pensant avec Marx que ces cycles faisaient partie d'un processus par lequel le capitalisme engendrait des contradictions qui finiraient par devenir insupportables, seuls les socialistes estimaient qu'ils faisaient courir des risques au système économique en tant que tel. L'économie mondiale était censée continuer à croître et à progresser comme elle l'avait fait depuis un siècle, mis à part les catastrophes soudaines et éphémères des récessions cycliques. Ce qui était inédit dans la nouvelle situation, c'est que, probablement pour la première fois dans l'histoire du capitalisme, ses fluctuations semblaient mettre en danger le système. Qui plus est la hausse séculaire de sa courbe semblait se briser.

Depuis la Révolution industrielle, l'histoire de l'économie mondiale avait été faite d'accélération du progrès technique, de croissance économique continue mais inégale, et de « mondialisation » toujours plus grande, c'est-à-dire d'une division mondiale du travail sans cesse plus élaborée et compliquée, avec un réseau toujours plus dense de flux et d'échanges qui rattachaient chaque partie de l'économie mondiale au système global. Le progrès technique s'est poursuivi et s'est même accéléré à l'Ère des catastrophes, transformant l'ère des guerres mondiales en même temps qu'il était bouleversé par elles. Dans la vie de la plupart des hommes et des femmes, les expériences économiques centrales de l'époque furent certes cataclysmiques, et couronnées par la Grande Crise des années 1929-1933, mais la croissance économique ne s'est pas arrêtée au cours de ces décennies. Elle s'est simplement ralentie. Dans l'économie la plus grande et la plus riche de l'époque, celle des États-Unis, le taux de croissance moyen du PNB par tête entre 1913 et 1938 ne dépassa pas un modeste 0,8 % par an. Dans le même temps, la production industrielle mondiale augmenta d'un peu plus de 80 %, soit à peu près la moitié de la croissance du quart de siècle précédent (W. W. Rostow, 1978, p. 662). Comme on le verra dans le chapitre 9, le contraste avec l'après 1945 devait être plus spectaculaire encore. Toujours est-il que si un Martien avait observé la courbe des mouvements économiques d'assez loin pour ne pas remarquer les dents de scie dont souffrirent les êtres humains sur terre, il en aurait conclu indubitablement à une expansion continue de l'économie mondiale.

Sur un plan, pourtant, ce n'était manifestement pas le cas. Dans l'entre-deux-guerres, la mondialisation de l'économie avait apparemment marqué le pas. Tous les indicateurs montrent que l'intégration de l'économie mondiale stagna ou régressa. L'avant-guerre avait été la plus grande période de migration de masse de toute l'histoire ; mais ensuite, le flux se tarit ou, plutôt, fut endigué par les guerres et les restrictions politiques. Dans les quinze dernières années avant 1914, près de quinze millions d'immigrants avaient débarqué aux États-Unis. Au cours des quinze années suivantes, le flux se réduisit à cinq millions et demi ; dans les années 1930 et les années de guerre, l'arrêt fut presque total : moins de 750 000 (*Historical Statistics*, I, p. 105, tableau C, 89-101). Le mouvement de migration ibérique, essentiellement à destination de l'Amérique latine, passa de 1,75 million dans la décennie 1911-1920 à moins d'un quart de million dans les années 1930. Le commerce mondial se remit des perturbations de la guerre et de la crise de l'après-guerre pour dépasser légèrement son niveau de 1913 à la fin des années 1920, puis chuter au cours du marasme. À la fin de l'Ère des catastrophes (1948), cependant, il n'était pas sensiblement plus important en volume qu'avant la Première Guerre mondiale (W. W. Rostow, 1978, p. 669). Entre le début des années 1890 et 1913, il avait plus que doublé. Entre 1948 et 1971, il devait être multiplié par cinq. Cette stagnation est d'autant plus surprenante quand on se souvient que la Première Guerre mondiale accoucha d'un bon nombre de nouveaux États en Europe et au Moyen-Orient. Avec ces très nombreux nouveaux kilomètres de frontières, on aurait attendu un accroissement automatique du commerce interétatique, car les transactions commerciales qui avaient lieu naguère dans un même pays (en Autriche-Hongrie ou en Russie, par exemple) ressortaient désormais au commerce international. (Les statistiques du commerce mondial ne mesurent que le commerce transfrontalier.) Tout comme le flux tragique des réfugiés de l'après-guerre et de l'après-révolution, dont les effectifs se mesuraient déjà en millions (*cf.* chapitre 11), aurait dû nous préparer à un essor, plutôt qu'à une restriction, des migrations mondiales. Au cours de la Grande Crise, même le flux international des capitaux sembla se tarir. Entre 1927 et 1933, les crédits internationaux chutèrent de plus de 90 %.

Pourquoi cette stagnation ? On a suggéré diverses raisons : par exemple, que la plus grande des économies nationales du monde, celle des États-Unis, devenait quasiment autosuffisante, sauf pour quelques matières premières. Au demeurant, elle n'avait jamais été particulièrement tributaire du commerce extérieur. Cependant, même des pays à fort commerce extérieur, comme la Grande-Bretagne et les États scandinaves, suivirent la même évolution. Les contemporains se focalisèrent sur une cause d'alarme plus évidente, et très certainement avaient-ils raison. Chaque État faisait désormais de son mieux pour protéger son économie des menaces de l'extérieur, c'est-à-dire d'une économie mondiale visiblement en proie à de grandes difficultés.

Les hommes d'affaires comme les gouvernements avaient d'abord pensé que, après les troubles temporaires de la guerre mondiale, l'économie mondiale renouerait tant bien que mal avec les jours heureux d'avant 1914, qu'ils tenaient pour normaux. Et, de fait, l'essor de l'immédiat après-guerre, tout au moins dans les pays épargnés par la révolution et la guerre civile, semblait prometteur, alors même que les entreprises et les autorités publiques voyaient d'un mauvais œil le pouvoir considérablement renforcé de la main-d'œuvre et des syndicats, qui ressemblait fort, dans ses effets, à un accroissement des coûts de production *via* une augmentation des salaires et une diminution du temps de travail. Le réajustement se révéla cependant plus difficile que prévu. Les prix et l'expansion retombèrent en 1920. Ce qui sapa le pouvoir de la main-d'œuvre – en Grande-Bretagne, le chômage ne tomba jamais très en deçà de 10 % et les syndicats perdirent la moitié de leurs adhérents au cours des douze années suivantes –, modifiant de nouveau très nettement le pourcentage de forces en faveur du patronat, mais la prospérité demeura fuyante.

Le monde anglo-saxon, les pays neutres en temps de guerre et le Japon firent leur possible pour provoquer une déflation, c'est-à-dire pour ramener leurs économies aux bons vieux principes des monnaies stables garanties par des finances saines et l'étalon-or, qui n'avaient pas résisté aux tensions de la guerre. Cependant, la grande zone de défaite et de convulsion, de l'Allemagne à l'Ouest jusqu'à la Russie soviétique à l'Est, connut un spectaculaire effondrement du système monétaire, qui n'est que partiellement comparable à celui du monde post-communiste après 1989. Dans le cas le plus extrême – celui de l'Allemagne, en 1923 – la monnaie tomba à un million de millionième de sa valeur de 1913 : autant dire qu'elle perdit pratiquement toute sa valeur. Même dans les cas moins extrêmes, les conséquences furent drastiques. Le grand-père de l'auteur, dont la police d'assurance arriva à échéance sous l'inflation autrichienne[2], aimait à raconter que, retirant cette somme considérable en monnaie dévaluée, il avait constaté qu'il avait juste de quoi se payer un verre dans son café préféré.

Bref, l'épargne privée disparut totalement, créant ainsi un vide quasi complet de fonds de roulement pour les entreprises, ce qui explique pour une bonne part que l'économie allemande ait dû massivement emprunter à l'étranger au cours des années suivantes. À l'heure de la crise, cela la rendit inhabituellement vulnérable. En URSS, la situation n'était guère meilleure, bien que la liquidation de l'épargne privée sous sa forme monétaire n'y eut pas les mêmes conséquences économiques ni politiques. Lorsque la grande inflation prit fin, en 1922-1923, essentiellement parce que les pouvoirs publics décidèrent de cesser d'imprimer du papier-monnaie en quantité illimitée et de changer de monnaie, les Allemands qui avaient compté sur des revenus fixes et sur leur épargne se retrouvèrent ruinés, bien qu'au moins une infime fraction de la valeur de l'argent eût été préservée en Pologne, en Hongrie et en Autriche. Mais on imagine sans mal l'effet traumatique de cette expérience sur la moyenne et petite bourgeoisie locale. L'Europe centrale était mûre pour le fascisme. Les moyens d'habituer les populations à de longues périodes d'inflation pathologique (par exemple, par l'« indexation » des salaires et des autres revenus – le mot fut employé pour la première fois vers 1960) ne furent inventés qu'après la Seconde Guerre mondiale[3].

En 1924, les ouragans de l'après-guerre étaient retombés, et on pouvait apparemment envisager un retour à ce qu'un président américain appela « la normale ». Il y eut en effet un genre de retour à la croissance mondiale, alors même que certains producteurs de matières premières et de denrées alimentaires, notamment les fermiers nord-américains, connurent quelque difficulté parce que les prix des produits de base recommencèrent à baisser après une brève reprise. Les flambantes années 1920 ne furent pas un âge d'or pour les fermes des États-Unis. De surcroît, dans la majeure partie de l'Europe, le chômage demeura étonnamment et pathologiquement élevé, au regard des normes d'avant 1914. On oublie facilement que même dans les années d'expansion 1924 à 1929, il se situait entre 10 et 12 % en Grande-Bretagne, en Allemagne et en Suède, et entre 17 et 18 %, pas moins, au Danemark et en Norvège. Seule l'économie des États-Unis, avec un taux de chômage moyen d'environ 4 %, marchait à pleine vapeur. Deux éléments mettaient en évidence les graves faiblesses de l'économie. Le fléchissement des prix des produits primaires (que l'on empêchait de baisser davantage en constituant des stocks toujours plus gros) démontrait tout simplement que la demande ne pouvait suivre les capacités de production. Ne perdons pas non plus de vue que l'expansion était largement alimentée par les énormes flux de capitaux qui balayaient les mondes industriels dans ces années-là, notamment vers l'Allemagne. Ce seul pays, qui absorba près de la moitié des exportations mondiales de capitaux en 1928, emprunta entre 20 000 et 30 000 milliards de marks, dont probablement la moitié à court terme (Arndt, p. 47 ; Kindleberger, 1986). Une fois encore, cela rendit probablement l'économie allemande très vulnérable : le retrait des fonds américains après 1929 allait en faire la démonstration.

Que l'économie mondiale connût de nouvelles difficultés quelques années plus tard ne fut donc une surprise pour personne, hormis pour les chantres de l'Amérique des petites villes, dont l'image devint familière aux Occidentaux de l'époque à travers le roman de Sinclair Lewis, *Babbitt* (1922). L'Internationale communiste avait effectivement prévu une nouvelle crise économique au faîte de l'expansion, annonçant – du moins ses porte-parole le croyaient-ils ou affectaient-ils de le croire – qu'elle déboucherait sur une nouvelle vague de révolutions. À brève échéance, elle eut exactement l'effet contraire. Mais ce que personne ne prévit, probablement pas même les révolutionnaires dans leurs moments d'exaltation la plus vive, c'est l'universalité et la profondeur extraordinaires de la crise qui commença, comme même les non-historiens le savent, par le krach de la Bourse de New York, le 29 octobre 1929. On fut alors tout près d'un effondrement de l'économie capitaliste mondiale, qui semblait désormais prisonnière d'un cercle vicieux, où chaque dégringolade des indices économiques (hormis le chômage, qui atteignit des sommets plus astronomiques que jamais) renforçait le déclin de tous les autres.

Ainsi que l'observèrent les admirables experts de la Société des Nations, sans que nul ne leur prêtât grande attention, la récession dramatique de l'économie industrielle nord-américaine gagna bientôt l'autre centre industriel : l'Allemagne (Ohlin, 1931). La production industrielle américaine baissa d'un tiers environ de 1929 à 1931, et la production allemande d'à peu près autant, mais ce ne sont que des moyennes. Ainsi aux États-Unis, Westinghouse, le géant de l'électricité, perdit les deux tiers de son chiffre d'affaires entre 1929 et 1933, tandis que son revenu net diminua de 76 % en deux ans (Schatz, 1983, p. 60). La crise toucha aussi la production primaire, tant de denrées alimentaires que de matières premières, dont les prix, n'étant plus soutenus comme autrefois par la constitution de stocks, baissèrent en chute libre. Les prix du thé et du blé diminuèrent des deux tiers, celui de la soie brute des trois-quarts. Pour citer les pays énumérés par la Société des Nations en 1931, cette chute terrassa l'Argentine, l'Australie, les Balkans, la Bolivie, le Brésil, le Canada, le Chili, la Colombie, Cuba, l'Égypte, l'Équateur, la Finlande, la Hongrie, l'Inde, les Indes néerlandaises (l'actuelle Indonésie), la Malaisie (britannique), le Mexique, la Nouvelle-Zélande, le Paraguay, le Pérou, l'Uruguay et le Venezuela, dont le commerce international était lourdement tributaire d'une poignée de produits de base. Bref, la crise s'en trouva littéralement mondialisée.

Extrêmement sensibles aux chocs sismiques venant de l'Ouest (ou de l'Est), les économies de l'Autriche, de la Tchécoslovaquie, de la Grèce, du Japon, de la Pologne et de la Grande-Bretagne furent également ébranlées. L'industrie japonaise de la soie avait triplé sa production en quinze ans pour approvisionner l'immense marché américain des bas de soie en plein essor ; ce marché disparut temporairement, ce qui entraîna la chute de 90 % du marché de la soie japonaise alors destiné à l'Amérique. Dans le même temps, le prix de l'autre grand produit de base de l'agriculture japonaise, le riz, s'effondra lui aussi, comme dans toutes les grandes régions productrices de riz de l'Asie du Sud et de l'Est. Et comme le cours du blé s'effondra encore plus radicalement que celui du riz, le blé devint meilleur marché : de nombreux Orientaux auraient alors abandonné l'un pour l'autre. Cependant, le boom des chapattis et des nouilles, s'il y en eut un, aggrava la situation des paysans des pays exportateurs de riz comme la Birmanie, l'Indochine française et le Siam (Thaïlande) (Latham, 1981, p. 178). Les paysans s'efforcèrent de compenser la chute des prix en produisant et en vendant plus, ce qui ne fit qu'accélérer l'effondrement des cours.

Pour les paysans à la merci du marché, en particulier des exportations, c'était synonyme de ruine, sauf à pouvoir se rabattre sur l'ultime redoute traditionnelle du paysan : la production de subsistance. De fait, celle-ci était encore possible dans une bonne partie du monde dépendant, et dans la mesure où la grande majorité des Africains, des Asiatiques de l'Est et du Sud et des Latino-Américains étaient encore des paysans, ce fut sans conteste une protection. Les producteurs de café brésiliens s'efforçant désespérément d'empêcher l'effondrement des cours en brûlant du café dans leurs locomotives à vapeur, plutôt que du charbon, le Brésil devint un symbole du gaspillage capitaliste et de la profondeur de la crise. (Entre deux tiers et trois-quarts du café vendu sur le marché mondial provenaient de ce pays.) La Grande Crise n'en fut pas moins infiniment plus supportable pour les Brésiliens, encore ruraux dans leur écrasante majorité, que les cataclysmes économiques des années 1980 – d'autant que les pauvres plaçaient alors dans l'économie des espoirs extrêmement modestes.

Pourtant, même dans les colonies rurales, d'aucuns souffrirent ainsi que le suggère la chute de près des deux tiers des importations de sucre, de farine, de poisson en conserve et de riz en Côte de l'Or (l'actuel Ghana), où le marché du cacao (qui reposait sur les paysans) s'était effondré, pour ne rien dire de la chute de 98 % des importations de coton (Ohlin, 1931, p. 52).

Pour tous ceux qui, par définition, n'avaient ni accès ni contrôle sur les moyens de production (à moins de pouvoir réintégrer une famille de paysans dans quelque village), c'est-à-dire les hommes et les femmes salariés, le marasme eut pour première conséquence un chômage d'une ampleur inimaginable, sans précédent, et plus durable qu'on ne l'avait jamais prévu. Dans la pire période (1932-1933), entre 22 et 23 % de la main-d'œuvre britannique et belge, 24 % des Suédois, 27 % des Américains, 29 % des Autrichiens, 31 % des Norvégiens, 32 % des Danois et pas moins de 44 % des travailleurs allemands se retrouvèrent sans emploi. Et, fait non moins important, même la reprise d'après 1933 ne devait pas faire tomber le taux de chômage moyen des années 1930 au-dessous des 16-17 % en Grande-Bretagne et en Suède ou à moins de 20 % dans le reste de la Scandinavie, en Autriche et aux États-Unis. Le seul État occidental qui ait réussi à éliminer le chômage fut l'Allemagne nazie, entre 1933 et 1938. Aussi loin qu'ils puissent remonter dans leurs souvenirs, jamais les travailleurs n'avaient connu pareille catastrophe économique.

La situation était d'autant plus dramatique que la protection sociale, dont l'aide aux chômeurs, était soit inexistante, comme aux États-Unis, soit extrêmement maigre au regard des normes de la fin du XXe siècle, surtout pour les chômeurs de longue durée. C'est pourquoi la sécurité avait toujours été un souci vital des travailleurs : la protection contre la terrible précarité de l'emploi (les salaires), la maladie, les accidents, et l'effroyable certitude de vieux jours sans revenus. C'est pourquoi ils rêvaient de voir leurs enfants occuper des emplois modestement rémunérés, mais sûrs et ouvrant droit à une retraite. Même dans le pays le plus complètement couvert par des systèmes d'assurance-chômage avant la Crise (la Grande-Bretagne), celle-ci concernait moins de 60 % de la main-d'œuvre – et cela uniquement parce que, depuis 1920, le pays avait déjà été contraint de s'ajuster à un chômage massif. Ailleurs en Europe (sauf en Allemagne, où elle dépassait 40 %), la proportion de travailleurs pouvant prétendre à des indemnités de chômage allait de zéro à un quart environ (Flora, 1983, p. 461). Les travailleurs qui s'étaient habitués aux fluctuations de l'emploi ou à des périodes de chômage cyclique devaient, en l'absence de la moindre offre d'emploi, succomber au désespoir, lorsqu'ils avaient épuisé leurs maigres économies et leur crédit chez l'épicier du coin.

D'où l'impact central, et traumatique, du chômage de masse sur la vie politique des pays industrialisés, car tel fut avant tout le sens de la Grande Crise pour la majeure partie de leurs habitants. Que leur importait que les historiens de l'économie (et la logique) pussent démontrer que la majorité de la main-d'œuvre nationale, qui conserva un emploi jusque dans les pires périodes, s'en trouvait en fait sensiblement mieux lotie, puisque les prix baissèrent partout dans l'entre-deux-guerres, et que les prix des denrées alimentaires diminuèrent plus rapidement que les autres au cours des pires années de la crise ? L'image qui dominait à l'époque était celle des soupes populaires, des « Marches de la faim » des chômeurs, quittant les baraquements sans fumée où l'on ne fabriquait plus ni acier ni bateaux pour converger vers les capitales et dénoncer ceux qu'ils tenaient pour responsables. Les hommes politiques ne manquèrent pas non plus d'observer que jusqu'à 85 % des adhérents du Parti communiste allemand, dont les troupes augmentèrent presque aussi rapidement que celles du Parti nazi dans les années de crise, et encore plus vite dans les derniers mois précédant l'accession de Hitler au pouvoir, étaient des chômeurs (Weber, I, p. 243).

Le chômage était perçu, ce qui n'a rien d'étonnant, comme une blessure profonde et potentiellement mortelle dans le corps politique. « Avec la guerre, écrivit au milieu de la Seconde Guerre mondiale un éditorialiste du *Times* de Londres, le chômage a été la maladie la plus répandue, la plus insidieuse et la plus délétère de notre génération : il est, de nos jours, la maladie sociale spécifique de la civilisation occidentale » (Arndt, 1944, p. 250). Jamais encore, dans toute l'histoire de l'industrialisation, on n'avait pu écrire un tel texte. Il explique davantage la politique des gouvernements occidentaux après la guerre que de longues recherches en archives.

Assez curieusement, l'impression de catastrophe et de désorientation provoquée par la Grande Crise fut peut-être plus grande parmi les hommes d'affaires, les économistes et les hommes politiques qu'au sein des masses. Le chômage massif, l'effondrement des prix agricoles les frappèrent de plein fouet, mais les petites gens ne doutaient pas qu'il y eût une solution politique à ces injustices inattendues – à gauche ou à droite – pour autant qu'elles aient jamais espéré que leurs modestes besoins puissent être satisfaits. C'est précisément l'absence de toute solution dans le cadre de l'ancienne économie libérale qui rendit si dramatique la situation des décideurs économiques. Pour faire front aux crises immédiates, à court terme, ils devaient, c'est du moins ainsi qu'ils voyaient les choses, compromettre la base d'une économie mondiale florissante à long terme. Alors que le commerce mondial chuta de 60 % en quatre ans (1929-1932), les États dressèrent des barrières toujours plus hautes afin de protéger leurs marchés nationaux et leurs devises contre les ouragans économiques mondiaux, tout en sachant pertinemment que cela avait pour effet de démanteler le système international de commerce multilatéral dont dépendait, croyaient-ils, la prospérité mondiale. La clé de voûte de ce système, la clause dite de « la nation la plus favorisée », disparut de près de 60 % des 510 accords commerciaux signés entre 1931 et 1939 ; et quand elle subsista, ce fut généralement sous une forme limitée[4] (Snydern, 1940). Où cela s'arrêterait-il ? Y avait-il une issue à ce cercle vicieux ?

Nous reviendrons plus loin sur les conséquences politiques immédiates de cet épisode, le plus traumatique de toute l'histoire du capitalisme. Il convient cependant de signaler tout de suite son implication politique la plus significative à long terme. En un mot : la Grande Crise a détruit le libéralisme économique pour un demi-siècle. En 1931-1932, la Grande-Bretagne, le Canada, toute la Scandinavie et les États-Unis abandonnèrent l'étalon-or, toujours considéré comme le fondement d'échanges internationaux stables ; en 1936, ils furent rejoints par des adeptes encore plus fervents du lingot d'or : les Belges et les Hollandais et, pour finir, même par les Français[5]. De manière presque symbolique, la Grande-Bretagne abandonna en 1931 le libre-échange, qui avait été aussi central dans l'identité économique britannique depuis les années 1840 que la Constitution américaine l'est dans l'identité politique des États-Unis. L'abandon britannique des principes des transactions libres dans une seule et même économie mondiale illustre on ne peut mieux la ruée protectionniste. Plus précisément, la Grande Crise obligea les gouvernements occidentaux à privilégier des considérations sociales aux dépens des considérations économiques dans l'élaboration de leur politique officielle. N'en rien faire, c'était s'exposer à des dangers trop menaçants : la radicalisation de la gauche et, comme le démontraient maintenant l'Allemagne et d'autres pays, de la droite.

Ainsi, les gouvernements ne protégeaient plus l'agriculture de la concurrence étrangère uniquement par des tarifs douaniers, même si, comme ils l'avaient fait auparavant, ils relevèrent encore les barrières douanières. Au cours de la Crise, ils entreprirent de la subventionner en garantissant des prix agricoles, en achetant les excédents ou en payant les agriculteurs pour ne pas produire comme aux États-Unis, après 1933. C'est à la Grande Crise que remontent les origines des étranges paradoxes de la « Politique agricole commune » de la Communauté européenne pratiquée tout au long des années 1970 et 1980 face aux minorités toujours plus exiguës d'agriculteurs menaçant de mettre la Communauté en faillite à travers les subventions dont ils bénéficiaient.

Pour les travailleurs, le « plein-emploi », c'est-à-dire l'élimination du chômage de masse, devint après la guerre la clef de voûte de la politique économique dans les pays du capitalisme démocratique réformé, dont le prophète et le pionnier le plus célèbre, bien qu'il n'ait pas été le seul, fut l'économiste britannique John Maynard Keynes (1883-1946). L'argument keynésien pour éliminer le chômage massif permanent était économique autant que politique. Les keynésiens soutenaient, à juste titre, que la demande engendrée par les revenus d'une population active en plein-emploi aurait un effet des plus stimulants sur une économie déprimée. Mais, si ce moyen d'augmenter la demande reçut une priorité aussi grande – le gouvernement britannique l'adopta dès avant la fin de la Seconde Guerre mondiale –, c'est que l'on jugeait le chômage massif politiquement et socialement explosif : la Crise en avait bel et bien fait la démonstration. Cette conviction était si forte que, de longues années plus tard, avec le retour du chômage massif et surtout au cours de la grave crise du début des années 1980, des observateurs (dont l'auteur de ces pages) étaient certains qu'il fallait s'attendre à des troubles sociaux et furent tout étonnés de voir qu'il n'en a rien été (*cf.* chapitre 14).

La raison, bien entendu, en était largement une autre mesure prophylactique adoptée pendant et après la Grande Crise, et en conséquence de celle-ci : la création de systèmes modernes de protection sociale. Qui s'étonnerait que les États-Unis aient adopté leur *Social Security Act* en 1935 ? Nous sommes tellement habitués à l'existence universelle d'ambitieux systèmes de protection sociale dans les États développés du capitalisme industriel – à quelques exceptions près, comme le Japon, la Suisse et les États-Unis – que nous en oublions que les États-providence, au sens moderne du terme, étaient fort rares avant la Seconde Guerre mondiale. Même les pays scandinaves commençaient à peine à les mettre en place. En fait les mots mêmes de *Welfare State* ou d'État-providence ne devaient pas s'imposer avant les années 1940.

Que le pays qui avait rompu bruyamment avec le capitalisme parût préservé ne fit qu'accentuer le traumatisme de la Grande Crise. Tandis que le reste du monde, ou tout au moins le capitalisme libéral occidental, stagnait, l'URSS, avec ses nouveaux plans quinquennaux, était engagée dans une industrialisation massive et ultra rapide. Entre 1929 et 1940, sa production industrielle fut au moins multipliée par trois. De 5 % des produits manufacturés du monde en 1929, elle passa à 18 % en 1938 ; dans le même temps, la part conjointe des États-Unis, de la Grande-Bretagne et de la France passait de 59 à

52 %. Qui plus est, il n'y avait pas de chômage. Ces prouesses ne manquèrent pas d'impressionner les observateurs étrangers, toutes idéologies confondues, y compris un flux modeste mais influent de touristes socio-économiques qui se rendirent à Moscou dans les années 1930-1935 : elles les marquèrent en tout cas davantage que le caractère primitif et inefficace flagrant de l'économie soviétique, ou que le caractère implacable et brutal de la politique stalinienne de collectivisation et de répression de masse. Car ce qu'ils essayaient de comprendre, ce n'était pas l'URSS dans sa réalité concrète, mais l'effondrement de leur propre système économique, l'échec profond du capitalisme occidental. Quel était le secret du système soviétique ? Y avait-il quelque chose à en apprendre ? En écho aux plans quinquennaux de la Russie, les mots « plan » et « planification » étaient maintenant dans toutes les bouches. Des partis sociaux-démocrates adoptèrent des « plans » : ainsi en Belgique et en Norvège. Haut fonctionnaire britannique des plus éminents et respectés, pilier de l'*establishment*, Sir Arthur Salter écrivit alors un livre, *Recovery (Reprise)*, dans lequel il démontrait qu'une société planifiée était essentielle pour arracher le pays et le monde au cercle vicieux de la crise. D'autres commis de l'État et fonctionnaires modérés créèrent un groupe de réflexion non partisan sous le nom de PEP (Planification économique et politique). De jeunes hommes politiques conservateurs, comme le futur Premier ministre Harold Macmillan (1894-1986), se firent les porte-parole de la « planification ». Les nazis eux-mêmes plagièrent l'idée : Hitler lança en 1933 son Plan quadriennal. (Pour des raisons sur lesquelles on reviendra dans le chapitre suivant, les nazis réussirent à sortir de la crise après 1933, mais leur succès eut peu de répercussions internationales.)

II

Pourquoi cet échec de l'économie capitaliste entre les deux guerres ? La situation des États-Unis est un élément central de toute réponse à cette question. Car si les troubles de la guerre et de l'après-guerre en Europe, tout au moins dans les pays belligérants, pouvaient être rendus au moins en partie responsables des problèmes économiques du vieux Continent, les États-Unis étaient restés loin de la guerre, malgré leur engagement bref et décisif. Loin de perturber leur économie, la Première Guerre mondiale, comme la Seconde, leur profita de manière spectaculaire. En 1913, les États-Unis étaient déjà devenus la première économie mondiale et assuraient plus du tiers de la production industrielle du monde, juste après l'Allemagne, la Grande-Bretagne et la France réunies. En 1929, ils assuraient plus de 42 % de la production mondiale totale, contre un peu moins de 28 % pour les trois puissances industrielles européennes (Hilgerdt, 1945, tableau 1.14). Ce sont des chiffres réellement stupéfiants. Concrètement, alors que la production américaine d'acier augmenta d'environ un quart entre 1913 et 1920, la production du reste du monde baissa d'environ un tiers (Rostow, 1978, p. 194, tableau III.33). Bref, à la fin de la Première Guerre mondiale, l'économie américaine était à bien des égards aussi internationalement dominante qu'elle devait le redevenir après la Seconde Guerre mondiale. C'est la Grande Crise qui interrompit temporairement cette ascension.

De surcroît, non content de renforcer sa position de premier producteur industriel du monde, la guerre en fit aussi le principal créancier. Au cours du conflit, les Britanniques avaient perdu près d'un quart de leurs investissements dans le monde, essentiellement ceux des États-Unis, dont ils avaient dû se défaire pour acheter du matériel de guerre ; les Français avaient perdu près de la moitié des leurs, essentiellement du fait de la révolution et de l'effondrement en Europe. Dans le même temps, les Américains, encore débiteurs au début de la guerre, étaient devenus à la fin du conflit le principal prêteur international. Et les États-Unis concentrant leurs activités en Europe et dans l'hémisphère occidental (les Britanniques étaient encore de loin les premiers investisseurs en Asie et en Afrique), leur impact sur l'Europe fut décisif.

Bref, sans les États-Unis, pas d'explication de la crise économique mondiale. Après tout, ils étaient à la fois la première nation exportatrice du monde dans les années 1920 et, après la Grande-Bretagne, le premier importateur. Pour ce qui est des matières premières et des denrées alimentaires, ils importaient près de 40 % des importations totales des quinze nations les plus commerciales : simple fait qui explique largement l'impact désastreux du marasme sur les produc-

teurs de produits de base comme le blé, le coton, le sucre, le caoutchouc, la soie, le cuivre, l'étain et le café (Lary, p. 28-29). Par la
même occasion, ils devaient être la principale victime de la Crise. Si
leurs importations chutèrent de 70 % entre 1929 et 1932, leurs exportations diminuèrent au même rythme. Le commerce mondial plongea
de moins d'un tiers de 1929 à 1939, mais les exportations américaines s'effondrèrent de presque 50 %.

Ce n'est aucunement sous-estimer les racines strictement européennes des difficultés, qui étaient largement d'origine politique. À
la Conférence de la paix de Versailles (1919), l'Allemagne s'était
vue infliger des paiements considérables, mais non définis, au titre
des « réparations » correspondant au coût de la guerre et aux dommages infligés aux puissances victorieuses. Pour les justifier, une
clause insérée dans le traité rendait l'Allemagne *seule* responsable de
la guerre (la clause dite « coupable de la guerre »), ce qui était historiquement douteux et devait faire le jeu du nationalisme allemand. Le
montant des sommes que devait verser l'Allemagne avait été laissé
dans le flou à la suite d'un compromis entre la position des États-
Unis, qui proposaient de les fixer en fonction de la capacité de payer
du pays, et les autres Alliés – essentiellement les Français – qui exigeaient d'être défrayés de la totalité des coûts de la guerre. Leur
objectif véritable, du moins celui de la France, était de maintenir
l'Allemagne dans un état de faiblesse et de pouvoir exercer des pressions sur elle. En 1921, cette somme fut donc fixée à 132 milliards de
marks-or, soit 33 milliards de dollars de l'époque : ce qui était pure
chimère, tout le monde le savait.

Les « réparations » donnèrent lieu à des débats sans fin, à des
crises périodiques et à des règlements sous les auspices des États-
Unis. Au grand dam de ses anciens alliés, Washington souhaitait lier
la question des dettes de l'Allemagne envers les Alliés à celles
contractées par ces derniers auprès de l'Amérique au cours de la
guerre. Celles-ci étaient presque aussi délirantes que les sommes exi-
gées des Allemands, soit l'équivalent d'une fois et demie le revenu
national total du pays en 1929 ; les dettes de la Grande-Bretagne
envers les États-Unis correspondaient à la moitié du revenu national
britannique ; les dettes françaises, aux deux tiers (Hill, 1988, p. 15-
16). En 1924, le « Plan Dawes » fixa le montant annuel des sommes
que devait verser l'Allemagne ; en 1929, le « Plan Young » modifia

l'échéancier et, soit dit en passant, institua la Banque des règlements internationaux à Bâle (Suisse) : la première des institutions financières internationales qui devaient se multiplier au lendemain de la Seconde Guerre mondiale. (À l'heure où j'écris, elle est toujours en activité.) En fait, tous les versements, allemands et alliés, devaient cesser en 1932. Seule la Finlande devait rembourser ses dettes de guerre envers les États-Unis.

Sans entrer dans les détails, disons que deux questions étaient en jeu. Il y avait d'abord le problème mis en évidence par le jeune John Maynard Keynes, auteur d'une cinglante critique de la conférence de Versailles à laquelle il participa en qualité de membre de la délégation britannique : *Les Conséquences économiques de la paix* (1920). Sans remise en état de l'économie allemande, plaidait-il, il était impossible de restaurer en Europe une civilisation et une économie libérales stables. Maintenir l'Allemagne dans un état de faiblesse au nom de la « sécurité » de la France, comme le voulait Paris, était une politique contre-productive. En réalité, les Français étaient trop faibles pour imposer leur politique, alors même qu'ils occupèrent brièvement le cœur industriel de l'Allemagne occidentale en 1923 sous prétexte que les Allemands refusaient de payer. Finalement, force leur fut de tolérer après 1924 une politique conciliante destinée à renforcer l'économie de l'Allemagne.

Mais se posait aussi la question de la forme que devaient prendre les réparations. Ceux qui souhaitaient une Allemagne faible préféraient des espèces plutôt que, comme le voulait la raison, des biens prélevés sur la production courante, ou tout au moins une partie des recettes d'exportation, puisque cela eût renforcé l'économie allemande contre ses concurrents. En fait, ils obligèrent l'Allemagne à emprunter lourdement, si bien que les réparations furent finalement financées par les prêts (américains) massifs du milieu des années 1920. Pour les rivaux de l'Allemagne, cela présentait l'avantage supplémentaire de l'obliger à s'endetter plutôt que d'exporter pour atteindre un équilibre extérieur. En fait, les importations allemandes augmentèrent en flèche. Mais, on l'a dit, ce dispositif eut pour résultat de rendre à la fois l'Allemagne et l'Europe éminemment sensibles au déclin des crédits américains, amorcé dès avant la crise et la fermeture du robinet à crédit, qui suivirent la crise de Wall Street, en 1929. Tout ce château de cartes des réparations s'effondra au cours de la Crise. Mais à cette date, la fin des versements n'eut aucun effet positif sur l'Allemagne ou sur l'économie mondiale, car celle-ci, de même qu'en 1931-1933 tous les systèmes de paiements internationaux, avait cessé d'être un système intégré.

Toutefois, les désordres de la guerre et de l'après-guerre ainsi que les complications politiques en Europe ne pourraient expliquer que partiellement la gravité de l'effondrement économique entre les deux guerres. Économiquement parlant, il y a deux manières de l'aborder.

La première verra avant tout dans l'économie internationale un déséquilibre frappant et croissant, dû à l'asymétrie du développement entre les États-Unis et le reste du monde. Le système mondial, peut-on plaider, n'a pas fonctionné parce que, à la différence de la Grande-Bretagne qui en avait été le centre avant 1914, les États-Unis n'avaient guère besoin du reste du monde. En conséquence, et toujours à la différence de la Grande-Bretagne, qui savait que le système mondial des paiements reposait sur la livre sterling et veillait à ce qu'elle restât stable, les États-Unis ne se soucièrent aucunement de jouer le rôle de stabilisateur mondial. Les États-Unis avaient moins besoin que jamais d'importer des capitaux, de la main-d'œuvre et (relativement) des biens – exception faite de quelques matières premières. Bien qu'internationalement importantes – Hollywood avait le quasi-monopole du marché international du cinéma –, leurs exportations représentaient une part du revenu national plus modeste qu'en aucun autre pays industriel. On peut discuter de la portée de ce « retrait » des États-Unis de l'économie mondiale. Il est cependant tout à fait clair que cette explication de la Crise est l'une de celles qui influencèrent les économistes et responsables américains des années 1940 et qu'elle contribua à convaincre Washington, pendant la guerre, de prendre en charge la stabilité de l'économie mondiale après 1945 (Kindleberger, 1973).

La seconde perspective sur la Crise se focalise sur l'incapacité de l'économie mondiale à engendrer une demande suffisante pour assurer une expansion durable. Les fondements de la prospérité des années 1920, on l'a vu, étaient fragiles, même aux États-Unis, où l'agriculture était déjà pratiquement en crise, et où, loin de monter en flèche, les salaires nominaux, contrairement au mythe du grand âge du jazz, devaient bel et bien stagner dans les dernières folles années d'expansion (*Historical Statistics of the USA*, I, p. 164, tableau

D722-727). Comme souvent dans les périodes d'expansion du marché, les salaires étaient à la traîne alors que les profits augmentaient de façon disproportionnée, les nantis se taillant ainsi une part plus importante du gâteau national. Or, comme la demande ne pouvait suivre la croissance rapide de la productivité du système industriel à l'apogée de Henry Ford, il y eut à la fois surproduction et spéculation. C'est ce phénomène qui, à son tour, déclencha l'effondrement. Encore une fois, quelles que soient les discussions entre historiens et économistes, qui continueront à débattre de cette question, les contemporains qui s'intéressaient à la politique des pouvoirs publics étaient profondément frappés par la faiblesse de la demande ; et John Maynard Keynes, le premier.

Lorsque l'effondrement se produisit, il fut naturellement d'autant plus drastique aux États-Unis que l'essor léthargique de la demande avait été compensé par une expansion considérable du crédit à la consommation. (Qui se souvient de la fin des années 1980 se retrouvera sans doute en terrain familier.) Déjà frappées par le boom spéculatif de l'immobilier qui, avec l'aide habituelle des optimistes incurables et des escroqueries financières foisonnantes[6], avait déjà atteint son faîte quelques années avant le Grand Krach, les banques, criblées de mauvaises dettes, refusèrent d'accorder de nouveaux prêts immobiliers ou de refinancer les crédits existants. Cela ne devait pas les empêcher de faire faillite en masse[7], tandis que (en 1933) près de la moitié des hypothèques américaines étaient en défaut et que les saisies immobilières se multipliaient à raison d'un millier par jour (Miles *et al.*, 1991, p. 108). Les seuls acheteurs d'automobiles devaient 1,4 milliard de dollars sur un endettement personnel total de 6,5 sous forme de crédits à court ou moyen terme (Ziebura, p. 49). L'économie se révéla d'autant plus vulnérable à cette expansion du crédit que les clients ne se servaient pas de ces fonds pour acheter les biens de consommation de masse traditionnels nécessaires au maintien de l'intégrité morale et physique, et donc passablement inélastiques : alimentation, habillement, etc. Si pauvre soit-on, on ne saurait réduire sa consommation d'articles d'épicerie en deçà d'un certain point ; et cette demande ne doublera pas si les revenus sont multipliés par deux. Ils achetaient plutôt les produits durables de la société de consommation moderne, dont les États-Unis étaient alors les pionniers. Or, l'achat de voitures et de logements pouvait être aisément différé, et, en tout état de cause, l'élasticité de la demande par rapport au revenu était et demeure très forte.

Ainsi, à moins qu'on s'attendît à un marasme de brève durée, ou qu'il ne passât vite, et que la confiance dans l'avenir ne fût pas compromise, l'effet d'une pareille crise pouvait être spectaculaire. Ainsi, la production automobile diminua *de moitié* aux États-Unis entre 1929 et 1931, ou, à un niveau bien plus modeste, la production de disques destinés à un public pauvre (les disques « de race » et les disques de jazz, pour le public noir) cessa pratiquement pour un temps. Bref, « à la différence des chemins de fer ou des navires plus efficaces, de l'introduction d'outils en acier et de machines-outils – qui réduisirent les coûts –, la diffusion rapide des produits et du mode de vie nouveaux exigeaient des niveaux de revenus élevés et croissants et un fort degré de confiance dans l'avenir » (Rostow, 1978, p. 219). Or, c'était précisément ce qui était en train de s'effondrer.

Tôt ou tard, la plus grave récession cyclique a sa fin et, après 1932, les signes que le pire était passé se multiplièrent. En fait, certaines économies repartaient de plus belle. À la fin des années 1930, le Japon et, sur une échelle plus modeste, la Suède atteignirent un niveau de production près de deux fois plus élevé qu'avant le marasme, et en 1938 l'économie allemande (mais pas l'italienne) dépassait de 25 % son niveau de 1929. Même les économies léthargiques comme celle de la Grande-Bretagne présentaient de nombreux signes de dynamisme. Mais la reprise attendue ne fut pas au rendez-vous. Le monde demeura en crise. C'était on ne peut plus clair dans la plus grande de toutes les économies, celle des États-Unis, car les diverses expériences entreprises sous le « New Deal » du président F. D. Roosevelt pour relancer l'économie – parfois de manière peu conséquente – ne furent pas vraiment à la hauteur de leurs promesses économiques. La forte reprise fut suivie, en 1937-1938, d'un autre crash économique, bien que d'une moindre ampleur qu'après 1929. Le secteur moteur de l'industrie américaine, la production automobile, ne retrouva jamais son niveau record de 1929. En 1938, sa production était à peine plus élevée qu'en 1920 (*Historical Statistics*, II, p. 716). Vu depuis les années 1990, on est frappé par le pessimisme des commentateurs intelligents. Aux yeux d'économistes capables et brillants, le capitalisme, livré à lui-même, était voué à la stagnation. Anticipée par Keynes dans son pamphlet contre le traité de paix de Versailles, cette opinion devint naturellement populaire aux États-Unis après la Grande Crise. Toute économie parvenue à maturité ne doit-elle pas tendre à la stagnation ? Faisant lui aussi un pronostic pessimiste pour le capitalisme, l'économiste autrichien Joseph Schumpeter écrira : « Lors de toute période prolongée de malaise économique, les économistes suivant, comme tout un chacun, les humeurs du temps profèrent des théories qui prétendent démontrer que la dépression s'installe définitivement » (Schumpeter, 1954, p. 1172 ; trad. fr., vol. III, p. 545-546). Peut-être les historiens qui se pencheront plus tard sur la fin du Court Vingtième Siècle seront-ils également frappés par notre répugnance persistante, dans les années 1970 et 1980, à envisager la possibilité d'une dépression générale de l'économie capitaliste mondiale.

Et tout cela, en dépit du fait que les années 1930 aient été une décennie d'innovation technique considérable dans l'industrie : dans le développement des matières plastiques par exemple. Dans le domaine du divertissement et de ce qu'on devait appeler plus tard « les médias », l'entre-deux-guerres connut même une percée majeure, tout au moins dans le monde anglo-saxon, avec le triomphe de la radio de masse et de l'industrie cinématographique d'Hollywood, pour ne rien dire de la presse illustrée moderne utilisant le procédé de la rotogravure (*cf.* chapitre 6). Peut-être n'est-il pas tout à fait surprenant que les cinémas géants aient surgi comme des palais des rêves dans les cités grises du chômage de masse, car les billets de cinéma étaient remarquablement bon marché ; les plus jeunes, aussi bien que les plus âgés, frappés alors, comme plus tard, de manière disproportionnée par le chômage, avaient du temps à tuer et, comme les sociologues l'observèrent, au cours de la crise, les maris et les femmes étaient plus enclins qu'auparavant à partager leurs loisirs (Stouffer, Lazarsfeld, p. 55, 92).

III

La Grande Crise confirma les intellectuels, les militants et les citoyens ordinaires dans la conviction que quelque chose était foncièrement vicié dans le monde qui était le leur. Qui savait ce que l'on pouvait faire ? Certainement peu de ceux qui avaient quelque autorité sur leur pays, et assurément pas ceux qui essayaient de manœuvrer à l'aide des instruments de navigation traditionnels du libéralisme séculier ou de la foi traditionnelle, en s'en remettant aux cartes manifestement périmées du XIXe siècle. Quelle confiance méritaient des économistes qui, si brillants fussent-ils, démontraient, avec une grande clarté, que la crise qu'eux-mêmes traversaient ne saurait se produire dans une société de marché convenablement dirigée, puisque (suivant la « loi de Say », du nom d'un Français de l'aube du XIXe siècle) on ne pouvait concevoir aucune surproduction qui ne se corrigeât très vite d'elle-même ? En 1933, on avait peine à croire, par exemple, que la demande de biens de consommation, et donc la consommation, baissant avec la crise, le taux d'intérêt baisserait juste ce qu'il fallait pour stimuler l'investissement, en sorte que la demande accrue d'investissement comblerait exactement le vide laissé par la demande plus faible des consommateurs. Le chômage grimpant en flèche, il n'était pas vraisemblable de croire (à l'instar du Trésor britannique) que les travaux publics n'augmenteraient en aucune façon l'emploi, parce que l'argent dépensé serait simplement détourné du secteur privé, qui aurait autrement engendré tout autant d'emplois. Les économistes, qui conseillaient simplement de laisser l'économie suivre son cours, et les gouvernements, dont le premier instinct, hormis de protéger l'étalon-or par des politiques déflationnistes, était de s'en tenir à l'orthodoxie financière, d'équilibrer les budgets et de réduire les coûts, n'amélioraient visiblement pas la situation. En fait, la crise persistant, d'aucuns devaient plaider avec force qu'ils ne faisaient qu'aggraver la crise : ainsi de J. M. Keynes, qui devint l'économiste le plus influent des quarante années suivantes. Ceux d'entre nous qui ont vécu la Grande Crise trouvent encore presque incompréhensible que les orthodoxies du marché pur, si clairement discréditées, aient pu de nouveau présider à une période de crise mondiale à la fin des années 1980 et dans les années 1990, qu'elles furent une fois de plus incapables de comprendre et de traiter. Reste que cet étrange phénomène devrait nous remettre en mémoire, parce qu'il l'illustre, cette grande caractéristique de l'histoire : la mémoire incroyablement courte des théoriciens et des praticiens de l'économie. Il montre aussi avec éclat combien la société a besoin d'historiens, ces professionnels de la mémoire faits pour rappeler à leurs concitoyens ce qu'ils souhaitent oublier.

En tout état de cause, qu'était-ce qu'une « économie de marché » quand la domination toujours croissante des grandes sociétés rendait absurde l'expression même de « concurrence parfaite », et quand des économistes par ailleurs critiques à l'égard de Karl Marx pouvaient observer qu'il avait vu juste, notamment en prédisant une concentration croissante du capital (Leontiev, 1977, p. 78) ? Il n'était pas nécessaire d'être marxiste, ou de s'intéresser à Marx, pour observer à quel point le capitalisme de l'entre-deux-guerres était différent de l'économie de concurrence du XIXᵉ siècle. Bien avant le krach de Wall Street, un banquier suisse intelligent observa que la tentation autocratique – fasciste, communiste ou placée sous les auspices de grandes sociétés indépendantes de leurs actionnaires – s'expliquait par le fait que le libéralisme économique et, ajoutait-il, le socialisme d'avant 1917 n'avaient pas su garder le caractère de programmes universels (Somary, 1929, p. 174, 193). Et, à la fin des années 1930, les orthodoxies libérales du marché de concurrence pure et parfaite étaient si éloignées que l'on pouvait voir dans l'économie mondiale un triple système composé d'un secteur de marché, d'un secteur intergouvernemental (à l'intérieur duquel des économies planifiées ou dirigées comme le Japon, la Turquie, l'Allemagne et l'Union soviétique menaient leurs transactions les unes avec les autres) et d'un secteur d'autorités internationales publiques ou quasi publiques, qui régulaient certains pans de l'économie (par exemple, à travers des « accords internationaux de produit ») (Staley, 1939, p. 231).

Que les effets de la Grande Crise sur la vie politique et la réflexion publique aient été dramatiques et immédiats n'a donc rien de surprenant. Bien malheureux était le gouvernement au pouvoir durant le cataclysme, qu'il fût de droite, comme celui de Herbert Hoover aux États-Unis (1928-1932), ou de gauche, comme celui des travaillistes de Grande-Bretagne et d'Australie. Le changement ne fut pas tou-

jours aussi immédiat qu'en Amérique latine, où douze pays changèrent de gouvernement ou de régime en 1930-1931, dont dix dans le
cadre de coups d'État militaires. Au milieu des années 1930, cependant, rares étaient les États dont la vie politique n'avait pas très profondément changé par rapport à ce qu'elle était avant le krach.
L'Europe et le Japon connurent un virage à droite, sauf en Scandinavie, où la Suède inaugura en 1932 un demi-siècle de social-démocratie, et en Espagne, où les Bourbons cédèrent la place en 1931 à une
malheureuse et éphémère République. Nous y reviendrons dans le
chapitre suivant, mais il faut dire d'emblée que la victoire presque
simultanée de régimes nationalistes, belliqueux et agressivement
nationalistes dans deux grandes puissances militaires – le Japon
(1931) et l'Allemagne (1933) – fut de loin l'effet politique le plus
lourd de conséquences et le plus sinistre de la Grande Crise. Les
portes de la Seconde Guerre mondiale se sont ouvertes en 1931.

Le renforcement de l'extrême droite profita, tout au moins dans
les pires années du marasme, des revers spectaculaires de la gauche
révolutionnaire. Car, loin d'amorcer une nouvelle vague de révolution sociale, comme l'avait prévu l'Internationale communiste, la
Crise réduisit le mouvement communiste international, hors de
l'URSS, à un état de faiblesse sans précédent. Il est vrai que celui-ci
était dû, dans une certaine mesure, à la politique suicidaire du
Komintern, qui, non content de sous-estimer grossièrement le danger
du national-socialisme en Allemagne, mena une politique d'isolement sectaire qui paraît après-coup tout à fait incroyable : il décida
en effet que son principal ennemi était le mouvement syndical des
partis sociaux-démocrates et travaillistes (qualifiés de « sociaux-fas-
cistes »[8]). En 1934, Hitler avait certainement détruit le PC allemand
(le KPD), dans lequel Moscou avait jadis placé ses espoirs de révolution mondiale et qui était encore de loin la section la plus importante,
et manifestement la plus combative et la plus dynamique de l'Internationale, à une époque où même les communistes chinois, chassés
de leurs bases rurales de guérilla, n'étaient plus qu'une caravane har-
celée lancée dans une Longue Marche vers quelque refuge lointain et
sûr ; visiblement il ne restait pas grand-chose en guise de mouvement
révolutionnaire international organisé, légal ou même illégal. Dans
l'Europe de 1934, seul le PCF avait une authentique présence politique. Dans l'Italie fasciste, dix ans après la « Marche sur Rome » et

en plein marasme international, Mussolini sentit sa position suffisamment assurée pour libérer quelques communistes emprisonnés afin de célébrer cet anniversaire (Spriano, 1969, p. 397). Tout cela allait changer en l'espace de quelques années (*cf.* chapitre 5). Mais le fait demeure : en tout cas en Europe, l'effet immédiat du marasme fut exactement à l'opposé de ce que les révolutionnaires avaient prévu.

Ce déclin de la gauche ne devait pas se limiter aux seuls communistes, car la victoire de Hitler en Allemagne fit disparaître de la circulation le parti social-démocrate, tandis qu'un an plus tard la social-démocratie autrichienne s'inclina après une brève résistance armée. En Grande-Bretagne, le Labour Party était déjà tombé en 1931, victime du marasme, ou plutôt de sa foi en l'orthodoxie économique du XIXe siècle, tandis que ses syndicats, qui avaient perdu la moitié de leurs effectifs depuis 1920, étaient encore plus faibles qu'en 1913. Pour l'essentiel, le socialisme européen était dos au mur.

Hors d'Europe, cependant, la situation était différente. La partie nord des Amériques glissait très nettement à gauche, tandis que les États-Unis, sous la houlette de leur nouveau président, Franklin D. Roosevelt (1933-1945), expérimentaient un New Deal plus radical, et que le Mexique, sous la présidence de Lázaro Cardenas (1934-1940) retrouvait le dynamisme original de la première Révolution mexicaine, en particulier en matière de réforme agraire. Des mouvements sociaux et politiques très puissants se développèrent dans les prairies canadiennes frappées par la crise : le Social Credit et la Cooperative Commonwealth Federation (l'actuel New Democratic Party) : tous deux de gauche, suivant les critères des années 1930.

Il n'est pas facile de définir l'impact politique du marasme sur le reste de l'Amérique latine, car si les gouvernements ou les partis au pouvoir tombèrent comme des quilles lorsque l'effondrement du cours mondial des produits de base ruina leurs finances, tous les pays ne chutèrent pas du même côté. Ils furent même plus nombreux à tomber à gauche qu'à droite, ne fût-ce que brièvement. Après une longue période de pouvoir civil, l'Argentine entra dans une ère de gouvernement militaire ; et bien que les dirigeants d'inspiration fasciste comme le général Uriburu (1930-1932) aient été vite écartés, elle vira clairement à droite, même s'il s'agissait d'une droite traditionaliste. Le Chili, en revanche, profita de la crise pour renverser Carlos Ibañez (1927-1931), l'un de ses rares présidents-dictateurs militaires avant l'ère du général Pinochet, et évolua toutes voiles dehors vers la gauche. Il connut même en 1932 une éphémère « République socialiste », sous la houlette d'un colonel au nom tonitruant, Marmaduke Grove, avant de former avec succès un Front populaire sur le modèle européen (*cf.* chapitre 5). Au Brésil, le marasme sonna le glas de la « vieille République » oligarchique de 1889-1930 et porta au pouvoir un populiste nationaliste, Getulio Vargas (voir p. 186), qui devait dominer l'histoire de son pays au cours des vingt années suivantes. Au Pérou, l'évolution à gauche fut encore plus marquée, bien que le plus puissant des nouveaux partis – l'Alliance révolutionnaire populaire américaine (APRA), l'un des rares partis ouvriers de masse de type européen dans l'hémisphère occidental[9] – échouât dans ses ambitions révolutionnaires (1930-1932). Le virage à gauche fut encore plus net en Colombie : conduits par un président réformiste très influencé par le New Deal de Roosevelt, les Libéraux accédèrent au pouvoir après une trentaine d'années de gouvernement conservateur. Enfin, à Cuba, l'inauguration de la présidence Roosevelt permit aux habitants de ce protectorat *offshore* des États-Unis de se débarrasser d'un président honni et, même au regard des normes qui prévalaient alors dans l'île, exceptionnellement corrompu.

Dans l'immense secteur colonial du monde, le marasme se solda par un net regain d'activité anti-impérialiste, en partie en raison de l'effondrement des prix des produits de base dont dépendaient les économies coloniales (tout au moins leurs finances publiques et leur bourgeoisie), en partie aussi parce que la métropole s'empressa de protéger son agriculture et ses emplois, sans se soucier des effets de cette politique sur les colonies. Bref, les États européens, dont les décisions économiques étaient déterminées par des facteurs domestiques, n'étaient plus à même d'assurer à long terme la cohésion d'empires marqués par des intérêts d'une infinie complexité en matière de production (Holland, 1985, p. 13 ; *cf.* chapitre 7).

Pour cette raison, le marasme marqua, dans la majeure partie du monde colonial, la naissance d'un malaise politique et social indigène, qui ne pouvait être dirigé que contre le gouvernement (colonial), même dans les régions où il fallut attendre la Seconde Guerre mondiale pour voir apparaître des mouvements politiques nationalistes. En Afrique occidentale anglaise comme dans les Caraïbes, apparurent alors des troubles sociaux, nés directement de la crise des exportations locales : cacao et sucre. Cependant, même dans les pays qui comptaient déjà des mouvements nationaux anticoloniaux, les années de crise virent le conflit s'intensifier, en particulier quand l'agitation politique avait touché les masses. Ce furent, après tout, les années d'expansion des Frères musulmans en Égypte (fondés en 1928) et de la deuxième mobilisation des masses indiennes par Gandhi (1931 ; *cf.* chapitre 7). Peut-être faut-il voir aussi dans la victoire des ultras Républicains de De Valera, aux élections irlandaises de 1932, une réaction anticoloniale tardive à l'effondrement économique.

Rien ne démontre probablement mieux la globalité de la Grande Crise et la profondeur de son impact que ce rapide survol des bouleversements politiques quasiment universels qu'elle produisit en l'espace de quelques mois ou de quelques petites années, du Japon à l'Irlande, de la Suède à la Nouvelle-Zélande, et de l'Argentine à l'Égypte. On ne saurait cependant juger de la profondeur de son impact uniquement ni même essentiellement à ses effets politiques à court terme, si dramatiques qu'ils aient souvent été. Ce fut une catastrophe qui ruina tout espoir de restaurer l'économie et la société du long dix-neuvième siècle. Les années 1929-1933 furent un véritable canyon : tout retour à 1913 était désormais non seulement impossible, mais impensable. Le libéralisme à l'ancienne était mort ou semblait condamné. Trois options se disputaient maintenant l'hégémonie politique et intellectuelle. La première était le communisme marxiste. Après tout, les prédictions de Marx semblaient se réaliser comme purent se l'entendre dire en 1938 les membres de l'American Economic Association. Mais il y avait plus impressionnant encore : l'URSS semblait immunisée contre la catastrophe. La deuxième option était un capitalisme dépouillé de sa croyance en l'optimalité des marchés et réformé par un genre de mariage officieux ou de liaison permanente avec la social-démocratie modérée des mouvements ouvriers non communistes : après la Seconde Guerre mondiale, c'est cette option qui se révéla la plus efficace. À court terme, cependant, il ne s'agissait pas tant d'un programme délibéré ou d'une autre politique que du sentiment que, une fois la Crise terminée, il ne fallait plus jamais laisser cette situation se reproduire. Dans le meilleur des cas, l'échec patent du libéralisme classique était une incitation à expérimenter d'autres solutions. Ainsi, en Suède, la politique social-démocrate mise en œuvre après 1932 fut – en tout cas de l'avis de Gunnar Myrdal, l'un de ses principaux artisans – une réaction délibérée aux échecs de l'orthodoxie économique qui avait dominé le désastreux gouvernement Labour britannique des années 1929-1931. Une autre théorie de la faillite des économies de marché était alors encore en cours d'élaboration. *La Théorie générale de l'emploi, de l'intérêt et de la monnaie* de J. M. Keynes, la contribution la plus influente à ce mouvement de pensée, ne fut publiée qu'en 1936. Et il fallut attendre la Seconde Guerre mondiale et après pour voir apparaître une autre pratique gouvernementale – la gestion macro-économique de l'économie fondée sur la comptabilité nationale –, même si, peut-être en pensant à l'URSS, les gouvernements et d'autres instances publiques, dans les années 1930, devaient de plus en plus s'intéresser à l'économie nationale dans son ensemble et estimer son produit total et son revenu[10].

La troisième et dernière option était le fascisme, que le marasme transforma en un mouvement mondial et, surtout, en un danger mondial. Dans sa version allemande (le nazisme), le fascisme se nourrit de deux courants : d'une tradition intellectuelle qui, contrairement à celle de l'Autriche, était hostile aux théories néoclassiques du libéralisme économique devenues l'orthodoxie internationale depuis les années 1880 ; et d'un gouvernement implacable, décidé à se débarrasser coûte que coûte du chômage. Il faut dire qu'il s'attaqua à la Crise rapidement et avec plus de réussite qu'aucun autre (le bilan de l'Italie fasciste est moins marquant). Mais tel n'était pas son principal attrait dans une Europe déjà largement désorientée. La vague du fascisme prenant de l'ampleur avec la Grande Crise, il apparut de plus en plus clairement qu'à l'Ère des catastrophes la paix, la stabilité sociale et l'économie, mais aussi les institutions politiques et les valeurs intellectuelles de la société libérale bourgeoise du XIXe siècle étaient partout en recul ou sur le point de s'effondrer.

CHAPITRE 4
LA CHUTE DU LIBÉRALISME

« On pourrait même soutenir qu'une interprétation intellectuellement satisfaisante du nazisme est impossible. Nous sommes, en effet, en présence d'un phénomène qui semble dépasser toute analyse rationnelle. Conduit par un chef parlant en termes apocalyptiques de domination, ou plutôt de destruction mondiale, doté d'un régime fondé sur une idéologie parfaitement abjecte prônant la haine raciale, l'un des pays d'Europe les plus avancés culturellement et économiquement s'est préparé à la guerre, a déclenché un conflit mondial qui a fait près de 50 millions de morts, et a perpétré des atrocités – culminant dans le massacre de millions de Juifs dont la nature et l'ampleur défient l'imagination. Face à Auschwitz, les capacités d'explication de l'historien semblent en vérité dérisoires. »

Ian KERSHAW (1993, p. 3-4 ; trad. fr., 1998, p. 30-31)

« Mourir pour la patrie, pour l'Idée !... Non, c'est se déballonner. Même au front, c'est tuer qui compte... Mourir n'est rien. Personne ne peut imaginer sa mort. C'est tuer qui compte. Voilà la frontière à franchir. Oui, c'est un acte concret de ta volonté. Parce que, là, tu fais vivre ta volonté dans celle d'un autre. »

Extrait d'une lettre d'un jeune volontaire
pour la République sociale fasciste de 1943-1945
(Pavone, 1991, p. 431)

I

De tous les faits marquants de l'Ère des catastrophes, c'est peut-être l'effondrement des valeurs et des institutions de la civilisation libérale, dont leur siècle avait tenu le progrès pour acquis, tout au moins dans les parties du monde « avancées » ou sur la voie de l'être, qui a le plus traumatisé les survivants du XIXe siècle. Au nombre de ces valeurs, il y avait la méfiance à l'égard de la dictature et du pouvoir absolu ; l'attachement au régime constitutionnel dans le cadre de gouvernements ou d'assemblées de représentants librement élus, garants de l'État de droit ; et un ensemble accepté de droits et de libertés civiques, y compris la liberté d'expression, de publication et de réunion. La raison, le débat public, l'éducation, la science et la possibilité d'améliorer la condition humaine (mais pas nécessairement de la porter à sa perfection), telles étaient les valeurs qui devaient inspirer l'État et la société. Il semblait indicatif dans ce contexte que celles-ci devaient progresser tout au long du siècle et étaient destinées à gagner encore du terrain. Après tout, en 1914, même les deux dernières autocraties de l'Europe, la Russie et la Turquie, avaient fait des concessions dans le sens du gouvernement constitutionnel, et l'Iran avait même emprunté sa constitution à la Belgique. Avant 1914, seules avaient défié ces valeurs des forces traditionalistes comme l'Église catholique, érigeant des barricades dogmatiques pour se défendre contre les forces supérieures de la modernité ; une poignée de rebelles et de prophètes de malheur, pour l'essentiel issus de « bonnes familles » et des centres établis de la culture, et qui donc appartenaient d'une certaine manière à la civilisation qu'ils contestaient ; et enfin, les forces de la démocratie, qui étaient dans l'ensemble un phénomène nouveau et troublant (voir mon *Ère des empires*). L'ignorance et l'arriération des masses, leur attachement au renversement de la société bourgeoise par la révolution sociale et l'irrationalité latente si facile à exploiter par des démagogues étaient bel et bien une cause d'inquiétude. Mais les mouvements ouvriers socialistes, qui étaient dans l'immédiat les plus dangereux de ces nouveaux mouvements démocratiques de masse, étaient, tant en théorie qu'en pratique, plus que quiconque passionnément attachés aux valeurs de la raison, de la science, du progrès, de l'éducation et de la liberté personnelle. La médaille du 1er mai du Parti social-démocrate allemand présentait Karl Marx sur une face, la Statue de la Liberté sur l'autre. C'est l'économie qu'ils contestaient, pas le gouvernement constitutionnel ni la civilité. On ne pouvait sérieusement envisager un gouvernement dirigé par Victor Adler, August Bebel ou Jean Jaurès comme la fin de la « civilisation telle que nous la connaissons ».

D'un point de vue politique, en fait, les institutions de la démocratie libérale avaient progressé, et l'éruption de la barbarie des années 1914-1918 n'avait, semble-t-il, que hâté cette progression. La Russie soviétique exceptée, tous les régimes issus de la Première Guerre mondiale, anciens et nouveaux, étaient, au fond, des régimes parlementaires, élus et représentatifs, même en Turquie. En 1920, l'Europe, à l'ouest de la frontière soviétique, ne comptait que des États de ce type. En vérité, l'institution de base du gouvernement constitutionnel et libéral – l'élection d'assemblées représentatives et/ou de présidents – était à cette époque quasi universelle dans le monde des États indépendants, même s'il ne faut pas perdre de vue que les quelque soixante-cinq États indépendants de l'entre-deux-guerres étaient essentiellement un phénomène européen et américain : un tiers de la population mondiale vivait sous la domination coloniale. Dans les années 1919-1947, les seuls États qui n'eussent aucune forme d'élections étaient des fossiles politiques isolés, à savoir l'Éthiopie, la Mongolie, le Népal, l'Arabie Saoudite et le Yémen. Cinq autres États ne connurent qu'*une seule* élection au cours de cette période, ce qui n'est guère le signe d'un fort penchant à la démocratie libérale : l'Afghanistan, la Chine du Guomindang, le Guatemala, le Paraguay et la Thaïlande, encore connu sous le nom de Siam, mais l'existence même d'élections est, au moins, la preuve d'une certaine pénétration des idées politiques libérales, ne serait-ce qu'en théorie. Loin de moi, bien entendu, l'idée que la seule existence ou fréquence des élections prouve davantage. Ni l'Iran, qui connut six élections après 1930, ni l'Irak, qui en connut trois, ne pouvaient être comptés, même à l'époque, au nombre des bastions de la démocratie.

Reste que les régimes électoraux représentatifs étaient assez fréquents. Et pourtant, les vingt années qui séparent la « Marche sur Rome » de Mussolini de l'apogée des succès de l'Axe au cours de la Seconde Guerre mondiale virent un recul toujours plus rapide et catastrophique des institutions politiques libérales.

Dans les années 1918-1920, le parlement fut dissout ou devint inefficace dans deux États européens ; ce chiffre grimpa à six dans les années 1920, puis à neuf dans les années 1930, tandis que l'occupation allemande détruisit tout pouvoir constitutionnel dans cinq autres pays au cours de la Seconde Guerre mondiale. Bref, la Grande-Bretagne, la Finlande (de justesse), l'État libre d'Irlande, la Suède et la Suisse furent les seuls pays européens dont les institutions politiques raisonnablement démocratiques aient fonctionné sans interruption tout au long de l'entre-deux-guerres.

Aux Amériques, l'autre région d'États indépendants, la situation était plus mélangée, mais ne suggérait guère un progrès général des institutions démocratiques. La liste des États *uniformément* constitutionnels et non autoritaires de l'hémisphère occidental était courte : le Canada, la Colombie, le Costa Rica, les États-Unis et cette « Suisse de l'Amérique du Sud » maintenant bien oubliée, avec sa seule véritable démocratie, l'Uruguay. Le mieux qu'on puisse dire, c'est qu'entre la fin de la Première Guerre mondiale et la fin de la Seconde, il y eut des virages à gauche aussi bien qu'à droite. Quant au reste de la planète, pour une large part des colonies, il était par définition non libéral et s'éloigna carrément des constitutions libérales, pour autant qu'il en eut jamais connues. Au Japon, un régime libéral modéré céda la place à un régime nationaliste et militariste en 1930-1931. La Thaïlande fit quelques avancées timides en direction d'un gouvernement constitutionnel et la Turquie tomba au début des années 1920 entre les mains d'un militaire modernisateur et progressiste, Kemal Atatürk, qui n'était pas homme à s'encombrer d'élections. Sur les trois continents de l'Asie, de l'Afrique et de l'Australasie, seules l'Australie et la Nouvelle-Zélande étaient réellement démocratiques, car la majorité des Sud-Africains demeuraient strictement exclus de la constitution des Blancs.

Bref, le libéralisme politique connut un recul général tout au long de l'Ère des catastrophes, et ce recul s'accéléra brusquement après que Adolf Hitler devint chancelier d'Allemagne en 1933. En 1920, le monde comptait au total peut-être trente-cinq gouvernements constitutionnels et élus (ou plus, suivant la catégorie dans laquelle nous rangeons certaines Républiques latino-américaines). Jusqu'en 1938, il y eut quelque dix-sept États de ce genre ; en 1944, ils n'étaient sans doute plus que douze sur un total de soixante-quatre États. La tendance mondiale paraissait claire.

Peut-être est-il bon de rappeler qu'au cours de cette période la menace, pour les institutions libérales, provenait exclusivement de la droite politique, car entre 1945 et 1989, on supposait, presque comme une évidence, qu'il n'était de menace que communiste. Jusque-là, le terme de « totalitarisme », inventé pour décrire le fascisme italien (ou dont ce régime se réclama), n'était pratiquement appliqué qu'à des régimes de ce type. La Russie soviétique (devenue l'URSS en 1923) était isolée et n'était ni capable ni désireuse, après l'essor de Staline, d'étendre le communisme. Après le reflux de la vague initiale de l'après-guerre, la révolution sociale promue par les dirigeants léninistes (ou autres) cessa de se propager. Les mouvements sociaux-démocrates (marxistes) s'étaient transformés en piliers de l'État, plutôt qu'en forces subversives, et leur attachement à la démocratie était incontesté. Dans les mouvements ouvriers de la plupart des pays, les communistes étaient minoritaires, et quand ils étaient puissants, le plus souvent ils étaient, avaient été, ou étaient sur le point d'être réprimés. La peur de la révolution sociale et du rôle des communistes était assez réaliste : la seconde vague de révolution durant et après la Seconde Guerre mondiale devait le prouver ; mais dans les vingt années de retraite libérale, pas un seul régime que l'on pût raisonnablement qualifier de démocratique et de libéral n'avait été renversé par la gauche[1]. Le danger venait exclusivement de droite. Et cette droite ne représentait pas simplement une menace pour le gouvernement constitutionnel et représentatif : c'était aussi une menace idéologique pour la civilisation libérale en tant que telle, et un *mouvement* potentiellement mondial, pour lequel l'appellation de « fascisme » est insuffisante sans pour autant manquer totalement de pertinence.

Elle est insuffisante parce que toutes les forces qui renversèrent les régimes libéraux étaient loin d'être fascistes. Elle est pertinente parce que le fascisme, d'abord sous sa forme italienne initiale, puis sous la forme allemande du national-socialisme, inspira d'autres forces antilibérales, les soutint et donna à la droite internationale une certaine assurance historique : dans les années 1930, il semblait que l'avenir lui appartînt. Écoutons un spécialiste de la question : « Ce n'est pas un hasard si [...] les dictateurs royaux, les bureaucrates et les officiers d'Europe de l'Est, mais aussi Franco (en Espagne) ont imité le fascisme » (Linz, 1965, p. 206).

Si l'on excepte la forme plus traditionnelle des coups d'État militaires installant des dictateurs latino-américains, ou *caudillos*, sans coloration politique *a priori*, les forces renversant les régimes libéraux et démocratiques étaient de trois sortes. Toutes étaient hostiles à la révolution sociale et toutes eurent en fait pour racine une réaction contre la subversion de l'ancien ordre social dans les années 1917-1920. Toutes étaient autoritaires et hostiles aux institutions politiques libérales, même si c'était parfois pour des raisons pragmatiques plutôt que par principe. Les réactionnaires à l'ancienne pouvaient bien interdire certains partis, notamment le PC, mais pas tous. Après le renversement de l'éphémère République soviétique de Hongrie de 1919, l'amiral Horthy, chef de ce qu'il prétendait être le royaume de Hongrie bien qu'il n'eût plus ni roi ni flotte, gouverna un État autoritaire qui demeurait parlementaire au vieux sens oligarchique du XVIIIᵉ siècle, mais pas démocratique. Toutes avaient tendance à favoriser l'armée et à encourager la police, ou d'autres corps capables d'exercer une contrainte physique, puisque ceux-ci représentaient les remparts les plus immédiats contre la subversion. En vérité leur soutien fut souvent déterminant dans l'accession de la droite au pouvoir. Et tous tendirent vers le nationalisme, en partie par rancœur contre des États étrangers, contre des guerres perdues ou des empires insuffisants, en partie parce qu'agiter le drapeau national était pour eux le moyen d'accroître leur légitimité et leur popularité. Il n'y en avait pas moins des différences.

L'amiral Horthy ; le maréchal Mannerheim, vainqueur de la guerre civile des blancs contre les rouges dans l'État nouvellement indépendant de Finlande ; le colonel, puis maréchal, Pilsudski, libérateur de la Pologne ; le roi Alexandre, naguère de Serbie, maintenant de la Yougoslavie unie depuis peu ; et le général Francisco Franco, en Espagne : tous ces chefs autoritaires ou conservateurs à l'ancienne n'avaient pas de programme idéologique particulier, autre que l'anticommunisme et les préjugés traditionnels de leur classe. Sans doute se trouvèrent-ils alliés à l'Allemagne de Hitler et aux mouvements fascistes dans leurs pays, mais c'est uniquement parce que, dans la conjoncture de l'entre-deux-guerres, l'alliance « naturelle » était celle de toutes les mouvances de la droite politique. Des considérations nationales pouvaient naturellement interférer. À l'époque Tory très marqué à droite, mais peu représentatif, Winston Churchill se défendait mal d'une certaine sympathie pour l'Italie de Mussolini et ne put se résoudre à soutenir la République espagnole contre les forces du général Franco : toutefois la menace que représentait l'Allemagne pour la Grande-Bretagne fit de lui le champion de l'union antifasciste internationale. Par ailleurs, ces vieux réactionnaires eurent aussi, parfois, à affronter dans leurs pays l'opposition de mouvements réellement fascistes, jouissant à l'occasion de larges assises dans les masses.

Un second courant de la droite engendra ce qu'on a appelé un « étatisme organique » (Linz, 1975, p. 277, 306-313), ou des régimes conservateurs, appliqués non pas tant à défendre un ordre traditionnel qu'à recréer délibérément ses principes pour mieux résister à l'individualisme libéral comme au défi du mouvement ouvrier et du socialisme. Ce courant se nourrissait de la nostalgie idéologique d'un Moyen Âge ou d'une société féodale imaginaire, dans laquelle on prenait acte de l'existence de classes ou de groupes économiques, mais où l'on conjurait l'affreux spectre de la lutte des classes en acceptant volontiers la hiérarchie sociale, en admettant que chaque groupe social, ou chaque « état », avait son rôle à jouer dans une société organique composée de tous et devait être reconnu en tant qu'entité collective. Ce courant inspira diverses formes de théories « corporatistes » remplaçant la démocratie libérale par la représentation des groupes d'intérêt économiques et professionnels. On parlait parfois à ce propos de participation ou de démocratie « organique » : sous-entendu, celle-ci valait mieux que la démocratie réelle ; mais en réalité elle était invariablement associée à des régimes autoritaires et à des États forts dirigés du sommet, largement par des bureaucrates et des technocrates. Invariablement, elle limitait ou supprimait la démocratie électorale (« Démocratie fondée sur des correctifs corporatistes », suivant la formule du comte Bethlen, Premier ministre hongrois ; Ranki, 1971). C'est dans les pays catholiques qu'on trouve les exemples les plus complets d'États corporatistes de ce genre : ainsi du Portugal du professeur Oliveira Salazar, le plus durable des régimes antilibéraux de droite en Europe (1927-1974), mais aussi de l'Autriche entre la destruction de la démocratie et l'invasion de Hitler (1934-1938) et, jusqu'à un certain point, de l'Espagne de Franco.

Reste que si les régimes réactionnaires de ce type avaient des origines et des sources d'inspiration plus anciennes que le fascisme et parfois très différentes, il n'existait pas de ligne de démarcation bien nette, parce que tous avaient les mêmes ennemis, sinon les mêmes objectifs. Ainsi, profondément et inébranlablement réactionnaire dans la version officiellement consacrée par le concile Vatican I de 1870, l'Église catholique n'était nullement fasciste. En vérité, du fait de son hostilité aux États foncièrement séculiers aux prétentions totalitaires, elle ne pouvait que s'opposer au fascisme. Mais la doctrine de l'« État corporatiste », qui trouva dans les pays catholiques ses illustrations les plus accomplies, avait été largement élaborée dans des cercles fascistes (italiens), même si ceux-ci se nourrissaient naturellement, entre autres, de la tradition catholique. De fait, on a parfois parlé de « fascisme clérical » pour désigner ces régimes. Dans certains pays catholiques, les fascistes étaient directement issus du catholicisme intégriste, comme dans le mouvement rexiste du Belge Léon Degrelle. Si l'on a souvent noté l'ambiguïté de l'attitude de l'Église envers le racisme de Hitler, on a moins insisté sur l'aide considérable apportée après la guerre par des hommes d'Église, parfois occupant des postes importants, aux fugitifs nazis ou fascistes en tous genres, y compris à nombre de personnes accusées de crimes de guerre horrifiants. Ce qui liait l'Église aux réactionnaires à l'ancienne aussi bien qu'aux fascistes, c'était la haine commune des Lumières du XVIIIe siècle, de la Révolution française et de tout ce qui, aux yeux de l'Église, en dérivait : la démocratie, le libéralisme et, avant tout et surtout, le « communisme athée ».

Si l'ère fasciste marqua un tournant dans l'histoire catholique, c'est en grande partie parce que l'identification de l'Église à une droite dont les principaux porte-étendards internationaux étaient maintenant Hitler et Mussolini posa aux catholiques d'inspiration sociale de gros problèmes moraux, sans parler des problèmes politiques de fond que durent affronter des hiérarchies insuffisamment antifascistes lorsque le fascisme s'achemina vers une défaite inévitable. Inversement, l'antifascisme ou la simple résistance patriotique à un conquérant étranger, donna pour la première fois au catholicisme démocratique (à la démocratie chrétienne) une légitimité au sein de l'Église. Dans les pays où les catholiques formaient une minorité consistante (en Allemagne et aux Pays-Bas), des partis politiques mobilisant l'électorat catholique s'étaient constitués normalement pour défendre les intérêts de l'Église contre des États laïcs. Dans les pays officiellement catholiques, l'Église s'opposa à de telles concessions à la démocratie et au libéralisme, même si l'essor du socialisme athée l'inquiétait suffisamment pour l'inciter à formuler dès 1891 – innovation radicale – une politique sociale rappelant qu'il était indispensable de donner aux travailleurs leur dû tout en proclamant le caractère sacré de la famille et de la propriété privée, mais *pas* du capitalisme en tant que tel[2]. Cela avait donné leurs premières prises aux catholiques sociaux, ou à ceux qui étaient disposés à organiser la défense des travailleurs sous la forme de syndicats catholiques, ou encore ceux que ces activités poussaient vers un catholicisme plus libéral. Sauf en Italie, où Benoît XV (1914-1922) autorisa après la Première Guerre mondiale la formation d'un grand Parti populaire (catholique), bientôt détruit par le fascisme, les catholiques démocrates et sociaux restèrent des minorités politiquement marginales. C'est la montée du fascisme, dans les années 1930, qui les porta sur le devant de la scène, alors même que, si intellectuellement éminents fussent-ils, les catholiques qui se déclarèrent partisans de la République espagnole ne furent jamais bien nombreux. Dans leur écrasante majorité, les catholiques devaient en effet soutenir Franco. C'est la Résistance, dans laquelle ils pouvaient entrer par patriotisme plutôt que par idéologie, qui leur donna leur chance, et la victoire qui leur permit de la saisir. Mais les triomphes de la Démocratie chrétienne en Europe, et quelques décennies plus tard dans certaines parties d'Amérique latine, relèvent d'une autre époque. Lorsque le libéralisme s'effondra, l'Église, à de rares exceptions près, se réjouit de sa chute.

II

Restent les mouvements qui méritent vraiment l'appellation de fascistes. Le premier d'entre eux fut le mouvement italien, qui donna son nom au phénomène et qui fut la création d'un journaliste socialiste renégat, Benito Mussolini, dont le prénom, hommage au président anticlérical mexicain Benito Juárez, symbolisait l'antipapisme fervent de sa Romagne natale. Adolf Hitler lui-même reconnut sa dette à son égard et professa son respect, alors même que Mussolini et l'Italie fasciste avaient montré leur faiblesse et leur incompétence dans la Seconde Guerre mondiale. En retour, Mussolini hérita, assez tardivement, de Hitler d'un antisémitisme demeuré totalement absent de son mouvement avant 1938, et en fait de l'histoire de l'Italie avant son unification[3]. En lui-même, cependant, le fascisme italien n'exerça pas une grande attraction internationale, alors même qu'il essaya d'inspirer et de financer ailleurs des mouvements similaires et qu'il eut quelque influence dans des quartiers inattendus, comme sur Vladimir Jabotinsky, le fondateur du « révisionnisme » sioniste qui présida aux destinées d'Israël dans les années 1970 sous le gouvernement de Menahem Begin.

Sans le triomphe de Hitler en Allemagne au début de l'année 1933, le fascisme ne serait jamais devenu un mouvement général. En réalité, tous les mouvements fascistes qui, en-dehors de l'Italie, obtinrent des résultats furent fondés après son accession au pouvoir : c'est notamment le cas en Hongrie, avec les Croix fléchées qui obtinrent 25 % des suffrages lors du premier scrutin secret jamais organisé en Hongrie (1939), ou en Roumanie, avec la Garde de Fer qui jouit d'un soutien encore plus large. De fait, même des mouvements presque entièrement financés par Mussolini, comme les terroristes oustachis d'Ante Pavélitch en Croatie, ne devaient guère progresser et, idéologiquement, ne se fascisèrent que dans les années 1930, lorsque certains d'entre eux se tournèrent vers l'Allemagne en quête d'inspiration et de financement. Plus encore, sans le triomphe de Hitler en Allemagne, jamais l'idée du fascisme en tant que mouvement *universel*, sorte d'équivalent de droite de l'Internationale communiste où Berlin jouait le rôle de Moscou, ne se serait développée. Loin de donner naissance à un véritable mouvement, cela fit surgir, au cours de la Seconde Guerre mondiale, des hommes que l'idéologie poussa à collaborer avec les Allemands dans l'Europe occupée. C'est sur ce point, notamment en France, que nombre de représentants de la droite ultra traditionnelle, si viscéralement réactionnaires fussent-ils, refusèrent de les suivre : ils étaient nationalistes ou ils n'étaient rien. Certains rejoignirent même la résistance. De surcroît, sans la position internationale de l'Allemagne, dont la puissance mondiale augmentait à la faveur de ses succès éclatants, le fascisme n'aurait jamais eu de véritable impact hors d'Europe, pas plus que les dirigeants réactionnaires, mais non fascistes, n'auraient pris la peine de se présenter comme des sympathisants du fascisme à l'exemple de Salazar, au Portugal, qui prétendit en 1940 que Hitler et lui étaient « liés par la même idéologie » (Delzell, 1970, p. 348).

Après 1933, outre le sentiment général de l'hégémonie allemande, il n'est pas facile de discerner ce qu'avaient en commun les différentes espèces de fascisme. La théorie n'était pas le fort des mouvements qui soulignaient les insuffisances de la raison et du rationalisme pour affirmer la supériorité de l'instinct et de la volonté. Dans les pays qui avaient une vie intellectuelle conservatrice active – l'Allemagne est à l'évidence un cas d'espèce –, ils attirèrent toutes sortes de théoriciens réactionnaires, mais ceux-ci étaient des éléments décoratifs, plutôt que structurels, du fascisme. Mussolini se serait volontiers passé de son philosophe-maison, Giovanni Gentile, et, si tant qu'il en eut jamais connaissance, Hitler n'avait probablement que faire du soutien d'un Heidegger. On ne saurait non plus identifier le fascisme à une forme particulière d'organisation étatique comme l'État corporatiste : l'Allemagne nazie se désintéressa rapidement de ces idées, d'autant qu'elles contredisaient celle d'une seule et unique *Volksgemeinschaft*, d'une communauté du peuple totale et indivise. Même un élément apparemment aussi central que le racisme était initialement absent du fascisme italien. Inversement, bien entendu, le fascisme partageait le nationalisme, l'anticommunisme et l'antilibéralisme, etc., avec d'autres éléments de la droite non fasciste. Nombre d'entre eux, notamment dans les milieux réactionnaires français non fascistes, partageaient également avec lui une préférence pour les combats de rue.

Entre la droite fasciste et la droite non fasciste, la principale différence était que le fascisme existait en mobilisant les masses depuis la base. Il appartenait, par essence, à l'ère de la vie politique démocratique et populaire, que les réactionnaires traditionnels déploraient et que les champions de l'« État organique » essayaient de court-circuiter. Le fascisme se faisait gloire de mobiliser les masses et le proclamait symboliquement sous la forme du théâtre public – les rassemblements de Nuremberg, les masses de la Piazza Venezia levant les yeux vers Mussolini gesticulant du haut de son balcon –

même lorsqu'il accédait au pouvoir ; les mouvements communistes ne faisaient pas autrement. Les fascistes étaient les révolutionnaires de la contre-révolution : dans leur rhétorique, dans leur appel à ceux qui se considéraient comme des victimes de la société, dans leur mot d'ordre d'une transformation totale de la société, et jusque dans leur adaptation délibérée des symboles et des noms des révolutionnaires sociaux – qui est si patente dans le « *Parti national-socialiste des ouvriers* » de Hitler avec son drapeau rouge (modifié) ou le fait que, dès 1933, il fit du 1er mai des Rouges un jour férié.

De même, bien que le fascisme se soit aussi fait une spécialité rhétorique du retour au passé traditionnel et ait trouvé de larges appuis parmi des gens qui eussent aimé effacer carrément le siècle passé, il n'était en aucune façon un mouvement traditionaliste comme les Carlistes de Navarre, qui furent l'un des principaux soutiens de Franco dans la Guerre civile, ou les campagnes de Gandhi pour un retour aux idéaux du métier à tisser manuel et du village. Il mettait l'accent sur maintes *valeurs* traditionnelles, ce qui est une autre affaire. Ainsi dénonçait-il l'émancipation libérale – les femmes devaient rester à la maison pour faire des enfants – et se méfiait-il de l'influence délétère de la culture moderne, et surtout des arts modernistes, que les nazis, en Allemagne, stigmatisaient comme du « bolchevisme culturel » ou comme de l'art dégénéré. Mais les principaux mouvements fascistes – l'italien et l'allemand – ne devaient pas en appeler aux gardiens historiques de l'ordre conservateur qu'étaient l'Église et le roi : bien au contraire, ils cherchèrent à les remplacer par un principe de direction entièrement étranger à la tradition et incarné par des *self-made men* légitimés par le soutien des masses et des idéologies séculières, voire des cultes.

Le passé auquel ils en appelaient était un artefact. Leurs traditions étaient inventées. Même le racisme de Hitler n'avait rien à voir avec la fierté que tirent d'une lignée ininterrompue et sans mélange les Américains qui, moyennant finances, demandent aux généalogistes de faire remonter leurs origines à quelque franc-tenancier du Suffolk au XVIe siècle : il s'agissait plutôt d'un fatras post-darwinien de la fin du XIXe siècle revendiquant (et, hélas, recevant souvent en Allemagne) le soutien de cette science nouvelle qu'était la génétique ou, plus précisément, de cette branche de la génétique appliquée (« eugénique ») qui rêvait de créer une super-race par des accouplements sélectifs et l'élimination des inaptes. La race que Hitler destinait à dominer le monde n'avait reçu son nom qu'en 1898, lorsqu'un anthropologue forgea le terme de « nordique ». Hostile par principe à l'héritage des Lumières et de la Révolution française, le fascisme ne pouvait formellement croire à la modernité et au progrès, mais sur un plan pratique il n'eut aucun mal à mêler un ensemble de croyances délirantes à la modernité technique, hormis lorsqu'il paralysait la recherche scientifique pour des raisons idéologiques (*cf.* chapitre 18). Le fascisme claironnait son antilibéralisme. Il apporta aussi la preuve que des hommes peuvent, sans difficulté, associer des idées démentielles sur le monde et une maîtrise assurée de la haute technologie contemporaine. Le phénomène nous est devenu plus familier en cette fin du XXe siècle, avec les sectes fondamentalistes qui recourent aux armes de la télévision et de la collecte de fonds informatisée.

Ce mélange de valeurs conservatrices, de techniques de la démocratie de masse et d'une idéologie novatrice du déchaînement irrationaliste, essentiellement centrées sur le nationalisme, n'en appelle pas moins une explication. Dans divers pays européens, à la fin du XIXe siècle, de semblables mouvements nationaux de la droite radicale étaient apparus en réaction contre le libéralisme (c'est-à-dire la transformation accélérée des sociétés par le capitalisme), mais aussi contre l'essor de mouvements ouvriers socialistes et, plus généralement, contre la vague d'étrangers qui balaya le monde dans la plus grande immigration de masse qu'on ait connue à ce jour. Hommes et femmes ne migraient pas seulement par-delà les océans et les frontières internationales, mais aussi de la campagne vers les villes, d'une région à l'autre, bref, de leur « pays » vers une terre d'étrangers, pour devenir des étrangers chez les autres. Près de 15 % des Polonais quittèrent définitivement leur pays, sans compter un demi million de migrants saisonniers : et dans leur écrasante majorité – tel était le lot de cette catégorie d'immigrés – , c'était pour rejoindre les rangs de la classe ouvrière dans les pays d'accueil. Anticipant sur la fin du XXe siècle, la fin du XIXe siècle vit naître la xénophobie de masse, dont le racisme – la protection des indigènes de pure souche contre la contamination, voire la submersion, de hordes d'envahisseurs faites de sous-hommes – devint l'expression commune. On peut en mesurer la force à la peur de l'immigration polonaise qui conduisit le grand sociologue libéral allemand, Max Weber, à soutenir pour un temps la Ligue pangermanique, mais aussi à la campagne de plus en plus fébrile qui se développa aux États-Unis contre l'immigration de masse et qui, pendant et après la Première Guerre mondiale, amena finalement le pays de la Statue de la Liberté à fermer ses frontières à ceux-là mêmes que la Statue avait été censée accueillir à bras ouverts.

Le ciment commun de ces mouvements fut donc le ressentiment des petits dans une société qui les écrasait entre le roc du grand capital et le rouleau compresseur de mouvements ouvriers de masse en plein essor. Ou qui, à tout le moins, les privait de la position respectable qu'ils avaient occupée dans l'ordre social, et qu'ils considéraient comme un dû, ou encore du statut social auquel ils estimaient pouvoir légitimement aspirer dans une société dynamique. Ces sentiments trouvèrent leur expression caractéristique dans l'antisémitisme, qui, dans divers pays, commença à inspirer des mouvements politiques spécifiques fondés sur l'hostilité aux Juifs dans le dernier quart du XIXᵉ siècle. Presque universellement présents, les Juifs pouvaient aisément symboliser tout ce qu'il y avait de plus haïssable dans un monde inique – en particulier son attachement aux idées des Lumières et de la Révolution française qui les avaient émancipés et, ce faisant, les avaient rendus d'autant plus visibles. Ils étaient des symboles tout désignés du capitaliste ou du financier honni ; de l'agitateur révolutionnaire ; de l'influence délétère des « intellectuels déracinés » et des nouveaux mass media ; de la concurrence – comment pourrait-elle être autrement qu'« injuste » ? – qui leur assurait une part démesurée des postes dans certaines professions qui nécessitaient une formation ; mais aussi de l'étranger et de l'intrus en tant que tel. Sans parler de l'idée – couramment reçue chez les Chrétiens à l'ancienne – que c'étaient eux qui avaient tué Jésus-Christ.

L'aversion pour les Juifs était bel et bien répandue à travers le monde occidental et leur position dans la société du XIXᵉ siècle était réellement ambiguë. Mais le fait que les grévistes, même quand ils n'appartenaient pas à des mouvements racistes, étaient portés à s'en prendre à des boutiquiers juifs et à prendre leurs patrons pour des Juifs (assez souvent à juste raison, dans de grandes zones d'Europe centrale et orientale) ne doit pas nous amener à voir en eux des protonazis, pas plus que l'antisémitisme naturel des intellectuels libéraux de la Grande-Bretagne édouardienne, du Groupe de Bloomsbury par exemple, n'en faisait des sympathisants des antisémites *politiques* de l'extrême droite. L'antisémitisme paysan d'Europe centrale et orientale, où dans la réalité des choses le Juif était le point de contact entre le gagne-pain du villageois et l'économie extérieure dont il était tributaire, était certainement plus permanent et plus explosif, et il le devint encore plus à mesure que les sociétés rurales slave, magyare ou roumaine furent disloquées par les incompréhensibles séismes du monde moderne. Dans ces populations ténébreuses on pouvait encore prêter foi aux histoires de Juif sacrifiant des petits chrétiens, et les épisodes d'explosion sociale débouchaient sur des pogromes, que les réactionnaires de l'Empire tsariste se faisaient un devoir d'encourager, surtout après l'assassinat d'Alexandre II par des socialistes-révolutionnaires en 1881. En l'occurrence, la voie est directe qui mène de l'antisémitisme de la base à l'extermination des Juifs au cours de la Seconde Guerre mondiale. Cet antisémitisme rural donna assurément un ancrage aux mouvements fascistes d'Europe de l'Est lorsqu'ils s'implantèrent dans les masses : c'est notamment le cas de la Garde de Fer en Roumanie et des Croix fléchées en Hongrie. En tout état de cause, dans les anciens territoires des Habsbourg et des Romanov, le lien était beaucoup plus clair que dans le Reich allemand où, si fort et profondément enraciné fût-il, l'antisémitisme provincial et rural de base était aussi moins violent : on pourrait même dire, plus tolérant. En 1938, les Juifs qui quittèrent Vienne, nouvellement occupée, pour Berlin s'étonnèrent de l'absence de tout antisémitisme de rue. La violence y était le fait de décrets pris par les autorités, comme en novembre 1938 (Kershaw, 1983). Malgré tout, il n'y a pas de commune mesure entre les accès de sauvagerie des pogromes et ce qui devait arriver une génération plus tard. La poignée de morts de 1881, les quarante à cinquante victimes du pogrome de 1903 à Kishinev, indignèrent – légitimement – le monde parce qu'en ce temps-là, avant la montée de la barbarie, pareil nombre de victimes paraissait intolérable à un monde qui voulait croire aux progrès de la civilisation. Même les pogromes beaucoup plus importants qui accompagnèrent les soulèvements massifs de paysans lors de la Révolution russe de 1905 firent relativement peu de victimes au regard des normes ultérieures : peut-être huit cents morts au total. Ce chiffre est à rapprocher des 3 800 Juifs morts en trois jours à Vilnius (Vilna), massacrés en 1941 par les Lituaniens alors que les Allemands envahissaient l'URSS et avant que ne commencent les exterminations systématiques.

Les nouveaux mouvements d'extrême droite qui en appelaient à ces anciennes traditions d'intolérance, tout en les transformant de fond en comble, trouvèrent plus particulièrement un écho dans les couches inférieures et moyennes des sociétés européennes ; quant à la rhétorique et à la théorie, elles furent l'œuvre des intellectuels nationalistes qui s'affirmèrent comme un courant à part entière dans les années 1890. Le mot même de « nationalisme » fut forgé au cours de cette décennie pour décrire ces nouveaux porte-parole de la réaction. Le militantisme de la bourgeoisie et de la petite bourgeoisie se radicalisa surtout dans les pays où les idéologies de la démocratie et du libéralisme n'étaient pas encore dominantes, ou parmi les classes qui ne s'identifiaient pas à elles, c'est-à-dire essentiellement dans les pays épargnés par la Révolution française ou son équivalent. De fait, dans les bastions du libéralisme occidental – la Grande-Bretagne, la France et les États-Unis – l'hégémonie générale de la tradition révolutionnaire empêcha l'émergence de tout mouvement fasciste de masse de quelque importance. On aurait tort de confondre le racisme des Populistes américains ou le chauvinisme des Républicains français avec une forme de proto-fascisme : il s'agissait, en l'occurrence, de mouvements de gauche.

Ce qui ne veut pas dire que les vieux instincts ne pouvaient s'attacher à de nouveaux slogans politiques dès lors que l'hégémonie de « Liberté, Égalité, Fraternité » n'était plus là pour leur barrer le chemin. Il est peu douteux que, dans les Alpes autrichiennes, la Swastika recrutât largement ses militants parmi les professions libérales de province – les vétérinaires, les arpenteurs, etc. –, qui s'étaient réclamés naguère du libéralisme et formaient une minorité éduquée et émancipée dans un environnement dominé par le cléricalisme paysan. De la même façon, en cette fin de XXᵉ siècle, la désintégration des mouvements ouvriers prolétariens et socialistes classiques a lâché la bride au chauvinisme et au racisme instinctifs de nombreux travailleurs manuels. Loin d'être à l'abri de tels sentiments, ils avaient jusque-là hésité à les exprimer publiquement par fidélité à des partis viscéralement hostiles à ce genre de fanatisme. Depuis les années 1960, en Occident, la xénophobie et le racisme politique prospèrent essentiellement chez les travailleurs manuels. Dans les décennies d'incubation du fascisme, en revanche, il était le propre de ceux qui ne se salissaient pas les mains au travail.

Au cours de la montée du fascisme, les classes moyennes et la petite bourgeoisie restèrent l'épine dorsale de ces mouvements. Personne ne le conteste sérieusement, pas même les historiens soucieux de réviser le consensus de « presque » toutes les analyses de l'implantation nazie produites entre 1930 et 1980 (Childers, 1983 ; Childers, 1991, p. 8, 14-15). On se contentera ici d'un seul exemple parmi les nombreuses enquêtes sur les militants et les bases de ces mouvements en Autriche, dans l'entre-deux-guerres. Sur les nationaux-socialistes élus en 1932 à Vienne comme conseillers municipaux, 18 % étaient des travailleurs indépendants, 56 % des cols blancs, des employés de bureau ou des fonctionnaires, et 14 % des cols bleus. Sur les nazis élus la même année dans les cinq assemblées autrichiennes, hors de Vienne, 16 % étaient des travailleurs indépendants et des paysans, 51 % des employés de bureau, etc., et 10 % des cols bleus (Larsen *et al.*, 1978, p. 766-767).

Cela ne signifie pas que les mouvements fascistes ne surent s'implanter parmi les masses laborieuses. Quelle que soit la composition de ses cadres, la Garde de Fer roumaine trouvait pour l'essentiel ses soutiens parmi les paysans pauvres. En Hongrie, l'électorat des Croix fléchées était largement ouvrier (le Parti communiste étant illégal et le Parti social-démocrate, toujours petit, payant le prix de sa tolérance par le régime Horthy) ; de même, après la défaite de la social-démocratie autrichienne en 1934, on assista à un revirement notable des ouvriers vers le Parti nazi, surtout dans les provinces. De surcroît, dès lors que des gouvernements fascistes jouissant de la légitimité publique se furent installés, comme en Italie et en Allemagne, les anciens ouvriers socialistes ou communistes furent bien plus nombreux à se rallier aux nouveaux régimes que la tradition de gauche n'aime à le reconnaître. Néanmoins, les mouvements fascistes ayant du mal à toucher les éléments authentiquement traditionnels des sociétés rurales (à moins que, comme en Croatie, ils n'eussent le renfort d'organisations telles que l'Église catholique) et étant les ennemis jurés des idéologies et des partis identifiés aux classes ouvrières organisées, il leur fallait naturellement trouver le gros de leur clientèle dans les couches moyennes.

Dans quelle mesure les classes moyennes furent-elles sensibles à l'attrait initial du fascisme ? La question demeure plus ouverte. Assurément, son attrait fut puissant aux yeux des jeunes, surtout parmi les étudiants d'Europe continentale qui, entre les deux guerres, étaient notoirement tentés par l'extrême droite. En 1921, c'est-à-dire avant la « Marche sur Rome », le mouvement fasciste italien comptait 13 % d'étudiants. En Allemagne, entre 5 et 10 % des étudiants étaient membres du parti dès 1930, à une époque où la grande majorité des futurs nazis ne s'intéressait pas encore à Hitler (Kater, 1985, p. 467 ; Noelle/Neumann, 1967, p. 196). Les anciens officiers issus de la bourgeoisie étaient, nous le verrons, fortement représentés : le genre d'hommes pour qui la Grande Guerre, malgré ses horreurs, marqua un sommet d'accomplissement personnel, du haut duquel les basses terres de leur vie civile future ne pouvaient que leur paraître décevantes. C'étaient là, bien entendu, des segments des couches moyennes particulièrement réceptifs aux séductions du militantisme. Dans l'ensemble, l'extrême droite rencontrait d'autant plus d'écho que les espérances professionnelles, réelles ou traditionnelles, de la bourgeoisie se trouvaient compromises et que le cadre censé maintenir en place leur ordre social se trouvait gauchi et brisé. En Allemagne, le double coup de la Grande inflation, qui réduisit à zéro la valeur de la monnaie, puis de la Grande Crise eut pour effet de radicaliser même des couches de la classe moyenne telles que la haute et moyenne fonction publique, dont la position semblait assurée et qui, en des circonstances moins traumatiques, s'en serait de bonne grâce tenue à un patriotisme conservateur à l'ancienne, nostalgique du Kaiser Guillaume mais disposée à accomplir son devoir envers une République dirigée par le feld-maréchal Hindenburg si elle ne s'était pas effondrée sous leurs pieds. Entre les deux guerres, la plupart des Allemands apolitiques regrettaient l'empire de Guillaume. Dans les années 1960, alors que la plupart des Allemands de l'Ouest avaient conclu (on le comprend) qu'ils vivaient la meilleure période de l'histoire allemande, 42 % des plus de soixante ans pensaient encore que l'avant 1914 valait mieux que la période présente, contre 32 % seulement qui s'étaient laissés convertir par le *Wirtschaftswunder* (Noelle/Neumann, 1967, p. 196). Entre 1930 et 1932, les électeurs des partis bourgeois du centre et de droite se rallièrent en masse au Parti nazi. Sans être pour autant les bâtisseurs du fascisme.

Étant donné les lignes de bataille politique qui prévalaient dans l'entre-deux-guerres, ces classes moyennes conservatrices étaient, bien entendu, des soutiens, voire des convertis potentiels au fascisme. Pour la société libérale et toutes ses valeurs, la menace semblait venir exclusivement de la droite ; pour l'ordre social, de la gauche. Les membres de la bourgeoisie faisaient leurs choix politiques en fonction de leurs peurs. Les sympathies des conservateurs traditionnels allaient généralement aux démagogues du fascisme, avec lesquels ils étaient tout prêts à s'allier contre l'ennemi commun. Sauf dans les rangs de la gauche libérale, le fascisme italien avait plutôt bonne presse dans les années 1920 et même dans les années 1930. « Hormis l'audacieuse expérience du fascisme, la décennie a été chiche en art de gouverner constructif », écrivait le Britannique John Buchan, distingué conservateur et auteur de thrillers (il y a, hélas, rarement eu des gens de gauche parmi les auteurs de ce genre d'ouvrages) (Graves/Hodge, 1941, p. 248). Hitler fut porté au pouvoir par une coalition de la droite traditionnelle qu'il devait par la suite « avaler ». Le général Franco fit entrer dans son front national une Phalange espagnole qui ne pesait pas d'un grand poids, parce qu'il se voulait le représentant de l'union de toute la droite contre les spectres de 1789 et de 1917, entre lesquels il ne s'embarrassait pas de distinctions. Il eut la chance de ne pas s'engager formellement dans la Seconde Guerre mondiale aux côtés de Hitler, mais il envoya une force de volontaires, la « Division bleue », combattre les communistes athées en Russie avec les Allemands. Le maréchal Pétain n'avait assurément rien d'un sympathisant fasciste ou nazi. S'il fut si difficile, après la guerre, de distinguer en France les fascistes déclarés et les collaborateurs pro-allemands du gros des partisans du régime de Vichy, c'est, entre autre raisons, qu'il n'y avait pas de ligne bien marquée. Ceux dont les pères avaient haï Dreyfus, les Juifs et la République prostituée, la « gueuze » – certaines personnalités vichyssoises étaient assez âgées pour avoir été dans ce cas – se transformèrent insensiblement en zélotes de l'Europe hitlérienne. Bref, entre les deux guerres, l'alliance « naturelle » de la droite allait des conservateurs traditionnels et des réactionnaires à l'ancienne aux franges extérieures de la pathologie fasciste. Les forces traditionnelles du conservatisme et de la contre-révolution étaient fortes, mais souvent inertes. À l'une comme à l'autre, le fascisme apporta une dynamique et, ce qui est peut-être encore plus important, l'exemple d'une victoire sur les forces de désordre (l'argument proverbial en faveur de l'Italie fasciste n'était-il pas que, « grâce à Mussolini, les trains arrivent désormais à l'heure » ?). Tout comme le dynamisme des communistes exerça après 1933 un certain attrait sur une gauche désorientée et à la dérive, les succès du fascisme, en particulier après le triomphe des nazis en Allemagne, le firent apparaître comme la vague du futur. Le fait même qu'à cette époque le fascisme ait fait une entrée remarquée, bien que brève, sur la scène politique de la Grande-Bretagne conservatrice témoigne de la force de cet « effet de démonstration ». Qu'il ait converti l'un des hommes politiques les plus en vue du pays et gagné le soutien de l'un de ses grands magnats de la presse est plus significatif encore que le fait que les politiciens respectables s'empressèrent de délaisser le mouvement de Sir Oswald Mosley, et le *Daily Mail*, de Lord Rothermere, de retirer son appui à la British Union of Fascists. Car la Grande-Bretagne était encore universellement et à juste titre considérée comme un modèle de stabilité politique et sociale.

III

L'essor de l'extrême droite au lendemain de la Première Guerre mondiale fut sans conteste une réponse au danger, en fait à la réalité, de la révolution sociale et de la puissance de la classe ouvrière en général, à la révolution d'Octobre et au léninisme en particulier. Sans eux, il n'y aurait pas eu de fascisme, car si les démagogues de la droite ultra avaient été politiquement bruyants et agressifs dans un certain nombre de pays européens depuis la fin du XIXe siècle, ils avaient été presque invariablement contenus avant 1914. Dans cette mesure, les apologistes du fascisme ont probablement raison de soutenir que Lénine a engendré Mussolini et Hitler. En revanche, il est absolument illégitime de disculper la barbarie fasciste en prétendant, comme certains historiens allemands ont été tout prêts de le faire dans les années 1980 (Nolte, 1987), qu'elle s'est inspirée, en les imitant, des supposées barbaries de la Révolution russe.

La thèse suivant laquelle le contrecoup de droite aurait été, au fond, une réponse à la gauche révolutionnaire appelle cependant des réserves de taille. La première, c'est qu'elle sous-estime l'impact de la Première Guerre mondiale sur une importante couche de soldats ou de jeunes gens largement issus de la bourgeoisie ou de la petite bourgeoisie, et qui, après novembre 1918, se trouvèrent frustrés dans leurs ambitions héroïques. Le « soldat du front » (*frontsoldat*) devait jouer un rôle décisif dans la mythologie des mouvements d'extrême droite – Hitler lui-même en était un – et alimenter, pour une bonne part, les premières escouades ultra-nationalistes de gros bras, tels que les officiers qui assassinèrent les chefs communistes allemands Karl Liebknecht et Rosa Luxemburg au début de 1919, les *squadristi* italiens et les corps-francs (*freikorps*) allemands. Parmi les premiers fascistes italiens, 57 % étaient d'anciens combattants. La Première Guerre mondiale, on l'a dit, fut une machine à abrutir le monde, et ces hommes-là se faisaient gloire de lâcher la bride à leur brutalité latente.

Le fort engagement de la gauche, à partir des libéraux, dans les mouvements hostiles à la guerre, l'immense vague de répulsion suscitée par le gigantesque carnage de la Première Guerre mondiale en conduisirent plus d'un à sous-estimer l'émergence d'une minorité relativement petite, mais dans l'absolu assez nombreuse, pour qui l'expérience du combat, même dans les conditions de 1914-1918, fut à la fois centrale et source d'inspiration ; pour qui l'uniforme et la discipline, le sacrifice – de soi et des autres – mais aussi le sang, les armes et la force étaient ce qui donnaient sens et prix à la vie d'un homme. Ils n'écrivirent guère de livres sur la guerre, bien qu'un ou deux l'aient fait (particulièrement en Allemagne). Mais ces « Rambo » avant l'heure étaient des recrues naturelles de la droite extrême.

La seconde réserve, c'est que le contrecoup de droite fut une réponse non pas au bolchevisme en tant que tel, mais à tous les mouvements, notamment à la classe ouvrière organisée, qui menaçaient l'ordre social établi ou auxquels on pouvait imputer son effondrement. Lénine était le symbole de cette menace, plutôt que sa réalité effective, et, aux yeux de la plupart des hommes politiques, elle n'était pas tant représentée par les partis ouvriers socialistes, dont les dirigeants étaient assez modérés, que par la montée en puissance de la force, de l'assurance et du radicalisme de la classe ouvrière qui donnait aux vieux partis socialistes une force politique nouvelle et faisaient d'eux, en fait, les indispensables piliers des États libéraux. Ce n'est pas un hasard si la journée de huit heures – revendication centrale des agitateurs socialistes depuis 1889 – fut instaurée presque partout en Europe dans l'immédiat après-guerre.

C'est la menace implicite que recelait la montée en puissance du monde du travail qui glaça les sangs des conservateurs, plutôt que la simple transformation de leaders syndicaux et orateurs d'opposition en ministres, bien que celle-ci leur restât aussi en travers de la gorge. Ils appartenaient par définition à « la gauche ». Dans une période de chambardement social, aucune ligne bien marquée ne les distinguait des bolcheviks. En vérité, leur affiliation n'eût-elle pas été rejetée, nombre de partis socialistes n'auraient été que trop heureux de rejoindre les communistes dans l'immédiat après-guerre. L'homme que Mussolini avait assassiné après sa « Marche sur Rome » n'était pas un leader du PC, mais le socialiste Matteotti. La droite tradition-nelle a bien pu voir dans la Russie athée l'incarnation de tout ce qu'il y avait de mal dans le monde, mais le soulèvement des généraux en 1936 ne visait pas les communistes en tant que tels, ne serait-ce que parce que ceux-ci étaient l'élément le plus modeste du Front popu-laire (*cf.* chapitre 5). Il était dirigé contre une vague populaire qui, jusqu'à la guerre civile, profita aux socialistes et aux anarchistes. Seule une rationalisation *ex post facto* peut faire de Lénine et de Sta-line l'excuse du fascisme.

Et pourtant, ce qu'il faut expliquer, c'est pourquoi la réaction de droite, après la Première Guerre mondiale, gagna ses victoires déci-sives sous la forme du fascisme. Car il existait dès avant 1914 des mouvements extrémistes de la droite ultra : nationalistes et xéno-phobes jusqu'à l'hystérie, idéalisant la guerre et la violence, intolé-rants et portés à s'imposer par la contrainte, passionnément antilibéraux, antidémocratiques, antiprolétaires, antisocialistes et antirationalistes, rêvant de sang, de sol et de retour aux valeurs que troublait la modernité. Ils avaient une certaine influence politique, au sein de la droite politique, et dans certains cercles intellectuels, mais nulle part ils ne dominaient ou n'étaient maîtres du jeu.

Ce qui leur donna leur chance au lendemain de la Première Guerre mondiale, c'est l'effondrement des anciens régimes et, avec eux, des anciennes classes dirigeantes et de leur appareil de pouvoir, d'influence et d'hégémonie. Partout où ceux-ci demeuraient en bon état de marche, il n'y avait nul besoin du fascisme. Malgré le bref énervement déjà mentionné, il ne fit aucun progrès en Grande-Bretagne. La droite conservatrice traditionnelle resta maîtresse de la situation. Il ne fit aucun progrès véritable en France jusqu'au lendemain de la défaite de 1940. Bien que l'extrême droite française traditionnelle – l'Action française monarchiste et les Croix de Feu du colonel La Rocque – fût assez tentée de faire le coup de poing avec les gens de gauche, elle n'était pas fasciste au sens strict du terme. De fait, certains de ses éléments allaient même rejoindre la résistance.

Une fois encore, le fascisme n'était pas nécessaire chaque fois qu'une nouvelle classe ou un nouveau groupe dirigeant nationaliste s'imposa dans des pays qui venaient d'accéder à l'indépendance. Ces hommes pouvaient être réactionnaires et se prononcer pour un gouvernement autoritaire, pour des raisons qu'on examinera plus loin, mais seule la rhétorique pouvait identifier au fascisme tout tournant vers la droite antidémocratique dans l'Europe de l'entre-deux-guerres. Il n'y eut pas de mouvements fascistes d'importance dans la nouvelle Pologne, gouvernée par des militaristes autoritaires, et dans la partie tchèque de la Tchécoslovaquie, qui était démocratique, ni dans le cœur (à dominante) serbe de la nouvelle Yougoslavie. Dans les pays dont les dirigeants étaient des hommes de droite à l'ancienne ou des réactionnaires – en Hongrie, en Roumanie, en Finlande et même dans l'Espagne de Franco, dont le chef lui-même n'était pas fasciste –, ceux-ci n'eurent aucun mal à tenir en respect les mouvements fascistes ou analogues, si importants fussent-ils, à moins que (comme dans la Hongrie de 1944) les Allemands ne fissent pression sur eux. Ce qui ne veut pas dire que les mouvements nationalistes minoritaires des États anciens ou nouveaux ne trouvaient aucune séduction au fascisme, ne serait-ce qu'en raison de l'aide financière et politique qu'ils pouvaient espérer de l'Italie et, après 1933, de l'Allemagne. Tel fut clairement le cas dans les Flandres (belges), en Slovaquie et en Croatie.

Les conditions optimales du triomphe de la droite ultra la plus fanatique étaient un vieil État avec des mécanismes de gouvernement qui ne pouvaient plus fonctionner : une masse de citoyens désenchantés, désorientés et mécontents, qui ne savaient plus à qui se vouer ; de puissants mouvements socialistes menaçant ou paraissant menacer de fomenter la révolution sociale, sans être vraiment en position d'y parvenir ; et une poussée de rancœur nationaliste contre les traités de paix des années 1918-1920. Telles étaient les conditions dans lesquelles d'anciennes élites dirigeantes impuissantes furent tentées de recourir aux extrémistes, comme les libéraux italiens se tournèrent vers les fascistes de Mussolini en 1920-1922 et les conservateurs allemands vers les nationaux-socialistes de Hitler en 1932-1933. Telles étaient, par la même occasion, les conditions qui transformèrent des mouvements d'extrême droite en des forces paramilitaires, puissantes et organisées, parfois même en uniforme (*squadristi* ; sections d'assaut), ou, comme en Allemagne au cours de la Grande Crise, en armées électorales de masse. Cependant, dans aucun des deux États, le fascisme n'a « conquis le pouvoir », même si en Italie comme en Allemagne, la « conquête de la rue » et la « Marche sur Rome » devaient occuper une place de choix dans la rhétorique. Dans les deux cas, le fascisme accéda au pouvoir par la connivence, en fait (comme en Italie) à l'initiative, de l'ancien régime, c'est-à-dire de façon « constitutionnelle ».

La nouveauté du fascisme c'est que, sitôt au pouvoir, il refusa de jouer le vieux jeu politique pour occuper le plus large terrain possible. Le transfert total du pouvoir, ou l'élimination de tous les rivaux, prit relativement plus de temps en Italie (1922-1928) qu'en Allemagne (1933-1934), mais, une fois accomplie, il n'y avait plus d'autres limites politiques intérieures à ce qui devint, de manière caractéristique, la dictature sans entrave d'un « chef » *(Duce, Führer)* populiste suprême.

À ce stade, il faut brièvement écarter deux thèses également insuffisantes sur le fascisme : l'une fasciste, mais reprise par maints historiens libéraux, l'autre chère au marxisme soviétique orthodoxe. Il n'y eut pas de « révolution fasciste », pas plus que le fascisme ne fut l'expression du « capitalisme monopoliste » ou du grand capital.

Les mouvements fascistes avaient les éléments des mouvements révolutionnaires, dans la mesure où ils rassemblaient des hommes qui aspiraient à une transformation fondamentale de la société, souvent avec une dimension anticapitaliste et anti-oligarchique importante. Mais le cheval de bataille du fascisme révolutionnaire manqua son départ ou ne parvint pas à entrer dans la course. Hitler eut tôt fait d'éliminer ceux qui prenaient au sérieux – ce qui n'était certainement pas son cas – la composante « socialiste » inscrite dans le nom même du Parti national-socialiste des ouvriers allemands. L'utopie d'un retour à une sorte de Moyen Âge, peuplé de propriétaires-paysans héréditaires et d'artisans comme Hans Sachs et de filles aux tresses blondes, n'était pas un programme qui pût être réalisé dans les grands États du XXᵉ siècle (sauf dans la version cauchemardesque des projets, chers à Himmler, d'une population racialement purifiée), ni *a fortiori* dans des régimes qui, comme le fascisme italien ou allemand, étaient fermement engagés sur la voie de la modernisation et du progrès technique.

Ce que le national-socialisme a certainement accompli, c'est une épuration implacable des anciennes élites et structures institutionnelles impériales. Après tout, le seul groupe qui ait réellement lancé une révolte contre Hitler – et fut en conséquence décimé – ce fut, en juillet 1944, la vieille armée aristocratique prussienne. Cette destruction des anciennes élites et des vieilles structures, renforcée après la guerre par la politique des armées occidentales d'occupation, devait finalement permettre de construire la République fédérale sur une base beaucoup plus saine que la république de Weimar de 1918-1933, qui avait été à peine plus que l'empire défait moins le Kaiser. Le nazisme avait certainement pour les masses un programme social qu'il accomplit en partie : congés, sports, le projet de « voiture du peuple », que le monde devait connaître après la Seconde Guerre mondiale avec la fameuse « coccinelle » de Volkswagen. Son grand œuvre fut cependant de liquider la Grande Crise plus efficacement qu'aucun autre gouvernement, car l'antilibéralisme des nazis avait un côté positif : ils ne croyaient pas *a priori* au marché de concurrence. Le nazisme fut néanmoins un ancien régime modifié et rénové plutôt qu'un régime foncièrement nouveau et différent. Comme le Japon impérial et militariste des années 1930 (qu'il ne viendrait à l'idée de personne de présenter comme un système révolutionnaire), c'est une économie capitaliste non libérale qui dynamisa de manière saisissante son système industriel. Ainsi que la Seconde Guerre mondiale devait le démontrer, le bilan économique et autre de l'Italie fasciste était nettement moins marquant. Parler de « révolution fasciste » était donc pure rhétorique, même si cette rhétorique était sans doute sincère de la part de nombreux fascistes italiens de base. Différent du nazisme né en réaction aux traumatismes de la Grande Crise (face à laquelle les gouvernements de Weimar étaient restés impuissants), le fascisme italien, après avoir été un rempart contre les troubles révolutionnaires d'après 1918, était rapidement devenu un régime au service des anciennes classes dirigeantes. Le fascisme italien, qui en un sens prolongea le processus de l'unification italienne amorcé au XIXe siècle pour créer un gouvernement plus fort et plus centralisé, eut à son crédit quelques résultats significatifs. Par exemple, il est le seul régime italien qui ait jamais réussi à éliminer la Mafia sicilienne et la Camorra napolitaine. Toutefois, sa signification historique ne réside ni dans ses buts ni dans ses réalisations, mais dans son rôle de pionnier mondial d'une nouvelle version de la contre-révolution triomphante. Mussolini inspira Hitler, qui ne manqua jamais de reconnaître son inspiration et son antériorité. Par ailleurs, le fascisme italien fut, et resta longtemps, une anomalie parmi les mouvements d'extrême droite par sa tolérance, voire un certain goût pour le « modernisme » artistique d'avant-garde, et à certains autres égards – notamment, avant l'alignement de Mussolini sur l'Allemagne en 1938, son total manque d'intérêt pour le racisme antisémite.

Quant à la thèse du « capitalisme monopoliste », le problème est que le grand capital – vraiment grand – s'accommode de tout régime qui ne cherche pas à l'exproprier, et que n'importe quel régime s'en accommode. Le fascisme ne fut pas plus l'« expression des intérêts du capital monopoliste » que ne le furent le New Deal en Amérique, les gouvernements travaillistes en Grande-Bretagne ou la République de Weimar. Au début des années 1930, le grand capital ne souhaitait pas particulièrement Hitler et aurait préféré un conservatisme plus orthodoxe. Il ne lui apporta guère de soutien jusqu'à la Grande Crise, et encore cet appui fut-il alors tardif et inégal. Lorsque Hitler eut accédé au pouvoir, en revanche, il collabora de tout cœur, au point d'employer une main-d'œuvre servile et la population des camps d'extermination au cours de la Seconde Guerre mondiale. Et, naturellement, petites et grandes entreprises profitèrent de l'expropriation des Juifs.

Il convient néanmoins d'ajouter que, en comparaison d'autres régimes, le fascisme présentait de grands avantages. Premièrement, il élimina ou écrasa la révolution sociale de gauche et apparut en fait comme son principal rempart. Deuxièmement, il élimina les syndicats et les autres limitations qui entravaient le patronat dans la gestion de son personnel. En vérité, le « principe du chef », cher aux fascistes, correspondait à la pratique de la plupart des patrons et des cadres dirigeants face à leurs subalternes, et, en l'occurrence, le fascisme ne fit que leur apporter une justification de poids. Troisièmement, la destruction des mouvements ouvriers contribua à assurer aux entreprises une issue excessivement favorable à la Crise. Tandis qu'aux États-Unis les 5 % les plus riches virent leur part du revenu (national) total chuter de 20 % entre 1929 et 1941 (il y eut une tendance égalitaire, mais plus modeste, en Grande-Bretagne et en Scandinavie), en Allemagne la part des 5 % les plus riches progressa de 15 % au cours de la même période (Kuznets, 1956). Enfin, on l'a déjà signalé, le fascisme excella à dynamiser et à moderniser les économies industrielles, même s'il ne réussit pas aussi bien que les démocraties occidentales dans l'aventureuse planification techno-scientifique à long terme.

IV

Sans la Grande Crise, le fascisme aurait-il pris une telle importance dans l'histoire universelle ? Probablement pas. L'Italie seule n'était pas une base prometteuse d'où ébranler le monde. Dans les années 1920, aucun autre mouvement contre-révolutionnaire européen de la droite radicale ne semblait avoir beaucoup d'avenir, et ce en gros pour la même raison qui expliquait l'échec des tentatives insurrectionnelles de révolution sociale communiste : la vague révolutionnaire d'après 1917 avait reflué et l'économie semblait reprendre. En Allemagne, les piliers de la société impériale, les généraux, les fonctionnaires et les autres avaient apporté quelque soutien aux forces paramilitaires et autres gros bras de la droite après la révolution de Novembre, tout en consacrant (de manière bien compréhensible) l'essentiel de leurs efforts à préserver la nouvelle République conservatrice et antirévolutionnaire et, surtout, un État capable de préserver quelque marge de manœuvre internationale. Cependant, lorsque force leur fut de choisir, ainsi lors du putsch droitiste de

Wolfgang Kapp en 1920 et de la révolte munichoise de 1923, dans laquelle Hitler fit pour la première fois les gros titres, ils soutinrent sans l'ombre d'une hésitation le *statu quo*. Après le redressement économique de 1924, le Parti nazi se trouva réduit à la portion congrue – entre 2,5 et 3 % de l'électorat –, obtenant à peine plus de la moitié des voix que le petit et civilisé Parti démocratique allemand, un peu plus d'un cinquième que les communistes et nettement moins d'un dixième des suffrages qui se portèrent sur les sociaux-démocrates aux élections de 1928. Deux ans plus tard, il était pourtant passé à plus de 18 % pour devenir le deuxième parti sur la scène politique allemande. Quatre ans après, dans l'été 1932, il était de loin le plus fort, avec plus de 37 % des voix, même s'il ne parvint à se maintenir à ce niveau aussi longtemps qu'il y eut des élections démocratiques. De toute évidence, c'est la Grande Crise qui, de phénomène politique marginal, transforma Hitler en maître potentiel et, finalement, réel du pays.

Cependant, même la Grande Crise n'aurait pas donné au fascisme la force ou l'influence qu'il exerça visiblement dans les années 1930 s'il n'avait porté au pouvoir un mouvement de ce genre en Allemagne, c'est-à-dire dans un État destiné par sa taille, son potentiel économique et militaire et, ce qui n'est pas le moins important, sa situation géographique, à jouer un rôle politique majeur en Europe sous n'importe quelle forme de gouvernement. Après tout, la défaite absolue dans les deux guerres mondiales n'a nullement empêché l'Allemagne de devenir l'État dominant du continent en cette fin de siècle. De même que, à gauche, la victoire de Marx dans le plus grand État du globe (« un sixième de la surface émergée du monde », aimaient à se vanter les communistes dans l'entre-deux-guerres) donna au communisme une présence internationale de premier plan – fût-ce en des temps où sa force politique hors de l'URSS était négligeable –, la prise de pouvoir en Allemagne par Hitler parut confirmer le succès de l'Italie mussolinienne et transformer le fascisme en un puissant courant politique mondial. Une décennie durant, la vie politique internationale allait être dominée par les succès de la politique d'expansionnisme militariste agressif des deux États (*cf.* chapitre 5) – renforcée par celle du Japon. Il était donc naturel que des États ou des mouvements appropriés fussent séduits et influencés par le fascisme, recherchassent le soutien de l'Allemagne et de l'Italie et – compte tenu de l'expansionnisme de ces pays – l'eussent souvent reçu.

En Europe, pour des raisons évidentes, ces mouvements appartenaient dans leur écrasante majorité à la droite politique. Ainsi dans le cadre du sionisme (qui était alors très largement un mouvement de Juifs ashkénazes vivant en Europe), les « Révisionnistes » de Vladimir Jabotinsky, courant séduit par le fascisme italien, étaient clairement perçus et se considéraient eux-mêmes comme des gens de droite contre les organisations sionistes socialistes et libérales (prédominantes). Reste que, jusqu'à un certain point, l'influence du fascisme dans les années 1930 ne pouvait être autrement que mondiale, ne serait-ce que parce qu'il était associé à deux puissances actives et dynamiques. Mais, hors de l'Europe, les conditions qui avaient créé les mouvements fascistes sur leur continent d'origine n'étaient guère réunies. En conséquence, lorsque apparurent des mouvements fascistes ou manifestement influencés par le fascisme, leur situation et leur fonction politiques furent beaucoup plus problématiques.

Certes, diverses caractéristiques du fascisme européen trouvèrent un écho outre-mer. Il eût été surprenant que le Mufti de Jérusalem et les autres Arabes qui résistaient à la colonisation juive de la Palestine n'aient pas trouvé l'antisémitisme de Hitler à leur goût, quand bien même il n'avait aucun lien avec les formes traditionnelles de la coexistence islamique avec les infidèles en tous genres. En Inde, certains Hindous de la caste supérieure, comme les extrémistes cinghalais du Sri Lanka moderne, étaient assurés de leur supériorité – en tant qu'« Aryens » certifiés, en fait « originels » – sur les races au teint plus sombre du sous-continent. Et les militants Boers qui furent internés comme pro-Allemands au cours de la Seconde Guerre mondiale – d'aucuns allaient présider aux destinées de leurs pays sous le régime de l'apartheid inauguré en 1948 – avaient également des affinités idéologiques avec Hitler, aussi bien en tant que racistes convaincus qu'à travers l'influence théologique des courants calvinistes et élitistes d'extrême droite aux Pays-Bas. Mais cela ne remet guère en cause cette proposition fondamentale : à la différence du communisme, le fascisme fut inexistant en Asie et en Afrique (sauf, peut-être, parmi les colons européens) parce qu'il semblait être sans rapport aucun avec les situations politiques locales.

C'est largement vrai même du Japon, bien que ce pays fût l'allié de l'Allemagne et de l'Italie, au cours de la Seconde Guerre mondiale et que la droite ait dominé sa vie politique. Entre les idéologies dominantes des extrémités orientale et occidentale de l'« Axe », les affinités sont en vérité fortes. Les Japonais ne le cédaient à personne dans la conviction de leur supériorité raciale et de la nécessaire pureté de la race, dans leur croyance aux vertus militaires du sacrifice de soi, de l'obéissance absolue aux ordres, de l'abnégation et du stoïcisme. Tout samouraï aurait souscrit à cette devise des SS de Hitler : *Meine Ehre ist Treue*, dont la meilleure traduction serait : « L'honneur est dans la subordination aveugle. » Leur société était faite de hiérarchie rigide, de dévouement total de l'individu (si ce terme, dans son acception occidentale, avait le moindre sens) à la nation et à son divin empereur, et le rejet absolu de la Liberté, de l'Égalité et de la Fraternité. Les Japonais n'avaient aucun mal à comprendre la forme wagnérienne des mythes sur les dieux barbares, les purs et héroïques chevaliers du Moyen Âge et la nature spécifiquement allemande de la montagne et de la forêt, toutes deux gorgées de rêves *völkisch*. Ils avaient la même faculté de mêler une conduite barbare à une sensibilité esthétique raffinée : le bourreau du camp de concentration qui aimait jouer les quatuors de Schubert. Pour autant que le fascisme supportât d'être traduit en termes zen, les Japonais auraient fort bien pu lui réserver bon accueil, bien qu'ils n'en eussent aucun besoin. Et en fait, parmi les diplomates accrédités auprès des puissances fascistes européennes, mais surtout parmi les groupes de terroristes ultra-nationalistes habitués à assassiner les hommes politiques jugés insuffisamment patriotes, et dans l'armée du Guangdong qui était en passe de conquérir, de dominer et d'asservir la Mandchourie et la Chine, il y avait des Japonais qui percevaient ces affinités et menaient campagne pour une identification plus étroite avec les puissances fascistes européennes.

Reste que le fascisme européen n'était pas réductible à un féodalisme oriental avec une mission nationale impériale. Il appartenait essentiellement à l'ère de la démocratie et de l'homme ordinaire, tandis que la notion même d'un « mouvement » de mobilisation des masses à des fins nouvelles, qui se voulaient en fait révolutionnaires, derrière des chefs autoproclamés, n'avait aucun sens dans le Japon

de Hiro-Hito. Plutôt que Hitler, c'est l'armée et la tradition prussiennes qui cadraient avec leur vision du monde. Bref, malgré les
similitudes avec le national-socialisme allemand (les affinités avec
l'Italie étaient bien moins grandes), le Japon n'était pas fasciste.

Quant aux États et aux mouvements qui recherchèrent le soutien
de l'Allemagne et de l'Italie, surtout dans le courant de la Seconde
Guerre mondiale lorsque l'Axe parut tout prêt de l'emporter, l'idéologie n'était pas leur mobile essentiel, même si certains régimes
nationalistes mineurs de l'Europe, dont la position dépendait entièrement du soutien allemand, se déclaraient volontiers plus nazis que les
SS – comme l'État croate des Oustachis. Il n'en serait pas moins
absurde de qualifier de « fascistes », en quelque sens du terme, l'Armée républicaine irlandaise ou les nationalistes indiens installés à
Berlin sous prétexte que, pendant la Seconde Guerre mondiale
comme dans la Première, certains négocièrent le soutien allemand en
vertu du principe suivant lequel « l'ennemi de mon ennemi est mon
ami ». En vérité, Frank Ryan, le chef républicain irlandais qui engagea des négociations de ce genre, était idéologiquement si hostile au
fascisme qu'il avait rejoint les Brigades internationales pour combattre le général Franco pendant la Guerre civile espagnole avant
d'être fait prisonnier par les forces franquistes et envoyé en Allemagne. De tels cas ne méritent pas qu'on s'y attarde.

Il reste cependant un continent sur lequel l'impact idéologique du
fascisme européen est indéniable : les Amériques.

En Amérique du Nord, les hommes et les mouvements inspirés de
l'Europe étaient sans grande signification, en-dehors de communautés particulières d'immigrés, dont les membres amenèrent avec eux
les idéologies de l'ancien pays, comme les Scandinaves et les Juifs
avaient apporté un penchant vers le socialisme, ou conservaient
quelque attache avec leur pays d'origine. Ainsi, les sentiments des
Américains d'origine allemande – et, dans une bien moindre mesure,
italienne – nourrirent l'isolationnisme américain, bien que rien n'indique qu'ils aient rallié le fascisme en grand nombre. L'attirail des
milices, les chemises de couleur et les bras levés pour saluer les chefs
n'appartenaient pas à la droite ni aux mobilisations racistes autochtones, dont le Ku Klux Klan était la plus familière. L'antisémitisme
était sans doute virulent, bien que sa version américaine contemporaine de droite – comme dans les sermons du père Coughlin diffusés

par la radio populaire de Detroit – dût probablement plus au corporatisme de droite d'inspiration catholique européenne. Le fait est
d'ailleurs caractéristique des États-Unis dans les années 1930 : la
forme de populisme démagogique qui eut le plus de succès et qui
était potentiellement la plus dangereuse – la conquête de la Louisiane
par Huey Long – était issue de ce qui, en termes américains, était une
tradition manifestement radicale et de gauche. Elle restreignait la
démocratie au nom de la démocratie et en appelait, non pas aux ran-
cœurs d'une petite bourgeoisie ou aux instincts de conservation anti-
révolutionnaires des riches, mais à l'égalitarisme des pauvres. Elle
n'était pas non plus raciste. Un mouvement qui avait pour slogan
« Chaque homme est un roi » ne pouvait appartenir à la tradition fasciste.

En revanche l'influence du fascisme européen fut ouverte et
reconnue en Amérique latine, tant sur des personnalités politiques,
comme le Colombien Jorge Eliézer Gaitán (1898-1948) et l'Argentin
Juan Domingo Perón (1895-1974), que sur des régimes comme l'*Es-
tado Novo* (l'État nouveau) de Getulio Vargas des années 1937-1945
au Brésil. En fait, et malgré les peurs américaines infondées d'un
encerclement nazi par le sud, l'influence du fascisme en Amérique
latine demeura pour l'essentiel cantonnée sur la scène intérieure.
Hormis l'Argentine, dont les préférences allaient clairement à l'Axe
– mais ce avant que Perón ne prît le pouvoir en 1943 aussi bien
qu'après –, les gouvernements de l'hémisphère occidental s'engagèrent dans la guerre aux côtés des États-Unis, tout au moins en théorie. Il est cependant exact que, dans certains pays d'Amérique du
Sud, leur armée avait été formée sur le modèle allemand, voire
entraînée par des cadres allemands ou même nazis.

L'influence fasciste au sud du Rio Grande s'explique aisément.
Vus du sud, les États-Unis d'après 1914 n'apparaissaient plus,
comme au XIXᵉ siècle, tels les alliés des forces intérieures de progrès
et le contrepoids diplomatique des puissances impériales anciennes
ou actuelles : Espagnols, Français et Britanniques. Les conquêtes
impériales des États-Unis sur l'Espagne en 1898, la révolution mexicaine, pour ne rien dire de l'essor des industries pétrolière et bana-
nière avaient introduit dans la vie politique latino-américaine un
anti-impérialisme anti-Yankee – sentiment que le goût évident de
Washington, dans le premier tiers du siècle, pour la diplomatie de la

canonnière et le débarquement des marines ne devait aucunement décourager. Victor Raul Haya de la Torre, fondateur de l'APRA (Alliance révolutionnaire populaire américaine), organisation anti-impérialiste aux ambitions pan-latino-américaines, même si cette Alliance ne s'implanta que dans son Pérou natal, envisageait de faire entraîner ses insurgés par les cadres de Sandino, le célèbre rebelle anti-Yankee du Nicaragua. (La longue guerre de guérilla de Sandino contre l'occupation américaine, après 1927, devait inspirer la révolution « sandiniste » des années 1980 au Nicaragua.) De surcroît, affaiblis par la Grande Crise, les États-Unis des années 1930 étaient loin de paraître aussi formidables et dominateurs qu'auparavant. Le renoncement de Franklin D. Roosevelt à la diplomatie de la canonnière et aux marines de ses prédécesseurs pouvait être perçu non seulement comme une « politique de bon voisinage », mais aussi (à tort) comme un signe de faiblesse. L'Amérique latine des années 1930 n'inclinait guère à se tourner vers le Nord.

Or, depuis l'autre rive de l'Atlantique, le fascisme apparaissait sans conteste comme la réussite de la décennie. Pour des hommes politiques pleins d'avenir sur un continent qui avait toujours puisé son inspiration dans les régions culturellement hégémoniques, s'il y avait au monde un modèle à imiter par ces chefs potentiels de pays toujours à l'affût de recettes pour devenir modernes, riches et grands, il était certainement à chercher du côté de Berlin et de Rome, puisque Londres et Paris n'étaient plus guère des sources d'inspiration politique et que Washington était en panne. (Quant à Moscou, on la percevait encore essentiellement comme un modèle de révolution sociale, ce qui limitait son attrait politique.)

Et pourtant ! Quelles différences entre leurs modèles européens et les activités ou les réalisations d'hommes qui ne faisaient pas mystère de leur dette intellectuelle envers Mussolini et Hitler ! Je me souviens encore du choc que je reçus en entendant le président de la Bolivie révolutionnaire l'admettre sans hésitation lors d'une conversation privée. En Bolivie, les soldats et les hommes politiques, qui avaient l'œil rivé sur l'Allemagne, sont les mêmes qui organisèrent la révolution de 1952 en nationalisant les mines d'étain et en faisant bénéficier la paysannerie indienne d'une réforme agraire radicale. En Colombie, loin d'opter pour la droite politique, le grand tribun populaire que fut Jorge Eliézer Gaitán prit la direction du Parti libéral qu'il aurait certainement, en tant que président, entraîné dans une direction radicale s'il n'avait été assassiné à Bogota le 9 avril 1948 – événement qui provoqua l'insurrection populaire *immédiate* de la capitale (y compris de sa police) et la proclamation de communes révolutionnaires dans maintes municipalités provinciales du pays. Ce que les dirigeants latino-américains retinrent du fascisme européen, c'est la déification des chefs populistes jouissant d'une réputation d'hommes d'action. Mais les masses qu'ils souhaitaient mobiliser, et qu'ils mobilisèrent de fait, n'étaient pas celles qui craignaient de perdre ce qu'elles avaient, mais celles qui n'avaient rien à perdre. Et les ennemis contre lesquels ils les mobilisèrent n'étaient pas les étrangers et les groupes marginaux (bien qu'on ne puisse nier la composante d'antisémitisme dans la vie politique de l'Argentine péroniste et autre), mais l'« oligarchie » : les riches, la classe dirigeante locale. Perón trouva le noyau dur de ses partisans dans la classe ouvrière argentine et sa machine politique de base dans un genre de parti travailliste organisé autour d'un mouvement syndical de masse qu'il encouragea. Getulio Vargas, au Brésil, fit la même découverte. C'est l'armée qui le renversa en 1945 et c'est encore elle qui l'accula au suicide en 1954. C'est la classe ouvrière urbaine, à laquelle il avait assuré une protection sociale en échange de son soutien politique, qui pleura en lui le père de son peuple. Les régimes fascistes européens détruisirent les mouvements ouvriers, les chefs latino-américains qu'ils inspirèrent en créèrent. Quelle que soit la filiation intellectuelle, on ne saurait, historiquement, conclure à un mouvement du même genre.

V

Il faut néanmoins voir dans ces mouvements un élément du déclin et de la chute du libéralisme à l'Ère des catastrophes. Car si l'essor et le triomphe du fascisme fut l'expression la plus dramatique du déclin libéral, on se tromperait, même s'agissant des années 1930, en mesurant cette retraite exclusivement à l'aune du fascisme. En guise de conclusion à ce chapitre, il nous faut donc nous demander comment l'expliquer. Mais, d'abord, il faut commencer par dissiper une confusion courante, identifiant fascisme et nationalisme.

Que les mouvements fascistes aient eu tendance à invoquer les passions et les préjugés nationalistes, cela va de soi, même si les États corporatistes semi-fascistes tels que le Portugal ou l'Autriche des années 1934-1938, d'inspiration largement catholique, devaient réserver leur haine absolue aux peuples et aux nations d'une autre religion, voire athées. De surcroît, la position simplement nationaliste était difficilement tenable pour les mouvements fascistes locaux des pays conquis et occupés par l'Allemagne ou l'Italie, ou dont les fortunes dépendaient de la victoire de ces États contre leurs gouvernements nationaux. Dans certains cas (Flandres, Pays-Bas, Scandinavie), ils pouvaient s'identifier aux Allemands en tant que membres d'un groupe racial teutonique plus large, mais une attitude plus commode (vivement encouragée par la propagande du Dr Goebbels au cours de la guerre) était paradoxalement *internationaliste*. L'Allemagne était perçue comme le noyau et l'unique garantie d'un futur *ordre européen*, avec les habituelles invocations de Charlemagne et de l'anticommunisme ; une phase de l'histoire de l'idée européenne sur laquelle les historiens de la Communauté européenne de l'après-guerre n'aiment pas s'attarder. Les unités militaires non allemandes qui combattirent sous les couleurs allemandes au cours de la Seconde Guerre mondiale, essentiellement dans le cadre des SS, insistaient généralement sur cet élément transnational.

Par ailleurs, il devrait être tout aussi évident que tous les nationalismes ne sympathisaient pas avec le fascisme, et pas uniquement parce que les ambitions de Hitler (ou dans une moindre mesure celles de Mussolini) menaçaient un certain nombre d'entre eux : par exemple, les Polonais et les Tchèques. Dans un certain nombre de pays, on le verra (*cf.* chapitre 5), la mobilisation contre le fascisme devait susciter un patriotisme de gauche, surtout au cours de la guerre, lorsque la résistance à l'Axe fut le fait de « fronts nationaux » ou de gouvernements couvrant le spectre politique dans sa totalité, à l'exclusion des fascistes et de leurs collaborateurs. D'une manière générale, la présence d'un nationalisme local dans le camp du fascisme était liée à un double facteur : il fallait qu'il eût plus à gagner qu'à perdre à l'avancée de l'Axe et que sa haine du communisme ou d'un autre État, d'une autre nationalité ou d'un autre groupe ethnique (les Juifs, les Serbes) fût plus forte que son aversion pour les Allemands ou les Italiens. Ainsi les Polonais, quoique farouchement hostiles aux Russes et aux Juifs, ne devaient guère collaborer avec l'Allemagne nazie, contrairement aux Lituaniens et à une partie des Ukrainiens (occupés par l'URSS de 1939 à 1941).

Pourquoi le libéralisme a-t-il reculé entre les deux guerres, même dans des États qui n'acceptaient pas le fascisme ? En Occident, les radicaux, les socialistes et les communistes qui traversèrent cette période étaient enclins à voir dans cette ère de crise mondiale les ultimes convulsions du système capitaliste. Le capitalisme, assuraient-ils, ne pouvait plus se permettre le luxe de gouverner *via* la démocratie parlementaire et dans le cadre des libertés libérales qui, soit dit en passant, avaient donné leur assise aux mouvements de travailleurs modérés et réformistes. Confrontée à des problèmes économiques insolubles et/ou à une classe ouvrière de plus en plus révolutionnaire, la bourgeoisie devait désormais se rabattre sur la force et la contrainte, c'est-à-dire sur quelque chose comme le fascisme.

Le capitalisme et la démocratie libérale devant tous deux faire un triomphal *come-back* en 1945, il est aisé d'oublier, par-delà une rhétorique assez outrancière, le fond de vérité que contenait ce point de vue. Les systèmes démocratiques ne sauraient marcher sans un consensus de base de la grande majorité des citoyens sur l'acceptabilité de leur État et de leur système social, ou tout au moins une disposition à négocier des compromis. Ce que la prospérité, à son tour, facilite grandement. Dans la majeure partie de l'Europe, ces conditions n'étaient tout simplement pas réunies entre 1918 et la Seconde Guerre mondiale. S'il ne s'était déjà produit, le cataclysme social paraissait imminent. La peur de la révolution était telle que dans la plus grande partie de l'Europe de l'Est et du Sud-Est et dans une partie du monde méditerranéen, on ne laissa guère les partis communistes sortir de l'illégalité. L'infranchissable fossé qui existait entre la droite idéologique et la gauche, même modérée, causa le naufrage de la démocratie autrichienne en 1930-1934, alors qu'elle devait fleurir dans ce pays à partir de 1945 sous exactement le même système bipartite de catholiques et de socialistes (Seton Watson, 1962, p. 184). La démocratie espagnole s'effondra sous l'effet des mêmes tensions dans les années 1930. Le contraste est saisissant avec la

transition négociée de la dictature de Franco à une démocratie pluraliste dans les années 1970.

Les chances de stabilité de ces régimes ne pouvaient survivre à la
Grande Crise. La République de Weimar sombra largement parce
que le Grand Marasme ne permit plus d'honorer l'accord tacite entre
l'État, le patronat et les syndicats, qui l'avait maintenue à flot. L'industrie et le gouvernement estimèrent qu'ils n'avaient d'autre solution que de procéder à des coupes claires, tant économiques que
sociales : le chômage massif fit le reste. Au milieu de l'année 1932,
les nazis et les communistes obtinrent, à eux deux, la majorité absolue des suffrages de leurs compatriotes allemands, tandis que les partis attachés à la République se trouvaient réduits à un peu plus du
tiers de l'électorat. Inversement, il est indéniable que la stabilité des
régimes démocratiques après la Seconde Guerre mondiale, et notamment celui de la nouvelle République fédérale d'Allemagne, reposa
sur les miracles économiques de ces décennies (*cf.* chapitre 9).
Lorsque les gouvernements ont suffisamment à distribuer pour satisfaire toutes les revendications, et que de toute façon la grande majorité des citoyens voient leur niveau de vie progresser régulièrement,
il est rare que la vie politique démocratique soit troublée par des
poussées de fièvre. Le compromis et le consensus eurent tendance à
l'emporter, alors même que les plus fervents adeptes du renversement du capitalisme trouvaient le *statu quo* moins intolérable en pratique qu'en théorie et que les champions les plus intraitables du
capitalisme tenaient pour allant de soi les systèmes de sécurité
sociale et les négociations régulières avec les syndicats sur les
hausses de salaires et les avantages divers.

Toujours est-il qu'il ne s'agit là que d'une partie de la réponse :
la Crise des années 1930 en a fait la démonstration. Une situation
très semblable – le refus des ouvriers syndiqués d'accepter les restrictions imposées par la Crise – aboutit en Allemagne à l'effondrement du régime parlementaire et, finalement, à la nomination de
Hitler à la tête du gouvernement, alors qu'en Grande-Bretagne on
assistera à un simple passage brutal d'un gouvernement travailliste
à un « Gouvernement national » (conservateur) dans le cadre d'un
système parlementaire stable et tout à fait inébranlé[4]. La Crise ne
conduisit pas automatiquement à la suspension ou à l'abolition de la
démocratie représentative : cela ressort clairement de ses consé-

quences politiques aux États-Unis (le New Deal de Roosevelt) et en Scandinavie (le triomphe de la social-démocratie). C'est seulement en Amérique latine, où les finances publiques dépendaient, pour l'essentiel, des exportations d'un ou deux produits primaires, dont le cours connut un effondrement aussi soudain que dramatique (*cf.* chapitre 3), que la Crise entraîna la chute presque immédiate et automatique des régimes en place, essentiellement évincés par des coups d'État militaires. Il faut ajouter qu'il y eut également des changements politiques dans la direction opposée : ainsi au Chili et en Colombie.

Au fond le système politique libéral était vulnérable parce que la forme de gouvernement qui le caractérise, la démocratie représentative, a rarement été une manière convaincante de diriger des États, et que les conditions de l'Ère des catastrophes ont rarement garanti les conditions de sa viabilité, encore moins de son efficacité.

La première de ces conditions était qu'il devait jouir du consentement général et de la légitimité. La Démocratie elle-même repose sur ce consentement, mais elle ne le crée pas, si ce n'est que, dans les démocraties bien installées et stables, le processus même des consultations électorales régulières a eu tendance à donner aux citoyens – même aux minoritaires – le sentiment que le processus électoral légitime les gouvernements qu'il produit. Mais entre les deux guerres rares étaient les démocraties bien installées. En vérité, jusqu'à l'aube du XXe siècle la démocratie demeurait exceptionnelle en-dehors des États-Unis et de la France (voir *L'Ère des empires*, chapitre 4). En fait, au lendemain de la Première Guerre mondiale, au moins dix États européens étaient soit entièrement nouveaux soit si différents de leurs prédécesseurs qu'ils n'avaient aucune légitimité particulière aux yeux de leurs habitants. Plus rares encore étaient les démocraties stables. À l'Ère des catastrophes, la vie politique des États fut le plus souvent une vie politique de crise.

La deuxième condition était un degré de compatibilité entre les diverses composantes du « peuple », dont le vote souverain devait déterminer le gouvernement commun. Au contraire des anthropologues, des sociologues et de tous les hommes politiques de terrain, la théorie officielle de la société bourgeoise libérale ne reconnaissait pas « le peuple » comme un ensemble de groupes, de communautés et autres collectivités ayant des intérêts en tant que tels. Notion théorique plutôt que corps véritable d'êtres humains, le peuple consistait officiellement en une assemblée d'individus autonomes dont les voix s'additionnaient pour former des majorités et des minorités arithmétiques, qui se traduisaient au sein des assemblées élues par des majorités de gouvernement et des oppositions minoritaires. Quand l'expression démocratique brouillait les lignes de partage de la population nationale, ou quand il était possible de trouver un terrain d'entente ou de désamorcer les conflits, la démocratie était viable. Dans une ère de révolutions et de tensions sociales extrêmes, la traduction politique de la lutte des classes s'imposait aux dépens de la paix des classes. L'intransigeance idéologique et de classe pouvait provoquer le naufrage de la démocratie. De plus, les règlements de paix bâclés d'après 1918 multiplièrent ce qui, en cette fin de siècle, nous apparaît comme le virus fatal de la démocratie, à savoir la division du corps civique en termes exclusivement ethnico-nationaux ou religieux (Glenny, 1992, p. 146-148), comme dans l'ex-Yougoslavie et en Irlande du Nord. Trois communautés ethnico-religieuses votant en bloc comme en Bosnie ; deux communautés irréconciliables comme en Ulster ; soixante-deux partis politiques représentant chacun une tribu ou un clan comme en Somalie ne pourraient pas, nous le savons, servir de fondement à un système politique solide et n'engendreraient qu'instabilité et guerre civile ; à moins que l'un des groupes en lice ou quelque autorité extérieure ne soit assez fort pour asseoir sa domination (non démocratique). La chute des trois empires multinationaux d'Autriche-Hongrie, de Russie et de Turquie eut pour effet de remplacer trois États supranationaux, dont les gouvernements étaient neutres vis-à-vis des nombreuses nationalités qu'ils avaient sous leur coupe, par un nombre beaucoup plus important d'États multinationaux, s'identifiant chacun à *une*, ou tout au plus à deux ou trois des communautés ethniques vivant à l'intérieur de ses frontières.

La troisième condition était que les gouvernements démocratiques n'aient pas grand-chose à faire. Les Parlements avaient vu le jour non pas tant pour gouverner que pour contrôler le pouvoir de ceux qui gouvernaient : fonction qui est encore évidente dans les rapports du Congrès et de la présidence aux États-Unis. Il s'agissait de systèmes conçus comme des freins et que la situation obligeait à jouer le rôle de moteurs. Élues au suffrage restreint, quoique de plus en plus large, les assemblées souveraines allèrent bien sûr en se multipliant à partir de l'Ère des révolutions, mais la société bourgeoise du XIXᵉ siècle supposait que, pour l'essentiel, la vie des citoyens relevait non pas de la sphère du gouvernement, mais de l'économie autorégulatrice et du monde des associations privées et non officielles (la « société civile »)⁵. C'était esquiver de deux façons la difficulté qu'il y a à diriger des gouvernements *via* des assemblées élues : en attendant des parlements qu'ils ne gouvernent ou même ne légifèrent guère et en imaginant que le gouvernement – ou plutôt l'administration – pouvait être assumé indépendamment de leurs caprices. Comme on l'a vu (*cf.* chapitre 1), des corps de fonctionnaires indépendants, nommés à titre définitif, étaient devenus un instrument essentiel du gouvernement des États modernes. L'existence d'une majorité parlementaire n'était essentielle que s'il fallait prendre ou approuver des décisions exécutives majeures et controversées, et l'organisation ou l'entretien d'un corps de partisans était devenue la principale tâche des chefs de gouvernement puisque (sauf aux Amériques) l'exécutif, dans les régimes parlementaires, n'était en général pas élu directement. Dans les États pratiquant le suffrage restreint (c'est-à-dire, avec un corps électoral formé pour l'essentiel d'une minorité riche, puissante ou influente), cela était rendu d'autant plus facile que l'on s'accordait largement sur ce qu'était l'intérêt collectif (l'« intérêt national »), sans parler des ressources du patronage.

Le XXᵉ siècle a multiplié les occasions où il est devenu indispensable que les gouvernements gouvernent. Le genre d'État qui se bornait à édicter les règles de base de l'économie et de la société civile et à fournir la police, les prisons et les forces armées pour écarter les dangers intérieurs et extérieurs, l'« État veilleur de nuit » des beaux esprits politiques devint aussi suranné que les « veilleurs de nuit » qui ont inspiré la métaphore.

La quatrième condition était la richesse et la prospérité. Les démocraties des années 1920 se disloquèrent sous la tension de la révolution et de la contre-révolution (Hongrie, Italie, Portugal) ou des conflits nationaux (Pologne, Yougoslavie) ; celle des années 1930 sous les tensions du Marasme. Il n'est qu'à comparer, pour s'en convaincre, le climat politique de l'Allemagne de Weimar et de l'Autriche des années 1920 avec celui de l'Allemagne fédérale et de l'Autriche après 1945. Même les conflits nationaux étaient moins intraitables tant que les responsables politiques de chaque minorité pouvaient s'alimenter à l'auge commune de l'État. Telle fut la force du Parti agrarien dans la seule démocratie authentique d'Europe centrale et orientale, la Tchécoslovaquie : il offrait des avantages par-delà les divisions nationales. Mais dans les années 1930, même la Tchécoslovaquie ne fut plus en mesure d'assurer la cohésion des Tchèques, des Slovaques, des Allemands, des Hongrois et des Ukrainiens.

Dans ces circonstances, la démocratie risquait fort d'être une machine à officialiser les divisions entre groupes inconciliables. Très souvent, fût-ce dans les circonstances les plus propices, elle ne donna aucune base stable à un gouvernement démocratique, surtout lorsque la théorie de la représentation démocratique était appliquée dans les versions les plus rigoureuses de la représentation proportionnelle[6]. Lorsque, en temps de crise, aucune majorité parlementaire ne se dégageait, comme en Allemagne (par opposition à la Grande-Bretagne[7]), la tentation d'aller voir ailleurs était irrésistible. Même dans des démocraties stables, nombre de citoyens perçoivent comme des coûts, plutôt que des avantages du système, les divisions politiques que le système implique. La rhétorique même de la vie politique fait des candidats et du parti les représentants de l'intérêt national, plutôt que ceux d'intérêts étroitement partisans. En temps de crise, les coûts du système ont paru insupportables, ses avantages incertains.

Dans ces circonstances, on comprend sans mal que la démocratie parlementaire dans les États successeurs des anciens Empires, comme dans la majeure partie du monde méditerranéen et en Amérique latine, ait été une plante fragile poussant sur un sol caillouteux. L'argument le plus fort invoqué en sa faveur – « si mauvaise soit-elle, elle vaut mieux que tout autre système » – est lui-même faiblard. Entre les deux guerres, il sembla rarement réaliste ou convaincant. Ses champions eux-mêmes manquaient d'assurance. Son recul semblait inévitable, dès lors que même aux États-Unis des observateurs sérieux, quoique inutilement lugubres, affirmaient : « Cela peut arriver ici » (Sinclair Lewis, 1935). Nul ne prévoyait ni n'espérait sérieusement sa renaissance après la guerre, encore moins son retour, si bref soit-il, au début des années 1990, en tant que forme prédominante de gouvernement à travers le monde. Pour ceux qui se retournèrent alors sur l'entre-deux-guerres, la chute des systèmes politiques libéraux apparaissait comme un bref intermède dans leur conquête séculaire de la planète. Malheureusement, le nouveau millénaire approchant, les incertitudes entourant la démocratie politique ne paraissent plus si éloignées. Il se pourrait bien, hélas, que le monde entre de nouveau dans une période où ses avantages ne paraîtront plus aussi évidents qu'entre 1950 et 1990.

CHAPITRE 5
CONTRE L'ENNEMI COMMUN

« Demain, pour les jeunes, les poètes explosant comme des bombes,
Les promenades au lac, les semaines de communion parfaite ;
Demain les courses de bicyclette
À travers les faubourgs, les soirs d'été. Mais aujourd'hui la lutte... »

W. H. AUDEN, *Espagne*, 1937

« Chère maman, De tous les gens que je connais, tu es celle qui en sera le plus éprouvée, c'est donc à toi que vont mes toutes dernières pensées. Ne blâme personne d'autre de ma mort, parce que j'ai moi-même choisi mon destin.

Je ne sais que t'écrire, parce que, si j'ai les idées claires, je ne trouve pas les mots justes. J'ai pris ma place dans l'Armée de Libération, et je meurs alors que la lumière de la victoire commence déjà à briller... Je serai fusillé sous peu avec vingt-trois autres camarades.

Après la guerre, tu dois faire valoir tes droits à une pension. Ils te laisseront récupérer mes affaires à la prison, je garde juste le tricot de peau de papa, parce que je ne veux pas que le froid me fasse frissonner...

Je te dis encore une fois au revoir. Courage !
Ton fils.
Spartaco

Spartaco FONTANOT, métallurgiste, 22 ans, membre du groupe de résistants Misak Manouchian, 1944
(*Lettere*, p. 306)

I

Les enquêtes d'opinion sont filles de l'Amérique des années 1930, car l'extension à la vie politique des simples « enquêtes par sondage » des analystes de marché a au fond commencé en 1936 avec George Gallup. Parmi les premiers résultats de cette nouvelle technique, il en est un qui eût stupéfié tous les présidents américains avant Franklin D. Roosevelt et qui stupéfiera tous les lecteurs qui ont grandi après la Seconde Guerre mondiale. En janvier 1939, alors qu'on leur demandait qui ils souhaitaient voir gagner, en cas de guerre entre l'Union soviétique et l'Allemagne, 83 % des Américains répondirent souhaiter une victoire soviétique contre 17 % une victoire allemande (Miller, 1989, p. 283-284). En un siècle dominé par l'affrontement entre le communisme anticapitaliste de la révolution d'Octobre, incarné par l'URSS, et le capitalisme anticommuniste, dont les États-Unis étaient le champion et le principal représentant, rien ne paraît plus anormal que cette déclaration de sympathie, ou tout au moins de préférence, à l'égard du foyer de la révolution mondiale, plutôt que pour un pays farouchement anticommuniste, dont l'économie était clairement capitaliste. D'autant que, de l'aveu général, c'était alors en URSS la pire période de la tyrannie stalinienne.

Cette conjoncture historique fut certainement exceptionnelle et éphémère. Elle dura, au maximum, de 1933 (date à laquelle les États-Unis reconnurent officiellement l'URSS) à 1947 (lorsque les deux camps idéologiques s'affrontèrent dans la « guerre froide »), même si la période 1935-1945 serait plus réaliste. En d'autres termes, cette situation fut déterminée par l'essor et la chute de l'Allemagne hitlérienne (1933-1945) (*cf.* chapitre 4), contre laquelle les États-Unis et l'URSS firent cause commune parce qu'ils y voyaient un danger plus grand que celui que les deux pays pouvaient représenter l'un pour l'autre.

Leurs raisons sortaient du champ traditionnel des relations internationales et de la politique de puissance, et c'est précisément ce qui rend si significatif l'alignement des États et des mouvements qui devaient sortir victorieux de la Seconde Guerre mondiale. L'union se fit finalement contre l'Allemagne, parce qu'il ne s'agissait pas seulement d'un État-nation qui avait des raisons d'être mécontent de sa situation, mais d'un État dont l'idéologie déterminait la politique et les ambitions. Bref, c'était une puissance fasciste. Tant qu'on ne voulait pas le voir ou qu'on n'en prenait pas la pleine mesure, les calculs ordinaires de la *Realpolitik* restaient valables. On pouvait s'opposer à l'Allemagne ou chercher la conciliation, la contrer ou, au besoin, la combattre suivant les intérêts de son pays et la situation générale. De fait, à un moment ou à un autre, entre 1933 et 1941, tous les autres grands acteurs du jeu international traitèrent l'Allemagne en conséquence. Londres et Paris apaisèrent Berlin (*i.e.*, firent des concessions aux dépens d'autrui), Moscou passa d'une attitude d'opposition à une neutralité bienveillante en échange de gains territoriaux, et même l'Italie et le Japon, dont les intérêts rejoignaient ceux de l'Allemagne, estimèrent que ces intérêts leur dictaient, en 1939, de se tenir à l'écart des premières étapes de la Seconde Guerre mondiale. En fait, la logique de la guerre hitlérienne devait finalement les entraîner tous, y compris les États-Unis, dans le conflit.

Mais, à mesure qu'on avançait dans les années 1930, il apparut de plus en plus clairement que l'enjeu ne se limitait pas à l'équilibre relatif des forces entre les États-nations qui constituaient le système international (c'est-à-dire essentiellement européen). En vérité, la politique de l'Occident – de l'URSS jusqu'aux Amériques en passant par l'Europe – se comprend mieux comme une guerre civile idéologique à l'échelle internationale, plutôt qu'à travers l'affrontement des États. (Ce n'est pas la meilleure façon d'aborder la politique de l'Afro-Asie et de l'Extrême-Orient, dominée par le colonialisme ; *cf.* chapitre 7.) Et, de fait, les lignes cruciales, dans cette guerre civile, ne passaient pas entre le capitalisme et la révolution sociale communiste, mais entre des familles idéologiques : d'un côté les descendants des Lumières du XVIIIe siècle et des grandes révolutions, dont, à l'évidence, la Révolution russe ; de l'autre, leurs adversaires. Bref, la frontière ne passait pas entre capitalisme et communisme, mais entre ce que le XIXe siècle aurait appelé le « progrès » et la « réaction » – sauf que ces termes n'étaient plus tout à fait appropriés.

C'était une guerre internationale, parce qu'elle posait fondamentalement les mêmes problèmes dans la plupart des pays occidentaux. C'était une guerre civile, parce que les lignes de partage entre forces pro et forces antifascistes divisaient chaque société. Jamais le patriotisme, au sens de loyauté automatique envers le gouvernement national des citoyens, n'a moins compté. Lorsque la Seconde Guerre mondiale s'acheva, les gouvernements d'au moins dix vieux pays européens étaient conduits par des hommes qui, à ses débuts (ou, dans le cas de l'Espagne, au début de la guerre civile), avaient été des rebelles, des exilés politiques ou, à tout le moins, des personnes qui jugeaient leur propre gouvernement immoral et illégitime. Souvent issus du cœur même des classes politiques de leur pays, des hommes et des femmes choisirent la loyauté envers le communisme (*i.e.*, l'URSS) plutôt qu'envers leur État. Les « espions de Cambridge » et, probablement avec plus d'effet, les membres japonais du cercle de Sorge ne furent que deux groupes parmi beaucoup d'autres[1]. Par ailleurs, on devait reprendre le nom de « Quisling » – celui d'un nazi norvégien – pour décrire les forces politiques qui, au sein des États attaqués par Hitler, choisirent, par conviction plutôt que par commodité, de rejoindre le camp de l'ennemi.

C'est vrai même de gens motivés par le patriotisme plutôt que par une idéologie globale. Car même le patriotisme traditionnel se trouvait désormais divisé. Des conservateurs comme Winston Churchill ou des hommes issus d'un milieu catholique réactionnaire comme de Gaulle choisirent de combattre l'Allemagne, non du fait de quelque animosité contre le fascisme, mais au nom d'une « certaine idée de la France » ou d'une « certaine idée de l'Angleterre ». Même pour eux, cependant, cet engagement pouvait s'inscrire dans une guerre *civile* internationale puisque leur conception du patriotisme n'était pas nécessairement celle de leur gouvernement. En se rendant à Londres et en déclarant le 18 juin 1940 que, sous sa houlette, la « France libre » continuerait à combattre l'Allemagne, Charles de Gaulle se rebellait contre le gouvernement légitime de son pays, qui avait légalement décidé d'arrêter la guerre et, dans ce choix, avait probablement l'appui de la grande majorité de la population. Nul doute que Churchill, dans une situation semblable, eût réagi de la même façon. Si l'Allemagne avait gagné la guerre, son gouvernement l'eût considéré comme un traître, de même que les Russes qui combattirent aux côtés des Allemands contre l'URSS le furent après 1945. Tout comme, suivant leur idéologie, les Slovaques et les Croates, dont les pays eurent un avant-goût de leur indépendance (limitée) comme satellites de l'Allemagne hitlérienne, virent après-coup dans les hommes qui avaient conduit leurs États pendant la guerre des héros patriotiques ou des collaborateurs. De fait, chaque peuple, compta des hommes pour s'engager d'un côté ou de l'autre[2].

Ce qui lia toutes ces divisions civiles nationales en une seule guerre mondiale, tant internationale que civile, c'est l'essor de l'Allemagne hitlérienne. Ou, plus précisément, entre 1931 et 1941, la marche vers la conquête et la guerre d'une coalition d'États : l'Allemagne, l'Italie et le Japon, dont l'État nazi devint le pilier central. Celui-ci entreprit, de manière à la fois plus implacable et plus manifeste, de détruire les valeurs et les institutions de la « civilisation occidentale » de l'Ère des révolutions, projet barbare qu'il était à même d'exécuter. Les victimes potentielles du Japon, de l'Allemagne et de l'Italie virent peu à peu se préciser les projets de conquête des États de « l'Axe », jusqu'à ce que la guerre, à partir de 1931, parût inéluctable. « Le fascisme, c'est la guerre », disait le slogan. En 1931, le Japon envahit la Mandchourie et y installa un État fantoche. En 1932, il occupa la Chine au nord de la Grande Muraille et débarqua des troupes à Shangaï. En 1933, Hitler accéda au pouvoir en Allemagne, avec un programme qu'il ne cherchait aucunement à dissimuler. En 1934, la démocratie autrichienne succomba à l'issue d'une brève guerre civile et laissa place à un régime semi-fasciste : celui-ci se distingua essentiellement en résistant à l'intégration à l'Allemagne et (avec le soutien de l'Italie) en écrasant un coup d'État nazi qui coûta la vie au Premier ministre autrichien. En 1935, l'Allemagne dénonça les traités de paix et redevint une grande puissance militaire et navale, récupérant la Sarre, sur sa frontière ouest, à l'issue d'un plébiscite et quittant avec mépris la Société des Nations. La même année, avec un égal mépris de l'opinion internationale, Mussolini envahit l'Éthiopie, que l'Italie entreprend de conquérir et d'occuper pour en faire une colonie en 1936-1937, après avoir elle aussi quitté la SDN. En 1936, l'Allemagne réinvestit militairement la Rhénanie tandis qu'un coup d'État militaire accompli avec l'aide et l'intervention déclarées de l'Allemagne et de l'Italie provoque en Espagne un conflit de première grandeur, sur lequel nous aurons l'occasion de revenir. Les deux puissances fascistes s'alignent officiellement, pour former l'Axe Rome-Berlin, tandis que l'Allemagne et le Japon concluent un « Pacte anti-Komintern ». En 1937, sans surprise, le Japon, envahit la Chine et se lance dans une guerre ouverte qui ne prendra fin qu'en 1945. En 1938, l'Allemagne estime à son tour clairement que l'heure de la conquête est arrivée. L'Autriche est envahie et annexée en mars, sans résistance militaire, et, après diverses menaces, les accords de Munich, en octobre, dépècent la Tchécoslovaquie pour en céder, toujours pacifiquement, de grandes parties à Hitler. Ce qu'il en reste sera occupé en mars 1939, encourageant l'Italie, qui n'avait pas manifesté d'ambitions impériales depuis quelques mois, à occuper l'Albanie. Presque aussitôt, une crise polonaise, née une fois encore des revendications territoriales de l'Allemagne, paralyse l'Europe. Ce sera le début de la guerre européenne de 1939-1941, qui débouchera sur la Seconde Guerre mondiale.

Il est cependant un autre facteur qui contribua à tisser les fils de la politique nationale en une seule toile internationale : la faiblesse systématique et de plus en plus spectaculaire des États libéraux et démocratiques (qui étaient aussi les vainqueurs de la Première Guerre mondiale) ; leur incapacité ou leur manque d'empressement à agir, seuls ou de manière concertée, à résister aux avancées de leurs ennemis. C'est cette crise du libéralisme qui consolida les arguments et les forces du fascisme et du gouvernement autoritaire (*cf.* chapitre 4). Les Accords de Munich, en 1938, furent une illustration parfaite de ce mélange d'aplomb et d'agression, d'un côté, de peur et de concession de l'autre : ainsi, pendant des générations, le mot même de « Munich » devint-il synonyme, dans le discours politique en Occident, de recul et de lâcheté. La honte de Munich, ressentie presque aussitôt, y compris par ceux qui paraphèrent les accords, ne tenait pas seulement au triomphe à bon compte concédé à Hitler : elle était dans la peur tangible de la guerre qui les avait précédés et le sentiment de soulagement encore plus tangible de l'avoir évitée à n'importe quel prix. « Les cons », aurait marmonné avec mépris Daladier lorsque, après avoir tiré un trait sur l'existence d'un allié de la France, il s'attendait à être sifflé à son retour à Paris et qu'il fut accueilli par les vivats de la foule. La popularité de l'URSS et la répugnance à la critiquer tenaient essentiellement à son opposition cohérente à l'Allemagne nazie, qui tranchait sur les atermoiements de l'Occident. Le choc du pacte d'août 1939 avec l'Allemagne en fut d'autant plus grand.

II

La mobilisation de tous les soutiens possibles contre le fascisme, c'est-à-dire contre le camp allemand, fut donc un triple appel à l'union de toutes les forces politiques, qui avaient un intérêt commun à résister à la progression de l'Axe ; un appel à une véritable politique de résistance, et aux gouvernements disposés à mettre en œuvre cette politique. Il fallut plus de huit ans pour accomplir cette mobilisation : dix, si l'on fait commencer la course à la guerre mondiale en 1931. Car la réponse aux trois appels fut inévitablement hésitante, étouffée ou mélangée.

L'appel à l'unité antifasciste était, à certains égards, susceptible de recevoir la réponse la plus immédiate, puisque le fascisme traitait comme des ennemis méritant également d'être détruits, à la fois les libéraux de diverses natures, les socialistes et les communistes, toutes les formes de régimes démocratiques et de type soviétique. Suivant le vieil adage anglais, « que tous s'y collent, ou chacun aura la corde au col ». Jusque-là, les communistes avaient été à gauche les plus grands semeurs de discorde, concentrant leur feu (comme il est, hélas, caractéristique des extrémistes en politique) non pas contre l'ennemi évident, mais contre le concurrent potentiel le plus proche, par-dessus tout les sociaux-démocrates (*cf.* chapitre 2) : dans les dix-huit mois qui suivirent l'accession de Hitler au pouvoir, ils changèrent de cap pour devenir les champions les plus systématiques et, comme d'habitude, les plus efficaces de l'unité antifasciste. Ce changement élimina le principal obstacle à l'union de la gauche, mais non les soupçons mutuels profondément enracinés.

La stratégie mise en avant, de concert avec Staline, par l'Internationale communiste, qui avait choisi pour nouveau secrétaire général le Bulgare Georges Dimitrov – dont le courageux défi lancé aux nazis lors du procès de l'incendie du Reichstag[3], en 1933, avait partout électrisé les antifascistes –, était, au fond, celle des cercles concentriques. Les forces unies du travail (le « Front uni ») formeraient la base d'une alliance électorale et politique plus large avec les démocrates et les libéraux (le « Front populaire »). Au-delà de cette alliance, et devant la progression continue de l'Allemagne, les communistes envisagèrent un élargissement toujours plus grand en un

« Front national » de tous ceux qui, indépendamment de leur idéologie et de leurs convictions politiques, voyaient dans le fascisme (les
puissances de l'Axe) le principal danger. Cette extension de l'alliance antifasciste au-delà du centre politique, vers la droite – la
« main tendue » des communistes français aux catholiques ou l'empressement des communistes britanniques à accueillir Winston Churchill, notoirement hostile aux « rouges » – c'est plutôt du côté de la
gauche traditionnelle qu'elle rencontra davantage de résistance,
avant que la logique de la guerre ne finît par l'imposer. L'union du
centre et de la gauche n'en avait pas moins un vrai sens politique : la
France (qui ouvrit la voie) et l'Espagne virent se former des « Fronts
populaires », qui parvinrent à repousser les offensives locales de la
droite et obtinrent des victoires électorales spectaculaires en Espagne
(février 1936) et en France (mai 1936).

Ces victoires mirent dramatiquement en relief les coûts de la désunion passée, parce que les listes électorales unies du centre et de la
gauche remportèrent de larges majorités parlementaires. Mais si, en
France notamment, elles trahirent au sein de la gauche un très net
glissement de l'opinion au profit du PC, elles ne furent pas le signe
d'un élargissement sérieux des bases politiques de l'antifascisme. En
vérité, le triomphe du Front populaire en France, qui porta au pouvoir le premier gouvernement jamais dirigé par un socialiste, l'intellectuel Léon Blum (1872-1950), résulta de l'augmentation d'à peine
1 % des suffrages obtenus par la coalition des radicaux, des socialistes et des communistes par rapport en 1932. En Espagne, le Front
populaire bénéficia d'un déplacement du corps électoral un peu plus
important, mais qui n'en laissa pas moins le nouveau gouvernement
avec près de la moitié des électeurs contre lui (et une droite un peu
plus forte qu'auparavant). Reste que ces victoires réveillèrent les
espoirs des mouvements ouvriers et socialistes locaux, suscitant
même une certaine euphorie. Plus qu'on ne saurait le dire pour le
Labour Party en Grande-Bretagne : ébranlé par le marasme et la crise
politique en 1931 (avec cinquante députés seulement), quatre ans
plus tard, il n'avait pas tout à fait retrouvé son électorat d'avant la
crise ni beaucoup plus que la moitié de ses sièges de 1929. Entre
1931 et 1935, l'électorat conservateur diminua de 61 à 54 %.
Conduit à partir de 1937 par Neville Chamberlain, dont le nom
même devint synonyme d'« apaisement » à l'égard de Hitler, le gou-

vernement « national » bénéficiait d'une solide majorité. Il n'est aucune raison de supposer que, si la guerre n'avait éclaté en 1939 et si les élections avaient eu lieu comme prévu en 1940, les conservateurs n'auraient pas obtenu de nouveau une majorité confortable. En fait, sauf dans la plupart des pays scandinaves, où les sociaux-démocrates progressèrent fortement, il n'y eut aucun signe de glissement électoral à gauche significatif dans l'Europe occidentale des années 1930, tandis que dans l'Europe du Sud et de l'Est, où il y eut encore des élections, on assista au contraire à quelques glissements à droite assez massifs. Le contraste est vif entre l'ancien et le nouveau mondes. En Europe, il n'y eut rien de comparable au basculement spectaculaire des Républicains au profit des Démocrates en 1932, mais il faut dire que, en termes électoraux, Franklin D. Roosevelt atteignit son apogée en 1932, même si, à la surprise de tous, sauf du peuple, il ne fut pas loin de renouveler l'exploit en 1936.

L'antifascisme organisa donc les adversaires traditionnels de la droite, mais il n'en gonfla pas les rangs ; il mobilisa des minorités plus facilement que des majorités. Parmi ces minorités, les intellectuels et les amateurs d'art se montrèrent particulièrement réceptifs (hormis un courant littéraire international inspiré par la droite nationaliste et antidémocratique – *cf.* chapitre 6), parce que, dans les domaines qui les concernaient, l'hostilité arrogante et agressive du national-socialisme aux valeurs de la civilisation telles qu'on les concevait jusque-là était flagrante. Le racisme nazi se solda par l'exode massif de savants juifs ou de gauche qui essaimèrent dans le monde de tolérance qui subsistait. La haine nazie de la liberté intellectuelle épura presque aussitôt les universités du Reich de peut-être un tiers de leurs enseignants. Les attaques contre la culture « moderniste », l'autodafé des livres indésirables, « juifs » et autres, commença pratiquement dès l'accession de Hitler au pouvoir. Cependant, alors que les citoyens ordinaires pouvaient désapprouver les barbaries plus brutales du système – les camps de concentration et la réduction des Juifs allemands (y compris tous ceux qui avaient au moins un grand-parent juif) à une sous-classe isolée et privée de ses droits –, un nombre étonnamment important n'y vit, au pire, que des aberrations limitées. Après tout, les camps de concentration étaient alors surtout un élément de dissuasion dirigés contre l'opposition communiste potentielle, des prisons pour les cadres de la subversion ; autrement dit, maints conservateurs traditionnels ne les voyaient pas d'un mauvais œil. Lorsque la guerre éclata, ces camps ne comptaient pas plus de huit mille personnes au total. (Leur expansion en un univers concentrationnaire de terreur, de torture et de mort pour des centaines de milliers, et même des millions de personnes n'intervint qu'au cours de la guerre.) Jusqu'à la guerre, la politique nazie, si barbare que fût le traitement réservé aux Juifs, semblait encore envisager, en guise de « solution finale » du « problème juif », une expulsion massive plutôt qu'une extermination massive. Pour l'observateur apolitique, l'Allemagne elle-même, si rebutantes qu'en fussent certaines caractéristiques, apparaissait comme un pays économiquement florissant et pourvu d'un gouvernement populaire. Ceux qui lisaient des livres, notamment le *Mein Kampf* de Hitler, étaient vraisemblablement plus susceptibles de reconnaître, dans la rhétorique sanguinaire des agitateurs racistes ou la torture et le meurtre pratiqués à Dachau ou à Buchenwald, la menace de tout un monde bâti sur le renversement délibéré de la civilisation. Les intellectuels occidentaux (mais, à cette époque, une fraction seulement des étudiants, qui formaient dans leur écrasante majorité un contingent de fils et futurs membres des respectables « classes bourgeoises ») furent donc la première couche sociale à largement se mobiliser contre le fascisme dans les années 1930. C'était encore une couche assez modeste, quoique exceptionnellement influente, ne serait-ce qu'en raison de la présence de journalistes qui, dans les pays non fascistes de l'Occident, jouèrent un rôle crucial en alertant les lecteurs et les décideurs mêmes plus conservateurs sur la nature du nazisme.

Sur le papier, la politique concrète de résistance à l'essor du camp fasciste était, une fois encore, simple et logique. Elle consistait à unir tous les pays contre les agresseurs (la Société des Nations en était un cadre possible), à ne leur faire aucune concession et, par la menace et au besoin l'action commune, à les dissuader ou à les vaincre. Maxime Litvinov (1876-1951), le commissaire aux Affaires étrangères de l'URSS, se fit le porte-parole de cette « sécurité collective ». Plus facile à dire qu'à faire. Le principal obstacle était que, alors comme aujourd'hui, même les États qui partageaient la peur et la suspicion à l'égard des agresseurs avaient d'autres intérêts divergents ou susceptibles d'être exploités afin de les diviser.

Il est difficile de dire quel rôle joua en la matière la fissure la plus évidente : entre l'Union soviétique, engagée en théorie à renverser les régimes bourgeois et à abattre tous leurs empires, et les autres États, qui voyaient alors en l'URSS l'inspiratrice et l'instigatrice de la subversion. Tandis que les gouvernements (après 1933 les principaux d'entre eux reconnurent l'URSS) furent toujours disposés à traiter avec elle quand cela servait leurs besoins, une partie de leurs membres et de leurs instances continuaient à considérer le bolchevisme, en Russie et à l'étranger, comme l'ennemi numéro un, dans l'esprit « guerre froide » d'après 1945. Les services britanniques de renseignement furent, il est vrai, exceptionnels dans leur focalisation sur la menace rouge, au point que celle-ci ne cessa d'être leur cible principale qu'au milieu des années 1930 (Andrew, 1985, p. 530). Néanmoins, plus d'un bon conservateur avait le sentiment, surtout en Grande-Bretagne, que la meilleure des solutions serait de loin une guerre germano-soviétique, qui affaiblirait, peut-être détruirait, les deux ennemis, et qu'une défaite du bolchevisme par une Allemagne affaiblie ne serait pas une mauvaise chose. La répugnance des gouvernements occidentaux à engager de véritables négociations avec l'État rouge, même en 1938-1939 alors que plus personne ne niait l'urgence d'une alliance contre Hitler, n'était que trop criante. En vérité, c'est la peur de se retrouver seul face à Hitler qui finit par conduire Staline, champion inébranlable depuis 1934 d'une alliance avec l'Occident, au pacte Staline-Ribbentrop d'août 1939. Il espérait ainsi maintenir l'URSS à l'écart de la guerre tandis que l'Allemagne et les puissances occidentales s'affaibliraient mutuellement, au bénéfice de son État qui, du fait des clauses secrètes du pacte, récupèrerait une bonne partie des territoires occidentaux perdus par la Russie après la révolution. Le calcul se révéla mauvais, mais, comme les efforts avortés pour créer un front commun contre Hitler, il met en évidence les divisions qui rendirent possible l'extraordinaire ascension de l'Allemagne nazie entre 1933 et 1939, sans rencontrer pratiquement aucune résistance.

De surcroît, la géographie, l'histoire et l'économie donnaient aux gouvernements des perspectives différentes sur le monde. Le continent européen en tant que tel n'intéressait guère ou pas le Japon ni les États-Unis, dont les politiques étaient tournées vers le Pacifique et les Amériques, ni la Grande-Bretagne, encore attachée à son empire mondial et à une stratégie maritime globale, quoique trop faible pour réaliser ses ambitions dans l'un ou l'autre domaine. Les pays d'Europe de l'Est étaient pris en tenaille entre l'Allemagne et la Russie : cette situation détermina à l'évidence leur politique, surtout quand les puissances occidentales se révélèrent incapables de les protéger. Plusieurs pays de l'Europe de l'Est avaient acquis d'anciens territoires russes après 1917, et, bien qu'hostiles à l'Allemagne, résistèrent à toute alliance anti-allemande qui aurait eu pour effet de ramener les forces russes sur leurs terres. Pourtant, ainsi que la Seconde Guerre mondiale devait le démontrer, il n'était d'alliance antifasciste efficace en-dehors de l'URSS. Sur le plan économique, enfin, les pays comme la Grande-Bretagne, qui savaient avoir mené la Première Guerre mondiale au-delà de leurs capacités financières, reculèrent devant les coûts du réarmement. Bref, entre reconnaître dans les puissances de l'Axe un danger majeur et se décider à faire quelque chose, il y avait un fossé.

La démocratie libérale (qui, par définition, n'existait pas du côté fasciste ou autoritaire) creusa cet écart. Elle ralentit ou empêcha la décision politique, notamment aux États-Unis, et, sans conteste, rendit difficile, parfois impossible, de poursuivre des politiques impopulaires. Nul doute que certains gouvernements aient justifié ainsi leur propre torpeur, mais l'exemple des États-Unis prouve que même un président fort et populaire comme F. D. Roosevelt n'était pas en mesure de mettre en œuvre sa politique étrangère antifasciste contre l'opinion de l'électorat. Sans Pearl Harbor, et la déclaration de guerre de Hitler, les États-Unis seraient très certainement restés à l'écart de la Seconde Guerre mondiale. On voit mal dans quelles circonstances ils y seraient entrés.

Pourtant, ce qui affaiblit la détermination des démocraties européennes, de la France et de la Grande-Bretagne, ce ne sont pas tant les mécanismes politiques de la démocratie que le souvenir de la Première Guerre mondiale. C'était une blessure, dont les électeurs comme les gouvernements éprouvaient vivement la douleur, parce que l'impact de cette guerre avait été à la fois sans précédent et universel. Pour la France comme pour la Grande-Bretagne, elle eut, en termes humains (mais pas en termes matériels), un impact beaucoup plus grand que la Seconde Guerre mondiale (*cf.* chapitre 1). Il fallait éviter à tout prix une nouvelle guerre de ce genre. Tel fut certainement le dernier ressort de toute politique.

Bien que le moral militaire des Français (qui avaient plus souffert qu'aucun autre pays belligérant) fût certainement affaibli par le traumatisme de 1914-1918, il ne faut pas confondre la répugnance à s'engager dans la guerre avec le refus de combattre. Personne n'entra dans la Seconde Guerre mondiale en chantant, pas même les Allemands. Par ailleurs, même très populaire en Grande-Bretagne dans les années 1930, le pacifisme (non religieux) ne fut jamais un mouvement de masse ; il s'évanouit en 1940. Bien que les « objecteurs de conscience » aient été largement tolérés au cours de la Seconde Guerre mondiale, ceux qui revendiquèrent le droit de refuser de se battre furent peu nombreux (Calvocoressi, 1987, p. 63).

Du côté de la gauche non communiste, dont la haine de la guerre et du militarisme après 1918 était plus forte encore qu'elle ne l'avait été (en théorie) avant 1914, la paix à tout prix demeura une position minoritaire, même en France, où elle se manifesta avec le plus de vigueur. En Grande-Bretagne, George Lansbury, pacifiste qui, par les hasards d'un holocauste électoral, se retrouva à la tête du Labour Party en 1931, fut efficacement et brutalement écarté de la direction en 1935. À la différence du gouvernement du Front populaire dirigé par les socialistes, en France, dans les années 1936-1938, on pouvait reprocher au Labour britannique non pas son manque de fermeté à l'égard des agresseurs fascistes, mais son refus d'approuver les mesures militaires nécessaires pour rendre une résistance efficace : le réarmement et la conscription. Le même reproche pourrait être adressé aux communistes, qui n'ont pourtant jamais été tentés par le pacifisme.

En vérité, la gauche était prise dans une contradiction. D'un côté, la force de l'antifascisme était de mobiliser ceux qui redoutaient la guerre, tant la dernière que les horreurs inconnues de la prochaine. Que le fascisme fût synonyme de guerre était une raison suffisante pour le combattre. De l'autre, la résistance au fascisme qui n'envisageait pas de recourir aux armes ne pouvait réussir. Qui plus est, l'espoir de provoquer la chute de l'Allemagne hitlérienne, ou même de l'Italie mussolinienne, par une politique de fermeté collective mais pacifique, reposait sur des illusions concernant Hitler et les forces d'opposition supposées en Allemagne. En tout état de cause, nous qui avons vécu cette époque, nous *savions* qu'il y aurait une guerre, quand bien même nous esquissions des scénarios peu convaincants pour l'éviter. Nous nous attendions – l'historien peut aussi faire appel à sa mémoire – à combattre au cours de la prochaine guerre et probablement à mourir. Et, en tant qu'antifascistes, nous ne doutions pas que le jour viendrait où nous n'aurions d'autre choix que de nous battre.

Néanmoins, le dilemme politique de la gauche ne peut expliquer l'échec des gouvernements, ne serait-ce que pour la raison que l'efficacité des préparatifs de la guerre ne dépendaient pas de résolutions adoptées (ou non) dans les congrès du parti, ni même, pendant plusieurs années, de la peur des élections. Reste que la Grande Guerre avait aussi laissé une cicatrice indélébile sur les gouvernements, en particulier français et britannique. La France en était sortie saignée à blanc, et elle était encore potentiellement une puissance plus petite et plus vulnérable que l'Allemagne défaite. Sans ses alliés, la France n'était rien contre une Allemagne qui s'était réveillée. Et les seuls pays européens qui eussent un intérêt égal à s'allier avec la France, la Pologne et les États successeurs de l'Empire des Habsbourg, étaient de toute évidence trop faibles. Dans la crainte de pertes comparables à celles de Verdun (*cf.* chapitre 1), la France consacra son argent à la construction de fortifications (la « ligne Maginot », du nom d'un ministre vite oublié) censées dissuader les Allemands d'attaquer. Au-delà, ils ne pouvaient se tourner que vers la Grande-Bretagne et, après 1933, l'URSS.

Les gouvernements britanniques avaient pareillement conscience d'une limite fondamentale. Financièrement, ils ne pouvaient se permettre une nouvelle guerre. Stratégiquement, ils ne disposaient plus d'une flotte capable d'intervenir en même temps dans les trois grands océans et en Méditerranée. Par ailleurs, ils se préoccupaient moins de la situation européenne que de la cohésion, avec des forces manifestement insuffisantes, d'un empire mondial géographiquement plus important qu'il ne l'avait jamais été, mais visiblement aussi au seuil de la décomposition.

Les deux États se savaient donc trop faibles pour défendre un *statu quo* largement établi à leur convenance, en 1919, tout en le sachant instable et impossible à préserver. Ni l'un ni l'autre n'avait rien à gagner d'une autre guerre, et beaucoup à perdre. La politique évidente et logique était donc de négocier avec une Allemagne ressuscitée afin d'établir un ordre européen plus durable, ce qui, sans nul doute, les obligeait à faire des concessions à une Allemagne de plus en plus forte. Malheureusement, cette Allemagne réveillée était celle d'Adolf Hitler.

La politique dite d'« apaisement » a si mauvaise presse depuis 1939 qu'il faut se rappeler combien elle paraissait raisonnable aux nombreux hommes politiques occidentaux qui n'étaient pas viscéralement hostiles aux Allemands ou, par principe, farouchement antifascistes. C'était surtout vrai en Grande-Bretagne, où les changements de la carte continentale, en particulier dans de « lointains pays dont nous ne savons pas grand-chose » (Chamberlain à propos de la Tchécoslovaquie en 1938), ne faisaient pas monter la tension. (Les Français, on le conçoit, étaient beaucoup plus sourcilleux face à *toute* initiative favorable à Berlin, qui tôt ou tard ne manquerait pas de se retourner contre eux, mais la France était faible.) Une Seconde Guerre mondiale, pouvait-on prédire avec certitude, ruinerait la Grande-Bretagne et la priverait de larges portions de son Empire. C'est effectivement ce qui arriva. C'était certes un prix que les socialistes, les communistes et les mouvements de libération coloniaux, mais aussi le président F. D. Roosevelt n'étaient que trop disposés à payer pour vaincre le fascisme, mais n'oublions pas qu'il était excessif du point de vue d'impérialistes britanniques rationnels.

Tout compromis et toute négociation avec l'Allemagne hitlérienne étaient cependant impossibles parce que les objectifs politiques du national-socialisme étaient irrationnels et illimités. L'expansion et l'agression faisaient partie du système et, à moins d'accepter d'avance la domination allemande, c'est-à-dire choisir de ne pas résister à l'avancée des nazis, la guerre était tôt ou tard inévitable. D'où le rôle central de l'idéologie dans l'élaboration de la politique au cours des années 1930 : si elle déterminait les objectifs de l'Allemagne nazie, elle *excluait* la *Realpolitik* dans l'autre camp. Ceux qui reconnurent qu'il n'y avait pas de compromis possible avec Hitler, ce qui était une appréciation réaliste de la situation, le firent pour des raisons qui n'avaient rien de pragmatique. Ils jugeaient le fascisme par principe et *a priori* intolérable, ou, comme dans le cas de Winston Churchill, ils étaient animés par une idée tout aussi *a priori* de ce que « représentaient » leur pays et leur empire et de ce qu'on ne pouvait sacrifier. Le paradoxe de Winston Churchill est que ce grand romantique, qui s'était presque invariablement fourvoyé dans ses jugements politiques depuis 1914 – y compris dans son évaluation de la stratégie militaire, spécialité dont il se faisait gloire – se montra réaliste sur la seule question de l'Allemagne.

Inversement, les tenants réalistes de l'apaisement furent totalement irréalistes dans leur appréciation de la situation, même lorsque, en 1938-1939, l'impossibilité d'un règlement négocié avec Hitler devint évidente à tout observateur raisonnable. Telle est la raison de la sinistre tragi-comédie de mars-septembre 1939, qui se termina par une guerre dont personne ne voulait dans des conditions que personne ne souhaitait (pas même l'Allemagne). La Grande-Bretagne et la France n'auront toujours aucune idée de la conduite à suivre jusqu'à ce qu'elles se fassent balayer par le *Blitzkrieg* de 1940. Face à l'évidence qu'eux-mêmes acceptaient, les tenants de l'apaisement, à Paris et à Londres, ne purent se résoudre à négocier sérieusement une alliance avec l'URSS, sans laquelle aucune guerre ne pouvait être différée ni gagnée, et sans laquelle les garanties contre une agression allemande distribuées à l'impromptu et négligemment en Europe de l'Est par Neville Chamberlain (si incroyable que cela paraisse, sans consulter l'URSS ni même l'en informer convenablement) n'étaient que des chiffons de papier. Londres et Paris ne voulaient pas combattre, mais tout au plus dissuader par une démonstration de force. Cela ne parut pas un instant crédible à Hitler, ni en l'occurrence à Staline, dont les négociateurs réclamèrent vainement des propositions d'opérations stratégiques communes en Baltique. Lorsque les armées allemandes entrèrent en Pologne, le gouvernement de Neville Chamberlain était encore disposé à pactiser avec Hitler, ainsi que celui-ci l'avait escompté (Watt, 1989, p. 215).

Mais Hitler s'était trompé dans ses calculs. Les États occidentaux déclarèrent la guerre : non pas que leurs hommes d'État le voulussent, mais parce que la politique même de Hitler après Munich coupa l'herbe sous les pieds des tenants de l'apaisement. C'est lui qui mobilisa contre le fascisme les masses jusque-là indifférentes. C'est au fond l'occupation allemande de la Tchécoslovaquie, en mars 1939, qui convertit l'opinion publique britannique à la résistance et, ce faisant, força la main d'un gouvernement réticent ; lequel, à son tour, contraignit un gouvernement français qui n'avait d'autre solution que d'emboîter le pas à son seul véritable allié. Pour la première fois, le combat contre l'Allemagne hitlérienne réunit plutôt qu'il ne divisa les Britanniques, mais, pour un temps, en vain. Alors que les Allemands s'empressaient de détruire implacablement la Pologne, et s'en partageaient les dépouilles avec un Staline réfugié dans une neutralité condamnée, une « drôle de guerre » succéda en Europe à une paix invraisemblable.

Aucune espèce de *Realpolitik* ne saurait expliquer la politique des tenants de l'apaisement après Munich. Dès lors qu'une guerre paraissait suffisamment probable – et qui en doutait en 1939 ? –, la seule chose à faire était de s'y préparer aussi efficacement que possible. Ce que l'on ne fit pas. La Grande-Bretagne, même celle de Chamberlain, n'était certainement pas disposée à accepter une Europe dominée par Hitler avant que cela se fut accompli, même si, après la défaite de la France, l'idée d'une paix négociée, c'est-à-dire l'idée de s'incliner devant la défaite, trouva quelques partisans sérieux. Même en France, où le pessimisme confinant au défaitisme était beaucoup plus répandu parmi les politiques et les militaires, le gouvernement ne montra aucune intention de rendre l'âme, ni ne la rendit avant que l'armée ne s'effondrât en juin 1940. Sa politique était hésitante : il n'osait suivre ni la logique de la politique de puissance, ni les convictions *a priori* soit des résistants, pour qui *rien* ne pouvait avoir plus d'importance que de combattre le fascisme (le fascisme en tant que tel ou incarné par l'Allemagne hitlérienne), soit celle des anticommunistes, pour qui la défaite de Hitler signifierait l'effondrement des systèmes autoritaires qui constituaient le principal « rempart » contre la « révolution communiste » (Thierry Maulnier, 1938, cité *in* P. Ory, 1976, p. 24). Il n'est pas facile de dire ce qui déterminait les actions de ces hommes politiques, car ils étaient guidés par leur intelligence, certes, mais aussi par des préjugés, des idées toutes faites, des espoirs et des craintes, qui faussaient leur vision. Il y avait les souvenirs de la Première Guerre mondiale et les doutes des hommes politiques qui imaginaient la débâcle de leurs économies et de leurs systèmes politiques démocratiques et libéraux : état d'esprit plus typique du Continent que de la Grande-Bretagne. Il y avait aussi un authentique point d'interrogation : dans quelles circonstances les résultats imprévisibles d'une politique de résistance couronnée de succès pourraient-ils justifier les coûts prohibitifs impliqués ? Car, après tout, dans l'esprit de la majorité des hommes politiques français et britan-

niques, le mieux qu'on pût faire, c'était de préserver un *statu quo* pas
très satisfaisant et probablement intenable. Et derrière tout cela se
posait la question de savoir si, dès lors que le *statu quo* était de toute
façon condamné, le fascisme n'était pas préférable à l'autre
solution : la révolution sociale et le bolchevisme. Si la seule espèce
de fascisme disponible avait été la forme italienne, rares sont les
conservateurs ou les modérés qui eussent hésité. Même Winston
Churchill était pro-italien. Mais ils avaient en face d'eux non pas
Mussolini, mais Hitler. Reste qu'il n'est pas insignifiant que le principal espoir de tant de gouvernements et de diplomates des années
1930 fût de stabiliser l'Europe en s'arrangeant avec l'Italie, ou tout
au moins de détacher Mussolini de son alliance avec son disciple.
Cette stratégie n'aboutit pas, même si Mussolini lui-même se montra
assez réaliste pour conserver quelque liberté d'action jusqu'en juin
1940. À tort, sans être pour autant tout à fait déraisonnable, il en
conclut alors que les Allemands avaient gagné et déclara la guerre à
son tour.

III

Que les affrontements aient eu lieu à l'intérieur des États ou entre
eux, les problèmes des années 1930 avaient donc une dimension
transnationale. Nulle part celle-ci n'eut un caractère d'évidence aussi
visible que dans la guerre civile espagnole des années 1936-1939,
qui devint l'expression par excellence de cet affrontement mondial.

Après-coup, il peut sembler surprenant que ce conflit ait *instanta-
nément* mobilisé les sympathies de la gauche comme de la droite en
Europe et aux Amériques, et notamment des intellectuels du monde
occidental. L'Espagne était à la périphérie de l'Europe, et son histoire avait été systématiquement déphasée par rapport au reste du
Continent, dont elle était séparée par le mur des Pyrénées. Elle s'était
tenue à l'écart de toutes les guerres européennes depuis Napoléon, et
elle devait rester à l'écart de la Seconde Guerre mondiale. Depuis
l'aube du XIXᵉ siècle, ses affaires n'avaient pas vraiment intéressé les
gouvernements européens, bien que les États-Unis lui eussent livré

une brève guerre en 1898 pour lui enlever les dernières parties de son ancien Empire mondial du XVIe siècle : Cuba, Porto-Rico et les Philippines[4]. En vérité, et contrairement aux convictions de la génération de l'auteur, la guerre civile d'Espagne ne fut pas la première phase de la Seconde Guerre mondiale, et la victoire du général Franco, qu'on ne saurait qualifier de fasciste, n'eut pas de conséquences mondiales significatives. Elle ne fit que maintenir l'Espagne (et le Portugal) isolée du reste du monde pour encore trente ans.

Pourtant, ce n'est pas par hasard que la politique intérieure de ce pays notoirement hors norme et replié sur lui-même devint dans les années 1930 le symbole d'un affrontement mondial. Elle posa en effet les problèmes politiques fondamentaux de l'heure : d'un côté, la démocratie et la révolution sociale, l'Espagne étant le seul pays d'Europe où celle-ci était prête à éclater ; de l'autre, un camp extraordinairement intraitable, contre-révolutionnaire ou réactionnaire, inspiré par une Église catholique qui rejetait tout ce qui s'était produit dans le monde depuis Martin Luther. Assez curieusement, ni les partis du communisme moscovite ni ceux d'inspiration fasciste n'y avaient un poids véritable avant la guerre civile, car le pays suivait sa voie excentrique propre, du côté de la gauche anarchiste comme de l'extrême droite carliste[5].

Anticléricaux et maçonniques à la manière des pays latins du XIXe siècle, les libéraux bien intentionnés qui renversèrent les Bourbons à la faveur de la révolution pacifique de 1931 ne purent ni contenir la fermentation sociale des pauvres, à la campagne comme en ville, ni la désamorcer par des réformes sociales efficaces (essentiellement agraires). En 1933, ils durent laisser la place à des gouvernements conservateurs qui, en réprimant les agitations et les insurrections locales, comme le soulèvement des mineurs asturiens en 1934, ne firent que renforcer les pressions révolutionnaires. C'est à ce stade que la gauche espagnole découvrit le Front populaire du Komintern, alors encouragé par la France voisine. L'idée que tous les partis forment un front électoral uni contre la droite trouva un écho au sein d'une gauche qui ne savait trop que faire. Même les anarchistes, dans ce qui était leur dernier bastion au monde, étaient enclins à demander à leurs partisans de céder au vice bourgeois de la participation aux élections, qu'ils avaient jusque-là rejetée comme indigne de vrais révolutionnaires, dans la mesure où aucun anarchiste n'entendait se souiller en se présentant. En février 1936, le Front populaire remporta les élections d'une courte majorité (non par un raz-de-marée) et, grâce à sa coordination, une large majorité parlementaire aux Cortès. Cette victoire n'engendra pas tant un gouvernement de gauche efficace qu'une fissure à travers laquelle la lave accumulée du malaise social put commencer à jaillir. Le phénomène devint de plus en plus évident au cours des mois suivants.

C'est alors que, devant l'échec de la droite orthodoxe, l'Espagne renoua avec une forme de politique dont elle avait été la pionnière et qui était devenue caractéristique du monde ibérique : le *pronunciamiento* ou coup d'État militaire. Mais de même que la gauche espagnole regardait, par-delà les frontières nationales, vers le « frontisme populaire », la droite se sentait attirée par les puissances fascistes. Ce mouvement ne s'exerçait à travers la modeste organisation fasciste locale, la Phalange, que par l'Église et les monarchistes, pour lesquels il n'y avait guère de différence entre les libéraux et les communistes, également athées, et avec lesquels il n'y avait aucune possibilité de compromis. L'Italie et l'Allemagne espéraient tirer quelque bénéfice moral, et peut-être politique, d'une victoire de la droite. Les généraux espagnols, qui commencèrent à comploter sérieusement un coup d'État après les élections, négocièrent avec l'Italie l'aide financière et pratique dont ils avaient besoin.

Cependant, les périodes de victoire démocratique et de mobilisation politique des masses ne sont pas idéales pour les coups d'État militaires, qui ne peuvent réussir que si les civils, sans parler des sections non engagées des forces armées, acceptent les signaux, de même que les putschistes dont les coups d'essai ne sont pas acceptés doivent pacifiquement admettre leur défaite. Le *pronunciamiento* ne réussit jamais mieux que lorsque les masses sont repliées sur elles-mêmes ou que les gouvernements ont perdu leur légitimité. Or ces conditions n'étaient pas réunies en Espagne. Le coup de force des généraux du 17 juillet 1936 réussit dans certaines villes, mais se heurta à la résistance farouche de la population et des forces loyalistes en d'autres. Les militaires ne parvinrent à s'emparer des deux plus grandes villes d'Espagne, dont Madrid, la capitale. Dans certaines parties du pays, le coup d'État précipita donc la révolution sociale qu'il entendait prévenir. Dans toute l'Espagne, il déboucha sur une longue guerre civile entre le gouvernement légitime de la

République – dûment élu et maintenant élargi aux socialistes, aux communistes et même à quelques anarchistes, mais cohabitant malaisément avec les forces de la rébellion de masse qui avaient fait échec au coup d'État –, et les généraux insurgés, qui se présentaient comme des croisés nationalistes contre le communisme. Francisco Franco y Bahamonde (1892-1975), le plus jeune des généraux, et politiquement le plus intelligent, se retrouva à la tête d'un *nouveau* régime, qui au cours de la guerre devint autoritaire, avec un parti unique : un conglomérat de droite allant du fascisme aux anciens monarchistes et aux carlistes ultras, au nom absurde de Phalange espagnole traditionaliste. Mais les deux camps de la guerre civile avaient besoin d'appui. Tous deux en appelèrent à leurs partisans potentiels.

La réaction de l'opinion antifasciste au soulèvement des généraux fut immédiate et spontanée, à la différence de celle des gouvernements non fascistes, nettement plus prudente, même lorsque, comme l'URSS et le gouvernement du Front populaire en France, ils étaient de tout cœur derrière la République. (L'Italie et l'Allemagne envoyèrent aussitôt des armes et des hommes.) La France était impatiente d'aider son camp et apporta même quelque aide (officiellement « niable ») à la République. Puis elle dut se rallier à une politique officielle de « non-intervention » en raison de ses divisions internes et d'un gouvernement britannique profondément hostile à ce qui lui apparaissait comme une avancée de la révolution sociale et du bolchevisme dans la Péninsule ibérique. En Occident, l'opinion bourgeoise et conservatrice partageait généralement cette attitude même si, sauf pour l'Église catholique et les pro-fascistes, elle ne s'identifia pas avec ferveur aux généraux. Bien que clairement du côté républicain, la Russie se joignit aussi à l'Accord de non-intervention parrainé par les Britanniques, dont personne n'espérait ou ne voulait atteindre l'objectif – empêcher l'aide allemande et italienne aux généraux – et qui, en conséquence, couvrait toutes les nuances du spectre, « de l'équivoque à l'hypocrisie » (Thomas, 1977, p. 395). À compter de septembre 1936, la Russie, de bon cœur sinon tout à fait officiellement, envoya des hommes et du matériel pour soutenir la République. La non-intervention signifiait simplement que Londres et Paris se refusaient à faire quoi que ce fût concernant l'intervention massive des puissances de l'Axe en Espagne et, ce faisant, laissaient tomber la République. Cela confirma fascistes et antifascistes dans leur mépris des non-intervenants tout en rehaussant considérablement le prestige de l'URSS, la seule puissance à avoir secouru le gouvernement espagnol légitime, et des communistes, tant à l'intérieur qu'à l'extérieur du pays. Internationalement, ce sont eux qui organisèrent cette aide ; en Espagne, ils eurent tôt fait de s'imposer comme l'épine dorsale de l'effort militaire de la République.

Dès avant que les Soviétiques n'aient mobilisé leurs ressources, tous, des libéraux à l'extrême gauche, reconnurent aussitôt dans la lutte espagnole leur combat. Ainsi que l'écrivit W. H. Auden, le plus fin poète britannique de la décennie :

> *Sur cet aride carré, ce fragment découpé de la chaude*
> *Afrique, si grossièrement soudée à l'inventive Europe ;*
> *Sur ce plateau de terre sillonné de fleuves,*
> *Nos pensées ont des corps ; les formes menaçantes de notre*
> *fièvre*
> *Sont précises et vivantes.*

Qui plus est, c'est là et seulement là que la retraite sans fin et démoralisante de la gauche fut arrêtée par des hommes et des femmes qui combattirent la progression de la droite les armes à la main. Dès avant que l'Internationale communiste ne commençât à organiser les Brigades internationales (dont les premiers contingents arrivèrent mi-octobre à leur base), en fait dès avant que les premières colonnes organisées de volontaires n'apparussent sur le front (celles du mouvement libéral-socialiste italien *Giustizia e Libertá*), les volontaires étrangers étaient déjà assez nombreux à se battre pour la République. Finalement, c'est plus de 40 000 jeunes étrangers de plus de cinquante nations[6] qui allèrent combattre et, souvent, mourir dans un pays dont beaucoup n'avaient probablement guère plus qu'une connaissance scolaire. Il est significatif qu'un millier de volontaires étrangers seulement ait combattu du côté de Franco (Thomas, 1977, p. 980). À l'usage des lecteurs qui ont grandi dans l'atmosphère morale de la fin du XXe siècle, il faut ajouter que, ni d'un côté ni de l'autre, ces hommes n'étaient des mercenaires ou, sauf dans de très rares cas, des aventuriers. Ils se battaient pour une cause.

On a peine aujourd'hui à se souvenir de ce que l'Espagne a représenté pour les libéraux et les hommes de gauche des années 1930, alors même que pour nombre d'entre nous, les survivants, qui avons tous dépassé l'espérance de vie biblique, elle demeure la seule cause politique qui, même avec le recul, paraisse aussi pure et irrésistible qu'en 1936. Elle semble relever désormais d'un passé préhistorique, même en Espagne. À l'époque, pourtant, il semblait à ceux qui luttaient contre le fascisme qu'elle fût le front central de la bataille, parce que c'était le seul où l'action ne cessa jamais pendant plus de deux ans et demi, le seul où ils purent s'engager à titre individuel, sinon en uniforme, puis en recueillant de l'argent, en aidant les réfugiés et en orchestrant des campagnes incessantes pour faire pression sur des gouvernements timorés. Et l'avancée progressive, mais manifestement irrésistible du camp nationaliste, la défaite et la mort prévisibles de la République, ne firent que rendre d'autant plus urgente la nécessité de forger l'union contre le fascisme mondial.

Car la République espagnole, malgré toutes nos sympathies et l'aide (insuffisante) qu'elle reçut, mena dès le début un combat d'arrière-garde. Avec le recul, il est clair que cela tenait à ses propres faiblesses. Suivant les normes des guerres populaires du XXe siècle, gagnées ou perdues, la guerre républicaine de 1936-1939, malgré tout son héroïsme, fait piètre figure. En particulier, elle ne fit aucun usage sérieux de cette arme puissante qu'est la guerre de guérilla contre des forces conventionnelles supérieures : étrange omission dans le pays qui donna son nom à cette forme de guerre irrégulière. À la différence des nationalistes, qui bénéficiaient d'une seule direction militaire et politique, la République demeura politiquement divisée et – malgré la contribution des communistes – n'eut jamais de volonté militaire ni de commandement stratégique uniques, ou tout au moins que beaucoup trop tard. Au mieux put-elle de temps à autre repousser des offensives potentiellement fatales, prolongeant ainsi une guerre qui aurait bien pu s'achever en novembre 1936 par la prise de Madrid.

À l'époque, la guerre civile espagnole augurait mal de la défaite du fascisme. Sur la scène internationale, ce fut une version miniature d'une guerre européenne, menée entre États fascistes et communistes, les seconds étant notoirement plus prudents et moins déterminés que les premiers. Les démocraties occidentales n'étaient plus sûres de rien, sauf de leur non-engagement. Sur le plan intérieur, c'est une guerre dans laquelle la mobilisation de la droite se révéla beaucoup plus efficace que celle de la gauche. Elle s'acheva par une défaite totale, plusieurs centaines de milliers de morts, plusieurs centaines de milliers de réfugiés dans les pays qui voulaient bien les accueillir, y compris la plupart des talents intellectuels et artistiques survivants de l'Espagne, qui, à de très rares exceptions près, avaient rallié la République. L'Internationale communiste avait mobilisé tous ses formidables talents au service de la République espagnole. Le futur maréchal Tito, libérateur et chef de la Yougoslavie communiste, organisa depuis Paris le recrutement des Brigades internationales ; Palmiro Togliatti, le chef des communistes italiens, dirigea *de facto* un Parti communiste espagnol inexpérimenté et fut parmi les derniers à fuir le pays en 1939. Elle échoua également, et le sut, de même que le savait l'URSS, qui détacha quelques-unes de ses meilleurs têtes militaires au service de l'Espagne : par exemple, les futurs maréchaux Konev, Malinovsky, Voronov et Rokossovsky, ainsi que le futur commandant de la flotte soviétique, l'amiral Kouznetsov.

IV

Et pourtant, la guerre d'Espagne anticipa et prépara la configuration des forces qui, quelques années après la victoire de Franco, devaient abattre le fascisme. Elle anticipa la politique de la Seconde Guerre mondiale, cette alliance unique de fronts nationaux allant des patriotes conservateurs aux socialistes-révolutionnaires, nouée pour vaincre l'ennemi national tout en régénérant la société. Car, pour les vainqueurs, la Seconde Guerre mondiale ne fut pas simplement un combat pour la victoire militaire, mais, même en Grande-Bretagne et aux États-Unis, une lutte pour une société meilleure. Nul ne rêvait d'un retour à 1939, ni même à 1928 ou à 1918, comme après la Première Guerre mondiale les hommes d'État avaient pu rêver de revenir au monde de 1913. Au cœur d'une guerre désespérée, le gouvernement britannique de Winston Churchill s'engagea à construire un

État-providence et à assurer le plein-emploi. Ce n'est pas un hasard si le rapport Beveridge, qui fit toutes ces recommandations, sortit en 1942 : l'année la plus noire dans le conflit désespéré que menait la Grande-Bretagne. Quant aux plans des États-Unis pour l'après-guerre, ils ne concernaient qu'incidemment les moyens de rendre impossible un nouvel Hitler. Les véritables efforts intellectuels des planificateurs de l'après-guerre consistèrent à tirer les leçons de la Grande Crise et des années 1930, afin que cette situation ne puisse se reproduire. Et pour les mouvements de résistance des pays vaincus et occupés par les puissances de l'Axe, il allait sans dire que la libération était indissociable d'une révolution sociale ou, tout au moins, d'une grande transformation. De surcroît, d'un bout à l'autre de l'ancienne Europe occupée, à l'Est comme à l'Ouest, ce sont des gouvernements du même genre qui sortirent de la victoire : des gouvernements d'union nationale s'appuyant sur toutes les forces qui avaient combattu le fascisme, sans distinction idéologique. Pour la première et unique fois de l'histoire, des ministres communistes siégèrent dans la plupart des États européens aux côtés de conservateurs, de libéraux et de sociaux-démocrates. Il est vrai que cette situation ne devait pas durer.

Quand bien même une menace commune les rapprocha, cette stupéfiante unité de contraires, Roosevelt et Staline, Churchill et les socialistes britanniques, de Gaulle et les communistes français, eût été impossible sans un certain relâchement des hostilités et de la suspicion mutuelle entre les champions et les adversaires de la révolution d'Octobre. La guerre civile espagnole facilita les choses. Même les gouvernements contre-révolutionnaires ne pouvaient oublier que le gouvernement espagnol, conduit par un président et un Premier ministre libéraux, jouissait d'une totale légitimité constitutionnelle et morale quand il avait appelé à l'aide contre ses généraux rebelles. Même les hommes d'État démocrates qui, craignant pour leur peau, le trahirent avaient mauvaise conscience. Le pouvoir espagnol et, surtout, les communistes, qui avaient de plus en plus d'influence dans ses affaires, protestaient que la révolution sociale n'était pas leur objectif : ils firent visiblement tout leur possible pour la maîtriser et renverser le cours des choses sous les yeux horrifiés des révolutionnaires les plus fervents. L'enjeu, affirmaient-ils avec force, n'était pas la révolution, mais la défense de la démocratie.

L'intéressant, c'est qu'il ne s'agissait pas d'un simple opportunisme ni, comme le pensaient les puristes de l'extrême gauche, d'une trahison de la révolution. Cette attitude reflétait un changement de stratégie pour accéder au pouvoir : l'abandon de l'insurrection et de la confrontation au profit d'une approche progressive, voire parlementaire, fondée sur la négociation. À la lumière de la réaction des Espagnols au coup d'État, qui fut sans conteste révolutionnaire, les communistes[7] voyaient bien désormais comment une tactique foncièrement défensive, imposée par la situation désespérée de leur mouvement après l'accession de Hitler au pouvoir, ouvrait de nouvelles perspectives d'avancée : une « démocratie d'un nouveau type », naissant des impératifs de la politique et de l'économie de guerre. Les propriétaires terriens et les capitalistes qui soutenaient les rebelles perdraient leurs biens, non pas en tant que propriétaires fonciers ou capitalistes, mais pour avoir trahi. Le gouvernement devrait planifier et prendre le contrôle de l'économie, non pas pour des raisons idéologiques, mais conformément à la logique des économies de guerre. En conséquence, si elle triomphait, « cette démocratie d'un nouveau type ne saurait être que l'ennemi de l'esprit conservateur. [...] Elle est la garantie des nouvelles conquêtes économiques et politiques des travailleurs espagnols. » (Ercoli, *Octobre 1936*, cité par Hobsbawm, 1986, p. 176.)

C'est en ces termes que la brochure d'octobre 1936 du Komintern décrivait avec une grande exactitude la forme que devait prendre la politique dans la guerre antifasciste de 1939-1945. Ce devait être une guerre menée en Europe par des gouvernements « populaires » ou de « front national », par les coalitions de résistance les plus larges. C'est aussi une guerre qui fut conduite avec des économies dirigées et qui finit, dans les territoires occupés, par un renforcement massif du secteur public des suites de l'expropriation des capitalistes, non pas en tant que tels, mais parce qu'allemands ou collaborateurs. Dans plusieurs pays d'Europe centrale et orientale, cette route mena directement de l'« antifascisme » à une « nouvelle démocratie » dominée, et finalement avalée, par les communistes. Jusqu'au début de la guerre froide, cependant, l'objet de ces régimes d'après-guerre n'était certainement pas la transformation socialiste immédiate ni l'abolition du pluralisme politique et de la propriété privée[8]. Dans les pays occidentaux, les conséquences sociales et économiques de la guerre et de la libération ne furent pas très différentes, même si la conjoncture politique l'était. Des réformes sociales et économiques furent mises en œuvre, non pas, comme après la Première Guerre mondiale, pour répondre aux pressions des masses et par peur de la révolution, mais par des gouvernements qui y étaient attachés par principe : en partie par des gouvernements réformistes à l'ancienne, comme les démocrates aux États-Unis, ou le Labour Party, alors au pouvoir en Grande-Bretagne ; en partie par des gouvernements de réforme et de renouveau national directement issus de divers mouvements de résistance antifasciste. Bref, la logique de la guerre antifasciste conduisait à gauche.

V

En 1936 et, plus encore, en 1939, ces implications de la guerre d'Espagne paraissaient lointaines, voire irréelles. Après presque une décennie d'échec flagrant de la ligne d'unité antifasciste du Komintern, Staline la raya de son ordre du jour, tout au moins momentanément. Non content de trouver un arrangement avec Hitler (même si les deux camps savaient qu'il ne durerait pas), il donna même pour consigne au mouvement international d'abandonner la stratégie antifasciste : décision absurde, mais dont la meilleure explication est sans doute son aversion proverbiale pour le moindre risque, si léger fût-il[9]. En 1941, la logique de la ligne du Komintern finit pourtant par être récompensée. Car lorsque l'Allemagne envahit l'URSS et entraîna les États-Unis dans les hostilités – bref, lorsque la lutte contre le fascisme finit par devenir une guerre mondiale –, la guerre devint politique autant que militaire. Internationalement, ce fut une alliance entre le capitalisme des États-Unis et le communisme de l'Union soviétique. Dans chaque pays d'Europe – mais pas, à l'époque, dans le monde dépendant de l'impérialisme occidental –, elle espérait réunir tous ceux qui étaient prêts à résister à l'Allemagne ou à l'Italie, c'est-à-dire former une coalition de Résistance couvrant la totalité de l'échiquier politique. Comme toute l'Europe belligérante, à l'exception de la Grande-Bretagne, fut occupée par les puissances de l'Axe, cette guerre de résistants fut essentiellement une guerre de civils, ou de forces armées d'anciens civils, non reconnus en tant que tels par les armées allemande ou italienne : une lutte farouche de partisans, qui imposait des choix politiques à tous.

L'histoire des mouvements de Résistance en Europe est largement mythologique, étant donné que (sauf, dans une certaine mesure, en Allemagne) la légitimité des régimes et des gouvernements de l'après-guerre devait reposer essentiellement sur leur activité dans la Résistance. La France est un cas extrême, parce que les gouvernements qui se succédèrent après la Libération étaient en rupture totale avec le gouvernement de 1940, qui avait fait la paix et collaboré avec les Allemands, et que la résistance organisée, sans parler de la résistance armée, avait été relativement faible, tout au moins jusqu'en 1944 (la population ne lui avait apporté qu'un soutien inégal). Le général de Gaulle s'appliqua à reconstruire la France en se fondant sur un mythe : au fond, la France éternelle n'avait jamais accepté la défaite. La Résistance était un coup de bluff qui avait marché, devait-il dire (Gillois, 1973, p. 164). Par un acte politique, il fut alors décidé que les seuls combattants commémorés dans les monuments aux morts seraient les résistants et ceux qui avaient rejoint les forces gaullistes. Mais la France est loin d'être le seul exemple de pays reconstruit sur cette mystique de la Résistance.

S'agissant des mouvements de Résistance en Europe, deux remarques s'imposent. La première, c'est que leur poids militaire (à l'exception possible de la Russie) resta négligeable avant que l'Italie ne se retirât de la guerre en 1943, et qu'ils ne furent nulle part décisifs, sauf, peut-être dans certaines régions des Balkans. Encore une fois, leur importance fut avant tout politique et morale. Ainsi, la vie publique italienne fut transformée après plus de vingt ans de fascisme, qui avait bénéficié d'une large assise, même parmi les intellectuels, par la mobilisation exceptionnellement imposante et large de la Résistance dans les années 1943-1945. Dans le centre et le nord de l'Italie, le mouvement des partisans en armes devait compter jusqu'à 100 000 combattants, dont 45 000 allaient trouver la mort (Bocca, 1966, p. 297-302, 385-389, 569-570 ; Pavone, 1991, p. 413). Tandis que les Italiens purent ainsi tourner la page de l'ère mussolinienne avec bonne conscience, les Allemands, qui avaient fait bloc derrière leur gouvernement jusqu'à la fin, ne pouvaient mettre une pareille distance entre eux et l'ère nazie des années 1933-1945. Les résistants de l'intérieur – une minorité de militants communistes, des militaires conservateurs prussiens et une poignée de dissidents religieux et libéraux – étaient morts ou sortaient des camps de concentration. Inversement, bien entendu, après 1945 le soutien au fascisme ou la collaboration avec l'occupant écartèrent pratiquement les personnes concernées de la vie publique l'espace d'une génération, bien que la guerre froide contre le communisme leur ait offert en Occident de nombreuses places dans le monde clandestin ou le demi-monde des opérations militaires ou du renseignement[10].

En second lieu, pour des raisons évidentes – et à l'exception notable de la Pologne –, la Résistance penchait à gauche. Dans chaque pays, les fascistes, l'extrême droite et les conservateurs, mais aussi les riches et d'autres, dont la révolution sociale était la principale terreur, furent enclins à sympathiser avec les Allemands, ou tout au moins à ne pas les combattre ; il en va de même d'un certain nombre de mouvements régionalistes ou nationalistes de moindre importance. Traditionnellement de droite, certains d'entre eux espéraient en fait profiter de leur collaboration : ce fut le cas notamment du nationalisme flamand, slovaque et croate. Tel fut aussi le cas, ne l'oublions pas, des éléments viscéralement et irréductiblement anticommunistes de l'Église catholique et de ses armées de traditionalistes, même si la politique de l'Église était beaucoup trop complexe pour être qualifiée à quel qu'endroit que ce soit de « collaborationniste ». De ce fait, les hommes de droite qui choisirent la Résistance ne représentaient pas leur milieu politique. Winston Churchill et le général de Gaulle étaient atypiques de leurs familles idéologiques, même s'il faut ajouter que, pour plus d'un traditionaliste viscéral de droite à la fibre militaire, un patriotisme qui ne défendait pas sa patrie était impensable.

Cela explique, si besoin était, l'extraordinaire importance des communistes dans les mouvements de résistance et, en conséquence, leur spectaculaire progression politique au cours de la guerre. C'est pour cette raison qu'ils atteignirent en Europe le faîte de leur influence en 1945-1947, sauf en Allemagne, où ils ne devaient pas se remettre de la brutale décapitation de 1933 et des tentatives de résistance héroïques mais suicidaires des trois années suivantes. Même dans des pays éloignés de la révolution sociale, comme la Belgique, le Danemark et les Pays-Bas, les partis communistes obtinrent de 10 à 12 % des voix – beaucoup plus que par le passé – pour former le troisième ou quatrième bloc politique dans la vie parlementaire. En France, ils sortirent en tête des élections de 1945, où pour la première fois de leur histoire ils dépassèrent leurs vieux rivaux socialistes. En Italie, ils firent un score encore plus spectaculaire. Petite bande de cadres clandestins, harcelés et notoirement malheureux dans leurs initiatives – en 1938, le Komintern menaça de dissoudre le parti –, les communistes émergèrent de deux années de résistance forts de huit cent mille membres pour bientôt s'approcher des deux millions (1946). Quant aux pays où la guerre contre l'Axe fut essentiellement menée par la résistance intérieure armée – Yougoslavie, Albanie et Grèce –, les forces de partisans étaient dominées par les communistes. Le gouvernement de Churchill, qui n'avait pas la moindre sympathie pour eux, en tira les conclusions : il abandonna le royaliste Mihailovic pour soutenir le communiste Tito, lorsqu'il devint clair que le second était infiniment plus dangereux pour les Allemands que le premier.

Si les communistes se lancèrent dans la résistance, ce n'est pas seulement parce que l'appareil du « parti d'avant-garde » de Lénine était fait pour produire une force de cadres disciplinés et désintéressés, dont la fin même était l'efficacité dans l'action. S'ils s'engagèrent, c'est aussi que ces situations extrêmes – illégalité, répression et guerre – étaient précisément celles pour lesquelles ces corps de « révolutionnaires professionnels » avaient été conçus. En vérité, eux seuls « avaient prévu la possibilité d'une guerre de résistance » (M. R. D. Foot, 1976, p. 84). En cela, ils se distinguaient des partis socialistes de masse, qui se révélèrent presque incapables d'agir en dehors de la légalité – élections, réunions publiques, etc. –, qui définissait et déterminait leurs activités. Face à la prise du pouvoir par les fascistes ou à l'occupation allemande, les partis sociaux-démocrates furent tentés d'hiberner. Dans le meilleur des cas, ils sortirent de ce repli, comme les Allemands et les Autrichiens, à la fin de la période noire, avec l'essentiel de leur soutien d'autrefois et prêts à reprendre la vie politique. S'ils ne furent pas absents de la résistance, ils furent, pour des raisons structurelles, sous-représentés. Dans le cas extrême du Danemark, les sociaux-démocrates étaient au pouvoir au moment de l'occupation allemande, et ils y restèrent *tout au long de la guerre*, quoique sans grande sympathie pour les nazis. Il leur fallut quelques années pour se remettre de cet épisode.

Deux autres caractéristiques contribuèrent à donner aux communistes un rôle en vue dans la résistance : leur internationalisme et la ferveur quasi millénariste avec laquelle ils consacraient leur vie à la cause (*cf.* chapitre 2). La première caractéristique leur permit de mobiliser des hommes et des femmes plus réceptifs à l'appel antifasciste qu'à aucun appel patriotique : par exemple en France, les réfugiés de la guerre civile espagnole, qui formèrent le gros des partisans en armes dans le sud-ouest de ce pays – peut-être douze mille combattants avant le Jour J (Pons Prades, 1975, p. 66) – et les autres réfugiés et ouvriers immigrés de dix-sept nations, qui, sous l'acronyme MOI (Main-d'œuvre immigrée), accomplirent une partie du travail le plus dangereux du parti. On pense notamment au groupe Manouchian (Arméniens et Juifs polonais), qui s'attaqua à des officiers allemands à Paris[11]. La seconde caractéristique engendra ce mélange de bravoure, d'abnégation et de détermination implacable qui fit impression même à leurs adversaires et dont témoigne avec tant d'éclat le yougoslave Milovan Djilas dans son ouvrage d'une merveilleuse honnêteté, *Wartime* (Djilas, 1977). De l'avis d'un historien politiquement modéré, les communistes comptèrent parmi les « plus braves d'entre les braves » (Foot, 1976, p. 86), et même si leur organisation et leur discipline leur donnaient les meilleures chances de survivre en prison ou dans les camps de concentration, ils essuyèrent de lourdes pertes. La méfiance à l'égard du PCF, dont les dirigeants étaient mal vus même des autres communistes, ne suffit à leur nier totalement le droit de se présenter comme le « parti des fusillés », car il eut au moins quinze mille de ses militants exécutés par l'ennemi (Jean Touchard, 1977, p. 258). Il n'est pas étonnant qu'il ait exercé un puissant attrait sur les hommes et les femmes de courage, tout particulièrement les jeunes, et surtout peut-être dans les pays où la résistance active n'avait guère trouvé de soutiens parmi les masses, comme en France et en Tchécoslovaquie Il séduisit aussi fortement les intellectuels, le groupe le plus facilement mobilisé sous l'étendard de l'antifascisme et qui forma le noyau des organisations de résistance non communistes (mais génériquement de gauche). L'histoire d'amour des intellectuels français avec le marxisme, la domination de la culture italienne par des hommes associés au Parti communiste, qui dans les deux cas durèrent l'espace d'une généra-tion, furent des produits de la Résistance. Que les intellectuels se fus-sent lancés d'eux-mêmes dans la résistance, comme ce grand éditeur d'après-guerre qui observe avec fierté que *tous* les employés de sa maison prirent les armes comme partisans, ou qu'ils fussent devenus des sympathisants communistes parce que leurs familles ou eux n'avaient pas vraiment combattu – d'aucuns avaient même choisi l'autre camp –, tous éprouvèrent la force d'attraction du parti.

Sauf dans leurs bastions de guérilla des Balkans, les communistes ne cherchèrent pas à instaurer des régimes révolutionnaires. Il est vrai que même s'ils avaient été tentés par un coup de force, ils n'étaient nulle part en position de le faire à l'ouest de Trieste ; d'autre part, l'URSS, envers laquelle leurs partis étaient d'une loyauté absolue, les en découragea vivement. Si quelques révolutions communistes s'imposèrent (Yougoslavie, Albanie, puis Chine), ce fut *contre* l'avis de Staline. Le point de vue soviétique était que, interna-tionalement comme à l'intérieur de chaque pays, la vie politique devait continuer dans le cadre de l'alliance antifasciste tous azimuts : en d'autres termes, on envisageait alors une coexistence à long terme, ou plutôt une symbiose des systèmes capitaliste et commu-niste, ainsi que de nouveaux changements sociaux et politiques, vrai-semblablement par glissements successifs au sein des « démocraties d'un nouveau type », qui devaient émerger des coalitions de guerre. Ce scénario optimiste eut tôt fait de se dissiper dans la nuit de la guerre froide – si complètement que peu se souviennent que Staline ordonna aux communistes yougoslaves de conserver la monarchie ou qu'en 1945 les communistes britanniques s'opposèrent à l'éclate-ment de la coalition menée par Churchill, c'est-à-dire à la campagne électorale qui devait mener le gouvernement travailliste au pouvoir. Telles étaient bien pourtant les intentions de Staline : il s'efforça de le prouver en dissolvant le Komintern en 1943 et le Parti communiste des États-Unis en 1944.

La décision de Staline – « de ne pas soulever la question du socia-lisme sous une forme et d'une manière qui puissent menacer ou affaiblir […] l'unité », pour reprendre les mots d'un dirigeant com-muniste américain (Browder, 1944, *in* J. Starobin, 1972, p. 57) – ren-dait ses intentions bien claires. À toutes fins pratiques, ainsi que le reconnurent les révolutionnaires dissidents, c'était un au revoir définitif à la révolution mondiale. Le socialisme resterait limité à l'URSS et à la zone d'influence qu'elle s'était vue assigner par les négociations diplomatiques, c'est-à-dire, essentiellement, à la zone occupée par l'Armée rouge à la fin de la guerre. Au sein même de cette zone d'influence, elle devait rester une perspective d'avenir non définie, plutôt qu'un programme immédiat pour les nouvelles « démocraties populaires ». L'histoire, qui ne prête guère attention aux intentions politiques, a suivi un autre cours, sauf sur un point. La division d'une bonne partie de la planète en deux zones d'influence négociées en 1944-1945 resta stable. Pendant plus de trente ans, aucun des deux camps ne franchit plus que momentanément la ligne de démarcation. Ils évitèrent la confrontation ouverte, garantissant ainsi que les guerres mondiales froides ne devinssent jamais des guerres chaudes.

VI

En fait, l'éphémère rêve stalinien d'un partenariat américano-soviétique après la guerre ne devait pas renforcer l'alliance globale du capitalisme libéral et du communisme contre le fascisme. Elle n'en démontra pas moins sa solidité et son ampleur. C'était, bien entendu, une alliance contre une menace militaire, et qui n'aurait jamais vu le jour sans la série d'agressions nazies culminant dans l'invasion de l'URSS et la déclaration de guerre contre les États-Unis. La nature même du conflit n'en confirma pas moins les intuitions de 1936 sur les implications de la guerre d'Espagne : la mobilisation militaire et civile et le changement social ne faisaient qu'un. Du côté allié – plus que du côté fasciste –, ce fut une guerre de réformistes : même la puissance capitaliste la plus confiante ne pouvait espérer gagner ce long combat en laissant les affaires suivre leur cours. Qui plus est, la Seconde Guerre mondiale avait mis en relief les échecs de l'entre-deux-guerres, dont l'incapacité à s'unir contre les agresseurs n'était qu'un symptôme mineur.

Que la victoire et l'espérance sociale allassent de pair, ressort aussi clairement de ce que nous savons de l'évolution de l'opinion publique dans les pays belligérants ou libérés, où la liberté d'expression était respectée, sauf, assez curieusement, aux États-Unis, où on avait assisté depuis 1936 à une érosion marginale du vote démocrate à la présidentielle, et à un regain marqué des Républicains : c'était un pays dominé par ses préoccupations intérieures et beaucoup plus éloigné qu'aucun autre des sacrifices de la guerre. Lorsqu'il y eut de véritables élections, elles montrèrent un net glissement à gauche. Le cas le plus spectaculaire fut celui de la Grande-Bretagne : Winston Churchill, le chef de guerre universellement aimé et admiré, perdit les élections de 1945, qui portèrent au pouvoir le Labour Party avec une augmentation de 50 % des suffrages obtenus. Au cours des cinq années suivantes, le Labour présida à une période de réformes sociales sans précédent. Pourtant, les grands partis avaient été mêlés, de manière égale, à l'effort de guerre. L'électorat choisit cependant celui qui promettait à la fois la victoire et la transformation sociale. Ce fut un phénomène général dans l'Europe occidentale guerroyante, même s'il ne faut pas en exagérer l'ampleur ni le radicalisme, car l'élimination temporaire de la vie politique de l'ancienne droite fasciste et collaborationniste ne laissait aux électeurs qu'un choix entre partis aux mots d'ordre résistants et radicaux.

Il est plus difficile de juger de la situation dans les parties de l'Europe libérées par la guérilla et la révolution ou par l'Armée rouge, ne serait-ce qu'à cause du génocide, des déplacements de population et des expulsions massives ou des émigrations forcées qui interdisent de comparer les pays portant le même nom avant et après la guerre. À travers cette zone, le gros des habitants des pays envahis par l'Axe se considéraient comme des victimes. Seuls faisaient exception les Slovaques et les Croates politiquement divisés (qui avaient acquis des États théoriquement indépendants sous l'égide de l'Allemagne), les populations majoritaires des États alliés du Reich (la Hongrie et la Roumanie) et, bien entendu, la grande diaspora allemande. Ce qui ne signifie pas que les autres populations aient sympathisé avec les mouvements de résistance d'inspiration communiste – sauf peut-être pour les Juifs, persécutés par tout le monde –, ni *a fortiori* avec la Russie (sauf pour les Slaves des Balkans, traditionnellement russophiles). Dans leur écrasante majorité, les Polonais étaient à la fois anti-allemands et anti-russes, pour ne dire mot de leur antisémitisme. Les petits peuples de la Baltique, occupés par l'URSS en 1940, furent en même temps anti-russes, antisémites et pro-allemands, tant qu'ils conservèrent une liberté de choix, dans les années 1941-1945. Il n'y eut ni communistes ni résistance en Roumanie, et assez peu en Hongrie. En revanche, le communisme et le sentiment pro-russe étaient forts en Bulgarie, bien que la résistance ait été inégale ; et en Tchécoslovaquie, à l'issue de la guerre, le PC, qui était toujours un parti de masse, s'imposa de loin comme le premier parti dans des élections authentiquement libres. L'occupation soviétique rendit bientôt ces différences politiques académiques. Les victoires de la guérilla n'ont pas valeur de plébiscite, mais il n'est guère douteux que la plupart des Yougoslaves aient salué le triomphe des partisans de Tito, sauf la minorité allemande, les partisans du régime croate des Oustachis (sur qui les Serbes se vengèrent des précédents massacres), et un noyau traditionaliste en Serbie, où le mouvement de Tito et, en conséquence, la guerre anti-allemande, n'avaient jamais prospéré[12]. La Grèce, quant à elle, demeura, comme toujours, divisée, malgré le refus de Staline d'aider les communistes grecs et les forces pro-rouges contre les Britanniques, qui soutenaient leurs adversaires. Il faudrait être spécialiste des études de parenté pour hasarder une conjecture sur les sentiments politiques des Albanais après le triomphe des communistes. Dans tous ces pays, une ère de transformation sociale massive était cependant sur le point de commencer.

Assez étrangement, l'URSS fut, avec les États-Unis, le seul pays belligérant où la guerre ne produisit pas de changement social et institutionnel significatif. Elle commença la guerre et la finit sous la houlette de Joseph Staline (*cf.* chapitre 13). Il est clair, cependant, que la guerre soumit la stabilité du système à des tensions considérables, surtout dans les campagnes rudement réprimées. Si les nazis n'avaient été profondément convaincus que les Slaves n'étaient qu'une race d'esclaves et de sous-hommes, ils auraient pu trouver des appuis durables parmi maints peuples soviétiques. À l'inverse, le fondement véritable de la victoire soviétique fut le patriotisme de la nationalité majoritaire en URSS, les Grands Russes, qui formaient toujours le cœur de l'Armée rouge, et auxquels le régime soviétique en appela au moment critique. En fait, la Seconde Guerre mondiale devait être connue à juste raison en URSS comme la « Grande Guerre patriotique ».

VII

L'historien doit ici effectuer un grand bond pour éviter de tomber dans le piège d'une analyse purement occidentale. Car, de tout ce qui a été écrit jusqu'ici dans ce chapitre, fort peu s'applique à la majeure partie du globe. Ce n'est pas tout à fait sans rapport avec le conflit entre le Japon et le continent est-asiatique, puisque le Japon, dominé par la droite ultra-nationaliste, s'allia avec l'Allemagne nazie, et que les principales forces de résistance en Chine furent communistes. Cette analyse s'applique, jusqu'à un certain point, à l'Amérique latine, grande importatrice des idéologies européennes en vogue comme le fascisme ou le communisme. C'est surtout vrai au Mexique, qui réveilla sa grande révolution dans les années 1930 sous la présidence de Lázaro Cardenas (1934-1940), et qui, dans la guerre civile d'Espagne, prit fait et cause pour la République. Après la défaite, le Mexique est le seul État qui continua à reconnaître dans la République le seul gouvernement légitime de l'Espagne. Toutefois, pour la majeure partie de l'Asie, de l'Afrique et du monde islamique, le fascisme, que ce soit l'idéologie ou la politique d'un État agresseur, n'était pas et ne devint jamais le principal, encore moins le seul ennemi. L'ennemi, c'était l'« impérialisme » ou le « colonialisme », et les puissances impérialistes étaient, par-dessus tout, les démocraties libérales : Grande-Bretagne, France, Pays-Bas, Belgique et États-Unis. De surcroît, à la seule exception du Japon, toutes les puissances impériales étaient blanches.

En toute logique, les ennemis des puissances impériales étaient donc des alliés potentiels dans la lutte pour la libération des colonies. Même le Japon, qui, comme le savaient bien les Coréens, les Taïwanais, les Chinois et d'autres, avait sa propre forme de colonialisme implacable, put en appeler aux forces anticoloniales de l'Asie du Sud et du Sud-Est, en se faisant le champion des non-blancs contre les blancs. La lutte anti-impériale et la lutte antifasciste avaient donc tendance à tirer dans des directions opposées. Ainsi, le pacte de Staline avec les Allemands en 1939, qui troubla la gauche occidentale, permit aux communistes indiens et vietnamiens de concentrer leurs forces contre les Britanniques et les Français, tandis que l'invasion de l'URSS, en 1941, les obligea, en bons communistes, à donner la priorité à la défaite de l'Axe et à remettre à plus tard la libération de leurs pays. Ce qui était non seulement impopulaire, mais stratégiquement absurde en un temps où les empires coloniaux de l'Occident n'avaient jamais été aussi vulnérables, voire même en train de s'effondrer. Et, de fait, la gauche locale qui ne s'estimait pas liée par le carcan de la loyauté envers le Komintern saisit l'occasion. Le Congrès national indien lança le mouvement *Quit India* en 1942, tandis que, pour le compte des Japonais, le Bengali Radical Subhas Bose recruta une Armée de libération parmi les prisonniers de guerre indiens capturés lors des premières offensives foudroyantes. En Birmanie et en Indonésie, les militants anticoloniaux voyaient les choses de la même façon. La *reductio ad absurdum* de cette logique anticolonialiste fut les démarches d'un groupe sioniste extrémiste et marginal de Palestine pour négocier avec les *Allemands* (*via* Damas, alors sous la coupe de la France de Vichy) afin de libérer la Palestine des Britanniques – ce qui était, pour ce groupe, la priorité numéro un. (Un militant du groupe impliqué dans cette mission allait devenir Premier ministre : Yitzhak Shamir.) Ces approches n'impliquaient évidemment aucune sympathie pour le fascisme, bien que l'antisémitisme nazi ait pu séduire les Arabes de Palestine en délicatesse avec les colons sionistes, et que certains groupes d'Asie du Sud aient pu se reconnaître dans les Aryens supérieurs de la mythologie nazie. Mais c'étaient là des cas particuliers (*cf.* chapitres 12 et 15).

Ce qu'il faut expliquer, c'est pourquoi, somme toute, l'anti-impérialisme et les mouvements de libération des colonies penchaient si clairement à gauche au point de converger, tout au moins à la fin de la guerre, avec la mobilisation antifasciste mondiale. La raison fondamentale en est que la gauche occidentale fut la pépinière de la théorie et de la politique anti-impérialistes, et que les mouvements de libération trouvèrent essentiellement des appuis dans la gauche internationale, et surtout (depuis le Congrès des peuples d'Orient que les bolcheviks avaient organisé en 1920 à Bakou) du côté du Komintern et de l'URSS. De surcroît, lorsqu'ils se rendaient en métropole, les militants et les futurs dirigeants des mouvements d'indépendance, qui appartenaient pour l'essentiel aux élites de culture occidentale, se trouvaient plus à l'aise dans le milieu non raciste et anticolonial des libéraux, des démocrates, des socialistes et des communistes, que partout ailleurs. En tout état de cause, ils étaient presque tous des modernisateurs, pour qui les mythes moyenâgeux et nostalgiques, l'idéologie des nazis et l'exclusivisme raciste de leurs théories rappelaient précisément les tendances « communalistes » et « tribalistes » qu'ils percevaient comme autant de symptômes de l'arriération de leurs pays exploités par l'impérialisme.

Bref, une alliance avec l'Axe, suivant le principe « les ennemis de mon ennemi sont mes amis », ne pouvait être que tactique. Même en Asie du Sud-Est, où le pouvoir japonais était moins répressif que celui des anciens colonialistes, et exercé par des non-blancs contre des blancs, elle ne pouvait être qu'éphémère, puisque Tokyo, en-dehors de son racisme viscéral, n'avait aucun intérêt à libérer les colonies. (En fait, elle fut éphémère, parce que le Japon fut bientôt vaincu.) Le fascisme ou les nationalismes de l'Axe n'exerçaient aucun attrait particulier. Par ailleurs, un homme comme Jawaharlal Nehru qui, à la différence des communistes, n'hésita pas à se lancer dans la rébellion *Quit India* en 1942, l'année critique pour l'empire britannique, ne cessa jamais de croire qu'une Inde libre édifierait une société socialiste, et que l'URSS serait une alliée dans cette tâche, peut-être même – avec toutes les réserves de rigueur – un exemple.

Que les chefs et les porte-parole de la libération nationale aient été, si souvent, des minorités atypiques de la population qu'ils voulaient émanciper ne pouvait que faciliter la convergence avec l'antifascisme, car le gros des populations coloniales étaient réceptives, ou tout au moins mobilisables sur des sentiments et des idées auxquels le fascisme (n'était son attachement à la supériorité raciale) aurait pu faire appel : traditionalisme, exclusivisme religieux et ethnique, méfiance à l'égard du monde moderne. En fait, ces sentiments n'étaient pas encore largement diffusés ou, s'ils l'étaient, n'étaient pas encore devenus politiquement dominants. La mobilisation des masses islamiques se développa très fortement dans le monde musulman entre 1918 et 1945. Ainsi les Frères musulmans de Hassan al-Banna (1928), mouvement fondamentaliste fortement hostile au libéralisme et au communisme, devint le principal porte-étendard des doléances des masses égyptiennes dans les années 1940, et ses affinités potentielles avec les idéologies de l'Axe furent plus que tactiques, surtout compte tenu de son hostilité au sionisme. Reste que les mouvements et les hommes politiques qui accédèrent au pouvoir dans les pays islamiques, parfois portés sur le dos de masses fondamentalistes, étaient laïques et modernistes. Les colonels égyptiens qui devaient faire la révolution de 1952 étaient des intellectuels émancipés, qui avaient été en contact avec les groupuscules communistes égyptiens, dont les dirigeants, soit dit au passage, étaient souvent des Juifs (Perrault, 1987). Sur le sous-continent Indien, le Pakistan (enfant des années 1930 et 1940) a été décrit, à juste raison, comme « le programme des élites sécularisées obligées, à cause de la désunion [territoriale] de la population islamique et de la concurrence avec les majorités hindoues, de qualifier leur société politique d'"islamique" plutôt que de séparatiste » (Lapidus, 1988, p. 738). En Syrie, ce cheminement se fit sous la houlette du Parti Baas, fondé dans les années 1940 par deux enseignants qui avaient fait leurs études à Paris et qui, malgré leur mystique arabe, étaient idéologiquement anti-impérialistes et socialistes. La constitution syrienne ne dit mot de l'islam. Jusqu'à la guerre du Golfe, en 1991, la politique irakienne fut déterminée par des regroupements divers d'officiers nationalistes, de communistes et de baasistes, tous dévoués à l'unité arabe et au socialisme (tout au moins en théorie), mais certainement pas à la Loi coranique. Pour des raisons locales, mais aussi parce que le mouvement révolutionnaire algérien était largement implanté dans les masses (notamment dans la forte population immigrée en France), la révolution algérienne fut marquée par un fort élément islamique. En 1956, cependant, les révolutionnaires reconnurent précisément qu'il s'agissait d'une « lutte pour abattre un pouvoir colonial anachronique, non d'une guerre de religion » (Lapidus, 1988, p. 693) et proposèrent de former une République sociale et démocratique, qui devint, par sa constitution, une République socialiste à parti unique. En vérité, la période de l'antifascisme est la seule au cours de laquelle des partis communistes acquièrent de larges assises et une forte influence dans certaines parties du monde islamique, notamment en Syrie, en Irak et en Iran. Ce n'est que bien plus tard que les voix laïques et modernisatrices de la direction politique se trouvèrent noyées et étouffées par le réveil fondamentaliste (*cf.* chapitres 12 et 15).

Malgré leurs conflits d'intérêt, qui devaient resurgir après la guerre, l'antifascisme des pays occidentaux développés et l'anti-impérialisme de leurs colonies convergeaient vers ce qui, aux uns comme aux autres, apparaissait comme un avenir de transformation sociale.

L'URSS et le communisme local contribuèrent à combler le fossé, puisqu'ils représentaient, à la fois l'anti-impérialisme pour les uns, et l'engagement total dans la lutte pour la victoire pour les autres. Cependant, à la différence des théâtres de guerre européens, les scènes non européennes ne valurent pas aux communistes de grands triomphes politiques, sauf dans des cas particuliers où (comme en Europe) l'antifascisme et la libération sociale/nationale coïncidaient : en Chine et en Corée, où les colonialistes étaient les Japonais, et en Indochine (Viêt-nam, Cambodge, Laos), où l'ennemi immédiat de la liberté restaient les Français, dont l'administration locale était elle-même passée sous la coupe des Japonais, lorsque ceux-ci avaient envahi l'Asie du Sud-Est. Ce sont les pays où le communisme était destiné à triompher après la guerre, avec Mao, Kim Il Sung et Ho Chi Minh. Ailleurs, les chefs des États en passe d'être décolonisés étaient issus de mouvements, généralement de gauche, mais moins gênés, dans les années 1941-1945, par la nécessité de donner à la défaite de l'Axe priorité sur tout le reste. Cependant, mêmes ceux-ci ne pouvaient qu'envisager avec un certain optimisme la situation mondiale après la défaite de l'Axe. Sur le papier, tout au moins, les deux super-puissances ne voyaient pas d'un bon œil l'ancien colonialisme. Un parti notoirement anticolonialiste avait accédé au pouvoir au cœur du plus grand empire. La force et la légitimité de l'ancien colonialisme avaient été profondément minées. Jamais les chances de la liberté n'avaient paru meilleures. Tel fut en effet le cas, mais non sans quelques brutales actions d'arrière-garde des anciens empires.

VIII

La défaite de l'Axe – plus précisément, de l'Allemagne et du Japon – laissa donc peu de regrets, hormis en Allemagne et au Japon, dont les populations avaient combattu jusqu'au dernier jour avec une inébranlable loyauté et une redoutable efficacité. Finalement, le fascisme n'avait rien mobilisé en dehors de ses places centrales, si ce n'est un chapelet de minorités idéologiques d'extrême droite, qui seraient pour la plupart restées en marge de la vie politique de leur pays ; une poignée de groupes nationalistes qui espéraient atteindre leurs objectifs en s'alliant avec l'Allemagne ; et divers rebuts de guerre et de conquête, dont les occupants nazis se servirent comme d'une soldatesque auxiliaire et brutale. Quant aux Japonais, ils ne réussirent qu'à inspirer une sympathie, momentanée, pour les jaunes plutôt que pour les blancs. Le principal atout du fascisme européen – qu'il fût un rempart contre les mouvements ouvriers, le socialisme, le communisme et le QG du diable athée qui, à Moscou, les inspirait tous –, c'est qu'il avait trouvé une bonne partie de ses défenseurs parmi les riches conservateurs ; cependant, le grand capital le soutint moins par principe que par pragmatisme. Sa séduction n'était pas faite pour survivre à l'échec et à la défaite. En tout état de cause, l'effet net de douze années de nazisme fut que de larges parties de l'Europe se retrouvèrent désormais à la merci du bolchevisme.

Ainsi, le fascisme se désagrégea comme une motte de terre dans la rivière, et disparut pratiquement de la scène politique, sauf en Italie, où survécut un modeste mouvement néofasciste (le *Movimento Sociale Italiano*) honorant Mussolini. Cette situation ne tient pas seulement à la mise à l'écart de la vie politique – mais pas de l'administration ni de la vie publique, et encore moins de la vie économique – de personnes qui avaient joué un rôle de premier plan dans les régimes fascistes. Elle ne s'explique pas même par le traumatisme des bons Allemands (et, de manières différentes, des Japonais loyaux), dont le monde s'était effondré dans le chaos matériel et moral de 1945, et pour qui la seule fidélité à leurs anciennes convictions était en fait contre-productive. Elle les empêchait de s'adapter à une vie nouvelle, dans un premier temps incompréhensible, sous les puissances occupantes qui leur imposèrent leurs institutions et leurs usages : bref, qui posèrent les rails sur lesquels leurs trains devraient rouler désormais. Le nazisme n'avait rien à offrir à l'Allemand d'après 1945, hormis des souvenirs. Il est symptomatique que dans une partie fortement national-socialiste de l'Allemagne hitlérienne, à savoir en Autriche (qui, par un tour de passe-passe de la diplomatie internationale, se trouva rangée dans le camp des innocents plutôt que des coupables), la vie politique ait repris très vite après la guerre le cours qui était le sien avant l'abolition de la démocratie en 1933, malgré un léger glissement à gauche (voir Flora, 1983, p. 99). Le fascisme disparut avec la crise mondiale qui lui avait permis de naître.

Même en théorie, il n'avait jamais été un programme ou un projet politique universel.

En revanche, si hétérogène et impermanent qu'il fût dans sa mobilisation, l'antifascisme réussit à regrouper un extraordinaire éventail de forces. Qui plus est, cette unité fut non pas négative, mais positive et, à certains égards, durable. Idéologiquement, elle reposait sur les valeurs et les aspirations partagées des Lumières et de l'Ère des révolutions : le progrès par l'application de la raison et de la science ; l'éducation et le gouvernement populaires ; le refus des inégalités liées à la naissance ou aux origines ; des sociétés tournées vers l'avenir plutôt que vers leur passé. Quelques-unes de ces similitudes n'existaient que sur le papier, même s'il n'est pas tout à fait insignifiant que des entités politiques aussi éloignées de la démocratie occidentale, et en vérité de toute démocratie, que l'Éthiopie de Mengistu, la Somalie avant la chute de Siad Barre, la Corée du Nord de Kim Il Sung, l'Algérie et l'Allemagne de l'Est aient choisi de se donner le titre officiel de République démocratique ou de Démocratie populaire. C'est une étiquette que les régimes fascistes, autoritaires ou même conservateurs traditionnels, auraient repoussée avec mépris entre les deux guerres.

À d'autres points de vue, les aspirations partagées n'étaient pas si éloignées de la réalité commune. Le capitalisme constitutionnel occidental, les systèmes communistes et le tiers-monde étaient également attachés à l'égalité des droits pour toutes les races et les deux sexes : autrement dit, si aucun n'était à la hauteur de l'objectif commun, on ne pouvait faire entre eux à cet égard aucune distinction systématique[13]. Tous ces États étaient laïques. Plus encore, après 1945, pratiquement tous rejetaient délibérément et activement la suprématie du marché et croyaient à la gestion et à la planification actives de l'économie par l'État. En un temps de théologie économique néolibérale, on a peine à le croire, mais, entre le début des années 1940 et les années 1970, les champions les plus prestigieux, et jadis influents, de la liberté totale des marchés – *e.g.* Friedrich von Hayek – se considéraient comme des prophètes clamant dans le désert, tâchant vainement d'avertir le capitalisme occidental qu'il s'engageait sur la « route de la servitude » (Hayek, 1944). En réalité, il s'engageait dans une ère de miracles économiques (*cf.* chapitre 9). Les gouvernements capitalistes étaient convaincus que seul l'interventionnisme

économique pouvait empêcher un retour aux catastrophes économiques de l'entre-deux-guerres et parer les dangers politiques de
populations radicalisées au point d'embrasser le communisme,
comme elles avaient autrefois choisi Hitler. Les pays du tiers-monde
pensaient que seule l'action publique pouvait arracher leur économie
à l'arriération et à la dépendance. Dans le monde décolonisé, suivant
l'inspiration de l'Union soviétique, l'avenir leur semblait appartenir
au socialisme. Quant à l'Union soviétique et à sa famille nouvellement élargie, elle ne jurait que par la planification centrale. Les trois
régions du monde entrèrent ainsi dans l'après-guerre fortes de la
conviction que la victoire sur l'Axe, obtenue par la mobilisation politique et l'engagement révolutionnaire aussi bien que par le sang et le
fer, inaugurait une ère de transformation sociale.

En un sens, elles avaient raison. Jamais la face de la planète et de
la vie humaine ne connut une transformation aussi spectaculaire que
durant l'ère qui commença sous les champignons nucléaires d'Hiroshima et de Nagasaki. Mais, comme toujours, l'histoire ne prêta
qu'une attention marginale aux intentions humaines, même à celles
des décideurs nationaux. La véritable transformation sociale ne fut ni
voulue ni planifiée. Et, en tout état de cause, la première contingence
à laquelle elles durent faire face, ce fut l'effondrement presque
immédiat de la grande alliance antifasciste. Du jour où il n'y eut plus
de fascisme contre lequel s'unir, le capitalisme et le communisme se
retrouvèrent de nouveau prêts à s'affronter comme des ennemis mortels.

CHAPITRE 6

LES ARTS, 1914-1945

*« Le Paris des surréalistes, aussi, est un petit "univers".
[...] Dans le grand, le cosmos, les choses n'ont pas l'air différentes. Là aussi, il est des carrefours où le trafic brille de
signaux spectraux, et des analogies et des relations inconcevables entre événements sont à l'ordre du jour. C'est la
région dont rend compte la poésie lyrique du surréalisme. »*

Walter BENJAMIN, « Surréalisme »

*« La Nouvelle Architecture ne semble guère progresser
aux États-Unis. [...] Les avocats du nouveau style débordent
d'ardeur, et d'aucuns n'hésitent pas à recourir à la manière
pédagogique stridente des adeptes de l'impôt unique, [...]
mais, hormis pour l'aménagement des usines, ils ne semblent pas faire beaucoup de convertis. »*

H. L. MENCKEN, 1931

I

Pourquoi de brillants créateurs de mode, espèce notoirement non
analytique, réussissent-ils parfois mieux à anticiper la forme des
choses à venir que les professionnels de la prédiction ? C'est l'une
des questions les plus obscures de l'histoire et, pour l'historien de la
culture, l'une des plus centrales. Elle est assurément cruciale pour
quiconque veut comprendre l'impact de l'Ère des cataclysmes sur le
monde de la haute culture, les arts d'élite et, surtout, l'avant-garde.

Car il est généralement admis que ces arts anticipèrent de plusieurs années l'effondrement effectif de la société libérale et bourgeoise (voir *L'Ère des empires*, chapitre 9). En 1914, presque tout ce qui peut trouver refuge sous le dais spacieux et assez mal défini du « modernisme » était déjà en place : cubisme, expressionnisme, futurisme, abstraction pure en peinture ; fonctionnalisme et refus de l'ornement en architecture ; abandon de la tonalité en musique ; rupture avec la tradition en littérature.

Bon nombre de noms que la plupart inscriraient sur la liste des « modernistes » éminents étaient tous mûrs, productifs, voire célèbres en 1914[1]. Même Thomas S. Eliot, dont la poésie ne fut publiée qu'après 1917, faisait alors clairement partie de l'avant-garde londonienne, en tant que collaborateur, avec Ezra Pound, de la revue *Blast* de Wyndham Lewis. Quarante ans après, ces enfants des années 1880, au plus tard, restaient des icônes de la modernité. Qu'un certain nombre d'hommes ou de femmes qui ne commencèrent à s'imposer qu'après la guerre fissent également partie du petit cercle des « modernistes » est moins surprenant que la domination de l'ancienne génération[2]. Ainsi, même les successeurs de Schönberg – Alban Berg et Anton Webern – appartiennent à la génération des années 1880.

En fait, les seules innovations formelles dans le monde de l'avant-garde « établie » semblent avoir été au nombre de deux : le *dadaïsme*, qui se fondit dans le *surréalisme*, ou l'anticipa, dans la partie occidentale de l'Europe, et le *constructivisme* d'origine soviétique à l'Est. Avec son goût des constructions squelettiques à trois dimensions et, de préférence, mobiles, dont les meilleures approximations sont à chercher, dans la vie réelle, du côté des champs de foire (roues géantes, grand huit, etc.), le constructivisme devait être bientôt absorbé par le courant dominant de l'architecture et du *design* industriel, essentiellement à travers le Bauhaus (sur lequel nous reviendrons). Ses projets les plus ambitieux, comme la fameuse tour inclinée en spirale de Tatline qui devait abriter le siège de l'Internationale communiste, ne furent jamais construits ou servirent de décor évanescent aux rituels publics de l'Union soviétique à ses débuts. Si nouveau fût-il, le constructivisme ne fit guère plus qu'étendre le répertoire du modernisme architectural.

Le dadaïsme prit forme en 1916 au sein d'un groupe hétérogène d'exilés à Zurich (où un autre groupe d'exilés, autour de Lénine, attendait la révolution) : il s'agissait d'une protestation nihiliste angoissée mais ironique contre la guerre mondiale et la société qui l'avait couvée. Comme il rejetait tout art, il n'avait aucune caractéristique formelle, même s'il emprunta quelques trucs aux avant-gardes cubistes et futuristes d'avant 1914, notamment le collage (d'objets de toutes sortes, dont des parties de tableaux). Au fond, tout ce qui pouvait provoquer une attaque d'apoplexie parmi les amateurs d'art bourgeois conventionnels était acceptable. Le scandale était le principe de cohésion du mouvement. Ainsi, l'urinoir que Marcel Duchamp (1887-1968) exposa en 1917 à New York en guise d'« art *ready made* » était parfaitement dans l'esprit de Dada, qu'il rejoignit à son retour des États-Unis ; mais pas son tranquille refus ultérieur d'avoir quelque rapport avec l'art – il préférait les échecs –, car rien n'était plus étranger à Dada que la tranquillité.

S'il professait également de rejeter l'art tel qu'on l'avait connu jusque-là, et s'il était également attaché au scandale public et plus encore attiré (nous le verrons) par la révolution sociale, le surréalisme fut davantage qu'une protestation négative ainsi qu'on pouvait l'attendre d'un mouvement essentiellement centré sur la France – pays où la mode requiert toujours une théorie. De fait, nous pouvons dire que, lorsque Dada s'effondra au début des années 1920 avec l'ère de guerre et de révolution qui lui avait donné naissance, le surréalisme en émergea comme « un plaidoyer pour un regain de l'imagination, fondé sur l'inconscient tel que le révélait la psychanalyse, et assorti d'une insistance nouvelle sur la magie, le hasard, l'irrationalité, les symboles et les rêves » (Willett, 1978).

Par certains côtés, ce fut un renouveau romantique dans les habits du XXe siècle (voir *L'Ère des révolutions*, chapitre 14), mais avec un sens plus marqué de l'absurde et de la plaisanterie. À la différence des avant-gardes « modernistes » dominantes, mais comme Dada, le surréalisme n'avait que faire de l'innovation formelle en tant que telle : que l'inconscient s'exprimât dans un flot aléatoire de mots (« écriture automatique ») ou dans le style académique méticuleux du XIXe siècle qu'adopta Salvador Dali (1904-1989) pour peindre ses montres déliquescentes dans des paysages désertiques, cela ne l'intéressait pas. La seule chose importante était de reconnaître les ressources de l'imagination spontanée, sans la médiation d'aucun système de contrôle rationnel, sa capacité à faire naître la cohésion de l'incohérent, une logique apparemment nécessaire de ce qui était carrément illogique, voire impossible. Peint avec soin à la manière d'une carte postale, le *Château dans les Pyrénées* de René Magritte (1898-1967) émerge du sommet d'un immense rocher, comme s'il avait poussé là. Mais, tel un œuf géant, le rocher flotte dans le ciel au-dessus de la mer, peinte avec un égal réalisme.

Le surréalisme enrichit sans conteste le répertoire des arts d'avant-garde : son aptitude à choquer, à susciter l'incompréhension ou, ce qui revenait au même, un rire parfois embarrassé, même chez l'avant-garde plus ancienne, atteste sa nouveauté. Telle fut ma réaction, il est vrai juvénile, à l'Exposition surréaliste internationale de 1936, à Londres, puis face à cet ami peintre surréaliste de Paris, dont j'avais du mal à comprendre son insistance à produire l'exact équivalent à l'huile d'une photographie d'entrailles humaines. Après-coup, cependant, le mouvement semble avoir été d'une étonnante fécondité, bien que surtout en France et dans les pays hispaniques où l'influence française était forte. Il influença des poètes de premier ordre en France (Paul Éluard, Louis Aragon) ; en Espagne (Federico García Lorca) ; en Europe de l'Est et en Amérique latine (César Vallejo au Pérou ; Pablo Neruda au Chili) ; et on en trouve encore des échos dans le « réalisme magique » qui devait marquer la littérature de ce continent bien plus tard. Ses images et ses visions – Max Ernst (1891-1976), René Magritte, Joan Miró (1893-1983), et même Salvador Dali – font désormais partie des nôtres. Et, contrairement à la plupart des avant-gardes occidentales antérieures, il a bel et bien fécondé l'art central du XXe siècle : celui de la photographie. La dette du cinéma – avec Luis Buñuel (1900-1983), mais aussi le grand scénariste du cinéma français de l'époque, Jacques Prévert (1900-1977) – et du photo-journalisme, avec Henri Cartier-Bresson (1908), envers le surréalisme ne doit rien au hasard.

Au total, pourtant, ce furent des anticipations de la révolution d'avant-garde qui avait déjà touché les beaux-arts avant que le monde dont ils exprimaient l'effondrement ne se disloquât effectivement. S'agissant de cette révolution de l'Ère des cataclysmes, trois observations s'imposent : l'avant-garde a fini par faire partie, pour ainsi dire, de la culture établie ; elle s'est laissée absorber au moins partiellement dans le tissu de la vie quotidienne ; et – surtout, peut-être – elle s'est spectaculairement politisée, plus, sans doute, que les arts d'aucune période depuis l'Ère des révolutions. Et pourtant, il ne faut jamais oublier que, tout au long de cette période, elle resta coupée des goûts et des préoccupations de la masse, même du public occidental, bien qu'elle le marquât plus que le grand public n'en eut généralement conscience. Exception faite d'une minorité un peu plus large qu'avant 1914, elle n'était pas réellement ni sciemment appréciée de la plupart.

Dire que la nouvelle avant-garde devint un élément central des arts établis, ce n'est pas prétendre qu'elle évinça les classiques et la mode, mais plutôt qu'elle les compléta en devenant la preuve d'un intérêt sérieux pour les choses culturelles. Le répertoire international de l'Opéra resta, pour l'essentiel, ce qu'il avait été à l'Ère des empires, les compositeurs nés au début des années 1860 (Richard Strauss, Pietro Mascagni) ou même plus tôt (Giacomo Puccini, Ruggero Leoncavallo, Leos Janacek) marquant les limites extérieures de la « modernité ». *Grosso modo*, c'est encore le cas aujourd'hui[3].

Reste que c'est, pour l'essentiel, au cours de la Première Guerre mondiale que le grand imprésario russe, Serguei Diaghilev (1872-1929) a transformé le ballet, traditionnellement associé à l'opéra, en un moyen d'expression résolument d'avant-garde. Après sa production parisienne de *Parade* en 1917 (décors et costumes de Pablo Picasso, musique d'Erik Satie, livret de Jean Cocteau, préface du programme par Guillaume Apollinaire), les décors de cubistes comme Georges Braque (1882-1963) et Juan Gris (1887-1927), et la musique composée ou réécrite par Igor Stravinsky, Manuel de Falla, Darius Milhaud ou Francis Poulenc devinrent de rigueur, tandis que les styles de danse et de chorégraphie furent modernisés en conséquence. Avant 1914, tout au moins en Grande-Bretagne, l'« Exposition postimpressionniste » avait été raillée par un public philistin, tandis que Stravinsky faisait scandale partout où il allait, de même que l'Armory Show à New York et ailleurs. Après la guerre, les philistins firent silence devant les étalages provocateurs de « modernisme », les déclarations d'indépendance délibérées vis-à-vis du monde discrédité de l'avant-guerre, et les manifestes de révolution culturelle. Le ballet moderniste, dont l'avant-garde sut exploiter le singulier mélange de snobisme, de magnétisme et d'élitisme, lui permit de sortir de sa palanque. Grâce à Diaghilev, écrivit une figure emblématique du journalisme culturel britannique des années 1920,

« la foule a réellement appris à apprécier les peintres vivants les meilleurs et les plus ridiculisés. Il nous a donné la Musique moderne sans larmes et la Peinture moderne sans rires » (Mortimer, 1925).

Le ballet de Diaghilev ne fut qu'un vecteur parmi d'autres de la diffusion des arts d'avant-garde qui, en tout état de cause, variaient d'un pays à l'autre. Ce n'est pas la même avant-garde qui essaima à travers l'Europe occidentale, car, si Paris garda son hégémonie sur de vastes régions de la culture d'élite, renforcée après 1918 par l'afflux d'expatriés américains (la génération d'Ernest Hemingway et de Scott Fitzgerald), il n'y avait plus en fait de haute culture unifiée dans le vieux monde. En Europe, Paris rivalisa avec l'axe Moscou-Berlin, jusqu'à ce que les triomphes de Staline et de Hitler réduisent au silence ou dispersent les avant-gardes russes ou allemandes. Les fragments des anciens empires austro-hongrois et ottoman suivirent leur voie en littérature, isolés par des langues que personne n'essaya sérieusement ni systématiquement de traduire avant l'ère de la diaspora antifasciste des années 1930. L'extraordinaire floraison de la poésie de langue espagnole sur les deux rives de l'Atlantique n'eut quasiment aucun impact international avant que la guerre d'Espagne de 1936-1939 ne la révélât. Même les arts les moins entravés par la tour de Babel, ceux de la vue et du son, étaient moins internationaux qu'on ne pouvait le supposer : une comparaison de la place relative de Hindemith, par exemple, en Allemagne et ailleurs, ou de Poulenc en France et ailleurs, suffit à le prouver. Les Anglais cultivés, amateurs d'art, qui connaissaient jusqu'au dernier membre de l'École de Paris, n'avaient sans doute pas même entendu les noms de peintres expressionnistes allemands aussi importants qu'Emil Nolde et Franz Marc.

Il n'y avait en réalité que deux arts d'avant-garde que les porte-drapeaux de la nouveauté artistique de tous les pays concernés admiraient à coup sûr, et tous deux venaient du nouveau monde plutôt que de l'ancien : le cinéma et le jazz. Le cinéma fut coopté par l'avant-garde au cours de la Première Guerre mondiale, après qu'elle l'eut inexplicablement négligé (voir *L'Ère des empires*). Non seulement il devint essentiel d'admirer cet art, et notamment sa personnalité la plus grande, Charlie Chaplin (rares sont les poètes modernes se respectant qui manquèrent de lui adresser une composition), mais des artistes d'avant-garde eux-mêmes se lancèrent dans la réalisation, surtout dans l'Allemagne de Weimar et en Russie soviétique, où ils dominaient en fait la production. Le canon des « films d'art » que les intellectuels cinéphiles étaient censés admirer dans les petits temples du cinéma spécialisés de l'Ère des cataclysmes, d'un bout du monde à l'autre, consistait essentiellement en créations d'avant-garde de ce genre : *Le Cuirassé Potemkine* (1925) de Sergueï Eisenstein (1898-1948) passait généralement pour le chef-d'œuvre de tous les temps. Qui a vu la séquence des escaliers d'Odessa – comme je l'ai vue dans un cinéma d'avant-garde de Charing Cross dans les années 1930 – ne l'oubliera jamais : de fait, on a pu en parler comme de la « séquence classique du cinéma muet et, peut-être, des six minutes les plus marquantes de toute l'histoire du cinéma » (Manvell, 1944, p. 47-48).

À compter du milieu des années 1930, les faveurs des intellectuels allèrent au cinéma populiste français de René Clair, de Jean Renoir (qui n'était pas pour rien le fils du peintre) ; de Marcel Carné ; de Jacques Prévert, l'ex-surréaliste ; et de Georges Auric, l'ex-membre du cartel musical d'avant-garde, « Les Six ». Comme les critiques non intellectuels aimaient à le souligner, ceux-ci étaient moins agréables, mais sans doute artistiquement plus « classe » que la production d'Hollywood, attirant chaque semaine des centaines de milliers de spectateurs (dont les intellectuels) dans des palaces toujours plus gigantesques et luxueux. Par ailleurs, les metteurs en scène pragmatiques d'Hollywood furent presque aussi prompts que Diaghilev à reconnaître qu'il était rentable de mettre l'avant-garde à contribution. À chacune de ses visites en Allemagne, son pays natal, « Uncle » Carl Laemmle, le patron des Universal Studios, peut-être le moins ambitieux intellectuellement de tous les « majors », prenait grand soin de repérer les hommes et les idées les plus à la page, au point que la production caractéristique de ses studios, le film d'horreur (Frankenstein, Dracula, etc.) était parfois une copie assez fidèle des modèles expressionnistes allemands. L'afflux outre-Atlantique de metteurs en scène centre-européens comme Fritz Lang, Ernst Lubitsch et Billy Wilder – presque tous des intellectuels dans leur pays natal – devait avoir un impact considérable sur Hollywood, pour ne dire mot de techniciens comme Karl Freund (1890-1969) ou Eugen Schufftan (1893-1977). Mais on reviendra plus loin sur l'évolution du cinéma et des arts populaires.

Le « jazz » de l'« ère du jazz », c'est-à-dire une sorte de mélange de danse rythmique et syncopée des Noirs américains et d'instrumentation peu conventionnelle selon les normes traditionnelles, a très certainement suscité l'approbation universelle de l'avant-garde. Moins pour ses mérites propres que parce qu'il était un autre symbole de la modernité, l'âge des machines : une rupture avec le passé, bref un autre manifeste de la révolution culturelle. Les membres du Bauhaus s'était fait photographier avec un saxophone. La véritable passion pour le jazz, dans lequel on reconnaît aujourd'hui la contribution majeure des États-Unis à la musique du XXe siècle, resta un phénomène rare parmi les intellectuels installés, d'avant-garde ou non, jusqu'à la seconde moitié du siècle. Ceux qu'elle toucha, comme moi après la visite de Duke Ellington à Londres en 1933, n'étaient qu'une petite minorité.

Quelle qu'en fût la variante locale, le modernisme devint entre les deux guerres le signe distinctif de qui voulait prouver qu'il était à la fois cultivé et dans le coup. Qu'on aimât vraiment ou non, ou même qu'on ait lu, vu ou écouté les œuvres des noms reconnus « OK » – mettons T. S. Eliot, Ezra Pound, James Joyce et David H. Lawrence, pour les étudiants en lettres anglaises de la première moitié des années 1930 –, il était inconcevable de ne pas en parler d'un air entendu. Ce qui est plus intéressant, peut-être, c'est que l'avant-garde culturelle de chaque pays réécrivit et réévalua le passé en fonction des besoins contemporains. Ainsi les Anglais étaient-ils sommés d'oublier Milton et Tennyson, mais d'admirer John Donne. F. R. Leavis de Cambridge, le plus influent des critiques britanniques de l'époque, imagina même un « canon » (la « grande tradition ») du roman anglais qui était l'exact opposé d'une véritable tradition, puisqu'il omettait de la succession historique tout ce que le critique n'aimait pas, comme toute l'œuvre de Dickens, à l'exception d'un roman jusque-là considéré comme l'une des œuvres mineures du maître, *Hard Times (Les Temps difficiles)*[4].

Pour les amateurs de peinture espagnole, Murillo était maintenant dépassé, mais l'admiration pour le Greco était obligée. Et surtout, tout ce qui était lié à l'Ère du capital et à l'Ère des empires (en dehors de son art d'avant-garde) devint quasiment invisible. La chute libre des prix de la peinture académique du XIXe siècle (et la hausse correspondante, mais encore modeste, des impressionnistes et des modernistes) n'en est pas la seule preuve : ces œuvres demeurèrent pratiquement invendables jusque dans les années 1960. Le seul fait de prétendre reconnaître le moindre mérite à un bâtiment victorien avait les allures de provocation délibérée à l'égard du *vrai* bon goût et valait de se voir classé dans le camp des réactionnaires. L'auteur de ces pages, qui a grandi au milieu des grands monuments architecturaux de la bourgeoisie libérale qui « entourent » le vieux centre de Vienne, apprit, par une sorte d'osmose culturelle, qu'ils devaient être jugés inauthentiques ou pompeux. Ce ne fut qu'au cours des années 1950 et 1960, la décennie la plus désastreuse de l'architecture moderne, que ces bâtiments furent démolis en masse : c'est la raison pour laquelle il fallut attendre 1958 pour que vît le jour en Grande-Bretagne une Victorian Society qui se donna pour mission de protéger les bâtiments des années 1840-1914 (plus de vingt ans après la création d'un Georgian Group cherchant à protéger le patrimoine moins réprouvé du XVIIIe siècle).

L'impact de l'avant-garde sur le cinéma commercial suggère déjà que le « modernisme » commençait à marquer de son empreinte la vie quotidienne. Il le fit de manière oblique, à travers des productions que le grand public ne tenait pas pour de l'« art » et qui n'avaient donc pas à être jugées selon des critères esthétiques *a priori* : essentiellement *via* la publicité, le *design*, les prospectus commerciaux et l'art graphique, mais aussi les objets. Ainsi, parmi les champions de la modernité, la fameuse chaise tubulaire (1925-1929) de Marcel Breuer (1902-1981) était porteuse d'une charge idéologique et esthétique considérable (Giedion, 1948, p. 448-495). Elle devait pourtant se frayer un chemin à travers le monde moderne non pas comme un manifeste, mais comme la modeste chaise superposable mais universellement utile. Il n'est guère douteux, cependant, qu'au cours des vingt petites années qui suivirent le début de la Première Guerre mondiale la vie métropolitaine du monde occidental se trouva visiblement marquée par le modernisme, même dans des pays comme les États-Unis et la Grande-Bretagne qui semblèrent y être totalement insensibles dans les années 1920. La ligne aérodynamique, qui s'empara du *design* américain au début des années 1930, faisait écho au futurisme italien. Dérivé de l'Exposition des Arts décoratifs qui se tint à Paris en 1925, le style Art Déco domestiqua l'angularité et l'abstraction modernistes. La révolution moderne du *paperback* (ou

du livre de poche) des années 1930 (Penguin Books) se fit sous la
bannière de la typographie d'avant-garde de Jan Tschichold (1902-
1974). L'offensive directe du modernisme était toujours détournée.
Ce n'est qu'au lendemain de la Seconde Guerre mondiale que le
Style International d'architecture moderniste transforma le paysage
urbain, bien que ses principaux protagonistes et praticiens – Walter
Gropius, Le Corbusier, Mies van der Rohe, Frank Lloyd Wright, etc.
– fussent actifs de longue date. Hormis quelques exceptions, le gros
des bâtiments publics (y compris des projets de logements sociaux
promus par des municipalités de gauche, dont on aurait pu attendre
quelque sympathie pour les préoccupations sociales de l'architecture
nouvelle) montra peu de signes de son influence, hormis le mépris
visible de la décoration. L'essentiel des travaux massifs de reconstruction des quartiers ouvriers de la « Vienne rouge », dans les
années 1920, fut entrepris par des architectes qui font au mieux une
apparition fugitive dans la plupart des histoires de l'architecture. En
revanche, la modernité eut tôt fait de refaçonner le moindre équipement de la vie quotidienne.

Il appartient à l'histoire de l'art de décider dans quelle mesure ce
phénomène de l'Art nouveau s'explique par l'héritage des mouvements des arts et métiers, où l'art d'avant-garde s'était intéressé aux
objets d'usage courant ; par le rôle des constructivistes russes, dont
certains avaient résolument entrepris de révolutionner le *design* de la
production de masse ; ou encore par l'authentique adaptabilité du
purisme moderniste à la technologie domestique moderne (l'aménagement des cuisines, par exemple). Il n'en reste pas moins vrai qu'un
establishment éphémère (qui, à sa naissance, fut très largement un
centre d'avant-garde politique et artistique) entreprit de donner le ton
à la fois à l'architecture et aux arts appliqués de deux générations. Ce
fut le Bauhaus, école d'art et de dessin de Weimar puis de Dessau, en
Allemagne centrale (1919-1933), dont l'existence coïncida avec la
république de Weimar : les nazis prononcèrent sa dissolution peu
après l'accession de Hitler au pouvoir. La liste des noms associés
d'une manière ou d'une autre au Bauhaus se lit comme un *Who's
Who* des arts avancés entre le Rhin et l'Oural : Gropius et Mies van
der Rohe ; Lyonel Feininger, Paul Klee et Wassily Kandinsky ; Male-
vitch, El Lissitzky, Moholy-Nagy, etc. Son influence ne devait pas
reposer uniquement sur ces talents, mais aussi, à partir de 1921, sur

un éloignement délibéré de la tradition des anciens arts et métiers et des beaux-arts d'avant-garde au profit de dessins d'objets quotidiens et au service de la production industrielle : carrosseries de voitures (Gropius), sièges d'avion, graphisme des publicités (passion du constructiviste russe El Lissitzky), sans oublier le dessin de billets de banques de 1 et 2 millions de marks au cours de la grande hyperinflation allemande de 1923.

Le Bauhaus – comme le montrent ses problèmes avec des hommes politiques mal disposés – était jugé profondément subversif. Et, de fait, une forme ou une autre d'engagement politique domine les arts « sérieux » à l'Ère des catastrophes. Dans les années 1930, le phénomène gagna même la Grande-Bretagne, qui était encore un havre de stabilité politique et sociale au milieu de la révolution européenne, et les États-Unis, épargnés par la guerre mais pas par le Grand Marasme. Cet engagement politique était loin de se situer uniquement à gauche, même si les amateurs d'art radicaux, surtout les jeunes, avaient du mal à accepter que le génie créateur n'allât pas de pair avec les opinions progressistes. Pourtant, surtout en littérature, les convictions profondément réactionnaires, parfois fascistes en pratique, étaient assez répandues en Europe occidentale. Les poètes T. S. Eliot et Ezra Pound en Grande-Bretagne et en exil ; William Butler Yeats (1865-1939) en Irlande ; le romancier Knut Hamsun (1859-1952) en Norvège, collaborateur ardent des nazis, D. H. Lawrence (1859-1930) en Grande-Bretagne et Louis-Ferdinand Céline en France (1894-1961) en sont des exemples évidents. Les talents brillants de l'émigration russe ne sauraient, bien entendu, être classés automatiquement parmi les « réactionnaires », bien que certains le fussent ou le devinssent ; car le refus du bolchevisme réunit des émigrés aux points de vue politiques largement différents.

On peut dire néanmoins, sans crainte de se tromper, que dans le sillage de la guerre mondiale et de la révolution d'Octobre, et plus encore dans l'ère de l'antifascisme des années 1930 et 1940, c'est la gauche, souvent la gauche révolutionnaire, qui attira essentiellement l'avant-garde. En fait, la guerre et la révolution politisèrent, en France et en Russie, un certain nombre de mouvements d'avant-garde apolitiques avant la guerre. (Dans un premier temps, cependant, l'essentiel de l'avant-garde russe ne montra aucun enthousiasme pour Octobre.) En réintroduisant le marxisme dans le monde occidental pour en faire les seules théorie et idéologie importantes de la révolution sociale, l'influence de Lénine assura la conversion des avant-gardes à ce que les nazis appelèrent, pas tout à fait à tort, le « bolchevisme culturel » (*Kulturbolchewismus*). Dada était pour la révolution. La seule difficulté du surréalisme, qui lui succéda, était de décider à quelle espèce de révolution il allait adhérer, la majorité de la secte choisissant Trotski plutôt que Staline. L'axe Moscou-Berlin, qui façonna si largement la culture de Weimar, reposait sur des sympathies politiques communes. Mies van der Rohe édifia, pour le compte du Parti communiste allemand, un monument aux chefs spartakistes assassinés, Karl Liebknecht et Rosa Luxemburg. Gropius, Bruno Taut (1880-1938), Le Corbusier, Hannes Meyer et toute une « Brigade du Bauhaus » acceptèrent des commandes soviétiques – il est vrai, à une époque où la Grande Crise rendait l'URSS idéologiquement mais aussi professionnellement attrayante pour les architectes. Même le cinéma allemand, qui au fond n'était pas très politique, se radicalisa, ainsi qu'en témoigne Georg W. Pabst (1885-1967), merveilleux réalisateur visiblement plus intéressé par les femmes que par les affaires publiques et qui, par la suite, se montra tout disposé à travailler sous les nazis. Dans les dernières années de Weimar, il fut pourtant l'auteur de quelques-uns des films les plus engagés, y compris de *L'Opéra de quat'sous* de Bertolt Brecht et Kurt Weill.

La tragédie des artistes modernistes, de droite ou de gauche, est qu'ils se firent rejeter par les mouvements de masse et leurs dirigeants politiques. À l'exception partielle du fascisme italien influencé par les futuristes, les nouveaux régimes autoritaires de droite et de gauche préféraient en architecture les bâtiments et les vues monumentales à l'ancienne ; en peinture et en sculpture, la figuration ; sur scène, les représentations raffinées des classiques ; et en littérature, l'idéologiquement correct. Hitler, bien entendu, artiste frustré, finit par trouver en Albert Speer un architecte compétent pour réaliser ses gigantesques conceptions. Cependant, ni Mussolini, ni Staline, ni le général Franco, qui tous inspirèrent leurs propres dinosaures architecturaux, ne commencèrent leur vie en nourrissant de pareilles ambitions personnelles. Ni l'avant-garde allemande ni son homologue russe ne survécurent donc à l'essor de Hitler et de Staline, et les deux pays, fer de lance de tout ce qui était avancé et distingué dans les arts des années 1920, disparurent pratiquement de la scène culturelle.

Avec le recul, on mesure mieux que leurs contemporains le désastre culturel que fut le triomphe de Hitler et de Staline ; nous voyons également à quel point les arts d'avant-garde étaient enracinés dans le sol révolutionnaire de l'Europe centrale et orientale. Dans les arts, les meilleurs vignes semblaient pousser sur les pentes des volcans. Et ce n'était pas simplement parce que les autorités culturelles des régimes révolutionnaires donnaient plus de reconnaissance officielle (c'est-à-dire de soutien matériel) aux artistes révolutionnaires, que les conservateurs qu'ils remplaçaient (et ce malgré le peu d'enthousiasme de leurs autorités politiques). Anatole Lounatcharsky, le « Commissaire aux Lumières », encouragea les arts, bien que Lénine eût des goûts tout à fait conventionnels. Avant d'être chassé du pouvoir (sans résister) en 1932 par les autorités du Reich allemand plus à droite, le gouvernement social-démocrate de la Prusse encouragea le chef d'orchestre radical Otto Klemperer à transformer l'un des Opéras de Berlin en vitrine de tout ce qui était avancé en musique entre 1928 et 1931. Pourtant, de manière indéfinissable, il semble aussi que les temps de cataclysme aient aiguisé les sensibilités, attisé les passions de ceux qui les vécurent en Europe centrale et orientale. La vision qui était la leur était rude, non pas heureuse. Sa rudesse même et le sentiment tragique qui la pénétrait donnèrent parfois à des talents, qui n'étaient pas en soi remarquables, une éloquence âpre et véhémente. Ainsi en fut-il de B. Traven, émigré anarchiste insignifiant, habitué de la vie de bohème, jadis associé à l'éphémère République soviétique de Munich, en 1919, qui sut évoquer de manière touchante les matelots et le Mexique (*Le Trésor de la Sierra Madre* de John Huston, avec Humphrey Bogart, est inspiré de lui). Sans cette rudesse, il ne serait pas sorti d'une obscurité méritée. Quand un artiste de ce genre perdait le sentiment que le monde était insupportable, il ne restait plus rien qu'un mariage de sentimentalisme et de savoir-faire technique : c'est ce qui ressort de l'œuvre de l'implacable satiriste allemand, George Grosz, lorsqu'il émigra aux États-Unis, en 1933.

En Europe centrale, l'art d'avant-garde de l'Ère des cataclysmes exprima rarement l'espoir, bien que ses adeptes politiquement révolutionnaires fussent attachés par leurs convictions idéologiques à une vision optimiste de l'avenir. Ses réalisations les plus fortes, pour la plupart antérieures à la suprématie de Hitler et de Staline – « Hitler

ne m'inspire rien »[5], devait railler le grand satiriste autrichien Karl
Kraus, que la Première Guerre mondiale était loin d'avoir laissé sans
voix (Kraus, 1922) –, sont le fruit de l'apocalypse et de la tragédie :
Wozzek, l'opéra d'Alban Berg, joué pour la première fois en 1926 ;
Die Massnahme (1930), de Brecht et Eisler ; *Cavalerie rouge* (1926),
d'Isaac Babel ; le film d'Eisenstein, *Le Cuirassé Potemkine* (1925) ;
ou le roman d'Alfred Döblin, *Berlin-Alexanderplatz* (1929). Quant à
l'effondrement de l'Empire des Habsbourg, il produisit une extraordinaire explosion littéraire : de la dénonciation de Karl Kraus, *Les
Derniers Jours de l'humanité* (1922), à l'auto-réflexion sans fin de
L'Homme sans qualités de Robert Musil (1930), en passant par la
bouffonnerie ambiguë du *Brave Soldat Chvéïk* de Jaroslav Hasek
(1921) et le thrène mélancolique de *La Marche de Radetzky* de
Joseph Roth (1932). Aucune séquence d'événements politiques du
XXe siècle ne devait avoir sur l'imagination créatrice un impact d'une
profondeur comparable – même si, chacune à leur manière, la révolution et la guerre civile irlandaises (1916-1922), à travers Sean
O'Casey, et (sur un mode plus symbolique) à travers ses muralistes,
la Révolution mexicaine (1910-1920) (mais pas la Révolution russe)
inspirèrent les arts de leurs pays respectifs. Les images d'un empire
destiné à s'effondrer, envisagé comme la métaphore de la culture de
l'élite occidentale, elle-même minée et en train de s'effondrer hantaient de longue date les zones d'ombre de l'imagination centre-
européenne. La fin de l'ordre trouva une expression dans les *Élégies
de Duino* (1913-1923) du grand poète Rainer Maria Rilke (1875-
1926). Un autre écrivain praguois de langue allemande devait donner
un sentiment plus absolu encore de l'incompréhensibilité du sort de
l'homme, tant singulier que collectif : Franz Kafka (1883-1924),
dont presque toute l'œuvre fut publiée à titre posthume.
    Tel fut donc l'art créé

> *Au temps où le ciel tombait*
> *À l'heure où les fondements*
> *de la terre se dérobaient,*

pour citer l'érudit et poète A. E. Housman, qui était loin d'appartenir à l'avant-garde (Housman, 1988, p. 138). C'était l'art dont la vue
était celle de « l'ange de l'histoire », que le marxiste juif allemand

Walter Benjamin (1892-1940) déclarait reconnaître dans le tableau de Paul Klee, *Angelus Novus* :

> « *Son visage est tourné vers le passé. Là où à notre regard à nous semble s'échelonner une suite d'événements, il n'y* [en] *a qu'un seul qui s'offre à ses regards à lui : une catastrophe sans modulation ni trêve, amoncelant les décombres et les projetant éternellement devant ses pieds. L'Ange voudrait bien se pencher sur ce désastre, panser les blessures et ressusciter les morts. Mais une tempête s'est levée, venant du Paradis ; elle a gonflé les ailes déployées de l'Ange ; et il n'arrive plus à les replier. Cette tempête l'emporte vers l'avenir auquel l'Ange ne cesse de tourner le dos tandis que les décombres, en face de lui, montent au ciel. Nous donnons le nom de Progrès à cette tempête.* »

Benjamin, 1971, p. 84-85 ; trad. fr., p. 343-344

À l'Ouest de la zone d'effondrement et de révolution, le sentiment d'un cataclysme tragique et inéluctable était moindre, mais l'avenir semblait pareillement énigmatique. Malgré le traumatisme de la Première Guerre mondiale, ce n'est que dans les années 1930 que la continuité avec le passé apparut clairement brisée : la décennie du Grand Marasme, du fascisme et de la guerre qui approchait fermement[6]. Malgré tout, avec le recul, l'état d'esprit des intellectuels occidentaux paraît moins désespéré et plus optimiste que celui de leurs homologues d'Europe centrale, désormais éparpillés et isolés, de Moscou à Hollywood, ou des Européens de l'Est, captifs, réduits au silence par la faillite et la terreur. Ils avaient encore le sentiment de défendre des valeurs menacées, mais pas encore détruites, de réveiller ce qui était encore vivant dans leur société, au besoin en la transformant. Comme nous le verrons (*cf.* chapitre 18), l'aveuglement des Occidentaux face à l'Union soviétique stalinienne tenait largement à la conviction que, somme toute, celle-ci représentait les valeurs des Lumières contre la désintégration de la raison : du « progrès » au sens simple d'autrefois, donc beaucoup moins problématique que « le vent soufflant du Paradis » de Walter Benjamin. C'est seulement parmi les ultra-réactionnaires que nous trouvons le sentiment d'une tragédie incompréhensible ou plutôt, comme chez Evelyn Waugh (1903-1966), le plus grand romancier britannique de l'époque, d'une comédie noire pour stoïques ; ou, comme chez Céline (1894-1961), un cauchemar même pour les cyniques. Bien que le plus fin et le plus intelligent des jeunes poètes britanniques d'avant-garde de l'époque, Wystan H. Auden (1907-1973), eût un sens tragique de l'histoire – *Spain, Musée des Beaux-Arts* – l'état d'esprit du groupe dont il était le centre trouvait la condition humaine assez acceptable. Les artistes britanniques d'avant-garde les plus marquants – le sculpteur Henry Moore (1898-1986) et le compositeur Benjamin Britten (1913-1976) – donnent l'impression qu'ils eussent volontiers laissé passer la crise, si elle ne s'était rappelée à eux. Ce qu'elle fit.

La notion d'arts d'avant-garde restait confinée à la culture de l'Europe, de ses annexes et de ses dépendances, et, même là, les pionniers qui se situaient à la frontière de la révolution artistique regardaient encore souvent avec envie Paris et – dans une mesure moindre, mais surprenante – Londres[7]. Ils ne tournaient pas encore leur regard vers New York. Autrement dit, l'avant-garde non européenne n'existait guère en dehors de l'hémisphère occidental, où elle était fermement attachée à l'expérimentation artistique et à la révolution sociale. Ses représentants les mieux connus de cette époque, les muralistes de la Révolution mexicaine, ne divergeaient que sur le compte de Staline et de Trotski, mais pas sur Zapata et Lénine, que Diego Rivera (1886-1957) voulut à tout prix faire figurer sur une fresque du nouveau Rockefeller Center à New York (un triomphe de l'Art déco qui ne le cède qu'au Chrysler Building) au grand scandale des Rockefeller.

Reste que, pour la plupart des artistes du monde non occidental, le problème de base était la modernité, non le modernisme. Comment leurs écrivains allaient-ils transformer les langues vernaculaires en idiomes littéraires souples et complets pour le monde contemporain, ainsi que les Bengalis l'avaient fait depuis le milieu du XIXe siècle en Inde ? Comment des hommes (peut-être même des femmes, en ces temps nouveaux) allaient-ils écrire en ourdou, plutôt que dans le persan classique jusque-là obligé ? En turc plutôt que dans l'arabe classique que la révolution d'Atatürk jeta dans les poubelles de l'histoire avec le *fez* et le voile des femmes ? Dans les pays d'antiques cultures, que devaient-ils faire de leurs traditions ? De leurs arts qui, si séduisants fussent-ils, n'appartenaient pas au XXe siècle ? Abandonner le passé était suffisamment révolutionnaire pour que la révolte occidentale d'une phase de la modernité contre une autre parût hors de propos, voire incompréhensible. *A fortiori* quand l'artiste modernisateur se doublait d'un révolutionnaire politique, comme cela avait toute chance d'être le cas. Tchekhov et Tolstoï faisaient sans doute des modèles plus appropriés que James Joyce pour ceux qui estimaient que leur tâche – et leur inspiration – était d'« aller au peuple », de brosser un tableau réaliste de ses souffrances et de l'aider à s'élever. Même les écrivains japonais, qui embrassèrent le modernisme à partir des années 1920 (probablement à travers leurs contacts avec le futurisme italien), eurent un fort contingent « prolétarien », de temps à autre dominé par les socialistes ou les communistes (Keene, 1984, chapitre 15). En fait, le premier grand écrivain chinois moderne, Lu Xun (1881-1936), rejeta délibérément les modèles occidentaux au profit de la littérature russe, « où nous voyons le bon cœur des opprimés, leurs souffrances et leurs luttes » (Lu Xun, 1975, p. 23).

Pour la plupart des talents créatifs du monde non européen, qui n'étaient ni confinés au sein de leurs traditions ni simplement occidentalistes, la tâche majeure semblait être de découvrir la réalité contemporaine de leur peuple, de lever le voile sur elle et de la représenter. Leur mouvement était le réalisme.

II

En un sens, ce désir unissait les arts de l'Orient et de l'Occident. Le XXe siècle, c'était de jour en jour plus clair, était le siècle des petites gens : un siècle dominé par les arts produits par et pour eux. Deux instruments liés rendirent le monde de l'homme ordinaire plus visible qu'il ne l'avait jamais été et en firent matière à documents : le reportage et l'appareil photographique. Ceux-ci n'étaient pas nouveaux (voir *L'Ère du capital*, chapitre 15 et *L'Ère des empires*, chapitre 9), mais tous deux connurent après 1914 un âge d'or vécu comme tel. Les écrivains, surtout aux États-Unis, ne se considéraient pas seulement comme des chroniqueurs de la réalité ; ils exerçaient réellement le métier de journaliste ou même, avaient débuté comme professionnels de la presse : Ernest Hemingway (1899-1961), Theodore Dreiser (1871-1945), Sinclair Lewis (1885-1951). Le « reportage » – le mot apparaît pour la première fois dans les dictionnaires français en 1929, et dans les anglais en 1931 – s'imposa dans les années 1920 comme une forme de littérature illustrée et critique, largement sous l'influence de l'avant-garde révolutionnaire russe qui célébrait le genre, opposé au divertissement populaire dans lequel la gauche européenne avait toujours condamné un opium du peuple. Le journaliste communiste tchèque Egon Erwin Kisch, qui se présentait fièrement comme un « reporter pressé » (*Der rasende Reporter*, 1925, est le titre du premier d'une série de reportages), paraît avoir imposé le terme en Europe centrale. Le reportage conquit l'avant-garde occidentale essentiellement à travers le cinéma. Ses origines sont clairement visibles dans les sections intitulées « Newsreel » (Actualités) et « The Camera Eye » (l'œil de la caméra) – allusion à l'auteur de films documentaires d'avant-garde, Dziga Vertov – qui rythment le récit de John Dos Passos (1896-1970) dans la trilogie *USA* qu'il écrivit à l'époque où il se situait à gauche. Entre les mains de la gauche avant-gardiste, le « film documentaire » devint un mouvement délibéré. Mais, dans les années 1930, même les purs et durs de la presse quotidienne et hebdomadaire prétendaient à un statut intellectuel et créatif plus élevé en hissant certaines actualités cinématographiques, généralement de simples bouche-trou assez ordinaires, dans la catégorie plus prestigieuse des documentaires de la « Marche du Temps », et en empruntant les innovations techniques des photographes d'avant-garde (domaine où l'AIZ communiste des années 1920 avait joué un rôle de pionnier) pour inaugurer l'âge d'or du magazine illustré : *Life* aux États-Unis, *Picture Post* en Grande-Bretagne, *Vu* en France. En dehors des pays anglophones, cependant, elle ne commença à fleurir massivement qu'après la Seconde Guerre mondiale.

La valeur du nouveau photo-journalisme ne tenait pas seulement aux hommes – et même aux quelques femmes – de talent qui découvrirent ce que la photographie pouvait apporter au journalisme, ni à la conviction illusoire que « la photo ne ment pas », et donc représente d'une certaine façon la vérité « vraie ». Plus encore qu'aux améliorations techniques qui facilitèrent la prise de vues sur le vif avec de nouveaux appareils miniatures (le Leica fut lancé en 1924), sa valeur tenait peut-être avant tout au fait qu'il s'inscrivait dans la prédominance universelle du cinéma. Les hommes et les femmes apprirent à voir la réalité à travers l'objectif. Car si la presse écrite accrut sa diffusion (grâce à la rotogravure, de plus en plus agrémentée de photos dans la presse tabloïd), elle céda du terrain au profit du cinéma. L'Ère des catastrophes fut l'ère du grand écran. À la fin des années 1930, pour chaque Britannique qui achetait un quotidien, deux achetaient un billet de cinéma (Stevenson, p. 396, 403). Alors que le monde s'enfonçait dans la crise et était balayé par la guerre, jamais les spectateurs ne furent aussi nombreux à se rendre au cinéma.

Dans les nouveaux médias visuels, les arts d'avant-garde et de masse se fécondèrent mutuellement. En vérité, dans les vieux pays occidentaux, la domination des couches cultivées et un certain élitisme s'insinuèrent jusque dans le médium de masse qu'était le cinéma pour engendrer l'âge d'or du cinéma muet allemand à l'époque de Weimar, du cinéma parlant français dans les années 1930, et du cinéma italien dès que fut retirée la chape du fascisme qui recouvrait ses talents. Parmi tous ces mouvements, c'est peut-être le cinéma populiste français des années 1930 qui réussit le mieux à associer ce que les intellectuels attendaient de la culture et le grand public, du divertissement. C'est le seul cinéma « intello » qui n'ait jamais perdu de vue l'importance de l'histoire, en particulier des histoires d'amour et de crime, le seul qui ait su faire rire. Chaque fois que l'avant-garde (politique ou artistique) suivit sa voie sans compromis, comme dans le documentaire ou l'agitprop, son travail suscita rarement un intérêt en dehors de petites minorités.

Pourtant, ce n'est pas l'apport de l'avant-garde qui donne leur signification aux arts de masse de cette époque. C'est leur hégémonie culturelle de plus en plus indéniable, même si hors des États-Unis, nous l'avons vu, ils n'avaient pas encore tout à fait échappé à la supervision du monde de la culture. Les arts, ou plutôt les divertissements, qui devinrent dominants étaient ceux qui visaient les masses les plus larges plutôt que le public, croissant, de la moyenne et petite bourgeoisies aux goûts traditionnels. Ce public dominait encore le théâtre de « boulevard », West End ou ses équivalents, tout au moins avant que Hitler ne dispersât les fabricants de ces produits, dont l'intérêt était toutefois mince. Dans cette zone intermédiaire, le phénomène le plus intéressant fut la croissance explosive d'un genre qui avait donné quelques signes de vie avant 1914, sans rien laisser soupçonner de ses triomphes futurs : le roman policier, désormais étoffé aux dimensions d'un livre. Essentiellement britannique – peut-être un tribut au Sherlock Holmes d'Arthur Conan Doyle, il devint internationalement connu dans les années 1890 – et, ce qui surprend davantage, largement féminin ou académique. Agatha Christie (1891-1976), qui en fut la pionnière, reste aujourd'hui encore un auteur de best-sellers. Les versions internationales du « polar » étaient encore largement, et manifestement, inspirées du modèle britannique : il s'agissait presque exclusivement de meurtres traités comme un jeu de société requérant quelque ingéniosité, un peu comme ces mots croisés accompagnés d'indices énigmatiques, autre spécialité exclusivement britannique. Le genre apparaît comme une curieuse invocation à un ordre social menacé mais pas encore bafoué. Le meurtre, qui devint alors le crime central, presque le seul à mobiliser le détective, fait irruption dans un cadre bien ordonné – la maison de campagne ou quelque milieu professionnel, et il est imputé à l'une de ces pommes pourries qui confirme que le reste du panier est sain. L'ordre est rétabli par la raison, telle qu'en use le détective qui, le plus souvent masculin, représente la norme sociale. D'où, peut-être, l'insistance sur le *privé*, à moins que le policier lui-même, à la différence de la majorité de ses pairs, n'appartienne à « la haute » ou à la bourgeoisie. C'était un genre profondément conservateur, encore plein d'assurance, à la différence du thriller plus hystérique avec ses agents secrets (lui aussi essentiellement britannique), qui prit son essor à la même époque et était promis à un bel avenir dans la seconde moitié du siècle. Hommes aux mérites littéraires modestes, ses auteurs devaient souvent trouver un métier qui leur allait comme un gant dans les services secrets de leur pays[8].

En 1914, les mass media à l'échelle moderne étaient déjà un fait acquis dans un certain nombre de pays occidentaux. Leur croissance n'en fut pas moins spectaculaire à l'Ère des cataclysmes. Aux États-Unis, les tirages de la presse d'information augmentèrent beaucoup plus vite que la population pour doubler entre 1920 et 1950. À cette époque, dans un pays développé « type », il se vendait entre 300 et 350 journaux pour 1 000 habitants – hommes, femmes et enfants ; mais les Scandinaves et les Australiens étaient plus gros consommateurs encore de presse imprimée, tandis que les Britanniques urbanisés, peut-être parce que leur presse était plus nationale que locale, atteignaient le chiffre stupéfiant de 600 exemplaires achetés pour 1 000 habitants (*UN Statistical Yearbook*, 1948). La presse s'adressait au public passé par l'école, mais, dans les pays de scolarisation massive, elle fit aussi de son mieux pour satisfaire le public incomplètement éduqué au moyen d'images et de bandes dessinées, qui ne forçaient pas encore l'admiration des intellectuels, et en cultivant un langage coloré, frappant et pseudo-populaire, qui évitait les mots composés de trop de syllabes. Son influence sur la littérature ne fut pas négligeable. Le cinéma, en revanche, ne sollicitait guère la culture et, dès lors qu'il eut appris à parler, à la fin des années 1920, il devint pratiquement accessible à l'ensemble du public anglophone.

À la différence de la presse, qui dans la majeure partie du monde n'intéressait qu'une petite élite, les films furent presque dès l'origine un médium international de masse. L'abandon du langage potentiellement universel du film muet, avec ses codes éprouvés de communication transculturelle, fit probablement beaucoup pour familiariser le public international à l'anglais parlé et en faire ainsi le *pidgin* mondial de la fin du XXe siècle. Car, à l'âge d'or d'Hollywood, les films étaient essentiellement américains – sauf au Japon, où l'on tournait presque autant de films qu'aux États-Unis. Pour ce qui est du reste du monde, Hollywood, à la veille de la Seconde Guerre mondiale, produisait presque autant de films que toutes les autres industries réunies, même si nous comptons l'Inde qui en produisait déjà près de 170 par an pour un public aussi large que celui du Japon et presque aussi important que le public américain. En 1937, Hollywood sortit 567 films, soit plus de dix par semaine. Entre la capacité hégémonique du capitalisme et le socialisme bureaucratisé, la différence réside entre ce chiffre et les quarante et un films que l'URSS prétendit avoir produits en 1938. Pour d'évidentes raisons linguistiques, néanmoins, une aussi extraordinaire prédominance mondiale ne pouvait pas durer. En tout cas, elle ne devait pas survivre à la désintégration du « système des studios », qui atteignit alors son apogée de machine à produire du rêve, mais s'effondra peu après la Seconde Guerre mondiale.

Le troisième des mass media était entièrement nouveau : la radio. À la différence des deux autres, il reposait essentiellement sur la propriété privée de ce qui était encore un appareil sophistiqué, donc essentiellement confiné aux pays « développés » relativement prospères. En Italie, le nombre de postes de radio ne devait dépasser celui des automobiles qu'en 1931 (Isola, 1990). À la veille de la Seconde Guerre mondiale, les plus fortes densités de postes de radio se trouvaient aux États-Unis, en Scandinavie, en Nouvelle-Zélande et en Grande-Bretagne. Dans ces pays, cependant, la progression fut spectaculaire : même les pauvres pouvaient y accéder. Sur les neuf millions de postes que comptait la Grande-Bretagne en 1939, la moitié avaient été achetés par des gens qui gagnaient entre 2,5 et 4 £ par semaine – un modeste revenu – et deux millions par des gens qui gagnaient encore moins (Briggs, II, p. 254). Peut-être n'est-il pas surprenant que le public de la radio ait doublé dans les années de la Grande Crise, où elle enregistra une croissance qu'elle n'avait jamais connue et qu'elle ne devait plus jamais retrouver. Car la radio transforma la vie des pauvres, et surtout des ménagères, comme rien ne l'avait encore jamais fait. Elle fit entrer le monde à domicile. Désormais, les plus solitaires ne devaient plus jamais être tout à fait seuls. Ils avaient à leur disposition toute la gamme de ce qui pouvait se dire, se chanter, se jouer ou s'exprimer autrement par la voie du son. Faut-il s'étonner qu'un médium inconnu à la fin de la Première Guerre mondiale ait capté dix millions de foyers aux États-Unis l'année du krach boursier, plus de vingt-sept millions en 1939, et plus de quarante en 1950 ?

À la différence du cinéma, ou même de la révolution qu'avait connue la presse de masse, la radio ne devait pas transformer en profondeur la manière de percevoir la réalité. Elle n'a pas créé de nouvelles façons de voir ou d'instaurer des relations entre les impressions sensorielles et les idées (voir *L'Ère des empires*). Elle n'était que le médium, pas le message. Mais sa capacité de s'adresser simultanément à des millions et des millions de personnes en donnant à chaque auditeur le sentiment qu'on s'adresse à lui en particulier, en fit un outil d'information de masse et, comme le comprirent aussitôt les responsables politiques et les hommes d'affaires, un instrument de propagande et de publicité d'une redoutable efficacité. Au début des années 1930, le président des États-Unis découvrit les possibilités des « conversations au coin du feu » radiophoniques et le roi d'Angleterre, celles de la diffusion du Noël royal (respectivement en 1932 et 1933). Pendant la Seconde Guerre mondiale, avec l'exigence illimitée de « nouvelles », la radio devint à la fois un instrument politique et un organe d'information. En Europe occidentale, le nombre de postes de radio augmenta fortement dans tous les pays, sauf chez certaines des principales victimes du conflit (Briggs, III, appendice C). Dans plusieurs cas, il fut multiplié par deux ou plus. Dans la plupart des pays non européens, l'essor fut encore plus rapide. Le monde du business bien qu'il eût dès le départ dominé les ondes aux États-Unis, eut affaire ailleurs à plus forte partie, puisque par tradition les gouvernements répugnaient à abandonner le contrôle d'un moyen aussi puissant d'influencer les citoyens. La BBC conserva son monopole public. Quand elle était tolérée, la radio commerciale était néanmoins censée se soumettre devant la voix officielle.

Il est difficile aujourd'hui de reconnaître les innovations de la culture radiophonique, car tout ce qu'elle a lancé fait désormais partie du paysage quotidien : commentaires sportifs, bulletin d'information, spectacles de vedettes, feuilletons et séries en tous genres. Le changement le plus profond qu'elle ait entraîné fut, simultanément, de privatiser et de structurer la vie suivant un horaire rigoureux, régissant désormais la sphère du travail comme celle des loisirs. Curieusement pourtant, ce médium et, jusqu'à l'essor de la vidéo et du magnétoscope, la télévision créèrent leur sphère publique propre, alors même qu'ils étaient essentiellement centrés sur l'individu et la famille. Pour la première fois de l'histoire, des inconnus qui se rencontraient avaient toute chance de savoir ce que chacun avait entendu, ou vu, la veille : le grand jeu, la comédie préférée, le discours de Winston Churchill, le bulletin d'informations.

De tous les arts, c'est la musique qui fut la plus sensiblement affectée par la radio, puisqu'elle abolit les limites acoustiques et mécaniques traditionnelles. Dernier des arts à briser le carcan physique qui restreint la communication orale, la musique était déjà entrée avant 1914 dans l'ère de la reproduction mécanisée avec le disque et le gramophone, bien que celui-ci ne fût encore guère à la portée des masses. Il le devint dans le courant de l'entre-deux-guerres, bien que l'effondrement virtuel du marché du « disque ethnique », c'est-à-dire de la musique typique des pauvres durant la Grande Crise, montrât la fragilité de l'expansion. Et, même si sa qualité technique progressa après 1930, le disque avait ses limites, ne serait-ce que de durée. De surcroît, sa gamme dépendait de ses ventes. Pour la première fois, la radio permit à un nombre théoriquement illimité d'auditeurs d'écouter à distance, sans interruption, des morceaux de musique de plus de cinq minutes. Ainsi devint-elle un moyen unique de vulgariser des musiques minoritaires (y compris la musique classique), mais aussi le véhicule le plus puissant qu'il reste aujourd'hui pour vendre des disques. La radio n'a pas changé la musique : elle l'a certainement moins affectée que le théâtre ou le cinéma, qui apprit également à reproduire le son. Mais le rôle de la musique dans la vie contemporaine, notamment comme toile de fond sonore de la vie quotidienne, est inconcevable sans elle.

Les forces qui dominèrent les arts populaires étaient donc avant tout techniques et industrielles : presse, appareil photo, film, disque et radio. Pourtant, depuis la fin du XIXe siècle, une authentique source d'innovation et de création autonomes avait visiblement jailli dans les quartiers populaires et les lieux de divertissement de certaines grandes villes (voir *L'Ère des empires*). Cette source était loin d'être épuisée, et la révolution des médias en porta les produits très au-delà de ses milieux d'origine. Ainsi, formalisé et, surtout, amplifié par l'extension de la danse à la chanson, le tango argentin ne fut probablement jamais aussi présent et influent que dans les années 1920 et 1930 : lorsque sa plus grande vedette, Carlos Gardel (1890-1935), trouva la mort dans un accident d'avion en 1935, c'est toute l'Amérique hispanophone qui le pleura et, grâce au disque, en fit une présence permanente. Destinée à symboliser le Brésil, comme le tango l'Argentine, la samba est fille de la démocratisation du Carnaval de Rio dans les années 1920. Cependant, le phénomène de ce genre le plus marquant et, à long terme, le plus influent fut l'essor du jazz aux États-Unis, largement sous l'effet de la migration des noirs des États du Sud vers les grandes villes du Middle-West et du Nord-Est : une musique d'art autonome, œuvre de professionnels (essentiellement noirs) du divertissement.

En dehors de leur milieu natal, l'impact de ces innovations ou de ces phénomènes populaires était encore restreint. De même, il était encore moins révolutionnaire qu'il ne le devint dans la seconde moitié du siècle, lorsque, pour prendre un exemple évident, le rock-and-roll, langage directement issu du blues noir américain, devint le langage universel de la culture des jeunes. Néanmoins, bien que, le cinéma excepté, l'impact des mass media et de la création populaire fût plus modeste que dans la seconde moitié du siècle, le phénomène avait déjà pris une ampleur considérable et atteint une qualité remarquable, surtout aux États-Unis, qui commencèrent à exercer dans ces domaines une incontestable hégémonie. Celle-ci s'explique par divers facteurs : leur extraordinaire prépondérance économique, leur solide attachement au commerce et à la démocratie, et, après la Grande Crise, l'influence du populisme rooseveltien. Dans le domaine de la culture populaire, le monde était américain ou il était provincial. À une seule exception près, aucun autre modèle régional ou national ne s'imposa mondialement, même si certains eurent une forte influence régionale (par exemple, la musique égyptienne dans le monde islamique). À l'occasion, une touche d'exotisme pénétrait la culture populaire commerciale et mondiale : ainsi des éléments antillais et latino-américains de la musique de danse. L'unique exception fut le sport. Dans cette branche de la culture populaire – qui nierait qu'il s'agit bien d'un art après avoir vu l'équipe brésilienne à son heure de gloire ? –, l'influence américaine resta confinée à l'aire de domination politique de Washington. De même que le cricket n'est un sport de masse que dans les pays où avait flotté l'Union Jack, le base-ball n'eut guère d'écho à l'extérieur, sauf dans les pays où les marines avaient autrefois débarqué. Le seul sport que le monde entier ait fait sien est le football, fils de la présence économique mondiale de la Grande-Bretagne, qui, des glaces polaires jusqu'à l'Équateur, avait introduit des équipes portant le nom d'entreprises britanniques ou composées d'expatriés (comme le Saõ Paulo Athletic Club). Ce jeu simple et élégant, qui ne souffre pas du handicap de règles ou d'un matériel complexes, et qui se pratique sur n'importe quel terrain plus ou moins plat aux dimensions requises, s'est imposé dans le monde par ses propres mérites ; et la création de la Coupe du Monde en 1930 (gagnée par l'Uruguay) en fit un sport non seulement international mais mondial.

Et pourtant, suivant nos normes, les sports de masse avaient certes pris une dimension planétaire, mais ils demeuraient extraordinairement primitifs. L'économie capitaliste ne s'en était pas encore emparée. Les grandes vedettes étaient encore des amateurs, comme au tennis (c'est-à-dire, assimilés au statut bourgeois traditionnel), ou des professionnels pas tellement mieux payés qu'un ouvrier qualifié, comme dans le football en Grande-Bretagne. Le face-à-face était encore de rigueur, car même la radio ne pouvait jamais commenter une partie ou une course qu'à travers les décibels de la voix des présentateurs. L'âge de la télévision et des sportifs payés comme des stars de cinéma devait encore attendre quelques années. Mais, comme nous le verrons (*cf.* chapitres 9-11), cela ne devait plus tarder.

Chapitre 7

La fin des empires

« *Il est devenu terroriste révolutionnaire en 1918. Son gourou était présent la nuit de ses noces, et dix années durant, il n'a jamais vécu avec sa femme, morte en 1928. C'était une règle d'airain pour les révolutionnaires : ils devaient se tenir à l'écart des femmes.* [...] *Il aimait à me raconter comment l'Inde allait se libérer à la manière dont combattaient les Irlandais. C'est lorsque j'étais avec lui que j'ai lu Dan Breen,* My Fight for Irish Freedom. *Dan Breen était l'idéal de Masterda. Il baptisa son organisation, "Armée républicaine" indienne, "branche Chittagong", d'après l'Armée républicaine irlandaise.* »

Kalpana Dutt (1945, p. 16-17)

« *La race céleste des administrateurs coloniaux tolérait et même encourageait le système des pots de vin et la corruption, parce que c'était un moyen bon marché de contrôler des populations turbulentes et souvent dissidentes. Dans les faits, cela veut dire qu'un homme peut obtenir ce qu'il désire (gagner un procès, décrocher un contrat de l'administration, être honoré le jour de son anniversaire ou être nommé à un poste officiel) en accordant une faveur à l'homme qui a le pouvoir de lui accorder ou de lui refuser ce qu'il demande. La "faveur" n'est pas nécessairement un cadeau en espèces (c'est grossier, et rares sont les Européens en Inde qui se salissaient les mains de la sorte). Ce pouvait être un témoignage d'amitié et de respect, une hospitalité fastueuse, la remise de fonds à une "bonne cause", et, par-dessus tout, la loyauté envers le Raj.* »

M. Carritt (1985, p. 63-64)

I

Au cours du XIXᵉ siècle, une poignée de pays – pour l'essentiel situés en bordure de l'Atlantique nord – conquirent le reste du monde non européen avec une ridicule facilité. Pour autant qu'ils ne cherchaient ni à occuper ni à diriger, les pays occidentaux assirent une supériorité encore plus incontestée au moyen de leur système économique et social, de son organisation et de sa technologie. Le capitalisme et la société bourgeoise transformèrent et dirigèrent le monde. Ils offrirent un modèle – jusqu'en 1917, le seul – à tous ceux qui ne voulaient pas être écrasés ou balayés par le char de l'histoire. Après 1917, le communisme soviétique offrit un autre modèle : mais, au fond, il était du même type, si ce n'est qu'il se passait de l'entreprise privée et des institutions libérales. L'histoire du monde non occidental ou, plus exactement, non nord-occidental au XXᵉ siècle est donc essentiellement déterminée par ses relations avec les pays qui s'étaient imposés au XIXᵉ siècle comme les seigneurs de l'espèce humaine.

Dans cette mesure, l'histoire du Court Vingtième Siècle demeure géographiquement biaisée ; seul peut l'écrire l'historien qui entend se concentrer sur la dynamique de la transformation mondiale. Ce qui ne veut pas dire que l'on partage le sentiment de supériorité condescendant, et beaucoup trop souvent ethnocentrique, voire raciste, ni l'autosatisfaction totalement injustifiée qui sont encore répandus dans les pays privilégiés. En vérité, je suis passionnément hostile à ce qu'E. P. Thompson a appelé la « formidable condescendance » envers les pays retardataires et pauvres. Il n'en demeure pas moins vrai que, durant le Court Vingtième Siècle, la dynamique de la plus grande part de l'histoire est dérivée, non originale. Elle consiste essentiellement en tentatives des élites des sociétés non bourgeoises pour imiter le modèle dont l'Occident fut le pionnier : un modèle avant tout perçu comme celui de sociétés engendrant le progrès, la richesse, le pouvoir et la culture par le « développement » économique et technico-scientifique, dans une variante capitaliste ou socialiste[1]. Il n'était pas d'autre modèle opératoire que l'« occidentalisation » ou la « modernisation » : peu importe de quel nom on veut bien l'appeler. Inversement, seul l'euphémisme politique sépare les divers synonymes de l'« arriération » (Lénine n'hésitait pas à décrire en ces termes la situation de son pays et des « pays coloniaux et arriérés »), que la diplomatie internationale a répandus autour d'un monde décolonisé (« sous-développé », « en voie de développement », etc.).

Ce « développement » pouvait être associé à divers autres ensembles de croyances et d'idéologies, dès lors que celles-ci n'interféraient pas avec lui, c'est-à-dire tant que le pays concerné n'interdisait pas, par exemple, la construction d'aéroports sous prétexte que le Coran ou la Bible ne les avaient pas autorisés, qu'ils allaient contre la tradition vivifiante de la chevalerie médiévale, ou qu'ils étaient incompatibles avec la profondeur de l'âme slave. Par ailleurs, lorsque ces croyances allaient contre le processus du « développement » *en pratique* et pas simplement en théorie, elles étaient un gage d'échec et de défaite. Si forte et sincère que fût la conviction que la magie détournerait les balles des fusils-mitrailleurs, elle marchait trop rarement pour faire une grande différence. Le téléphone et le télégraphe étaient de meilleurs moyens de communication que la télépathie du saint homme.

Cela ne veut pas dire, pour autant, qu'il faille écarter les traditions, les croyances et les idéologies immuables ou modifiées à l'aune desquelles les sociétés, entrant en contact avec le monde nouveau du développement, ont pu évaluer celui-ci. Le traditionalisme et le socialisme s'accordaient à détecter l'espace moral béant au cœur du libéralisme capitaliste, économique et politique, qui détruisait tous les liens entre les individus, hormis ceux qui reposaient sur la « propension au troc », chère à Adam Smith, et la poursuite de leurs satisfactions et intérêts personnels. En tant que système moral, manière de définir la place des êtres humains dans le monde, reconnaître la nature et l'ampleur des destructions opérées par le « développement » et le « progrès », les idéologies et systèmes de valeurs pré ou non capitalistes étaient souvent supérieurs aux croyances qu'apportaient avec eux les canonnières, les marchands, les missionnaires et les administrateurs coloniaux. En tant que moyen de mobiliser les masses des sociétés traditionnelles contre la modernisation, capitaliste ou socialiste, ou plus précisément contre les étrangers qui l'importaient, ils pouvaient se révéler parfois assez efficaces, même si, en réalité, aucun des mouvements de libération qui réussit dans le monde arriéré avant les

années 1970 ne s'inspirait ou n'était soudé par des idéologies traditionnelles ou néotraditionnelles. Et ce, bien qu'un mouvement de ce
genre, l'éphémère agitation de Khilafat, aux Indes britanniques
(1920-1921), exigeant que le sultan turc demeurât le calife de tous les
fidèles, que l'Empire ottoman conservât ses frontières de 1914 et que
tous les lieux saints de l'Islam (y compris la Palestine) fussent placés
sous le contrôle de musulmans, ait probablement imposé à un
Congrès national indien hésitant la non-coopération et la désobéissance civile en masse (Minault, 1982). Les mobilisations de masse les
plus caractéristiques sous les auspices de la religion – « l'Église » sut
mieux que le « roi » conserver son emprise sur le commun des mortels – étaient des actions d'arrière-garde, même si elles furent parfois
obstinées et héroïques : ainsi en fut-il de la résistance des paysans au
programme de sécularisation de la Révolution mexicaine sous l'étendard du « Christ Roi » (1926-1932), que son principal historien a
décrit en termes épiques sous le vocable de « la Christiade » (Meyer,
1973-1979). Le fondamentalisme, en tant que grande force de mobilisation des masses, appartient aux dernières décennies du XXe siècle,
qui ont même vu, chez certains intellectuels, le spectacle bizarre d'un
retour en grâce de ce qui serait apparu comme superstition et barbarie
aux yeux de leurs grands-pères cultivés.

Inversement, les idéologies, les programmes, les méthodes et les
formes mêmes d'organisation politique qui inspirèrent l'émancipation des pays dépendants ou attardés étaient tous occidentaux : libéraux, socialistes, communistes et/ou nationalistes, laïcs et méfiants à
l'égard du cléricalisme. De même avaient-ils recours aux moyens
élaborés pour les besoins de la vie publique dans les sociétés bourgeoises : presse, réunions publiques, partis, campagnes de masse,
même quand le discours adopté se fondait, et devait se fondre, dans
le vocabulaire religieux des masses. Autrement dit, l'histoire des
auteurs des transformations du tiers-monde au cours de ce siècle est
celle d'élites minoritaires, parfois même minuscules, car, mise à part
l'absence presque générale d'institutions politiques démocratiques,
seule une couche infime possédait les connaissances et la formation
requises, ou même les bases les plus élémentaires. Après tout, avant
l'indépendance, plus de 90 % de la population du sous-continent
indien était analphabète. Le nombre de ceux qui connaissaient une
langue occidentale (l'anglais) était encore plus réduit : un demi-mil-

lion sur quelque trois cents millions avant 1914, soit un habitant sur
six cents[2]. À l'époque de l'indépendance (1949-1950), même la
région la plus avide d'éducation (le Bengale occidental) ne comptait
que 272 étudiants pour 100 000 habitants, soit cinq fois plus que
dans le nord de l'Inde. Numériquement insignifiantes, ces minorités
n'en jouèrent pas moins un rôle considérable. À la fin du XIXe siècle,
les trente-huit mille Parsis de la Présidence de Bombay, l'une des
grandes divisions administratives de l'Inde britannique (plus du quart
des effectifs ayant suivi une formation *en anglais*), devaient naturellement former l'élite des commerçants, des industriels et des financiers à travers le sous-continent. Parmi les 100 avocats de la Haute
Cour de Bombay admis entre 1890 et 1900, figuraient deux grands
leaders nationaux de l'Inde indépendante (Mohandas Karamchand
Gandhi et Vallabhai Patel) ainsi que le futur fondateur du Pakistan,
Muhammad Ali Jinnah (Seal, 1968, p. 884 ; Misra, 1961, p. 328).
Une famille indienne que connaît l'auteur de ces pages illustre bien
la polyvalence de ces élites formées à l'occidentale. Propriétaire terrien, avocat prospère et personnage en vue sous les Britanniques, le
père devint diplomate et finalement gouverneur d'un État après
1947. La mère devint la première femme ministre dans les gouvernements provinciaux du Congrès national indien en 1937. Les quatre
enfants firent tous leurs études en Grande-Bretagne : trois rejoignirent le Parti communiste et un devint commandant en chef de l'armée
de terre indienne. Une fille devait plus tard représenter son parti à
l'Assemblée ; après une carrière politique accidentée, un autre fils
siégea au gouvernement de Mme Gandhi, tandis que le dernier
trouva sa voie dans les affaires.

Ce qui ne signifie en aucune façon que les élites occidentalisantes
acceptaient toutes les valeurs des États et des cultures qu'ils prenaient pour modèles. Personnellement, leur point de vue pouvait
aller d'une assimilation à 100 % à une méfiance profonde à l'égard
de l'Occident, associée à la conviction qu'il fallait adopter ses innovations pour conserver ou restaurer les valeurs spécifiques de la civilisation indigène. L'objectif du projet de « modernisation » le plus
sincère et le plus abouti – le Japon depuis la Restauration Meiji –
n'était pas d'occidentaliser le pays traditionnel, mais de le rendre
viable. De la même façon, dans les idéologies et les programmes
qu'ils firent leur, les militants du tiers-monde ne lisaient pas tant le

texte apparent que leur propre « sous-texte ». Ainsi, dans la période d'indépendance, le socialisme (c'est-à-dire, sa version communiste soviétique) séduisit les gouvernements décolonisés, non seulement parce que la cause anti-impérialiste était depuis toujours celle de la gauche métropolitaine, mais plus encore parce qu'ils voyaient dans l'URSS le modèle qui leur permettrait de sortir de l'arriération au moyen d'une industrialisation planifiée ; objectif qui leur semblait bien plus urgent que l'émancipation du « prolétariat » (voir p. 456 et 488). De la même façon, le Parti communiste brésilien ne devait jamais varier dans son attachement au marxisme : à partir du début des années 1930, une forme bien particulière de « développement nationaliste » devint un « ingrédient fondamental » de sa politique, alors même qu'il était en contradiction avec les intérêts propres des travailleurs (Martins Rodrigues, p. 437). Néanmoins, quels que fussent les objectifs conscients ou inconscients de ceux qui façonnèrent l'histoire du monde retardataire, la modernisation, c'est-à-dire l'imitation des modèles d'inspiration occidentale, était le moyen nécessaire et indispensable de les atteindre.

C'était d'autant plus évident que les perspectives des élites du tiers-monde et celles de la masse de leurs populations divergeaient très fortement, sauf dans la mesure où le racisme blanc (nord-atlantique) créait un lien commun de rancœur que pouvaient partager maharajahs et balayeurs. Même ainsi, ce sentiment avait toute chance d'être moins affirmé chez des hommes, et surtout des femmes, habitués à un statut inférieur dans toute autre société, indépendamment de la couleur de leur peau. Hors du monde islamique, il était rare qu'une religion commune assurât un ciment de cette nature : en l'occurrence, celui d'une supériorité inaltérable vis-à-vis des infidèles.

II

L'économie mondiale du capitalisme à l'Ère des empires pénétra et transforma presque toutes les parties de la planète, même si, après la révolution d'Octobre, elle s'arrêta temporairement aux frontières de l'URSS. De là vient que la Grande Crise de 1929-1933 devait marquer un tel jalon dans l'histoire de l'anti-impérialisme et des mouvements de libération du tiers-monde. Quels qu'aient pu être l'économie, la richesse, les cultures et les systèmes politiques des pays avant qu'ils ne fussent à portée de la pieuvre nord-atlantique, tous furent aspirés par le marché mondial, sauf à être jugés économiquement inintéressants par les hommes d'affaires et les gouvernements occidentaux, si colorés fussent-ils : ainsi en fut-il des Bédouins des grands déserts avant la découverte de pétrole et de gaz naturel dans leur habitat inhospitalier. Pour le marché mondial, leur valeur était essentiellement celle de fournisseurs de produits de base – matières premières pour l'industrie, énergie, produits de l'agriculture et de l'élevage – et de débouchés pour les capitaux du Nord en quête d'investissements : en particulier sous la forme de prêts publics et d'infrastructures (transports, communications, villes), sans lesquelles il était impossible d'exploiter efficacement les ressources des pays dépendants. En 1913, plus des trois-quarts des investissements britanniques outre-mer – et les Britanniques exportaient plus de capitaux que le reste du monde réuni – étaient consacrés aux fonds d'État, aux chemins de fer, aux ports et aux transports maritimes (Brown, 1963, p. 153).

L'industrialisation du monde dépendant ne faisait encore partie d'aucun « plan de chasse », même dans des pays comme ceux du Cône sud de l'Amérique latine, où il paraissait logique de traiter des denrées alimentaires produites sur place, comme la viande, pour leur donner une forme plus aisément transportable : celle de conserves de corned-beef. Après tout, les boîtes de sardines et les bouteilles de porto n'avaient pas industrialisé le Portugal : et tel n'était pas le but. La plupart des gouvernements et entrepreneurs du Nord avaient à l'esprit un modèle où le monde dépendant finançait ses achats de produits manufacturés par la vente de ses produits de base. Tel avait été le fondement de l'économie mondiale dominée par les Britanniques avant 1914 (voir L'Ère des Empires, chapitre 2), bien que, à l'exception des pays du « capitalisme des colons », le monde dépendant ne fût pas pour les industriels un marché d'exportation particulièrement rémunérateur. Les trois cents millions d'habitants du sous-continent indien, les quatre cents millions de Chinois étaient trop pauvres et satisfaisaient localement un trop grand nombre de leurs besoins quotidiens pour acheter beaucoup à l'extérieur. Par chance pour les Britanniques, à l'époque de leur hégémonie économique, leurs sept cents millions de tout petits budgets suffisaient à faire tourner l'industrie cotonnière du Lancashire. Son intérêt, comme celui de tous les producteurs du Nord, était de rendre un marché déjà dépendant entièrement tributaire de leur production, c'est-à-dire de l'« agrariser ».

Qu'ils eussent ou non cet objectif, ils ne pouvaient réussir pour deux raisons. La première, c'est que les marchés locaux créés par l'absorption même des économies dans une société mondiale de marché (une société d'achat et de vente) stimulèrent la production locale de biens de consommation, qu'il était moins cher d'assurer sur place. La seconde, c'est que nombre des économies des régions dépendantes, surtout en Asie, étaient des structures hautement complexes, héritières d'une longue histoire de production manufacturière, mais aussi d'un grand raffinement, et disposant de ressources et d'un potentiel techniques et humains impressionnants. Ainsi, les entrepôts géants des cités portuaires qui allaient devenir caractéristiques des liens entre le Nord et le monde dépendant – de Buenos Aires et Sydney jusqu'à Bombay, Shanghai et Saïgon – créèrent des industries locales en profitant de leur protection temporaire, même si telle n'était pas l'intention de leurs dirigeants. Il ne fallait pas grand-chose pour transformer les producteurs locaux de textile d'Ahmedabad ou de Shanghai, autochtones ou agents de quelque entreprise étrangère, en fournisseurs des marchés indien ou chinois tout proches, qui, jusque-là, importaient leurs produits en coton au prix fort du lointain Lancashire. En fait c'est bien ce qui se produisit au lendemain de la Première Guerre mondiale, en cassant les reins à l'industrie britannique du coton.

Et pourtant, quand nous songeons combien paraissait logique la prédiction marxienne de la propagation finale de la révolution industrielle au reste du monde, on s'étonne de voir le nombre réduit d'industries laissé par le capitalisme du monde développé avant la fin de l'Ère des empires et, en fait, avant les années 1970. À la fin des années 1930, le seul changement majeur dans la carte mondiale de l'industrialisation résultait des plans quinquennaux soviétiques (*cf.* chapitre 2). En 1960, les vieux centres industriels d'Europe occidentale et d'Amérique du Nord assuraient encore plus de 70 % de la production mondiale brute et près de 80 % de la « valeur ajoutée manufacturière », c'est-à-dire de la production industrielle (Harris,

1987, p. 102-103). C'est dans le troisième tiers du siècle que se produisit le changement réellement spectaculaire qui fit perdre au vieil Occident sa suprématie, avec, notamment, la forte poussée de l'industrie japonaise, qui en 1960 assurait encore à peine 4 % de la production industrielle mondiale. Il fallut attendre les années 1970 pour que les économistes se mettent à écrire des livres sur la « nouvelle division internationale du travail », c'est-à-dire le début de la désindustrialisation des anciens centres.

À l'évidence, l'impérialisme, dans l'ancienne « division internationale du travail », avait naturellement tendance à renforcer le monopole industriel des vieux centres industriels. Dans cette mesure, les marxistes de l'entre-deux-guerres, rejoints après 1945 par les « théoriciens de la dépendance » de diverses obédiences, avaient de bonnes raisons de dénoncer dans l'impérialisme un moyen de perpétuer l'arriération des pays retardataires. Paradoxalement, c'est pourtant l'immaturité relative du développement de l'économie capitaliste mondiale et, plus exactement, de sa technologie des transports et des communications, qui maintint l'industrie localisée dans ses foyers d'origine. Dans la logique du profit et de l'accumulation du capital, rien ne garantissait que la sidérurgie resterait à jamais en Pennsylvanie ou dans la Ruhr, même si l'on ne s'étonnera pas de voir que les gouvernements des pays industriels, surtout s'ils étaient enclins au protectionnisme ou disposaient de grands empires coloniaux, firent de leur mieux pour empêcher les concurrents potentiels de nuire à l'industrie de leur pays. Si les gouvernements impériaux pouvaient avoir des raisons d'industrialiser leurs colonies, le Japon fut le seul à le faire systématiquement en créant des industries lourdes en Corée (annexée en 1911) et, après 1931, en Mandchourie et à Taiwan parce que ces colonies riches en ressources étaient suffisamment proches du centre exigu et notoirement pauvre en matières premières pour servir directement l'industrialisation nationale. Pourtant, même dans la plus grande des colonies, la découverte, au cours de la Première Guerre mondiale, que l'Inde n'était pas en situation de fabriquer suffisamment pour assurer son autonomie industrielle et sa défense militaire, déboucha sur une politique de protection et de participation directe au développement industriel du pays (Misra, 1961, p. 239, 256). Si la guerre fit comprendre aux administrateurs coloniaux les inconvénients d'une industrie coloniale insuffisante, la

Crise des années 1929-1933 les soumit à des pressions financières. Avec la chute des revenus agricoles, le gouvernement colonial dut compenser son manque à gagner en relevant les droits frappant les produits manufacturés, y compris en provenance de la métropole – britannique, française ou hollandaise. Pour la première fois, des entreprises occidentales, qui avaient jusque-là importé librement, furent vivement incitées à implanter des unités de production sur ces marchés marginaux (Holland, 1985, p. 13). Reste que, même en tenant compte de la guerre et du Marasme, le monde dépendant de la première moitié du Court Vingtième Siècle demeurait essentiellement agraire et rural. C'est pourquoi le « Grand Bond en Avant » de l'économie mondiale, dans le troisième quart du siècle, marqua dans ses fortunes un tournant si spectaculaire.

III

Presque toutes les parties de l'Asie, de l'Afrique, de l'Amérique latine et des Caraïbes étaient et se sentaient dépendantes de ce qui se passait dans une poignée d'États de l'hémisphère nord. Mais, hors des Amériques, la plupart d'entre eux étaient aussi possédés, administrés ou dominés et commandés par eux de quelque autre manière. Cela vaut même pour ceux qui conservaient leurs autorités indigènes (les « protectorats » ou principautés), car il était bien entendu que le « conseil » du représentant britannique ou français à la cour de l'émir local, du bey, du rajah, du roi ou du sultan, valait un ordre. C'était vrai même dans des États formellement indépendants comme la Chine, où les étrangers jouissaient de droits extra-territoriaux et supervisaient certaines fonctions centrales des États souverains, comme la collecte des impôts. Dans ces régions, le problème des moyens de se débarrasser de la domination étrangère ne pouvait que se poser un jour ou l'autre. Tel n'était pas le cas en Amérique centrale et du Sud, presque exclusivement formée d'États souverains, alors même que les États-Unis étaient enclins à traiter les États d'Amérique centrale comme des protectorats *de facto*, surtout dans les premier et dernier tiers du siècle.

Le monde colonial a été si complètement transformé depuis 1945 en une collection d'États théoriquement souverains qu'il doit sembler, après-coup, que le phénomène était inévitable : mieux encore, que les populations coloniales l'avaient toujours souhaité. C'est certainement vrai dans les pays héritiers d'une longue histoire en tant qu'entités politiques : les grands empires asiatiques – la Chine, la Perse, les Ottomans – et peut-être un ou deux autres pays comme l'Égypte, surtout quand ils s'étaient construits autour d'un substantiel *Staatsvolk* ou État-nation comme les Han en Chine ou l'islam chiite, qui avait presque valeur de religion nationale en Iran. Dans ces pays, le sentiment populaire contre les étrangers pouvait être aisément politisé. Ce n'est pas un accident si la Chine, la Turquie et l'Iran ont toutes trois été le théâtre d'importantes révolutions autochtones. Ces cas restèrent cependant exceptionnels. Plus souvent, la notion même d'entité politique territoriale permanente, avec des frontières fixes la distinguant d'autres entités semblables, et exclusivement soumise à une autorité permanente unique (c'est-à-dire, l'idée d'État souverain et indépendant qui nous paraît aller de soi), n'avait aucun sens pour la population, tout au moins au-dessus du niveau du village (même dans les zones d'agriculture permanente et fixe). En fait, même lorsque existait un « peuple » qui se décrivait et se reconnaissait comme tel, ce que les Européens aimaient à décrire comme une « tribu », l'idée qu'il pût être territorialement séparé d'un autre peuple avec lequel il coexistait, auquel il se mêlait en se partageant les fonctions, était difficile à saisir, parce qu'elle n'avait pas grand sens. Dans ces régions, le seul fondement des États indépendants à la manière du XXe siècle était les territoires tels que les avaient découpés les conquêtes et les rivalités impériales, généralement sans référence aucune aux structures locales. Le monde postcolonial est donc presque entièrement divisé par les frontières de l'impérialisme.

De plus, les habitants du tiers-monde qui supportaient le plus mal les Occidentaux – qu'ils jugeaient infidèles ou porteurs de toutes sortes d'innovations modernes perturbatrices et athées, ou, tout simplement, parce qu'ils ne voulaient pas d'un changement de mode de vie dont ils pensaient, non sans raison, qu'il ne ferait qu'empirer les choses – étaient tout aussi hostiles à la conviction justifiée des élites que la modernisation était indispensable. Cette situation rendait difficile la formation d'un front commun contre les impérialistes, même dans les pays coloniaux où l'ensemble de la population supportait le poids commun du mépris des colons pour une race inférieure.

La grande tâche des mouvements nationalistes bourgeois de ces pays était donc de rallier des masses essentiellement traditionalistes et antimodernes sans compromettre leur projet de modernisation. Aux premiers temps du nationalisme indien, le dynamique Bal Ganghadar Tilak (1856-1920) avait raison de supposer que la meilleure façon d'obtenir le soutien des masses, y compris de la petite bourgeoisie – et pas seulement dans sa région natale d'Inde occidentale –, était de défendre le caractère sacré des vaches et le mariage des fillettes de dix ans, et d'affirmer la supériorité spirituelle de l'ancienne civilisation hindoue ou « aryenne » et de sa religion sur la civilisation « occidentale » moderne et ses admirateurs indigènes. La première phase importante du militantisme nationaliste indien, de 1905 à 1910, fut largement conduite en termes « nativistes » de ce genre, notamment chez les jeunes terroristes du Bengale. Finalement, Mohandas Karamchand Gandhi (1869-1948) devait réussir à mobiliser les villages et les bazars de l'Inde par dizaines de millions en lançant largement le même appel au nationalisme et à la spiritualité hindoue, mais en prenant grand soin de ne pas briser le front commun avec les modernisateurs (auxquels, en un sens, il appartenait : voir *L'Ère des empires*, chapitre 13) et d'éviter l'antagonisme avec l'Inde mahométane, toujours implicite dans l'approche militante hindoue du nationalisme. Il inventa l'idée de l'homme politique saint, de la révolution par un acte collectif de passivité (la « non-coopération non violente ») et même la modernisation sociale, comme le rejet du système des castes, en exploitant le potentiel réformateur que recelaient les ambiguïtés sans cesse changeantes et envahissantes d'un hindouisme en pleine évolution. Sa réussite dépassa les espérances (et les craintes) les plus folles. Et pourtant, ainsi qu'il le reconnut lui-même à la fin de sa vie, avant d'être assassiné par un militant exclusiviste hindou de la tradition de Tilak, il avait échoué dans son entreprise fondamentale. À la longue, il était impossible de concilier ce qui mobilisait les masses et ce qu'il fallait faire. Finalement, l'Inde libre devait être gouvernée par ceux qui ne « rêvaient pas d'une renaissance de l'Inde d'autrefois », qui « n'avaient ni sympathie ni compréhension pour eux […], qui avaient les yeux tournés

vers l'Occident et que le progrès occidental attirait fortement »
(Nehru, 1936, p. 23-24). Pourtant, à l'heure où j'écris ce livre, la tradition antimoderniste de Tilak, désormais représentée par le parti
militant BJP, reste le grand foyer de l'opposition populaire ; aujour-
d'hui comme hier, il est la principale force de division, parmi les
masses comme parmi les intellectuels. La brève tentative du
Mahatma Gandhi pour créer un hindouisme à la fois populiste et progressiste n'est plus à l'ordre du jour.

Un schéma semblable s'imposa dans le monde musulman, si ce
n'est que là (sauf après des révolutions réussies) tous les modernisateurs durent toujours rendre hommage à la piété populaire universelle, quelles que fussent leurs convictions privées. Cependant, à la
différence de l'Inde, les essais pour lire dans l'islam un message
moderniste ou réformateur n'étaient pas destinés à mobiliser les
masses et n'eurent pas cet effet. Les disciples de Jamal al-Din al
Afghani (1839-1897) en Iran, en Égypte et en Turquie, ou de son
continuateur Mohammed Abduh (1849-1905) en Égypte, ou encore
de l'Algérien Abdul Hamid Ben Badis (1889-1940) ne devaient pas
se recruter dans les villages, mais dans les écoles ou les collèges, où
le message de résistance aux puissances européennes aurait en tout
état de cause trouvé un public bienveillant[3]. Néanmoins, les vrais
révolutionnaires du monde islamique et ceux qui se hissèrent au
sommet étaient des modernisateurs laïques, non islamiques (*cf.* chapitre 5) : des hommes comme Kemal Atatürk, qui remplaça le fez
turc (lui-même innovation du XIXe siècle) par le chapeau melon,
l'écriture arabe teintée d'islam par l'alphabet romain et, en fait, brisa
les liens entre l'Islam, l'État et la Loi. Toutefois, comme le confirme
une fois de plus l'histoire récente, la mobilisation de masse était
beaucoup plus facile sur la base d'une piété de masse antimoderne
(le « fondamentalisme islamique »). Bref, un conflit profond séparait
les modernisateurs, qui étaient aussi nationalistes (conception totalement étrangère à la tradition), et les gens du peuple dans le tiers-
monde.

Les mouvements anti-impérialistes et anticoloniaux d'avant 1914
étaient donc moins en vue qu'on pourrait le penser à la lumière de la
liquidation quasi totale des empires coloniaux occidentaux et japonais
dans le demi-siècle qui suivit le début de la Première Guerre mondiale. Même en Amérique latine, l'hostilité à la dépendance écono-

mique en général et aux États-Unis en particulier, le seul État impérial qui tînt à sa présence militaire dans la région, n'était pas alors un atout important dans la vie politique locale. Le seul empire qui connût de graves problèmes dans certaines régions – des problèmes qu'il était impossible de traiter par des opérations de police – était l'Empire britannique. En 1914, il avait déjà accordé l'autonomie interne aux colonies de peuplement blanc massif, connues à partir de 1907 sous le nom de « dominions » : Canada, Australie, Nouvelle-Zélande, Afrique du Sud, et il s'était engagé à donner l'autonomie (« Home Rule ») à une Irlande toujours incommode. En Inde et en Égypte, il était déjà clair que les intérêts impériaux et les exigences locales d'autonomie, voire d'indépendance, pouvaient nécessiter des solutions politiques. Après 1905, on pourrait même parler d'un certain soutien des masses au mouvement nationaliste en Inde et en Égypte.

La Première Guerre mondiale fut cependant le premier ensemble d'événements qui ébranla sérieusement l'édifice du colonialisme mondial au point de détruire deux Empires (l'allemand et l'ottoman, dont les Britanniques et les Français se partagèrent l'essentiel des anciennes possessions) et d'en mettre temporairement KO un troisième, la Russie (qui retrouva ses anciennes possessions au bout de quelques années). L'effet des tensions de la guerre sur les dépendances, dont Londres avait besoin de mobiliser les ressources, engendra des troubles. L'impact de la révolution d'Octobre et de l'effondrement général des anciens régimes, suivi de l'indépendance irlandaise *de facto* pour les vingt-six Contés du Sud (1921), fit que pour la première fois les empires étrangers parurent mortels. À la fin de la guerre, un parti égyptien, le *Wafd* (« délégation ») de Saïd Zaghlul, inspiré par la rhétorique du président Wilson, exigea pour la première fois l'indépendance complète. Trois années de lutte (1919-1922) obligèrent les Britanniques à transformer leur protectorat en une Égypte semi-indépendante sous contrôle britannique, formule que la Grande-Bretagne trouva également commode pour diriger toutes les régions d'Asie, sauf une, qu'elle reprit de l'Empire turc : l'Irak et la Transjordanie. L'exception était la Palestine, qu'elle administra directement, tentant vainement de concilier les promesses faites au cours de la guerre aux sionistes, en contrepartie de leur soutien contre l'Allemagne, et aux Arabes, en contrepartie de leur aide face aux Turcs.

Il fut moins facile à la Grande-Bretagne de trouver une formule simple pour maintenir son emprise sur la plus grande de toutes les colonies, l'Inde, où le slogan *Swaraj* (*self-rule*, autonomie), que le Congrès national indien adopta pour la première fois en 1906, poussait désormais de plus en plus vers une indépendance complète. Les années de révolution, 1918-1922, transformèrent la politique nationaliste de masse sur le sous-continent : en partie en montant les masses musulmanes contre les Britanniques ; en partie du fait de l'hystérie sanguinaire à laquelle céda un général britannique au cours de la turbulente année 1919 en massacrant une foule non armée dans un enclos sans issue (le « massacre d'Amritsar ») ; mais surtout par la conjonction d'une vague de grèves ouvrières, de l'appel à la désobéissance civile de masse lancé par Gandhi et d'un Congrès radicalisé. Pour un temps, un état d'esprit quasi millénariste se saisit du mouvement de libération, Gandhi annonçant que le *Swaraj* serait acquis à la fin de 1921. Le gouvernement ne chercha « en aucune façon à minimiser la grande inquiétude provoquée par la situation » : les villes étaient paralysées par la non-coopération ; les campagnes de vastes régions de l'Inde du Nord, du Bengale, de l'Orissa et de l'Assam étaient en effervescence, tandis qu'une « forte proportion de la population mahométane du pays [était] aigrie et maussade » (Cmd 1586, 1922, p. 13). Dorénavant, l'Inde devint par intermittence ingouvernable. Sans doute est-ce seulement l'attitude de la plupart des dirigeants du Congrès, y compris de Gandhi, qui hésitaient à plonger leur pays dans la nuit sauvage d'une insurrection incontrôlable des masses, leur manque de confiance, et la conviction de la plupart des chefs nationalistes que les Britanniques, secoués mais pas totalement anéantis, voulaient réellement réformer l'Inde, qui sauvèrent le Raj britannique. Après que Gandhi eut arrêté la campagne de désobéissance civile au début de 1922, sous prétexte qu'elle avait conduit à un massacre de policiers dans un village, on peut raisonnablement soutenir que le pouvoir britannique en Inde dépendait de sa modération – bien plus que de la police et de l'armée.

Cette conviction n'était pas sans fondement. S'il existait à Londres un puissant bloc d'impérialistes endurcis, dont Winston Churchill se fit le porte-parole, le point de vue de la classe dirigeante après 1919 était qu'une forme d'autonomie indienne semblable au « statut de dominion » était en définitive inévitable : l'avenir de la

Grande-Bretagne en Inde dépendait de sa capacité de trouver un arrangement avec l'élite indienne, dont les nationalistes. La fin du pouvoir britannique unilatéral en Inde n'était plus, dès lors, qu'une question de temps. Puisque l'Inde était le cœur de tout l'Empire britannique, l'avenir de cet empire semblait désormais incertain, si ce n'est en Afrique et dans les îles éparses des Caraïbes et du Pacifique, où le paternalisme demeurait encore incontesté. Jamais la Grande-Bretagne n'avait exercé son contrôle, formel ou informel, sur une aussi grande partie du globe qu'entre les deux guerres, mais jamais non plus ses dirigeants n'avaient été moins assurés de maintenir leur vieille suprématie impériale. C'est l'une des raisons majeures pour lesquelles, la position devenant intenable au lendemain de la Seconde Guerre mondiale, les Britanniques, dans l'ensemble, ne résistèrent pas à la décolonisation. C'est peut-être aussi la raison pour laquelle d'autres Empires, notamment les Français – mais aussi les Hollandais – se battirent *manu militari* pour conserver leurs positions coloniales après 1945. La Première Guerre mondiale n'avait pas ébranlé leurs empires. Le seul gros souci des Français venait de ce qu'ils n'avaient pas encore achevé la conquête du Maroc, mais les clans de guerriers berbères de l'Atlas étaient un problème militaire plutôt que politique. En fait, ce problème était relativement plus grave pour la colonie marocaine de l'Espagne où Abd-el-Krim, un intellectuel des montagnes, proclama en 1923 une République du Rif. Soutenu avec ferveur par les communistes français et d'autres hommes de gauche, Abd-el-Krim fut battu en 1926 avec l'aide de Paris. Dès lors, les montagnards berbères renouèrent avec leurs vieilles habitudes, combattant dans les armées coloniales française et espagnole à l'étranger et résistant chez eux à toute forme de gouvernement central. Dans les colonies islamiques de la France comme en Indochine française, et si l'on excepte de modestes anticipations en Tunisie, il fallut attendre longtemps après la Première Guerre mondiale pour voir se développer un mouvement anticolonial modernisateur.

IV

Si les années de révolution avaient essentiellement secoué l'Empire britannique, la Grande Crise de 1929-1933 ébranla l'ensemble du monde dépendant. Pour sa presque totalité, l'ère de l'impérialisme avait été une période de croissance quasi continue, qui n'avait pas même souffert de la guerre mondiale, dont la plupart des colonies restèrent éloignées. Naturellement, nombre de ses habitants n'étaient pas encore très impliqués dans l'économie mondiale en expansion ou ne se sentaient pas impliqués de manière très nouvelle : car, au fond, qu'importait le contexte mondial à des hommes et à des femmes pauvres, qui creusaient et portaient des fardeaux depuis l'aube des temps ? Toujours est-il que l'économie impérialiste introduisit de substantiels changements dans la vie des gens ordinaires, surtout dans les régions de production primaire tournées vers l'exportation. Parfois, ces changements avaient déjà pris des formes politiques reconnues par les indigènes comme par les dirigeants étrangers. Ainsi, tandis qu'entre 1900 et 1930 les *haciendas* péruviennes étaient transformées en usines côtières de sucre et, dans les montagnes, en ranchs d'élevage commercial de moutons, des idées nouvelles s'insinuèrent dans l'arrière-pays traditionnel. Au début des années 1930, Huasichanca, communauté « particulièrement reculée » perchée à quelque 3 700 mètres sur les pentes inaccessibles des Andes, se demandait déjà lequel des deux partis radicaux nationaux représenterait le mieux ses intérêts (Smith, 1989, en particulier p. 175). Mais bien plus souvent personne, si ce n'est les gens du cru, ne mesurait l'ampleur du changement ni ne s'en souciait.

Pour des économies qui, comme celles des mers indo-pacifiques, utilisaient à peine l'argent, ou ne l'utilisaient qu'à une gamme de fins limitées, que signifiait, par exemple, l'entrée dans une économie où celui-ci était l'instrument universel des échanges ? La signification des biens, des services et des transactions s'en trouvait transformée, mais aussi, en conséquence, les valeurs morales de la société et sa forme de distribution sociale. Parmi les populations matrilinéaires de riziculteurs de Negri Sembilan (Malaisie), les terres ancestrales, essentiellement cultivées par les femmes, ne pouvaient être transmises qu'à des femmes ou par des femmes ; en revanche, les nouveaux lopins défrichés dans la jungle par les hommes, et consacrés à des cultures complémentaires du type fruits et légumes, pouvaient être légués directement à des hommes. Or, avec l'essor du caoutchouc, culture bien plus profitable que le riz, l'équilibre entre les sexes changea tandis que la transmission d'homme à homme gagnait du terrain. Cette évolution renforça à son tour les dirigeants d'esprit patriarcal de l'islam orthodoxe, qui s'efforçaient en tout état de cause de surimposer l'orthodoxie au droit coutumier local, sans parler du chef local et de ses parents, autre îlot de transmission patrilinéaire dans le lac matrilinéaire local (Firth, 1954). Le monde dépendant était largement travaillé par des changements et des transformations de ce genre dans des communautés qui n'avaient que des contacts minimes avec l'extérieur : parfois, comme dans cet exemple, ce contact se réduisait à un marchand chinois, qui, le plus souvent, était lui-même à l'origine un paysan ou un artisan émigré de Fukien, que sa culture avait habitué à un effort systématique, et surtout aux subtilités de l'argent, mais qui autrement restait tout aussi éloigné du monde de Henry Ford et de General Motors (Freedman, 1959).

Et pourtant, l'économie mondiale en tant que telle paraissait lointaine, car son impact immédiat, perceptible, n'était pas cataclysmique, sauf peut-être dans les enclaves industrielles à main-d'œuvre bon marché et en plein essor de régions comme l'Inde et la Chine, où les conflits sociaux et même les mouvements syndicaux inspirés de l'Occident se répandirent à partir de 1917. Et sauf dans les gigantesques villes portuaires et industrielles par lesquelles le monde dépendant communiquait avec l'économie mondiale qui décidait de son destin : Bombay, Shanghai (dont la population passa de 200 000 habitants au milieu du XIXe siècle à trois millions et demi dans les années 1930), Buenos Aires et, sur une moindre échelle, Casablanca, dont la population atteignait 250 000 habitants de moins de trente ans après qu'elle fut devenue un port moderne (Bairoch, 1985, p. 517, 525).

La Grande Crise devait changer tout cela. Pour la première fois, les intérêts des économies dépendantes et métropolitaines se heurtèrent visiblement, ne fût-ce que pour une raison : les prix des produits primaires, dont dépendait le tiers-monde, connurent une chute encore plus spectaculaire que ceux des produits manufacturés qu'il achetait en Occident (*cf.* chapitre 3). Pour la première fois, le colonialisme et la dépendance devinrent inacceptables même pour ceux qui, jusque-là, en avaient bénéficié. « Les étudiants du Caire, de Rangoon et de Djakarta (Batavia) se révoltèrent : non qu'ils eussent le sentiment de quelque chambardement politique imminent, mais parce que la crise avait soudain balayé les soutiens qui avaient rendu le colonialisme acceptable à la génération de leurs parents » (Holland, 1985, p. 12). Plus encore : pour la première fois (en dehors des guerres), la vie des gens ordinaires se trouva ébranlée par des séismes qui, de toute évidence, n'étaient pas d'origine naturelle, et auxquels la protestation était une meilleure réponse que la prière. Ainsi se formèrent les bases d'une mobilisation politique des masses, surtout dans les régions où les paysans avaient fini par se consacrer largement aux cultures de rapport pour le marché mondial, comme sur la côte d'Afrique de l'Ouest et en Asie du Sud-Est. En même temps, la crise déstabilisa la vie politique nationale aussi bien qu'internationale du monde dépendant.

Les années 1930 furent donc une décennie cruciale pour le tiers-monde : moins parce que la Crise se solda par une radicalisation politique qu'en raison des contacts qu'elle établit entre les minorités politisées et les gens ordinaires. Cela vaut même pour des pays comme l'Inde, où le mouvement nationaliste avait déjà mobilisé les masses. Une deuxième vague de non-coopération au début des années 1930, une nouvelle constitution de compromis concédée par les Britanniques et les premières élections provinciales dans toute la nation en 1937 témoignèrent de l'implantation nationale du Congrès : de soixante mille environ en 1935 dans la région centrale du Gange, ses membres étaient passés à un million et demi à la fin des années 1930 (Tomlinson, 1976, p. 86). Le phénomène était encore plus manifeste dans des pays jusque-là moins mobilisés. Plus ou moins clairement, les grandes lignes de la politique future commençaient à se profiler : le populisme latino-américain fondé sur des dirigeants autoritaires qui recherchaient l'appui des ouvriers ; la mobilisation politique par des leaders syndicaux qui avaient un avenir en tant que chefs de parti, comme dans les Antilles britanniques ; un mouvement révolutionnaire bien implanté parmi la main-d'œuvre immigrée en France ou ceux qui rentraient aux pays, en Algérie ; une résistance nationale d'inspiration communiste avec de solides liens agraires comme au Viêt-nam. À tout le moins, comme en Malaisie, les années de crise brisèrent les liens entre les autorités coloniales et les masses paysannes, libérant ainsi un espace pour une nouvelle donne politique.

À la fin des années 1930, la crise du colonialisme s'était propagée aux autres Empires, même si deux d'entre eux, l'italien (qui venait de conquérir l'Éthiopie) et le Japonais (qui essayait de dominer la Chine), étaient encore en expansion, mais pas pour longtemps. En Inde, la nouvelle constitution de 1935, compromis malheureux avec les forces montantes du nationalisme, apparut comme une concession majeure avec le triomphe électoral presque national du Congrès. En Afrique du Nord française, des mouvements politiques sérieux se formèrent pour la première fois en Tunisie et en Algérie – il y eut même quelque effervescence au Maroc – tandis qu'en Indochine l'agitation de masse prit de l'ampleur sous la houlette des communistes, orthodoxes ou dissidents. Les Hollandais réussirent à rester maîtres du jeu en Indonésie, région qui « ressent les mouvements qui agitent l'Orient comme peu d'autres pays » (Van Asbeck, 1939) : non qu'elle fût calme, mais essentiellement parce que les forces d'opposition – islamiques, communistes et nationalistes laïques – étaient divisées et s'entre-déchiraient. Même dans les Caraïbes, que les ministères des colonies jugeaient somnolentes, une série de grèves dans les champs de pétrole de Trinidad et dans les plantations et les villes de Jamaïque, entre 1935 et 1938, tourna à l'émeute et en affrontements dans l'ensemble de l'île, révélant une désaffection des masses passée jusqu'ici inaperçue.

Seule l'Afrique sub-saharienne restait calme, même si la Crise y déclencha les premières grèves ouvrières de masse après 1935 à partir de la ceinture du cuivre en Afrique centrale (Congo et Zambie actuels). Londres commença alors à presser les gouvernements coloniaux de créer des « départements du travail », de prendre des mesures pour améliorer la condition ouvrière et stabiliser la main-d'œuvre, reconnaissant que le système de migration des ruraux des villages à la mine était socialement et politiquement déstabilisateur. La vague de grèves des années 1935-1940 embrasa l'Afrique entière. Mais elle n'était pas encore politique au sens anticolonial, sauf à qualifier ainsi l'essor d'Églises africaines tournées vers les noirs, de prophètes, et de mouvements qui rejetaient les gouvernements d'ici-bas à l'instar du mouvement millénariste d'inspiration américaine, Watchtower, sur la ceinture de cuivre. Pour la première fois, les gouvernements coloniaux se mirent à réfléchir à l'effet déstabilisateur du changement économique sur la société rurale africaine – qui traversait en fait une ère notable de prospérité – et à encourager les spécialistes d'anthropologie sociale à se pencher sur la question.

Politiquement, cependant, le danger paraissait lointain. Dans les campagnes, c'était l'âge d'or de l'administrateur blanc, avec ou sans le « chef » docile, parfois créé à cette fin lorsque l'administration coloniale était « indirecte ». Dans les villes une classe insatisfaite d'Africains éduqués était déjà assez importante au milieu des années 1930 pour entretenir une presse politique florissante, comme l'*African Morning Post* sur la Gold Coast (au Ghana), le *West African Pilot* au Nigeria, et *L'Éclaireur de la Côte d'Ivoire* : « Elle menait campagne contre les vieux chefs et la police, exigeait des mesures de reconstruction sociale, défendait la cause des chômeurs et des fermiers africains frappés par la crise économique » (Hodgkin, 1961, p. 32). Déjà commençaient à apparaître les dirigeants du nationalisme politique local influencés par les idées du mouvement noir aux États-Unis, de la France du Front populaire, mais aussi par les idées circulant à Londres au sein du West African Students Union, et même celles du mouvement communiste[4]. Quelques-uns des présidents des futures Républiques africaines étaient déjà en scène : Jomo Kenyatta (1889-1978) au Kenya et le Dr Namdi Azikiwe, au Nigeria. Mais rien de tout cela n'était de nature à troubler le sommeil des ministères des colonies en Europe.

Quoique probable, la fin universelle des empires coloniaux paraissait-elle réellement imminente en 1939 ? Certainement pas, si l'auteur de ces pages se fie à ses souvenirs d'une « école » pour communistes britanniques et « coloniaux » cette année-là. Et personne ne nourrissait à cette époque de plus hautes espérances que les jeunes militants marxistes, passionnés et pleins d'espoir. C'est la Seconde Guerre mondiale qui transforma la situation. Même si elle fut beaucoup plus que cela, elle fut sans conteste une guerre anti-impérialiste, et, jusqu'en 1943, les grands empires coloniaux se retrouvèrent dans le camp des perdants. La France s'effondra lamentablement, et nombre de ses dépendances ne survécurent qu'avec la permission des puissances de l'Axe. Les Japonais investirent tout ce que le Sud-Est asiatique et le Pacifique occidental comptaient de colonies occidentales, britanniques, hollandaises et autres. Même en Afrique du Nord, les Allemands occupèrent les territoires qu'ils voulaient contrôler à quelques vingtaines de kilomètres à l'ouest d'Alexandrie. Seule l'Afrique, au sud des déserts, demeura sous la coupe des Occidentaux ; et, en fait, les Britanniques parvinrent sans trop de peine à liquider l'Empire italien dans la Corne de l'Afrique.

Ce qui porta un coup fatal aux vieux colonialistes, c'est la preuve que les hommes blancs et les États pouvaient essuyer une défaite honteuse et sans honneur. Et, même après une guerre victorieuse, les vieilles puissances coloniales étaient manifestement trop faibles pour restaurer leurs anciennes positions. En Inde, le test du Raj britannique ne fut pas la grande rébellion organisée en 1942 par le Congrès sous le slogan, *Quit India* : Londres la réprima sans trop de difficultés. Pour la première fois, cinquante-cinq mille soldats indiens passèrent à l'ennemi pour former une « Armée nationale indienne » conduite par un leader de la gauche du Congrès, Subhas Chandra Bose, qui avait décidé de solliciter l'aide des Japonais pour obtenir l'indépendance de son pays (Barghava/Singh Gill, 1988, p. 10 ; Sareen, 1988, p. 20-21). Peut-être sous l'influence de la marine, plus subtile que l'infanterie, les Japonais arguèrent de la couleur de leur peau pour se présenter en libérateurs des colonies : et ils y réussirent souvent, sauf parmi les Chinois d'outre-mer et au Viêt-nam, où ils maintinrent l'administration française. En 1943, ils organisèrent même à Tokyo une « Assemblée des Nations du Grand Est asiatique », à laquelle assistèrent les « présidents » ou « premiers ministres » de la Chine, de l'Inde, de la Thaïlande, de la Birmanie et de la Mandchourie sous protection japonaise (mais pas de l'Indonésie, qui ne se vit offrir l'« indépendance » que lorsque la guerre était déjà perdue). Les nationalistes des colonies étaient trop réalistes pour être pro-japonais, même s'ils appréciaient l'aide de Tokyo, surtout lorsqu'elle était substantielle, comme en Indonésie. Lorsque les Japonais furent sur le point de perdre, les nationalistes se retournèrent contre eux, mais ils n'oublièrent jamais combien les vieux empires occidentaux s'étaient révélés faibles. Pas plus qu'ils n'oublièrent que, pour des raisons différentes, les deux puissances qui avaient défait l'Axe, les États-Unis de Roosevelt et l'URSS de Staline, étaient l'une et l'autre hostiles au vieux colonialisme, alors même que l'anticommunisme américain devait bientôt faire de Washington le défenseur du conservatisme dans le tiers-monde.

V

Il n'est pas étonnant que les vieux systèmes coloniaux aient commencé à se défaire en Asie. La Syrie et le Liban, autrefois français, accédèrent à l'indépendance en 1945 ; la Birmanie, Ceylan (Sri Lanka), la Palestine (Israël) et les Indes néerlandaises (Indonésie) en 1948. En 1946, les États-Unis avaient accordé une indépendance formelle aux Philippines, qu'ils occupaient depuis 1898. L'Empire japonais avait naturellement disparu en 1945. Déjà ébranlée, l'Afrique du Nord islamique tenait encore. La majeure partie de l'Afrique subsaharienne et les îles des Caraïbes et du Pacifique demeuraient relativement calmes. Cette décolonisation politique ne se heurta à une résistance sérieuse que dans certaines parties de l'Asie du Sud-Est, notamment en Indochine française (le Viêt-nam, le Cambodge et le Laos actuels), où, après la libération, la résistance communiste avait proclamé l'indépendance sous l'autorité du noble Ho Chi Minh. Soutenus par les Britanniques, puis par les États-Unis, les Français menèrent une action d'arrière-garde désespérée afin de reconquérir et de garder un pays contre une révolution victorieuse. Vaincus, ils furent obligés de se retirer en 1954, mais les États-Unis empêchèrent l'unification du pays pour maintenir un régime satellite dans le Sud. Quand il apparut que celui-ci menaçait à son tour de s'effondrer, les États-Unis s'engagèrent dans une guerre de dix ans au Viêt-nam : finalement battus, ils durent se retirer en 1975, après avoir largué plus d'explosifs sur ce malheureux pays que n'en avaient été utilisés dans toute la Seconde Guerre mondiale.

Dans le reste du Sud-Est asiatique, la résistance fut plus inégale. Les Hollandais (qui réussirent relativement mieux que les Britanniques à décoloniser leur empire indien sans le morceler), étaient trop faibles pour maintenir une présence militaire suffisante dans l'immense archipel indonésien, alors même que la plupart des îles les eussent volontiers gardés pour faire contrepoids à la prédominance des cinquante-cinq millions de Japonais. Ils renoncèrent lorsqu'ils s'aperçurent que les États-Unis ne tenaient pas l'Indonésie, à la différence du Viêt-nam, pour un front essentiel contre le communisme mondial. En fait, loin d'être sous la coupe des communistes, les nouveaux nationalistes indonésiens venaient d'écraser une insurrection fomentée en 1948 par le Parti communiste local : épisode qui suffit à convaincre Washington que les forces militaires hollandaises seraient mieux employées en Europe contre la menace soviétique supposée que pour maintenir leur empire. Les Hollandais abandonnèrent donc, pour ne conserver qu'une implantation coloniale dans la moitié ouest de la grande île mélanésienne de Nouvelle-Guinée, qu'ils cédèrent aussi à l'Indonésie dans les années 1960. En Malaisie, les Britanniques se trouvèrent pris entre les sultans traditionnels, qui s'étaient bien accommodés de l'Empire, et deux groupes d'habitants qui se méfiaient l'un de l'autre : les Malais et les Chinois, également radicalisés, mais de manière différente – les Chinois, par le Parti communiste, à qui son rôle de seul résistant aux Japonais avait valu une grande influence. Mais avec le début de la guerre froide, il n'était plus question d'abandonner le pouvoir aux communistes, *a fortiori* aux Chinois, dans une ancienne colonie : après 1948, cependant, il fallut aux Britanniques douze ans, cinquante mille soldats, soixante mille policiers et une *home guard* de deux cent mille hommes pour venir à bout d'une insurrection et d'une guérilla essentiellement chinoises. Il est permis de se demander si Londres eût payé les coûts de ces opérations aussi volontiers si l'étain et le caoutchouc malais n'avaient été une source de dollars aussi sûre, garantissant ainsi la stabilité de la livre sterling. En tout état de cause, la décolonisation de la Malaisie fut une affaire assez complexe : elle n'a été acquise, à la satisfaction des conservateurs malais et des millionnaires chinois, qu'en 1957. En 1965, l'île majoritairement chinoise de Singapour se constitua en une Cité-État indépendante et très riche.

À la différence des Français et des Hollandais, leur longue expérience indienne avait appris aux Britanniques que, dès lors qu'existait un mouvement nationaliste sérieux, il n'y avait qu'une seule manière de conserver les avantages de l'empire : abandonner le pouvoir formel. Voyant qu'ils ne tenaient plus la situation en mains, les Britanniques se retirèrent donc du sous-continent indien en 1947, sans la moindre résistance. Ceylan (rebaptisé Sri Lanka en 1972) et la Birmanie reçurent également leur indépendance : si ce fut une surprise bienvenue pour la première, cela se fit avec plus d'hésitation pour la seconde, puisque les nationalistes birmans, bien que conduits par une Anti-fascist People's Freedom League, avaient aussi coopéré avec les Japonais. En fait, ils étaient si hostiles à Londres que, seule de toutes les possessions britanniques décolonisées, la Birmanie refusa aussitôt de rejoindre le Commonwealth britannique, cette association sans engagement par laquelle Londres essaye d'entretenir au moins la mémoire de l'Empire. En cela, elle devança même l'Irlande, qui se proclama la même année République hors du Commonwealth. Alors que le retrait britannique rapide et pacifique du plus grand bloc humain jamais soumis et administré par un conquérant étranger est à porter au crédit du gouvernement travailliste qui accéda au pouvoir à la fin de la Seconde Guerre mondiale, l'opération fut loin d'être un succès total. Le retrait se fit au prix d'un bain de sang et d'une partition de l'Inde en un Pakistan musulman et un État indien non confessionnel, mais dans son écrasante majorité hindou : plusieurs centaines de milliers de personnes, peut-être, se firent massacrer par des adversaires religieux, tandis que plusieurs millions d'habitants furent chassés du pays de leurs ancêtres pour rejoindre ce qui était pour eux un pays étranger. Ce partage n'était dans les projets ni du nationalisme indien, ni des mouvements musulmans ni des dirigeants de l'Empire.

Comment l'idée d'un « Pakistan » séparé, dont le concept et le nom mêmes ne furent inventés par des étudiants qu'en 1932-1933, devint-elle une réalité en 1947 ? La question continue de hanter les chercheurs et ceux qui rêvent sur les « si seulement » de l'histoire. Puisque la partition de l'Inde suivant des lignes religieuses créa un sinistre précédent pour l'avenir du monde, elle nécessite quelque explication. En un sens, ce ne fut la faute de personne, à moins que ce ne fût celle de tout le monde. Aux élections qui s'étaient tenues dans le cadre de la Constitution de 1935, le Congrès avait triomphé, même dans les régions les plus musulmanes, tandis que le parti national qui prétendait représenter la communauté minoritaire, la Muslim League, s'en était assez mal sorti. L'essor d'un Congrès national indien laïque et non confessionnel préoccupa naturellement de nombreux musulmans qui pour la plupart – tout comme les Hindous – n'avaient jamais voté. Ils appréhendaient la formation d'un pouvoir hindou, puisque dans un pays à majorité hindoue la plupart des dirigeants du Congrès national l'étaient également. Plutôt que de prendre acte de ces craintes et de donner aux musulmans une représentation spéciale, les élections semblèrent renforcer le Congrès dans sa prétention à être le *seul* parti national, représentant aussi bien les hindous que les musulmans. C'est ce qui amena la Muslim League conduite par un formidable leader, Muhammad Ali Jinnah, à rompre avec le Congrès pour s'engager sur la voie d'un séparatisme potentiel. Il fallut cependant attendre 1940 pour que Jinnah abandonnât son opposition à un État musulman séparé.

C'est la guerre qui coupa l'Inde en deux. En un sens, ce fut le dernier grand triomphe du Raj britannique en même temps que son ultime râle d'épuisement. Pour la dernière fois, le Raj mobilisa les hommes et l'économie de l'Inde pour une guerre britannique, sur une plus grande échelle encore qu'en 1914-1918, et cette fois contre l'opposition des masses désormais rassemblées derrière un parti de libération nationale et – contrairement à ce qui s'était passé au cours de la Première Guerre mondiale – contre l'invasion militaire imminente du Japon. Le bilan fut étonnant, mais le coût très élevé. L'opposition du Congrès à la guerre écarta ses dirigeants de la scène politique et, après 1942, leur valut de se retrouver en prison. Du côté des musulmans, les contraintes de l'économie de guerre aliénèrent d'importants corps de partisans politiques du Raj, notamment au Punjab, les poussant ainsi à rejoindre la Muslim League, qui devint alors un mouvement de masse au moment même où le gouvernement de Delhi, craignant que le Congrès ne fût à même de saboter l'effort de guerre, exploitait délibérément et systématiquement la rivalité entre hindous et musulmans pour immobiliser le mouvement national. Cette fois, on peut réellement dire que la Grande-Bretagne « divisa pour mieux régner ». Dans son ultime effort désespéré pour gagner la guerre, le Raj se détruisit en même temps qu'il perdit sa légitimation morale : l'existence d'un seul sous-continent indien dans lequel les multiples communautés pouvaient coexister dans une paix relative sous une administration et une loi uniques et impartiales. La guerre finie, il n'était plus possible de renverser la dynamique de la politique communautaire.

En 1950, la décolonisation de l'Asie état achevée, sauf en Indochine. Pendant ce temps, la région de l'Islam occidental, de la Perse (Iran) au Maroc, fut transformée par une série de mouvements populaires, de coups d'État et d'insurrections révolutionnaires, dont le point de départ fut la nationalisation des compagnies pétrolières occidentales en Iran (1951) et le virage populiste de ce pays sous l'autorité du Dr Muhammad Mossadegh (1880-1967) soutenu par un parti Tudeh (communiste) alors puissant. (Que les partis communistes du Moyen-Orient aient acquis une certaine influence à la suite de la grande victoire soviétique n'a rien d'étonnant.) Mossadegh devait être renversé en 1953 par un coup d'État organisé par les services secrets anglo-américains. En revanche, rien ne put empêcher la révolution des Officiers libres (1952) menée en Égypte par Gamal Abdel Nasser (1918-1970), puis le renversement des régimes clients de l'Occident en Irak (1958) et en Syrie, même si les Britanniques et les Français, joignant leurs forces à celles du nouvel État anti-arabe d'Israël, firent leur possible pour renverser Nasser lors de la guerre de Suez, en 1956 (voir p. 467-468). En revanche, Paris s'opposa farouchement à l'indépendance nationale de l'Algérie (1954-1962), l'un de ces territoires, comme l'Afrique du Sud et, d'une manière différente, Israël, où l'existence d'une population indigène avec un fort contingent de colons européens rendait le problème de la décolonisation particulièrement délicat. La guerre d'Algérie fut donc un conflit d'une singulière brutalité, qui contribua à institutionnaliser la torture dans l'armée, la police et les forces de sécurité d'un pays qui se prétendait civilisé. Elle propagea l'usage par la suite généralisé et immonde de la « gégène » (torture par chocs électriques appliqués sur la langue, les tétons et les parties génitales) et aboutit au renversement de la IVe République. Elle faillit avoir raison de la Ve République (1961), avant que l'Algérie n'arrachât une indépendance dont le général de Gaulle avait de longue date compris qu'elle était inéluctable. Entre-temps, le gouvernement français avait tranquillement négocié l'autonomie et (en 1956) l'indépendance de ses deux autres protectorats d'Afrique du Nord : la Tunisie, qui devint une République, et le Maroc, qui resta une monarchie. La même année, les Britanniques quittèrent paisiblement le Soudan, devenu intenable dès lors qu'ils avaient perdu le contrôle de la situation en Égypte.

Il est difficile de dire à quel moment les vieux empires comprirent que leur ère était définitivement terminée. Après-coup, la tentative de la Grande-Bretagne et de la France pour s'imposer à nouveau comme puissances impériales mondiales dans l'aventure de Suez, en 1956, semble assurément plus vouée à l'échec qu'elle ne le parut à l'époque aux gouvernements de Londres et de Paris. L'épisode fut un fiasco catastrophique (sauf peut-être du point de vue d'Israël), rendu d'autant plus ridicule par le mélange d'indécision, d'hésitation et de mauvaise foi peu convaincante dont fit preuve Anthony Eden, le Premier ministre britannique. À peine lancée, l'opération fut annulée sous la pression des États-Unis, mais elle poussa l'Égypte vers l'URSS et mit fin pour de bon à ce qu'on a appelé le « Moment britannique au Moyen-Orient » : l'époque d'hégémonie incontestée dont la Grande-Bretagne jouissait dans cette région depuis 1918.

À la fin des années 1950, en tout cas, il était clair, pour les anciens empires survivants, qu'il fallait liquider le colonialisme formel. Seul le Portugal continua à résister à sa dissolution puisque le néocolonialisme n'était pas à la portée de son économie métropolitaine arriérée, politiquement isolée et marginalisée. Il lui fallait exploiter ses ressources africaines et, comme son économie n'était pas compétitive, elle ne pouvait le faire qu'à travers une présence directe. L'Afrique du Sud et la Rhodésie du Sud, les États africains comptant une forte colonie de blancs (sauf le Kenya) refusèrent également de s'engager sur une voie qui aboutirait inéluctablement à des régimes dominés par des Africains, et, en 1965, pour éviter ce sort, la colonie blanche de Rhodésie du Sud se proclama indépendante de la Grande-Bretagne. Paris, Londres et Bruxelles (le Congo belge) décidèrent cependant que l'octroi volontaire d'une indépendance formelle associée à une dépendance économique et culturelle était préférable à de longues luttes susceptibles d'aboutir à l'indépendance sous des régimes de gauche. Le Kenya est le seul pays qui connut une forte insurrection populaire et une guerre de guérilla, même si celle-ci demeura largement confinée à des sections d'une population locale, les Kikuyu (la révolte des Mau-Mau, 1952-1956). La politique de décolonisation prophylactique fut ailleurs poursuivie avec succès, sauf au Congo belge, qui sombra presque aussitôt dans l'anarchie et la guerre civile et devint un enjeu de politique internationale. En Afrique britannique, la Côte de l'Or (l'actuel Ghana), qui avait déjà

un parti de masse conduit par Kwame Nkrumah, homme politique et
intellectuel pan-africain de talent, reçut son indépendance en 1957.
En Afrique française, la Guinée se vit précipitée dans une indépendance prématurée et appauvrie en 1958, lorsque son chef, Sékou
Touré, refusa de rejoindre la « Communauté française » proposée par
de Gaulle, associant l'autonomie à une dépendance stricte à l'égard
de l'économie française : premier en date des dirigeants d'Afrique
noire, force lui fut donc de rechercher l'aide de Moscou. Presque
toutes les autres colonies britanniques, françaises et belges d'Afrique
furent abandonnées dans les années 1960-1962, les autres suivant
peu après. Seuls résistèrent au courant le Portugal et les États de
colons indépendants.

Les plus grandes colonies britanniques des Caraïbes furent tranquillement décolonisées dans les années 1960 ; les îles plus petites
suivirent, par intervalles, entre cette date et 1981, et les îles de
l'océan Indien et du Pacifique à la fin des années 1960 et dans les
années 1970. De fait, en 1970, plus aucun territoire d'une taille significative ne demeurait sous l'administration directe des anciennes
puissances coloniales ou de leurs régimes de colons, sauf en Afrique
centrale et australe – et, naturellement, le Viêt-nam déchiré par la
guerre. L'ère impériale était close. Moins de trois-quarts de siècle
plus tôt, elle avait paru indestructible. Ce pan de passé irrécupérable
devait désormais nourrir, non sans sensiblerie, la mémoire littéraire
et cinématographique des anciens États impériaux, tandis qu'une
nouvelle génération d'écrivains indigènes des anciennes colonies
commença à produire une littérature qui inaugura l'âge de l'indépendance.

NOTES DE LA PREMIÈRE PARTIE

CHAPITRE 1. L'ÂGE DE LA GUERRE TOTALE

[1] Techniquement, le traité de Versailles ne fit la paix qu'avec l'Allemagne. Divers parcs et châteaux royaux de la région parisienne ont donné leur nom à d'autres traités : Saint-Germain avec l'Autriche, le Trianon avec la Hongrie, Sèvres avec la Turquie, Neuilly avec la Bulgarie.

[2] La guerre civile en Yougoslavie, l'agitation sécessionniste en Slovaquie, la sécession des États baltes de l'ancienne URSS, les conflits entre Hongrois et Roumains autour de la Transylvanie, le séparatisme de la Moldova (Moldavie, ancienne Bessarabie) et, en l'occurrence, le nationalisme transcaucasien sont autant de problèmes explosifs qui n'existaient pas et n'auraient pu exister avant 1914.

[3] Situées entre la Finlande et la Suède, les îles d'Aland appartenaient à la Finlande, mais ses habitants étaient exclusivement de langue suédoise alors que la Finlande, qui venait d'accéder à l'indépendance, cherchait à imposer par tous les moyens le finnois. Pour éviter une sécession au profit de la Suède voisine, la SDN imagina un système qui garantissait l'usage exclusif du suédois sur les îles et empêchait à cette fin toute immigration intempestive depuis le reste de la Finlande.

CHAPITRE 2. LA RÉVOLUTION MONDIALE

[1] Comme la Russie observait encore le calendrier julien, qui accusait treize jours de retard sur le calendrier grégorien adopté partout ailleurs dans le monde chrétien ou occidentalisé, la révolution de février se produisit en fait en mars, et celle d'Octobre, le 7 novembre. C'est la révolution d'Octobre qui réforma le calendrier russe, de même qu'elle réforma l'orthographe, démontrant ainsi la profondeur de son impact. Car il est bien connu qu'il faut généralement des séismes socio-politiques pour promouvoir d'aussi modestes changements. La conséquence la plus durable et universelle de la révolution française est le système métrique.

[2] En 1917, un important Parti social-démocrate allemand indépendant (USPD) se sépara sur cette question de la majorité des Socialistes (SPD), qui continuait à soutenir la guerre.

[3] Le coût humain fut plus important que celui de la révolution d'Octobre, mais demeura relativement modeste : 53 officiers, 602 soldats, 73 policiers et 587 citoyens blessés ou tués (W. H. Chamberlin, 1965, vol. 1, p. 85).

[4] Vraisemblablement enracinés dans l'expérience des communautés villageoises autonomes de Russie, ces « conseils » étaient apparus lors de la révolution de 1905 pour devenir de véritables entités politiques parmi les ouvriers. Comme les assemblées de délégués directement élus étaient bien connues des ouvriers syndiqués et répondaient à leur sens inné de la démocratie, le mot

« soviet », parfois traduit mais pas toujours dans les langues locales (*councils, conseils, Räte*), exerçait un puissant attrait international.

[5] « Je leur ai dit : faites tout ce que vous voulez faire, prenez tout ce que vous voulez, nous vous soutiendrons, mais prenez soin de la production, veillez que la production soit utile. Faites du travail utile, vous commettrez des erreurs, mais vous apprendrez. » Lénine, *Rapport sur les activités du Conseil des commissaires du peuple*, 11/24 janvier 1918, Lénine, 1970, p. 551.

[6] La capitale de la Russie des tsars était Saint-Pétersbourg, dont le nom sonnait trop allemand et fut donc transformé en Petrograd au cours de la Première Guerre mondiale. Après la mort de Lénine, la ville fut rebaptisée Leningrad (1924), avant de retrouver son nom d'origine après la chute de l'URSS. Suivie par ses satellites plus serviles, l'Union soviétique fit montre d'un goût peu commun pour la toponymie politique, souvent compliquée par les soubresauts de la vie du parti. Ainsi, Tsaritsyne, sur la Volga, devint Stalingrad, théâtre d'une bataille épique au cours de la Seconde Guerre mondiale, puis Volgograd après la mort de Staline. Tel est toujours son nom à l'heure où j'écris.

[7] La majorité modérée des sociaux-démocrates obtint un peu moins de 38 % des voix – le meilleur score de toute leur histoire – et les sociaux-démocrates indépendants, révolutionnaires, environ 7,5 % des suffrages.

[8] Sa défaite provoqua une diaspora de réfugiés politiques et intellectuels à travers le monde, dont certains devaient faire des carrières inattendues, comme le magnat du cinéma Sir Alexander Korda et l'acteur Bela Lugosi surtout connu comme la star du premier *Dracula*.

[9] La première Internationale avait été l'Association internationale des Travailleurs de Karl Marx, 1864-1872.

Chapitre 3. Au fond du gouffre économique

[1] Qu'il ait été possible de faire de bonnes prédictions sur la base des Cycles longs de Kondratiev – ce qui n'est pas très courant en économie – a convaincu maints historiens et même quelques économistes qu'ils contiennent quelque chose de vrai, même si nous ne savons pas quoi.

[2] Au cours du XIXe siècle, à la fin duquel les prix étaient beaucoup plus bas qu'ils ne l'étaient au début, on s'était si bien habitué à des prix stables ou en baisse que le simple mot d'*inflation* suffisait à décrire ce que nous appelons aujourd'hui « hyper-inflation ».

[3] Dans les Balkans et dans les États baltes, les pouvoirs publics ne perdirent jamais totalement la maîtrise de l'inflation, si grave fût-elle.

[4] La clause de la « nation la plus favorisée » signifie en fait le contraire de ce qu'elle semble vouloir dire : le partenaire commercial sera traité dans les mêmes conditions que la « nation la plus favorisée » : *aucune* nation ne sera la plus favorisée.

[5] Sous sa forme classique, l'*étalon-or* donne à une unité monétaire, par exemple à un billet d'un dollar, une valeur correspondant à un poids précis en or contre lequel, si nécessaire, la banque l'échangera.

⁶ Ce n'est pas pour rien que les années 1920 furent la décennie du psychologue Émile Coué (1857-1926), qui popularisa l'autosuggestion optimiste au moyen d'un slogan sans cesse répété : « De jour en jour, je vais mieux. »

⁷ Le système bancaire américain ne permettait pas la constitution de banques géantes à l'européenne, avec des succursales dans l'ensemble du pays : il consistait donc en banques locales ou, au mieux, étatiques relativement faibles.

⁸ Cette politique alla si loin qu'en 1933 Moscou demanda instamment à P. Togliatti, le dirigeant communiste italien, de désavouer ses propos, après qu'il eut suggéré que la social-démocratie n'était peut-être pas le principal danger, tout au moins en Italie. Et cela au moment où Hitler était déjà au pouvoir. Le Komintern ne changea de ligne qu'en 1934.

⁹ Les autres étant les Partis communistes chilien et cubain.

¹⁰ Les premiers gouvernements à le faire furent ceux de l'URSS et du Canada, en 1925. En 1939, neuf pays avaient des statistiques officielles de revenu national, et la Société des Nations avait des estimations pour 26 pays. Juste après la Seconde Guerre mondiale, on devait disposer de statistiques pour 39 pays, et ce chiffre était passé à 93 au milieu des années 1950. Depuis lors, les chiffres du revenu national, qui n'ont le plus souvent qu'un rapport des plus lointains avec les réalités de la vie, sont presque devenus aussi *standards* pour les États indépendants que les couleurs nationales.

Chapitre 4. La chute du libéralisme

¹ Le plus proche exemple d'un tel cas de figure fut l'annexion de l'Estonie en 1940 par l'URSS : après quelques années de régime autoritaire, ce petit pays balte avait de nouveau adopté une constitution plus démocratique.

² Ce fut l'encyclique *Rerum Novarum*, complétée quarante ans plus tard – ce qui n'est pas un hasard – au cours de la Grande Crise des années trente par *Quadragesimo Anno*. Ce texte demeure à ce jour la pierre angulaire de la politique sociale de l'Église : témoin, l'encyclique *Centesimus Annus*, que le pape Jean-Paul II a publiée à l'occasion du centenaire de *Rerum Novarum*. Mais l'équilibre exact de la condamnation a varié au gré du contexte politique.

³ À l'honneur des compatriotes de Mussolini, il faut dire qu'au cours de la guerre l'armée italienne refusa tout net de livrer des Juifs aux Allemands et donc à l'extermination ; de même refusa-t-elle de livrer qui que ce soit dans les zones qu'elle occupait : essentiellement le sud-est de la France et certaines parties des Balkans. Bien que l'administration italienne ait fait montre en l'occurrence d'un évident manque d'ardeur, près de la moitié de la petite population juive d'Italie périt ; pour une part cependant, dans la lutte antifasciste plutôt qu'en simples victimes (Steinberg, 1990 ; Hughes, 1983).

⁴ En 1931, le gouvernement travailliste se scinda sur cette question, une partie des dirigeants travaillistes et leurs partisans libéraux se ralliant aux conservateurs, qui remportèrent haut la main les élections suivantes et restèrent confortablement installés au pouvoir jusqu'en mai 1940.

[5] En Occident comme en Orient, les années 1980 virent fleurir une rhétorique nostalgique rêvant d'un retour tout à fait impraticable à un XIXe siècle idéalisé fondé sur ces postulats.

[6] Les permutations sans fin des systèmes électoraux démocratiques – proportionnelles et autres – sont toujours des tentatives pour dégager et maintenir des majorités stables permettant des gouvernements stables dans des systèmes politiques qui, par leur nature même, le rendent difficile.

[7] En Grande-Bretagne, le refus d'envisager toute forme de représentation proportionnelle (« le gagnant prend tout ») favorisa un système bipartite et marginalisa les autres partis – dont, depuis la Première Guerre mondiale, le Parti libéral jadis dominant, bien qu'il ait continué à recueillir régulièrement 10 % des voix (c'était encore le cas en 1992). En Allemagne, le système proportionnel favorisait certes légèrement les grands partis, mais, après 1920, il ne permit à aucun d'entre eux d'obtenir ne serait-ce qu'un tiers des sièges (sauf les nazis en 1932), avec cinq grandes formations et une douzaine de groupes plus petits. En l'absence de majorité, la constitution ne prévoyait qu'un gouvernement exécutif (temporaire) par les pouvoirs d'urgence, c'est-à-dire *via* la suspension de la démocratie.

CHAPITRE 5. CONTRE L'ENNEMI COMMUN

[1] On a soutenu que les renseignements de Sorge, puisés aux sources les plus fiables et affirmant que le Japon n'avait pas l'intention d'attaquer l'URSS fin 1941, permirent à Staline de transférer des renforts décisifs sur le front ouest à une époque où les Allemands se trouvaient aux abords de Moscou (Deakin et Storry, 1964, chapitre 13 ; Andrew et Gordievsky, 1991, p. 281-282).

[2] Ce qui ne saurait en aucune façon justifier les atrocités commises par l'un ou l'autre camp qui, certainement dans le cas de l'État croate de 1942-1945, probablement dans celui de l'État slovaque, furent plus grandes que celles de leurs adversaires, et en tout état de cause indéfendables.

[3] Dans le mois qui suivit l'accession de Hitler au pouvoir, le parlement allemand fut mystérieusement incendié. Le gouvernement nazi accusa aussitôt le Parti communiste et prétexta de l'occasion pour le supprimer, les communistes accusant les nazis d'avoir organisé l'incendie à cette fin. Van der Lubbe, un déséquilibré hollandais isolé, aux sympathies révolutionnaires, ainsi que le chef du groupe parlementaire communiste et trois Bulgares qui travaillaient à Berlin pour l'Internationale communiste, furent arrêtés et jugés. Si Van der Lubbe était certainement impliqué dans l'incendie, ce n'était le cas ni des quatre communistes arrêtés ni, à l'évidence, du KPD. Les recherches historiques actuelles ne confirment pas l'hypothèse d'une provocation nazie.

[4] L'Espagne conserva une implantation au Maroc, que lui contestèrent les tribus guerrières de Berbères, qui fournissaient aussi à l'armée espagnole de formidables unités combattantes ; et quelques territoires africains plus au Sud, oubliés de tous.

[5] Le carlisme était un mouvement farouchement monarchiste et ultra-traditionaliste bien implanté dans la paysannerie, surtout en Navarre. Dans les guerres civiles des années 1830 et 1870, les carlistes se battirent pour l'une des branches de la famille royale d'Espagne.

[6] Parmi lesquels, peut-être, 10 000 Français, 5 000 Allemands et Autrichiens, 5 000 Polonais et Ukrainiens, 3 350 Italiens, 2 800 Américains, 2 000 Britanniques, 1 500 Yougoslaves, 1 500 Tchécoslovaques, 1 000 Hongrois, 1 000 Scandinaves, etc. Les 2 000 ou 3 000 Russes ne sauraient guère être considérés comme des volontaires. Parmi ces volontaires, il y avait quelque 7 000 Juifs (Thomas, 1977, p. 982-984 ; Paucker, 1991, p. 15).

[7] Suivant les mots du Komintern, la révolution espagnole faisait « partie intégrante de la lutte antifasciste, qui repose sur les bases sociales les plus larges. C'est une révolution populaire. C'est une révolution nationale. C'est une révolution antifasciste » (Ercoli, octobre 1936, cité par Hobsbawm, 1986, p. 175).

[8] À la conférence fondatrice du Kominform (Bureau d'information communiste), qui marqua le début de la guerre froide, le délégué bulgare, Vlko Tchervenkov, pouvait encore décrire résolument en ces termes les perspectives de son pays (Reale, 1954, p. 66-67, 73-74).

[9] Peut-être craignait-il que Hitler ne perçût la participation enthousiaste des communistes à une guerre antifasciste française ou britannique comme un signe de sa mauvaise foi et n'y trouvât un prétexte pour l'attaquer.

[10] L'armée secrète anticommuniste connue, après qu'un homme politique italien en eut révélé l'existence en 1990, sous le nom de *Stay Behind* (*Gladio*, « l'épée », en Italie), fut créée en 1949 afin de continuer la résistance intérieure dans divers pays européens après une éventuelle occupation soviétique. Ses membres étaient armés et payés par les États-Unis, entraînés par la CIA et les forces secrètes et spéciales britanniques ; son existence resta dissimulée aux gouvernements des territoires dans lesquels ils opéraient, hormis quelques individualités. En Italie, et peut-être ailleurs, cette armée recruta à l'origine parmi les fascistes irréductibles, qui avaient appartenu aux noyaux de résistance laissés par les puissances de l'Axe en se retirant et qui acquirent alors une valeur nouvelle en tant qu'anticommunistes fanatiques. Dans les années 1970, lorsque même les agents des services secrets américains cessèrent de juger plausible une invasion de l'Armée rouge, les Gladiateurs trouvèrent un nouveau champ d'action dans le terrorisme de droite, parfois en se faisant passer pour des terroristes de gauche.

[11] L'un des amis de l'auteur, qui finit par devenir commandant adjoint de la MOI, sous la houlette du Tchèque Arthur London, était un Juif autrichien d'origine polonaise : dans la résistance, il reçut pour mission d'organiser la propagande antinazie parmi les troupes allemandes stationnées en France.

[12] Les Serbes de Croatie et de Bosnie ainsi que les Monténégrins (qui représentaient 17 % des officiers de l'armée des partisans) furent largement derrière Tito, de même que d'importantes sections des Croates – le peuple de Tito – et les Slovènes. La plupart des combats se déroulèrent en Bosnie.

[13] Notamment, tous oublièrent le rôle majeur que les femmes jouèrent dans la guerre, la résistance et la libération.

CHAPITRE 6. LES ARTS, 1914-1945

[1] Matisse et Picasso ; Schönberg et Stravinsky ; Gropius et Mies van der Rohe ; Proust, James Joyce, Thomas Mann et Franz Kafka ; Yeats, Ezra Pound, Alexander Blok et Anna Akhmatova.

[2] Entre autres, Isaac Babel (1894), Le Corbusier (1897), Ernest Hemingway (1899) ; Bertolt Brecht, García Lorca et Hanns Eisler (tous trois nés en 1898), Kurt Weill (1900), Jean-Paul Sartre (1905) et W. H. Auden (1907).

[3] Il est significatif que, à quelques exceptions près, relativement rares – Alban Berg, Benjamin Britten –, les grandes créations musicales d'après 1918 n'aient pas été composées pour des Opéras officiels : par exemple, *L'Opéra de quat'sous*, *Mahagonny, Porgy and Bess*.

[4] Pour être honnête, le Dr Leavis finit, quoique un peu à contrecœur, par trouver des mots d'appréciation moins inadéquats pour ce grand écrivain.

[5] *Mir fällt zu Hitler nichts ein*. Ce qui n'empêcha nullement Karl Kraus, après un long silence, d'écrire quelques centaines de pages sur le sujet, qui n'en dépassait pas moins son entendement.

[6] En fait, les grands échos littéraires de la Première Guerre mondiale ne commencèrent à se faire entendre qu'à la fin des années 1920, lorsque le roman d'Erich Maria Remarque, *À l'Ouest rien de nouveau* (1929, adaptation hollywoodienne en 1930), se vendit à deux millions d'exemplaires en l'espace de dix-huit mois et fut traduit en vingt-cinq langues.

[7] L'écrivain argentin Jorge Luis Borges (1899-1966) était notoirement anglophile et tourné vers l'Angleterre ; l'extraordinaire poète grec d'Alexandrie, C. P. Cavafy (1863-1933) avait en fait l'anglais pour première langue, de même que, tout au moins pour écrire, le plus grand poète portugais du siècle : Fernando Pessoa (1888-1935). Quant à l'influence de Kipling sur Bertolt Brecht, elle est bien connue.

[8] Les ancêtres littéraires du polar moderne, du thriller de « durs à cuire » ou de « privés », étaient beaucoup plus populaires. Dashiell Hammett (1894-1961) débuta comme détective privé et publia dans la presse à quatre sous. En fait, le seul écrivain à transformer le polar en véritable littérature, le belge Georges Simenon (1903-1989), était un autodidacte besogneux.

CHAPITRE 7. LA FIN DES EMPIRES

[1] Il vaut la peine d'observer que la dichotomie élémentaire « capitaliste »/ « socialiste » est politique, plutôt qu'analytique. Elle reflète l'émergence de mouvements ouvriers politiques de masse, dont l'idéologie socialiste, en pratique, n'allait guère plus loin que le principe du simple renversement de la société présente (le « capitalisme »). Après Octobre 1917, cette opposition se trouva renforcée par la longue guerre froide Rouges/anti-Rouges du Court Vingtième Siècle. Plutôt que de ranger sous la même rubrique du « capitalisme » les

systèmes économiques des États-Unis, de la Corée du Sud, de l'Autriche, de Hong-Kong, de l'Allemagne et du Mexique, on pourrait tout aussi bien les classer dans des catégories différentes.

2 Chiffres calculés à partir des effectifs de l'enseignement secondaire de type occidental (Anil Seal, 1971, p. 21-22).

3 En Afrique du Nord française, la piété rurale était dominée par divers saints hommes soufis (« Marabouts »), dont les réformateurs avaient fait leur cible.

4 Cependant, pas un seul dirigeant africain ne devint ou ne resta communiste.

Deuxième partie

L'Âge d'or

CHAPITRE 8
GUERRE FROIDE

« Bien que la Russie soviétique ait l'intention d'étendre son influence par tous les moyens possibles, la révolution mondiale ne fait plus partie de son programme et il n'est rien, dans les conditions internes au sein de l'Union, qui puisse encourager un retour aux vieilles traditions révolutionnaires. Toute comparaison entre la menace allemande avant la guerre et une menace soviétique aujourd'hui se doit de tenir compte de [...] différences fondamentales [...]. Le danger d'une catastrophe soudaine est donc infiniment moindre avec les Russes qu'avec les Allemands. »

Frank ROBERTS,
ambassade de Grande-Bretagne à Moscou,
au Foreign Office, Londres, 1946,
in JENSEN, 1991, p. 46

« L'économie de guerre offre des niches confortables à des dizaines de milliers de bureaucrates, vêtus d'uniformes militaires ou non, qui vont chaque jour au bureau construire des armes nucléaires ou préparer la guerre nucléaire ; à des millions d'ouvriers, dont l'emploi dépend du système de terrorisme nucléaire ; aux hommes de science et aux ingénieurs embauchés pour cette ultime "percée technologique" qui peut assurer la sécurité totale ; aux sous-traitants peu désireux de renoncer à des profits faciles ; aux intellectuels va-t-en-guerre qui vendent des menaces et bénissent les guerres. »

Richard BARNET (1981, p. 97)

I

Les quarante-cinq années qui séparent le largage des bombes atomiques de la fin de l'Union soviétique ne forment pas dans l'histoire du monde une période homogène. Comme nous le verrons dans les chapitres suivants, le début des années 1970 marque une ligne de partage des eaux (*cf.* chapitres 9 et 14). Mais la situation bien particulière qui l'a dominée jusqu'à la chute de l'URSS – la confrontation constante des deux superpuissances issues de la Seconde Guerre mondiale, ce que l'on a appelé la « guerre froide » – a néanmoins conduit à envisager cette phase de l'histoire comme un tout.

La Seconde Guerre mondiale était à peine terminée que l'humanité plongea dans ce qu'on peut raisonnablement considérer comme une Troisième Guerre mondiale, quoique d'un type bien particulier. Car, ainsi que l'observait le grand philosophe Thomas Hobbes, « la guerre ne consiste pas seulement dans la bataille et dans des combats effectifs ; mais dans un espace de temps où la volonté de s'affronter en des batailles est suffisamment avérée » (Hobbes, *Léviathan*, chapitre 13, trad. fr., p. 124). La guerre froide entre les deux camps des États-Unis et de l'URSS, qui a totalement dominé la scène internationale dans la seconde moitié du Court Vingtième Siècle, a sans conteste été un « espace de temps » de ce genre. Des générations entières ont grandi à l'ombre de batailles nucléaires qui, croyait-on généralement, pouvaient éclater à tout moment et dévaster l'humanité. En vérité, même ceux qui ne croyaient pas à l'éventualité d'une attaque de l'un ou l'autre camp avaient du mal à ne pas céder au pessimisme, car la « Loi de Murphy » : « Si ça peut mal tourner, tôt ou tard ça tournera mal », est une caractéristique assez constante dans les affaires humaines. Avec le temps, les choses qui pouvaient tourner mal se multiplièrent, tant politiquement que technologiquement, dans une confrontation nucléaire permanente fondée sur l'hypothèse que seule la crainte d'une « destruction mutuelle assurée » (justement concentrée dans l'acronyme MAD, qui veut dire fou en anglais) empêcherait l'un ou l'autre de donner le signal toujours prêt du suicide planifié de la civilisation. Cela ne devait pas arriver, même si une telle guerre parut être, quarante années durant, une possibilité quotidienne.

La singularité de la guerre froide, c'est que, objectivement parlant, il n'existait pas de danger imminent de guerre mondiale. Qui plus est, malgré la rhétorique apocalyptique des deux camps (mais surtout du côté américain), les gouvernements des deux superpuissances acceptaient la distribution mondiale des forces à la fin de la Seconde Guerre mondiale, qui équivalait à un rapport de force très inégal mais au fond incontesté. L'URSS contrôlait une partie du globe ou exerçait sur elle une influence dominante – la zone occupée par l'Armée rouge ou d'autres forces communistes à la fin de la guerre – sans chercher à étendre sa sphère d'influence par la force des armes. Les États-Unis contrôlaient et dominaient le reste du monde capitaliste aussi bien que l'hémisphère occidental et les océans, héritant des vestiges de l'ancienne hégémonie impériale des ex-puissances coloniales. En contrepartie, ils n'intervenaient pas dans la zone d'hégémonie soviétique acceptée.

En Europe, les lignes de démarcation avaient été tracées entre 1943-1945, dans le cadre des accords conclus aux diverses rencontres au sommet entre Roosevelt, Churchill et Staline, mais aussi du fait que seule l'Armée rouge pouvait effectivement vaincre Hitler. Il y avait quelques incertitudes, notamment concernant l'Allemagne et l'Autriche, qui furent résolues par la partition de l'Allemagne suivant les lignes des forces d'occupation de l'Est et de l'Ouest, et le retrait de tous les ex-belligérants de l'Autriche. Celle-ci devint une sorte de seconde Suisse : un petit pays voué à la neutralité, envié pour sa prospérité persistante et justement décrit en conséquence comme un pays « où l'on s'ennuie ». L'URSS accepta à contrecœur que Berlin-Ouest restât une enclave occidentale à l'intérieur de son territoire allemand : elle n'était pas prête à en faire un *casus belli*.

Hors d'Europe, la situation était moins tranchée, sauf pour le Japon, où les États-Unis décidèrent dès le départ une occupation totalement unilatérale qui n'excluait pas seulement l'URSS, mais aussi tous ses autres cobelligérants. La fin des anciens empires coloniaux était cependant prévisible : en 1945, elle était même de toute évidence imminente sur le continent asiatique. En revanche, l'orientation future des nouveaux États postcoloniaux était loin d'être claire. Comme nous le verrons (chapitres 12 et 15), c'est la zone dans laquelle les deux superpuissances continuèrent, tout au long de la guerre froide, à se disputer soutien et influence. C'était donc la principale zone de friction, celle où il y avait le plus de risques de voir éclater un conflit armé, qui finit effectivement par se produire. À la différence de l'Europe, même les limites de la zone destinée à être contrôlée par les communistes ne pouvaient être prédites, *a fortiori* convenues à l'avance dans le cadre de négociations, fût-ce à titre provisoire et ambigu. Ainsi, alors que l'URSS n'était pas très pressée de voir les communistes prendre le pouvoir en Chine, c'est ce qui se passa néanmoins[1].

Cependant, même dans ce qu'on devait bientôt appeler le « tiers-monde », les conditions de la stabilité internationale commencèrent à apparaître en l'espace de quelques années. La plupart des nouveaux États postcoloniaux, si mal disposés qu'ils fussent envers les États-Unis et leur camp, n'étaient pas communistes : en fait, ils étaient majoritairement anticommunistes dans leur politique intérieure et « non alignés » (c'est-à-dire, hors du bloc militaire soviétique) dans les affaires internationales. Bref, le « camp communiste » ne montra aucun signe d'expansion significative entre la révolution chinoise et les années 1970, époque à laquelle la Chine communiste n'en faisait plus partie (*cf.* chapitre 16).

Effectivement, la situation mondiale se stabilisa relativement peu après la guerre et resta stable jusqu'au milieu des années 1970, lorsque le système international et ses différentes composantes entrèrent dans une nouvelle période de crise politique et économique prolongée. Jusque-là, les deux superpuissances acceptèrent la division inégale du monde. Elles firent leur possible pour régler les problèmes de démarcation sans créer d'affrontement armé déclaré susceptible de dégénérer en guerre, et, contrairement à l'idéologie et à la rhétorique de la guerre froide, elles se fondèrent sur l'hypothèse qu'une coexistence pacifique était possible. À l'heure critique, chacune voulut croire en la modération de l'autre, même lorsqu'elles furent officiellement au bord de la guerre, voire en guerre. Ainsi dans les années 1950-1953, au cours de la guerre de Corée, dans laquelle les Américains furent officiellement engagés, mais pas les Russes, Washington savait parfaitement que jusqu'à 150 avions chinois étaient en réalité des appareils soviétiques pilotés par des Soviétiques (Walker, 1993, p. 75-77). L'information fut tenue secrète, parce qu'on imaginait à juste titre qu'une guerre était bien la dernière chose que souhaitât Moscou. En 1962, au cours de la crise cubaine des missiles, le principal souci des deux camps, nous le savons aujourd'hui (Ball, 1992, 1993), fut d'éviter que des gestes belliqueux fussent à tort interprétés comme des pas effectifs vers la guerre.

Cette entente tacite pour traiter la guerre froide comme une paix froide tint bon jusque dans les années 1970. L'URSS sut, ou plutôt apprit, dès 1953, que les appels américains à « faire reculer » le communisme n'étaient qu'esbroufe radiophonique lorsque les chars soviétiques purent tranquillement rétablir l'ordre communiste en écrasant une sérieuse révolte ouvrière en Allemagne de l'Est. Dès lors, ainsi que le confirma la révolution hongroise de 1956, l'Occident devait se tenir à l'écart de la sphère de domination soviétique. La guerre froide, qui s'évertua bel et bien à être à la hauteur de sa propre rhétorique d'une lutte pour la suprématie ou l'anéantissement, n'est pas de celles où les gouvernements prenaient les décisions essentielles ; ce fut plutôt une guerre de l'ombre opposant leurs divers services secrets, reconnus ou non. En Occident, cet affrontement engendra le produit dérivé le plus caractéristique de la tension internationale : les romans d'espionnage avec leurs tueurs de l'ombre. Dans ce genre, les Britanniques, à travers le James Bond de Ian Fleming et les héros en demi-teinte de John Le Carré – tous deux avaient travaillé un temps dans les services secrets –, conservèrent une supériorité durable, compensant ainsi le déclin de leur pays dans le monde du vrai pouvoir. Cependant, sauf dans quelques pays plus faibles du tiers-monde, les opérations du KGB, de la CIA et de leurs homologues furent souvent insignifiantes en termes de politique de puissance, quoique souvent dramatiques.

Dans ces circonstances, y eut-il jamais, au cours de cette longue période de tension, un réel danger de guerre mondiale – sauf, bien entendu, par le genre d'accident qui menace inévitablement ceux qui patinent longtemps sur une glace trop mince ? C'est difficile à dire. La période la plus explosive fut probablement celle comprise entre l'exposé officiel de la « Doctrine Truman », en mars 1947 (« Je crois que la politique des États-Unis doit être de soutenir les peuples libres qui résistent aux tentatives d'assujettissement par des minorités armées ou des pressions extérieures »), et avril 1951, lorsque le même président américain remercia le général Douglas McArthur, commandant des forces américaines dans la guerre de Corée (1950-1953), qui poussait trop loin ses ambitions militaires. C'est la période où la peur américaine d'une désintégration sociale ou d'une révolution dans les parties non soviétiques de l'Eurasie n'était pas entièrement fantaisiste : après tout, les communistes chinois s'emparèrent du pouvoir en 1949. Inversement, l'URSS se trouva confrontée à des États-Unis qui jouissaient d'un monopole des armes nucléaires et multipliaient les déclarations anticommunistes militantes et menaçantes, tandis que les premières fissures apparurent dans le bloc soviétique avec la sécession de la Yougoslavie de Tito en 1948. De surcroît, à partir de 1949, la Chine fut dirigée par un gouvernement communiste qui, non content de se lancer volontiers dans une grande guerre en Corée, était prêt, à la différence de tous les autres gouvernements, à envisager de se battre en pensant survivre à un holocauste nucléaire[2]. Tout pouvait arriver.

Du jour où l'URSS eut acquis des armes nucléaires – quatre ans après Hiroshima dans le cas de la bombe atomique (1949), neuf mois après les États-Unis pour la bombe à hydrogène (1953) –, les deux superpuissances abandonnèrent clairement la guerre comme instrument d'affrontement politique, puisqu'elle équivalait désormais à un pacte suicidaire. Qu'elles aient sérieusement projeté de déclencher une action nucléaire contre des tierces parties – les États-Unis en Corée en 1951 et pour sauver les Français au Viêt-nam en 1954 ; l'URSS contre la Chine en 1969 – demeure incertain : quoi qu'il en soit, elles n'en firent rien. En revanche, toutes deux brandirent la menace nucléaire, très certainement sans intention d'y donner suite, en diverses occasions : les États-Unis pour accélérer les négociations de paix en Corée et au Viêt-nam (1953, 1954), l'URSS pour obliger la Grande-Bretagne et la France à se retirer de Suez en 1956. Malheureusement, la certitude qu'aucune des superpuissances ne *voulait* réellement appuyer sur le bouton les incita à se livrer à des gesticulations nucléaires à des fins de négociation ou (aux États-Unis) de politique intérieure, convaincues que l'autre camp ne voulait pas non plus de la guerre. Cette confiance se révéla justifiée, mais usa les nerfs de plusieurs générations. L'espace de quelques jours, en 1962, la crise des missiles de Cuba faillit plonger le monde dans une guerre inutile et, pendant un temps, effraya jusqu'aux plus hauts décideurs au point de les rappeler à un comportement rationnel[3].

II

Comment alors expliquer les quarante années de confrontation armée et de mobilisation, établie sur l'hypothèse toujours invraisemblable et, en l'occurrence, manifestement infondée, que la planète était si instable qu'une guerre mondiale pouvait éclater à tout moment et n'était évitée que par une dissuasion mutuelle permanente ? En premier lieu, la guerre froide reposait sur une conviction occidentale, qui paraît absurde avec le recul, mais semblait assez naturelle à la suite de la Seconde Guerre mondiale, à savoir que l'Ère des catastrophes n'était aucunement terminée, et que l'avenir du capitalisme mondial et de la société libérale était loin d'être assuré. La plupart des observateurs s'attendaient à une grave crise économique après la guerre, même en Amérique, par analogie avec ce qui s'était passé après la Première Guerre mondiale. Un futur prix Nobel d'économie évoqua en 1943 la possibilité, pour les États-Unis, de subir la « plus grande période de chômage et de dislocation industrielle qu'une économie ait jamais connue » (Samuelson, 1943, p. 51). En réalité, les projets du gouvernement américain pour l'après-guerre se préoccupaient bien plus concrètement de prévenir une nouvelle Grande Crise que d'empêcher un nouveau conflit – éventualité sur laquelle Washington ne s'était penchée que de manière divisée et provisoire avant la victoire (Kolko, 1969, p. 244-246).

Si Washington prévoyait de « grands troubles après la guerre », minant la « stabilité – sociale, politique et économique – du monde » (Dean Acheson, cité *in* Kolko, 1969, p. 485), c'est qu'à la fin des hostilités les pays belligérants, à l'exception des États-Unis, étaient un champ de ruines peuplé par des populations que les Américains croyaient affamées, désespérées et probablement radicalisées, toutes disposées à entendre l'appel à la révolution sociale et à des politiques économiques incompatibles avec le système international de la libre entreprise, du libre-échange et de la liberté des investissements censé sauver l'Amérique et le monde. De surcroît, le système international d'avant-guerre s'était effondré, laissant les États-Unis face à une URSS communiste considérablement renforcée sur de vastes territoires de l'Europe et des étendues plus énormes encore du monde non européen, dont l'avenir politique semblait très incertain : sauf

que, dans ce monde explosif et aléatoire, tout ce qui survenait avait
plus de chances à la fois d'affaiblir le capitalisme et les États-Unis et
de consolider la puissance qui avait vu le jour par et pour la révolution.

La situation qui prévalait au lendemain de la guerre dans nombre
de pays libérés et occupés paraissait miner la position des hommes
politiques modérés, qui avaient peu de soutien en dehors de leurs
alliés occidentaux, et qui, à l'intérieur de leurs gouvernements
comme à l'extérieur, étaient assaillis par les communistes – partout
sortis de la guerre renforcés comme jamais ils ne l'avaient été, et
devenus parfois les premiers partis et forces électorales de leurs pays.
Le président du Conseil français (socialiste) se rendit à Washington
pour prévenir que, sans aide économique, le gouvernement risquait
de tomber au profit des communistes. La terrible récolte de 1946,
suivie par l'effroyable hiver de 1946-1947, rendit plus inquiets
encore les hommes politiques européens et les conseillers de la présidence en Amérique.

Dans ces conditions, il n'est pas étonnant que l'alliance de guerre
entre la grande puissance capitaliste et son homologue socialiste,
désormais à la tête de sa zone d'influence, ait éclaté : tel est bien souvent le destin des coalitions, même moins hétérogènes, à la fin des
conflits. De toute évidence, cependant, cela ne suffit pas à expliquer
pourquoi la politique des États-Unis – les alliés et clients de
Washington, à l'exception possible de la Grande-Bretagne, étaient
nettement moins surchauffés – devait se fonder, tout au moins dans
les déclarations publiques, sur un scénario cauchemardesque : celui
d'une superpuissance moscovite prête à conquérir le globe d'un instant à l'autre et tirant les ficelles d'une « conspiration communiste
mondiale » athée, toujours disposée à prendre d'assaut les bastions
de la liberté. Cela suffit encore moins à expliquer la rhétorique de
campagne d'un John Fitzgerald Kennedy en 1960, à une époque où
l'on ne pouvait guère prétendre que « notre société moderne de
liberté ; la nouvelle forme du capitalisme », comme disait le Premier
ministre britannique Harold Macmillan (Horne, 1989, vol. II,
p. 283), courût des dangers immédiats[4].

Pourquoi la perspective énoncée par des « professionnels du
Département d'État » à la suite de la guerre a-t-elle pu être qualifiée
d'« apocalyptique » ? (Hughes, 1969, p. 28). Pourquoi même le

diplomate britannique posé qui rejetait toute comparaison de l'URSS avec l'Allemagne nazie pouvait-il rapporter, depuis Moscou, que le monde était « désormais confronté au danger d'un équivalent moderne des guerres de religion du XVIe siècle, où le communisme soviétique disputera la domination du monde à la social-démocratie occidentale et à la version américaine du capitalisme » ? (Jensen, 1991, p. 41, 53-54 ; Roberts, 1991). Car il est aujourd'hui clair (et même déjà considéré comme probable en 1945-1947) que l'URSS n'était pas expansionniste – encore moins agressive – et n'envisageait aucune progression du communisme au-delà des limites convenues aux sommets de 1943-1945. En réalité, alors que Moscou contrôlait sa clientèle de régimes et de mouvements communistes, ceux-ci étaient précisément engagés à *ne pas* construire d'États sur le modèle de l'URSS, mais des économies mixtes dans le cadre de démocraties parlementaires pluripartites, qui n'avaient rien à voir avec la « dictature du prolétariat », et « moins encore » un parti unique, que les documents internes du parti ne jugeaient « ni utiles ni nécessaires » (Spriano, 1983, p. 265). Les seuls régimes communistes qui refusèrent de suivre cette ligne furent ceux dont les révolutions, activement découragées par Staline, échappèrent au contrôle de Moscou : par exemple, la Yougoslavie. De surcroît, bien qu'on ne l'ait guère remarqué, l'Union soviétique démobilisa ses troupes – son principal atout militaire – presque aussi vite que les États-Unis : d'effectifs records de près de douze millions d'hommes en 1946, l'Armée rouge fut réduite à trois millions fin 1948 (*New York Times*, 24 octobre 1946 ; 24 octobre 1948).

Toute analyse rationnelle indique que l'URSS ne présentait de danger immédiat pour personne qui fût hors de portée des forces d'occupation de l'Armée rouge. Elle sortit de la guerre en ruines, saignée à blanc et épuisée, son économie de paix en lambeaux, avec un gouvernement qui se défiait d'une population dont une bonne partie, en dehors de la Grande Russie, avait fait montre d'un manque d'attachement au régime clair et compréhensible. Sur ses franges occidentales, elle continua pendant quelques années à avoir des difficultés avec les guérillas nationalistes ukrainienne et autres. Elle était dirigée par un dictateur – J. V. Staline (*cf.* chapitre 13) – aussi timoré hors du territoire qu'il contrôlait directement qu'implacable à l'intérieur. Elle avait besoin de toute l'aide économique qu'elle pouvait obtenir et, en conséquence, n'avait à court terme aucun intérêt à indisposer la seule puissance qui pût la lui apporter : les États-Unis. Sans doute, en tant que communiste, Staline croyait-il que le capitalisme laisserait inévitablement la place au communisme : dans cette mesure, la coexistence des deux systèmes n'était pas appelée à durer. Mais, du point de vue des planificateurs soviétiques, le capitalisme en tant que tel n'était pas en crise à la fin de la Seconde Guerre mondiale. Ils ne doutaient pas qu'il avait encore une longue vie devant lui sous l'hégémonie des États-Unis, dont la richesse et le pouvoir considérablement accrus n'étaient que trop évidents (Loth, 1988, p. 36-37). C'est précisément ce que l'URSS soupçonnait et qui lui faisait peur[5]. Loin d'être agressive, son attitude au lendemain de la guerre était défensive.

C'est cependant leur situation qui dicta aux deux camps une politique d'affrontement. Sachant la précarité et l'insécurité de sa position, l'URSS faisait face à la puissance mondiale des États-Unis, conscients de la précarité et de l'insécurité de l'Europe centrale et occidentale, et de l'avenir incertain d'une bonne partie de l'Asie. L'affrontement se serait probablement produit même sans idéologie. George Kennan, le diplomate américain qui au début de l'année 1946 formula la politique d'« endiguement » *(containment)* que Washington adopta avec enthousiasme, ne croyait pas que la Russie fît croisade pour le communisme et, ainsi que la suite de sa carrière le démontra, il était loin d'être un croisé idéologique (sauf, peut-être, contre la politique démocrate, dont il avait une piètre opinion). Bon expert de la Russie issu de la vieille école diplomatique de la politique de puissance (ils étaient nombreux dans ce cas dans les ministères européens des Affaires étrangères), il voyait dans la Russie, tsariste ou bolchevique, une société arriérée et barbare dirigée par des hommes mus par un « sentiment d'insécurité traditionnel et instinctif chez les Russes » : un pays qui se coupait toujours du monde extérieur, toujours sous la férule d'autocrates, qui ne cherchait sa « sécurité » que dans une lutte patiente et mortelle pour la destruction totale de la puissance rivale, plutôt que dans des pactes et des compromis. En conséquence, elle n'était sensible qu'à la « logique de la force », jamais à la raison. Naturellement, le communisme, à ses yeux, rendait plus dangereuse la vieille Russie, la plus brutale des grandes puissances étant renforcée par la plus implacable des idéologies utopiques, c'est-à-dire vouée à conquérir le monde. Autrement dit, la seule « puissance rivale » de la Russie, à savoir les États-Unis, aurait dû « l'endiguer » même si elle n'avait pas été communiste.

Inversement, du point de vue de Moscou, la seule stratégie rationnelle pour défendre et exploiter sa position nouvelle, redoutable mais fragile, de puissance internationale était exactement la même : aucun compromis. Nul ne savait mieux que Staline à quel point son jeu était mauvais. Il n'y avait pas de négociation possible sur les positions accordées par Roosevelt et Churchill à l'époque où l'effort soviétique était essentiel pour vaincre Hitler et où on le croyait encore décisif contre le Japon. L'URSS pouvait bien être disposée à se retirer de toute position située au-delà des lignes convenues aux sommets des années 1943-1945, et surtout à Yalta – par exemple sur les frontières de l'Iran et de la Turquie en 1945-1946 ; en revanche, toute velléité de remettre en cause Yalta ne pouvait qu'essuyer un refus sans appel. Le *niet* de Molotov, le ministre des Affaires étrangères de Staline, dans toutes les rencontres internationales devint célèbre. Les Américains avaient le pouvoir, même si ce n'était que de justesse. Jusqu'en décembre 1947, il n'y eut pas d'avions pour transporter les douze bombes atomiques disponibles, ni de militaires capables de les assembler (Moïsi, 1981, p. 78-79). L'URSS n'en avait pas. Washington ne voulait rien céder, sauf contre des concessions : or c'était précisément ce que ne pouvait se permettre Moscou, même en contrepartie d'une aide économique dont elle avait désespérément besoin, mais que de toute façon les Américains ne voulaient pas lui donner, prétendant avoir « égaré » la demande de prêt pour l'après-guerre que les Soviétiques leur avaient adressée avant Yalta.

Bref, alors que les États-Unis s'inquiétaient du danger d'une possible suprématie soviétique dans l'avenir, Moscou se préoccupait de l'hégémonie bien réelle des États-Unis dans toutes les parties du globe que n'occupait pas l'Armée rouge. Il ne fallait pas grand-chose pour transformer une URSS épuisée et appauvrie en une nouvelle région cliente de l'économie américaine, plus forte à l'époque que tout le reste du monde réuni. L'intransigeance était la tactique logique. Que Moscou abatte ses cartes !

Cette politique d'intransigeance mutuelle, voire de rivalité permanente, n'implique cependant pas un danger quotidien de guerre. Au XIXe siècle, les secrétaires britanniques aux Affaires étrangères, pour qui il allait de soi qu'il fallait « endiguer » à la manière kennanienne les poussées expansionnistes de la Russie tsariste, savaient parfaitement que les moments de confrontation ouverte étaient rares, et les crises guerrières plus rares encore. L'intransigeance mutuelle n'implique nullement une politique de lutte à mort ou de guerres de religion. Mais deux éléments contribuèrent à déplacer la confrontation du domaine de la raison à celui de l'émotion. Comme l'URSS, la puissance des États-Unis représentait une idéologie, dont la plupart des Américains croyaient sincèrement qu'elle était un modèle pour le monde. À la différence de l'URSS, l'Amérique était une démocratie. Et il faut bien dire, hélas, que, des deux, la seconde était probablement la plus dangereuse.

Car, bien qu'il ait lui aussi diabolisé l'antagonisme mondial, le gouvernement soviétique n'avait pas à s'inquiéter d'obtenir la majorité au Congrès ni à penser aux élections du président et du Congrès. Le gouvernement américain, oui. À cette double fin, un anticommunisme apocalyptique avait son utilité : il était donc une tentation, même pour des hommes politiques qui n'étaient pas sincèrement convaincus par leur propre rhétorique, ou pour un James Forrestal (1882-1949), le secrétaire à la Marine du président Truman, cliniquement assez fou pour se suicider parce qu'il voyait les Russes entrer par la fenêtre de son hôpital. Un ennemi extérieur menaçant les États-Unis était bien commode pour des gouvernements qui avaient conclu, à juste raison, que leur pays était désormais une puissance mondiale – en fait, de loin la plus grande – et qui voyaient encore dans « l'isolationnisme » ou dans un protectionnisme défensif, le principal obstacle intérieur. Si l'Amérique elle-même n'était pas en sécurité, il ne pouvait être question pour elle de fuir les responsabilités – et les gratifications – du *leadership* mondial comme après la Première Guerre mondiale. Plus concrètement, l'hystérie publique aidant, il devint plus facile aux présidents de réunir les sommes considérables nécessaires à leur politique auprès de citoyens notoirement peu enclins à payer leurs impôts. Et l'anticommunisme était authentiquement et viscéralement populaire dans un pays fondé sur l'individualisme et l'entreprise privée, où la nation elle-même se définissait en termes exclusivement idéologiques (l'« américanisme ») et qui se laissait pratiquement définir comme l'antipode du communisme. (N'oublions pas les votes des émigrés de l'Europe de l'Est soviétisée.) Ce n'est pas le gouvernement américain qui lança la sordide et irrationnelle frénésie de la chasse aux sorcières contre les « Rouges », mais des démagogues – par ailleurs insignifiants (pour certains, comme le tristement célèbre sénateur Joseph McCarthy, même pas particulièrement anticommunistes) – qui comprirent tout le parti politique qu'il y avait à tirer d'une dénonciation tous azimuts de l'ennemi de l'intérieur[6]. J. Edgar Hoover (1895-1972), le quasiment inamovible patron du Federal Bureau of Investigations (FBI), y avait vu de longue date le moyen de renforcer sa bureaucratie. « L'attaque des Primitifs », comme l'appela l'un des principaux artisans de la guerre froide (Acheson, 1970, p. 462), facilita et contraignit à la fois la politique de Washington, tout en la poussant aux extrêmes. Tel fut surtout le cas dans les années qui suivirent la victoire des communistes en Chine, dont Moscou fut naturellement accusée.

Au même moment la demande schizophrénique émanant de politiciens, soucieux de leur électorat de mettre en œuvre une politique susceptible de contenir la vague d'« agression communiste », d'économiser de l'argent et de perturber le moins possible le confort des Américains, engageait Washington, et ses alliés, non seulement dans une stratégie essentiellement nucléaire, basée sur des bombes plutôt que sur des hommes, mais surtout dans une stratégie plus inquiétante de « représailles massives », annoncée en 1954. L'agresseur potentiel devait être menacé de frappes nucléaires, même en cas d'attaque conventionnelle limitée. Bref, les États-Unis campaient sur une attitude agressive, avec une souplesse tactique minime.

Ainsi les deux camps se trouvèrent-ils engagés dans une folle course aux armements qui conduisait à la destruction mutuelle, avec des généraux et des intellectuels « nucléaires », professionnellement contraints d'ignorer ce délire. Des deux côtés on se trouva pris dans ce que l'ex-président Eisenhower, modéré de la vieille école qui dirigea cette descente en absurdie sans se laisser totalement contaminer, nomma le « complexe militaro-industriel » ; en d'autres mots, l'accumulation sans cesse croissante d'hommes et de ressources qui vivaient dans la préparation de la guerre. Jamais encore en période de paix stable, les puissances n'avaient accumulé autant de moyens. Comme on pouvait s'y attendre, les deux complexes militaro-industriels furent encouragés par leurs gouvernements à se servir de leurs capacités excédentaires pour attirer et armer alliés et clients – et, ce qui n'était pas le moins important, à gagner des marchés juteux, tout en conservant pour leur propre usage les équipements les plus modernes et, naturellement, leurs armes nucléaires. Car, en pratique, les superpuissances conservèrent leur monopole nucléaire. Les Britanniques acquirent leurs propres bombes en 1952, afin, non sans ironie, d'amoindrir leur dépendance à l'égard des États-Unis ; les Français, dont l'arsenal nucléaire était effectivement indépendant des États-Unis, et les Chinois dans les années 1960. Tant que la guerre froide continua, ceux-ci ne comptèrent pas. Au cours des années 1970 et 1980, quelques autres pays acquirent la capacité de fabriquer des armes nucléaires, notamment Israël, l'Afrique du Sud, et l'Inde, mais cette prolifération nucléaire ne devint un problème international grave qu'en 1989, après la fin de l'ordre mondial bipolaire défini par l'affrontement des deux superpuissances.

Qui fut donc responsable de la guerre froide ? Puisque le débat sur cette question a longtemps été un match de ping-pong idéologique entre ceux qui blâmaient exclusivement l'URSS et l'école « révisionniste » (surtout américaine, il faut bien le dire), pour qui la faute incombait essentiellement aux États-Unis, il serait tentant de rejoindre les médiateurs historiques qui imputent la guerre froide à la montée de la peur mutuelle – depuis la confrontation jusqu'au jour où les deux « camps en armes ont commencé à se mobiliser sous leurs étendards rivaux » (Walker, 1993, p. 55). C'est vrai, mais ce n'est pas toute la vérité. Sans doute cela explique-t-il ce qu'on a appelé le « gel » des fronts en 1947-1949 ; la partition progressive de l'Allemagne, de 1947 jusqu'à la construction du Mur de Berlin en 1961 ; l'échec des anticommunistes du camp occidental, qui, le général de Gaulle mis à part, ne surent éviter une implication totale dans l'alliance militaire sous domination américaine ; et, du côté est de la ligne de partage, à l'exception du maréchal Tito en Yougoslavie, l'incapacité à éviter une subordination totale envers Moscou. Mais cela n'explique pas le *ton* apocalyptique de la guerre froide. Qui vint de l'Amérique. Tous les gouvernements ouest-européens sans exception, avec ou sans grands partis communistes, étaient de tout cœur anticommunistes et résolus à se protéger contre une possible attaque communiste. Si on leur avait demandé de choisir entre les États-Unis et l'URSS, aucun n'aurait hésité, pas même ceux qui, pour des raisons historiques ou politiques ou du fait de négociations, étaient attachés à la neutralité. Reste que, une fois passée l'immédiate après-guerre, la « conspiration communiste mondiale » ne joua plus aucun rôle dans la politique intérieure des pays qui avaient quelque titre à se présenter comme des démocraties politiques. Parmi les pays démocratiques, les États-Unis sont le *seul* où, comme Kennedy en 1960, des présidents furent élus contre le communisme, qui en termes de politique intérieure était aussi insignifiant dans ce pays que le bouddhisme en Irlande. Si un acteur introduisit l'esprit de croisade dans la *Realpolitik* de la confrontation internationale, et l'y cultiva, c'est bien Washington. En vérité, comme le démontre on ne peut plus clairement la rhétorique de la propagande électorale de Kennedy, la question était non pas la menace abstraite d'une domination communiste du monde, mais le maintien de la suprématie effective des États-Unis[7]. Il faut cependant ajouter que si les gouvernements liés à l'Otan étaient certes loin d'être heureux de la politique menée par l'Amérique, ils n'en restaient pas moins prêts à accepter sa suprématie : c'était le prix à payer pour la protection contre la puissance militaire d'un système politique repoussant, et cela tant que ce système continuerait à exister. Les gouvernements étaient aussi peu disposés que Washington à se fier à l'URSS. Bref, l'« endiguement » était la politique de tous, même si la destruction du communisme ne l'était pas.

III

Bien que l'aspect le plus évident de la guerre froide ait été la confrontation militaire et, en Occident, une course toujours plus frénétique aux armes nucléaires, ce ne fut pas là son impact majeur. Les armes nucléaires ne furent pas utilisées. En revanche les puissances nucléaires se trouvèrent engagées (mais pas les unes contre les autres) dans trois grandes guerres. Ébranlés par la victoire communiste en Chine, les Américains et leurs alliés (sous couvert des Nations unies) intervinrent en 1950 en Corée afin d'empêcher le régime communiste du Nord de ce pays divisé de s'étendre au Sud. L'opération se termina par une partie nulle. Dans le même dessein, ils firent pareil au Viêt-nam, et perdirent. En 1988, après huit ans d'aide militaire à un gouvernement ami contre une guérilla soutenue par Washington et ravitaillée par le Pakistan, l'URSS se retira d'Afghanistan. Bref, le coûteux matériel de haute technologie de la compétition des superpuissances ne put emporter la décision. La menace constante de guerre engendra des mouvements pacifistes internationaux, essentiellement dirigés contre la construction et le déploiement d'armes nucléaires : de temps à autre, ils devinrent des mouvements de masse dans certaines parties de l'Europe et furent perçus par les croisés de la guerre froide comme des armes secrètes des communistes. Les mouvements militant pour un désarmement nucléaire ne furent pas non plus décisifs, même si un mouvement spécifique, celui des jeunes Américains appelés sous les drapeaux pour combattre au Viêt-nam (1965-1975), se révéla plus efficace. À la fin de la guerre froide, ces mouvements laissèrent derrière eux le souvenir de bonnes causes et de quelques curieuses reliques périphériques telles que l'adoption du logo antinucléaire par les contre-cultures post-soixante-huitardes, et, parmi les écologistes, un préjugé enraciné contre toute espèce d'énergie nucléaire.

Beaucoup plus évidentes furent les conséquences politiques de la guerre froide. Presque aussitôt, elle polarisa le monde contrôlé par les superpuissances en deux « camps » profondément divisés. Les gouvernements d'unité nationale antifasciste qui avaient fait sortir l'Europe de la guerre (sauf, le fait est significatif, dans les trois principaux États belligérants : l'URSS, les États-Unis et la Grande-Bretagne), éclatèrent dans les années 1947-1948 en régimes pro-communistes et anticommunistes homogènes. À l'Ouest, les communistes disparurent des gouvernements pour devenir des parias politiques. Les États-Unis se préparèrent à intervenir militairement s'ils gagnaient les élections de 1948 en Italie. L'URSS fit de même en éliminant les non-communistes de leurs « démocraties populaires » pluripartites, dorénavant reclassées au nombre des « dictatures du prolétariat », c'est-à-dire des Partis communistes. Une Internationale communiste curieusement restreinte et eurocentrée (le « Kominform » ou Bureau d'information communiste) fut créée pour affronter les États-Unis, puis tranquillement dissoute en 1956 lorsque la température internationale fut retombée. Les Soviétiques resserrèrent fermement leur contrôle sur toute l'Europe de l'Est, sauf, assez bizarrement, sur la Finlande, qui était à leur merci et qui évinça son parti communiste du gouvernement en 1948. On comprend encore mal pourquoi Staline s'abstint d'y installer un régime satellite. Peut-être se laissa-t-il dissuader par la forte probabilité que les Finnois prissent de nouveau les armes (comme ils l'avaient fait en 1939-1940 et en 1941-1944), car il ne voulait certainement pas courir le risque d'une guerre qui pouvait devenir incontrôlable. Il essaya en vain d'imposer la tutelle soviétique à la Yougoslavie de Tito, qui en réponse rompit avec Moscou en 1948 sans pour autant rejoindre l'autre camp.

Comme il était prévisible, la politique du bloc communiste fut dorénavant monolithique, bien que la fragilité du monolithe devînt de plus en plus évidente après 1956 (*cf.* chapitre 16). La politique des États européens alignés sur les États-Unis fut moins monochrome puisque la quasi-totalité des partis locaux, exceptés les communistes, étaient unis dans leur aversion pour les Soviétiques. En termes de politique étrangère, peu importait qui était au pouvoir. Dans deux ex-pays ennemis, le Japon et l'Italie, les États-Unis simplifièrent cependant la donne en créant l'équivalent d'un système de parti unique permanent. À Tokyo, ils encouragèrent la création du Parti libéral-démocrate (1955), et en Italie, en excluant par principe du pouvoir le parti naturel d'opposition, parce que communiste, ils remirent le pays entre les mains des démocrates-chrétiens, renforcés lorsque l'occasion le nécessitait par un choix de partis rabougris : libéraux, républicains, etc. À compter du début des années 1960, le seul autre parti de poids, les socialistes, qui s'étaient dégagés d'une longue alliance avec les communistes après 1956, rejoignirent la coalition gouvernementale. Dans les deux pays, cela eut pour conséquence de stabiliser les communistes (au Japon, les socialistes) dans leur rôle de grand parti d'opposition et d'installer un régime de corruption institutionnelle d'une telle ampleur que même les Italiens et les Japonais en furent choqués lorsqu'il fut révélé au grand jour en 1992-1993. Ainsi figés dans l'immobilisme, le gouvernement comme l'opposition s'effondrèrent avec l'équilibre des superpuissances qui les avait maintenus en place.

Bien que les États-Unis eussent tôt fait de revenir sur la politique réformiste et antimonopoliste que ses conseillers rooseveltiens avaient initialement imposée à l'Allemagne et au Japon occupés, la guerre, heureusement pour la tranquillité d'esprit des alliés de l'Amérique, avait éliminé de la scène politique acceptable le nazisme, le fascisme et le nationalisme déclaré des Japonais, mais aussi une bonne partie de la droite et des mouvements nationalistes. Il était encore impossible de mobiliser ces éléments anticommunistes d'une incontestable efficacité dans la lutte du « monde libre » contre le « totalitarisme », ainsi que purent l'être les grandes sociétés allemandes restaurées et les *zaibatsu* japonais[8]. La base politique des gouvernements occidentaux de la guerre froide allait donc de la gauche social-démocrate à la droite modérée non nationaliste d'avant-guerre. Ici, les partis liés à l'Église catholique se révélèrent particulièrement utiles, puisque celle-ci n'avait de leçon à recevoir de personne en matière d'anticommunisme et de conservatisme, tandis que ses partis « démocrates-chrétiens » (*cf.* chapitre 4) avaient à leur actif un solide bilan antifasciste et un programme social (non socialiste). Ces formations jouèrent donc un rôle central dans la vie politique occidentale après 1945 : temporairement en France, de manière plus durable en Allemagne, en Italie, en Belgique et en Autriche (voir aussi p. 373-374).

L'effet de la guerre froide sur la politique internationale de l'Europe fut cependant plus frappant que sur la politique intérieure du continent. Elle créa la « Communauté européenne » avec tous ses problèmes : une forme d'organisation politique absolument sans précédent, sous la forme d'un dispositif permanent (ou, tout au moins, durable) pour intégrer les économies et, dans une certaine mesure les systèmes juridiques, d'un certain nombre d'États-nations indépendants. Initialement formée de six États (France, République fédérale d'Allemagne, Italie, Pays-Bas, Belgique et Luxembourg), neuf autres (Grande-Bretagne, Irlande, Espagne, Portugal, Danemark, Grèce, Suède, Autriche et Finlande) l'avaient rejointe à la fin du Court Vingtième Siècle, lorsque le système se mit à vaciller, comme tous les autres produits de la guerre froide : en théorie, l'organisation était promise à une intégration politique aussi bien qu'économique encore plus poussée.

Comme tant d'autres choses en Europe après 1945, la « Communauté » fut à la fois créée par et contre les États-Unis. Elle illustre en même temps la puissance, l'ambiguïté, et les limites de ce pays ; mais aussi la force des peurs qui soudaient l'alliance antisoviétique. Ce n'était pas seulement une peur de l'URSS. Pour la France, par exemple, l'Allemagne demeurait le principal danger ; et cette crainte du réveil d'un géant en Europe centrale était partagée, dans une moindre mesure, par les autres ex-États belligérants ou occupés d'Europe, désormais tous associés au sein de l'Otan avec les États-Unis et une Allemagne économiquement ressuscitée et réarmée, bien que par chance tronquée. Il y avait aussi, bien entendu, la peur des États-Unis : indispensable allié contre l'URSS, mais pays suspect et peu fiable, sans compter, ce qui n'avait rien de surprenant, qu'il était susceptible de faire passer les intérêts de la suprématie mondiale américaine avant tout le reste, y compris les intérêts de ses alliés. Il ne faut pas perdre de vue que, dans tous les calculs sur le monde de l'après-guerre, et dans toutes les décisions prises après 1945, la « prémisse de tous les décideurs était la prééminence économique américaine » (Maier, 1987, p. 125).

Par chance pour les alliés de l'Amérique, la situation ouest-européenne semblait si tendue en 1946-1947 que Washington estima que la priorité la plus urgente était le développement d'une économie européenne, et, un peu plus tard, japonaise, forte : d'où le plan Marshall, ambitieux programme de redressement européen, lancé en juin 1947. À la différence de l'aide antérieure, qui faisait clairement partie d'une diplomatie économique agressive, elle prit essentiellement la forme de subventions plutôt que de prêts. Encore une fois, par chance pour eux, le plan américain initial d'une économie mondiale d'après-guerre fondée sur le libre-échange, la libre convertibilité et la libre concurrence et dominée par les États-Unis se révéla tout à fait irréaliste, ne serait-ce que pour une raison : étant donné les terribles difficultés de paiements de l'Europe et du Japon, assoiffés de dollars toujours plus rares, la libéralisation du commerce et des paiements n'était pas à l'ordre du jour. Washington n'était pas non plus en mesure d'imposer aux États européens leur idéal d'un plan européen unique, conduisant de préférence à une seule Europe calquée sur le modèle américain dans ses structures politiques comme dans son économie florissante fondée sur la libre entreprise. Cette perspective ne plaisait ni aux Britanniques, qui se voyaient encore comme une puissance mondiale, ni aux Français, qui rêvaient d'une France forte et d'une Allemagne faible et divisée. Pour les Américains, cependant, une Europe effectivement restaurée, faisant partie de l'alliance militaire antisoviétique, complément logique du Plan Marshall – l'Organisation du Traité de l'Atlantique Nord (Otan) de 1949 –, devait en tout réalisme reposer sur une Allemagne économiquement forte et réarmée. Le mieux que pussent faire les Français était d'entremêler les affaires ouest-allemandes aux leurs au point de rendre impossible tout conflit entre les deux anciens adversaires. Ils proposèrent donc leur propre version de l'Union européenne : la « Communauté européenne du Charbon et de l'Acier » (1951), qui déboucha en 1957 sur la création d'une « Communauté économique européenne » ou « Marché commun ». Plus tard, on devait simplement parler de « Communauté européenne » et, à partir de 1993, d'« Union européenne ». Si son QG était à Bruxelles, le cœur en était l'unité franco-allemande. La Communauté européenne fut donc créée comme une *solution de remplacement* au plan américain d'intégration européenne. Une fois encore, la fin de la guerre froide devait miner les fondements de la Communauté européenne et de l'association franco-allemande, notamment avec le déséquilibre résultant de la réunification de l'Allemagne en 1990 et les problèmes économiques imprévus qu'elle engendra.

Cependant, si les États-Unis furent incapables d'imposer dans le détail leurs plans politico-économiques aux Européens, ils étaient assez forts pour dominer leur comportement international. La politique d'alliance contre l'URSS était celle des États-Unis, de même que l'étaient ses plans militaires. L'Allemagne fut réarmée, les aspirations au neutralisme fermement réprimées en Europe ; et la seule tentative de puissances occidentales pour mener une politique mondiale indépendante des États-Unis – l'expédition anglo-française de Suez contre l'Égypte, en 1956 – tourna court suite aux pressions américaines. Un État allié ou client pouvait tout au plus se permettre de refuser l'intégration complète dans l'alliance militaire sans pour autant la quitter (comme le fit le général de Gaulle).

Et pourtant, la guerre froide s'éternisant, l'écart devait se creuser entre la domination militaire, et donc politique, écrasante de l'alliance par Washington, et l'affaiblissement progressif de la prédominance économique américaine. Le poids de l'économie mondiale se déplaçait désormais des États-Unis vers l'Europe et le Japon, que Washington estimait avoir sauvés et reconstruits (*cf.* chapitre 9). Si rares en 1947, les dollars étaient sortis des États-Unis en un torrent de plus en plus fort, et qui s'accéléra – surtout à partir des années

1960 – du fait de la propension américaine au déficit budgétaire pour financer les énormes coûts de leurs activités militaires mondiales, notamment la guerre du Viêt-nam (après 1965), et le programme de couverture sociale le plus ambitieux de toute leur histoire. Clef de voûte de l'économie mondiale planifiée et garantie par les États-Unis, le dollar s'affaiblissait. En théorie garanti par les lingots d'or de Fort Knox, qui détenait près des trois-quarts des réserves du monde, dans les faits il consistait de plus en plus en flots de papier ou en écritures ; mais comme la stabilité du dollar était garantie par son lien avec une quantité donnée d'or, les Européens prudents, sous la houlette de Français ultra-prudents et attachés à l'étalon-or, préféraient échanger du papier susceptible d'être dévalué contre de l'or en barre. Le métal jaune sortait donc en masse de Fort Knox, son prix augmentant avec la demande. Pendant le plus clair des années 1960, la stabilité du dollar, et avec elle celle du système international des paiements, ne devait plus reposer sur les réserves des États-Unis, mais sur le consentement des diverses banques centrales européennes – sous pression américaine – à ne pas encaisser leurs dollars pour de l'or et à s'associer à un « Pool de l'or » afin de stabiliser son prix sur le marché. Cela ne devait pas durer. En 1968, le « Pool de l'or », désormais à sec, fut dissout. La convertibilité du dollar prit fin *de facto*. Elle fut officiellement abandonnée en août 1971 : avec elle sombrèrent la stabilité du système international des paiements et son contrôle par les États-Unis ou toute autre économie nationale.

Lorsque la guerre froide prit fin, il restait si peu de choses de l'hégémonie économique américaine que les ressources du pays ne suffisaient plus même à financer son hégémonie militaire. Opération militaire essentiellement américaine, la guerre du Golfe contre l'Irak, en 1991, fut financée, volontiers ou avec réticence, par les pays qui soutenaient Washington. Ce fut l'une des rares guerres qu'une grande puissance ait conduite avec profit. Fort heureusement pour toutes les personnes concernées, sauf les malheureux habitants de l'Irak, l'affaire fut réglée en quelques semaines.

IV

Pendant quelque temps, au début des années 1960, la guerre froide parut timidement faire place à plus de bon sens. Les années dangereuses, de 1947 aux dramatiques événements de la guerre de Corée (1950-1953), s'étaient écoulées sans explosion mondiale. De même en fut-il des bouleversements sismiques qui secouèrent le bloc soviétique après la mort de Staline (1953), surtout au milieu des années 1950. Ainsi, loin de devoir juguler des crises sociales, les pays d'Europe occidentale s'aperçurent qu'ils vivaient bel et bien une ère de prospérité générale et inattendue. Dans le jargon traditionnel des diplomates ancienne manière, le relâchement de la tension devint la « détente ». Le mot nous est devenu familier.

Ce mot apparut pour la première fois à la fin des années 1950, lorsque Nikita S. Khrouchtchev assit sa suprématie en URSS en dépit de quelques détours ou coups d'arrêt néo-staliniens (1958-1964). Cet admirable diamant brut, qui croyait à la réforme et à la coexistence pacifique, et qui, soit dit au passage, vida les camps de concentration de Staline, domina la scène internationale au cours des années suivantes. Il fut peut-être aussi le seul petit paysan à s'être jamais hissé à la tête d'un grand État. Mais la détente dut d'abord survivre à ce qui ressemblait à une période de confrontations exceptionnellement tendue, entre le goût du bluff et les décisions impulsives de Khrouchtchev, d'un côté, et les gesticulations politiques de John F. Kennedy (1960-1963), le président américain le plus surestimé de ce siècle, de l'autre. Les deux superpuissances furent ainsi dirigées par deux acteurs à hauts risques à une époque où – on a du mal à s'en souvenir – l'Occident capitaliste avait le sentiment de perdre du terrain par rapport aux économies communistes, dont la croissance avait été plus rapide que la sienne dans les années 1950. Ne venaient-elles pas de prouver une (éphémère) supériorité technologique sur les États-Unis avec le triomphe spectaculaire des satellites et des cosmonautes soviétiques ? De surcroît, à la surprise générale, le communisme ne venait-il pas de triompher à Cuba, à quelques dizaines de kilomètres de la Floride (*cf.* chapitre 15) ?

D'autre part, deux choses inquiétaient l'URSS : la rhétorique ambiguë, mais trop souvent belliqueuse, de Washington ; et la rupture profonde avec la Chine, qui accusait maintenant Moscou de s'enticher du capitalisme, obligeant ainsi le pacifique Khrouchtchev à adopter en public une attitude plus intransigeante envers l'Occident. En même temps, la soudaine accélération de la décolonisation et de la révolution du tiers-monde (*cf.* chapitres 7, 12 et 15) semblait faire le jeu des Soviétiques. Nerveux mais confiants, les États-Unis affrontèrent une URSS confiante mais nerveuse à propos de Berlin, du Congo et de Cuba.

Le résultat net de cette phase de menaces mutuelles et de stratégie de la corde raide fut un système international relativement stabilisé, ainsi qu'un accord tacite des deux superpuissances de ne pas s'effrayer elles-mêmes ni le monde avec elles : le symbole en fut l'installation d'un « téléphone rouge » (1963) entre la Maison Blanche et le Kremlin. En 1961, le Mur de Berlin ferma en Europe la dernière frontière mal définie entre l'Est et l'Ouest. Les États-Unis acceptèrent un Cuba communiste sur le pas de leur porte. Les petites flammes de la libération et de la guerre de guérilla allumées par la révolution cubaine en Amérique latine, et par la vague de décolonisation en Afrique, ne devaient pas s'embraser en feux de forêt : elles semblaient au contraire vaciller et s'éteindre (*cf.* chapitre 15). Kennedy fut assassiné en 1963 ; Khrouchtchev dut faire ses valises en 1964, congédié par l'*establishment* soviétique, qui préférait une approche moins impétueuse de la politique. Les années 1960 et le début des années 1970 virent en fait quelques mesures significatives pour contrôler et limiter les armes nucléaires : traités sur l'interdiction des essais, efforts pour enrayer la prolifération nucléaire (acceptés par tous ceux qui avaient déjà des armes nucléaires ou ne pensaient jamais s'en doter, mais non par ceux qui, comme la France, la Chine et Israël, construisaient alors leurs arsenaux), des négociations sur la limitation des armes stratégiques (SALT) entre les États-Unis et l'URSS, et même un certain accord sur les Missiles antibalistiques (ABM) de chaque camp. Enfin et surtout, le commerce entre les deux superpuissances, politiquement étranglé des deux côtés depuis si longtemps, commença à se développer. Les perspectives paraissaient bonnes.

Elles ne l'étaient pas. Au milieu des années 1970, le monde entra dans ce qu'on a appelé la seconde guerre froide (*cf.* chapitre 15). Celle-ci coïncida avec un changement majeur de l'économie mondiale : le début, en 1973, d'une période de crise à long terme qui devait durer deux décennies et qui atteignit son apogée au début des années 1980 (*cf.* chapitre 14). Au départ, cependant, ce changement de climat économique ne fut guère remarqué par les acteurs de ce jeu des superpuissances – hormis la hausse soudaine des prix de l'énergie provoquée par le coup de force réussi de l'OPEP, le cartel des pays producteurs de pétrole : signe parmi d'autres d'un affaiblissement de la domination internationale des États-Unis. Les deux superpuissances étaient relativement satisfaites de la santé de leur économie. De toute évidence, les États-Unis étaient moins affectés que l'Europe par la nouvelle récession économique. Quant à l'URSS – les dieux commencent par rendre autosatisfaits ceux qu'ils veulent détruire –, elle estimait que tout suivait son cours. Léonid Brejnev, le successeur de Khrouchtchev qui présida aux vingt années de ce que les réformateurs soviétiques devaient appeler « l'ère de stagnation », semblait avoir des raisons d'être optimiste : notamment parce que la crise pétrolière de 1973 venait de quadrupler la valeur, sur le marché international, des gigantesques gisements de pétrole et de gaz naturel découverts en URSS depuis le milieu des années 1960.

Pourtant, l'économie mise à part, deux phénomènes interdépendants paraissaient modifier l'équilibre des superpuissances. Le premier fut ce qui ressemblait fort à une défaite et à une déstabilisation des États-Unis, qui s'étaient lancés dans une grande guerre. Au milieu de scènes télévisées d'émeutes et de manifestations pour la paix, la guerre du Viêt-nam, qui démoralisa et divisa en effet la nation, eut raison d'un président américain et, après dix ans de combats (1965-1975), se solda par une défaite et une retraite universellement annoncées. Plus encore, elle démontra l'isolement des États-Unis. Car pas un seul de leurs alliés européens n'envoya de contingents, fussent-ils symboliques, se battre aux côtés des troupes américaines. Pourquoi les États-Unis se laissèrent-ils entraîner dans une guerre perdue d'avance, contre laquelle ses alliés, les pays neutres et même l'URSS les avaient mis en garde[9] ? C'est presque incompréhensible, si ce n'est dans le cadre de cet épais nuage d'incompréhension, de confusion et de paranoïa à travers lequel les principaux acteurs de la guerre froide avançaient à tâtons.

Et, comme si le Viêt-nam ne suffisait pas à démontrer l'isolement de l'Amérique, la guerre du Yom Kippour, en 1973, entre Israël, dont les États-Unis étaient devenus le plus proche allié au Moyen-Orient, et les forces égyptiennes et syriennes, soutenues par les Soviétiques, le rendit encore plus évident. Car lorsqu'un Israël aux abois, à court d'avions et de munitions, se tourna vers les États-Unis pour un ravitaillement d'urgence, les alliés européens, à la seule exception de l'ultime bastion du fascisme d'avant-guerre qu'était le Portugal, refusèrent même de laisser les avions américains utiliser les bases aériennes dont ils disposaient sur leur territoire. Le ravitaillement parvint en Israël *via* les Açores. Les États-Unis, on ne voit pas bien pourquoi, estimaient qu'il y allait de leurs intérêts vitaux. Le secrétaire d'État américain Henry Kissinger (avec le président Richard Nixon, qui essayait par ailleurs en vain d'empêcher la mise en œuvre d'une procédure d'*impeachment*) déclara en fait la première alerte nucléaire depuis la crise cubaine des missiles : action typique de l'insincérité foncière caractéristique de cet acteur habile et cynique. Elle n'ébranla aucunement les alliés de l'Amérique, beaucoup plus soucieux d'assurer leurs approvisionnements pétroliers au Moyen-Orient que de soutenir quelque manœuvre régionale des États-Unis, même si Washington, sans conviction, la prétendait essentielle à la lutte mondiale contre le communisme. Car, à travers l'OPEP, les États arabes du Moyen-Orient avaient fait leur possible pour entraver l'aide à Israël en coupant les sources de pétrole et en menaçant d'un embargo pétrolier. Ce faisant, ils découvrirent qu'ils pouvaient multiplier le cours mondial du pétrole. Et les ministères de Affaires étrangères du monde entier ne purent manquer de remarquer que les tout-puissants États-Unis ne faisaient rien ni ne pouvaient rien faire, dans l'immédiat.

Si le Viêt-nam et le Moyen-Orient affaiblirent Washington, cela ne modifia pas en soi l'équilibre mondial des superpuissances ni la nature de l'affrontement sur les divers théâtres régionaux de la guerre froide. Entre 1974 et 1979, cependant, une nouvelle vague de révolutions balaya une bonne partie du globe (*cf.* chapitre 15). Troisième vague de bouleversements de ce genre dans le Court Vingtième Siècle, celle-ci semblait de nature à modifier l'équilibre au détriment des États-Unis, puisqu'un certain nombre de régimes, en Afrique, en Asie et sur le sol même des Amériques, furent attirés dans l'orbite soviétique et, plus concrètement, offrirent à l'URSS les bases militaires et, surtout navales, hors de son enclave continentale. C'est la coïncidence de cette troisième vague de révolution mondiale avec l'échec et la défaite publics des États-Unis qui déclencha la deuxième guerre froide. Cette phase de conflits prit la forme d'un mélange de guerres locales dans le tiers-monde, indirectement livrées par les États-Unis qui évitèrent désormais de renouveler l'erreur du Viêt-nam en engageant leurs troupes, et d'une extraordinaire accélération de la course aux armes nucléaires – la première forme étant moins évidemment irrationnelle que la seconde.

La situation européenne étant d'évidence stabilisée – ni la révolution portugaise de 1974 ni la fin du régime de Franco en Espagne, en 1975, n'y changèrent quoi que ce soit – et les lignes clairement tracées, les deux superpuissances déplacèrent le terrain de leur affrontement dans le tiers-monde. En Europe, la détente avait donné aux États-Unis de Nixon (1968-1974) et de Kissinger l'occasion de remporter deux grands succès : l'expulsion des Soviétiques de l'Égypte et, de manière beaucoup plus significative, le recrutement informel de la Chine dans l'alliance antisoviétique. La nouvelle vague de révolutions, toutes susceptibles de viser les régimes conservateurs dont les États-Unis s'étaient faits les défenseurs mondiaux, donna à l'URSS une chance de reprendre l'initiative. Tandis que l'empire africain du Portugal s'effondrait et passait sous la coupe des communistes (Angola, Mozambique, Guinée-Cap-Vert), que l'empereur d'Éthiopie était renversé par une révolution tournée vers l'Est, que la marine soviétique en plein essor trouvait de nouvelles bases sur les deux rives de l'océan Indien et que le Schah d'Iran tombait, un climat proche de l'hystérie s'empara du débat public et privé aux États-Unis. Comment expliquer autrement (sauf, en partie, par une ignorance renversante de la topographie asiatique) que les Américains aient pu sérieusement affirmer à l'époque que l'entrée des troupes soviétiques en Afghanistan marquait la première étape d'une avancée soviétique qui atteindrait bientôt l'océan Indien et le golfe Persique[10] (voir p. 619) ?

L'autosatisfaction injustifiée des Soviétiques encourageait ce pessimisme. Bien avant que les propagandistes américains n'expliquent, *ex post facto*, que les États-Unis avaient entrepris de gagner la guerre froide en acculant leur adversaire à la banqueroute, le régime de Brejnev s'était mis lui-même au bord de la faillite. À partir de 1964, en effet, il s'était lancé dans un programme d'armements qui se solda par une augmentation annuelle moyenne de ses dépenses d'armements de 4 à 5 %, en termes réels, pendant vingt ans. Cette course était vaine, même si elle donna à l'URSS la satisfaction de pouvoir prétendre avoir atteint en 1971 la parité avec les États-Unis dans le domaine des lance-missiles, et les avoir dépassés de 25 % en 1976 (tout en demeurant loin derrière par le nombre de têtes nucléaires). Le petit arsenal nucléaire soviétique avait même dissuadé les États-Unis au cours de la crise cubaine, et les deux camps étaient depuis longtemps en mesure de s'ensevelir mutuellement sous de multiples couches de décombres. L'effort systématique des Soviétiques pour que leur marine de guerre fût présente dans le monde entier, ou plutôt (les sous-marins nucléaires représentant l'essentiel de leurs forces) sous tous les océans, n'était guère plus sensé en termes stratégiques ; mais au moins était-il compréhensible en tant que geste politique d'une superpuissance mondiale, qui revendiquait le droit de faire flotter ses couleurs partout dans le monde. Le fait que l'URSS n'acceptât plus son confinement régional témoignait aux yeux des croisés américains de la guerre froide, de la preuve éclatante que la suprématie occidentale allait prendre fin si elle n'était pas réaffirmée par une démonstration de force. L'assurance croissante qui conduisit Moscou à se départir de la prudence dont, après Khrouchtchev, elle avait fait preuve dans les affaires internationales les confirma dans cette conviction.

L'hystérie qui régnait à Washington ne reposait pas, bien entendu, sur un raisonnement réaliste. En termes réels, la puissance des États-Unis, par opposition à leur prestige, demeurait nettement plus grande que la puissance soviétique. Pour ce qui est de l'économie et de la technologie des deux camps, la supériorité occidentale (et japonaise) était incommensurable. Au prix d'efforts titanesques, les Soviétiques, rudes et inflexibles, avaient bien pu réussir à construire la meilleure économie du monde des années 1890 (pour citer Jowitt, 1991, p. 278), mais en quoi l'URSS était-elle plus avancée, au milieu des années 1980, de produire 80 % d'acier de plus, deux fois plus de fonte brute et cinq fois plus de tracteurs que les États-Unis, quand elle avait échoué à s'adapter à une économie à base de silicone et de logiciels (*cf.* chapitre 16) ? Il n'y avait pas de preuve, ni même d'apparence, que l'URSS voulût une guerre (sauf, peut-être, contre la Chine), encore moins qu'elle préparât une attaque militaire contre l'Occident. Les fébriles scénarios d'offensive nucléaire qui émanaient des croisés occidentaux de la guerre froide et des officines de publicité officielle au début des années 1980 étaient un phénomène *sui generis*. Ils eurent pour effet de convaincre les Soviétiques qu'une attaque nucléaire préventive contre l'URSS était possible, voire – à certains moments, en 1983 – imminente (Walker, 1993, chapitre 11) et de déclencher le plus grand mouvement pacifiste et antinucléaire européen de la guerre froide : la campagne contre le déploiement d'une nouvelle gamme de missiles en Europe.

Loin des souvenirs encore vivants des années 1970-1980, les historiens du XXIe siècle resteront perplexes face à l'évidente folie de cette explosion de fièvre militaire, aux discours d'apocalypse et au comportement international souvent bizarre des gouvernements américains, surtout dans les premières années du président Reagan (1980-1988). Il leur faudra apprécier la profondeur des traumatismes subjectifs de défaite, d'impuissance et d'ignominie publique qui avaient flétri l'establishment politique américain dans les années 1970, et qu'avait rendu plus douloureux encore le désarroi visible de la présidence dans les années où un scandale minable obligea Nixon à démissionner et à laisser place à deux successeurs sans grande épaisseur. Le point culminant en fut l'épisode humiliant des diplomates américains pris en otage dans l'Iran révolutionnaire ; la révolution rouge dans deux petits États d'Amérique centrale et une seconde crise pétrolière internationale – l'OPEP relevant une fois de plus ses prix pour les porter à un niveau record.

La politique de Ronald Reagan, porté à la présidence en 1980, ne se comprend que comme un effort pour laver la souillure de l'humiliation éprouvée en démontrant la suprématie et l'invulnérabilité incontestables des États-Unis, ne serait-ce que par des gestes de puissance militaire contre des cibles fixes comme l'invasion de la petite île de Grenade dans les Caraïbes (1983), l'attaque navale et aérienne massive contre la Libye (1986) et l'invasion encore plus massive et absurde de Panama (1989). Précisément, peut-être, parce qu'il était un acteur hollywoodien tout à fait moyen, Reagan comprit l'état d'esprit de son peuple et combien il était blessé dans son amour-propre. Finalement, le traumatisme ne fut soigné que par l'effondrement définitif, imprévu et inattendu, du grand ennemi, qui fit des États-Unis la seule puissance mondiale. Malgré tout, on devine dans la guerre du Golfe, en 1991, une compensation tardive des terribles épreuves de 1973 et 1979, lorsque la plus grande puissance du monde ne put trouver de parade aux décisions d'un consortium de faibles États du tiers-monde qui menaçaient d'étrangler ses approvisionnements en pétrole.

La croisade contre l'« Empire du Mal » à laquelle – au moins en public – le gouvernement du président Reagan consacra ses énergies fut donc conçue comme une thérapie pour les États-Unis, plutôt que comme une tentative efficace pour rétablir l'équilibre mondial. En fait, ce rééquilibrage s'était fait tranquillement à la fin des années 1970 lorsque l'Otan – sous un président américain démocrate et des gouvernements social-démocrate et travailliste en Allemagne et en Grande-Bretagne – avait commencé à se réarmer, tandis que les nouveaux États africains de gauche étaient dès le début tenus en échec par des mouvements et des États soutenus par les Américains : avec assez de réussite en Afrique centrale et australe, où les États-Unis pouvaient agir de concert avec le redoutable régime d'*apartheid* de l'Afrique du Sud, mais avec moins de bonheur dans la Corne de l'Afrique. Dans les deux régions, les Russes reçurent l'aide précieuse d'un corps expéditionnaire cubain, attestant l'attachement de Fidel Castro à la révolution du tiers-monde ainsi que son alliance avec l'URSS. La contribution reaganienne à la guerre froide fut d'une autre nature.

Elle ne fut pas tant pratique qu'idéologique : elle s'inscrivit en effet dans le cadre de la réaction occidentale à l'ère de troubles et d'incertitudes dans laquelle le monde avait paru s'enfoncer après la fin de l'Âge d'or (*cf.* chapitre 14). Devant l'échec apparent des politiques économiques et sociales de l'Âge d'or, une longue période de pouvoir centriste et modérément social-démocrate prit fin. Des gouvernements issus de la droite idéologique, attachés à une forme extrême d'égoïsme économique et de laisser-faire, accédèrent au pouvoir dans divers pays autour de 1980 : parmi ceux-ci, les plus en vue furent Reagan et l'énergique et redoutable Mme Thatcher en Grande-Bretagne (1979-1990). Pour cette nouvelle droite, le capitalisme de la protection sociale chapeauté par l'État des années 1950 et 1960, privé depuis 1973 du support de la réussite économique, avait toujours ressemblé à une sous-variété de socialisme (la « route de la servitude », comme l'appelait l'écono-

miste et idéologue von Hayek), dont l'URSS était l'aboutissement
logique. La guerre froide reaganienne porta donc ses coups non
seulement contre l'« Empire du Mal » à l'étranger, mais aussi, à
l'intérieur, contre la mémoire de Franklin D. Roosevelt : contre
l'État-providence et toute autre forme d'État interventionniste. Son
ennemi était le libéralisme (le « mot avec un L », devait-on seriner,
non sans effet, au cours des campagnes pour la présidentielle)
autant que le communisme.

Comme l'URSS devait s'effondrer juste à la fin de l'ère Reagan,
c'est tout naturellement que les publicistes américains prétendirent
l'avoir abattue par une campagne militante afin de la briser et de la
détruire. Les États-Unis avaient livré et gagné la guerre froide : l'ennemi avait essuyé une défaite écrasante. Cette version des croisés des
années 1980 ne mérite pas d'être prise au sérieux. Rien n'indique
que le gouvernement américain ait espéré ou envisagé l'effondrement imminent de l'URSS, ni même qu'il fût préparé en aucune
façon à ce qui arriva. Alors qu'il espérait certainement mettre l'économie soviétique sous pression, ses services de renseignement lui
firent savoir, à tort, qu'elle se portait bien et qu'elle était capable de
soutenir la course aux armements avec les États-Unis. Au début des
années 1980, on considérait encore, là aussi à tort, que l'URSS était
en pleine offensive mondiale. En fait, quelles que fussent la rhétorique que lui servaient les auteurs de ses discours et les pensées qui
pouvaient traverser son esprit pas toujours lucide, le président Reagan lui-même croyait réellement à la coexistence des États-Unis et
de l'URSS, mais à une coexistence qui ne devait pas se fonder sur un
abominable équilibre de la terreur nucléaire mutuelle. Son rêve était
celui d'un monde totalement exempt d'armes nucléaires. Et l'étrange
et fébrile sommet qui eut lieu dans l'atmosphère subarctique de l'Islande à l'automne 1986 prouva que tel était aussi le rêve du nouveau
secrétaire général du Parti communiste de l'Union soviétique,
Mikhaïl Sergueïevitch Gorbatchev.

La guerre froide prit fin lorsque l'une des deux superpuissances,
sinon les deux, reconnut la sinistre absurdité de la course aux armements nucléaires ; et lorsque l'une d'elles, sinon les deux, accepta
que son vis-à-vis était sincère. Probablement était-il plus facile à un
dirigeant soviétique de prendre cette initiative qu'à un dirigeant américain, parce que, contrairement à Washington, Moscou n'avait

jamais vu la guerre froide comme une croisade (et peut-être parce qu'elle n'avait pas à tenir compte d'une opinion publique excitée). Mais, précisément pour cette raison, il était plus difficile à un dirigeant soviétique de convaincre l'Occident de son sérieux. C'est pourquoi l'Occident a une dette si considérable envers Gorbatchev, qui en prit l'initiative et qui, seul, parvint à convaincre les autorités américaines et les autres qu'il voulait vraiment ce qu'il disait. Pour autant, il ne faut pas sous-estimer la contribution du président américain, dont l'idéalisme naïf brisa l'écran exceptionnellement dense que formaient autour de lui les idéologues, les fanatiques, les carriéristes, les desperados et les professionnels de la guerre froide. Il se laissa convaincre. En pratique, la guerre froide prit fin aux deux sommets de Reykjavik (1986) et de Washington (1987).

La fin de la guerre froide a-t-elle entraîné la fin du système soviétique ? Les deux phénomènes sont historiquement séparables, quoique de toute évidence liés. Le socialisme soviétique avait prétendu être une solution de rechange globale au système capitaliste mondial. Comme le capitalisme ne s'était pas effondré ou ne donnait pas l'impression de devoir s'effondrer – mais on se demande ce qui serait arrivé si, en 1981, tous les débiteurs socialistes et du tiers-monde s'étaient donné le mot pour dénoncer simultanément leur dette envers les Occidentaux –, les perspectives du socialisme dépendaient de sa capacité à rivaliser avec l'économie capitaliste mondiale, réformée suite à la Grande Crise et à la Seconde Guerre mondiale, puis transformée par la révolution « postindustrielle » des communications et de la technologie de l'information dans les années 1970. Après 1960, il apparut clairement que le socialisme prenait de plus en plus de retard. Il n'était plus compétitif. Dès lors que cette compétition prenait la forme d'un affrontement entre deux superpuissances politiques, militaires et idéologiques, l'infériorité devint ruineuse.

Les deux superpuissances mirent leur économie à rude épreuve et les faussèrent par une course aux armements massifs et immensément coûteuse, mais le système capitaliste mondial put absorber la dette de trois billions de dollars – essentiellement pour cause de dépenses militaires – dans laquelle les années 1980 plongèrent les États-Unis, jusque-là premier état créditeur du monde. Il ne se trouva personne, à l'intérieur ni à l'extérieur, pour alléger la tension équivalente sur les dépenses soviétiques, qui, en tout état de cause, représentaient une proportion plus élevée de la production soviétique : un quart peut-être, contre les 7 % du titanesque PIB américain consacré aux dépenses de guerre au milieu des années 1980. Sous l'effet d'un mélange de chance historique et de politique, les États-Unis avaient vu le Japon et la Communauté européenne se transformer, au point que leurs économies pesaient, à la fin des années 1970, 60 % de plus que la leur. En revanche, les pays alliés et dépendants des Soviétiques ne marchèrent jamais tout seuls. Ils continuaient à grever chaque année le budget de l'URSS de plusieurs dizaines de milliards de dollars. Géographiquement et démographiquement, les pays du tiers-monde, dont la mobilisation révolutionnaire, espérait Moscou, finirait par triompher de la domination mondiale du capitalisme, représentaient 80 % du monde. En termes économiques, ils étaient périphériques. Pour ce qui est de la technologie, où la supériorité occidentale s'accrut de manière presque exponentielle, il n'y avait pas de contestation possible. Bref, dès le départ, la guerre froide fut un combat inégal.

Mais ce n'est pas l'affrontement avec le capitalisme et sa super-puissance qui a miné le socialisme. C'est plutôt la combinaison des défauts de plus en plus criants et paralysants de l'économie socialiste et de l'invasion accélérée de celle-ci par une économie mondiale capitaliste beaucoup plus dynamique, avancée et dominante. Dans la mesure où la rhétorique de la guerre froide voyait dans le capitalisme et le socialisme, le « monde libre » et le « totalitarisme », les deux côtés d'un canyon infranchissable et rejetait toute tentative de jeter un pont entre les deux[11], on pourrait même dire que, à défaut du sui-cide mutuel de la guerre nucléaire, elle garantissait la survie du concurrent le plus faible. Car, barricadée derrière son rideau de fer, même l'économie planifiée, inefficace et léthargique était viable : peut-être mollissait-elle lentement, mais elle n'était aucunement pro-mise à s'effondrer à bref délai[12]. C'est l'interaction de l'économie de type soviétique avec l'économie mondiale capitaliste à compter des années 1960 qui rendit le socialisme vulnérable. Lorsque les diri-geants socialistes des années 1970 choisirent d'exploiter les nou-velles ressources du marché mondial (prix du pétrole, prêts faciles, etc.), au lieu de s'attaquer au délicat problème de la réforme de leur système économique, ils creusèrent leur propre tombe (cf. cha-pitre 16). Tout le paradoxe de la guerre froide est là : ce n'est pas l'affrontement, mais la détente, qui eut raison de l'URSS et finit par provoquer son naufrage.

En un sens, pourtant, les ultras de la guerre froide de Washington n'avaient pas complètement tort. La vraie guerre froide, ainsi qu'on le voit aisément après-coup, prit fin en 1987 au sommet de Washington, mais cela ne pouvait être *universellement* reconnu tant que l'URSS n'avait pas visiblement cessé d'être une superpuissance, ou même tout simplement une puissance quelconque. Quarante années de peur et de suspicion, passées à semer et à récolter les « dents des dragons » militaro-industriels, ne pouvaient s'effacer aussi facilement. Les rouages des services des machines à faire la guerre continuèrent à tourner des deux côtés. Paranoïaques par profession, les services secrets persistèrent à soupçonner dans chaque initiative de l'autre camp une astuce pour désarmer la vigilance de l'ennemi afin de mieux le battre. C'est l'effondrement de l'Empire soviétique en 1989, la désintégration et la dissolution de l'URSS elle-même en 1989-1991 qui interdirent désormais de prétendre, *a fortiori* de croire, que rien n'avait changé.

V

Mais qu'est-ce, au juste, qui avait changé ? La guerre froide avait transformé la scène internationale à trois égards. En premier lieu, elle avait entièrement éliminé ou éclipsé tous les conflits et rivalités, sauf un, qui avaient façonné la vie politique mondiale avant la Seconde Guerre mondiale. Les uns disparurent parce que les empires de l'ère impériale s'évanouirent, et avec eux les rivalités des puissances coloniales autour des territoires dépendants qui étaient sous leur coupe. D'autres s'effacèrent, parce que toutes les « Grandes puissances », sauf deux, avaient été reléguées dans les deuxième ou troisième divisions de la vie politique internationale, et que leurs relations les unes avec les autres n'étaient plus autonomes ou ne présentaient plus qu'un intérêt local. La France et l'Allemagne (de l'Ouest) enterrèrent la vieille hache de guerre après 1947 : non qu'un conflit franco-allemand soit devenu impensable – les gouvernements français y pensèrent tout le temps –, mais parce que leur appartenance commune au camp américain et l'hégémonie de Washington sur l'Europe occidentale excluaient une Allemagne devenue incontrôlable. Malgré tout, il est étonnant de constater à quelle vitesse la préoccupation majeure des États après les grandes guerres disparut de la scène : l'inquiétude des gagnants quant aux plans de redressement des perdants et les projets de ces derniers pour annuler les effets de la défaite. Rares, à l'Ouest, sont ceux qui s'inquiétèrent sérieusement du retour spectaculaire de l'Allemagne fédérale et du Japon à un statut de grande puissance, armée quoique non nucléaire, du moment que les deux pays étaient en fait des membres subordonnés de l'alliance américaine. Même l'URSS et ses alliés, bien que dénonçant le danger allemand, dont ils avaient une expérience amère, le firent par propagande plutôt que par peur véritable. Ce que craignait Moscou, ce n'étaient pas les forces armées allemandes, mais les missiles de l'Otan sur le sol allemand. Après la guerre froide, cependant, d'autres conflits de puissance pouvaient surgir.

En deuxième lieu, la guerre froide avait gelé la situation internationale et, ce faisant, stabilisé un état de choses fondamentalement mouvant et provisoire. L'Allemagne en était l'exemple le plus clair. Pendant quarante-six ans, elle resta divisée – *de facto* sinon, pendant de longues périodes, *de jure* – en trois secteurs : l'Ouest, qui devint la République fédérale en 1949 ; le milieu, qui devint, de droit, la République démocratique allemande en 1954 ; et l'Est, au-delà de la ligne Oder-Neisse, qui chassa la plupart de ses habitants allemands et que se partagèrent la Pologne et l'URSS. La fin de la guerre froide et la désintégration de l'URSS réunirent les deux secteurs occidentaux et laissèrent les parties de Prusse orientale annexées par les Soviétiques détachées et isolées, séparées du reste de la Russie par l'État désormais indépendant de Lituanie. Les Polonais durent se contenter de la promesse des Allemands d'accepter les frontières de 1945, ce qui n'était pas fait pour les rassurer. Stabilisation ne voulait pas dire paix. Sauf en Europe, la guerre froide ne fut pas une époque où l'on oublia le bruit des combats. Entre 1948 et 1989, il n'y eut guère d'année sans que se déclenchât quelque part un conflit armé assez sérieux. Ces conflits furent néanmoins maîtrisés ou étouffés par la peur qu'ils ne provoquent une guerre ouverte – c'est-à-dire, nucléaire – entre les superpuissances. Les prétentions de l'Irak sur le Koweït – petit protectorat britannique riche en pétrole situé au sommet du golfe Persique, indépendant depuis 1961 – étaient anciennes et n'avaient cessé d'être répétées. Elles ne conduisirent à la guerre que du jour où le golfe Persique cessa d'être un point d'ignition quasi automatique de l'affrontement des superpuissances. Avant 1989, il est certain que l'URSS, principal armurier de l'Irak, aurait vivement découragé tout aventurisme de Bagdad dans cette région.

La vie politique intérieure des États n'était pas naturellement figée de la même manière, sauf quand ces changements affectaient, ou paraissaient affecter, l'allégeance d'un État à sa superpuissance dominante. Les États-Unis n'étaient pas plus enclins à supporter les communistes ou les philocommunistes au pouvoir en Italie, au Chili ou au Guatemala que l'URSS n'était disposée à abdiquer son droit d'envoyer des troupes dans les États-frères avec des gouvernements dissidents comme la Hongrie et la Tchécoslovaquie. Il est vrai que Moscou tolérait beaucoup moins de diversité chez les régimes amis et satellites, mais d'un autre côté sa capacité de s'y affirmer était bien moindre. Dès avant 1970, elle avait entièrement perdu le contrôle sur la Yougoslavie, l'Albanie et la Chine. Il lui fallut accepter la conduite parfois très indépendante des dirigeants de Cuba et de la Roumanie. Et, pour ce qui est des pays du tiers-monde qu'elle approvisionnait en armes et qui partageaient son hostilité à l'impérialisme américain, elle n'avait, toute communauté d'intérêts mise à part, aucune emprise réelle sur eux. Aucun n'aurait ne serait-ce que toléré l'existence légale de partis communistes locaux. Reste que la combinaison de pouvoir, d'influence politique, de corruption ainsi que la logique de la bipolarité et de l'anti-impérialisme gardèrent les divisions du monde plus ou moins stables. La Chine exceptée, aucun État important ne changea véritablement de bord, si ce n'est par une révolution intérieure que les superpuissances ne pouvaient ni fomenter ni empêcher : les États-Unis en firent l'expérience dans les années 1970. Même leurs alliés, dont la politique était de plus en plus contrainte par l'alliance, comme les gouvernements allemands s'en aperçurent par exemple après 1969 dans le domaine de l'*Ostpolitik*, ne devaient pas renoncer à un alignement de plus en plus fâcheux. Des entités politiquement impuissantes, instables et indéfendables, incapables de survivre dans une véritable jungle internationale – la région comprise

entre la mer Rouge et le golfe Persique en fourmillait –, continuèrent
tant bien que mal à exister. L'ombre du champignon nucléaire garan-
tit la survie non pas des démocraties libérales de l'Occident, mais de
régimes comme l'Arabie Saoudite et le Koweït. La guerre froide fut
une période propice pour les petits États : après, la différence entre
les problèmes résolus et les problèmes classés devint évidente.

En troisième et dernier lieu, la guerre froide avait inondé le monde
d'armes à un degré qui passe l'entendement. C'était le fruit naturel
de quarante années au cours desquelles les grands États industriels
avaient sans cesse rivalisé pour s'équiper contre une guerre qui pouvait éclater à tout moment. Quarante années de rivalité des superpuissances pour gagner amis et influence en distribuant des armes dans le
monde entier, mais aussi quarante années de guerre constante « de
faible intensité », avec des embrasements occasionnels. Des économies largement militarisées et, en tout cas, pourvues d'immenses et
influents complexes militaro-industriels avaient tout intérêt, économiquement, à vendre leurs produits à l'étranger, ne serait-ce que pour
rassurer leurs gouvernements : elles n'engloutissaient pas purement
et simplement les budgets militaires astronomiques et économiquement improductifs qui les faisaient tourner. La vogue mondiale sans
précédent des gouvernements militaires (*cf.* chapitre 12) offrait un
marché juteux, alimenté par les largesses de superpuissances, mais
aussi, depuis la révolution pétrolière, par des revenus locaux multipliés au-delà de tout ce qu'avaient pu imaginer les cheikhs et sultans
de l'ancien tiers-monde. Tout le monde exportait des armes. Les économies socialistes et certains États capitalistes sur le déclin n'avaient
pas grand-chose d'autre de compétitif à présenter sur le marché mondial. Mais ce commerce de la mort ne portait pas seulement sur le
gros matériel, dont seuls avaient l'usage les pouvoirs publics. Une
ère de guérilla et de terrorisme nourrit aussi une forte demande d'engins légers, portables et suffisamment destructeurs et meurtriers, tandis que les bas-fonds des villes du XXe siècle offraient les mêmes
produits à un marché civil. Dans ces milieux, le fusil mitrailleur Uzi
(israélien), la Kalachnikov (russe) et le Semtex (explosif tchèque)
devinrent des noms d'usage courant.

C'est ainsi que la guerre froide se perpétua. Les petites guerres qui
avaient autrefois opposé les clients d'une superpuissance à ceux de
l'autre continuèrent localement après que le vieux conflit se fut ter-

miné, résistant à ceux qui les avaient lancées et qui voulaient maintenant y mettre fin. En Angola, les rebelles de l'UNITA restèrent sur le terrain contre le gouvernement, bien que les Africains du Sud et les Cubains se fussent retirés de ce malheureux pays et que les États-Unis et les Nations unies les eussent désavoués et reconnus le camp adverse. Ils n'étaient pas à court de moyens. D'abord armée par les Russes lorsque l'empereur était du côté américain, puis par les États-Unis, lorsque l'Éthiopie révolutionnaire se tourna vers Moscou, la Somalie entra dans le monde de l'après guerre froide comme un territoire affamé où sévissait une guerre de clans anarchique : elle manquait de tout, hormis d'un approvisionnement quasi illimité en munitions, en mines et en moyens de transport militaires. Les États-Unis et l'ONU mobilisèrent pour apporter vivres et paix. L'opération se révéla plus difficile que d'inonder le pays de fusils. En Afghanistan, les États-Unis avaient généreusement distribué à la guérilla tribale anticommuniste des lance-missiles antiaériens portables, les « Stinger », en calculant, à juste titre, que cela contrebalancerait la domination soviétique dans les airs. Les Russes se retirèrent et la guerre se poursuivit comme si de rien n'était – si ce n'est que, en l'absence d'avions, les tribus purent exploiter la demande florissante de Stingers, qu'elles vendirent avec profit sur le marché international des armes. En désespoir de cause, les États-Unis offrirent de les racheter 100 000 $ pièce, avec un manque spectaculaire de réussite (*International Herald Tribune*, 5 juillet 1993, p. 24 ; *La Repubblica*, 6 avril 1994) : « *Die ich rief die Geister, werd ich nun nicht los* », s'exclamait l'apprenti sorcier de Goethe : « Ces esprits que j'appelai, je ne puis plus m'en défaire. »[13]

La fin de la guerre froide retira subitement les piliers sur lesquels reposait la structure internationale et, à un degré encore mal perçu, les systèmes politiques intérieurs. Elle laissa derrière elle un monde désemparé et partiellement effondré, sans rien pour les remplacer. L'idée, brièvement caressée par les porte-parole américains, que le vieil ordre bipolaire pourrait être remplacé par un « nouvel ordre mondial » fondé sur l'unique superpuissance qui subsistât, et semblait donc plus forte que jamais, se révéla vite irréaliste. Il n'y avait pas de retour possible au monde d'avant la guerre froide, parce que trop de choses avaient changé ou disparu. Tous les repères étaient tombés, toutes les cartes devaient être modifiées. Pour les hommes politiques et les économistes habitués à ce monde, il se révéla difficile, voire impossible, d'apprécier la spécificité des problèmes d'une autre nature. En 1947, les États-Unis avaient perçu la nécessité immédiate d'un gigantesque projet pour rétablir les économies ouesteuropéennes parce que le danger supposé planer sur celles-ci – le communisme et l'URSS – se laissait aisément définir. Les conséquences économiques et politiques de l'effondrement de l'Union soviétique et de l'Europe de l'Est étaient plus dramatiques encore que les difficultés de l'Europe de l'Ouest, et elles devaient se révéler d'une toute autre portée. Elles étaient assez prévisibles à la fin des années 1980, même visibles : mais, dans les riches économies capitalistes, personne n'y perçut une urgence globale nécessitant une action immédiate et massive, parce que ses conséquences *politiques* n'étaient pas aussi faciles à cerner. À l'exception possible de l'Allemagne de l'Ouest, la réaction fut léthargique ; et même les Allemands se méprirent totalement et sous-estimèrent la nature du problème : les difficultés résultant de l'annexion de l'ancienne République démocratique allemande allaient en faire la démonstration.

La fin de la guerre froide aurait probablement eu des conséquences considérables, même si elle n'avait pas coïncidé avec une crise majeure de l'économie capitaliste mondiale et avec la crise finale de l'Union soviétique et de son système. Le monde de l'historien étant ce qui s'est passé, non ce qui aurait pu se passer si les choses avaient été différentes, il n'est pas nécessaire d'envisager les autres scénarios possibles. La fin de la guerre froide ne marqua pas la fin d'un conflit international, mais celle d'une époque : non seulement pour l'Est, mais pour le monde entier. Il est des moments historiques dont même les contemporains peuvent reconnaître qu'ils marquent la fin d'une époque. Le début des années 1990 fut clairement un tournant de ce type. Mais, alors que chacun voyait bien que l'ère ancienne était finie, l'incertitude la plus extrême régnait sur la nature et les perspectives de la nouvelle.

Au milieu de ces incertitudes, une seule chose paraissait acquise et irréversible : les extraordinaires changements fondamentaux et sans précédent que l'économie mondiale, partant les sociétés humaines, avaient subis depuis le début de la guerre froide. Dans les livres d'histoire du troisième millénaire, ceux-ci auront, ou devraient avoir, une place bien plus grande que la guerre de Corée, les crises de Berlin et de Cuba, ou les missiles de croisière.

CHAPITRE 9

L'ÂGE D'OR

« C'est dans les quarante années passées que Modène a véritablement accompli le Grand Bond en Avant. L'ère ouverte par l'Unification n'avait été jusque-là qu'une longue période d'attente, ou de modifications lentes et intermittentes, avant que la transformation ne s'accélérât à la vitesse de la lumière. La population jouissait désormais d'un niveau de vie précédemment réservé à une minuscule élite. »

G. MUZZIOLI (1993, p. 323)

« On ne saurait persuader un homme affamé, mais sobre, d'employer son dernier dollar à autre chose que de la nourriture. Mais un homme bien nourri, bien habillé, bien logé et bien soigné, on peut le persuader de choisir entre un rasoir et une brosse à dents électriques. De même que les prix et les coûts, la demande du consommateur devient sujette au management. »

J. K. GALBRAITH, *Le Nouvel État industriel*, 1967

I

La plupart des êtres humains fonctionnent comme des historiens : ils ne reconnaissent la nature de leur expérience qu'après-coup. Au cours des années 1950, surtout dans les pays « développés » toujours plus prospères, beaucoup prirent conscience que les temps s'étaient sensiblement améliorés, surtout quand leurs souvenirs remontaient à l'avant-guerre. En 1959, un premier ministre britannique conservateur mena campagne et gagna les élections avec le slogan : « Ça n'est jamais allé aussi bien ! » Sans doute était-ce exact. Mais ce n'est qu'une fois le grand boom terminé, dans le trouble des années 1970, en attendant le traumatisme de la décennie 1980, que des observateurs – essentiellement, dans un premier temps, des économistes – commencèrent à se rendre compte que le monde, en particulier le monde capitaliste développé, avait parcouru une phase tout à fait exceptionnelle, voire unique, de son histoire. Ils s'employèrent à lui trouver un nom : les « trente glorieuses » des Français, ou « l'Âge d'or » d'un quart de siècle des Anglo-Américains (Marglin et Schor, 1990). L'or devait briller d'un éclat plus vif sur la toile de fond terne ou sombre des Décennies de crise ultérieures.

Que l'on ait mis si longtemps à reconnaître la nature exceptionnelle de l'époque s'explique par plusieurs raisons. Pour les États-Unis, qui dominèrent l'économie de la planète après la guerre, cela n'avait rien de révolutionnaire. Cette période ne fit que prolonger l'expansion des années de guerre, particulièrement propices à ce pays. L'Amérique n'avait souffert aucun dommage, son PNB avait augmenté des deux tiers (Van der Wee, 1987, p. 30), et à la fin du conflit le pays assurait près des deux tiers de la production industrielle mondiale. De surcroît, précisément du fait de la taille et de l'avance de l'économie américaine, ses performances au cours de l'Âge d'or ne furent pas aussi remarquables que le taux de croissance des autres pays, partis de bases beaucoup plus modestes. Entre 1950 et 1973, sa croissance fut plus lente que celle de tous les autres États industriels, à l'exception, peut-être, de la Grande-Bretagne. Plus encore, sa croissance ne fut pas supérieure à celle des périodes antérieures les plus dynamiques de son développement. Dans tous les autres pays industriels, y compris dans la léthargique Grande-Bretagne, l'Âge d'or pulvérisa tous les précédents records (Maddison, 1987, p. 650). Pour les États-Unis, en revanche, ce fut, d'un point de vue économique et technologique, une période de relatif recul. L'écart de productivité horaire entre l'Amérique et les autres pays se réduisit, et si, en 1950, sa richesse nationale (PIB) par tête était deux fois celle de la France et de l'Allemagne, plus de cinq fois celle du Japon, et de moitié supérieure à celle de la Grande-Bretagne, les autres États s'empressèrent de rattraper leur retard et continuèrent à le faire dans les années 1970 et 1980.

Pour les pays européens et le Japon, la priorité absolue était en 1945 de se remettre de la guerre : dans les premières années, ils devaient simplement mesurer leur succès par le chemin parcouru en fonction d'un but fixé par référence au passé, non à l'avenir. Dans les États non communistes, cette reconstruction était aussi une manière de conjurer la peur de la révolution sociale et d'une progression communiste, héritage de la guerre et de la résistance. Tandis que la plupart des pays (autres que l'Allemagne et le Japon) retrouvèrent en 1950 leurs niveaux d'avant la guerre, le début de la guerre froide et la persistance en France et en Italie de puissants partis communistes n'encourageaient guère l'euphorie. En tout état de cause, les bénéfices matériels de la croissance mirent quelque temps à se manifester. En Grande-Bretagne, ils ne devinrent tangibles qu'au milieu des années 1950. Jamais auparavant un homme politique n'aurait gagné une élection sur le slogan d'Harold Macmillan. Même dans une région de prospérité spectaculaire comme l'Émilie-Romagne, en Italie, les bienfaits de la « société d'abondance » ne commencèrent à se généraliser que dans les années 1960 (Francia, Muzzioli, 1984, p. 327-329). De surcroît, l'arme secrète d'une société d'abondance *populaire*, à savoir le plein-emploi, ne se généralisa que dans les années 1960, avec un taux de chômage moyen de 1,5 % en Europe occidentale. Dans les années 1950, l'Italie comptait encore près de 8 % de sans-emploi. Bref, ce n'est que dans les années 1960 que l'Europe commença à tenir pour acquise son extraordinaire prospérité. À cette date, de fins observateurs commencèrent à imaginer que, d'une manière ou d'une autre, tout, dans l'économie, continuerait perpétuellement à aller de l'avant. « Il n'y a aucune raison particulière de douter que les tendances de fond de la croissance au début et au milieu des années 1970 ne resteront pas largement ce qu'elles étaient dans les années 1960 », pouvait-on lire en 1972 dans un rapport des Nations unies. « On ne peut prévoir aucune influence particulière qui changerait du tout au tout l'environnement extérieur des économies européennes. » Au fil des années 1960, le cercle des économies industrielles capitalistes avancées, l'OCDE (Organisation de coopération et de développement économiques), ne cessa de réviser à la hausse ses prévisions de croissance. Au début des années 1970, elle était censée dépasser – « à moyen terme » – les 5 % (Glyn, Hughes, Lipietz, Singh, 1990, p. 39). Il n'en fut rien.

Il est aujourd'hui clair que cet Âge d'or fut essentiellement celui des pays capitalistes développés, qui, au fil de ces décennies, assurèrent près des trois-quarts de la production mondiale et plus de 80 % des exportations de produits manufacturés (OCDE, *Impact*, 1979, p. 18-19). Une autre raison explique que l'on ait tardé à reconnaître la spécificité de cette époque : dans les années 1950, la poussée économique semblait tout à fait mondiale et indépendante des régimes en place. Dans un premier temps, il sembla même que le camp socialiste, récemment élargi, eût l'avantage. Dans les années 1950, l'URSS enregistra en effet un taux de croissance supérieur à ceux de tous les pays occidentaux, et la croissance était presque aussi rapide en Europe de l'Est : plus rapide dans les pays jusque-là en retard, plus lente dans les pays déjà ou partiellement industrialisés. L'Allemagne de l'Est communiste accusait cependant un retard sur l'Allemagne fédérale non communiste. Alors même que le bloc est-européen commença à s'essouffler dans les années 1960, son PIB par tête au cours de l'Âge d'or augmenta tout de même un peu plus vite (ou, dans le cas de l'URSS, juste un peu moins) que dans les grands pays industriels (FMI, 1990, p. 65). Dans les années 1960, il apparut malgré tout clairement que c'était le capitalisme, non plus le socialisme, qui menait la course.

L'Âge d'or n'en fut pas moins un phénomène mondial, bien que l'abondance générale n'ait jamais été à portée de vue de la majorité de la population du monde, en particulier de tous ceux qui vivaient dans des pays dont les experts de l'ONU cherchaient à masquer la pauvreté et l'arriération derrière des euphémismes diplomatiques. Et ce, bien que la population du tiers-monde se soit accrue à un rythme spectaculaire : le nombre des Africains, des Asiatiques de l'Est et du Sud a plus que doublé entre 1950 et 1980, et celui des Latino-Américains a augmenté encore plus vite (World Resources, 1986, p. 11). Avec les années 1970 et 1980 la famine de masse redevenait familière : à l'heure du dîner, toutes les chaînes de télévision occidentale allaient diffuser son image classique d'un enfant exotique famélique. Les décennies de l'Âge d'or n'avaient pas connu de famine massive, si ce n'est sous l'effet de guerres ou de la folie politique, comme en Chine (voir p. 603-605). Alors que la population se multipliait, l'espérance de vie s'allongea en moyenne de sept ans : de dix-sept ans, si l'on compare la fin des années 1930 à la fin des années 1960 (Morawetz, 1977, p. 48). Autrement dit, la production alimentaire augmenta plus vite que la population, et ce aussi bien dans le monde développé que dans toutes les grandes régions du monde non industriel. Dans les années 1950, sa croissance annuelle par tête fut supérieure à 1 % dans tous les pays « en voie de développement », sauf en Amérique latine ; mais même là, elle connut une croissance modeste. Dans les années 1960, la croissance se poursuivait encore dans toutes les parties du monde non industriel, mais (une fois encore à l'exception de l'Amérique latine, cette fois en tête) très faiblement. Dans les années 1950 comme dans les années 1960, la production alimentaire totale augmenta cependant plus vite dans le monde pauvre que dans le monde développé.

Dans les années 1970, les disparités entre les différentes parties du monde pauvre vident de sens ces chiffres globaux. Certaines régions, comme l'Extrême-Orient et l'Amérique latine, prenaient une large avance sur leur croissance démographique, tandis que l'Afrique cédait du terrain à raison de plus de 1 % par an. Dans les années 1980, la production alimentaire par tête du monde pauvre ne devait plus connaître la moindre croissance hors de l'Asie du Sud et de l'Est (mais, même dans cette zone, certains pays – Bangladesh, Sri Lanka, Philippines – produisaient moins par tête que dans les années 1970). D'autres régions restèrent très en deçà de leurs niveaux de 1970 ou continuèrent même à régresser : notamment l'Afrique, l'Amérique centrale et le Proche-Orient (Van der Wee, p. 106 ; FAO, *The State of Food*, 1989, Annexe, tableau 2, p. 113-115).

Pendant ce temps, le monde développé souffrait d'un excédent alimentaire dont il ne savait que faire. Dans les années 1980, il décida en conséquence de ralentir fortement sa croissance ou, comme dans la Communauté européenne, d'écouler à perte ses « montagnes de beurre » et ses « lacs de lait », en vendant moins cher que les producteurs des pays pauvres. Désormais, le fromage de Hollande était meilleur marché dans les Caraïbes qu'aux Pays-Bas. Curieusement, le contraste entre les excédents alimentaires et les populations affamées, qui avait tant indigné le monde au cours de la Grande Crise des années 1930, suscita moins de commentaires à la fin du XXe siècle. C'est là un aspect de la divergence croissante entre les riches et les pauvres, de plus en plus évidente à partir des années 1960.

Bien entendu, le monde industriel était partout en expansion : dans les régions capitalistes et socialistes et dans le « tiers-monde ». Le vieil Occident connut des exemples spectaculaires de révolution industrielle, comme en Espagne et en Finlande. Dans le monde du « socialisme réellement existant » (*cf.* chapitre 13), des pays purement agraires comme la Bulgarie et la Roumanie se dotèrent de secteurs industriels massifs. Dans le tiers-monde, le développement le plus spectaculaire des « pays nouvellement industrialisés » se produisit après l'Âge d'or, mais partout le nombre de pays tributaires de leur agriculture, tout au moins pour financer leurs importations, diminua fortement. À la fin des années 1980, quinze États seulement finançaient la moitié de leurs importations ou plus par des exportations agricoles. À une seule exception (la Nouvelle-Zélande), tous se trouvaient en Afrique sub-saharienne et en Amérique latine (FAO, *The State of Food*, 1989, Annexe, tableau 11, p. 149-151).

L'économie mondiale suivait ainsi un rythme de croissance explosif. Dans les années 1960, il était clair qu'on n'avait jamais rien connu de tel. La production mondiale de produits manufacturés quadrupla entre le début des années 1950 et le début des années 1970 et, de manière plus spectaculaire encore, le commerce mondial de produits manufacturés décupla. La production agricole mondiale, on l'a vu, monta aussi en flèche, quoique à un rythme moins renversant. Elle le fit moins en mettant en culture de nouvelles terres (comme souvent dans le passé) qu'en accroissant sa productivité. Pour les céréales, le rendement par hectare devait presque doubler entre 1950-1952 et 1980-1982 : il fit même plus que doubler en Amérique du Nord, en Europe occidentale et en Asie de l'Est. Dans le même temps, le produit de la pêche tripla avant de baisser à nouveau (*World Resources*, 1986, p. 47, 142).

Il est un sous-produit de cette extraordinaire explosion que l'on a encore à peine remarqué, même si, après-coup, il semblait déjà menaçant : la pollution et la dégradation de l'environnement. Au cours de l'Âge d'or, ce phénomène ne retint guère l'attention, sauf du côté des amoureux de la vie sauvage et autres protecteurs des raretés humaines et naturelles. Pour l'idéologie dominante du progrès, en effet, il allait de soi que l'avancée de l'humanité se mesurait à l'aune de la domination croissante de la nature. Dans les pays socialistes, l'industrialisation fut pour cette raison particulièrement aveugle aux conséquences écologiques de la construction massive d'un système industriel passablement archaïque à base de fer et de fumée. Même en Occident, la vieille devise de l'homme d'affaires du XIXᵉ siècle – « Où y a de l'ordure, y a du pognon » (autrement dit, pollution = argent) – était encore convaincante, surtout pour les constructeurs de route et les promoteurs immobiliers, qui redécouvrirent les incroyables profits que, dans une époque de boom du siècle, il y avait à tirer d'une spéculation qui ne pouvait mal tourner : il suffisait d'attendre que la valeur du site grimpe dans la stratosphère. Un seul chantier bien situé pouvait désormais rendre un homme multimillionnaire, pratiquement sans le moindre coût, puisqu'il pouvait emprunter sur la valeur de sa construction future, et emprunter derechef à mesure que sa valeur (bâtie ou non, vide ou occupée) continuait à augmenter. Comme d'habitude, il y eut finalement un krach : comme dans les précédents booms, l'Âge d'or se termina par un effondrement bancaire et immobilier. Mais, en attendant, on s'employa à travers le monde à démolir les centres des villes, grandes et petites, pour les « développer », en détruisant au passage des cités médiévales comme Worcester en Grande-Bretagne ou des capitales coloniales espagnoles comme Lima au Pérou. Les autorités de l'Est comme de l'Ouest découvrant que l'on pouvait aussi recourir aux méthodes de fabrication industrielle pour construire rapidement des logements publics peu chers, et remplir les banlieues de grands immeubles sinistres, les années 1960 resteront probablement la décennie la plus désastreuse de toute l'histoire de l'urbanisation.

En vérité, loin de s'inquiéter de l'environnement, il semblait que l'on eût des raisons d'être satisfaits, car les effets de la pollution du XIXᵉ siècle cédaient devant la technologie et la conscience écologique du XXᵉ. La simple interdiction des feux de charbon à Londres à partir de 1953 n'avait-elle pas aboli, d'un seul coup, l'impénétrable *fog* que les romans de Charles Dickens nous avaient rendu familier et qui avait recouvert périodiquement la cité ? Quelques années plus tard, le saumon n'était-il pas revenu dans les eaux naguère mortes de la Tamise ? Plus propres, plus petites, plus calmes, les usines essaimaient à travers les campagnes, au lieu des immenses installations enveloppées de fumée autrefois synonymes d'« industrie ». Les aéroports remplaçaient les gares ferroviaires en tant que symboles des transports. L'exode rural permit aux classes moyennes qui s'installaient dans des villages ou des fermes abandonnés de se sentir plus proches que jamais de la nature.

Reste que l'impact écologique des activités humaines, essentiellement urbaines et industrielles, mais aussi, comme on finit par s'en rendre compte, agricoles s'est intensifié depuis le milieu du siècle. Ce phénomène tient largement à l'augmentation considérable de la consommation de combustibles fossiles (charbon, pétrole, gaz naturel, etc.), dont l'épuisement potentiel avait préoccupé les spécialistes de prospective depuis le milieu du XIXe siècle. De nouvelles sources étaient découvertes plus vite qu'on ne pouvait les utiliser. Que la consommation totale d'énergie soit montée en flèche – elle tripla aux États-Unis entre 1950 et 1973 (Rostow, 1978, p. 256 ; tableau III, p. 58) – est loin d'être surprenant. Si l'Âge d'or a été si doré, c'est, entre autres raisons, que le prix moyen du baril de pétrole saoudien est demeuré inférieur à 2 $ tout au long des années 1950 à 1973, rendant ainsi l'énergie ridiculement bon marché et de moins en moins chère. Paradoxalement, ce n'est qu'en 1973, lorsque le cartel pétrolier de l'OPEP se décida enfin à demander le prix que le trafic pouvait supporter (voir p. 612), que les écologistes prirent enfin au sérieux les effets de l'explosion de la circulation à base de pétrole, qui déjà assombrissait le ciel des grandes villes motorisées du monde, en particulier en Amérique. De manière bien compréhensible, le premier souci était le *smog*. Cependant, les émissions de dioxyde de carbone réchauffant l'atmosphère devaient presque tripler entre 1950 et 1973 : en d'autres termes, la concentration de ce gaz dans l'air s'accrut d'un peu moins de 1 % par an (*World Resources*, tableau 11.1, p. 318 ; 11.4, p. 319 ; V. Smil, 1990, p. 4, fig. 2). La production de chlorofluorocarbones, substances chimiques qui affectent la couche d'ozone, augmenta presque à la verticale. Alors qu'on les utilisait à peine à la fin de la guerre, en 1974 on libérait chaque année dans l'atmosphère 300 000 tonnes d'un composé et plus de 400 000 d'un autre (*World Resources*, tableau 11.3, p. 319). Dans cette pollution, les riches pays occidentaux se taillaient la part du lion, bien que l'industrialisation exceptionnellement sale de l'URSS produisît presque autant de dioxyde de carbone que les États-Unis : presque cinq fois plus en 1985 qu'en 1950 (par tête, bien entendu, les États-Unis restaient largement les premiers pollueurs). En fait, au

cours de cette période, seule la Grande-Bretagne réduisit effectivement la quantité émise par habitant (Smil, 1990, tableau 1, p. 14).

II

Dans un premier temps, cette étonnante explosion économique fut
simplement perçue comme une amplification de la tendance précédente : en quelque sorte, une mondialisation de la situation des États-
Unis d'avant 1945, ce pays étant pris comme modèle de la société
capitaliste industrielle. Jusqu'à un certain point, c'était effectivement
le cas. L'âge de l'automobile avait commencé de longue date en
Amérique du Nord, mais après la guerre il gagna l'Europe, puis, plus
modestement, le monde socialiste et les classes moyennes latino-
américaines, tandis que le carburant bon marché faisait du camion et
de la voiture les principaux moyens de transport terrestre dans la
majeure partie du monde. De même que l'on pouvait mesurer l'essor
de la société d'abondance en Occident à la multiplication des voitures privées – de 469 000 en 1938 à quinze millions en 1975 en Italie (Rostow, 1978, p. 212 ; *UN Statistical Yearbook*, 1982, tableau
175, p. 960) –, on pouvait évaluer le développement économique de
plus d'un pays du tiers-monde au rythme d'expansion de son parc de
camions.

Le grand boom mondial fut largement un phénomène de rattrapage
ou, aux États-Unis, la poursuite de tendances anciennes. Le système
de production en série de Henry Ford se propagea par-delà les océans
aux nouvelles industries automobiles tandis qu'aux États-Unis le
principe fordiste était étendu à de nouvelles formes de production : du
logement au *fast food* (McDonald est une *success story* de l'après-
guerre). Des biens et des services précédemment réservés à des minorités devaient désormais être produits pour un marché de masse
comme dans le secteur du voyage à destination des plages enso-
leillées. Avant la guerre, le nombre d'Américains du Nord à se rendre
en Amérique centrale et dans les Caraïbes n'avait jamais dépassé
150 000 par an ; entre 1950 et 1970, il passa de 300 000 à sept millions (*US Historical Statistics*, I, p. 403). Les chiffres européens

furent encore plus spectaculaires. L'Espagne, qui ignora pratiquement le tourisme de masse jusqu'à la fin des années 1950, accueillait plus de cinquante-quatre millions d'étrangers par an à la fin des années 1980, chiffre à peine supérieur à celui de l'Italie avec ses cinquante-cinq millions de touristes (*Stat. Jahrbuch*, 1990, p. 262). Ce qui relevait jadis du luxe devint la norme du confort espéré, en tout cas dans les pays riches : le réfrigérateur, la machine à laver et le téléphone. En 1971, on comptait plus de 270 millions de téléphones dans le monde, c'est-à-dire essentiellement en Amérique du Nord et en Europe occidentale, et leur diffusion allait en s'accélérant. Dix années plus tard, leur nombre avait presque doublé. Dans les économies de marché développées, on comptait plus d'un appareil pour deux habitants (*UN World Situation*, 1985, tableau 19, p. 63). Bref, il était désormais possible au citoyen moyen de ces pays de vivre comme seuls les riches vivaient au temps de leurs parents – sauf, bien entendu, que la mécanisation avait maintenant remplacé les domestiques.

Ce qui frappe le plus dans cette période, c'est à quel point la révolution technique a paru alimenter cette poussée économique. Elle n'a pas simplement multiplié en les améliorant les anciens produits : elle a aussi diversifié les produits nouveaux, y compris beaucoup dont pratiquement personne n'avait idée avant la guerre. Certains produits révolutionnaires, tels que les matériaux synthétiques connus sous le nom de « plastiques », avaient été mis au point entre les deux guerres ou commençaient même à entrer dans la production commerciale, comme le nylon (1935), le polystyrène et le polythène. D'autres, comme la télévision et le magnétophone, sortaient encore à peine du stade expérimental. Avec ses exigences en matière de haute technologie, la guerre ouvrit la voie à un certain nombre de procédés révolutionnaires pour un usage civil ultérieur, bien que davantage du côté britannique (avant que les États-Unis ne prennent la relève) que du côté des esprits scientifiques allemands : le radar, le moteur à réaction et diverses idées ou techniques qui préparèrent le terrain à l'électronique et à l'informatique de l'après-guerre. Sans eux, le transistor (inventé en 1947) et les premiers ordinateurs digitaux civils (1947) seraient certainement apparus beaucoup plus tard. Par chance, peut-être, l'énergie nucléaire, d'abord mobilisée au cours de la guerre à des fins destructrices, demeura largement hors du champ de l'économie civile, si ce n'est en tant que contribution (jusque-là) marginale à la

production mondiale d'électricité : près de 5 % en 1975. Que ces
innovations aient été fondées sur la science de l'entre-deux-guerres ou
de l'après-guerre, sur les percées techniques ou même commerciales
de l'entre-deux-guerres, ou encore sur le Grand Bond en Avant
d'après 1945 – les circuits intégrés des années 1950, les lasers des
années 1960, ou les diverses retombées de l'aérospatiale – n'importe
guère ici. Sauf en un sens. Plus qu'aucune autre période antérieure,
l'Âge d'or s'est nourri de la recherche scientifique la plus avancée et
souvent secrète, qui trouvait désormais des applications pratiques en
l'espace de quelques années. Pour la première fois, l'industrie et
même l'agriculture s'arrachèrent de manière décisive à la technologie
du XIXe siècle (*cf.* chapitre 18).

Dans ce tremblement de terre technologique, trois choses frappent
l'observateur. La *première*, c'est qu'il a transformé du tout au tout la
vie dans le monde riche et même, dans une moindre mesure, dans le
monde pauvre, où la radio put désormais atteindre les villages les
plus reculés grâce au transistor et aux piles longue durée miniaturi-
sées ; où la « révolution verte » a bouleversé la culture du riz et du
blé, et où les sandales en plastique ont remplacé les pieds nus. Tout
lecteur européen de ce livre peut le vérifier en dressant un rapide
inventaire de ses biens personnels. Pour l'essentiel, le contenu du
réfrigérateur et du congélateur (la plupart des foyers n'étaient équipés ni de l'un ni de l'autre en 1945) est très largement nouveau : aliments séchés et congelés, produits d'élevage industriel, viande
truffée d'enzymes et de divers produits chimiques exhausteurs de
goût, ou même confectionnée par « simulation de morceaux de haute
qualité désossés » (Considine, 1982, p. 1164 *sq.*), sans parler des
produits frais importés du bout du monde par avion. Tout cela eût été
impossible auparavant.

Par rapport aux années 1950, la part de matériaux naturels ou traditionnels – bois, métal traité à l'ancienne, fibres naturelles ou bour-
rages, et même la céramique – dans nos cuisines, nos mobiliers et nos
vêtements a connu une baisse spectaculaire, bien que le matraquage
publicitaire entretenu autour de tout ce qui touche à l'hygiène personnelle et aux cosmétiques ait été tel qu'il a occulté (par une exagération
systématique) le degré d'innovation de sa production considérablement accrue et diversifiée. Car la révolution technologique est à ce
point entrée dans la conscience du consommateur que la nouveauté est

devenue, pour tout, le principal argument de vente : des détergents synthétiques (dont l'essor date des années 1950) aux ordinateurs de bureau. Le postulat était que « nouveau » non seulement devenait synonyme de meilleur, mais de totalement révolutionnaire.

Quant aux produits qui illustrent la nouveauté technique, leur liste est sans fin et n'appelle pas de commentaire : télévision, disques de vinyle (les 33 tours sont apparus en 1948), suivis par les bandes magnétiques (les cassettes firent leur apparition dans les années 1960) et le disque compact ; les postes de radio portables – l'auteur de ces pages reçut son premier transistor d'un ami japonais à la fin des années 1950 –, les montres digitales, les calculatrices de poche, à piles ou solaires ; enfin tout le reste de l'électronique domestique, du matériel photo et de la vidéo. Dans toutes ces innovations, le moins significatif n'est pas la miniaturisation systématique des produits – leur *portabilité* –, qui en a considérablement accru la gamme et le marché. Mais la révolution technique a peut-être été tout autant symbolisée par des produits apparemment inchangés mais transformés de fond en comble depuis la Seconde Guerre mondiale comme les bateaux de plaisance : les mâts et les coques, les voiles et le gréement, le matériel de navigation n'ont plus grand-chose à voir avec les bateaux de l'entre-deux-guerres, si ce n'est la forme et la fonction.

La *deuxième* chose, c'est que plus la technologie impliquée était complexe, plus le fut la route menant de la découverte à l'invention ou à la production, et plus élaboré et coûteux fut le parcours. La « Recherche-Développement » (R & D) est devenue un élément central de la croissance économique, et, pour cette raison, l'avantage déjà considérable des « économies de marché développées » sur les autres s'est renforcé. (On verra dans le chapitre 16 que l'innovation technique n'a pas fleuri dans les économies socialistes.) Le « pays développé » typique comptait plus d'un millier de scientifiques et d'ingénieurs pour un million d'habitants dans les années 1970, mais le Brésil en avait environ 250, l'Inde 130, le Pakistan autour de 60, le Nigeria et le Kenya une trentaine (UNESCO, 1985, tableau 5.18). De surcroît, le processus d'innovation est devenu si continu que le coût d'élaboration de nouveaux produits devait former une part de plus en plus importante et indispensable du coût de production. Dans le cas extrême des industries d'armements, où, il est vrai, l'argent ne comptait pas, les nouveaux engins étaient à peine prêts pour une utilisation pratique qu'on les mettait au rebut au profit de matériel encore plus avancé (et, naturellement, bien plus onéreux), pour le plus grand avantage financier des sociétés concernées. Dans des industries davantage tournées vers le marché de masse comme celle des produits pharmaceutiques, un médicament nouveau et réellement nécessaire, surtout quand il était protégé de la concurrence par un brevet, pouvait faire des fortunes, que ses producteurs s'employaient à justifier en les disant absolument nécessaires à la poursuite de la recherche. Les innovateurs moins faciles à protéger devaient rentrer dans leurs frais plus vite, les prix chutant dès que d'autres produits pénétraient sur le marché.

La *troisième* chose, c'est que les technologies nouvelles ont été, dans leur écrasante majorité, des technologies à forte intensité de capital et ont eu pour effet d'économiser de la main-d'œuvre (exception faite des scientifiques et des techniciens très qualifiés), voire de la remplacer. La grande caractéristique de l'Âge d'or aura été son besoin constant d'investissements lourds alors que les hommes devenaient de moins en moins nécessaires, si ce n'est comme consommateurs. Cependant, la dynamique et le rythme de la poussée économique ont été tels que, l'espace d'une génération, le phénomène n'a pas été évident. Au contraire, la croissance économique a été si rapide que, même dans les pays industriels, la classe ouvrière industrielle a maintenu, voire accru, ses effectifs dans la population active. Dans tous les pays avancés sauf les États-Unis, les réserves de main-d'œuvre qui s'étaient remplies au cours de la crise de l'avant-guerre puis à la faveur de la démobilisation se vidèrent. La population rurale et les travailleurs immigrés assurèrent un complément de main-d'œuvre à exploiter tandis que les femmes, jusque-là tenues à l'écart du marché du travail, y firent leur entrée en nombre croissant. Néanmoins, l'idéal auquel l'Âge d'or aspirait, même s'il ne se réalisa que progressivement, était la production de biens et même de services, sans êtres humains : des usines de montage automobile robotisées, des salles vides et silencieuses remplies de bancs d'ordinateurs contrôlant la production d'énergie, des trains sans conducteur. Dans une telle économie, les individus n'étaient essentiels qu'en tant qu'acheteurs. C'est là que réside son problème central. À l'Âge d'or, il paraissait encore irréel et lointain, comme la mort future de l'univers par entropie, déjà annoncée par les scientifiques victoriens.

Au contraire. Tous les problèmes qui avaient hanté le capitalisme à l'Ère des catastrophes semblaient se dissoudre et disparaître. Si meurtrier entre les deux guerres, l'inévitable et terrible cycle économique d'expansion et de récession devint une suite de fluctuations modérées grâce à une gestion macro-économique intelligente : c'est du moins ce que voulaient croire les économistes keynésiens qui conseillaient maintenant les gouvernements. Le chômage de masse ? Il était introuvable dans le monde développé des années 1960, où l'Europe comptait en moyenne 1,5 % de sans-emploi, et le Japon 1,3 % (Van der Wee, 1987, p. 77). Seule l'Amérique du Nord ne l'avait pas encore éliminé. La pauvreté ? Bien entendu, dans sa grande majorité, l'humanité restait pauvre, mais dans les vieux centres de main-d'œuvre industrielle, quel sens pouvait avoir le « Debout les forçats de la faim » de l'*Internationale* pour des ouvriers qui espéraient maintenant avoir leur voiture et passer leurs congés payés sur les plages d'Espagne ? Et, s'ils connaissaient des épreuves, n'y avait-il pas un État-providence de plus en plus universel et généreux pour leur assurer une protection, dont on n'avait encore jamais rêvé, contre les aléas de la santé, du malheur et même de la vieillesse redoutée dans la pauvreté ? Leurs revenus augmentaient d'année en année, de manière presque automatique. N'allaient-ils pas continuer à croître éternellement ? La gamme des biens et des services à leur disposition, offerte par le système productif, faisait entrer dans la consommation quotidienne ce qui autrefois relevait du luxe. L'éventail s'élargissait année après année. En termes matériels, l'humanité désirait par-dessus tout étendre les avantages dont bénéficiaient déjà les populations favorisées aux habitants malheureux d'autres parties du monde, il est vrai majoritaires, qui n'étaient pas encore engagées sur la voie du « développement » et de la « modernisation ».

Quels problèmes restaient à résoudre ? Un homme politique britannique socialiste et fort intelligent pouvait ainsi écrire en 1956 :

> « *Traditionnellement, la pensée socialiste a été dominée par les problèmes économiques que posaient le capitalisme, la pauvreté, le chômage massif, la misère, l'instabilité et même les risques d'effondrement du système tout entier.* [...] *Le capitalisme avait été réformé au point d'en être méconnaissable. Malgré d'occasionnelles récessions et crises mineures de balances des paiements, le plein-emploi et au moins un degré*

*tolérable de stabilité sont susceptibles d'être assurés. On peut
attendre de l'automation qu'elle résolve régulièrement tous les
problèmes restants de sous-production. Si l'on tourne nos
regards vers l'avenir, notre rythme de croissance actuel nous
assurera dans cinquante ans une production nationale trois
fois plus élevée. »*

(Crosland, 1957, p. 517)

III

Comment expliquer cet extraordinaire triomphe, tout à fait inattendu, d'un système qui, pendant quelques décennies, avait paru au
bord de la ruine ? Ce qu'il faut expliquer, ce n'est pas, bien entendu,
le simple fait d'une longue période d'expansion économique et de
prospérité, après une période semblable de troubles économiques et
autres désordres. Une telle succession de « vagues longues » de près
d'un demi-siècle a formé le rythme fondamental de l'histoire économique du capitalisme depuis la fin du XVIIIe siècle. L'Ère des catastrophes avait déjà attiré l'attention sur ce modèle de fluctuations
séculaires (*cf.* chapitre 2), dont la nature demeure obscure. Elles sont
généralement connues, nous l'avons vu, sous le nom de l'économiste
russe Kondratiev. Dans une perspective longue, l'Âge d'or ne fut
qu'une phase d'expansion au même titre que le grand boom victorien
des années 1850-1873 et de la belle époque de la fin de l'ère victorienne et des Édouardiens – curieusement, les dates coïncident
presque à un siècle de distance. Comme les précédentes hausses de ce
genre, elle fut précédée et suivie de « récessions ». Ce qui appelle une
explication, c'est l'ampleur et l'échelle extraordinaires de ce boom du
siècle, qui font en quelque sorte pendant à l'ampleur et à l'échelle
extraordinaires de la précédente ère de crises et de récessions.

Il n'est pas d'explications réellement satisfaisantes de ce « Grand
Bond en Avant » de l'économie capitaliste mondiale ni de ses conséquences sociales sans précédent. Bien entendu, les autres pays
avaient fort à faire pour rattraper les États-Unis, l'économie modèle
de la société industrielle du début du XXe siècle : un pays qui n'avait

connu ni guerre, ni défaite, ni victoire, bien qu'il eût été brièvement secoué par le Marasme. De fait, les autres pays essayèrent systématiquement d'imiter les États-Unis dans un processus qui accéléra le développement économique, puisqu'il est toujours plus facile d'adapter une technologie existante que d'en inventer une nouvelle. Comme devait le montrer l'exemple japonais, ceci pouvait venir plus tard. Mais, de toute évidence, le Grand Bond ne se résumait pas à cela. Il y eut en effet une restructuration et une réforme en profondeur du capitalisme, et une progression tout à fait spectaculaire de la mondialisation et de l'internationalisation de l'économie.

De la première tendance, émergea une « économie mixte » qui permit aux États de planifier et de gérer plus facilement la modernisation économique et augmenta aussi considérablement la demande. À de très rares exceptions près (Hong-Kong), les grandes réussites économiques des pays capitalistes après la guerre sont des histoires d'industrialisation soutenue, supervisée, dirigée, et parfois planifiée et gérée par l'État : c'est vrai de la France et de l'Espagne en Europe ; mais aussi du Japon, de Singapour et de la Corée du Sud. En même temps, l'attachement politique des gouvernements au plein-emploi et, dans une moindre mesure, à la réduction des inégalités sociales, autrement dit l'attachement à la protection et à la sécurité sociales, assura pour la première fois un marché de masse pour des produits de luxe désormais considérés comme de première nécessité. Plus les gens sont pauvres, plus grande est la part de leur revenu qu'ils doivent consacrer à l'indispensable, notamment à l'alimentation (observation de bon sens connue sous le nom de « loi d'Engel »). Dans les années 1930, même dans un pays riche comme les États-Unis, l'alimentation représentait encore un tiers des dépenses des ménages : au début des années 1980, cette part était tombée à 13 % seulement. Le reste était donc disponible pour d'autres achats. L'Âge d'or a démocratisé le marché.

La seconde tendance a eu pour effet de multiplier les capacités productives de l'économie mondiale en rendant possible une division internationale du travail plus élaborée et sophistiquée. Dans un premier temps, celle-ci demeura largement confinée au groupe des « économies de marché développées », c'est-à-dire aux pays du camp américain. Le camp socialiste était largement à part (*cf.* chapitre 13), tandis que, dans les années 1950, les « développeurs » les plus dynamiques du tiers-monde optèrent pour une industrialisation séparée et planifiée en substituant leur propre production aux importations de produits manufacturés. Le noyau dur des pays capitalistes occidentaux commerçait bien entendu avec le monde outre-mer, et pour son plus grand profit, puisque les termes de l'échange leur étaient favorables : autrement dit, ils pouvaient se procurer matières premières et denrées alimentaires à meilleur prix. Reste que la véritable explosion a été celle du commerce des produits industriels, essentiellement entre les pays du noyau dur du monde industriel. Après 1953, le commerce mondial des produits manufacturés a décuplé en vingt ans. Ces produits, qui, depuis le XIXe siècle, formaient une part assez constante du commerce mondial à un peu moins de 50 %, passèrent à plus de 60 % (W. A. Lewis, 1981). L'Âge d'or demeura ancré aux économies du noyau dur des pays capitalistes – et ce, même en termes purement quantitatifs. En 1975, à eux seuls, les Sept Grands du capitalisme (Canada, États-Unis, Japon, France, République fédérale d'Allemagne, Italie et Grande-Bretagne) représentaient les trois-quarts du parc automobile mondial et une proportion encore plus élevée des téléphones (*UN Statistical Yearbook*, 1982, p. 955 *sq.*, 1018 *sq.*). Néanmoins, la nouvelle révolution industrielle ne pouvait rester confinée à une seule région.

La restructuration du capitalisme et les progrès de l'internationalisation économique n'en jouèrent pas moins un rôle central. Que la révolution technique explique l'Âge d'or n'est pas si clair, même s'il n'y a pas de doute sur cette révolution. Une bonne partie de la nouvelle industrialisation de ces décennies, on l'a vu, s'est faite *via* la propagation à de nouveaux pays des vieilles formes d'industrialisation fondées sur de vieilles techniques : l'industrialisation du charbon, du fer et de l'acier du XIXe siècle, aux pays agraires du monde socialiste ; les industries américaines du pétrole et des moteurs à combustion interne du XXe siècle, aux pays européens. L'impact des techniques issues de la recherche de pointe sur l'industrie civile n'a pris un caractère massif qu'après 1973, dans les Décennies de crise, avec la grande percée de l'informatique et du génie génétique, ainsi que divers autres sauts dans l'inconnu. Les principales innovations qui commencèrent à transformer le monde presque sitôt après la guerre furent peut-être chimiques et pharmaceutiques. Leur impact sur la démographie du tiers-monde fut immédiat (*cf.* chapitre 12).

Leurs effets culturels tardèrent un peu plus, mais pas beaucoup, car la révolution sexuelle occidentale des années 1960 et 1970 fut rendue possible par les antibiotiques – inconnus avant la Seconde Guerre mondiale : ceux-ci semblèrent éliminer les grands risques de la promiscuité sexuelle en permettant de soigner aisément les maladies vénériennes. De même, c'est dans les années 1960 que se généralisa la pilule contraceptive. (Dans les années 1980, cependant, le SIDA devait réintroduire le risque dans la sexualité.)

Reste que la technologie de pointe novatrice a pris une telle place dans la grande expansion qu'elle est un élément nécessaire de toute explication, même si nous ne la croyons pas décisive en soi.

Pour reprendre la formule de Crosland, le capitalisme de l'après-guerre fut sans conteste un système « réformé au point d'en être méconnaissable » ; ou, selon le mot du Premier ministre britannique Harold Macmillan, ce fut une version « nouvelle » du vieux système. Ce qui se produisit est loin de se réduire au retour à la « normale » d'un système s'arrachant à quelques « erreurs » évitables de l'entre-deux-guerres pour assurer un « niveau élevé d'emploi » et un « rythme de croissance économique non négligeable » (H. G. Johnson, 1972, p. 6). Au fond, ce fut une sorte de mariage entre le libéralisme économique et la démocratie sociale (ou, en termes américains, une politique rooseveltienne de New Deal), avec de larges emprunts à l'URSS, qui avait la première introduit l'idée de planification économique. C'est bien pourquoi la réaction des théologiens du marché contre ce mariage fut si vive dans les années 1970 et 1980, lorsque la réussite économique cessa de protéger les politiques fondées sur ce mariage. Des hommes comme l'économiste autrichien Friedrich von Hayek (1899-1992) n'avaient jamais été des pragmatiques, prêts à reconnaître, fût-ce en rechignant, que les activités économiques qui interféraient avec le laisser-faire donnaient des résultats. Bien au contraire, ils n'étaient jamais à court d'arguments subtils pour dire que ça ne pouvait fonctionner. Ils croyaient à l'équation « Marché libre = liberté individuelle » : toute entorse à ce principe ne pouvait que mener à la « route de la servitude » (titre d'un livre de Hayek publié en 1944). Pendant la Grande Crise, ils étaient restés fidèles à la pureté du marché. Ils continuèrent donc à condamner les politiques qui firent de l'Âge d'or un âge d'or, alors même que le monde s'enrichissait et que le capitalisme (assorti du libéralisme politique) était de nouveau florissant sur la base d'un mélange de marchés et d'interventions publiques. Mais, entre les années 1940 et 1970, nul ne prêta attention à ces Vieux Croyants.

On ne saurait non plus douter que le capitalisme ait été délibérément réformé, largement par les hommes qui étaient en position de le faire aux États-Unis et en Grande-Bretagne durant les dernières années de la guerre. On aurait tort de supposer que les gens ne tirent jamais de leçons de l'histoire. L'expérience de l'entre-deux-guerres et, surtout, du Grand Marasme, a été si catastrophique que personne ne pouvait rêver, comme bien des hommes publics après la Première Guerre mondiale, d'un retour rapide au temps précédent, celui où les sirènes avaient commencé à retentir pour annoncer des raids aériens. Tous les hommes (les femmes n'étaient encore guère acceptées dans la première division de la vie publique) qui esquissèrent leurs espoirs concernant les principes de l'économie mondiale après la guerre et l'avenir de l'ordre économique mondial avaient vécu la Grande Crise. D'aucuns, comme J. M. Keynes, avaient été actifs dans la vie publique dès avant 1914. Et si le souvenir économique des années 1930 ne suffisait pas à aiguiser leur appétit de réforme du capitalisme, les risques politiques fatidiques de l'attentisme étaient patents pour tous ceux qui venaient de combattre l'Allemagne hitlérienne, fille de la crise, et à présent confrontés à la perspective de la progression vers l'Ouest du communisme et de la puissance soviétique à travers les ruines d'économies capitalistes languissantes.

Pour ces décideurs, quatre choses semblaient claires. Premièrement, la catastrophe de l'entre-deux-guerres, qu'il ne fallait en aucun cas laisser se répéter, était largement due à l'effondrement du système commercial et financier mondial, et à la fragmentation ultérieure du monde en économies nationales ou en empires autarciques. Deuxièmement, le système mondial avait jadis été stabilisé par l'hégémonie ou, tout au moins, par le rôle central de l'économie britannique et de sa devise, la livre sterling. Entre les deux guerres, la Grande-Bretagne et la livre n'étaient plus assez fortes pour porter cette charge, qui ne pouvait être assumée que par les États-Unis et le dollar. Cette conclusion suscitait naturellement plus d'enthousiasme à Washington qu'ailleurs. Troisièmement, la Grande Crise venait de l'échec d'un marché de concurrence sans aucune restriction. Aussi convenait-il de compléter le marché, ou de l'encadrer, par la planification publique et la gestion de l'économie. Quatrièmement, pour des raisons tant politiques que sociales, il n'était pas question de laisser le chômage prendre à nouveau un caractère massif.

Hors des pays anglo-saxons, les décideurs ne pouvaient pas faire grand-chose en matière de reconstruction du système commercial et financier mondial, mais ils accueillirent assez favorablement le rejet de l'ancien libéralisme économique. Le dirigisme et la planification étatique de l'économie n'étaient pas neufs dans plusieurs pays, de la France au Japon. Même la propriété et la gestion publiques des industries étaient assez familières et avaient été largement étendues dans les pays occidentaux après 1945. Ce n'était en aucune façon une pomme de discorde entre socialistes et antisocialistes, bien que le virage à gauche lié à la Résistance ait donné aux nationalisations plus d'importance qu'elles n'en auraient eue avant la guerre, par exemple dans les constitutions française et italienne de 1946-1947. Ainsi, même après quinze ans de gouvernement socialiste, la Norvège avait en 1960 un secteur public proportionnellement plus petit que l'Allemagne de l'Ouest, pays peu enclin à la nationalisation.

Quant aux partis socialistes et aux mouvements ouvriers qui étaient si en vue en Europe après la guerre, ils se coulèrent volontiers dans le nouveau capitalisme réformé, parce qu'en pratique (hormis les communistes, dont la politique consistait à prendre le pouvoir puis à suivre le modèle de l'URSS) ils n'avaient aucune politique économique propre. Pragmatiques, les Scandinaves laissèrent leur secteur privé intact. Tel ne fut pas le cas du gouvernement travailliste britannique de 1945, qui ne fit cependant rien pour le réformer et fit montre d'un désintérêt tout à fait stupéfiant pour la planification, surtout comparé à l'enthousiasme avec lequel les gouvernements français contemporains (et non socialistes) planifièrent la modernisation. En fait, la gauche se concentra sur l'amélioration des conditions de vie de ses clientèles ouvrières ainsi que sur les réformes sociales. La seule autre solution étant d'appeler à l'abolition du capitalisme, ce qu'aucun gouvernement social-démocrate ne voyait comment faire ni n'essaya de réaliser, ceux-ci devaient s'en remettre à une économie capitaliste forte et créatrice de richesse pour financer leurs objectifs. En réalité, un capitalisme réformé qui reconnaissait l'importance des aspirations ouvrières et social-démocrates leur convenait assez bien.

Bref, pour toutes sortes de raisons, les politiciens, les fonctionnaires et même maints hommes d'affaires occidentaux de l'après-guerre étaient convaincus qu'un retour au laisser-faire et au bon vieux marché de concurrence était hors de question. Certains objectifs politiques – le plein-emploi, l'endiguement du communisme, la modernisation d'économies déphasées, déclinantes ou en ruines – avaient la priorité absolue et justifiaient une forte présence des pouvoirs publics. Même les régimes voués au libéralisme économique et politique pouvaient et devaient désormais diriger leurs économies d'une manière qui aurait naguère été rejetée comme « socialiste ». Après tout, c'est ainsi que la Grande-Bretagne et même les États-Unis avaient géré leurs économies de guerre. L'avenir était à « l'économie mixte ». Même si, par moments, les vieilles orthodoxies de la rationalité budgétaire et de la stabilité des monnaies et des prix devaient encore compter, elles n'avaient plus valeur d'absolu. Depuis 1933, les épouvantails de l'inflation et du déficit budgétaire n'éloignaient plus les oiseaux des champs économiques, mais les récoltes semblaient tout de même prospérer.

Ce n'étaient pas là des changements mineurs. Ils conduisirent un homme d'État américain aussi farouchement attaché au capitalisme qu'Averell Harriman à déclarer en 1946 à ses compatriotes : « Des mots tels que "planification" ne font plus peur aux gens de ce pays. [...] Ils ont accepté l'idée que le gouvernement doive planifier comme font les individus de ce pays » (Maier, 1987, p. 129). Ainsi s'explique également qu'un Jean Monnet (1888-1979), champion du libéralisme économique et admirateur de l'économie américaine, soit devenu un fervent partisan de la planification économique française. Ces mêmes changements firent de Lionel (lord) Robbins – économiste adepte de la liberté du marché, qui avait autrefois défendu l'orthodoxie contre Keynes et dirigé un séminaire avec Hayek à la London School of Economics – un directeur de l'économie de guerre semi-socialiste de la Grande-Bretagne. Pendant une trentaine d'années, le consensus régna parmi les penseurs et décideurs « occidentaux », notamment aux États-Unis, qui déterminaient ce que pouvaient faire, ou plutôt ce que ne pouvaient pas faire, les autres pays du camp non communiste. Tous voulaient un monde de production en plein essor, de croissance du commerce international, de plein-emploi, d'industrialisation et de modernisation. Tous étaient

prêts à y parvenir, si nécessaire, au prix d'un contrôle public systématique et de la gestion d'économies mixtes, mais aussi en coopérant
avec des mouvements ouvriers organisés à la condition qu'ils ne
soient pas communistes. L'Âge d'or du capitalisme eût été impossible si le consensus ne s'était fait sur l'idée qu'il fallait sauver l'économie de l'entreprise privée d'elle-même (de la « libre entreprise »,
pour reprendre l'expression préférée[1]) afin d'assurer sa survie.

Autant il est certain que le capitalisme se réforma, autant il faut
faire une distinction bien claire entre l'empressement général à faire
des choix jusque-là impensables et l'efficacité réelle des nouvelles
recettes spécifiques concoctées par les chefs des nouveaux restaurants économiques. Il est difficile d'en juger. À l'instar des hommes
politiques, les économistes sont toujours enclins à imputer la réussite
à la sagacité de leurs politiques : et, au cours de l'Âge d'or, lorsque
même des économies faibles comme la britannique connurent prospérité et croissance, un large espace s'ouvrit à l'autocongratulation.
Reste que cette politique volontaire a sans conteste obtenu des résultats frappants. En 1945-1946, la France, par exemple, s'engagea
sciemment sur la voie de la planification économique pour moderniser son économie industrielle. Cette adaptation des idées soviétiques
à une économie mixte de type capitaliste a dû avoir un certain effet,
puisque entre 1950 et 1979 la France, jusque-là synonyme de retard
économique, rattrapa la productivité américaine avec plus de succès
qu'aucun autre des grands pays industriels, plus encore que l'Allemagne (Maddison, 1982, p. 46). Il nous faut néanmoins laisser les
économistes, tribu notoirement querelleuse, débattre des mérites et
démérites ou de l'efficacité des diverses politiques (pour la plupart
associées au nom de J. M. Keynes, mort en 1946).

IV

La différence entre les intentions générales et l'application
détaillée est particulièrement évidente dans la reconstruction de
l'économie internationale, car ici la « leçon » du Grand Marasme (le
mot apparaît constamment dans le discours des années 1940) fut au

moins partiellement traduite en arrangements institutionnels concrets. La suprématie américaine était naturellement un fait. Sur le plan politique, c'est Washington qui poussa à l'action, même si de nombreuses idées et initiatives vinrent de Grande-Bretagne. Lorsque les avis divergeaient, comme entre Keynes et le porte-parole américain Harry White[2], sur le nouveau Fonds monétaire international (FMI), le point de vue américain l'emportait. Reste que le plan initial pour le nouvel ordre économique mondial était envisagé comme un élément du nouvel ordre politique international, également préparé dans les dernières années de guerre comme le furent les Nations unies. Et ce n'est que lorsque le modèle initial des Nations unies s'effondra avec la guerre froide que les deux seules institutions internationales effectivement mises en place dans le cadre des accords de Bretton Woods (1944) – la Banque mondiale (BIRD, Banque internationale pour la reconstruction et le développement) et le Fonds monétaire international (FMI), qui existent toujours furent *de facto* subordonnées à la politique américaine. Celles-ci devaient encourager les investissements internationaux à long terme et maintenir la stabilité des échanges tout en traitant les problèmes de balance des paiements. D'autres points du programme international ne devaient pas engendrer d'institutions spéciales (par exemple, le contrôle du prix des produits de base ou les mesures internationales destinées à maintenir le plein-emploi) ou furent incomplètement mis en œuvre. Le projet d'Organisation du commerce international accoucha du beaucoup plus modeste Accord général sur les tarifs douaniers et le commerce (GATT) – structure visant à réduire les barrières commerciales par des négociations périodiques.

Bref, dans la mesure où les planificateurs s'efforcèrent de construire un ensemble d'institutions opératoires pour donner corps à leurs projets, ils échouèrent. Le monde ne sortit pas de la guerre sous la forme d'un système international opératoire de libre-échange et de paiements multilatéraux, et les initiatives américaines pour l'instaurer tournèrent court dans les deux années qui suivirent la victoire. Et pourtant, à la différence des Nations unies, le système international des échanges et des paiements fonctionna, mais pas sous la forme initialement prévue ou voulue. En pratique, l'Âge d'or fut l'ère du libre-échange, de la libre circulation des capitaux et des devises stables à laquelle avaient songé les planificateurs du temps de guerre.

Sans nul doute cela s'explique-t-il par la domination économique écrasante des États-Unis et du dollar, dont l'effet stabilisateur joua d'autant mieux qu'il resta lié à une quantité spécifique d'or jusqu'à l'effondrement du système, à la fin des années 1960 et au début des années 1970. Il ne faut jamais perdre de vue qu'en 1950 les seuls États-Unis rassemblaient près de 60 % de l'équipement productif de tous les pays capitalistes avancés et assuraient environ 60 % de leur production. Au faîte de l'Âge d'or (1970), ils détenaient encore plus de 50 % du capital action de ces pays et assuraient près de la moitié de leur production (Armstrong, Glyn, Harrison, 1991, p. 151).

Cependant, la peur du communisme y fut aussi pour quelque chose. Car, contrairement aux convictions des Américains, le principal obstacle à une économie capitaliste internationale libre-échangiste n'était pas les instincts protectionnistes des étrangers, mais les droits de douanes américains traditionnellement élevés et la vague d'expansion des exportations américaines, que les planificateurs de Washington, en temps de guerre, jugeaient « essentielle pour atteindre un véritable plein-emploi aux États-Unis » (Kolko, 1969, p. 13). L'expansion agressive fut de toute évidence présente à l'esprit des décideurs américains sitôt la guerre terminée. C'est la guerre froide qui les incita à penser à plus long terme, les persuadant qu'il était politiquement urgent d'aider leurs futurs concurrents à croître aussi rapidement que possible. On a même soutenu que, de cette manière, la guerre froide a été le principal moteur de la grande expansion mondiale (Walker, 1993). Probablement est-ce excessif, mais les immenses largesses du Plan Marshall (voir p. 321) ont certainement aidé à la modernisation des bénéficiaires qui voulurent bien s'en servir à cette fin – l'Autriche et la France le firent systématiquement – et l'aide américaine contribua de manière décisive à accélérer la transformation de l'Allemagne de l'Ouest et du Japon. Nul doute que ces deux pays seraient devenus de toute façon de grandes puissances économiques : le simple fait que, en tant qu'États vaincus, ils ne fussent pas maîtres de leur politique extérieure leur conféra un avantage, puisqu'ils ne furent pas tentés d'affecter plus qu'un minimum de ressources au domaine stérile des dépenses militaires. La question n'en mérite pas moins d'être posée : que serait-il advenu de l'économie allemande si la reprise avait dépendu des Européens, qui redoutaient son réveil ? À quel rythme l'économie japonaise se serait-elle redressée si les États-Unis eux-mêmes n'avaient entrepris de faire du Japon la base industrielle de la guerre de Corée puis de la guerre du Viêt-nam après 1965 ? Ainsi l'Amérique finança-t-elle le doublement de la production manufacturière du Japon entre 1949 et 1953, et ce n'est pas un hasard si les années 1966-1970 y furent celles de la croissance record : pas moins de 14,6 % par an. Il ne faut donc pas sous-estimer le rôle de la guerre froide, même si l'effet économique de l'immense détournement des ressources au profit d'armements compétitifs fut certainement dommageable. Dans le cas extrême de l'URSS, il fut probablement fatal. Cependant, même les États-Unis durent moduler entre force militaire et faiblesse économique croissante.

Une économie capitaliste mondiale se développa donc autour des États-Unis. Elle mit moins d'obstacles à la circulation internationale des facteurs de production qu'aucune autre économie depuis le milieu de l'époque victorienne, à une exception près : les migrations internationales furent lentes à se remettre de l'étranglement de l'entre-deux-guerres. Ce fut en partie une illusion d'optique. La grande expansion de l'Âge d'or se nourrit non seulement d'une main-d'œuvre jusque-là sans emploi, mais aussi d'immenses flux de migrations intérieures : de la campagne vers la ville, de l'exode rural (en particulier des régions hautes au sol pauvre), et des régions pauvres vers les régions riches. Ainsi, les Italiens du Sud affluèrent dans les usines de Lombardie et du Piémont, et en vingt ans c'est quelque quatre cent mille métayers toscans qui abandonnèrent leurs exploitations. L'industrialisation de l'Europe de l'Est fut pour l'essentiel un processus de migration de masse de ce genre. De surcroît, une partie de ces migrants de l'intérieur étaient en fait des migrants internationaux, si ce n'est qu'ils étaient venus non pas en chercheurs d'emploi mais dans le cadre du terrible exode massif de réfugiés et des populations expulsées après 1945.

Dans une période de croissance économique spectaculaire et de pénurie croissante de main-d'œuvre, et ce dans un monde occidental attaché à la liberté de circulation en économie, il est frappant de voir que les gouvernements ont bel et bien freiné la liberté d'immigration. En outre, quand ils l'avaient effectivement accordée (comme dans le cas des Antillais et autres ressortissants du Commonwealth britannique, qui avaient le droit de s'installer en Angleterre puisqu'ils étaient des Britanniques au regard de la loi), ils y ont mis un terme. Dans bien des cas, ces immigrés, pour l'essentiel venus de pays méditerranéens moins développés, ne bénéficiaient que d'un permis de séjour conditionnel et temporaire. Ainsi pouvaient-ils être aisément rapatriés, même si l'extension de la Communauté économique européenne à plusieurs pays d'émigration (Italie, Espagne, Portugal et Grèce) devait rendre l'opération plus difficile. Reste qu'au début des années 1970, les pays européens développés avaient accueilli près de sept millions et demi d'immigrés (Potts, 1990, p. 146-147). Même pendant l'Âge d'or l'immigration fut un sujet politiquement sensible. Dans les difficiles décennies qui suivirent 1973, ce phénomène devait se traduire par une forte recrudescence de la xénophobie en Europe.

L'économie mondiale de l'Âge d'or demeura cependant moins *transnationale* qu'*internationale*. Les pays échangeaient les uns avec les autres plus qu'ils ne l'avaient jamais fait. Même les États-Unis, qui avaient largement vécu en autosuffisance avant la Seconde Guerre mondiale, quadruplèrent leurs exportations vers le reste du monde entre 1950 et 1970. Mais, à compter de la fin des années 1950, ils se mirent aussi à importer massivement des biens de consommation. À la fin des années 1960, ils commencèrent même à importer des automobiles (Block, 1977, p. 145). Pourtant, alors que, de plus en plus, les économies industrielles s'achetaient et se vendaient mutuellement leurs productions, le gros de leurs activités économiques restait centré sur le marché intérieur. Au faîte de l'Âge d'or, les États-Unis exportaient un peu moins de 8 % de leur PIB et, ce qui surprend davantage, le Japon, pourtant tourné vers l'exportation, à peine plus (Marglin et Schor, p. 43, tableau 2.2).

Surtout à partir des années 1960, il commença à se former une économie de plus en plus *transnationale*, c'est-à-dire un système d'activités économiques pour lesquelles les territoires et les frontières des États ne sont plus le cadre de base, mais des facteurs de complication. À la limite, il se forme une « économie mondiale » qui n'a aucun ancrage ni borne territoriale spécifique, mais détermine ou, plutôt, assigne des limites à ce que peuvent faire même les économies des États très grands et puissants. C'est au début des années 1970 que cette économie transnationale devint une force mondiale effective. Après 1973, elle continua de croître, et même plus rapidement encore au cours des Décennies de crise. Son émergence est largement à l'origine des problèmes de ces années de crise. Bien entendu, ce phénomène alla de pair avec une *internationalisation* croissante : entre 1965 et 1990, le pourcentage de la production mondiale exportée a doublé (*World Development*, 1992, p. 235).

Trois aspects de cette transnationalisation sont particulièrement saillants : les entreprises transnationales (souvent connues sous le nom de « multinationales »), la nouvelle division internationale du travail et l'essor de la finance *offshore*. Ce dernier aspect ne fut pas seulement l'une des toutes premières formes de transnationalisation à se développer : c'est aussi celle qui montre avec le plus d'éclat comment l'économie capitaliste s'est soustraite à tout contrôle, national ou autre.

Le terme « *offshore* » est entré dans le vocabulaire public au cours des années 1960 pour décrire la pratique consistant à domicilier le siège social des entreprises dans quelque territoire, en général tout petit et fiscalement généreux, qui permettait aux entrepreneurs d'éviter les impôts et les autres contraintes de leur pays d'origine. Car, au milieu du siècle, tout État ou territoire qui se respecte, si attaché qu'il fût à la liberté de faire du profit, avait, dans l'intérêt de sa population, soumis la vie économique légitime à divers contrôles et restrictions. Dans de minuscules territoires bienveillants – par exemple, Curaçao, les Îles Vierges et le Liechtenstein –, un assortiment opportunément complexe et ingénieux de failles dans la législation sur les sociétés et le travail pouvait faire des merveilles pour le bilan des entreprises. Car « l'essence des activités *offshore* consiste à transformer un nombre considérable de failles en une structure économique viable, mais échappant à toute réglementation » (Raw, Page et Hodgson, 1972, p. 83). Pour des raisons évidentes, l'*offshore* se prêtait particulièrement aux transactions financières, bien que le Panama et le Liberia eussent longtemps engraissé leurs hommes politiques par le système dit des « pavillons de complaisance », c'est-à-dire en enregistrant les navires marchands étrangers dont les propriétaires trouvaient trop lourdes les règles autochtones en matière de travail et de sécurité.

Dans les années 1960, une petite technique ingénieuse devait transformer le vieux centre financier international qu'était la City de Londres en un grand centre *offshore* mondial : ce fut l'invention des

« eurodevises », c'est-à-dire essentiellement des « eurodollars ». Les dollars déposés dans des banques non américaines et non rapatriés, essentiellement pour échapper aux restrictions de la législation bancaire des États-Unis, devinrent ainsi un instrument financier négociable. Ces dollars flottants, dont la masse prit des proportions considérables à la faveur de l'expansion des investissements américains à l'étranger et des énormes dépenses politiques et militaires des États-Unis, allaient devenir la base d'un marché mondial totalement incontrôlé, essentiellement sous la forme de prêts à court terme. Leur essor fut spectaculaire. Le marché net des eurodevises passa d'environ quatorze milliards de dollars en 1964 à près de 160 en 1973. La barre des 500 fut franchie cinq ans plus tard, lorsque ce marché devint le principal mécanisme de recyclage des pétrodollars, dont les pays de l'OPEP se demandèrent soudain comment ils allaient bien pouvoir les dépenser et les placer (p. 612). Les États-Unis furent le premier pays à se retrouver à la merci de ces immenses flux de capitaux sans attache, qui allaient en se multipliant, balayant le monde d'un pays à l'autre en quête de profits rapides. Pour finir, tous les gouvernements en furent les victimes, puisqu'ils perdirent le contrôle des taux de change et de la masse monétaire mondiale. Au début des années 1990, même l'action concertée des grandes banques centrales se révéla impuissante.

Que des entreprises basées dans un pays, mais travaillant dans plusieurs, étendent leurs activités était chose assez naturelle. Ces « multinationales » n'étaient pas non plus un phénomène nouveau. D'environ sept mille cinq cents en 1950, les filiales des sociétés américaines à l'étranger passèrent à plus de vingt-trois mille en 1966, pour l'essentiel en Europe de l'Ouest et dans l'hémisphère occidental (Spero, 1977, p. 92). Mais les entreprises des autres pays furent de plus en plus nombreuses à suivre le mouvement. La grande société allemande de chimie Hoechst, par exemple, s'implanta dans quarante-cinq pays pour un total de 117 filiales, soit créées de toutes pièces soit en association : sauf dans six cas, elle le fit après 1950 (Fröbel, Heinrichs, Kreye, 1986, tableau IIIA, p. 281 *sq.*). La nouveauté tenait plutôt à l'ampleur des opérations de ces entités transnationales. Au début des années 1980, les transnationales américaines assuraient plus des trois-quarts des exportations de leur pays et près de la moitié de ses importations ; les sociétés, britanniques ou étrangères de ce type, étaient responsables de plus de 80 % des exportations britanniques (*UN Transnational*, 1988, p. 90).

En un sens, ces chiffres sont hors de propos, puisque la principale fonction de ces sociétés était d'« internaliser les marchés par-delà les frontières nationales », c'est-à-dire de les rendre indépendantes de l'État et de son territoire. Une bonne partie de ce qui figure sous la rubrique importations ou exportations dans ces statistiques (encore fondamentalement compilées pays par pays) relève en fait du *commerce interne* de grandes transnationales comme General Motors, qui opérait dans quarante pays. La possibilité d'agir ainsi renforça naturellement la tendance à la concentration du capital, familière depuis Karl Marx. En 1960, on estimait déjà que le chiffre d'affaires des deux cents plus grandes entreprises du monde (non socialiste) équivalait à 17 % du PNB de cette partie du monde ; en 1984, ce pourcentage était passé à 26 %[3]. La plupart de ces transnationales étaient basées dans de grands États « développés ». En fait, 85 % des « 200 géants » étaient basées aux États-Unis, au Japon, en Grande-Bretagne et en Allemagne, le reste étant des entreprises rattachées à onze autres pays. Cependant, si les liens de ces supergéants avec leurs gouvernements d'origine avaient toute chance d'être étroits, on ne saurait guère prétendre qu'à la fin de l'Âge d'or celles-ci, sauf les entreprises japonaises et certaines sociétés essentiellement militaires, s'*identifiaient* aux intérêts de leurs gouvernements ou de leurs nations. « Ce qui est bon pour General Motors est bon pour les États-Unis », avait déclaré un magnat de Detroit à son entrée dans l'administration américaine : ce n'était plus aussi clair qu'autrefois. Comment cela aurait-il pu l'être quand le marché intérieur de Mobil Oil n'était qu'un marché parmi les cent où elle était implantée ? Ou que Daimler-Benz était présente sur 170 marchés ? La logique économique obligeait une compagnie pétrolière internationale à calculer sa stratégie et sa politique envers son pays d'attache exactement de la même façon qu'envers l'Arabie Saoudite ou le Venezuela : en termes de pertes et de profits d'un côté, de pouvoir relatif de la société et des pouvoirs publics de l'autre.

La tendance des transactions et des entreprises – et pas seulement celles d'une poignée de géants – à s'émanciper de l'État-nation traditionnel n'a fait que s'accentuer lorsque la production industrielle a commencé, d'abord lentement, puis de plus en plus vite, à quitter les pays d'Europe et l'Amérique du Nord, pionniers de l'industrialisation et du développement capitaliste. Ces pays restèrent la « centrale » de la croissance à l'Âge d'or. Au milieu des années 1950, les pays industriels s'étaient vendus les uns aux autres près des trois cinquièmes de leurs exportations manufacturières ; au début des années 1970, c'étaient encore les trois-quarts. Puis les choses commencèrent à changer. Le monde développé se mit à exporter un peu plus de ses produits manufacturés vers le reste du monde, mais, ce qui est plus significatif, le tiers-monde se mit à son tour à exporter à grande échelle des produits manufacturés vers les pays industriels développés. Comme les exportations traditionnelles de produits de base des régions arriérées perdaient du terrain (sauf les carburants minéraux, après la révolution de l'OPEP), ils commencèrent à s'industrialiser, de manière d'abord inégale, puis rapidement. Jusque-là stable aux alentours de 5 %, la part du tiers-monde dans les exportations industrielles mondiales devait plus que doubler entre 1970 et 1983 (Fröbel *et al.*, 1986, p. 200).

Une nouvelle division internationale du travail commença donc à miner l'ancienne. La société allemande Volkswagen implanta des usines automobiles en Argentine, au Brésil (trois usines), au Canada, en Équateur, en Égypte, au Mexique, au Nigeria, au Pérou, en Afrique du Sud et en Yougoslavie – pour l'essentiel après le milieu des années 1960. Loin d'approvisionner uniquement des marchés locaux en plein essor, les nouvelles industries du tiers-monde travaillaient aussi pour le marché mondial : en exportant des articles produits avec compétence par l'industrie locale (des textiles, par exemple, qui en 1970 avaient déjà pour l'essentiel émigré des vieux pays vers les pays « en voie de développement ») et en *s'inscrivant dans le processus transnational de fabrication*.

Telle fut l'innovation décisive de l'Âge d'or, même si elle ne prit toute son ampleur que plus tard. Elle n'aurait pu se produire sans la révolution des transports et des communications, grâce à laquelle il devint possible et économiquement réalisable d'éclater la production d'un même article entre Houston, Singapour et la Thaïlande ; de transporter par avion les pièces détachées entre ces divers centres ; et d'exercer un contrôle central sur tout le processus par les techniques informatiques modernes. Les grands producteurs électroniques amorcèrent leur mondialisation à compter du milieu des années

1960. Les chaînes de production n'étaient plus confinées dans un site unique, sous d'immenses hangars, mais couvraient la planète entière. Certaines s'arrêtaient dans les « zones de production franche » extra-territoriales ou dans les usines *offshore*, qui commencèrent alors à se répandre, essentiellement dans les pays pauvres avec une main-d'œuvre bon marché et le plus souvent jeune et féminine : un moyen de plus pour se soustraire au contrôle d'un seul État. L'une des toutes premières, Manaus, au cœur de la jungle amazonienne, fabriqua des textiles, des jouets, des articles de papier, des produits électroniques et des montres digitales destinés à des entreprises américaines, hollandaises et japonaises.

Tout cela se traduisit par un changement paradoxal dans la structure politique de l'économie mondiale. Le monde lui-même devenant l'unité de base réelle, les économies nationales des grands États cédèrent le pas à ces centres *offshore*, le plus souvent situés dans de petits ou minuscules États, qui s'étaient multipliés sans inconvénient avec l'effondrement des anciens empires coloniaux. À la fin du Court Vingtième Siècle, le monde, suivant la Banque mondiale, comptait 71 économies de moins de deux millions et demi d'habitants (dix-huit de moins de 100 000), soit les deux cinquièmes de toutes les unités politiques officiellement considérées comme des « économies » (*World Development*, 1992). Jusqu'à la Seconde Guerre mondiale, ces unités passaient, économiquement, pour des plaisanteries, en aucun cas pour de véritables États[4]. Elles étaient et demeurent certainement incapables de défendre leur indépendance nominale dans la jungle internationale, mais, à l'Âge d'or, il apparut clairement qu'elles pouvaient prospérer aussi bien, et parfois mieux, que les grandes économies nationales en offrant directement leurs services à l'économie mondiale. D'où l'essor des nouvelles Cités-États (Hong-Kong, Singapour) : forme d'entités politique qu'on avait vu fleurir pour la dernière fois au Moyen Âge. D'où aussi, dans le golfe Persique, les coins de désert transformés en grands acteurs sur le marché mondial des investissements (Koweït) et les multiples refuges *offshore* permettant de se soustraire au droit des États.

Cette situation devait donner aux mouvements ethniques nationalistes qui allèrent en se multipliant à la fin du siècle des arguments peu convaincants pour plaider la viabilité de la Corse ou des Canaries indépendantes. Peu convaincants, parce que la seule indépendance obtenue par la sécession était la séparation d'avec l'État-nation auquel ces territoires étaient précédemment associés. Économiquement, un tel divorce les rendrait très certainement plus dépendants des entités transnationales qui déterminent de plus en plus ces affaires. Pour les multinationales géantes, le monde le plus commode est un monde d'États nabots ou sans États.

V

Il était naturel que l'industrie quittât les zones à coûts élevés pour des sites de main-d'œuvre bon marché dès que l'opération devint techniquement possible et rentable. La découverte (peu surprenante) que certains viviers de main-d'œuvre non blanche étaient au moins aussi qualifiés et éduqués que la main-d'œuvre blanche fut une prime supplémentaire pour les industries de haute technologie. Il était cependant une raison particulièrement convaincante pour que l'expansion de l'Âge d'or se fît au détriment du noyau dur des pays d'industrialisation ancienne : elle tient au mélange « keynésien » bien particulier de croissance économique dans une économie capitaliste fondée sur la consommation de masse et d'une force de travail jouissant du plein-emploi et de mieux en mieux payée et protégée.

Ce mélange, on l'a vu, était une construction politique. Il reposait sur un consensus de fait entre la gauche et la droite dans la plupart des pays « occidentaux » – l'extrême droite fasciste et ultra-nationaliste ayant été éliminée de la scène politique par la Seconde Guerre mondiale, et l'extrême gauche communiste par la guerre froide. Il reposait aussi sur le consensus tacite ou explicite du patronat et des organisations syndicales pour contenir les revendications de la main-d'œuvre dans des limites qui ne mangeaient pas les profits et leur ménageaient des perspectives assez élevées pour justifier les investissements considérables sans lesquels la croissance spectaculaire de la productivité du travail au cours de l'Âge d'or n'eût jamais été possible. En fait, dans les seize économies de marché les plus industrialisées, l'investissement augmenta à un rythme annuel de 4,5 %, soit près de trois fois plus vite que de 1870 à 1913, même en tenant compte du taux relativement moins impressionnant de l'Amérique du Nord, qui tirait la moyenne vers le bas (Maddison, 1982, tableau 5.1, p. 96). Il s'agissait *de facto* d'un arrangement triangulaire, les gouvernements présidant, de manière officielle ou non, aux négociations institutionnalisées entre le capital et le travail, qui étaient désormais habituellement décrits, tout au moins en Allemagne, comme des « partenaires sociaux ». Après la fin de l'Âge d'or, les théologiens en vogue du marché s'en prirent sauvagement à ces arrangements, y dénonçant une forme de « corporatisme », mot qui renvoyait à des associations à demi oubliées et tout à fait déplacées avec le fascisme de l'entre-deux-guerres (voir p. 159-160).

Il s'agissait pourtant d'un accord acceptable par toutes les parties. Le patronat, qui ne voyait guère d'inconvénients à des hauts salaires durant une longue période d'expansion assortie de profits élevés, se félicitait de la prévisibilité qui rendait plus facile la planification. La main-d'œuvre bénéficiait d'augmentations régulières des salaires et d'avantages secondaires, ainsi que d'un État-providence qui croissait régulièrement et se montrait toujours plus généreux. Quant au gouvernement, cet accord lui assurait la stabilité politique, un affaiblissement des Partis communistes (sauf en Italie) et des conditions de gestion prévisibles pour la politique macro-économique que tous les États pratiquaient désormais. Et les économies des pays capitalistes industrialisés firent merveille, ne serait-ce que pour une raison : pour la première fois (hors de l'Amérique du Nord et, peut-être, de l'Australasie) une économie de consommation de masse vit le jour sur la base du plein-emploi et d'une hausse régulière des revenus réels, étayée par un système de sécurité sociale financé à l'époque par des recettes publiques croissantes. Dans l'euphorie des années 1960, certains gouvernements imprudents allèrent jusqu'à garantir aux chômeurs, alors peu nombreux, 80 % de leur ancien salaire.

Jusque dans les années 1960, la politique de l'Âge d'or fut à l'image de cet état de choses. La guerre fut partout suivie par des gouvernements fortement réformistes : rooseveltien aux États-Unis, à dominante socialiste ou social-démocrate chez presque tous les ex-belligérants d'Europe occidentale sauf en Allemagne de l'Ouest occupée (où il n'y eut d'institutions indépendantes ni d'élections avant 1949). Même les communistes siégèrent au gouvernement jusqu'en 1947 (voir p. 306-307). Le radicalisme des années de résistance affecta même les partis conservateurs naissants – en Allemagne de l'Ouest, les démocrates-chrétiens estimaient encore en 1949 que le capitalisme était mauvais pour leur pays (Leaman, 1948) ; ou, tout au moins, il leur était difficile de nager à contre-courant. En Grande-Bretagne, le parti conservateur revendiquait le mérite des réformes mises en œuvre par le gouvernement travailliste de 1945.

De manière un peu surprenante, le réformisme battit vite en retraite, mais pas le consensus. Ce sont des gouvernements conservateurs modérés qui devaient presque partout présider à la grande expansion des années 1950. Aux États-Unis (à partir de 1952), en Grande-Bretagne (dès 1951), en France (excepté de brefs épisodes de coalition), en Allemagne de l'Ouest, en Italie et au Japon, la gauche fut totalement écartée du pouvoir. En revanche, la Scandinavie resta social-démocrate et, dans d'autres pays, les partis socialistes siégèrent dans des gouvernements de coalition. Le recul de la gauche est pourtant indubitable, même s'il ne s'explique pas par une désaffection massive à l'égard des socialistes ou même des communistes en France et en Italie, où ils étaient le grand parti de la classe ouvrière[5]. Et ce recul ne devait rien non plus à la guerre froide, sauf peut-être en Allemagne, où le Parti social-démocrate (SPD) était « peu sûr » de l'unité allemande, et en Italie où il restait allié avec les communistes. Hormis les communistes, tout le monde était sincèrement antirusse. L'état d'esprit de la décennie d'expansion jouait déjà contre la gauche. Le temps n'était pas au changement.

Dans les années 1960, le centre de gravité du consensus se déplaça vers la gauche : peut-être en partie du fait du recul de plus en plus net du libéralisme devant la gestion keynésienne, même dans des bastions anticollectivistes comme la Belgique et l'Allemagne de l'Ouest ; mais peut-être aussi parce que les vieux messieurs qui avaient présidé à la stabilisation et à la renaissance du système capitaliste quittèrent la scène : Dwight Eisenhower (né en 1890) en 1960, Konrad Adenauer (né en 1876) en 1965, Harold Macmillan (né en 1894) en 1964. Même le grand Général de Gaulle (né en 1890) finit par se retirer (1969). On assista alors à un certain rajeunissement de la vie politique. En fait, les plus belles années de l'Âge d'or semblèrent propices à la gauche modérée, qui se retrouva de nouveau au gouvernement dans nombre d'États d'Europe de l'Ouest, après des années 1950 qui lui avaient été peu favorables. Ce glissement s'explique en partie par un déplacement de l'électorat, comme en Allemagne de l'Ouest, en Autriche et en Suède. Il annonça les changements encore plus frappants des années 1970 et du début des années 1980, lorsque les socialistes français et les communistes italiens enregistrèrent les meilleurs scores de toute leur histoire. Mais au fond, les structures électorales restèrent stables, les systèmes électoraux amplifiant des évolutions relativement mineures.

Il est cependant un parallélisme évident entre le glissement à gauche et la nouveauté publique la plus significative de la décennie : la formation d'États-providence au sens littéral du terme, c'est-à-dire d'États dans lesquels les dépenses sociales – maintien des revenus, soins de santé, éducation, etc. – devaient représenter la *plus grosse part* des dépenses publiques et où le personnel associé à ces activités formait le plus gros corps de fonctionnaires : au milieu des années 1970, 40 % en Grande-Bretagne et 47 % en Suède (Therborn, 1983). Les premiers États-providence, en ce sens, apparurent autour de 1970. Naturellement, le déclin des dépenses militaires au cours des années de détente accrut automatiquement la part des dépenses affectées à d'autres postes, mais l'exemple des États-Unis montre qu'il y eut un véritable changement. En 1970, alors que la guerre du Viêt-nam battait son plein, le nombre d'employés des établissements scolaires aux États-Unis devint pour la première fois sensiblement plus élevé que le nombre de « militaires et du personnel affecté à la défense civile » (*Statistical History*, 1976, II, p. 1102, 1104, 1141). À la fin des années 1970, tous les États capitalistes avancés étaient devenus des « États-providence ». Six États consacraient à cet effet plus de 60 % de leurs dépenses publiques (Australie, Belgique, France, Allemagne de l'Ouest, Italie, Pays-Bas). Ce qui devait produire des problèmes énormes après la fin de l'Âge d'or.

Pendant ce temps, la vie politique des « économies de marché développées » paraissait tranquille, sinon somnolente. Qu'est-ce qui pouvait enflammer les passions, hormis le communisme, les dangers de guerre nucléaire et les crises importées en leur sein par les activités impériales à l'étranger comme l'expédition de Suez en 1956 en Grande-Bretagne, la guerre d'Algérie en France (1954-1961) et, après 1965, la guerre du Viêt-nam aux États-Unis ? C'est bien pourquoi, autour de 1968, l'explosion soudaine et presque mondiale de radicalisme estudiantin prit par surprise la classe politique et les intellectuels plus âgés.

C'était le signe que l'équilibre de l'Âge d'or ne pouvait pas durer. Économiquement, il dépendait de la coordination entre la croissance de la productivité et celle des revenus de manière à maintenir la stabilité des profits. Un fléchissement de la hausse continue de la productivité et/ou une augmentation disproportionnée des salaires avaient un effet déstabilisateur. Il dépendait aussi d'un élément dramatiquement absent entre les deux guerres : l'équilibre entre la croissance de la production et le pouvoir d'achat des consommateurs. Les salaires devaient augmenter assez vite pour soutenir le marché, mais pas trop de manière à ne pas étrangler les profits. Mais comment maîtriser les salaires – à une époque de pénurie de main-d'œuvre –, ou les prix – en un temps de demande exceptionnellement florissante ? Autrement dit, comment maîtriser l'inflation ou, tout au moins, la contenir dans certaines limites ? Enfin, l'Âge d'or dépendait de la domination politique et économique écrasante des États-Unis, qui jouaient le rôle – parfois sans le vouloir – de stabilisateur et de garant de l'économie mondiale.

Dans le courant des années 1960, tous ces paramètres trahirent des signes d'usure et de craquement. L'hégémonie des États-Unis déclina et, ce recul s'accentuant, le système monétaire mondial fondé sur le lien entre l'or et le dollar s'effondra. On vit poindre certains signes de ralentissement de la productivité du travail dans plusieurs pays, et assurément de tarissement des migrations internes qui avaient nourri l'expansion industrielle. Après vingt ans, une nouvelle génération, pour qui l'expérience de l'entre-deux-guerres – le chômage de masse, l'insécurité, la stabilité ou la baisse des prix – appartenait à l'histoire, était devenue adulte. Elle avait ajusté ses attentes au seul vécu de son groupe d'âge : celui du plein-emploi et d'une inflation continue (Friedman, 1968, p. 11). Quelle que soit la situation spécifique qui déclencha « l'explosion salariale mondiale » à la fin des années 1960 – pénurie de main-d'œuvre, efforts croissants du patronat pour contenir les salaires réels ou, comme en France et en Italie, les grandes révoltes estudiantines – sa source était claire : une génération de travailleurs habitués à avoir ou à trouver un emploi découvrit que les hausses régulières et bienvenues si longtemps négociées par leurs syndicats étaient en fait très en deçà de ce que permettait le marché. Que l'on perçoive ou non un retour à la lutte des classes dans cette reconnaissance des réalités du marché (thèse qui fut celle de maints adeptes de la « nouvelle gauche » après 1968), le changement d'état d'esprit n'est pas douteux : le contraste est frappant entre la modération des négociations salariales avant 1968, d'un côté et les dernières années de l'Âge d'or, de l'autre.

Puisqu'il avait une incidence directe sur la marche de l'économie, le changement d'humeur de la main-d'œuvre était autrement plus lourd de conséquences que la grande explosion de troubles estudiantins autour de 1968, bien que les étudiants aient donné du matériau plus spectaculaire aux médias et davantage à se mettre sous la dent aux commentateurs. La révolte estudiantine fut un phénomène extérieur à l'économie et à la politique. Elle mobilisa une minorité bien particulière de la population, dans laquelle on reconnaissait encore à peine un groupe social particulier de la vie publique et qui, pour la plupart encore aux études, était encore largement en marge de la vie économique, si ce n'est comme acheteurs de disques de rock : la jeunesse (des classes moyennes). Sa signification culturelle fut bien plus grande que sa portée politique, qui était floue – à la différence des mouvements analogues dans le tiers-monde et les pays dictatoriaux (voir p. 434 et 576-577). Elle n'en eut pas moins valeur d'avertissement : ce fut un genre de *memento mori* pour une génération à moitié convaincue d'avoir résolu pour de bon les problèmes de la société occidentale. Les grands textes du réformisme de l'Âge d'or – *L'Avenir du socialisme* de Crosland, *La Société d'abondance* de J. K. Galbraith, *Au-delà de l'État-providence* de Gunnar Myrdal, et *La Fin des idéologies* de Daniel Bell, tous écrits entre 1956 et 1960 – reposaient sur le présupposé de l'harmonie intérieure croissante d'une société désormais fondamentalement satisfaisante, quand bien même on ne pouvait le démontrer. Autrement dit, ils s'appuyaient sur la confiance en l'économie du consensus social organisé. Ce consensus ne devait pas survivre aux années 1960.

1968 ne fut donc ni une fin ni un commencement : juste un signal. À la différence de l'explosion salariale, de l'effondrement du système financier international de Bretton Woods en 1971, du boom des matières premières en 1972-1973 et de la crise pétrolière de l'OPEP en 1973, il n'a guère de place dans l'explication que donnent les historiens de l'économie de la fin de l'Âge d'or, qui ne fut pas tout à fait

inattendue. Accélérée par la hausse rapide de l'inflation, l'accroissement massif de la masse monétaire mondiale et l'immense déficit
américain, l'expansion économique du début des années 1970 prit un
tour fébrile. Dans le jargon des économistes, le système souffrit de
« surchauffe ». De juillet 1972 à juillet 1973, le PIB réel des pays de
l'OCDE augmenta de 7,5 %, et la production industrielle réelle de
10 %. Les historiens, qui n'avaient pas oublié comment avait fini le
grand boom du milieu de l'époque victorienne, auraient bien pu se
demander si le système ne courait pas à sa perte. Ils auraient eu raison, mais je ne crois pas que quiconque ait prévu la chute de 1974.
Ni, peut-être, ne l'ait prise avec le sérieux qu'elle aurait mérité, car,
même si le PNB des pays industriels avancés a bel et bien *baissé* fortement – ce qui ne s'était pas produit depuis la guerre –, les gens pensaient encore les crises économiques à partir de la Crise de 1929, et il
n'y avait aucun signe de catastrophe. Comme d'habitude, la réaction
immédiate des contemporains en état de choc fut de chercher des raisons particulières à l'effondrement de l'ancienne expansion : « Une
conjonction peu habituelle de troubles malheureux peu susceptibles
de se répéter sur la même échelle, et dont l'impact fut aggravé par
quelques erreurs évitables », pour citer un texte de l'OCDE
(McCracken, 1977, p. 44). Les plus simplistes mirent tout sur le
compte de la cupidité des cheikhs pétroliers de l'OPEP. Tout historien qui impute les changements majeurs de la configuration de
l'économie mondiale à la malchance et à des accidents évitables
devrait reconsidérer la question. Et ce fut bel et bien un changement
majeur. Le krach passé, l'économie mondiale ne devait pas retrouver
son allant d'autrefois. Ce fut la fin d'une ère. 1973 inaugura de nouveau un âge de crise.

L'Âge d'or a perdu sa dorure. Il n'en avait pas moins inauguré et
largement accompli la révolution des affaires humaines la plus spectaculaire, rapide et profonde de toute l'histoire.

CHAPITRE 10

LA RÉVOLUTION SOCIALE, 1945-1990

« Lily : Ma grand-mère nous racontait des choses sur la Crise. Tu peux en lire aussi.

Roy : Ils ne cessent de nous rebattre les oreilles qu'on devrait être bien contents d'avoir de quoi manger et tout ça, parce que dans les années 1930 les gens crevaient de faim et n'avaient pas de boulot, et tout le tralala.

***

Bucky : Je n'ai jamais connu de Crise, alors ça ne me tracasse pas vraiment.

Roy : À ce qu'on entend, t'aurais eu horreur de vivre à cette époque.

Bucky : Eh bien, ce n'est pas à cette époque que je vis. »

Studs TERKEL,
Hard Times (1970, p. 22-23)

« Quand il [le général de Gaulle] *prit le pouvoir, il y avait en France un million de récepteurs télé* […]. *Quand il le quitta, il y en avait dix millions* […]. *Tout État est spectacle. Mais l'État-théâtre d'hier n'est pas l'État-télé d'aujourd'hui. »*

Régis DEBRAY (1994, p. 60)

I

Quand les hommes sont face à une chose à laquelle le passé ne les a nullement préparés, ils tâtonnent à la recherche de mots pour nommer l'inconnu, même lorsqu'ils ne peuvent ni le définir ni le comprendre. Dans le troisième quart du siècle, nous voyons ce processus à l'œuvre parmi les intellectuels de l'Occident. Le mot-clé était la petite préposition « après », généralement employée sous sa forme latine, « post », comme préfixe à l'un des nombreux termes qui, depuis quelques générations, servaient à marquer le territoire mental de la vie du XXᵉ siècle. Le monde, ou ses aspects pertinents, devint ainsi postindustriel, postmoderne, poststructuraliste, postmarxiste, post-Gutenberg ou je ne sais quoi. Comme des funérailles, ces préfixes avaient valeur d'acte officiel de décès sans impliquer le moindre consensus ni la moindre certitude quant à la nature de la vie après la mort. Ainsi la transformation la plus grande et la plus spectaculaire, la plus rapide et universelle de toute l'histoire humaine est-elle entrée dans la conscience des esprits réfléchis qui l'ont vécue.

La nouveauté de cette transformation réside dans son extraordinaire rapidité et dans son universalité. Certes, les parties développées du monde, c'est-à-dire les régions centrale et occidentale de l'Europe ainsi que l'Amérique du Nord, plus une petite zone cosmopolite, riche et puissante, située ailleurs, vivaient de longue date dans un monde de changement, de transformation technique et d'innovation culturelle constants. Pour elles, la révolution de la société mondiale fut une accélération ou une amplification du mouvement auquel elles étaient déjà accoutumées en principe. Après tout, les New-Yorkais du milieu des années 1930 levaient déjà les yeux sur un gratte-ciel, l'Empire State Building (1934), dont la hauteur ne devait être dépassée que dans les années 1970, et encore d'à peine une trentaine de mètres. Même dans ces parties du monde, il fallut un certain temps pour remarquer la transformation de la croissance matérielle quantitative en bouleversements qualitatifs de la vie, et plus encore pour en prendre la mesure. Mais sur la majeure partie du globe, les changements furent à la fois soudains et sismiques. Pour 80 % de l'humanité, le Moyen Âge s'arrêta subitement dans les années 1950. Mieux encore, peut-être, eut-on le *sentiment* qu'il était fini dans les années 1960.

À bien des égards, ceux qui vécurent ces évolutions sur le terrain n'en saisirent pas toute l'ampleur, puisqu'ils les ressentirent comme un phénomène progressif, ou comme des changements dans la vie des individus qui, si spectaculaires fussent-ils, n'apparaissaient pas comme des révolutions permanentes. Pourquoi la décision des ruraux de chercher du travail en ville aurait-elle impliqué dans leur esprit une transformation plus durable que, pour les Britanniques ou les Allemands, hommes ou femmes, le fait de rejoindre les forces armées ou quelque branche de l'économie de guerre au cours des deux conflits mondiaux ? Même si c'est ce qui se produisit, leur intention n'était pas de changer pour de bon de mode de vie. Seuls ceux qui les voient de l'extérieur, revisitant à intervalles les scènes de ces transformations, mesurent l'ampleur du changement. Par exemple, à quel point la ville de Valence du début des années 1980 n'a plus rien à voir avec la ville et la région du début des années 1950, lorsque l'auteur de ces pages a vu ce coin de l'Espagne pour la dernière fois. Ou à quel point un paysan sicilien – en fait, un bandit qui avait fait vingt ans de prison depuis le milieu des années 1950 – put se sentir désorienté lorsqu'il retourna dans les environs de Palerme, rendus méconnaissables par l'essor de l'immobilier urbain. « Où il y avait autrefois des vignobles, s'élèvent aujourd'hui des *palazzi* », me confia-t-il en hochant la tête d'un air incrédule. En vérité, le changement fut si rapide qu'on pourrait mesurer le temps historique en intervalles encore plus brefs. Moins de dix ans (1962-1971) séparent la ville de Cuzco où, hors de ses confins, la plupart des hommes indiens portaient encore le costume traditionnel, d'une Cuzco où une forte proportion d'entre eux s'était convertie au *cholo*, c'est-à-dire aux vêtements européens. À la fin des années 1970, les vendeurs du marché alimentaire d'un village mexicain faisaient déjà leurs additions sur des calculettes japonaises, encore inconnues au début de la décennie.

Les lecteurs qui ne sont pas assez âgés ni assez mobiles pour avoir vu l'histoire bouger de cette manière depuis 1950 ne sauraient en aucune façon espérer reproduire ces expériences, même si depuis les années 1960, (depuis que les jeunes Occidentaux ont découvert qu'il était possible et à la mode de voyager dans le tiers-monde), il suffit d'ouvrir grands les yeux pour observer la transformation mondiale. Quoi qu'il en soit, les historiens ne sauraient se satisfaire d'images et d'anecdotes, si significatives soient-elles. Ils ont besoin de spécifier et de compter.

Le changement social le plus spectaculaire et le plus lourd de conséquences de la seconde moitié de ce siècle, celui qui nous coupe à jamais du monde passé, c'est la mort de la paysannerie. Car, depuis le néolithique, la plupart des êtres humains avaient vécu de la terre et du bétail ou de la pêche. À l'exception de la Grande-Bretagne, les paysans et les fermiers continuèrent à former une frange massive de la population active, même dans les pays industrialisés, jusqu'au cœur du XXe siècle. À tel point que dans les années 1930, à l'époque où l'auteur de ces pages faisait ses études, le refus de la paysannerie de disparaître était encore un argument couramment avancé contre la prédiction marxienne de son dépérissement. Après tout, même à la veille de la Seconde Guerre mondiale, il n'y avait, outre la Grande-Bretagne, qu'un seul pays industriel où l'agriculture et la pêche employaient moins de 20 % de la population, c'était la Belgique. Même en Allemagne et aux États-Unis, les plus grandes économies industrielles, où le monde agricole avait décliné régulièrement, il représentait encore en gros 25 % de la population active. En France, en Suède et en Autriche, il se situait encore entre 35 % et 40 %. Quant aux pays agraires retardataires – la Bulgarie et la Roumanie, par exemple, en Europe –, c'est environ quatre habitants sur cinq qui travaillaient la terre.

Mais arrêtons-nous sur ce qui s'est passé dans le troisième quart du siècle. Peut-être n'est-il pas trop surprenant qu'au début des années 1980 moins de trois Britanniques ou Belges sur cent étaient dans l'agriculture, si bien que le Britannique moyen avait beaucoup plus de chance, dans la vie quotidienne, de rencontrer une personne qui avait autrefois cultivé la terre en Inde ou au Bangladesh qu'un ancien paysan du Royaume-Uni. La population agricole des États-Unis était tombée au même pourcentage, mais, compte tenu de son fort déclin à long terme, cette baisse était moins étonnante que le fait que cette infime fraction de la main-d'œuvre fût en mesure d'inonder les États-Unis et le monde de quantités de vivres sans précédent. Ce que peu auraient prévu dans les années 1940, c'est qu'au début des années 1980 *aucun* pays situé à l'ouest du « Rideau de Fer » ne comptait plus de 10 % de sa population engagée dans l'agriculture, exceptés la République irlandaise (dont le pourcentage était légèrement plus fort) et les États ibériques. Mais le simple fait qu'en Espagne et au Portugal les agriculteurs, qui représentaient juste un peu moins de la moitié de la population en 1950, fussent tombés respectivement à 14,5 et 17,6 % trente ans plus tard parle de lui-même. La paysannerie espagnole diminua de moitié en vingt ans à partir de 1950, de même que celle du Portugal à partir de 1960 (OIT, 1990, tableau 2A ; FAO, 1989).

Ce sont des chiffres spectaculaires. Au Japon, par exemple, les agriculteurs passèrent de 52,4 % de la population en 1947 à 9 % en 1985, c'est-à-dire entre le moment où un jeune soldat revint des batailles de la Seconde Guerre mondiale et celui de son retrait de la vie civile. En Finlande, pour prendre une histoire vraie connue de l'auteur, une fille de paysan qui, en premières noces, avait épousé un agriculteur et travaillé à la ferme devint une intellectuelle cosmopolite et une femme politique avant d'avoir atteint l'âge mûr. Mais en 1940, lorsque son père trouva la mort en hiver dans la guerre contre la Russie, laissant la mère et l'enfant en bas âge sur l'exploitation familiale, 57 % des Finnois étaient agriculteurs ou forestiers. Quand elle fêta ses 45 ans, ils étaient moins de 10 %. Quoi de plus naturel, dans ces conditions, que les Finnois aient commencé à travailler dans des fermes pour finir dans des circonstances très différentes ?

Pourtant, si la prédiction marxienne d'une élimination de la paysannerie par l'industrialisation était enfin en train de se réaliser dans les pays d'industrialisation impétueuse, le fait véritablement extraordinaire fut le déclin de la population agricole dans des pays dont les Nations unies essayaient de masquer l'absence patente d'un tel développement sous des euphémismes divers appelés à remplacer les mots « retardataires » ou « pauvres ». À l'heure même où, dans les années 1960, de jeunes gauchistes optimistes invoquaient la stratégie de Mao Zedong pour faire triompher la révolution, basée sur la mobilisation des campagnes, pour encercler les bastions urbains défenseurs du *statu quo*, des millions abandonnaient leurs villages pour s'installer en ville. [NdT : Mao assimilait les pays industrialisés à une « ville mondiale » et les pays sous-développés d'Asie, d'Afrique et d'Amérique latine à une « campagne mondiale ».] En Amérique latine, le pourcentage de paysans diminua de moitié en vingt ans en Colombie (1951-1973), au Mexique (1960-1980) – et (presque) au Brésil (1960-1980). Il chuta des deux tiers, ou presque, en République dominicaine

(1960-1981), au Venezuela (1961-1981) et en Jamaïque (1952-1981). Dans tous ces pays – excepté le Venezuela – les paysans représentaient la moitié de la population active, voire la majorité absolue, à la fin de la Seconde Guerre mondiale. Mais dès les années 1970, il n'y avait en Amérique latine – hors des mini-États d'Amérique centrale et d'Haïti – *aucun* pays où les paysans ne fussent pas minoritaires. La situation était semblable dans les pays de l'Islam occidental. En Algérie, les agriculteurs passèrent de 75 % de la population à 20 % ; en Tunisie, de 68 % à 23 % en à peine plus de trente ans ; de manière moins spectaculaire, le Maroc perdit sa majorité paysanne en dix ans (1971-1982). Au milieu des années 1950, près de la moitié de la population de la Syrie et de l'Irak travaillait encore la terre. En une vingtaine d'années, la première avait réduit ce pourcentage de moitié, le second à moins d'un tiers. De 55 % de paysans au milieu des années 1950, l'Iran en comptait 29 % au milieu des années 1980.

Dans le même temps, bien entendu, les paysans de l'Europe agraire cessèrent de cultiver la terre. Dans les années 1980, même les anciens bastions de l'agriculture paysanne de l'Est et du Sud-Est du continent n'avaient pas plus d'un tiers de leur main-d'œuvre dans le travail de la terre (Roumanie, Pologne, Yougoslavie, Grèce), et d'aucuns en avaient beaucoup moins : c'est le cas notamment de la Bulgarie avec 16,5 % en 1985. En Europe et au Moyen-Orient ou dans leur voisinage, il ne subsistait qu'un seul bastion paysan : la Turquie, où la paysannerie déclinait, mais formait encore la majorité absolue au milieu des années 1980.

Seules trois régions du globe restaient essentiellement dominées par leurs villages et leurs champs : l'Afrique sub-saharienne, l'Asie du Sud et l'Asie du Sud-Est continentale, et la Chine. C'étaient les seules zones où il était encore possible de trouver des pays que le déclin des agriculteurs avait apparemment épargnés, où ceux qui cultivent la terre et élèvent le bétail constituèrent tout au long de ces tumultueuses décennies une proportion stable de la population : plus de 90 % au Népal, près de 70 % au Liberia, près de 60 % au Ghana ou même – ce qui est un peu surprenant – environ 70 % en Inde tout au long des vingt-cinq années qui suivirent l'indépendance, et à peine moins (66,4 %) en 1981. Il est vrai que ces régions à dominante paysanne représentaient encore la moitié de l'espèce humaine à la fin de notre période, même si elles avaient tendance à s'émietter à la périphérie sous l'effet des pressions du développement économique. Le solide bloc paysan de l'Inde était entouré de pays dont les populations agricoles déclinaient à vue d'œil : le Pakistan, le Bangladesh et le Sri Lanka, où les paysans avaient de longue date cessé d'être majoritaires ; comme, dans les années 1980, en Malaisie, aux Philippines et en Indonésie, et, bien entendu, dans les nouveaux États industriels de l'Est asiatique, de Taiwan et de la Corée du Sud, dont plus de 60 % de la population travaillaient encore dans les champs en 1961. De surcroît, en Afrique australe, la prédominance paysanne de divers pays était une illusion de Bantoustan. L'agriculture, pour l'essentiel réservée aux femmes, n'était que la face visible d'une économie qui, en réalité, dépendait largement des envois de fonds de la main-d'œuvre masculine émigrée dans les villes blanches et les mines du sud.

Cet exode rural, massif et silencieux, sur l'essentiel de la planète, y compris les îles[1], a ceci d'étrange qu'il ne s'explique qu'en partie par les progrès agricoles, tout au moins dans les anciennes régions paysannes. À une ou deux exceptions près (*cf.* chapitre 9), les pays industriels développés se transformèrent en gros producteurs de produits agricoles pour le marché mondial, et ils le firent en réduisant leur paysannerie effective à un pourcentage régulièrement décroissant et, parfois, ridiculement faible de leur population. Cela fut manifestement le fruit d'une extraordinaire poussée de la productivité par tête dans une agriculture à forte intensité de capital. Son aspect le plus immédiatement visible était la quantité de machines que le paysan (homme ou femme) des pays riches et développés avait désormais à sa disposition : grâce à elles, se réalisèrent les grands rêves d'abondance *via* l'agriculture mécanisée qui inspira ces symboliques tractoristes torse nu des photos de propagande de la jeune République soviétique, bien que son agriculture n'ait notoirement pas été à la hauteur. Moins visibles, mais tout aussi significatives, furent les réalisations de plus en plus impressionnantes de la chimie agricole, de l'élevage sélectif et de la biotechnologie. Dans ces conditions, l'agriculture ne nécessitait plus le nombre de mains et de bras sans lesquels, en des temps pré-technologiques, une récolte ne pouvait être rentrée, ni le même nombre de familles agricoles régulières et de travailleurs à temps plein. Et quand ils étaient nécessaires, les transports modernes rendaient inutiles de les garder à la campagne. Ainsi, dans les années 1970, les éleveurs de moutons de Perthsire (en Écosse) découvrirent qu'il était rentable d'importer des tondeurs spécialisés de Nouvelle-Zélande pour la brève saison de la tonte qui, naturellement, ne coïncidait pas avec celle de l'hémisphère austral.

Même si elle fut plus inégale, la révolution agricole ne fut pas absente des régions pauvres du monde. En vérité, sans l'irrigation et l'*input* de la science à travers la « révolution verte »[2], si controversées qu'en puissent être les conséquences à long terme, de grandes parties de l'Asie du Sud et du Sud-Est n'auraient jamais pu nourrir une population en pleine croissance. Dans l'ensemble, pourtant, le tiers-monde et certaines parties du deuxième monde (anciennement ou encore socialiste) ne se suffisaient plus à eux-mêmes, et *a fortiori* ne produisaient pas le grand excédent agricole exportable qu'on pouvait attendre des pays agraires. Au mieux étaient-ils encouragés à se concentrer sur les cultures spécialisées destinées au marché du monde développé, tandis que leurs paysans, quand ils n'achetaient pas les excédents vendus à perte par le Nord, continuaient à biner et à labourer suivant leurs anciennes méthodes à forte intensité de main-d'œuvre. Ils n'avaient pas de bonnes raisons d'abandonner une agriculture qui avait besoin de leur travail, si ce n'est peut-être l'explosion démographique qui rendait la terre plus rare. Mais les régions qui perdaient leurs paysans étaient souvent, comme en Amérique latine, des régions au peuplement clairsemé et avaient généralement des frontières ouvertes vers lesquelles une petite proportion de ruraux migraient en qualité de squatters ou de colons – formant souvent, comme en Colombie et au Pérou, la base politique des mouvements locaux de guérilla. Inversement, les régions asiatiques où la paysannerie se maintint le mieux étaient peut-être les plus densément peuplées du monde, avec des densités de 100 à 800 par km^2 (la moyenne est de 16 en Amérique du Sud).

Lorsque la terre se vide, les villes se remplissent. Le monde de la seconde moitié du XXe siècle s'urbanisa comme jamais auparavant. Au milieu des années 1980, 42 % de sa population était urbaine, et sans le poids des immenses populations rurales de la Chine et de l'Inde, qui rassemblaient les trois-quarts des ruraux asiatiques, c'eût été une majorité (*Population*, 1984, p. 214). Mais même dans les centres ruraux, la population quittait la campagne pour les villes, surtout les grandes agglomérations. La population urbaine du Kenya doubla entre 1960 et 1980, même si elle n'atteignait que 14,2 % en 1980 ; mais près de six citadins sur dix habitent maintenant à Nairobi, contre quatre sur dix seulement vingt ans plus tôt. En Asie, les mégapoles de plusieurs millions d'habitants – souvent les capitales – se répandirent comme des champignons : Séoul, Téhéran, Karachi, Djakarta, Manille, New Delhi, Bangkok : toutes comptaient entre 5 et 8,8 millions d'habitants en 1980 et devraient atteindre entre 10 et 13,5 millions d'ici l'an 2000. En 1950, pas une seule (sauf Djakarta) ne comptait plus d'un million et demi d'habitants (*World Resources*, 1986). En fait, à la fin des années 1980, les agglomérations urbaines de loin les plus gigantesques se trouvaient dans le tiers-monde : Le Caire, Mexico, São Paulo et Shanghai, dont les populations dépassaient la barre des dix millions. Car, paradoxalement, alors que le monde développé restait beaucoup plus urbanisé que le monde pauvre (sauf dans certaines parties de l'Amérique latine et de la zone islamique), ses propres cités géantes se dissolvaient. Elles avaient atteint leur apogée au début du XXe siècle, avant que la fuite vers les banlieues et les communautés satellites extra-urbaines ne s'accélérât, le centre-ville devenant une coquille vide la nuit une fois rentrés chez eux les travailleurs, les commerçants et les amateurs de divertissements nocturnes. Tandis qu'après 1950 la population de Mexico a presque quintuplé en trente ans, New York, Londres et Paris se sont dépeuplées, pour sortir de la ligue des grandes villes, ou tout au moins tomber dans la gamme inférieure.

Étrangement, il y eut pourtant convergence de l'Ancien et du Nouveau monde. La « grande ville » typique du monde développé devint une zone de peuplements urbains liés, généralement focalisés sur un ou plusieurs quartiers centraux – administratifs ou d'affaires – reconnaissables du ciel à leurs chaînes de grands immeubles et de gratte-ciel – sauf dans les villes où, comme à Paris, les gratte-ciel n'étaient pas autorisés[3]. À partir des années 1960, une nouvelle révolution des transports publics devait mettre en évidence leur interconnexion ou peut-être l'explosion du trafic privé sous la pression de la croissance massive du parc automobile. Depuis les premiers tramways et l'aménagement des premières lignes de métro à la fin du XIXe siècle, jamais autant de nouvelles lignes et de nouveaux réseaux express régionaux n'avaient été construits en autant de villes : de Vienne à San Francisco, et de Séoul à Mexico. Parallèlement, la décentralisation s'est développée, la plupart des communautés ou des complexes de banlieue créant leurs propres centres de *shopping* et de loisirs, notamment avec les grands centres commerciaux périphériques *(shopping malls)*, dont les Américains furent les pionniers.

De surcroît, bien qu'également desservie par des réseaux de transports publics (souvent obsolètes et insuffisants) et une myriade d'autobus privés déglingués et de « taxis collectifs », la ville du tiers-monde était nécessairement dispersée et mal structurée. Il ne saurait en aller autrement pour des agglomérations de dix à vingt millions d'habitants – surtout quand les différentes colonies de peuplement sont nées de bidonvilles, souvent créés par des squatters sur des terrains vagues. Les habitants de ces villes sont parfois astreints à plusieurs heures de déplacement pour rejoindre leur lieu de travail et en revenir (car un travail régulier est précieux), à moins qu'ils ne veuillent faire des pèlerinages d'égale longueur vers des lieux de rituel public, comme le Stade Maracanã de Rio de Janeiro (deux cent mille places), où les Cariocas adorent les dieux du *futebol*. Mais, en fait, les conurbations de l'Ancien et du Nouveau Monde devaient de plus en plus prendre la forme de groupes de communautés théoriquement – en Occident, souvent officiellement – autonomes, même si dans le riche Occident, tout au moins à la périphérie, elles comptaient beaucoup plus d'espaces verts que dans l'Est et le Sud, pauvres et surpeuplés. Tandis que dans les taudis et les bidonvilles les êtres humains vivaient en symbiose avec des hordes robustes de rats et de blattes, l'étrange *no man's land* entre ville et campagne entourant ce qui restait du « centre ville » dans le monde développé a été colonisé par la faune des bois : belettes, renards et ratons laveurs.

II

Presque aussi spectaculaire que le déclin et la chute de la paysannerie, et beaucoup plus universel, fut l'essor des activités professionnelles nécessitant des études secondaires et supérieures. L'enseignement primaire universel, c'est-à-dire l'alphabétisation de base, a effectivement été l'aspiration de la quasi-totalité des gouvernements, au point qu'à la fin des années 1980 seuls les États les plus honnêtes ou les plus démunis admettaient encore avoir une population à moitié illettrée. Une dizaine seulement – tous en Afrique, sauf l'Afghanistan – étaient prêts à admettre que moins de 20 % de leur population savait lire et écrire. Et l'alphabétisation fit des progrès saisissants, notamment dans les pays révolutionnaires sous régime communiste, dont les réalisations à cet égard furent bel et bien des plus impressionnantes, quand bien même ils péchaient parfois par optimisme en prétendant avoir « liquidé » l'analphabétisme en un laps de temps aussi invraisemblablement court. Mais, que l'alphabétisation des masses fût ou non générale, la demande de places dans l'enseignement secondaire et surtout supérieur se multiplia à un rythme extraordinaire. Tout comme le nombre de ceux qui y étaient passés ou qui y passaient.

Cette explosion des effectifs fut particulièrement spectaculaire dans l'enseignement universitaire, jusque-là rare au point d'être démographiquement négligeable, sauf aux États-Unis. Avant la Seconde Guerre mondiale, même l'Allemagne, la France et la Grande-Bretagne – trois des pays les plus grands, les plus riches et à l'enseignement le plus développé, pour une population totale de 150 millions d'habitants – ne comptaient pas plus de 150 000 étudiants, soit 0,1 % de la population. À la fin des années 1980, les étudiants se comptaient pourtant en millions en France, en République fédérale d'Allemagne, en Italie, en Espagne et en URSS (pour ne citer que quelques pays européens), sans parler du Brésil, de l'Inde, du Mexique, des Philippines et, bien entendu, des États-Unis, qui avaient été les pionniers en matière d'enseignement supérieur de masse. À cette date, dans les pays ambitieux en ce domaine, les étudiants formaient plus de 2,5 % de la population *totale* – hommes, femmes et enfants – ou même, dans des cas exceptionnels, plus de 3 %. Il n'était pas rare de trouver 20 % d'étudiants parmi les 20-24 ans. Même les pays à cet égard les plus conservateurs – la Grande-Bretagne et la Suisse – avaient atteint les 1,5 %. De surcroît, quelques-uns des effectifs estudiantins les plus importants, en termes relatifs, se trouvaient dans des pays économiquement loin des pays avancés : en Équateur (3,2 %), aux Philippines (2,7 %) ou au Pérou (2 %).

Cette évolution fut non seulement nouvelle, mais très soudaine. « Ce qui frappe, c'est que les étudiants latino-américains aient été si

peu nombreux au milieu des années 1960 » (Liebman, Walker, Glazer, 1972, p. 35), observèrent des chercheurs américains au cours de
cette décennie, convaincus que cela était en rapport avec le modèle
d'enseignement supérieur élitiste à l'européenne qui prévalait au Sud
du Rio Grande. Et ce, bien que leurs effectifs eussent augmenté de
près de 8 % par an. En fait, ce n'est que dans les années 1960 que les
étudiants étaient incontestablement devenus, sur le plan social aussi
bien que politique, une force beaucoup plus importante que jamais :
en 1968, les explosions mondiales du radicalisme estudiantin
devaient parler plus fort que les statistiques. Mais on ne pouvait plus
fermer les yeux sur celles-ci. Entre 1960 et 1980, pour s'en tenir à
l'Europe bien scolarisée, le nombre d'étudiants tripla ou quadrupla
dans le pays le plus typique, mais les effectifs furent multipliés par
quatre ou cinq en Allemagne fédérale, en Irlande et en Grèce ; par
cinq ou sept, en Finlande, en Islande, en Suède et en Italie ; et par
sept ou neuf en Espagne et en Norvège (Burloiu, UNESCO, 1983,
p. 62-63). À première vue, il est curieux de constater que la ruée vers
les universités soit moins marquée dans les pays socialistes, si fiers
fussent-ils de leur éducation de masse – bien que le cas de la Chine
de Mao soit aberrant : le Grand Timonier abolit pratiquement tout
enseignement supérieur au cours de la Révolution culturelle (1966-
1976). Les troubles des systèmes socialistes allant en augmentant au
cours des années 1970 et 1980, leur retard sur l'Occident se creusa.
En pourcentage de leur population, la Hongrie et la Tchécoslovaquie
comptaient moins d'étudiants que presque tous les autres États européens.

Les choses paraissent-elles aussi curieuses quand on y regarde de
plus près ? Peut-être pas. L'extraordinaire essor de l'enseignement
supérieur qui, au début des années 1980, se solda par au moins sept
pays comptant plus de 100 000 enseignants de niveau universitaire
s'explique par la pression du consommateur, à laquelle les systèmes
socialistes n'étaient pas prêts à répondre. Pour les planificateurs et
les pouvoirs publics, il était évident que l'économie moderne nécessitait beaucoup plus d'administrateurs, d'enseignants et de techniciens que par le passé et qu'il fallait bien les former quelque part :
suivant une ancienne tradition, les universités et les établissements
analogues d'enseignement supérieur servaient largement de préparation à l'administration publique et aux professions spécialisées. Mais

alors que ce constat et un parti pris démocratique général justifiaient une forte expansion de l'enseignement supérieur, l'ampleur de l'explosion estudiantine devait dépasser de beaucoup ce qu'avait pu envisager une planification rationnelle.

Quand le choix ou l'occasion se présentaient, les familles s'empressaient de mettre leurs rejetons dans l'enseignement supérieur, parce que c'était de loin la meilleure façon de leur assurer un revenu plus confortable et, surtout, un statut social plus élevé. Parmi les étudiants latino-américains de divers pays interrogés par les enquêteurs américains du milieu des années 1960, entre 79 et 95 % étaient convaincus que les études leur permettraient d'accéder à une classe sociale supérieure dans les dix ans. Entre 21 et 38 % seulement estimaient qu'elles leur vaudraient une situation économique beaucoup plus élevée que celle de leur famille (Liebman, Walker, Glazer, 1972). En fait, elles devaient très certainement leur donner un revenu supérieur à celui des non-diplômés ; et, dans les pays où l'enseignement était peu développé et où l'obtention d'un diplôme était la garantie d'une place dans l'appareil d'État, et donc de pouvoir, d'influence et d'exactions financières, elles pouvaient être la clé de la fortune. La plupart des étudiants étaient bien entendu issus de familles mieux loties que la plupart – comment auraient-elles pu autrement se permettre de payer de longues années d'étude à de jeunes adultes en âge de travailler ? – mais pas nécessairement riches. Souvent, les parents consentaient de réels sacrifices. Ainsi a-t-on pu dire que le miracle éducatif coréen reposait sur les carcasses de vaches vendues par les petits paysans afin de pousser leurs enfants dans les rangs honorés et privilégiés des lettrés. En huit ans, de 1975 à 1983, leurs effectifs devaient passer de 0,8 % à près de 3 % de la population. Quiconque a été le premier de sa famille à fréquenter l'université n'aura aucune difficulté à comprendre leurs motivations. Le grand boom mondial aura permis à d'innombrables familles modestes – cols blancs et fonctionnaires, boutiquiers et petits hommes d'affaires, paysans, et, en Occident, même les ouvriers qualifiés – de payer des études à leurs enfants. L'État-providence occidental, à commencer par les bourses que les autorités américaines distribuèrent aux démobilisés qui voulaient faire des études après 1945, allait, sous une forme ou sous une autre, offrir une aide substantielle aux étudiants, même si la plupart d'entre eux devaient encore s'attendre à une vie notoirement dénuée de luxe. Dans les pays démocratiques et égalitaires, s'imposa souvent un genre de droit pour les bacheliers à grimper plus haut, au point qu'en 1991 la sélection à l'entrée des universités était encore jugée constitutionnellement impossible en France. (Il n'existait aucun droit de ce genre dans les pays socialistes.) Les jeunes gens se lançant dans des études supérieures, les pouvoirs publics – car, en-dehors des États-Unis, du Japon et de quelques autres pays, les universités étaient dans leur écrasante majorité publiques plutôt que privées – multiplièrent les nouveaux établissements pour les accueillir. Ce fut surtout le cas dans les années 1970, qui ont vu plus que doubler le nombre des universités dans le monde[4]. Et, naturellement, les anciennes colonies qui venaient d'accéder à l'indépendance et qui se multiplièrent dans les années 1960 voulurent à leur tour avoir leurs établissements d'enseignement supérieur : symbole d'indépendance au même titre qu'un drapeau, une compagnie d'aviation ou une armée.

Ces masses de jeunes gens et leurs enseignants, qui se comptaient par millions ou au moins par centaines de milliers dans tous les États sauf les plus petits et ceux qui étaient exceptionnellement arriérés, de plus en plus concentrés sur de grands campus ou dans des « cités universitaires » souvent isolés, furent un facteur nouveau dans la culture comme dans la vie politique. Elles étaient transnationales : les idées et les expériences circulaient et s'échangeaient par-delà les frontières aussi facilement que rapidement ; et probablement étaient-elles plus à l'aise que les gouvernements avec la technologie des communications. Ainsi que les années 1960 devaient le montrer, elles n'étaient pas simplement politiquement « radicales » et explosives : elles se révélèrent singulièrement efficaces pour donner une expression nationale, voire internationale, au malaise politique et social. Dans les dictatures, ces masses estudiantines étaient souvent les *seuls* corps de citoyens capables d'une action politique collective. Alors que les autres populations estudiantines de l'Amérique latine augmentaient, il est significatif que leurs effectifs aient diminué après 1973 dans le Chili de Pinochet : de 1,5 à 1,1 % de la population. Et si, dans l'Âge d'or d'après 1945, il est un seul moment qui corresponde au bouleversement mondial simultané dont les révolutionnaires avaient rêvé après 1917, c'est certainement 1968, lorsque, des États-Unis et du Mexique, en Occident, jusqu'à la Pologne, la Tchécoslovaquie et la Yougoslavie, dans le camp socialiste, les étudiants se rebellèrent, largement stimulés par l'extraordinaire explosion de mai 68 à Paris, épicentre d'une révolte estudiantine à l'échelle du Continent. Ce fut loin d'être une révolution, même si ce fut beaucoup plus que le « psychodrame » ou le « théâtre de rue » dont parlèrent avec mépris des observateurs d'un certain âge comme Raymond Aron. Après tout, 1968 sonna le glas de l'ère du général de Gaulle en France, de l'ère des présidents démocrates aux États-Unis, des espoirs d'un communisme libéral en Europe centrale communiste ; et, à travers les contrecoups silencieux du massacre des étudiants de Tlatelolco, il inaugura une ère nouvelle dans la vie politique mexicaine.

Si 1968, avec son prolongement en 1969 et 1970, ne fut pas une révolution, et n'a jamais semblé devoir ni pouvoir en être une, c'est que les étudiants, si nombreux et mobilisables fussent-ils, ne pouvaient espérer la faire seule. Leur efficacité politique reposait sur leur aptitude à servir de signaux et de détonateurs à des groupes plus vastes, mais moins facilement combustibles. Depuis les années 1960, les étudiants y sont parfois parvenus. Ainsi déclenchèrent-ils d'immenses vagues de grèves ouvrières en France et en Italie dans les années 1968-1969, mais après vingt années d'amélioration sans parallèle pour les salariés des économies de plein-emploi, la révolution était la dernière chose qui fût dans l'esprit des masses prolétariennes. Ce n'est que dans les années 1980 – et alors, dans des pays non démocratiques aussi différents que la Chine, la Corée du Sud et la Tchécoslovaquie – que des révoltes estudiantines ont paru effectivement servir de détonateur à la révolution ou, tout au moins, obliger les gouvernements à les traiter comme un danger public sérieux en les massacrant à grande échelle, comme à Pékin, sur la place Tienanmen. Après l'échec des grands rêves de 1968, certains étudiants extrémistes essayèrent bel et bien de faire la révolution seuls en recourant à un terrorisme de groupuscule. Mais, malgré la publicité qui fut faite à ces mouvements (qui atteignirent ainsi au moins un de leurs objectifs), ils eurent rarement un impact politique sérieux. Lorsqu'ils menaçaient d'en avoir, ils furent assez vite réprimés dès que les autorités se décidèrent à agir : dans les années 1970, avec une brutalité sans pareille et en recourant systématiquement à la torture dans les « guerres sales » d'Amérique du Sud ; en Italie, par des prébendes et des négociations en coulisses. Dans la dernière décennie du siècle, les seuls survivants significatifs de ces initiatives sont les terroristes nationalistes basques de l'ETA et la guérilla paysanne théoriquement communiste du Sentier lumineux au Pérou – don intempestif du personnel et des étudiants de l'Université d'Ayacucho à leurs compatriotes.

Ce qui ne laisse pas moins en suspens une question un peu déroutante : pourquoi, seul de tous les acteurs sociaux anciens et nouveaux de l'Âge d'or, le mouvement social estudiantin a-t-il choisi l'extrême gauche ? Car, si nous laissons de côté les rebelles contre les régimes communistes, même les mouvements d'étudiants nationalistes ont eu tendance jusque dans les années 1980 à coudre sur leurs étendards l'insigne rouge de Marx, de Lénine ou de Mao.

À certains égards, cela nous entraîne inévitablement par-delà la stratification sociale, car le nouveau corps estudiantin était aussi, par définition, un groupe d'âge de la jeunesse, c'est-à-dire une escale temporaire sur le chemin de la vie ; il comptait, en outre, un nombre rapidement croissant, et d'une importance inhabituelle, de femmes, suspendues entre le caractère passager de leur âge et la permanence de leur sexe. Nous reviendrons plus loin sur la formation de cultures propres à la jeunesse, rattachant les étudiants aux autres membres de leur génération, et sur la prise de conscience des femmes, qui ne resta pas non plus confinée aux universités. Non encore installés dans l'âge adulte, les groupes de jeunes sont le foyer traditionnel de l'entrain, des débordements et des désordres : même les recteurs des universités médiévales le savaient. Et, comme des générations de parents bourgeois, en Europe, l'ont répété à des générations de fils, puis de filles, sceptiques, les passions révolutionnaires sont plus fréquentes à dix-huit qu'à trente-cinq ans. En vérité, cette conviction était si bien ancrée dans les cultures occidentales que l'*establishment* de plusieurs pays – essentiellement latins, de part et d'autre de l'Atlantique – ne faisait aucun cas du militantisme étudiant dans la jeune génération, même quand il allait jusqu'à la lutte armée. Au plus y voyait-on le signe d'une personnalité enflammée. Ainsi disait-on par plaisanterie que les étudiants de San Marcos, à Lima, « faisaient leur service révolutionnaire » dans quelque secte ultra-maoïste avant de se ranger, de se trouver une solide profession bourgeoise et de devenir apolitiques : pendant ce temps, la vie normale continuait comme à l'accoutumée dans ce malheureux pays (Lynch, 1990). Les étudiants mexicains eurent tôt fait d'apprendre, *primo* que l'appareil de l'État et du parti recrutait essentiellement ses cadres dans les universités et, *secundo,* que plus les étudiants étaient révolutionnaires, meilleurs étaient les postes qu'ils étaient susceptibles de se voir proposer une fois diplômés. Mais même dans la respectable France, l'ex-mao des années 1970 qui a fait ensuite une brillante carrière au service de l'État est devenu un phénomène familier.

Néanmoins, cela n'explique pas pourquoi des corps de jeunes gens devant qui s'ouvrait manifestement un meilleur avenir qu'à leurs parents, ou en tout cas qu'à la plupart des non-étudiants, aient été, à de rares exceptions près, attirés par l'extrémisme politique[5]. En fait, une forte proportion d'entre eux ne le fut probablement pas, préférant concentrer leurs efforts sur l'obtention de diplômes qui garantissaient leur avenir. Mais ils se firent moins remarquer que la minorité – tout de même numériquement importante – d'étudiants politiquement actifs, surtout quand ces derniers dominaient les parties visibles de la vie universitaire à travers des manifestations publiques : des murs couverts de graffitis ou d'affiches aux assemblées générales, défilés ou piquets de grève. Reste que même ce degré de radicalisation à gauche était un phénomène nouveau dans les pays développés, mais pas dans les pays retardataires et dépendants. Avant la Seconde Guerre mondiale, la grande majorité des étudiants d'Europe centrale et occidentale et d'Amérique du Nord était apolitique ou de droite.

La simple explosion des effectifs suggère une réponse possible. À la fin de la Seconde Guerre mondiale, la France comptait moins de 100 000 étudiants. En 1960, ils étaient plus de 200 000 ; leur nombre devait ensuite tripler en dix ans pour atteindre 651 000 (Flora, p. 582 ; *Deux Ans*, 1990, p. 4). Dans ces dix années, le nombre d'étudiants en lettres fut multiplié par presque trois et demi ; en sciences sociales, par quatre. La conséquence la plus immédiate et directe fut une tension inévitable entre ces masses d'étudiants, essentiellement de première génération, affluant soudain dans les universités et les institutions qui, ni dans leur organisation, ni matériellement ni intellectuellement, n'étaient préparées à un tel afflux. De surcroît, alors qu'une proportion croissante du groupe d'âge avait la chance de faire des études – en France, 4 % en 1950, mais 15,5 % en 1970 –, entrer à l'université cessa d'être un privilège exceptionnel qui était en soi sa propre récompense, et les contraintes que cela imposait à des jeunes adultes (généralement impécunieux) furent plus mal vécues. La rancœur à l'égard d'une forme d'autorité, celle de l'université, s'étendit aisément à toute forme d'autorité ; et, en Occident, elle poussa les étudiants à gauche. Que les années 1960 soient devenues la décennie par excellence des troubles estudiantins n'a rien de surprenant. Des raisons particulières lui donnèrent plus d'ampleur dans tel ou tel pays – l'hostilité à la guerre du Viêt-nam (c'est-à-dire au service militaire) aux États-Unis, le ressentiment racial au Pérou (Lynch, 1990, p. 32-37) – mais le phénomène fut trop global pour nécessiter des explications *ad hoc*.

Et pourtant, en un sens plus général, moins définissable, cette nouvelle masse d'étudiants était, pour ainsi dire, en porte-à-faux vis-à-vis du reste de la société. À la différence des autres classes ou groupes sociaux installés de plus longue date, les étudiants n'avaient pas dans la société de situation bien définie ni de formes de relations établies avec elle : car comment comparer ces nouvelles armées d'étudiants aux corps relativement minuscules de l'avant-guerre (quarante mille dans l'Allemagne bien éduquée de 1939), qui ne représentaient qu'une phase transitoire dans la vie des classes moyennes ? À bien des égards, leur existence même posait des questions sur la société qui les avait engendrées, et, des questions à la critique, il n'y a qu'un pas. Comment ces nouvelles masses s'y inscrivaient-elles ? Quel genre de société était-ce ? La jeunesse du corps estudiantin, l'ampleur même du fossé des générations entre ces enfants du monde de l'après-guerre et les parents qui se souvenaient et comparaient rendaient leurs questions plus pressantes, leur attitude plus critique. Car les malaises des jeunes n'étaient pas étouffés par la conscience de vivre des temps de progrès renversants, bien meilleurs que leurs parents n'eussent jamais espéré en voir. Les temps nouveaux étaient les seuls que connaissaient les jeunes gens qui allaient en fac. Au contraire, ils avaient le sentiment que les choses pouvaient être différentes et meilleures, même s'ils ne voyaient pas tout à fait comment. Habitués à des temps d'épreuves et de chômage, ou tout au moins en ayant gardé le souvenir, leurs aînés ne s'attendaient pas à une mobilisation radicale des masses à une époque où, assurément, les incitations économiques étaient plus infimes qu'elles ne l'avaient jamais été. Or l'explosion de troubles estudiantins intervint au faîte même de la grande expansion mondiale, parce qu'elle était vaguement et aveuglément dirigée contre ce qui leur paraissait caractéristique de *cette* société, non contre les progrès encore insuffisants de l'ancienne société. Paradoxalement, le fait que le nouvel extrémisme ait trouvé son élan dans des groupes à l'abri des difficultés économiques stimula même les groupes habitués à se mobiliser sur une base économique : ainsi découvrirent-ils que, somme toute, ils pouvaient demander bien plus à la nouvelle société qu'ils ne l'avaient imaginé. L'effet le plus immédiat de la révolte estudiantine en Europe fut une vague de grèves ouvrières pour obtenir des augmentations de salaires et de meilleures conditions de travail.

III

À la différence des populations rurales et estudiantines, les classes ouvrières industrielles ne connurent pas de séismes démographiques avant les années 1980, lors desquelles s'amorça un déclin très notable. Cela a de quoi surprendre quand on songe à tous les discours tenus dès les années 1950 sur l'avènement d'une « société postindustrielle », mais aussi au caractère réellement révolutionnaire des transformations techniques de la production, qui pour la plupart, économisaient, court-circuitaient ou éliminaient de la main-d'œuvre, ainsi qu'à la crise évidente que traversèrent à partir de 1970 les partis et mouvements politiques qui s'appuyaient sur la classe ouvrière. Reste que l'impression généralisée que, d'une manière ou d'une autre, l'ancienne classe industrielle se mourait était statistiquement erronée, tout au moins globalement.

À la seule grande exception près des États-Unis, où le pourcentage de la population employée dans l'industrie manufacturière commença à décliner à partir de 1965, et très nettement après 1970, la classe ouvrière industrielle constitua tout au long de l'Âge d'or, et ce même dans les vieux pays industriels[6], environ un tiers de la population active. En fait, dans huit des vingt et un pays de l'OCDE – le club des États les plus développés –, elle continua à croître entre 1960 et 1980. Naturellement, elle augmenta dans les parties nouvel-

lement industrialisées de l'Europe (non communiste), puis se stabilisa jusqu'en 1980. Au Japon, elle connut d'abord une augmentation
spectaculaire, puis demeura assez stable dans les années 1970 et
1980. Dans les pays communistes connaissant une industrialisation
rapide, notamment en Europe de l'Est, les prolétaires se multiplièrent
plus vite que jamais, de même que dans les parties du tiers-monde
qui amorcèrent leur propre industrialisation : le Brésil, le Mexique,
l'Inde, la Corée et d'autres. Bref, à la fin de l'Âge d'or, il y avait certainement, en chiffres absolus, beaucoup plus d'ouvriers dans le
monde, et très certainement une proportion d'employés de l'industrie
dans la population globale plus forte que jamais. À de rares exceptions près, telles que la Grande-Bretagne, la Belgique et les États-
Unis, les ouvriers représentaient en 1970, dans tous les pays où de
puissants partis socialistes avaient émergé, à la fin du XIXᵉ siècle, sur
base d'une conscience prolétarienne, une part plus importante de la
population active que dans les années 1890. Il faut attendre les
années 1980 et 1990 pour détecter les signes d'une forte réduction de
la classe ouvrière.

L'illusion de son effondrement tenait aux glissements qui s'opérè-
rent en son sein comme dans le processus de production, plutôt qu'à
une hémorragie démographique. Les vieilles industries du XIXᵉ siècle
et du début du XXᵉ déclinèrent, et la visibilité même qui avait été la
leur dans le passé, où elles symbolisaient souvent « l'industrie » dans
sa totalité, rendit leur déclin particulièrement spectaculaire. Les
« gueules noires » des mines de charbon, qui se comptaient autrefois
par centaines de milliers, voire en millions comme en Grande-Bretagne, devinrent moins nombreuses que les diplômés de l'université.
La sidérurgie américaine employait désormais moins de gens que
MacDonald's avec ses hamburgers. Même quand elles ne disparurent
pas, ces activités traditionnelles se déplacèrent des vieux pays industriels vers de nouveaux. Le textile, l'habillement et l'industrie de la
chaussure migrèrent en masse. En Allemagne fédérale, le nombre des
employés du textile et de l'habillement chuta de plus de moitié entre
1960 et 1984, mais au début des années 1980, pour 100 travailleurs
allemands, l'industrie allemande de l'habillement employait trente-
quatre ouvriers à l'étranger, contre moins de trois en 1966. La sidérurgie et les chantiers navals disparurent pratiquement des premiers pays
industrialisés pour faire surface au Brésil et en Corée, en Espagne, en

Pologne et en Roumanie. Les anciennes régions industrielles devinrent des « ceintures de rouille » – expression forgée aux États-Unis dans les années 1970. Des pays entiers identifiés à une phase antérieure de l'industrialisation, comme la Grande-Bretagne, devaient même largement se désindustrialiser et se transformer en musées vivants ou moribonds d'un passé évanoui, que des imprésarios exploitaient, non sans succès, comme des attractions touristiques. Alors que les dernières mines de charbon disparaissaient du Sud du pays de Galles où plus de 130 000 employés gagnaient encore leur vie comme mineurs au début de la Seconde Guerre mondiale, des anciens descendaient au fond des puits morts pour montrer aux groupes de touristes ce qu'ils faisaient jadis dans l'obscurité éternelle.

Et même lorsque de nouvelles industries remplaçaient les anciennes, elles n'étaient pas du même type ; assez souvent, elles s'implantaient ailleurs et étaient structurées autrement. Le jargon des années 1980, qui parle de « postfordisme »[7], l'exprime assez bien. L'immense unité de production de masse construite autour de la chaîne de montage ; la ville ou la région dominée par une seule industrie, comme Détroit et Turin par l'automobile ; l'existence d'une classe ouvrière unie, soudée par la ségrégation résidentielle et son lieu de travail en une unité polycéphale étaient autant de traits qui semblaient caractéristiques de l'ère industrielle classique. L'image était irréaliste, mais représentait davantage qu'une vérité symbolique. Partout où les anciennes structures industrielles étaient florissantes à la fin du XXe siècle, comme dans les pays d'industrialisation récente du tiers-monde ou dans les économies industrielles socialistes, qui se rallièrent délibérément au fordisme, les ressemblances avec l'entre-deux-guerres, voire avec le monde industriel occidental d'avant 1914 étaient évidentes ; et cette similitude allait jusqu'à l'émergence de puissantes organisations syndicales dans les vastes centres industriels basés sur les grandes usines automobiles, comme à São Paulo, ou les chantiers navals, comme à Gdansk. Tout comme aux États-Unis l'United Auto Workers et le Steel Workers étaient nés des grandes grèves de 1937, dans ce qui n'est plus aujourd'hui que la « ceinture de rouille » du Middle West. Inversement, alors que la grande entreprise de production de masse et la grande usine survécurent jusque dans les années 1990, bien qu'automatisées et modifiées, les industries nouvelles *étaient* très différentes. Les régions industrielles « postfordistes » classiques – par exemple la Vénétie, l'Émilie-Romagne et la Toscane, en Italie du Nord et en Italie centrale – étaient dépourvues de grandes villes industrielles, d'entreprises dominantes et d'immenses usines. C'étaient plutôt des mosaïques ou des réseaux d'entreprises, allant du petit artisanat à la manufacture modeste, mais de haute technologie, éparpillées à travers villes et campagnes. Que dirait la ville de Bologne, demanda l'une des plus grandes entreprises d'Europe, si elle y installait une de ses grandes usines ? Le maire[8] repoussa poliment la suggestion. Sa ville et sa région, prospères, raffinées et, en fait, communistes, savaient gérer la situation économique et sociale de la nouvelle économie agro-industrielle : que Turin et Milan s'occupent donc de leurs problèmes de villes industrielles.

Finalement, et très clairement dans les années 1980, les classes ouvrières devaient être victimes des technologies nouvelles. C'est surtout vrai pour les travailleurs non qualifiés ou semi-qualifiés des chaînes de production de masse, les plus facilement remplaçables par l'automation. Ou plus exactement, lorsque les décennies du grand boom mondial des années 1950 et 1960 débouchèrent, dans les années 1970 et 1980, sur une ère de difficultés économiques mondiales, l'industrie cessa de croître au rythme qui avait autrefois gonflé les effectifs alors même que la production devenait plus économe en main-d'œuvre (*cf.* chapitre 14). Pour la première fois en quarante ans, en tout cas en Europe, les crises économiques du début des années 1980 recréèrent le chômage de masse.

Dans certains pays malavisés, la crise produisit un véritable holocauste industriel. Entre 1980 et 1984, la Grande-Bretagne devait perdre 25 % de son industrie manufacturière. Entre 1973 et la fin des années 1980, le nombre total d'employés du secteur manufacturier des six vieux pays industriels de l'Europe diminua de sept millions, soit de près d'un quart, dont près de la moitié entre 1979 et 1983. À la fin des années 1980, alors que les classes ouvrières des vieux pays industriels régressaient et que de nouvelles apparaissaient, les effectifs des manufactures se stabilisèrent autour d'un quart de l'emploi civil total dans toutes les régions occidentales développées, sauf aux États-Unis, où ils étaient alors tombés à moins de 20 % (Bairoch, 1988). On était loin du vieux rêve marxiste de populations progressivement prolétarisées par l'essor de l'industrie jusqu'au jour où la plupart des gens seraient des travailleurs manuels. Sauf de très rares cas, dont la Grande-Bretagne était l'exemple le plus remarquable, la classe ouvrière industrielle avait toujours été une minorité de la population active. Néanmoins, la crise manifeste de la classe ouvrière et de ses mouvements, surtout dans le vieux monde industriel, fut évidente bien avant qu'il fût question d'un déclin global sérieux.

Ce n'était pas la classe ouvrière qui était en crise, mais sa conscience. À la fin du XIXᵉ siècle (voir *L'Ère des empires*, chapitre 5), les populations très diverses et loin d'être homogènes qui, dans les pays développés, gagnaient leur vie en vendant leur travail manuel contre un salaire apprirent à se voir comme une seule classe ouvrière : c'était de loin l'élément le plus important de leur situation d'êtres humains en société. Ou, du moins, ils furent assez nombreux à tirer cette conclusion pour que, en l'espace de quelques années, les partis et les mouvements qui en appelaient essentiellement à leur condition d'ouvriers (leur nom même l'indiquait : Labour Party, Parti Ouvrier) s'imposent comme d'immenses forces politiques. Naturellement, leurs salaires et le fait qu'ils se salissaient les mains au travail n'étaient pas leur seul lien. Dans leur écrasante majorité, ils appartenaient à une population pauvre et économiquement mal assurée de sa situation, car même si les grands piliers des mouvements ouvriers étaient loin de l'indigence et du paupérisme, ce qu'ils attendaient et recevaient de la vie était modeste, et très en deçà de ce qu'attendaient les classes moyennes. En vérité, l'économie des biens de consommation durables les avait partout laissés sur la touche avant 1914, et partout sauf aux États-Unis et en Australasie entre les deux guerres. Un militant communiste britannique envoyé pendant la guerre dans les usines d'armement de Coventry, aussi militantes que prospères, en revint bouche bée : « Vous vous rendez compte, expliqua-t-il à ses amis londoniens (dont j'étais), que là-bas les camarades ont des *bagnoles* ? »

Ils étaient aussi unis par une ségrégation sociale massive, par leurs modes de vie et même leur habillement, et par la limitation de leurs perspectives de vie, qui les distinguaient des cols blancs socialement plus mobiles, quoique économiquement aussi pressurés. Les gosses d'ouvriers n'imaginaient pas entrer à l'université et, de fait, y entraient rarement. La plupart d'entre eux n'envisageaient pas même d'aller à l'école au-delà de l'âge limite de la scolarité obligatoire (généralement 14 ans). Aux Pays-Bas, avant la guerre, seuls 4 % des 10-19 ans allaient encore au lycée après cet âge ; dans ces pays démocratiques qu'étaient la Suède et le Danemark, la proportion était encore plus faible. Les ouvriers vivaient autrement que les autres, avec des espérances de vie plus faibles, dans des lieux différents. Ainsi que l'expliqua l'un de leurs premiers fils (britanniques) passés par l'université dans les années 1950, alors que cette ségrégation était encore assez patente : « Ces gens ont des styles de logement reconnaissables. [...] Ils sont habituellement locataires, plutôt que propriétaires »[9] (Hoggart, 1958, p. 8).

Ils étaient enfin unis par l'élément central de leur vie, la collectivité : la domination du « nous » sur le « je ». Ce qui donnait aux mouvements et aux partis ouvriers leur force originelle, c'était la conviction justifiée des ouvriers que des gens comme eux ne pouvaient améliorer leur sort par l'action individuelle, mais uniquement par l'action collective, de préférence à travers des organisations, que ce fût par le secours mutuel, la grève ou le vote ; et, inversement, que les effectifs et la situation particulière des travailleurs manuels salariés mettaient l'action collective à leur portée. Lorsque les ouvriers entrevoyaient, comme aux États-Unis, des moyens individuels d'échapper à leur situation, leur conscience de classe, sans être inexistante, cessait d'être l'unique critère permettant de définir leur identité. Mais le « nous » dominait le « je », et pas uniquement pour des raisons instrumentales, mais parce que – à l'exception majeure, et souvent tragique, de la ménagère mariée, emprisonnée entre ses quatre murs – la vie ouvrière devait être largement publique, tant l'espace privé était confiné. Et même la ménagère prenait part à la vie publique du marché, de la rue et des parcs voisins. Les enfants devaient jouer dans les rues et dans les parcs. Les jeunes gens sortaient danser et se faire la cour. Les hommes se socialisaient dans les « débits de boisson ». Avant que la radio ne transforme, entre les deux guerres, la vie de la femme ouvrière rivée à son ménage – et ce uniquement dans un petit nombre de pays favorisés –, toutes les formes de divertissement, au-delà de la soirée privée, étaient nécessairement publiques. Dans les pays pauvres, même la télévision, dans les premières années, se regardait dans quelque espace public. Du match de football à la réunion politique ou à l'excursion pendant les vacances, la vie, dans ses aspects les plus agréables, se vivait en masse.

À maints égards, cette cohésion consciente de la classe ouvrière atteignit son faîte dans les pays développés plus anciens à la fin de la Seconde Guerre mondiale. Au cours des décennies de l'Âge d'or, presque toutes ses composantes se trouvèrent minées. La conjonction d'une expansion séculaire du plein-emploi et d'une véritable société de consommation de masse transforma de fond en comble la vie des populations ouvrières dans les pays développés et continua à la transformer. Selon les normes de leurs parents ou s'ils étaient assez âgés, d'après leurs propres souvenirs, ils n'étaient plus des pauvres. Leur vie incommensurablement plus prospère qu'aucun non-Américain ou non-Australien n'aurait jamais pu l'imaginer se replia sur le privé sous l'effet conjugué de la technologie monétaire et de la logique du marché : avec la télévision, il devint inutile de se déplacer pour voir un match de foot, de même qu'avec la télévision et la vidéo, il est devenu inutile d'aller au cinéma, ou avec les téléphones de retrouver ses amis sur la place ou le marché. Les syndicalistes et les adhérents du parti, qui se retrouvaient jadis pour des réunions de section ou des manifestations politiques publiques parce que c'était aussi, entre autres choses, une forme de distraction, pouvaient désormais imaginer des façons plus alléchantes de passer le temps, à moins qu'ils ne fussent anormalement militants. (Et réciproquement, le porte-à-porte cessa d'être une forme de campagne électorale efficace, même s'il persista par tradition et pour entretenir les ardeurs de militants de plus en plus atypiques.) La prospérité et la privatisation firent éclater ce qu'avaient soudé la pauvreté et la collectivité sur la place publique.

Non que les ouvriers aient cessé d'être reconnaissables en tant que tels, même si, étrangement, à partir des années 1950, la nouvelle culture indépendante de la jeunesse (voir *infra*, p. 424 *sq.*) emprunta ses modes vestimentaires et musicales à la jeunesse ouvrière. Le fait est plutôt que le même genre d'abondance était désormais à la portée de la plupart, et qu'entre le propriétaire d'une Coccinelle Volkswagen et celui d'une Mercedes la différence était bien moins grande qu'entre celui qui avait une voiture et celui qui n'en avait pas, surtout si les voitures plus coûteuses étaient théoriquement payables par mensualité. Dans les dernières années de la jeunesse, en particulier, avant que le mariage et les dépenses domestiques ne dominent le budget, les ouvriers pouvaient maintenant faire des dépenses de luxe. À partir des années 1960, l'industrialisation de la couture et des produits de beauté exploita aussitôt cette demande. Entre le haut et le bas de gamme du marché des produits de luxe et de haute technologie qui se développa alors – entre le plus onéreux des Hasselblad et le moins cher des Olympus ou des Nikon, qui donnaient des résultats tout en conférant un statut –, il n'y avait qu'une différence de degré. Quoi qu'il en soit, les divertissements, à commencer par la télévision, qui n'étaient, jusque-là, disponibles qu'aux millionnaires, se retrouvèrent désormais jusque dans le plus modeste des salons. Bref, le plein-emploi et une société de consommation visant un authentique marché de masse devaient hisser la majeure partie de la classe ouvrière des anciens pays développés, tout au moins pour une partie de leur vie, très au-dessus du seuil sous lequel leurs pères, ou eux-mêmes, avaient autrefois vécu, c'est-à-dire du seuil où l'essentiel des revenus est consacré aux produits de première nécessité.

De surcroît, plusieurs évolutions significatives creusèrent les fissures entre les différentes sections des classes ouvrières, même si cela n'apparut clairement qu'avec la fin du plein-emploi, au cours de la crise économique des années 1970 et 1980, et avec les pressions du néolibéralisme sur les politiques de protection sociale et les systèmes de relations « corporatistes » qui avaient largement préservé les couches les plus faibles. Car la frange supérieure de la classe ouvrière – les ouvriers qualifiés et les agents de maîtrise – s'adaptèrent plus facilement à l'ère de la production moderne de haute technologie[10], et leur position était telle qu'ils pouvaient réellement tirer parti d'un marché de concurrence, alors même que leurs frères moins favorisés perdaient du terrain. Ainsi, dans la Grande-Bretagne de Mme Thatcher, qui est, il est vrai, un cas extrême : avec le démantèlement de la protection publique et syndicale, le sort des 20 % d'ouvriers du bas de l'échelle devint bel et bien pire, en comparaison du reste des ouvriers, qu'il ne l'était un siècle auparavant. Et tandis que les 10 % d'ouvriers les mieux lotis, avec des revenus bruts trois fois plus élevés que ceux des 10 % les moins favorisés, se félicitaient de l'amélioration de leur situation, ils étaient de plus en plus enclins à se dire que, en leur qualité de contribuables nationaux et locaux, ils subventionnaient ce qu'on devait appeler dans les années 1980 d'un mot sinistre, la « sous-classe » – laquelle vivait du système de protection sociale, dont eux-mêmes espéraient pouvoir se passer, sauf urgence. Ainsi fut ressuscitée la vieille distinction victorienne entre les pauvres « respectables » et les pauvres « non respectables », peut-être avec plus d'aigreur, parce qu'aux temps glorieux du boom planétaire, lorsque le plein-emploi semblait pourvoir aux besoins matériels de l'immense majorité de la main-d'œuvre, les allocations sociales avaient atteint des niveaux généreux qui, aux nouveaux temps de demande massive de protection sociale, paraissaient permettre à une armée de « non-respectables » de vivre beaucoup mieux que le vieux « résidu » victorien de pauvres. Et, de l'avis des contribuables qui travaillaient dur, beaucoup mieux qu'ils n'y avaient droit.

Pour la première fois, peut-être, les ouvriers qualifiés et respectables comptèrent parmi les soutiens potentiels de la droite[11], d'autant que les organisations travaillistes et socialistes traditionnelles restaient naturellement attachées à la redistribution et à la sécurité sociale, alors même que le nombre de ceux qui avaient besoin de la protection publique augmentait. En Grande-Bretagne, le gouvernement Thatcher dut essentiellement son succès à la désaffection des ouvriers qualifiés du Labour Party. La déségrégation ou, plutôt, le déplacement de la ségrégation favorisa cet émiettement du bloc ouvrier. Ainsi, les ouvriers qualifiés et ceux qui bénéficiaient de la mobilité sociale quittèrent le cœur des villes, alors que les industries se déplaçaient à la périphérie et à la campagne, laissant se ghettoïser ou se délabrer les vieux quartiers ouvriers de la « ceinture rouge » ; parallèlement, les nouvelles villes satellites ou les industries « des champs » ne devaient pas engendrer de concentration de classe d'une même ampleur. Dans le cœur des villes, les logements sociaux, autrefois construits pour le noyau dur de la classe ouvrière, en privilégiant naturellement ceux qui étaient capables de payer un loyer régulier, se transformèrent en rassemblements de marginaux, de cas sociaux et d'assistés.

En même temps, la migration de masse engendra un phénomène jusque-là confiné, tout au moins depuis la fin de l'Empire des Habsbourg, aux seuls États-Unis et, dans une moindre mesure, à la France : la diversification ethnique et raciale de la classe ouvrière et sa conséquence, les conflits en son sein. Le problème ne réside pas tant dans la diversité ethnique, même si l'immigration de gens de

couleur différente ou, comme les Nord-Africains en France, susceptibles d'être classés comme tels, a fait resurgir un racisme toujours
latent jusque dans les pays qu'on croyait préservés comme l'Italie ou
la Suède. L'affaiblissement des mouvements ouvriers socialistes traditionnels n'a fait que faciliter les choses, puisque ceux-ci, passionnément hostiles à ce genre de discrimination, amortissaient la
manifestation antisociale de sentiments racistes dans cette clientèle.
Mais laissons de côté le racisme pur. Traditionnellement et, même au
XIXe siècle, la migration de main-d'œuvre avait rarement débouché
sur ce type de concurrence directe entre groupes ethniques qui divise
les classes ouvrières, puisque chaque groupe particulier de migrants
avait tendance à trouver sa ou ses niches dans l'économie, qu'il
s'employait alors à coloniser, voire à monopoliser. Dans la plupart
des pays occidentaux, les immigrés juifs se retrouvèrent en masse
dans l'habillement mais pas, par exemple, dans l'automobile. Pour
prendre un cas encore plus spécifique, même dans les années 1980 le
personnel des restaurants indiens de Londres et de New York, et sans
doute partout où cette forme d'expansion asiatique s'est propagée
hors du sous-continent indien, se recrutait essentiellement dans une
région particulière du Bangladesh (Sylhet). D'autres groupes d'immigrés se trouvaient concentrés dans des quartiers, des usines, des
ateliers, ou des grades particuliers, laissant le reste aux autres. Dans
ce genre de « marché du travail segmenté », pour employer le jargon
des spécialistes, la solidarité entre les différents groupes ethniques de
travailleurs était plus facile à développer et à cultiver, puisque les
groupes n'étaient pas rivaux et que les disparités de conditions
n'étaient pas, ou rarement imputables, aux intérêts propres à d'autres
groupes d'ouvriers[12].

Pour diverses raisons, dont le fait que l'immigration en Europe
occidentale après la guerre fut largement une réponse organisée par les
pouvoirs publics à la pénurie de main-d'œuvre, les nouveaux immigrés entrèrent sur le même marché du travail et avec les mêmes droits
que les autochtones – excepté là où ils constituaient un groupe séparé
en tant que « travailleurs-invités » temporaires, et donc inférieurs. Les
deux cas de figures furent générateurs de tension. Les hommes et les
femmes bénéficiant de moindres droits pouvaient difficilement percevoir leur communauté d'intérêts avec des travailleurs mieux protégés.
Inversement, lorsqu'ils étaient prêts à travailler, aux mêmes condi-

tions, aux côtés de Marocains, d'Antillais, de Portugais ou de Turcs, les ouvriers français ou britanniques n'acceptaient pas aussi volontiers la promotion – au-dessus d'eux – des étrangers, en particulier de ceux qu'ils considéraient collectivement comme inférieurs aux nationaux. De surcroît, et pour des raisons similaires, il y avait des tensions entre les différents groupes d'immigrés, même lorsque tous souffraient du comportement des nationaux à leur égard.

Bref, tandis qu'à l'époque de la formation des partis et mouvements ouvriers classiques, toutes les catégories d'ouvriers (à moins de barrières nationales ou religieuses inhabituellement insurmontables) pouvaient raisonnablement supposer que chacune bénéficierait des mêmes politiques, stratégies et changements institutionnels, ce n'était plus automatiquement le cas. Simultanément, les transformations affectant la production, l'émergence d'une « société des deux tiers » (voir p. 443-444) et la frontière changeante et de plus en plus floue entre travail « manuel » et travail « non manuel » devaient brouiller les contours autrefois bien dessinés du « prolétariat ».

IV

L'accroissement du rôle des femmes – et notamment, phénomène nouveau et révolutionnaire, des femmes mariées – constitue l'un des changements majeurs qui affecta la classe ouvrière, et d'autres composantes essentielles des sociétés développées. Cette évolution fut en fait spectaculaire. En 1940, les femmes mariées qui vivaient avec leurs maris et exerçaient une activité rémunérée formaient moins de 14 % de la population féminine totale des États-Unis. En 1980, elles étaient plus de la moitié : le pourcentage avait pratiquement doublé entre 1950 et 1970. Cette entrée des femmes en nombre croissant sur le marché du travail n'était pas, bien sûr, un phénomène nouveau. À compter de la fin du XIXe siècle, le travail de bureau, le commerce et certains services, par exemple les centrales téléphoniques et les soins de santé, devaient fortement se féminiser. Dans le même temps, ce type d'activités se développa et prit de l'ampleur aux dépens (relatifs et finalement absolus) des secteurs primaires et secondaires, c'est-à-dire de l'agriculture et de l'industrie. L'essor du tertiaire fut l'une des tendances les plus marquantes du XXe siècle. En ce qui concerne la présence des femmes dans les industries manufacturières, il est moins facile de généraliser. Dans les vieux pays industriels, les industries à forte intensité de main-d'œuvre où les femmes étaient typiquement concentrées, comme les textiles et l'habillement, déclinaient. Mais tel était aussi le cas, dans les régions et les pays de la nouvelle « ceinture de rouille », des industries lourdes et mécaniques de composition très majoritairement masculine, pour ne pas dire machiste, comme les mines, la sidérurgie, les chantiers navals ou les usines d'automobiles et de camions. Par ailleurs, dans les pays d'industrialisation récente, et dans les enclaves manufacturières qui se développèrent dans le tiers-monde, fleurirent les industries à forte intensité de travail, demandeuses de main-d'œuvre féminine (traditionnellement moins bien payée et moins rebelle que la main-d'œuvre masculine). La part des femmes dans le personnel local augmenta en conséquence, même si le cas de l'île Maurice, où elle grimpa d'environ 20 % au début des années 1970 à plus de 60 % au milieu des années 1980, est assez extrême. Dans les pays industriels développés, son augmentation (moindre que dans le secteur des services) ou sa stabilité fut fonction des circonstances nationales. En pratique, la distinction entre les employées de l'industrie et leurs homologues du tertiaire n'était pas significative puisque, dans les deux cas, le gros des effectifs occupait des positions subalternes. Par ailleurs, plusieurs secteurs féminisés, notamment les services publics et sociaux, étaient fortement syndicalisés.

Également frappante fut l'augmentation des femmes dans l'enseignement supérieur, désormais la voie d'accès la plus évidente à des professions de responsabilité. Au lendemain de la Seconde Guerre mondiale, elles constituaient entre 15 et 30 % du corps étudiant dans la plupart des pays développés, sauf en Finlande – phare de l'émancipation féminine – où elles étaient déjà près de 43 %. En 1960, en Europe aussi bien qu'en Amérique du Nord, elles ne représentaient encore nulle part la moitié des étudiants, bien que la Bulgarie – autre pays pro-féminin, quoique moins en vue – approchât déjà presque de ce chiffre. (Dans l'ensemble, les États socialistes furent plus prompts à pousser les femmes à entreprendre des études – la RDA distança la République fédérale. Au total, cependant, leur bilan en matière de féminisme était inégal.) En 1980, toutefois, la moitié ou plus des étudiants étaient des étudiantes aux États-Unis, au Canada et dans six pays socialistes – la RDA et la Bulgarie arrivant en tête. Inversement, on ne compte que quatre pays européens où les femmes constituaient encore moins de 40 % des effectifs : la Grèce, la Suisse, la Turquie et le Royaume-Uni. En un mot, les études supérieures étaient désormais aussi courantes chez les filles que chez les garçons.

La participation massive des femmes mariées – c'est-à-dire, largement, des mères – sur le marché du travail et l'expansion frappante de l'enseignement supérieur forma la toile de fond, tout au moins dans les pays occidentaux développés, du regain impressionnant des mouvements féministes à partir des années 1960. Sans ces facteurs, les mouvements des femmes sont inexplicables. Depuis que, dans de nombreuses parties de l'Europe et en Amérique du Nord, elles avaient atteint leur grand objectif en obtenant le droit de vote et l'égalité des droits civiques à la suite de la Première Guerre mondiale et de la Révolution russe (voir *L'Ère des empires*, chapitre 8), les mouvements féministes avaient quitté les feux de la rampe pour retourner dans l'ombre, même là où le triomphe des régimes fascistes et réactionnaires ne les avait pas détruits. Ils y restèrent malgré la victoire de l'antifascisme et de la révolution (en Europe de l'Est et dans certaines parties de l'Est asiatique), qui étendit les droits conquis en 1917 à la plupart des pays qui n'en bénéficiaient pas encore : la manifestation la plus claire en fut l'octroi du droit de vote aux Françaises et aux Italiennes, en Europe occidentale, comme aux femmes de tous les nouveaux pays communistes, de quasi toutes les anciennes colonies et (dans les dix années qui suivirent la fin de la guerre) de l'Amérique latine. Dans les années 1960, les femmes votaient presque partout dans le monde où étaient organisées des élections, hormis dans certains États islamiques et, assez curieusement, en Suisse.

Ces changements ne furent cependant pas le fruit des pressions féministes et n'eurent pas non plus de répercussions immédiates notables sur la situation des femmes, même dans les pays relativement rares où leur participation au scrutin eut des effets politiques. À partir des années 1960, le féminisme devait pourtant connaître un renouveau saisissant : parti des États-Unis, le phénomène se propagea rapidement à travers les pays occidentaux riches et au-delà, aux élites des femmes éduquées du monde dépendant, mais pas, dans un premier temps, au cœur du monde socialiste. Tandis que ces mouvements appartenaient, au fond, au milieu des classes moyennes cultivées, il est probable que, dans les années 1970 et surtout 1980, une forme de conscience féminine politiquement et idéologiquement moins spécifique ait gagné les masses du sexe féminin (ou du « genre » féminin, comme les idéologues réclamaient qu'on les appelât), bien au-delà de ce à quoi était parvenue la première vague du féminisme. De fait, les femmes, en tant que groupe, devinrent une force politique majeure comme jamais par le passé. Le premier exemple, peut-être le plus frappant, de cette nouvelle « conscience de genre » fut la révolte des femmes traditionnellement fidèles des pays catholiques romains contre les doctrines impopulaires de l'Église : en témoignent les référendums italiens sur le divorce (1974) et une législation plus libérale sur l'avortement (1981) ; ou plus tard, dans la pieuse Irlande, l'élection à la présidence de Mary Robinson, avocate dont le nom était attaché à la libéralisation du code catholique romain (1990). Au début des années 1990, les sondages d'opinion mirent en évidence, dans un certain nombre de pays, une divergence d'opinions politiques frappante entre les sexes. Que les hommes politiques se soient mis à courtiser cette nouvelle conscience des femmes n'a rien d'étonnant, surtout à gauche où le déclin de la conscience de la classe ouvrière privait les partis d'une fraction de leur ancienne clientèle.

Par son ampleur même, cependant, la nouvelle conscience des femmes et de leurs intérêts rend insuffisantes les explications simples à partir du changement de leur rôle dans l'économie. En tout cas, ce qui a changé dans la révolution sociale, ce n'est pas seulement la nature des activités féminines dans la société, mais aussi leurs rôles ou les conventions régissant ce qu'ils devaient être, en particulier les postulats sur la présence et le rôle *publics* des femmes. On pouvait imaginer que des modifications aussi profondes que l'entrée massive des femmes mariées sur le marché du travail entraîneraient des changements concomitants ou consécutifs ; or, ce ne fut pas nécessairement le cas : témoin l'URSS où, après l'abandon des aspirations révolutionnaires utopiques des années 1920, elles se retrouvèrent généralement accablées sous une double charge – leurs responsabilités salariales s'ajoutant désormais à leurs tâches domestiques – sans altérer les rapports entre les sexes ni dans les sphères publique ou privée. En tout cas, les raisons pour lesquelles les femmes en général et, surtout, les épouses entrèrent sur le marché du travail n'étaient pas nécessairement liées à une vision de la place sociale des femmes et de leurs droits. Ce phénomène pouvait en effet s'expliquer par la pauvreté, ou la préférence des patrons pour une main-d'œuvre moins chère et plus docile, ou encore simplement par le nombre croissant des femmes chefs de famille, en particulier dans le monde dépendant. L'émigration massive des hommes – des campagnes vers les villes en Afrique du Sud, ou de certaines régions d'Afrique ou d'Asie vers les États du golfe Persique – laissait inévitablement les femmes à la tête de l'économie familiale. Il ne faut pas non plus oublier les carnages effroyables des grandes guerres, qui décimèrent les hommes au point qu'après 1945 un pays comme la Russie comptait cinq femmes pour trois hommes.

Néanmoins, les signes d'un changement profond, voire révolutionnaires, dans les attentes des femmes et même du monde quant à leur place dans la société, sont indéniables. Le rôle saillant et inédit de certaines femmes en politique était évident, même si ce n'est en aucune façon un indicateur direct de la situation de l'ensemble de la population féminine dans les pays concernés. Après tout, dans les années 1980, le pourcentage d'élues dans les parlements de la très machiste Amérique latine (11 %) était nettement supérieur à celui de femmes dans les assemblées équivalentes d'une Amérique du Nord clairement plus « émancipée ». De plus, une forte proportion des femmes qui, pour la première fois, se retrouvèrent chefs d'État ou de gouvernement dans le monde dépendant étaient des « héritières » : des filles, comme Indira Gandhi (Inde, 1966-1984), Benazir Bhutto (Pakistan, 1988-1990, 1994) ou Aung San Suu Kyi, qui aurait dirigé la Birmanie si l'armée n'avait opposé son veto ; ou des veuves, comme Sirimavo Bandaranaike (Sri Lanka, 1960-1965 ; 1970-1977), Corazon Aquino (Philippines, 1986-1992) et Isabel Perón (Argentine, 1974-1976). En soi, ce n'était pas plus révolutionnaire que l'accession de Marie-Thérèse ou de Victoria sur les trônes des Habsbourg et de l'Empire britannique. En fait, le contraste entre la présence de femmes à la tête de pays comme l'Inde, le Pakistan ou les Philippines, et leur extraordinaire oppression dans cette partie du monde ne fait que souligner le caractère atypique de ces exemples.

Et pourtant, avant la Seconde Guerre mondiale, il eût été politiquement impensable qu'une femme pût accéder, dans quelque circonstance que ce soit, à la tête d'une République. Or, cela devint possible après 1945 : au Sri Lanka, Sirimavo Bandaranaike devint, en 1960, la première femme Premier ministre du monde ; et en 1990, seize États avaient ou avaient eu des femmes chefs de gouvernement (*World's Women*, p. 32). Dans les années 1990, la femme politique que sa carrière avait conduite aux plus hautes responsabilités était un phénomène peu fréquent, mais accepté comme un aspect du paysage politique : au poste de Premier ministre en Israël (1969), en Islande (1980), en Norvège (1981), mais aussi en Grande-Bretagne (1979), en Lituanie (1990) et en France (1991) ; ou, avec Doi, comme chef reconnu du principal parti d'opposition (socialiste), dans un Japon loin d'être féministe (1986). En vérité, le monde politique changeait vite, alors que la reconnaissance publique des femmes (ne serait-ce que comme groupe de pression politique) n'avait encore qu'un caractère symbolique ou emblématique, y compris dans nombre de pays très « avancés ».

Il n'y a cependant pas grand sens à risquer des généralisations sur le rôle des femmes dans la sphère publique et les aspirations correspondantes des mouvements politiques féministes. Le monde dépendant, le monde développé et le monde socialiste ou ex-socialiste ne sont que marginalement comparables. Dans le tiers-monde, comme dans la Russie tsariste, la grande masse des femmes du bas de l'échelle et peu éduquées demeuraient hors de la sphère publique, au sens « occidental » moderne du terme. En revanche, quelques-uns de ces pays avaient déjà ou virent se développer une petite portion de femmes exceptionnellement émancipées et « avancées » – essentiellement des épouses, des filles ou d'autres parentes issues des classes supérieures et de la bourgeoisie installées – analogues aux intellectuelles et militantes de la Russie tsariste. Une telle catégorie existait même dans l'Empire indien à l'époque coloniale et semble être apparue dans plusieurs des pays islamiques les moins rigoristes – notamment l'Égypte, l'Iran, le Liban et le Maghreb – avant que l'essor du fondamentalisme musulman ne rejette les femmes dans l'obscurité. Pour ces minorités émancipées, il existait au sommet de l'échelle sociale de leurs pays un espace public où elles pouvaient agir et se sentir à l'aise aussi bien qu'elles (ou leurs consœurs) le pouvaient en

Europe et en Amérique du Nord, même si elles furent probablement plus lentes à abandonner les conventions sexuelles et les obligations familiales traditionnelles que les femmes occidentales – catholiques exceptées[13]. À cet égard, les femmes émancipées des pays dépendants « occidentalisés » étaient dans une situation beaucoup plus favorable que leurs sœurs des pays d'Extrême-Orient non socialistes, où la force des rôles et des conventions traditionnels auxquels mêmes les femmes de l'élite devaient se conformer était considérable et étouffante. Les Japonaises ou les Coréennes éduquées qui séjournaient quelques années dans l'Occident émancipé redoutaient souvent de retourner dans leurs anciennes civilisations, où le sentiment de subordination des femmes n'était que marginalement entamé.

Dans le monde socialiste, la situation était paradoxale. En pratique, toutes les femmes faisaient partie de la main-d'œuvre salariée en Europe de l'Est, ou tout au moins dans la même proportion que les hommes (90 %), c'est-à-dire beaucoup plus largement que partout ailleurs. Le communisme, en tant qu'idéologie, avait été passionnément attaché à l'égalité et à la libération des femmes sur tous les plans, y compris celui de l'amour, malgré l'aversion de Lénine pour la promiscuité[14]. (Il n'en reste pas moins vrai que Lénine et sa femme Kroupskaïa comptèrent parmi les rares révolutionnaires à prôner le partage des tâches domestiques entre les sexes.) De surcroît, des narodniks aux marxistes, le mouvement révolutionnaire avait accueilli les femmes, surtout les intellectuelles, avec une chaleur exceptionnelle et leur avait ouvert un champ d'action non moins exceptionnel : c'était encore clair dans les années 1970, avec leur surreprésentation dans certains mouvements terroristes de gauche. Reste que, à de très rares exceptions près (Rosa Luxemburg, Ruth Fischer, Anna Pauker, La Pasionaria, Federica Montseny), elles ne devaient pas jouer un rôle de premier plan au sein de leur parti ni ailleurs[15]. Et dans les nouveaux États gouvernés par les communistes, elles devaient être moins visibles encore. En vérité, les femmes disparurent pratiquement des postes de direction. Si un ou deux pays, notamment la Bulgarie et la République démocratique allemande, donnèrent clairement aux femmes des chances exceptionnelles de jouer un rôle de premier plan, notamment dans l'enseignement supérieur, la position publique des femmes dans les pays communistes n'était pas sensiblement différente de ce qu'elle était dans les pays capitalistes. Et, quand elle l'était, cela ne leur donnait pas nécessairement des avantages. Lorsque les femmes affluaient dans une profession qui leur était ouverte, comme en URSS, où le corps médical devait largement se féminiser, la profession en question subissait une perte de statut et de revenus. À la différence des féministes occidentales, la plupart des Soviétiques mariées, habituées de longue date au travail salarié, rêvaient au luxe de pouvoir rester à la maison et ne faire qu'un seul boulot.

En fait, l'idéal révolutionnaire originel de transformer les relations entre les sexes et de modifier les institutions et les habitudes qui consacraient la vieille domination masculine devait généralement s'enliser, même dans les pays où l'on s'y attela sérieusement (comme en URSS, dans les premières années, mais pas, en règle générale, dans les nouveaux régimes communistes apparus en Europe après 1944). Dans les pays retardataires, et la plupart des régimes communistes furent instaurés dans ces pays, cette ambition fut contrariée par la non-coopération passive des populations traditionnelles qui, non-obstant la loi, demeuraient attachées à la subordination des femmes. Naturellement, les efforts héroïques d'émancipation féminine ne furent pas vains. Donner aux femmes des droits juridiques et politiques égaux, leur ouvrir l'accès à l'enseignement ainsi qu'au travail et aux responsabilités masculines, et même les dispenser du voile et leur permettre d'aller et venir librement en public ne sont pas des changements insignifiants : il suffit pour le vérifier de voir le sort des femmes dans les pays où le fondamentalisme religieux règne ou a été réimposé. De plus, même dans les pays communistes (où la réalité de la condition féminine était en retard sur la théorie), y compris dans les périodes où les gouvernements imposèrent pratiquement une contre-révolution morale, cherchant à rétablir la famille et à ramener les femmes à leur rôle de mères (comme dans l'URSS des années 1930), la liberté de choisir qui leur était offerte dans le nouveau système, notamment en termes de liberté sexuelle, était incomparablement plus grande qu'elle n'avait pu l'être sous l'ancien régime. Ses vraies limites n'étaient pas tant légales ou conventionnelles que matérielles, comme la pénurie de moyens contraceptifs ou autres produits gynécologiques, dont l'économie planifiée s'occupait à peine.

Toujours est-il que, quels que soient ses réalisations et ses échecs, le monde socialiste n'a pas engendré de mouvements féministes spécifiques. Et il n'aurait guère pu le faire compte tenu de la quasi-impossibilité, avant le milieu des années 1980, de toute initiative politique qui n'était pas parrainée par le parti ou par l'État. Il est cependant peu probable que les préoccupations des mouvements féministes occidentaux eussent, avant cette date, rencontré beaucoup d'écho dans les pays communistes .

Dans un premier temps, les questions qui, en Occident et surtout aux États-Unis, relancèrent le mouvement féministe concernaient essentiellement les problèmes des femmes des classes moyennes. C'est assez clair si nous examinons les activités où, aux États-Unis, les pressions féministes devaient opérer leur grande percée et qui, vraisemblablement, reflètent la concentration de leurs efforts. En 1981, les femmes avaient quasiment évincé les hommes du monde des employés de bureau et des cols blancs, professions pour l'essentiel subalternes quoique respectables ; elles formaient aussi près de 50 % des agents immobiliers et des courtiers et près de 40 % des cadres de banque et des directeurs financiers ; de même, elles s'étaient assuré une présence forte, quoique encore insuffisante, dans les professions intellectuelles – même le droit et la médecine ne leur offraient encore que de modestes têtes de pont. Mais si 35 % des professeurs de collèges et des universitaires, plus d'un quart des informaticiens et 22 % des spécialistes de sciences naturelles étaient désormais des femmes, les monopoles masculins du travail manuel, qualifié ou non, restaient quasiment inentamés : 2,7 % seulement des chauffeurs de camions, 1,6 % des électriciens et 0,6 % des mécaniciens auto étaient des femmes. Leur résistance à l'entrée des femmes n'était certainement pas plus faible que celle des médecins et des avocats, où elles étaient 14 % ; mais on peut raisonnablement penser que la pression était moindre pour conquérir ces bastions masculins.

Une lecture même rapide des pionnières américaines du néoféminisme des années 1960 permet d'entrevoir une véritable perspective de classe dans l'analyse des problèmes des femmes (Friedan, 1963 ; Degler, 1987). « Comment une femme pouvait concilier carrière ou boulot et mariage et vie de famille » était au centre de leurs préoccupations : mais ce n'était une question centrale que pour celles qui avaient le choix. Autrement dit, elle ne se posait ni pour la grande majorité des femmes à travers le monde ni pour les pauvres. Elles se souciaient, très légitimement, de l'*égalité* entre hommes et femmes, et cette notion devint le principal instrument des avancées légales et institutionnelles des Occidentales, puisque le mot « sexe » fit son entrée dans l'*American Civil Rights Act* de 1964, qui à l'origine ne visait que la discrimination raciale. Mais l'« égalité », ou plutôt l'« égalité de traitement » et l'« égalité des chances » supposent qu'il n'y ait pas de différences significatives entre hommes et femmes, sociales ou autres. Or, pour l'immense majorité des femmes du monde, et surtout pour les pauvres, une part de leur infériorité sociale était clairement due à leur différence sexuelle et pouvait donc requérir des remèdes spécifiques : par exemple, des dispositions spéciales concernant la grossesse et la maternité, ou une protection particulière contre les attaques du sexe « fort » plus agressif. Le féminisme américain tarda à s'occuper de questions aussi vitales pour les femmes de la classe ouvrière que les congés de maternité. Dans une phase ultérieure, il devait apprendre à insister sur la différence autant que sur l'inégalité de genre, bien que le recours à l'idéologie libérale de l'individualisme abstrait et l'instrument juridique de l'« égalité des droits » fussent malaisément compatibles avec la reconnaissance que les femmes n'étaient pas, et ne devaient pas nécessairement être, pareilles aux hommes, et inversement[16].

De plus, dans les années 1950 et 1960, la revendication même de sortir de la sphère domestique pour entrer sur le marché du travail rémunéré avait, parmi les femmes mariées des classes moyennes prospères et cultivées, une forte charge idéologique qu'elle n'avait pas pour les autres. Dans ces milieux, en effet, ces motivations étaient rarement économiques. Parmi les pauvres, ou ceux qui avaient des budgets serrés, les femmes mariées se mirent à chercher du travail après 1945 parce que, pour dire les choses brutalement, les enfants ne travaillaient plus. En Occident, le travail des enfants avait pratiquement disparu, tandis que, à l'opposé, la nécessité de leur donner une éducation propre à accroître leurs chances obligeait les parents à supporter une charge financière plus longtemps que par le passé. Bref, « dans le passé, les enfants avaient travaillé afin que leurs mères pussent rester à la maison et assumer leurs responsabilités domestiques et reproductives. Les familles ayant besoin de revenus supplémentaires, ce sont les mères qui devaient travailler à la place de leurs enfants » (Tilly/Scott, 1987, p. 219). Cela n'eût guère été possible sans une diminution du nombre des enfants, bien qu'une large mécanisation des corvées ménagères (notamment grâce aux machines à laver) et le développement des plats cuisinés aient également facilité cette évolution. Mais pour les femmes mariées des classes moyennes, dont les maris avaient un revenu conforme à leur statut, travailler augmentait rarement de beaucoup le budget familial, ne serait-ce que parce qu'elles étaient nettement moins payées que les hommes dans les activités qui leur étaient ouvertes. Il ne s'agissait jamais d'une importante contribution nette aux frais du ménage, dès lors qu'il fallait, pour permettre à la femme de travailler à l'extérieur, payer quelqu'un (servante ou, en Europe, jeune fille au pair) pour s'occuper des tâches quotidiennes et des enfants.

Si quelque chose incitait les femmes mariées de ces milieux à sortir de chez elles, c'était l'exigence de liberté et d'autonomie : leur désir d'être reconnue comme une personne à part entière, non plus comme un appendice du mari et une ménagère ; d'apparaître aux yeux du monde comme un individu plutôt que comme un membre de l'espèce (« une simple femme au foyer et mère de famille »). Le revenu était nécessaire, non pas en soi, mais comme argent que la femme pouvait dépenser ou épargner sans l'assentiment préalable de son mari. Naturellement, à mesure que les ménages à double revenu devinrent plus fréquents dans les classes moyennes, les budgets familiaux furent de plus en plus calculés en ces termes. Et, de fait, les études supérieures devenant quasi universelles pour les rejetons des classes moyennes, et les parents devant ainsi soutenir financièrement leurs enfants jusqu'à l'approche de la trentaine, voire plus longtemps encore, le travail rémunéré de ces femmes cessa d'être seulement une déclaration d'indépendance pour devenir ce qu'il avait toujours été pour les pauvres : le moyen de joindre les deux bouts. Mais, comme le montre l'essor des *commuting marriages*, (les couples où chacun a un long trajet à faire entre sa résidence et son lieu de travail), l'élément d'émancipation délibérée ne devait pas pour autant disparaître. Car les coûts (pas seulement financiers) supportés par les couples dont chacun des époux travaillait à des endroits souvent très éloignés étaient lourds, même si, à partir des années 1970, la révolution des transports et des communications permit la multiplication de ce cas de figure, notamment parmi les universitaires. Toutefois, alors qu'autrefois les épouses (mais pas les enfants, passé un certain âge) suivaient presque automatiquement leurs maris au gré de leurs changements d'affectation, il devint désormais pratiquement impensable, tout au moins dans les milieux intellectuels des classes moyennes, de perturber la carrière d'une femme et d'attenter à son droit de décider du lieu où elle voulait la poursuivre. À cet égard, les hommes et les femmes semblaient enfin se traiter en égaux[17].

Dans les pays développés, le féminisme des classes moyennes, ainsi que le mouvement des femmes éduquées ou intellectuelles, n'en déboucha pas moins sur un sentiment générique que l'heure de la libération des femmes, ou tout au moins de leur auto-affirmation, avait sonné. Même s'il ne se rapportait pas toujours directement aux préoccupations du reste des femmes, le premier féminisme avait posé des questions qui les concernaient toutes ; celles-ci n'en devinrent que plus pressantes lorsque les bouleversements sociaux que nous avons esquissés engendrèrent une révolution morale et culturelle profonde, et à bien des égards soudaine, ainsi qu'une transformation spectaculaire des conventions régissant la conduite sociale et personnelle des individus. Les femmes auront joué un rôle crucial dans cette révolution culturelle, dont le pivot et les domaines d'expression privilégiés furent les changements affectant la famille et le ménage traditionnels, où elles avaient toujours été l'élément central.

CHAPITRE 11
RÉVOLUTION CULTURELLE

« *Dans le film, Carmen Maura joue le rôle d'un homme qui a subi une opération transsexuelle et qui, des suites d'une histoire d'amour malheureuse avec son père, a renoncé aux hommes pour une relation lesbienne (je crois) avec une femme, qui est jouée par un célèbre travesti madrilène.* »

Paul BERMAN, critique cinématographique,
Village Voice, 1987, p. 572

« *Les manifestations qui réussissent ne sont pas nécessairement celles qui mobilisent le plus de gens, mais celles qui intéressent le plus les journalistes. En exagérant un peu, on pourrait dire que cinquante personnes astucieuses, capables de faire un happening réussi qui passe 5 minutes à la télévision, peuvent avoir autant d'effet politique que 500 000 manifestants.* »

Pierre BOURDIEU, 1994

I

La meilleure approche de cette révolution culturelle passe donc par la famille et le ménage, c'est-à-dire par la structure des relations entre les sexes et les générations. Dans la plupart des sociétés, celle-ci a fait montre d'une impressionnante résistance au changement soudain, sans que ces structures ne soient en aucune façon demeurées statiques. De surcroît, malgré les apparences contraires, les modèles ont eu une dimension mondiale ou tout au moins des similitudes élémentaires sur de très larges zones, bien qu'on ait suggéré, sur des bases socio-économiques et techniques, qu'il existe une différence majeure entre l'Eurasie (y compris de part et d'autre de la Méditerranée), d'un côté, et le reste de l'Afrique de l'autre (Goody, 1990, XVII). Ainsi, la polygamie, qui était complètement absente, ou qui l'est devenue en Eurasie, sauf pour des groupes spécialement privilégiés et dans le monde arabe, a fleuri en Afrique, où plus du quart des mariages seraient polygames (Goody, 1990, p. 379).

Néanmoins, par-delà ces variations, l'immense majorité de l'humanité partageait un certain nombre de caractéristiques, telles que l'existence du mariage formel avec relations sexuelles privilégiées entre époux (l'« adultère » est universellement considéré comme un délit), la supériorité des hommes sur les femmes (« patriarcat ») et des parents sur les enfants, mais aussi des aînés sur les plus jeunes, les familles nombreuses, etc. Quelles que soient l'étendue et la complexité du réseau de parenté ainsi que des droits et obligations mutuels en son sein, une résidence nucléaire – un couple et ses enfants – était généralement présente partout, même lorsque le groupe corésident ou coopérant était bien plus large. L'idée que la famille nucléaire, devenue le modèle standard de la société occidentale aux XIXᵉ et XXᵉ siècles, était issue d'unités familiales et de parenté beaucoup plus grandes, dans le cadre de l'essor de l'individualisme – bourgeois ou autre – repose sur un malentendu historique, portant notamment sur la nature de la coopération sociale et de sa raison d'être dans les sociétés pré-industrielles. Même dans une institution communiste telle que la *zadruga*, ou famille soudée, des Slaves dans les Balkans, « chaque femme travaille pour sa famille au sens étroit du mot, à savoir son mari et ses enfants, mais aussi, quand vient son tour, pour les membres non mariés de la communauté et les orphelins » (Guidetti/Stahl, 1977, p. 58). L'existence d'une famille ou d'un noyau domestique de ce genre ne veut pas dire, bien entendu, que les groupes de parenté ou les communautés au sein desquelles ils se trouvent soient semblables à d'autres égards.

Reste que, dans la seconde moitié du XXᵉ siècle, ces arrangements élémentaires et persistants ont commencé à changer à une vitesse vertigineuse, en tout cas dans les pays occidentaux « développés », bien que de manière inégale. Ainsi, en Angleterre et au Pays de Galles – exemple, il est vrai, spectaculaire –, on comptait un divorce pour cinquante-huit mariages en 1938 (Mitchell, 1975, p. 30-32), mais un pour tous les 2,2 nouveaux mariages au milieu des années 1980 (*Annuaire statistique des Nations unies*, 1987). De surcroît, nous voyons l'accélération de cette tendance en roue libre dans les années 1960. À la fin des années 1970, il y avait plus de dix divorces pour mille couples mariés en Angleterre et au Pays de Galles, soit cinq fois plus qu'en 1961 (*Social Trends*, 1980, p. 84).

Cette tendance était loin d'être limitée à la Grande-Bretagne. En vérité, le changement spectaculaire est on ne peut plus clair dans les pays à morale traditionnelle fortement contraignante comme les pays catholiques. En Belgique, en France et aux Pays-Bas, le taux de divorce brut (nombre de divorces annuel pour mille habitants) a en gros été multiplié par trois entre 1970 et 1985. Cependant, même dans les pays avec une tradition d'émancipation en ce domaine comme le Danemark et la Norvège, ces chiffres ont pu doubler ou presque au cours de la même période. Il est manifestement arrivé quelque chose d'inhabituel au mariage occidental. En Californie, dans les années 1970, les clientes d'une clinique gynécologique se distinguaient par « une forte diminution du mariage en bonne et due forme, une réduction du désir d'enfants […] et un changement d'attitude envers l'acceptation de la bisexualité » (Esman, 1990, p. 67). Il est peu vraisemblable qu'une telle réaction aurait pu être enregistrée où que ce soit, même en Californie, avant cette décennie.

Le nombre de personnes isolées (c'est-à-dire, ne faisant pas partie d'un couple ou d'une famille plus large) commença également à monter en flèche. En Grande-Bretagne, dans le premier tiers du siècle, elles constituaient environ 6 % des ménages, avant d'augmenter assez doucement. Pourtant, entre 1960 et 1980, le pourcentage a presque doublé, passant de 12 à 22 % pour atteindre plus de 25 % en 1991 (Abrams, Carr-Saunders, *Social Trends*, 1993, p. 26). Dans de nombreuses grandes villes occidentales, les « isolés » représentaient près de la moitié des ménages. Inversement, la famille nucléaire classique occidentale, le couple marié avec enfants, était en recul évident. Aux États-Unis ces familles sont passées de 44 % des ménages à 29 % en vingt ans (1960-1980) ; en Suède, où près de la moitié des naissances étaient au milieu des années 1980 le fait de femmes non mariées

(*World's Women*, p. 16), de 37 à 25 %. Même dans les pays développés où les couples classiques formaient encore la moitié ou plus de tous les ménages en 1960 (Canada, Allemagne fédérale, Pays-Bas, Grande-Bretagne), la famille nucléaire était maintenant minoritaire.

Dans certains cas particuliers, elle a même cessé d'être typique. Ainsi, en 1991, 58 % des familles noires aux États-Unis avaient pour chef de famille une femme seule, et 70 % des enfants étaient nés de mères célibataires. En 1940, 11,3 % seulement des familles « non blanches » étaient dirigées par des mères célibataires ; même dans les villes, ce pourcentage ne dépassait pas 12,4 % (Franklin Frazier, 1957, p. 137). En 1970, il n'était encore que de 30 % (*New York Times*, 5 octobre 1992).

La crise de la famille était liée à des changements tout à fait spectaculaires des normes publiques régissant le comportement sexuel, la vie de couple et la procréation. Ces modifications ont été à la fois officielles et officieuses, et dans les deux cas elles sont datables et coïncident avec les années 1960 et 1970. Officiellement, ce fut une extraordinaire époque de libéralisation pour les hétérosexuels (essentiellement pour les femmes, qui étaient beaucoup moins libres que les hommes) comme pour les homosexuels et pour ceux qui pratiquaient d'autres formes de dissidence sexuelle et culturelle. En Grande-Bretagne, l'homosexualité a été pour l'essentiel décriminalisée dans la seconde moitié des années 1960, avec quelques années de retard sur les États-Unis, où le premier État à dépénaliser la sodomie (Illinois) le fit en 1961 (Johansson/Percy, p. 304, 1349). En Italie, le pays du pape, le divorce a été légalisé en 1970, avant qu'un référendum ne vînt confirmer ce droit en 1974. La vente de contraceptifs et l'information sur le contrôle des naissances ont été légalisées en 1971 ; et en 1975 un nouveau code familial a remplacé l'ancien, hérité de la période fasciste. Quant à l'avortement, il a été finalement légalisé en 1978, puis confirmé par référendum en 1981.

Bien que des lois permissives aient sans conteste rendu plus faciles des actes jusque-là interdits, et aient donné beaucoup plus de publicité à ces questions, la loi a reconnu, plutôt qu'elle n'a créé, le nouveau climat de relâchement sexuel. Qu'un pour cent seulement des femmes britanniques, dans les années 1950, ait cohabité plus ou moins longtemps avec leur futur mari avant le mariage ne devait rien à la législation ; que 21 % le fissent au début des années 1980 n'était pas davantage le fait de la loi (Gillis, 1985, p. 307). Des choses sont devenues admissibles, qui étaient jusque-là interdites, non seulement par la loi et par la religion, mais aussi par la morale coutumière, la convention et le qu'en-dira-t-on.

Naturellement, ces tendances n'ont pas affecté également toutes les parties du monde. Tandis que le divorce progressait universellement (en supposant un instant que la dissolution formelle du mariage par un acte officiel eût le même sens partout), le mariage était manifestement devenu beaucoup moins stable dans certains pays. Dans les années 1980, il demeurait beaucoup plus permanent dans les pays catholiques (non communistes). Le divorce était bien moins répandu dans la Péninsule ibérique et en Italie, et plus rare encore en Amérique latine. C'est vrai même dans les pays qui se voulaient avancés : un divorce pour vingt-deux mariages au Mexique, un pour trente-trois au Brésil (mais un pour 2,5 à Cuba). La Corée du Sud est restée exceptionnellement traditionnelle pour un pays en mutation aussi rapide (un pour onze mariages), mais au début des années 1980 même le Japon avait un taux de divorce quatre fois moins élevé que la France et très en dessous du taux des Britanniques et des Américains, qui divorcent facilement. Même au sein du monde (alors) socialiste, il y avait des variations, bien que plus petites que dans le monde capitaliste, sauf en URSS qui venait juste après les États-Unis par l'empressement des citoyens à briser leur mariage (*UN World Social Situation*, 1989, p. 36). Ces variations n'ont rien de surprenant. Ce qui était et reste bien plus intéressant, c'est que, grandes ou petites, on peut suivre les mêmes transformations à travers le monde en voie de « modernisation ». Nulle part ce phénomène n'était aussi frappant que dans le champ de la culture populaire, en particulier des jeunes.

II

Car si le divorce, les naissances illégitimes et la multiplication des familles monoparentales (c'est-à-dire essentiellement des mères célibataires) étaient le signe d'une crise affectant les rapports entre les sexes, l'essor d'une culture juvénile spécifique et extraordinairement puissante témoignait d'un changement profond des relations entre les générations. La jeunesse, en tant que groupe conscient de son identité et allant de la puberté – qui, dans les pays développés, intervenait quelques années plus tôt que dans les générations antérieures (Tanner, 1962, p. 153) – jusqu'à vingt-cinq ans, est devenue un acteur social indépendant. Le fait politique le plus spectaculaire, en particulier dans les années 1960 et 1970, a été la mobilisation de classes d'âge qui, dans les pays moins politisés, ont fait la fortune de l'industrie du disque, laquelle vendait de 75 à 80 % de sa production – à savoir le rock – à une clientèle âgée de quatorze à vingt-cinq ans (Hobsbawm, 1993, p. XXVIII-XXIX). La radicalisation politique des années 1960, anticipée par des contingents plus réduits de dissidents culturels et de marginaux en tous genres, fut le fait de ces jeunes gens, qui rejetaient le statut d'enfants, voire d'adolescents (c'est-à-dire d'adultes encore pas tout à fait mûrs), tout en niant la pleine humanité à tous les plus de trente ans – sauf, le cas échéant, à un gourou.

Hormis en Chine, où le vieux Mao mobilisa la jeunesse avec des effets terribles (*cf.* chapitre 16), les jeunes extrémistes trouvaient leurs chefs, pour autant qu'ils en acceptaient, parmi leurs pairs. C'était on ne peut plus clair dans les mouvements estudiantins qui essaimèrent à travers le monde, mais lorsque ceux-ci déclenchèrent des mouvements ouvriers de masse, comme en France et en Italie en 1968-1969, l'initiative vint aussi des jeunes travailleurs. Aucun homme ayant un minimum d'expérience des réalités de la vie et de leurs limites, aucun adulte véritable n'aurait pu inventer les slogans péremptoires de mai 68 ou de « l'automne chaud » italien de 69 : *tutto e subito*, « tout et tout de suite » (Albers/Goldschmidt/Oehlke, p. 59, 184).

La nouvelle « autonomie » de la jeunesse en tant que couche sociale distincte fut symbolisée par un phénomène qui, sur une telle échelle, était probablement sans parallèle depuis l'ère romantique de l'aube du XIXᵉ siècle : le héros dont la vie s'achevait en même temps que sa jeunesse. Anticipée dans les années 1950 par James Dean, cette figure était commune, voire idéal-type, en ce qu'elle devint l'expression culturelle caractéristique de la jeunesse : la musique rock. Buddy Holly, Janis Joplin, Brian Jones, pour les Rolling Stones, Jimi Hendrix et un certain nombre d'autres divinités populaires tombèrent victimes d'un style de vie fait pour une mort prématurée. Ce qui rendait de telles morts symboliques, c'était que la jeunesse qu'ils représentaient était par définition éphémère. Le métier d'acteur peut occuper toute une vie, non le rôle de jeune premier.

Néanmoins, bien que les rangs de la jeunesse ne cessent de changer – il est bien connu qu'une « génération » d'étudiants dure à peine trois ou quatre ans –, ils se renouvellent constamment. L'émergence de l'adolescent en tant qu'acteur social conscient a été de plus en plus reconnue, avec enthousiasme par les fabricants de biens de consommation, parfois avec moins d'empressement par ses aînés, voyant se creuser l'espace entre ceux qui acceptaient volontiers l'étiquette d'« enfant » et ceux qui revendiquaient celle d'« adulte ». Au milieu des années 1960, même le mouvement de Baden Powell, les Boy Scouts de l'Angleterre, laissa tomber la première partie de son nom, par concession à l'air du temps, et troqua l'ancien sombrero des scouts pour le béret, moins voyant (Gillis, 1974, p. 197).

Les groupes d'âge n'ont rien de nouveau dans les sociétés. La civilisation bourgeoise elle-même avait reconnu l'existence d'une couche de personnes sexuellement mûres, mais dont la croissance physique et intellectuelle n'était pas terminée, et à qui manquait l'expérience de la vie adulte. Que ce groupe rajeunît alors que la puberté et la croissance devenaient plus précoces (Floud *et al.*, 1990) ne changeait rien en soi à la situation. Cela ne fit qu'accroître la tension entre les jeunes et leurs parents ou leurs enseignants, qui prétendaient les traiter comme moins adultes qu'ils ne croyaient l'être. Les milieux bourgeois s'étaient faits à l'idée que les jeunes hommes – par opposition aux jeunes femmes – devaient en passer par une période de turbulence : ils devaient commencer par « jeter leur gourme » avant de « se ranger ». La nouveauté de la nouvelle culture juvénile était donc triple.

Pour commencer, la « jeunesse » n'était plus considérée comme une étape préparatoire à l'âge adulte. En un sens, elle était le stade final du plein épanouissement de l'homme. Comme dans les sports, domaine où la jeunesse triomphe sans partage, et qui plus qu'aucun autre définissait désormais les ambitions d'un nombre croissant d'êtres humains, la vie déclinait manifestement après trente ans. Au mieux, après cet âge, elle n'avait plus guère d'intérêt. Que cela ne correspondît pas à une réalité sociale dans laquelle (sauf pour le sport, certaines formes de divertissement et peut-être les mathématiques pures) le pouvoir, l'influence, l'œuvre accomplie aussi bien que la richesse croissaient avec l'âge était une preuve supplémentaire que l'organisation du monde laissait à désirer. Car, jusque dans les années 1970, le monde d'après-guerre fut en fait gouverné par une gérontocratie, beaucoup plus largement que dans la plupart des périodes antérieures, à savoir par des hommes – il n'y avait encore guère de femmes – qui étaient adultes à la fin, voire au début de la Première Guerre mondiale. Cela valait pour le monde capitaliste (Adenauer, de Gaulle, Franco, Churchill) comme pour le monde communiste (Staline et Khrouchtchev, Mao, Ho-Chi-Minh, Tito) et les grands États postcoloniaux (Gandhi, Nehru, Sukarno). Un dirigeant de moins de quarante ans était rare même dans les régimes révolutionnaires issus de coups d'État militaires – type de changement politique qui tentait généralement les officiers assez jeunes, parce qu'ils avaient moins à perdre que les plus hauts gradés. Ainsi s'explique pour une grande part l'impact international de Fidel Castro, qui s'empara du pouvoir à trente-deux ans.

Les establishments de vieux n'en firent pas moins des concessions, silencieuses et peut-être pas toujours conscientes, à cette société d'adolescents : les industries florissantes des produits de beauté, des soins capillaires et de l'hygiène personnelle ne furent pas en reste, qui tiraient un bénéfice disproportionné de l'accumulation de richesse d'une poignée de pays développés[1]. À compter de la fin des années 1960, la tendance fut à l'abaissement du droit de vote à dix-huit ans – par exemple, aux États-Unis, en Grande-Bretagne, en Allemagne et en France –, tandis que se manifestaient également quelques signes d'abaissement de l'âge du consentement à des rapports sexuels (hétérosexuels). Paradoxalement, alors qu'avec l'allongement de l'espérance de vie, le pourcentage de vieux augmentait, et (tout au moins dans les classes moyennes et supérieures privilégiées), la sénilité était retardée, l'âge de la retraite fut avancé ; et, en temps de difficulté, la « retraite anticipée » devint une méthode de prédilection pour diminuer les coûts de la main-d'œuvre. Les cadres de plus de trente ans qui perdaient leur emploi avaient autant de mal que les travailleurs manuels et les cols blancs à en trouver de nouveaux.

La deuxième nouveauté de la « culture jeune » découle de la première : elle était ou devint dominante dans les « économies de marché développées ». Il y a à cela diverses raisons : elle représentait désormais une masse concentrée de pouvoir d'achat et chaque nouvelle génération d'adultes avait été socialisée dans le cadre d'une culture juvénile consciente de son identité et portant les marques de cette expérience. Mais aussi, et ce n'est pas la moindre raison, la vitesse stupéfiante du changement technologique donnait en fait aux jeunes un avantage sensible sur un âge plus traditionnel ou, tout au moins, qui a plus de mal à s'adapter. Quelle que soit la structure d'âge de l'encadrement d'IBM ou d'Hitachi, ce sont des jeunes de vingt à trente ans qui ont conçu les nouveaux ordinateurs ou imaginé les nouveaux logiciels. Alors même que ces programmes et ces machines avaient été prétendument mis à la portée du premier imbécile venu, la génération qui n'avait pas grandi avec eux avait une conscience aiguë de son infériorité sur les générations qui les connaissaient depuis toujours. Ce que les enfants pouvaient apprendre de leurs parents devenait moins évident que ce que les parents ignoraient, mais que leurs enfants savaient. Le rôle des générations s'était renversé. Le jean, cet habit délibérément populaire que le étudiants américains furent les premiers à porter sur les campus pour se distinguer de leurs aînés, commença à faire son apparition, le week-end et en vacances, voire dans bien des activités à la page, qu'elles soient « créatives » ou autres, sur plus d'un homme aux tempes grisonnantes.

La troisième particularité de la nouvelle culture jeune des sociétés urbaines fut son internationalisme étonnant. Blue-jean et rock devinrent les marques de la jeunesse « moderne », des minorités destinées à devenir des majorités, dans tous les pays où ils étaient officiellement tolérés et dans certains où ils ne l'étaient pas, comme en URSS à partir des années 1960 (Starr, 1990, chapitres 12-13). Souvent, les paroles des chansons rock n'étaient même pas traduites. C'était là l'expression de l'hégémonie culturelle écrasante des États-Unis dans la culture et les modes de vie populaires, même s'il faut observer que le cœur de la culture de la jeunesse occidentale était aux antipodes du chauvinisme culturel, en particulier sur le plan musical. Les jeunes firent bon accueil aux styles importés des Caraïbes, d'Amérique latine et de plus en plus, à partir des années 1980, d'Afrique.

Cette hégémonie culturelle n'avait rien de nouveau : c'est son *modus operandi* qui avait changé. Entre les deux guerres, son principal vecteur avait été l'industrie américaine du cinéma, la seule qui fût distribuée dans le monde entier. Elle touchait un public de plusieurs centaines de millions de spectateurs, qui atteignit son maximum juste au lendemain de la Seconde Guerre mondiale. Avec l'essor de la télévision, de la production cinématographique internationale et la fin du système des studios hollywoodiens, l'industrie américaine a perdu une partie de sa prédominance et plus encore son public. En 1960, elle n'assurait pas plus d'un sixième de la production mondiale de films même en excluant le Japon et l'Inde (*Annuaire statistique des Nations unies*, 1961), même si elle a fini par retrouver une bonne part de son hégémonie. Les États-Unis ne sont jamais parvenus à exercer une domination comparable sur les immenses marchés de la télévision, beaucoup plus diversifiés linguistiquement. Les styles de sa jeunesse se sont propagés directement, ou par amplification de leurs signaux *via* le relais culturel britannique, par une sorte d'osmose informelle. Ils se sont propagés à travers les disques et les cassettes, dont le principal moyen de promotion, aujourd'hui comme hier, était la bonne vieille radio ; à travers la distribution mondiale des images ; à travers les contacts personnels du tourisme international, qui a permis à des flux modestes, mais croissants et influents, de jeunes gens en jeans d'essaimer à travers le monde ; *via* le réseau mondial d'universités, dont la capacité de communication internationale rapide est devenue évidente dans les années 1960 ; et notamment par la force de la mode dans la société de consommation qui touchait maintenant les masses, amplifiée par les pressions qui s'exerçaient au sein d'un groupe d'égaux. Une culture mondiale de la jeunesse était née.

Aurait-elle pu apparaître plus tôt ? Très certainement non. Sa clientèle eût été bien plus réduite, en termes relatifs aussi bien qu'absolus, car l'allongement de l'enseignement à plein-temps, et surtout la création d'immenses populations de jeunes, garçons et filles, vivant ensemble, formant un même groupe d'âge, dans les universités l'a spectaculairement aidée. De plus, même les adolescents qui entraient sur le marché du travail à l'âge de la fin de l'enseignement obligatoire (entre 14 et 16 ans, dans le pays « développé » type) avait un pouvoir d'achat bien plus indépendant que leurs prédécesseurs du fait de la prospérité et du plein-emploi de l'Âge d'or, mais aussi de la plus grande prospérité de leurs parents, qui avaient moins besoin de l'apport de leurs enfants au budget familial. C'est la découverte de ce marché de la jeunesse, au milieu des années 1950, qui a révolutionné la musique pop et, en Europe, l'industrie de la mode tournée vers le marché de masse. Le « boom des adolescents » britanniques, qui a commencé à cette époque, s'est nourri des concentrations urbaines de jeunes filles bien payées dans les bureaux et les boutiques en plein essor, ayant souvent plus à dépenser que les garçons et étant, en ce temps-là, moins attachées aux formes de dépenses masculines traditionnelles, comme la bière et les cigarettes. Le boom a « pour la première fois montré sa force dans des domaines où les achats des filles étaient prééminents, comme les chemisiers, les jupes, les produits de beauté et les disques de musique pop » (Allen, 1968, p. 62-63), sans parler des concerts pop, dont elles formaient le public le plus important et le plus audible. La puissance de l'argent des jeunes peut se mesurer aux ventes de disques aux États-Unis, qui sont passées de 277 millions de dollars en 1955, à l'apparition du rock, à six cents millions en 1959, puis deux milliards en 1973 (Hobsbawm, 1993, p. XXIX). Aux États-Unis, en 1970, chaque membre du groupe des cinq à dix-neuf ans dépensait en disques au moins cinq fois plus qu'en 1955. Plus le pays s'est enrichi, plus l'industrie discographique a pris de l'ampleur : aux États-Unis, en Suède, en Allemagne de l'Ouest, aux Pays-Bas et en Grande-Bretagne, les jeunes dépensaient entre sept et dix fois plus par tête que leurs pareils de pays plus pauvres mais en voie de développement rapide comme l'Italie et l'Espagne.

Le pouvoir indépendant du marché a permis aux jeunes de découvrir plus facilement des symboles d'identité matériels et culturels. Mais ce qui a aiguisé les contours de cette identité, c'est l'écart historique considérable qui séparait les générations nées avant 1925, par exemple, de celles nées après 1950 ; un écart beaucoup plus grand que celui qui existait jadis entre parents et enfants. La plupart des parents ayant des enfants adolescents en prirent une conscience aiguë dans les années 1960 et plus tard. Les jeunes vivaient dans des sociétés coupées de leur passé, qu'elles fussent transformées par la révolution, comme en Chine, en Yougoslavie et en Égypte ; par la conquête et l'occupation, comme l'Allemagne et le Japon ; ou par la fin des colonies. Ils n'avaient aucun souvenir du temps précédent le déluge. Sauf peut-être à travers l'expérience partagée d'une grande guerre nationale, comme celle qui associa pour un temps jeunes et vieux en Russie et en Grande-Bretagne, ils n'avaient pas moyen de comprendre ce que leurs aînés avaient vécu ou éprouvé – même lorsque ceux-ci étaient disposés à parler du passé, ce à quoi répugnait la grande majorité des Allemands, des Japonais et des Français. Comment un jeune Indien, pour qui le Congrès était un parti de gouvernement ou un appareil politique, pouvait-il comprendre un compatriote pour qui il avait été l'expression d'une nation en lutte pour sa liberté ? Comment même les jeunes et brillants économistes indiens qui envahirent les universités du monde entier pouvaient-ils comprendre leurs professeurs, pour qui la plus haute ambition de l'époque coloniale avait été simplement de devenir « aussi bons que » leurs modèles de la Métropole ?

L'Âge d'or a creusé ce fossé, tout au moins jusque dans les années 1970. Comment les garçons et les filles, grandissant dans une ère de plein-emploi, pouvaient-ils appréhender l'expérience des années 1930 ou, inversement, une génération plus ancienne comprendre les jeunes pour qui un emploi n'était pas un havre sûr après des mers démontées (notamment un havre sûr avec des droits de retraite), mais une chose qu'on pouvait accepter aussi bien qu'abandonner à tout moment si l'envie vous prenait de partir quelques mois au Népal ? Cette version de l'écart des générations n'était pas confinée aux pays industriels, car le déclin dramatique de la paysannerie créa un fossé semblable entre les générations rurales et ex-rurales, manuelles et mécanisées. Dans la France des années 1970, des professeurs d'histoire, élevés dans un pays où chaque enfant venait d'une ferme ou y passait ses vacances, eurent la surprise de devoir expliquer à leurs élèves ce que faisaient les laitières et à quoi ressemblait une cour de ferme avec un tas de fumier. Qui plus est, ce fossé des générations a affecté même ceux – la majorité des habitants de la planète – qui étaient passés à côté des grands événements politiques du siècle ou qui n'avaient aucune opinion particulière à leur sujet, si ce n'est dans la mesure où ils affectaient leur vie privée.

Mais, naturellement, qu'ils fussent ou non passés à côté de ces événements, la majorité de la population mondiale était désormais plus jeune que jamais. Dans la plus grande partie du tiers-monde, où la transition démographique de taux de natalité élevés à des taux faibles n'était pas encore intervenue, c'est entre les deux cinquièmes et la moitié des habitants qui, dans cette seconde moitié du siècle, avait moins de quatorze ans. Si forts que fussent les liens familiaux, si solide que fût la toile de la tradition dans laquelle ils étaient pris, il ne pouvait y avoir qu'un fossé considérable entre leur compréhension de la vie, leurs expériences et leurs attentes, et celles des générations plus âgées. Les exilés politiques sud-africains qui regagnèrent leur pays au début des années 1990 avaient une approche de ce que signifiait se battre pour le Congrès national africain tout autre que celle de leurs jeunes « camarades » qui portaient le même drapeau dans les *townships*. Inversement, la majorité des habitants de Soweto, nés longtemps après que Nelson Mandela eut été jeté en prison, pouvait-elle faire de lui autre chose qu'un symbole ou une icône ? À bien des égards, le fossé des générations était dans ces pays encore plus grand qu'en Occident, où jeunes et vieux étaient soudés par des institutions permanentes et une continuité politique.

III

La culture jeune devint la matrice de la révolution culturelle au sens plus large de révolution des us et coutumes, des manières d'occuper ses loisirs et des arts commerciaux, qui formait de plus en plus l'atmosphère que respiraient les hommes et les femmes des villes. Deux caractéristiques de cette révolution sont donc à relever. Elle fut à la fois populaire et antinomique, en particulier en matière de conduite personnelle. Chacun « faisait ce qu'il avait envie de faire » avec un minimum de contrainte extérieure même si, dans la pratique, les pressions et la mode imposaient en réalité autant d'uniformité qu'auparavant, tout au moins au sein des groupes d'égaux et des sous-cultures.

Que les couches sociales supérieures fussent inspirées par ce qu'elles trouvaient dans « le peuple » n'était pas en soi une nouveauté. Même si on laisse de côté Marie-Antoinette jouant aux laitières, les romantiques avaient adoré la culture rurale, la musique et les danses populaires, leurs intellectuels les plus dans le vent (Baudelaire) s'étaient entichés de la « nostalgie de la boue » des cités, et maint Victorien avait jugé que le commerce sexuel avec quelqu'un du petit peuple, le sexe étant une question de goût personnel, était une gratification peu commune. (Pareils sentiments étaient loin d'être éteints à la fin du XXe siècle.) À l'Âge des empires, les influences culturelles commencèrent pour la première fois à s'exercer systématiquement du bas vers le haut (voir *L'Âge des empires*, chapitre 9), tant à travers l'impact puissant des arts plébéiens qui se développaient depuis peu qu'à travers le cinéma, le divertissement de masse par excellence. Reste que la plupart des divertissements populaires et commerciaux de l'entre-deux-guerres demeuraient à bien des égards sous l'hégémonie de la bourgeoisie ou furent placés sous sa coupe. L'industrie cinématographique classique d'Hollywood était, par-dessus tout, *respectable* : son idéal social, celui de la version américaine des « valeurs familiales » solides, et son idéologie, celle de l'éloquence patriotique. Chaque fois que, soucieuse du box-office, Hollywood découvrait un genre incompatible avec l'univers moral des quinze films « Andy Hardy » (1937-1947), qui lui valurent un Academy Award pour avoir « consolidé l'*American way of life* » (Halliwell, 1988, p. 321), comme par exemple dans les premiers films de gangsters qui risquaient d'idéaliser les délinquants, l'ordre moral était aussitôt restauré, pour autant qu'il ne fût pas déjà entre les mains sûres du Code de Production d'Hollywood (1934-1966), qui limitait la durée admissible des baisers à l'écran (la bouche fermée) à un maximum de trente secondes. Les plus grands triomphes d'Hollywood – par exemple, *Autant en emporte le vent* – reposaient sur des romans destinés à un lectorat bourgeois conformiste et relevaient aussi fermement de cet univers culturel que la *Foire aux vanités* de William M. Thackeray ou *Cyrano de Bergerac* d'Edmond Rostand. Seuls résistèrent un temps à cet embourgeoisement le genre anarchique et populaire du vaudeville et de la comédie issue du cirque, même si, dès les années 1930, il battit en retraite sous la pression du « boulevard brillant », la *crazy comedy* hollywoodienne.

Encore une fois, la triomphante comédie musicale de Broadway dans l'entre-deux-guerres, les danses et les romances dont elle était truffée, était un genre bourgeois, quoique impensable sans l'influence du jazz. C'étaient des comédies qui s'adressaient à un public bourgeois new-yorkais avec des livrets et des paroles manifestement conçus pour un public adulte qui se voulait raffiné et émancipé. Cela ressort clairement d'une comparaison rapide entre les paroles d'un Cole Porter et celles des Rolling Stones. Comme l'âge d'or d'Hollywood, celui de Broadway reposait sur une symbiose du plébéien et du respectable, mais n'avait rien de populaire.

La nouveauté des années 1950, c'est que les jeunes des classes moyennes et supérieures, tout au moins dans le monde anglo-saxon, qui donnait de plus en plus le ton au reste de la planète, commencèrent à accepter pour modèle la musique, les vêtements, voire la langue des classes inférieures des villes, ou ce qu'ils prenaient pour tels. Le rock en fut l'exemple le plus frappant. Au milieu de la décennie il sortit brusquement du ghetto des catalogues « Race » ou « Rhythm and Blues » des compagnies américaines de disques, destinés aux Noirs américains désargentés, pour devenir le langage universel des jeunes, et notamment des jeunes *blancs*. Autrefois, les jeunes dandys de la classe prolétaire (et plus encore les jeunes ouvrières) s'inspiraient parfois de la mode qui avait court dans la haute société ou des sous-cultures bourgeoises telles que la bohème artistique. Un curieux renversement parut alors s'opérer. Le marché de la mode pour les jeunes plébéiens assit son indépendance et commença par donner le ton au marché patricien. Le jean (unisexe) gagnant du terrain, la haute couture parisienne battit en retraite, ou plutôt reconnut sa défaite en usant de ses marques prestigieuses pour vendre des produits de grande consommation, directement ou sous licence. Par parenthèses, 1965 fut la première année où l'industrie française de l'habillement pour femmes produisit plus de pantalons que de jupes (Veillon, p. 6). De jeunes aristocrates se mirent à emprunter des accents qui, en Grande-Bretagne, trahissaient infailliblement les membres de leur classe et se mirent à imiter le parler de la classe ouvrière londonienne[2]. Les jeunes hommes, et de plus en plus de jeunes femmes respectables commencèrent à copier la mode machiste, jusque-là absolument infréquentable, qui avait cours parmi les travailleurs manuels, les militaires et autres et qui consistait à parsemer ses propos d'obscénités. La littérature suivit le mouvement : un brillant critique théâtral introduisit le mot *fuck*, « baiser », sur les ondes de la radio publique. Pour la première fois dans l'histoire du conte de fées, Cendrillon devint la belle du bal en *ne portant pas* de magnifiques vêtements.

Ce tournant populaire dans les goûts des jeunes des classes moyennes et supérieures du monde occidental, qui trouvait même certains parallèles dans le tiers-monde avec les intellectuels brésiliens qui se firent les champions de la *samba*[3], pourrait avoir un rapport avec la ruée des étudiants bourgeois vers les mouvements politiques et l'idéologie révolutionnaire quelques années plus tard. La mode, quoique nul ne sache comment, est souvent prophétique. Du côté des jeunes hommes, elle fut très certainement renforcée par l'émergence publique, dans le nouveau climat du libéralisme, d'une sous-culture homosexuelle d'une importance singulière dans la mode et dans les arts. Mais peut-être suffit-il de supposer que le style populaire était une manière commode de rejeter les valeurs des générations parentales ou, plus précisément, un langage dans lequel les jeunes pouvaient chercher à tâtons des moyens de s'accommoder d'un monde où les règles et les valeurs de leurs aînés semblaient avoir perdu toute pertinence.

L'« antinomisme » fondamental de la nouvelle culture jeune ne fut jamais aussi clair que lorsqu'il trouva une expression intellectuelle comme dans les affiches aussitôt célèbres des journées de mai 68 à Paris : « Il est interdit d'interdire », ou la maxime de Jerry Rubin, héros radical de la pop américaine, suivant laquelle il ne faut jamais faire confiance à quelqu'un qui n'a pas fait de la taule (Wiener, 1984, p. 204). Contrairement aux apparences, ce n'étaient pas des déclarations politiques au sens traditionnel du terme, même au sens plus restreint de propos visant à abolir des lois répressives. Tel n'était pas leur objet. C'était d'abord une manière d'afficher publiquement des sentiments et désirs privés. Comme le disait un slogan de 68 : « Je prends mes désirs pour la réalité, car je crois à la réalité de mes désirs » (Katsiaficas, 1987, p. 101). Même quand ces désirs se rassemblaient sous forme de manifestations publiques, de groupes et de mouvements, même dans ce qui ressemblait parfois à une rébellion de masse, et qui en avait parfois l'effet, la subjectivité en restait le noyau dur. « Le personnel est politique » devint un slogan important du nouveau féminisme, qui est peut-être le résultat le plus durable des années de radicalisation. Ce n'était pas simplement une façon de dire que l'engagement politique avait des motivations et des satisfactions personnelles ou que le critère du succès politique était son effet sur les gens. Dans certaines bouches, il signifiait simplement : « Je qualifierai de politique tout ce qui me préoccupe », comme dans le titre d'un ouvrage de 1970, *Fat is a Feminist Issue* (« L'obésité est une question féministe », Orbach, 1978).

Le slogan de 68, « Quand je pense à la révolution, j'ai envie de faire l'amour », n'aurait pas dérouté le seul Lénine, mais aussi Ruth Fischer, la jeune militante communiste viennoise à qui Lénine reprochait son apologie de l'amour libre (Zetkin, 1968, p. 28 *sq*.). À l'inverse, même pour les néo-marxistes-léninistes d'extrême gauche, politiquement conscients des années 1960 et 1970, l'agent du Komintern de Brecht, qui comme le représentant de commerce, « faisait l'amour avec d'autres choses en tête » (*Der Liebe pflegte ich achtlos* – Brecht, 1976, II, p. 722), eût été incompréhensible. Pour eux, l'important n'était certainement pas ce que les révolutionnaires espéraient réaliser par leurs actions, mais ce qu'ils faisaient et ce qu'ils éprouvaient en le faisant. Faire l'amour et faire la révolution étaient des choses qu'on ne pouvait clairement séparer.

Libération personnelle et libération sociale allaient donc de pair, le sexe et la drogue étant les moyens les plus évidents de briser le joug de l'État, le pouvoir des parents et des voisins, de la loi et des conventions. La sexualité, sous ses multiples formes, n'avait nul besoin d'être découverte. En écrivant « les rapports sexuels ont commencé en 1963 », le mélancolique poète conservateur (Larkin, 1988, p. 167) ne voulait pas dire que cette activité était rare avant les années 1960, ni même qu'il ne s'y était point livré, mais que son caractère public avait changé avec – ce sont ses exemples – le procès de *Lady Chatterley* et le « premier 33 tours des Beatles ». Lorsqu'une activité était autrefois interdite, de tels gestes contre les mœurs anciennes étaient faciles. Lorsqu'elle était tolérée, officiellement ou non, comme les relations lesbiennes, il restait à prouver que ce fût vraiment un geste. La revendication publique d'une pratique jusquelà prohibée ou non conventionnelle (le fait de « se déclarer publiquement ») prit donc de l'importance. L'alcool et le tabac mis à part, la drogue était en revanche demeurée jusque-là confinée à de petites sous-cultures du haut ou du bas de l'échelle sociale ou à des marginaux et n'avait pas profité de la législation permissive. Elle ne se répandit pas seulement comme un geste de rébellion, car les sensations qu'elles rendaient possibles pouvaient être un attrait suffisant. Reste que sa consommation était juridiquement déclarée illégale, et le fait même que la drogue la plus populaire parmi les jeunes occidentaux, la marijuana, fût probablement moins nocive que l'alcool ou le tabac, avait valeur, pour qui en fumait (en soi, une activité

sociale), d'acte de défi, certes, mais aussi d'affirmation de sa supériorité sur ceux qui l'interdisaient. Sur les rives plus sauvages des
années 60 américaines, où les fans de rock retrouvaient les étudiants
radicaux, la frontière était souvent brouillée entre la défonce et les
barricades.

Le champ nouvellement élargi du comportement publiquement
acceptable, y compris sexuel, a probablement accru l'expérimentation et la fréquence de conduites réputées jusque-là inacceptables ou
déviantes et en a certainement accru la visibilité. Ainsi, aux États-
Unis, l'émergence publique d'une sous-culture homosexuelle –
même à San Francisco et New York, les deux villes qui donnent le
ton et qui se sont influencées mutuellement – ne s'est produite qu'au
cœur des années 1960, pour ne devenir un groupe de pression politique que dans les années 1970 (Duberman *et al.*, 1989, p. 460). La
signification majeure de ces changements était cependant que, implicitement ou explicitement, ils rejetaient un ordre social séculaire,
l'organisation des relations humaines qu'exprimaient, sanctionnaient
et symbolisaient les conventions et les prohibitions sociales.

Plus significatif encore est le fait que ce rejet ne se fit pas au nom
de quelque autre modèle d'organisation de la société, même si ceux
qui éprouvaient le besoin de telles étiquettes ne manquèrent pas de
donner une justification idéologique à ce nouveau « libertarisme »[4],
mais au nom de l'autonomie sans limite du désir individuel. Il supposait un monde d'individualisme égocentrique exacerbé. Paradoxalement, ceux qui se rebellaient contre les conventions et les restrictions
partageaient les postulats sur lesquels se fondait la société de
consommation, ou tout au moins les motivations psychologiques que
les vendeurs de biens et services jugeaient les plus efficaces pour les
vendre.

Il était désormais tacitement admis que le monde consistait en plusieurs milliards d'êtres humains qui se définissaient par la poursuite
de leur désir individuel, y compris de désirs jusque-là prohibés ou
réprouvés, mais dorénavant autorisés – non qu'ils fussent devenus
moralement acceptables, mais parce qu'ils étaient partagés par quantité d'ego. Ainsi, jusque dans les années 1990, la libéralisation officielle s'arrêta à la légalisation de la drogue. Celle-ci demeurait
interdite et réprimée avec des degrés de sévérité et d'efficacité
variables. À compter de la fin des années 1960, il se développa avec

une grande rapidité un immense marché de la cocaïne, essentiellement parmi les classes moyennes aisées d'Amérique du Nord et, un
peu plus tard, d'Europe occidentale. De même que l'essor un peu
antérieur et plus plébéien du marché de l'héroïne (essentiellement
nord-américain), ce phénomène eut pour effet de transformer pour la
première fois le crime en un immense marché juteux (Arlacchi,
1983, p. 215, 208).

IV

La meilleure façon de comprendre la révolution culturelle de la fin
du XXᵉ siècle est donc d'y voir le triomphe de l'individu sur la société
ou, plutôt, la rupture des fils qui, par le passé, avaient lié les êtres
humains dans des tissus sociaux. Ceux-ci n'étaient pas faits uniquement de rapports effectifs entre les êtres humains et de leurs formes
d'organisation, mais aussi de modèles généraux de relations et des
formes de comportement attendues des uns envers les autres : les
rôles étaient prescrits, s'ils n'étaient pas toujours écrits. D'où une
insécurité souvent traumatique lorsque les anciennes conventions de
comportement étaient bafouées ou perdaient leur raison d'être, et une
incompréhension entre ceux qui ressentaient cette perte et ceux qui
étaient trop jeunes pour avoir connu autre chose qu'une société anomique.

Ainsi, dans les années 1980, un anthropologue brésilien a décrit la
tension d'un homme issu de la bourgeoisie, élevé dans la culture
méditerranéenne de l'honneur et de la honte qui régnait dans son
pays, et confronté à l'aléa de plus en plus fréquent d'un groupe de
voleurs menaçant de violer sa petite amie s'il ne donnait pas son
argent. En de telles circonstances, on avait toujours attendu d'un
homme digne de ce nom qu'il défendît la femme, sinon son argent, au
péril de sa vie ; et d'une dame, qu'elle préférât la mort à un destin pro-
verbialement « pire que la mort ». Dans la réalité des grandes métropoles de la fin du XXᵉ siècle, il était pourtant improbable que résister
pût sauver « l'honneur » de la femme ou l'argent. La conduite rationnelle était de céder, de manière à éviter que les agresseurs ne perdent

leur sang-froid et ne se livrent à des voies de fait ou même ne commettent un meurtre. Quant à l'honneur féminin, traditionnellement défini par la virginité avant le mariage et la fidélité conjugale absolue ensuite, que défendait-on au juste à la lumière de ce qui se disait et de la réalité du comportement sexuel des hommes et des femmes dans les milieux cultivés et émancipés de la fin des années 1980 ? Et pourtant, comme l'ont montré les recherches de l'anthropologue, cela ne rendait pas la situation moins traumatisante. Des situations moins extrêmes, par exemple des aventures sexuelles ordinaires, pouvaient produire une insécurité et des souffrances mentales comparables. L'alternative à une ancienne convention, si déraisonnable fût-elle, n'était pas quelque convention ou comportement rationnel nouveaux, mais l'absence de règle, ou tout au moins de consensus sur la solution à adopter.

Dans la majeure partie du monde, les tissus sociaux et les conventions d'antan étaient certes minés par un quart de siècle de transformations économiques et sociales sans parallèle : tendus, ils n'étaient pas pour autant en voie de désintégration. C'était heureux pour l'immense majorité de l'humanité, surtout pour les pauvres, puisque le réseau des parents, de la communauté et du voisinage était essentiel à la survie, et surtout à la réussite dans un monde en mutation. Dans une bonne partie du tiers-monde, ce réseau fonctionnait en mêlant services d'informations, bourse du travail, vivier de main-d'œuvre et de capitaux, mécanisme d'épargne et système de sécurité sociale. En vérité, sans familles soudées, on explique difficilement les succès économiques de certaines parties du monde tel que l'Extrême-Orient.

Dans les sociétés plus traditionnelles, les tensions se manifestaient essentiellement lorsque l'économie d'entreprise minait la légitimité de l'ordre social fondé sur l'inégalité acceptée, parce que les aspirations devenaient plus égalitaires et que les justifications fonctionnelles de l'inégalité s'érodaient. Ainsi, la richesse et la prodigalité des rajahs indiens (comme l'exonération fiscale de la fortune de la famille royale en Grande-Bretagne, qui ne fut remise en cause que dans les années 1990) n'avaient inspiré à leurs sujets ni envie ni rancœur, comme celles d'un voisin l'aurait pu. Elles faisaient partie intégrante de leur rôle particulier dans l'ordre social – ou peut-être même cosmique : en un sens, elles étaient mêmes censées maintenir, stabiliser et assurément symboliser leur royaume. Dans un mode légèrement différent, les privilèges et le luxe considérables des magnats d'affaires japonais étaient moins inacceptables, pour autant qu'on n'y voyait pas une richesse individuellement appropriée, mais au fond des accessoires de leur position officielle, assez comparables à ceux des ministres britanniques – limousines, résidences officielles, etc. – et qui leur sont retirés dans les heures qui suivent la fin de leurs fonctions. La distribution réelle des revenus au Japon, pour ce que nous en savons, était très nettement moins inégale qu'en Occident. Pourtant, quiconque observait la situation de ce pays dans les années 1980 – fût-ce de loin – ne pouvait guère éviter l'impression que, même dans cette décennie d'expansion, la seule accumulation de richesse personnelle et son étalage en public rendaient le contraste bien plus visible entre les conditions de vie des Japonais ordinaires – beaucoup plus modestes que celles de leurs homologues occidentaux – et celles des riches. Pour la première fois, peut-être, ceux-ci n'étaient plus suffisamment protégés par ce que l'on tenait autrefois pour les privilèges légitimes attachés au service de l'État et de la société.

En Occident, les décennies de révolution sociale avaient fait bien plus de dégâts. Les conséquences extrêmes de cet effondrement sont on ne peut plus visibles dans le discours idéologique public fin-de-siècle, surtout dans le genre de déclarations publiques qui, sans prétendre à une quelconque profondeur analytique, étaient formulées en termes de croyances largement partagées. On pense à l'idée, à un moment répandue dans les milieux féministes, que le travail domestique des femmes devrait être calculé (et, si nécessaire, rémunéré) au prix du marché, ou à la justification de l'avortement au nom d'un « droit de choisir » abstrait et illimité de l'individu (de la femme)[5]. L'influence envahissante de l'économie néoclassique, qui dans les sociétés laïques de l'Occident a pris la place de la théologie, et (*via* l'hégémonie culturelle des États-Unis) de la jurisprudence américaine ultra-individualiste, a encouragé cette rhétorique. Elle a trouvé une expression politique dans le credo du Premier ministre britannique, Margaret Thatcher : « Il n'y a pas de société, il n'y a que des individus. »

Reste que, quels que fussent les excès de la théorie, la pratique était souvent tout aussi extrême. Dans les années 1970, les réformateurs sociaux des pays anglo-saxons, légitimement choqués (comme l'étaient périodiquement les enquêteurs) par l'internement des malades et des handicapés mentaux, firent campagne avec succès contre l'internement forcé et pour confier les malades « aux soins de la communauté ». Mais, dans les villes occidentales, il n'y avait plus de communauté pour s'occuper d'eux. Il n'y avait pas de parents ; personne ne les connaissait. Il n'y avait que les rues de villes comme New York remplies de SDF munis de sacs plastique gesticulant et parlant tout seul. S'ils jouaient de chance ou de malchance (suivant le point de vue), ils passaient finalement des hôpitaux, qui les avaient chassés, aux prisons, qui aux États-Unis, devinrent le principal « réceptacle » des cas sociaux de la société américaine, en particulier de sa partie noire. En 1991, 15 % de ce qui était proportionnellement la plus grande population carcérale du monde – soit 426 détenus pour 100 000 habitants – étaient considérés comme des malades mentaux (Walker, 1991 ; *Human Development*, 1991, p. 32, fig. 2.10).

En Occident, les institutions les plus gravement sapées par le nouvel individualisme moral ont été la famille et les Églises traditionnelles, dont l'effondrement a été spectaculaire dans le dernier tiers du siècle. Le ciment qui assurait la cohésion des catholiques s'est émietté à une vitesse étonnante. Au cours des années 1960, le nombre des catholiques pratiquants au Québec (Canada) a chuté de 80 à 20 % et le taux de natalité des Canadiens francophones, traditionnellement élevé, est passé sous la moyenne canadienne (Bernier/Boily, 1986). La libération des femmes, ou plus précisément leur revendication du droit à la contraception, à l'avortement et au divorce, ont peut-être enfoncé le coin le plus puissant entre l'Église et ce qui avait été autrefois le principal vivier de fidèles (voir *L'Ère du capital*) : c'est devenu de plus en plus clair dans des pays catholiques notoires comme l'Irlande ou l'Italie, le pays du pape, et même, après la chute du communisme, en Pologne. Les vocations à la prêtrise et les autres formes de vie religieuse se sont effondrées, tout comme la volonté à mener une vie de célibat, réel ou officiel. Bref, pour le meilleur ou pour le pire, l'autorité morale et matérielle de l'Église sur les fidèles a disparu dans le trou noir qui s'est ouvert entre ses règles de vie et sa morale et la réalité des comportements à la fin du XXe siècle. Les Églises occidentales qui avaient moins d'emprise sur leurs fidèles, y compris certaines sectes protestantes plus anciennes, déclinèrent encore plus rapidement.

Les conséquences matérielles du relâchement des liens familiaux traditionnels ont été peut-être plus graves encore. Car, comme nous l'avons vu, la famille n'était pas seulement ce qu'elle avait toujours été, un instrument de reproduction, mais aussi de coopération sociale. En tant que telle, elle avait été une base essentielle des économies agraires comme des premières économies industrielles, locales et globales. Cela résultait en partie du fait qu'aucune structure économique capitaliste *impersonnelle* adéquate n'était apparue avant que la concentration du capital et l'essor des grandes sociétés ne commencent à engendrer l'organisation de l'entreprise moderne à la fin du XIXe siècle – cette « main visible » (Chandler, 1977) appelée à compléter la « main invisible » du marché chère à Adam Smith[6]. Il est à noter, de surcroît, qu'en lui-même, le marché ne fait aucune place à cet élément central de tout système de recherche du profit privé, à savoir la confiance ; ni à son équivalent juridique, l'exécution des contrats. Celle-ci nécessitait soit la puissance de l'État (les théoriciens politiques de l'individualisme au XVIIe siècle le savaient bien), soit les liens de parenté ou de communauté. Ainsi, le commerce international, la banque et la finance, champs d'activité parfois physiquement lointains, de forts profits et de grande insécurité, sont des domaines où les plus grandes réussites étaient le fait de corps apparentés d'entrepreneurs, de préférence de groupes se caractérisant par des solidarités religieuses particulières comme les Juifs, les quakers ou les huguenots. En vérité, même à la fin du XXe siècle, de tels liens étaient encore indispensables dans les entreprises criminelles, qui non seulement opéraient contre la loi mais aussi étaient soustraites par définition à sa protection. Dans une situation où rien d'autre ne garantissait les contrats, seuls pouvaient le faire les liens de parenté et la menace de mort. Les familles de la mafia calabraise qui ont le mieux réussi formaient donc une grande famille (Ciconte, 1992, p. 361-362).

Ce sont précisément ces liens de groupe et ces solidarités non économiques qui se trouvèrent minés, de même que les systèmes moraux qui les accompagnaient. Ceux-ci étaient aussi plus anciens que la société industrielle bourgeoise moderne, mais ils avaient été adaptés pour en former une part essentielle. L'ancien vocabulaire moral des droits et des devoirs, des obligations mutuelles, du péché et de la vertu, du sacrifice, de la conscience, des récompenses et des peines ne pouvait plus se traduire dans le nouveau langage de la gratification désirée. Du jour où ces pratiques et ces institutions cessèrent d'être acceptées comme participant à l'organisation de la société qui liait les gens les uns aux autres et assurait la coopération sociale, elles perdirent l'essentiel de leur capacité à structurer la vie de l'homme en société. Elles se trouvèrent réduites à de simples expressions de préférences individuelles alors qu'on demandait à la loi de reconnaître la suprématie desdites préférences[7]. L'incertitude et l'imprévisibilité menaçaient. Les boussoles n'indiquant plus de Nord, les cartes devenaient inutiles. Ce fut de jour en jour plus évident dans la plupart des pays développés à compter des années 1960. Ce phénomène a trouvé une expression idéologique dans diverses théories, du libéralisme extrême du marché jusqu'au « postmodernisme » et à ses pareils, qui ont essayé d'évacuer carrément le problème du jugement et des valeurs, ou plutôt de les réduire au seul dénominateur de la liberté sans contrainte de l'individu.

Dans un premier temps, bien entendu, les avantages d'une libéralisation sociale tous azimuts avaient paru considérables – sauf aux réactionnaires « invétérés », et ses coûts minimes ; elle ne semblait pas impliquer non plus la libéralisation économique. La grande vague de prospérité qui balaya les populations des régions favorisées du monde, renforcée par des systèmes publics de protection sociale toujours plus larges et généreux, sembla emporter les débris de la désintégration sociale. La situation de parent unique (c'est-à-dire, le plus souvent, de mère célibataire) était encore de loin la meilleure assurance d'une vie de pauvreté, mais dans les États-providence modernes elle bénéficiait en même temps d'un minimum de moyens d'existence et d'un toit. Les pensions, les aides sociales et, finalement, les pavillons de gériatrie prenaient soin des vieux isolés, dont les fils et les filles ne pouvaient pas, ou ne ressentaient plus l'obligation de s'occuper. Il semblait naturel de s'acquitter de la même façon des autres contingences qui faisaient jadis partie de l'ordre familial, par exemple en déchargeant les mères du soin de s'occuper de leurs petits en les confiant à des crèches publiques ou à des jardins d'enfant, ainsi que les socialistes, soucieux des besoins des mères salariées, le revendiquaient de longue date.

Le calcul rationnel et le cours de l'histoire semblaient aller dans le même sens que l'idéologie progressiste sous ses diverses formes, y

compris du point de vue de ceux qui reprochaient à la famille traditionnelle de perpétuer la subordination des femmes, des enfants ou
des adolescents ou de ceux qui se plaçaient sur un terrain libertaire
plus général. Matériellement, les prestations publiques étaient clairement supérieures à celles que pouvaient assurer la plupart des
familles, que ce soit à cause de leur pauvreté ou pour d'autres raisons. La preuve en était que les enfants des États démocratiques sortirent des guerres mondiales en meilleure santé et mieux nourris
qu'avant. Que l'État-providence ait survécu dans les pays les plus
riches à la fin du siècle, malgré l'offensive des gouvernements et des
idéologues du marché, le confirmait. C'était, de surcroît, devenu un
lieu commun parmi les sociologues et les spécialistes de l'anthropologie sociale : d'une manière générale, le rôle de la parenté « dimi-
nue avec l'importance des institutions gouvernementales ». Pour le
meilleur ou pour le pire, il a décliné avec la « montée de l'individualisme économique et social dans les sociétés industrielles » (Goody,
1968, p. 402-403). Bref, ainsi qu'on l'avait prédit il y a longtemps, la
Gemeinschaft cédait la place à la *Gesellschaft* ; les communautés
s'effaçaient devant des individus liés dans des sociétés anonymes.

Les avantages matériels de la vie dans un monde où la famille et la
communauté régressaient étaient et restent indéniables. Ce que peu
ont vu, c'est à quel point, jusqu'au milieu du XXe siècle, la société
industrielle moderne avait reposé sur une symbiose entre les
anciennes valeurs communautaires et familiales et la nouvelle
société, mais aussi combien risquaient d'être dramatiques les effets
de leur désintégration spectaculairement rapide. C'est devenu patent
dans l'ère de l'idéologie néolibérale, lorsque, vers 1980, le mot
macabre d'*underclass* (sous-classe) a fait son entrée, ou son retour,
dans le vocabulaire socio-politique[8]. Cette sous-classe réunissait tous
ceux qui, dans les sociétés de marché développées après la fin du
plein-emploi, ne pouvaient ou ne voulaient plus gagner leur vie et
celle de leur famille dans l'économie de marché (complétée par la
sécurité sociale), qui semblait marcher assez bien pour les deux tiers
des habitants de ces pays, en tout cas jusqu'à la fin des années 1990
(d'où l'expression de « la Société des deux tiers » alors forgée par un
social-démocrate allemand inquiet, Peter Glotz). Le mot même d'*underclass*, comme l'*underworld* (« bas-fonds ») d'antan, impliquait
une exclusion de la société « normale ». Au fond, ces exclus *(under-*

classes) étaient tributaires des logements sociaux et de l'aide publique, quand bien même ils trouvaient un complément de revenus par des incursions dans l'économie grise ou noire, voire dans le « crime », c'est-à-dire dans ces pans de l'économie hors d'atteinte de la fiscalité publique. Toutefois, puisque ces couches étaient celles où la cohésion familiale avait le plus souffert, même leurs incursions dans l'économie informelle, légale ou illégale, étaient marginales ou instables. Car, comme le prouvaient le tiers-monde et sa nouvelle immigration en masse vers les pays septentrionaux, même l'économie parallèle des bidonvilles et des immigrés clandestins ne marche bien qu'insérée dans des réseaux de parenté.

Aux États-Unis, les couches pauvres de la population noire autochtone des villes, c'est-à-dire la majorité des Noirs américains[9], sont devenues l'exemple classique d'une *underclass* de ce genre, d'une catégorie de citoyens quasiment exclus de la société officielle au point qu'ils ne font vraiment partie ni de cette société ni même, dans le cas de nombreux jeunes hommes, du marché du travail. Ce phénomène ne se limitait pas aux gens de telle ou telle couleur de peau. Avec le déclin et la chute des industries de main-d'œuvre du XIXe et du début du XXe siècle, on vit apparaître des « sous-classes » de ce genre dans un certain nombre de pays. Reste que, dans les ensembles locatifs (construits par des autorités publiques socialement responsables à l'intention de tous ceux qui ne pouvaient trouver un logis aux loyers du marché ni acheter de maisons) mais désormais habités par la « sous-classe », il n'y avait pas non plus de communauté et assez peu de solidarité entre parents. Même le « voisinage », dernière relique de la communauté, ne pouvait guère survivre à la peur universelle, généralement d'adolescents sauvages, de plus en plus armés, qui écumaient ces jungles hobbesiennes.

La communauté, et avec elle un ordre social, ne survivait – jusqu'à un certain point – que dans les parties du monde qui n'étaient pas encore entrées dans l'univers où les êtres humains vivaient côte à côte, mais pas en tant qu'êtres sociaux. Pour la plupart des êtres humains, cependant, cette communauté était désespérément pauvre. Qui pourrait parler de « sous-classe minoritaire » dans un pays comme le Brésil où, au milieu des années 1980, 20 % de la population se partageait plus de 60 % du revenu du pays, tandis que les 40 % les plus défavorisés devaient se contenter de 10 % ou même moins ? (*UN*

World Social Situation, 1984, p. 84). Il s'agissait généralement d'une vie d'inégalité des statuts comme des revenus. Reste que, pour l'essentiel, cette sous-classe échappait encore à l'insécurité envahissante de la vie urbaine des sociétés « développées » où les anciens guides de conduite avaient fait place à un vide incertain. Le triste paradoxe de cette fin de siècle était que, suivant tous les critères mesurables du bien-être social et de la stabilité, il était préférable et, en fait, plus sûr de vivre dans une Irlande du Nord socialement rétrograde mais fidèle à ses structures traditionnelles, sans emploi et déchirée par vingt années de guerre civile ininterrompue, que dans la plupart des grandes villes du Royaume-Uni.

Le drame de l'effondrement des traditions et des valeurs ne tenait pas tant aux inconvénients matériels qu'il y avait à se passer des services sociaux et personnels jadis assurés par la famille et la collectivité. Ceux-ci pouvaient être remplacés dans les États-providence prospères, mais pas dans les pays pauvres, où la grande majorité de l'humanité n'avait pas grand-chose d'autre sur quoi compter que la parenté, la protection et l'aide mutuelle (pour le monde socialiste, *cf.* chapitres 13 et 16). Ce drame résidait dans la désintégration des anciens systèmes de valeur mais aussi des usages et des conventions qui régissaient les comportements. Cette perte, durement ressentie, trouva un reflet dans ce qu'on a appelé (là encore aux États-Unis, où le phénomène prit du relief à partir de la fin des années 1960) la « politique identitaire », généralement ethnico-nationale ou religieuse, ainsi que dans le militantisme de mouvements nostalgiques qui cherchaient à retrouver un hypothétique âge révolu, d'ordre et de sécurité. Plutôt que porteurs de programmes, ces mouvements étaient des appels à l'aide : une aspiration à quelque attache « communautaire » dans un monde anomique, à quelque attache familiale dans un monde d'isolats sociaux, à quelque refuge dans la jungle. Tout observateur réaliste, ainsi que la plupart des gouvernements, savaient qu'on ne fait pas reculer la criminalité, qu'on ne parvient pas même à la maîtriser, en exécutant les criminels ou en leur infligeant de longues peines de prison prétendûment dissuasives ; néanmoins, chaque homme politique connaissait la force considérable, émotionnellement très chargée, de la demande massive, rationnelle ou non, des citoyens ordinaires : que les éléments antisociaux soient *punis*.

Tels étaient les dangers politiques de l'effilochage et de la rupture des tissus sociaux et des systèmes de valeurs d'autrefois. Au fil des années 1980, généralement placées sous l'étendard de la souveraineté du marché pur, il apparut que ce danger menaçait aussi l'économie capitaliste triomphante.

Car le système capitaliste, alors même qu'il reposait sur les rouages du marché, s'en était remis à un certain nombre de penchants qui n'avaient aucun lien intrinsèque avec cette poursuite de l'avantage individuel qui, selon Adam Smith, alimentait son moteur. Il s'appuyait sur « l'habitude du travail », dans laquelle l'économiste avait reconnu l'un des mobiles fondamentaux du comportement humain, sur le consentement à différer durablement leur gratification (c'est-à-dire à investir et à épargner en vue de gains futurs), sur la fierté du travail accompli, sur la confiance mutuelle et sur d'autres attitudes qui n'étaient pas implicites dans la maximisation rationnelle de l'utilité de qui que ce soit. La famille était devenue partie intégrante du capitalisme naissant parce qu'elle assurait un certain nombre de ces motivations. De même, en était-il de « l'habitude du travail », de l'obéissance et de la loyauté, y compris celle des cadres envers leur entreprise, et d'autres formes de comportement qui s'inséraient difficilement dans la théorie du choix rationnel fondé sur la maximisation. Le capitalisme pouvait fonctionner en leur absence, mais, en ce cas, il devenait étrange et problématique, y compris pour les hommes d'affaires eux-mêmes. C'est ce qui se produisit au cours de la vogue des « prises de contrôle » pirates et autres spéculations financières qui balayèrent les quartiers financiers des États voués à l'ultra-liberté des marchés, comme les États-Unis et la Grande-Bretagne des années 1980, et qui brisèrent pratiquement tous les liens entre la quête du profit et l'économie envisagée comme un système de production. Voilà pourquoi les pays capitalistes (Allemagne, Japon, France) qui n'avaient pas oublié que la maximisation du profit n'est pas l'unique source de la croissance, ont rendu ces raids difficiles, sinon impossibles.

Survolant les ruines de la civilisation du XIXᵉ siècle au cours de la Seconde Guerre mondiale, Karl Polanyi fit valoir à quel point les postulats sur lesquels elle s'était édifiée étaient extraordinaires et sans précédent : ceux d'un système de marchés universels et se régulant d'eux-mêmes. Il expliqua que la « propension » chère à Adam Smith,

« à échanger bien contre bien, bien contre service, chose contre autre chose » *(propensity to barter, truck and exchange one thing for another)* avait inspiré un « système industriel [...] qui signifiait, pratiquement et théoriquement, que le genre humain était dirigé dans toutes ses activités économiques – sinon également politiques, intellectuelles et spirituelles – par cette seule propension particulière » (Polanyi, 1945, p. 50-51 ; trad. fr., p. 72-73). Reste que Polanyi exagérait la logique du capitalisme à son époque, tout comme Adam Smith avait exagéré la mesure dans laquelle, abandonnée à elle-même, la poursuite par tous les hommes de leur avantage économique maximiserait automatiquement la Richesse des Nations.

De même que l'air que nous respirons, et qui rend possibles toutes nos activités, nous semble naturel, le capitalisme tenait pour argent comptant l'atmosphère dans laquelle il évoluait et dont il avait hérité. Il n'a découvert combien elle était vitale que quand l'air s'est raréfié. Autrement dit, le capitalisme avait réussi, parce qu'il n'était pas simplement capitaliste. La maximisation du profit et l'accumulation étaient des conditions nécessaires de sa réussite, non des conditions suffisantes. C'est la révolution culturelle du troisième tiers du siècle qui a commencé à ronger les atouts que le capitalisme avait reçus en héritage et à montrer combien il était difficile de s'en passer. Tel est le paradoxe historique du néolibéralisme qui est devenu à la mode dans les années 1970 et 1980 et qui a regardé de haut les décombres des régimes communistes : il a triomphé au moment même où il cessait de paraître aussi convaincant qu'il l'avait jadis semblé. Le marché prétendait triompher alors même qu'il ne pouvait plus dissimuler sa nudité et ses insuffisances.

La révolution culturelle s'est naturellement manifestée avec le plus de force dans les « économies de marché industrielles » et urbanisées des anciennes métropoles capitalistes. Mais nous verrons que les extraordinaires forces économiques et sociales libérées à la fin du XXe siècle ont aussi transformé ce qu'on appelle maintenant « le tiers-monde ».

CHAPITRE 12
LE TIERS-MONDE

« [Je suggérai que], *sans livres à lire, les soirées devaient être pesantes dans leurs grands domaines* [égyptiens], *et qu'un fauteuil et un bon livre, au frais sous une véranda, rendraient la vie beaucoup plus agréable. Mon ami répondit aussitôt : "Tu n'imagines tout de même pas qu'un proprié-taire terrien, dans le coin, puisse s'asseoir tranquillement après dîner sous sa véranda, avec une lumière brillante au-dessus de la tête sans se faire abattre ?" J'aurais pu y pen-ser moi-même.* »

Russell PASHA, 1949

« *Chaque fois qu'au village la conversation glissait sur le sujet du secours mutuel et l'offre de prêts en espèces pour aider d'autres villageois, des voix s'élevaient presque immanquablement pour déplorer que les gens fussent moins coopératifs qu'autrefois* [...]. *Invariablement, on ajoutait que les villageois devenaient de plus en plus calculateurs dans les affaires d'argent. Les villageois évoquaient alors inlassablement le "bon vieux temps", comme on disait, où les gens étaient toujours prêts à offrir de l'aide.* »

M. B. ABDUL RAHIM, 1973
(*in* Scott, 1985, p. 188)

I

La décolonisation et la révolution ont transformé de fond en comble la carte politique du globe. Le nombre d'États indépendants reconnus par la communauté internationale en Asie a quintuplé. En Afrique, où il n'y en avait qu'un en 1939, il y en avait maintenant une cinquantaine. Même aux Amériques, où la décolonisation de l'aube du XIXᵉ siècle avait laissé derrière elle une vingtaine de Républiques *latino*, la décolonisation en ajouta une douzaine de plus. Reste que l'essentiel ne tenait pas à leur nombre, mais au poids et à la pression démographiques considérables et croissants que ces États représentaient collectivement.

C'était la conséquence de l'étonnante explosion démographique que connut le monde dépendant après la Seconde Guerre mondiale, et qui changea et continue de changer l'équilibre de la population mondiale. Depuis la première révolution industrielle, peut-être depuis le XVIᵉ siècle, celui-ci avait penché du côté du monde « développé », c'est-à-dire des populations européennes ou originaires d'Europe. De moins de 20 % de la population mondiale en 1750, celles-ci étaient passées à près d'un tiers de l'humanité en 1900. L'Ère des catastrophes a figé la situation, mais, depuis le milieu du siècle, la population mondiale a augmenté à un rythme sans précédent, et cette croissance a été pour l'essentiel le fait de régions jadis dirigées, ou sur le point d'être conquises, par une poignée d'Empires. Si l'on considère que les pays riches de l'OCDE représentent le « monde développé », leur population totale à la fin des années 1980 représentait à peine 15 % de l'humanité : une part inévitablement déclinante, n'était l'immigration, puisque dans plusieurs pays « développés » les naissances ne suffisaient plus à renouveler les générations.

Cette explosion démographique des pays pauvres, qui commença à créer de sérieuses inquiétudes internationales à la fin de « l'Âge d'or », est probablement le changement le plus fondamental du Court Vingtième Siècle, à supposer même que la population mondiale finisse par se stabiliser autour de 10 milliards d'habitants (peu importe l'estimation actuelle) au cours du XXIᵉ siècle[1]. Le doublement de la population mondiale entre 1950 et 1990, et le doublement prévisible de celle de l'Afrique en moins de trente ans sont des phénomènes historiques sans précédent, de même que les problèmes pratiques que cela ne manque pas de poser. Il suffit de penser à la situation sociale et économique d'un pays dont 60 % de la population a moins de quinze ans.

Si l'explosion démographique du monde pauvre a été si sensationnelle, c'est pour une double raison : parce que les taux de natalité de base de ces pays furent habituellement beaucoup plus élevés que ceux de la période historique correspondante dans les pays « développés », et parce que les taux de mortalité considérables, qui contenaient jusque-là la population, sont tombés en chute libre depuis les années 1940 – quatre ou cinq fois plus vite qu'en Europe au XIXe siècle (Kelley, 1988, p. 168). Car, tandis qu'en Europe, cette chute dut attendre l'amélioration progressive des niveaux de vie et du milieu, à l'Âge d'or, la technologie moderne balaya comme un ouragan le monde des pays pauvres sous la forme de médicaments modernes et de la révolution des transports. À compter des années 1940, l'innovation médicale et pharmaceutique fut pour la première fois en position de sauver des vies sur une grande échelle (grâce au DDT et aux antibiotiques, par exemple), ce qu'elle n'avait encore jamais été en état de faire, sauf peut-être dans le cas de la petite vérole. Ainsi, alors que les taux de natalité restaient élevés, voire augmentaient en période de prospérité, les taux de mortalité baissaient brutalement : au Mexique, après 1944, il baissa de plus de moitié en vingt-cinq ans. Du coup, la population augmenta en flèche, alors même que ni l'économie ni les institutions n'avaient nécessairement beaucoup changé. Une conséquence incidente de ce phénomène a été de creuser l'écart entre riches et pauvres, pays avancés et pays retardataires, alors même que les économies des deux régions croissaient au même rythme. Distribuer un PIB deux fois plus important que trente ans plus tôt dans un pays dont la population restait stable est une chose ; le distribuer à une population qui, comme celle du Mexique, a doublé en trente ans en est une tout autre.

Il est important de commencer tout tableau du tiers-monde par un examen de sa population, puisque l'explosion démographique est la réalité centrale de son existence. L'histoire des pays développés suggère que, tôt ou tard, il connaîtra à son tour ce que les experts appellent la « transition démographique » *via* la stabilisation de sa population par un taux de natalité faible et un taux de mortalité faible, c'est-à-dire en renonçant à avoir plus d'un ou deux enfants. Cependant, s'il est des signes que cette « transition démographique » était bel et bien en cours dans plusieurs pays, notamment dans l'Est asiatique, à la fin du Court Vingtième Siècle, le gros des pays pauvres (sauf dans l'ex-bloc soviétique) n'était pas encore très avancés sur cette voie. C'était l'une des raisons de leur pauvreté persistante. Certains pays à la population gigantesque avaient tant de mal avec les dizaines de millions de bouches supplémentaires à nourrir que, de temps à autres, les pouvoirs publics lancèrent des campagnes implacables, recourant à la contrainte pour imposer la contraception ou d'autres formes de limitation des naissances (campagne de stérilisation en Inde dans les années 1970, politique de « l'enfant unique » en Chine). Il est peu probable qu'un pays puisse ainsi résoudre ses problèmes démographiques.

II

Mais telles n'étaient pas les premières préoccupations des États du monde pauvre au sortir de la guerre et de la colonisation. Quelle forme allaient-ils prendre ?

Sans surprise, ils adoptèrent, ou furent poussés à adopter, des systèmes politiques dérivés de leurs anciens maîtres impériaux ou de leurs conquérants. Issue de la révolution sociale ou (ce qui revenait au même) de longues guerres de libération, une minorité était plus encline à suivre le modèle de la révolution soviétique. En théorie, donc, le monde compta de plus en plus de pays qui se voulaient des Républiques parlementaires avec des élections disputées, à côté d'une minorité de « Républiques démocratiques populaires » sous la direction d'un parti unique. En théorie, tout le monde était désormais démocratique, même si seuls les régimes communistes ou sociaux-révolutionnaires tinrent à l'appellation officielle de « populaire » ou de « démocratique », voire aux deux[2].

En réalité, ces étiquettes indiquaient tout au plus où ces nouveaux États entendaient se situer sur l'échiquier international. En règle générale, elles étaient aussi irréalistes que l'avaient longtemps été les constitutions officielles des Républiques latino-américaines, et pour les mêmes raisons : les conditions matérielles et politiques leur permettant de recevoir une traduction pratique, manquaient. Il en fut ainsi même dans les nouveaux États de type communiste, bien que leur organisation fondamentalement autoritaire et le système du « parti dirigeant » unique les rendissent relativement moins inadaptées que les républiques libérales aux États de culture non occidentale. Ainsi, l'un des rares principes politiques inébranlables et incontestés des États communistes était la suprématie du parti (civil) sur l'armée. Reste que dans les années 1980, parmi les États d'inspiration révolutionnaire, l'Algérie, le Bénin, la Birmanie, la République du Congo, l'Éthiopie, Madagascar et la Somalie – ainsi que la Libye, un peu excentrique – étaient dirigés par des soldats qui avaient accédé au pouvoir par un coup d'État, tout comme la Syrie et l'Irak, tous deux dirigés par des gouvernements se réclamant du Parti socialiste Baas, quoique dans des versions rivales.

Les États du tiers-monde, quelle que fût leur affiliation constitutionnelle et politique, étaient unis par la prédominance des régimes militaires ou la propension à évoluer en ce sens. Si on met de côté le gros des régimes communistes du tiers-monde (Corée du Nord, Chine, Républiques indochinoises et Cuba) ainsi que le régime installé de longue date issu de la Révolution mexicaine, on a peine à trouver une République qui n'ait pas connu au moins des épisodes de régime militaire depuis 1945. Les rares monarchies, à quelques exceptions près (Thaïlande), semblent avoir été plus sûres. À l'heure où j'écris, l'Inde reste bien entendu l'exemple de loin le plus marquant d'un État du tiers-monde qui ait su à la fois maintenir la suprématie des civils et dont les gouvernements se soient succédé dans le cadre d'élections populaires régulières et relativement honnêtes. Quant à savoir si cela justifie l'appellation de « plus grande démocratie du monde », tout dépend de la définition précise que nous donnons du « gouvernement du peuple, pour le peuple, par le peuple » cher à Lincoln.

Nous sommes tellement habitués aux coups d'État et aux régimes militaires dans le monde – même en Europe – qu'il vaut la peine de rappeler que, dans son ampleur actuelle, c'est clairement un phénomène nouveau. En 1914, pas un seul État jouissant d'une souveraineté internationale n'avait connu de régime militaire, sauf en Amérique latine, où les coups d'État militaires faisaient partie de la tradition ; et même là, à cette époque, la seule grande République qui ne fût pas dirigée par des civils était le Mexique, alors au beau milieu d'une révolution et d'une guerre civile. Il ne manquait pas d'États militaristes, d'États où l'armée avait plus que sa part de poids politique, et dans plusieurs États la grande masse des officiers n'avait aucune sympathie pour le gouvernement : la France en est un exemple criant. Dans les États convenablement conduits et stables, l'instinct et l'habitude des officiers étaient néanmoins d'obéir et de ne pas se mêler de politique ; ou, plus précisément, de n'y participer qu'à la manière d'un autre groupe de personnages officiellement sans voix, les femmes de la classe dirigeante : c'est-à-dire dans les coulisses et en intriguant.

Les coups d'État militaires furent donc le produit d'une ère nouvelle de gouvernements incertains ou illégitimes. La première étude de la question fut l'œuvre d'un journaliste italien qui n'avait pas oublié son Machiavel : *Technique du Coup d'État* de Curzio Malaparte parut en 1931, au milieu de l'Ère des catastrophes. Dans la seconde moitié du siècle, alors que l'équilibre des superpuissances semblait stabiliser les frontières et, dans une moindre mesure, les régimes, l'implication des militaires en politique devait se faire plus courante, ne serait-ce que pour une raison : le monde comptait désormais quelque deux cents États, pour la plupart nouveaux et donc dépourvus de toute légitimité traditionnelle, et encombrés de systèmes politiques plus susceptibles d'engendrer le désordre politique qu'un gouvernement efficace. Dans de telles situations, les forces armées étaient souvent le seul corps capable d'une action politique à l'échelle de l'État. De surcroît, comme la guerre froide internationale entre les superpuissances fut largement livrée à travers les forces armées des États clients ou alliés, ceux-ci furent financés et armés par la superpuissance appropriée ou dans certains cas, comme en Somalie, par l'une puis par l'autre. La vie politique laissait plus de place qu'auparavant aux hommes sur des chars.

Dans le noyau dur des pays communistes, ils furent tenus en respect par la présomption de la suprématie civile s'exerçant à travers le parti, même si le Mao Zedong dément des dernières années fut tout près de l'abandonner à certains moments. Dans les pays du cœur de l'alliance occidentale, le champ politique ouvert à l'armée demeura restreint par l'absence d'instabilité politique ou l'efficacité des mécanismes destinés à la contrôler. Ainsi, après le décès du général Franco, en Espagne, la transition vers une démocratie libérale fut négociée efficacement sous l'égide du nouveau roi ; et, en 1981, la fermeté du roi brisa net la tentative de putsch des officiers franquistes impénitents. En Italie, où les États-Unis agitèrent la menace d'un coup d'État pour empêcher la participation au gouvernement d'un puissant Parti communiste, le gouvernement civil réussit à se maintenir, même si les années 1970 connurent divers soubresauts encore inexpliqués, liés aux agissements d'officines militaires, des services secrets et de groupuscules terroristes. Ce n'est que lorsque le traumatisme de la décolonisation (la défaite par les insurgés) se révéla intolérable que des officiers occidentaux tentèrent des coups d'État : ainsi en France, lors du vain combat mené dans les années 1950 pour garder l'Indochine et l'Algérie, ou au Portugal (mais cette fois, du côté de la gauche), lorsque son empire africain s'effondra dans les années 1970. Le seul régime militaire effectivement soutenu par les États-Unis en Europe fut celui instauré en 1967 en Grèce (probablement une initiative locale) par un groupe de colonels d'extrême droite particulièrement sots, dans un pays où la guerre civile entre les communistes et leurs adversaires (1944-1949) avait laissé des souvenirs douloureux des deux côtés. Le régime, qui se distingua par son goût pour la torture systématique de ses adversaires, s'effondra après sept ans sous le poids de sa propre stupidité politique.

Dans le tiers-monde, les conditions d'une intervention militaire étaient bien plus engageantes, surtout dans les nouveaux États, faibles et souvent tout petits, où quelques centaines d'hommes en armes, épaulés ou même remplacés par des étrangers, pouvaient peser d'un poids décisif, et où des gouvernements sans expérience ou incompétents n'étaient que trop enclins à engendrer des situations récurrentes de chaos, de corruption et de confusion. Dans la plupart des pays africains, le dirigeant militaire type n'était pas un dictateur en herbe, mais un homme qui essayait sincèrement d'éviter de tels gâchis, dans l'espoir, trop souvent vain, qu'un gouvernement civil prendrait bientôt la relève. En règle générale, il échoua sur les deux plans ; c'est pourquoi rares sont ceux qui tinrent bien longtemps. En tout état de cause, le plus infime soupçon que le gouvernement local risquait de tomber entre les mains des communistes garantissait pratiquement le soutien des Américains.

Bref, dans la vie politique, l'armée eut tendance à combler le vide laissé par les civils. Loin d'être une forme de politique particulière, son intervention était fonction de l'instabilité et de l'insécurité environnantes. Elle n'en devint pas moins de plus en plus fréquente dans le tiers-monde parce que la quasi-totalité des pays de l'ex-monde colonial ou dépendant poursuivaient, d'une manière ou d'une autre, une politique qui nécessitait précisément ces États stables, actifs et efficaces qui étaient le lot de si peu d'entre eux. Ils s'étaient engagés sur la voie de l'indépendance et du « développement » économiques. Après la seconde vague de guerre et de révolution mondiales, et la décolonisation, qui en fut la conséquence, il semblait que le vieux programme de prospérité – celui de producteurs de produits de base travaillant pour le marché mondial des pays impérialistes – n'eût plus aucun avenir. C'en était fini du programme des *estancieros* argentins et uruguayens, imités avec espoir par le Mexique de Porfirio Díaz et le Pérou de Leguía. En tout cas, il avait cessé d'être plausible depuis la Grande Crise. De surcroît, le nationalisme comme l'anti-impérialisme exigeaient des politiques moins dépendantes des anciens empires, et l'exemple de l'URSS offrait un autre modèle de « développement ». Jamais cet exemple ne fit plus forte impression qu'après 1945.

Les États les plus ambitieux décidèrent donc de s'arracher à leur arriération agraire par une industrialisation systématique, en adoptant le modèle soviétique de planification centrale ou en suivant une politique de substitution aux importations. Dans les deux cas, quoique de manière différente, cela nécessitait l'intervention et le contrôle de l'État. Même les ambitieux, qui ne rêvaient pas d'un avenir de grandes usines sidérurgiques tropicales, alimentées par d'immenses installations hydroélectriques à l'ombre de barrages titanesques, entendaient contrôler et exploiter eux-mêmes leurs propres ressources nationales. La production de pétrole avait été traditionnellement assurée par des sociétés occidentales privées, en général étroitement liées aux puissances impériales. Suivant l'exemple du Mexique, en 1938, certains gouvernements décidèrent de les nationaliser et de les gérer eux-mêmes sous la forme d'entreprises publiques. Ceux qui s'en abstinrent découvrirent (surtout après 1950, lorsque l'ARAMCO proposa à l'Arabie Saoudite un partage à égalité des recettes – chose jusque-là inimaginable) que la possession de pétrole et de gaz leur donnait l'avantage dans leurs négociations avec les compagnies étrangères. En pratique, l'Organisation des pays exportateurs de pétrole (OPEP), qui finit par mettre le monde à rançon dans les années 1970, devint possible parce que la propriété du pétrole avait été transférée des compagnies à des États producteurs relativement peu nombreux. Bref, même les gouvernements des États décolonisés ou dépendants qui étaient ravis de s'en remettre aux capitalistes étrangers, anciens ou nouveaux (le « néocolonialisme », dans la terminologie de la gauche contemporaine), le faisaient dans le cadre d'une économie encadrée par l'État. Jusqu'aux années 1980, l'ancienne Côte-d'Ivoire française fut probablement, de tous ces États, celui qui réussit le mieux.

Les moins heureux furent les nouveaux pays qui sous-estimèrent les difficultés dues à l'arriération : le manque d'experts, d'administrateurs et de cadres économiques qualifiés et expérimentés, l'analphabétisme, le peu de familiarité ou la méfiance à l'égard des programmes de modernisation économique. Ce fut surtout le cas lorsque leurs gouvernements se fixèrent des objectifs que même les pays développés trouvaient difficiles, comme la planification centrale de l'industrialisation. Le Ghana, qui fut avec le Soudan le premier État d'Afrique sub-saharienne à acquérir l'indépendance, disposait de deux cents millions – montant supérieur à celui des balances sterling de l'Inde indépendante. Il dilapida ces réserves de devises (résultant du cours élevé du cacao et des recettes de guerre) en essayant de bâtir une économie industrielle contrôlée par l'État, sans parler des plans d'Union panafricaine de Kwame Nkrumah. Les résultats furent catastrophiques, et l'effondrement du cours du cacao dans les années 1960 ne fit qu'aggraver les choses. En 1972, les grands projets avaient échoué, les industries domestiques de ce pays ne pouvaient survivre qu'à l'abri de barrières douanières élevées, de contrôles des prix et de licences d'importation, qui débouchèrent sur un marché noir florissant et une corruption généralisée demeurée, depuis, inextirpable. Le secteur public employait les trois-quarts des salariés, tandis que l'agriculture de subsistance (comme dans tant d'autres États africains) était négligée. Après le renversement de Nkrumah par l'habituel coup d'État militaire (1966), le pays continua sur la voie de la désillusion tandis que se succédaient les gouvernements, généralement constitués de militaires dépités, ou parfois de civils.

Le sombre bilan des nouveaux États d'Afrique sub-saharienne ne doit pas non plus conduire à sous-estimer les grandes réalisations d'ex-pays coloniaux ou dépendants mieux placés, et qui choisirent la voie du développement économique planifié ou parrainé par l'État. À l'exception de la Cité-État de Hong-Kong, les États que l'on devait connaître à partir des années 1970 sous le nom de NPI (Nouveaux pays industrialisés) suivirent tous une politique de ce type. Quiconque connaît un tant soit peu le Brésil ou le Mexique le confirmera : ils engendrèrent la bureaucratie, une corruption spectaculaire et beaucoup de gaspillages, mais en même temps une croissance annuelle de 7 %. Bref, les deux pays réalisèrent la transition souhaitée pour devenir des économies industrielles modernes. En fait, le Brésil devint même, pour un temps, le huitième pays industriel du monde non communiste. Les deux pays avaient une population assez nombreuse pour leur assurer un large marché intérieur, ce qui donnait tout son sens, du moins pour un bon moment, à une industrialisation fondée sur une politique de substitution aux importations. Les dépenses et les activités publiques entretenaient une demande forte sur le marché intérieur. À une époque, le secteur public brésilien avait en mains près de la moitié du produit intérieur brut et comptait dix-neuf des vingt plus grandes entreprises du pays ; au Mexique, le secteur public employait un cinquième de la main-d'œuvre totale et supportait les deux cinquièmes des dépenses salariales du pays (Harris, 1987, p. 84-85). En Extrême-Orient, la planification passait moins par l'existence d'entreprises publiques que par des groupes économiques privilégiés et dominés par le gouvernement *via* le contrôle du crédit et des investissements, mais le développement économique était tout autant tributaire de l'État. La planification et l'intervention de l'État furent de rigueur partout dans le monde au cours des années 1950 et 1960, et dans les NPI jusqu'aux années 1990. Au gré des conditions locales et des erreurs humaines, cette forme de développement économique donna des résultats tantôt satisfaisants, tantôt décevants.

III

Placé ou non sous le contrôle de l'État, le développement ne présentait pas d'intérêt immédiat pour la grande majorité des habitants du tiers-monde, qui vivaient en cultivant leurs propres denrées alimentaires. Car même dans les pays ou les colonies dont les recettes publiques dépendaient d'une ou deux grandes cultures d'exportation – café, bananes ou cacao –, ces productions étaient généralement concentrées dans quelques zones restreintes. Dans l'Afrique subsaharienne et dans la majeure partie de l'Asie du Sud et du Sud-Est aussi bien qu'en Chine, la grande masse de la population continuait à vivre de l'agriculture. Ce n'est que dans l'hémisphère occidental et dans les pays secs de l'Islam occidental que les campagnes se vidèrent pour alimenter des villes géantes, transformant ainsi des sociétés rurales en sociétés urbaines en l'espace de deux décennies spectaculaires (*cf.* chapitre 10). Dans les régions fertiles et pas trop peuplées, ce qui est le cas d'une bonne partie de l'Afrique noire, la plupart des habitants s'en sortaient assez bien quand ils étaient livrés à eux-mêmes. Dans leur grande majorité, ils n'avaient nul besoin de leurs États, généralement trop faibles pour causer beaucoup de tort ; et si l'État devenait trop encombrant, il leur était toujours possible de le court-circuiter en se réfugiant dans l'autosuffisance villageoise. Peu de continents entrèrent dans l'ère de l'indépendance avec de meilleurs atouts, mais ils furent rapidement dilapidés. La plupart des paysans du monde asiatique et islamique étaient beaucoup plus pauvres, ou tout au moins plus mal nourris – parfois, comme en Inde, désespérément pauvres depuis la nuit des temps – tandis que la pression démographique sur des terres limitées était déjà plus forte. Il n'en apparut pas moins à bon nombre d'entre eux que la meilleure solution à leurs problèmes n'était pas d'écouter ceux qui leur assuraient que le développement économique leur vaudrait une richesse et une prospérité sans précédent, mais au contraire de les tenir en échec. Une longue expérience leur avait enseigné, comme à leurs ancêtres, que rien de bien ne venait de l'extérieur. Pendant des générations, un calcul tacite leur avait appris que minimiser les risques vaut mieux que maximiser les profits. Cela ne les mit pas complètement hors de portée d'une révolution économique mondiale, qui parvint jusque chez les plus isolés d'entre eux sous la forme de sandales en plastique, de bidons d'essence, de vieux camions et – naturellement – d'administrations publiques avec leur lot de paperasse. Mais cette situation eut tendance à diviser les populations de ces régions en deux catégories : ceux qui travaillaient dans et par l'univers de l'écrit et des bureaux, et les autres. Dans la majeure partie du tiers-monde rural, la coupure centrale passait entre la « côte » et « l'intérieur », ou la ville et la brousse[3].

L'ennui était que, modernité et gouvernement allant de pair, « l'intérieur » était gouverné par « la côte », la brousse par la ville, les illettrés par ceux qui avaient fait des études. Au commencement était le verbe. Parmi les 104 membres de l'Assemblée de ce qui allait devenir sous peu l'État indépendant du Ghana, 68 avaient poursuivis leurs études, sous une forme ou sous une autre, au-delà du primaire. Sur les 106 membres de l'Assemblée législative du Telengana (Inde du Sud), quatre-vingt dix-sept avaient suivi des études secondaires ou supérieures, et cinquante possédaient une licence. Dans ces deux régions, à l'époque, la grande majorité des habitants était analphabète (Hodgkin, 1961, p. 29 ; Gray, 1970, p. 135). Qui plus est, quiconque voulait jouer un rôle actif dans le gouvernement *national* des États du tiers-monde devait connaître non seulement la langue commune de la région (qui n'était pas nécessairement celle de sa communauté), mais aussi l'une ou l'autre des quelques rares langues internationales (anglais, français, espagnol, arabe, mandarin), ou tout au moins la *lingua franca* régionale dont les nouveaux gouvernements essayèrent de faire une langue écrite « nationale » (swahili, bahasa, pidgin). La seule exception concerne les parties de l'Amérique latine où les langues écrites officielles (l'espagnol et le portugais) coïncidaient avec la langue parlée de la majorité. Aux élections générales de 1967, à Hyderâbâd (Inde), trois candidats seulement sur trente-quatre ne parlaient pas l'anglais (Bernstorff, 1970, p. 146).

En conséquence, les populations les plus isolées et arriérées reconnurent de plus en plus les avantages de l'éducation supérieure, même lorsqu'elles ne pouvaient y prendre part ; peut-être surtout quand elles ne le pouvaient pas. Au sens littéral, savoir était synonyme de pouvoir : c'était on ne peut plus évident dans les pays où l'État apparaissait à ses sujets comme une machine à extraire leurs ressources pour les distribuer à ses employés. L'éducation était synonyme de poste, souvent garanti[4], dans les services publics, avec un peu de chance d'une carrière qui permettait d'obtenir prébendes et commissions et d'offrir des emplois à sa famille et à ses amis. Un village d'Afrique centrale, par exemple, qui investissait dans l'éducation de l'un de ses jeunes hommes, espérait, du poste officiel que l'éducation lui garantissait, un retour sous forme de revenu et de protection au bénéfice de toute la communauté. En tout état de cause, le fonctionnaire qui réussissait était l'homme le mieux payé de toute la population. Dans un pays comme l'Ouganda, dans les années 1960, il pouvait espérer un salaire (légal) 112 fois plus élevé que le revenu par tête moyen de ses compatriotes, contre un rapport comparable de 10/1 en Grande-Bretagne (*UN World Social Situation*, 1970, p. 66).

Là où il semblait que les pauvres des campagnes pouvaient eux-mêmes prendre part aux avantages de l'éducation, ou les offrir à leurs enfants (comme en Amérique latine, la région du tiers-monde la plus proche de la modernité et la plus éloignée du colonialisme), le désir d'apprendre était quasiment universel. « Ils veulent tous apprendre quelque chose », confiait en 1962 à l'auteur un militant communiste chilien chez les Indiens Mapuche. « Je ne suis pas un intellectuel, et je ne peux pas leur enseigner les connaissances scolaires, alors je leur apprends à jouer au foot. » Cette soif de savoir explique largement la stupéfiante et massive migration du village vers la ville, qui vida les campagnes du continent sud-américain à partir des années 1950. Car toutes les enquêtes le confirment : l'un des moindres attraits de la ville n'était pas les meilleures chances d'éducation et de formation qu'elle offrait aux enfants. Là-bas, ils « pouvaient devenir autre chose ». La scolarisation ouvrait naturellement les meilleures perspectives, mais, dans les régions agraires arriérées, le simple fait de savoir conduire un véhicule à moteur pouvait être la clé d'une vie meilleure. C'est la première chose qu'un émigrant d'un village de Quechuas, dans les Andes, apprit aux cousins et aux neveux qui le rejoignirent en ville, dans l'espoir de se frayer un chemin dans le monde moderne ; car, n'était-ce pas sur son emploi de chauffeur ambulancier que reposait la réussite de sa famille ? (Julca, 1992).

Ce n'est probablement que dans les années 1960, voire plus tard, que les ruraux, hors certaines parties de l'Amérique latine, commencèrent à voir systématiquement dans la modernité une promesse plutôt qu'une menace. Pourtant, on aurait pu s'attendre à ce qu'ils fussent séduits par un aspect de la politique de développement économique qui affectait directement les trois cinquièmes, ou plus, des êtres humains qui vivaient de l'agriculture : la réforme agraire. Ce slogan général des pays agraires pouvait tout recouvrir, de l'éclatement des grandes propriétés terriennes et de leur redistribution aux paysans et aux travailleurs agricoles dépourvus de terre, à l'abolition des tenures et servitudes féodales ; de la réduction des rentes et des diverses réformes du fermage à la nationalisation révolutionnaire de la terre et à la collectivisation.

Probablement le phénomène n'a-t-il jamais pris autant d'ampleur que dans la décennie qui suivit la fin de la Seconde Guerre mondiale, car la réforme agraire fut pratiquée d'un bout à l'autre du spectre politique. Entre 1945 et 1950, près de la moitié de l'espèce humaine vivait dans des pays mettant en œuvre une forme ou une autre de réforme agraire : de type communiste, en Europe de l'Est, puis en Chine, après 1949 ; comme conséquence de la décolonisation dans l'ancien Empire britannique des Indes ou suite à la défaite (ou plutôt à la politique américaine d'occupation) au Japon, à Taiwan et en Corée. La révolution égyptienne de 1952 l'étendit au monde islamique occidental : l'Irak, la Syrie et l'Algérie suivirent l'exemple du Caire. La révolution bolivienne de 1952 l'introduisit en Amérique du Sud, bien que le Mexique, depuis la révolution de 1910 ou, plus précisément, depuis son renouveau dans les années 1930 se fût fait de longue date le champion de l'*agrarismo*. Pourtant, malgré l'avalanche croissante de déclarations politiques et d'enquêtes statistiques sur le sujet, l'Amérique latine compta trop peu de révolutions, de décolonisations ou de guerres perdues pour connaître beaucoup de véritables réformes agraires avant que la révolution cubaine de Fidel Castro (qui l'introduisit sur l'île) ne mit la question à l'ordre du jour politique.

Pour les modernisateurs, la réforme agraire était un impératif politique (rallier les paysans aux régimes révolutionnaires ou à ceux qui pouvaient anticiper la révolution, etc.), idéologique (« rendre la terre à ceux qui la travaillent », etc.) et parfois économique, bien que la plupart des révolutionnaires n'attendaient pas grand-chose d'une simple distribution de la terre à une paysannerie traditionnelle ou aux pauvres, pourvus ou non de terre. En fait, juste après les réformes agraires en Bolivie et en Irak, respectivement en 1952 et en 1958, la production agricole enregistra une forte baisse – même si, en toute équité, on doit ajouter que, partout où les compétences et la productivité des paysans étaient déjà élevées, la réforme agraire put rapidement libérer une grande réserve de forces productives, jusqu'ici retenues par des villageois sceptiques : ainsi en Égypte, au Japon et, de manière plus frappante, à Taiwan (*Land Reform*, 1968, p. 570-575). Les raisons de conserver une forte paysannerie étaient et restent non économiques, puisque dans l'histoire du monde moderne l'augmentation considérable de la production agricole est allée de pair, en particulier depuis la Seconde Guerre mondiale, avec une baisse non moins spectaculaire du nombre et de la proportion d'agriculteurs. Cependant, la réforme agraire pouvait démontrer, et démontra effectivement, que la ferme, surtout de grande taille et dirigée par des fermiers modernistes, pouvait être aussi efficace et plus souple que les exploitations traditionnelles, les plantations impérialistes ou les malencontreux essais modernes d'organiser l'agriculture sur une base quasi industrielle, comme les fermes géantes soviétiques et le système britannique pour produire des cacahouètes au Tanganyika (l'actuelle Tanzanie) après 1945. Jadis considérées comme des productions de plantation par excellence, des cultures comme le café, ou même le sucre et le caoutchouc ne le sont plus aujourd'hui – même si, dans certains cas, la plantation conserve un net avantage sur les champs des petits producteurs non qualifiés. Reste que les grands progrès de l'agriculture du tiers-monde depuis la guerre, la « Révolution verte » des nouvelles cultures sélectionnées scientifiquement, ont été, comme au Panjâb, le fait d'agriculteurs qui avaient le sens des affaires.

Toutefois, la justification économique la plus forte de la réforme agraire repose non pas sur la productivité, mais sur l'égalité. Dans l'ensemble, le développement économique a eu tendance à accroître, puis, à plus long terme, à diminuer l'inégalité dans la répartition du revenu national, bien que le déclin économique et la croyance théologique dans l'économie de marché aient dernièrement commencé ici et là à renverser la tendance. À la fin de l'Âge d'or, l'égalité était plus grande dans les pays occidentaux développés que dans le tiers-monde. Cependant, alors que l'inégalité des revenus était au plus fort en Amérique latine, suivie par l'Afrique, elle était inhabituellement faible dans un certain nombre de pays asiatiques, comme le Japon, la Corée du Sud et Taiwan, où une réforme agraire très radicale avait été imposée sous le contrôle des forces d'occupation américaines, ou par les autorités autochtones elles-mêmes. Aucun de ces pays n'était cependant aussi égalitaire que les pays socialistes d'Europe de l'Est ou, à l'époque, que l'Australie (Kakwani, 1980). Les analystes de l'industrialisation triomphale de ces pays se sont naturellement demandé dans quelle mesure ils avaient été aidés par les avantages sociaux et économiques de cette situation ; de même que les observateurs de la progression, beaucoup plus capricieuse, de l'économie brésilienne (toujours tout près d'accomplir, sans jamais y parvenir, sa destinée d'États-Unis de l'hémisphère sud) se sont demandé dans quelle mesure celle-ci avait été freinée par la spectaculaire inégalité de sa répartition des revenus – ce qui limite inévitablement le marché intérieur de l'industrie. En fait, l'inégalité sociale frappante de l'Amérique latine ne saurait guère être détachée de l'absence non moins frappante de réforme agraire systématique dans nombre de ses pays.

La réforme agraire fut sans conteste bien accueillie par la paysannerie du tiers-monde, au moins tant qu'elle n'instaurait pas la ferme collective et la production coopérative comme elle le fit habituellement dans les pays communistes. Cependant, ce qu'y voyaient les modernisateurs n'était pas ce qu'elle représentait pour les paysans, qui se désintéressaient des problèmes macro-économiques et regardaient la politique nationale dans une autre perspective que les réformateurs des villes, et dont la demande de terre reposait non pas sur un principe général, mais sur des revendications spécifiques. Ainsi, la réforme agraire radicale instaurée en 1969 au Pérou par un groupe de généraux réformistes détruisit d'un coup le système des *haciendas* et échoua pour cette raison. Pour les communautés indiennes des hauts plateaux, qui avaient vécu dans une coexistence instable avec les immenses ranchs de cheptel des Andes qu'ils fournissaient en main-d'œuvre, la réforme était simplement synonyme de juste retour aux « communautés indigènes » des terres et pâtures communes jadis annexées par les propriétaires fonciers. Ces terres dont, par delà les siècles, ils s'étaient souvenus avec précision des frontières, ils n'en avaient jamais accepté la perte (Hobsbawm, 1974). Ils n'avaient que faire du maintien de l'ancienne entreprise comme unité productive (désormais propriété des *comunidades* et de son ancienne main-d'œuvre) ni des expériences coopératives ou des diverses nouveautés agraires, autres que l'aide mutuelle traditionnelle pratiquée au sein d'une communauté loin d'être égalitaire. Après la réforme, les communautés se remirent à « envahir » les terres des domaines transformés en coopératives (et dont elles étaient maintenant copropriétaires), comme si rien n'avait changé dans le conflit entre domaines et communautés ni entre communautés se disputant la terre (Gómez Rodríguez, p. 242-255). Pour ce qui les concernait, rien n'avait changé. La réforme agraire la plus proche de l'idéal paysan fut probablement la réforme mexicaine des années 1930, qui, partant de l'hypothèse que les paysans pratiquaient une agriculture de subsistance, donna la propriété inaliénable de la terre commune aux communautés villageoises, libres à elles de l'organiser comme elles le voulaient *(ejidos)*. Ce fut un immense succès politique, cependant économiquement sans intérêt pour le développement agraire ultérieur du pays.

IV

Que les dizaines d'États postcoloniaux apparus après la Seconde Guerre mondiale, de même que la plupart des pays d'Amérique latine, qui appartenaient elles aussi aux régions dépendantes de l'ancien monde impérial et industriel, se soient trouvés bientôt réunis sous la rubrique « tiers-monde » n'est pas surprenant : l'expression elle-même aurait été forgée en 1952 (Harris, 1987, p. 18), le « tiers-monde » se définissant par opposition au « premier monde » des pays capitalistes développés et au « deuxième monde » des pays communistes. Bien qu'il y eût une évidente absurdité à traiter l'Égypte et la Guinée, l'Inde et la Papouasie Nouvelle-Guinée comme des sociétés du même type, ce choix ne manquait pas totalement de vraisemblance dans la mesure où tous ces pays étaient pauvres[5] (par opposition au monde « développé »), tous étaient dépendants, tous avaient des gouvernements qui voulaient « développer » leur pays et aucun ne croyait, suite au Grand Marasme et à la Seconde Guerre mondiale, que le marché capitaliste mondial (c'est-à-dire, la doctrine de « l'avantage comparatif » chère aux économistes) ou l'initiative intérieure spontanée leur permettrait d'y parvenir. De surcroît, tandis que le Rideau de fer de la guerre froide était tombé, tous ceux qui avaient la moindre liberté d'action voulaient éviter de rejoindre l'un ou l'autre des deux systèmes d'alliance, afin de pouvoir se tenir à l'écart de la Troisième Guerre mondiale que toute le monde craignait.

Ce qui ne veut pas dire que les « non alignés » étaient également hostiles aux deux camps de la guerre froide. Les inspirateurs et les champions du mouvement (dont la première conférence internationale se tint en 1955 à Bandung, en Indonésie – d'où son appellation courante) étaient d'anciens révolutionnaires radicaux des colonies : Jawaharlal Nehru en Inde, Sukarno en Indonésie, le colonel Gamal Abdel Nasser en Égypte, et un communiste dissident, le maréchal Tito, en Yougoslavie. Comme tant d'ex-colonies, tous ces régimes étaient ou se voulaient socialistes à leur manière (non soviétique), jusqu'au socialisme bouddhiste royal du Cambodge. Tous avaient quelque sympathie pour l'Union soviétique ou étaient au moins disposés à en accepter une aide économique et militaire. Ce qui n'avait rien d'étonnant, puisque les États-Unis, abandonnant leurs vieilles traditions anticoloniales du jour au lendemain après le partage du monde, recherchaient visiblement le soutien des éléments les plus conservateurs du tiers-monde : l'Irak d'avant la révolution de 1958, la Turquie, le Pakistan et l'Iran du Schah, qui formèrent la Central Treaty Organization (CENTO), ainsi que le Pakistan, les Philippines et la Thaïlande qui se retrouvèrent dans l'Organisation du traité de l'Asie du Sud-Est (OTASE) ; ces deux organisations (ne pesant pas d'un grand poids) étaient destinées à compléter le dispositif militaire antisoviétique dont le principal pilier était l'Otan. Quand le groupe, essentiellement afro-asiatique, des non-alignés devint tricontinental après la révolution cubaine de 1959, ses membres latino-américains provinrent, ce qui n'a rien pour surprendre, des Républiques de l'hémisphère occidental les moins bien disposées envers le *Big Brother* du Nord. Néanmoins, à la différence des États du tiers-monde favorables aux Américains et qui purent effectivement rejoindre le système d'alliance occidental, les États non communistes de Bandung n'avaient aucune intention de s'engager dans l'affrontement planétaire des superpuissances : comme le prouvèrent les guerres de Corée et du Viêt-nam ainsi que la crise cubaine des missiles, ils étaient dans ce conflit une perpétuelle ligne de front en puissance. Plus la frontière effective – européenne – entre les deux camps se stabilisait, plus il devenait probable que si les fusils parlaient, et si les bombes pleuvaient, ce serait dans les montagnes asiatiques ou dans la brousse africaine.

Pourtant, bien que la confrontation des superpuissances ait dominé, et jusqu'à un certain point stabilisé, les relations inter-étatiques dans le monde, elle ne devait pas les maîtriser entièrement. Il y avait deux régions dans lesquelles les tensions locales du tiers-monde, pour l'essentiel indépendantes de la guerre froide, créaient les conditions permanentes d'un conflit, qui dégénéra périodiquement en guerre : le Moyen-Orient et le Nord du sous-continent indien. Dans les deux cas, ce n'est pas un hasard, c'était un héritage de la partition impériale. La seconde zone de conflit fut la plus facile à isoler de la guerre froide mondiale, malgré les efforts du Pakistan pour impliquer les Américains, qui n'aboutirent qu'avec la guerre d'Afghanistan dans les années 1980 (*cf.* chapitres 8 et 16). En conséquence, l'Occident entendit peu parler et se souvient encore moins des trois guerres régionales : la guerre sino-indienne de 1962 – gagnée par la Chine, et dont l'enjeu étaient les frontières mal définies entre les deux pays ; la guerre indo-pakistanaise de 1965 – facilement gagnée par l'Inde ; et le second conflit indo-pakistanais de 1971 – à la suite de la sécession du Pakistan oriental (Bangladesh) soutenu par l'Inde. Les États-Unis et l'URSS s'efforcèrent d'adopter dans cette région une attitude de neutralité bienveillante et de jouer les médiateurs. En revanche, la situation du Moyen-Orient ne pouvait être isolée de la même façon, parce que plusieurs alliés de l'Amérique y étaient directement impliqués : Israël, la Turquie et l'Iran du Schah. De plus, comme devait le prouver la succession des révolutions locales, militaires et civiles en Égypte en 1952, en Irak et en Syrie dans les années 1950 et 1960, ainsi qu'Arabie du Sud dans les années 1960 et 1970, et même en Iran en 1979 – la région était et reste socialement instable.

Ces conflits régionaux n'avaient cependant aucun lien essentiel avec la guerre froide : l'URSS avait été parmi les premiers pays à reconnaître le nouvel État d'Israël, qui devait plus tard s'imposer comme le principal allié des États-Unis, tandis que les États islamiques arabes ou autres, de droite ou de gauche, étaient unis dans la répression du communisme à l'intérieur de leurs frontières. La principale force de perturbation fut Israël, où les colons juifs édifièrent un État juif plus important que ne l'avait envisagé la partition par l'ONU (ainsi chassèrent-ils sept cent mille Palestiniens, soit un nombre peut-être supérieur à la population juive en 1948 ; Calvocoressi, 1989, p. 215), et furent dès lors amenés à entrer en guerre tous les dix ans (1948, 1956, 1967, 1973, 1982). Au cours de ces conflits, dont le meilleur point de comparaison est la succession de guerres que livra le roi Frédéric II de Prusse au XVIIIe siècle pour obtenir la reconnaissance de ses droits sur la Silésie, dont il avait dépouillé l'Autriche voisine, Israël devint aussi la plus formidable puissance militaire de la région et se dota de l'arme nucléaire, mais ne parvint pas à asseoir sur une base stable ses relations avec ses voisins. A fortiori, avec la population palestinienne, irrémédiablement ulcérée, qui vivait à l'intérieur de ses frontières élargies ou qui avait grossi la diaspora moyen-orientale. L'effondrement de l'URSS élimina le Moyen-Orient de la ligne de front de la guerre froide, mais la région demeura aussi explosive que par le passé.

Trois centres de conflit de moindre importance contribuèrent à perpétuer cette situation : la Méditerranée orientale, le golfe Persique et la région frontalière entre la Turquie, l'Iran, l'Irak et la Syrie, où les Kurdes essayèrent vainement d'obtenir l'indépendance nationale que le président Wilson les avait imprudemment poussés à revendiquer en 1918. Incapables de trouver un soutien permanent parmi les États puissants, les Kurdes perturbèrent les relations entre leurs voisins qui utilisèrent face à la résistance de ces montagnards notoirement doués pour la guérilla, tous les moyens disponibles pour les massacrer, y compris, dans les années 1980, les gaz toxiques. La Méditerranée orientale resta relativement paisible, parce que la Grèce et la Turquie étaient toutes deux membres de l'Otan, alors même que le conflit entre les deux pays conduisit à l'invasion turque de Chypre, dont la partition fut consacrée en 1974. Par ailleurs, la rivalité entre les puissances occidentales, l'Iran et l'Irak, dans le golfe Persique déboucha sur huit années de guerre acharnée entre l'Irak et l'Iran révolutionnaire (1980-1988) et, après la fin de la guerre froide, en 1991, entre les États-Unis et leurs alliés, d'un côté, l'Irak de l'autre.

Jusqu'au lendemain de la révolution cubaine, une partie du tiers-monde demeura à bonne distance des conflits internationaux tant planétaires que locaux : l'Amérique latine. Hormis quelques poches (les Guyanes, Belize, alors connu sous le nom de Honduras britannique, et les petites îles des Caraïbes), elle était de longue date décolonisée. Culturellement et linguistiquement, ses populations étaient occidentales, dans la mesure où le gros de ses habitants, même pauvres, étaient catholiques et (sauf dans certaines régions des Andes et d'Amérique centrale et continentale) parlaient ou comprenaient une langue de culture partagée par les Européens. Alors que la région avait hérité des conquérants ibériques une hiérarchie raciale élaborée, elle hérita aussi d'une conquête très majoritairement masculine une tradition de métissage massif. Il y avait peu de blancs « authentiques », sauf dans le Cône sud (Argentine, Uruguay, Sud du Brésil) peuplé par une immigration européenne massive, où il y avait fort peu d'indigènes. Dans les deux cas, les mérites et le statut social avaient le pas sur la race. Dès 1861, le Mexique porta à la présidence un Indien zapotèque clairement reconnaissable, Benito Juárez. À l'heure où j'écris, en 1994, l'Argentine a pour président un immigré musulman libanais, et le Pérou, un immigré japonais. Ces deux choix étaient encore impensables aux États-Unis. L'Amérique latine demeure à ce jour préservée du cercle vicieux de la politique et du nationalisme ethniques qui ravagent les autres continents.

De plus, alors que la majeure partie du continent vivait ce qu'on appelait désormais une dépendance « néocoloniale » à l'égard d'une seule puissance impériale dominante, les États-Unis furent assez réalistes pour ne pas envoyer d'avisos-torpilleurs et de marines dans les grands États – ils n'hésitèrent pas à le faire dans les petits – tandis que les gouvernements latins, du Rio Grande au Cap Horn, savaient parfaitement qu'il était sage de rester du bon côté : celui de Washington. L'Organisation des États américains (OEA), fondée en 1948 et dont le siège était à Washington, n'était pas un organisme enclin à s'opposer aux États-Unis. Lorsque Cuba fit sa révolution, l'OEA la chassa.

V

Et pourtant, à l'heure même où le tiers-monde et les idéologies fondées sur lui étaient à leur apogée, le concept commença à s'effriter. Dans les années 1970, il devint clair qu'aucune appellation ou étiquette unique ne pouvait recouvrir correctement un ensemble de pays de plus en plus divergents. L'expression était encore commode pour distinguer les pays pauvres des pays riches, et dans la mesure où le fossé se creusait à vue d'œil entre les deux zones, désormais souvent appelées « le Nord » et « le Sud », cette distinction demeurait pertinente. En termes de PNB par tête, l'écart entre le monde « développé » et le monde arriéré (*i.e.*, entre les pays de l'OCDE[6] et les « économies faibles et moyennes ») continua à augmenter : le PNB par tête du premier groupe était en moyenne 14,5 fois plus élevé que celui du second en 1970 ; en 1990, ce chiffre était passé à plus de 24 (*World Tables*, 1991, tableau 1). Reste que, à l'évidence, le tiers-monde ne forme plus une seule et unique entité.

La scission fut essentiellement le fait du développement économique. Le triomphe de l'OPEP, en 1973, produisit pour la première fois, un nouveau corps d'États du tiers-monde : pour l'essentiel arriérés, quels que soient les critères retenus, et jusque-là pauvres, ces pays s'affirmèrent alors comme des super-millionnaires à l'échelle du monde, surtout quand ils consistaient en bandes de sable ou de forêt très peu peuplées dirigées par des cheikhs ou des sultans (généralement musulmans). Il était manifestement impossible de classer les Émirats Arabes Unis – dont les 500 000 habitants (1975) avaient, en théorie, un PNB par tête supérieur à 13 000 $, soit près de deux fois celui des États-Unis à cette date (*World Tables*, 1991, p. 596, 604) – dans la même case que le Pakistan, avec ses 130 $ de PNB par tête. Si les États pétroliers à forte population ne s'en sortaient pas aussi bien, il n'en devint pas moins clair que, si désavantagés qu'ils fussent à d'autres égards, les États dépendants de l'exportation d'un seul produit de base pouvaient devenir extrêmement riches, même s'ils étaient presque invariablement tentés de jeter par les fenêtres cet argent facile[7]. Au début des années 1990, même l'Arabie Saoudite était parvenue à s'endetter.

En deuxième lieu, une partie du tiers-monde s'industrialisait rapidement au point de rejoindre dans ce domaine le premier monde, alors même qu'il restait beaucoup plus pauvre que lui. Réussite industrielle spectaculaire et sans équivalent dans l'histoire, la Corée du Sud avait un PNB par tête (1989) à peine plus élevé que le Portugal, de loin le membre le plus pauvre de la Communauté européenne (*World Bank Atlas*, 1990, p. 7). Mais une fois encore, toute différence qualitative mise à part, la Corée du Sud n'est plus comparable avec la Papouasie Nouvelle-Guinée, par exemple, bien que le PNB des deux pays fût exactement le même en 1969 et soit demeuré du même ordre de grandeur jusqu'au milieu des années 1970 : il est aujourd'hui cinq fois plus important (*World Tables*, 1991, p. 352, 456). Une nouvelle catégorie, celles des NPI ou pays nouvellement industrialisés, on l'a vu, fit son entrée dans le jargon international. Il n'y en avait pas de définition précise, mais pratiquement toutes les listes comprennent les quatre « tigres du Pacifique » (Hong-Kong, Singapour, Taiwan et la Corée du Sud), l'Inde, le Brésil et le Mexique. Toutefois, le processus d'industrialisation du tiers-monde est tel qu'y ont été également inclus la Malaisie et les Philippines, la Colombie, le Pakistan, la Thaïlande et quelques autres. En fait, il est une catégorie de nouveaux pays d'industrialisation rapide à cheval sur les frontières des trois mondes, car à rigoureusement parler elle devrait aussi rassembler des « économies de marché industrialisées » (c'est-à-dire des pays capitalistes) comme l'Espagne et la Finlande et la plupart des ex-États socialistes d'Europe de l'Est ; sans parler, depuis la fin des années 1970, de la Chine communiste.

Dans les années 1970, les observateurs commencèrent à attirer l'attention sur une « nouvelle division internationale du travail », c'est-à-dire un déplacement massif des industries produisant pour le marché mondial de la première génération d'économies industrielles (qui les avait précédemment monopolisées) vers d'autres parties du monde. Ce phénomène était en partie dû à un choix délibéré, les entreprises transférant tout ou partie de leur production ou approvisionnements de l'ancien monde industriel vers le deuxième ou le tiers monde. Pour finir, les transferts devaient concerner même les procédés très sophistiqués des industries de pointe, comme la Recherche & Développement. La révolution des transports et des communications modernes a rendu à la fois possible et économique une production authentiquement mondiale. Mais ce phénomène s'explique aussi par les efforts délibérés des gouvernements du tiers-monde pour s'industrialiser en conquérant des marchés extérieurs, au besoin (mais de préférence, pas) aux dépens de l'ancienne protection des marchés intérieurs.

Cette mondialisation économique, dont n'importe qui peut s'assurer en vérifiant l'origine nationale des produits vendus dans tout centre commercial d'Amérique du Nord, s'est développée lentement dans les années 1960 avant de connaître une accélération frappante dans les décennies de troubles économiques mondiaux qui suivirent 1973. L'exemple de la Corée du Sud illustre une fois de plus la rapidité de sa progression : à la fin des années 1950, ce pays employait encore près de 80 % de sa population active dans l'agriculture, dont il tirait près des trois-quarts de son revenu national (Rado, 1962, p. 740, 742-743). En 1962, le pays inaugura le premier de ses plans quinquennaux de développement. À la fin des années 1980, la Corée du Sud ne tirait plus que 10 % de son PIB de l'agriculture et était devenue la huitième économie industrielle du monde non communiste.

En troisième lieu, un certain nombre de pays émergèrent – ou plutôt, furent submergés – au bas des statistiques internationales : même en recourant aux euphémismes internationaux, il était difficile de les présenter simplement comme des « pays en voie de développement », puisque, de toute évidence, ils étaient pauvres et prenaient du retard. Avec ménagement, on devait donc créer un sous-groupe de PVD (Pays en voie de développement) à faible revenu pour distinguer les trois milliards d'êtres humains – dont le PNB par tête (l'eussent-ils reçu) se serait élevé à une moyenne de 300 $ en 1989 – des cinq cents millions plus chanceux des pays moins indigents (comme la République dominicaine, l'Équateur et le Guatemala, dont le PNB était à peu près trois fois plus élevé) et des membres encore plus adonnés au luxe du groupe suivant (Brésil, Malaisie, Mexique, etc.), dont le PNB par tête était en moyenne huit fois plus important. Les quelque huit cents millions du groupe le plus prospère jouissaient d'un PNB théorique par tête de 18 280 $, soit 55 fois plus que les trois cinquièmes de l'humanité du bas de l'échelle (*World Bank Atlas*, 1990, p. 10). En fait, à mesure que l'économie mondiale se globalisa véritablement et (surtout après la chute de la région soviétique) passa plus complètement sous la coupe des capitalistes et des entreprises, les investisseurs et les entrepreneurs découvrirent que de larges parties du monde n'étaient pas très profitables – sauf, peut-être, à soudoyer politiciens et fonctionnaires pour les convaincre de dépenser l'argent arraché à leurs infortunés citoyens en armements ou en projets de prestige[8].

Un nombre disproportionné de ces pays se trouvait sur le malheureux continent africain. La fin de la guerre froide priva ces États de l'aide économique (c'est-à-dire, largement militaire) qui avait transformé certains d'entre eux, comme la Somalie, en camps armés et finalement en champs de bataille.

De surcroît, les divisions entre les pauvres allant en augmentant, la mondialisation provoqua des mouvements de population par-delà les lignes de partage des régions et des classifications. Depuis les pays riches, les touristes affluèrent comme jamais auparavant dans le tiers-monde. Au milieu des années 1980 (1985), pour ne citer que quelques pays musulmans, les seize millions de Malais recevaient trois millions de touristes par an ; les trois millions de Jordaniens, deux millions (Din, 1989, p. 545). Depuis les pays pauvres, les flux de main-d'œuvre vers les pays riches se transformèrent en véritables torrents, pour autant qu'ils n'étaient pas refoulés par des barrières politiques. En 1968, les immigrés d'origine maghrébine (Tunisie, Maroc et, surtout, Algérie) représentaient déjà près du quart de la population étrangère en France (en 1975, 5,5 % de la population algérienne avait émigré), tandis qu'un tiers des immigrés vivant aux États-Unis venait d'Amérique latine – à cette époque encore très largement d'Amérique centrale (Potts, 1990, p. 145, 146, 150). Mais ces mouvements migratoires ne se firent pas seulement vers les vieux pays industriels. Le nombre de travailleurs étrangers dans les États producteurs de pétrole du Moyen-Orient et en Libye grimpa de 1,8 à 2,8 millions en cinq ans à peine, entre 1975 et 1980 (*Population*, 1984, p. 109). La plupart étaient originaires de la région, mais un fort contingent venait d'Asie du Sud, voire d'encore plus loin. Malheureusement, dans les sinistres années 1970 et 1980, les migrations de main-d'œuvre allaient devenir de plus en plus difficiles à distinguer des torrents d'hommes, de femmes et d'enfants déracinés ou fuyant la famine, les persécutions politiques ou ethniques, la guerre ou la guerre civile, posant ainsi de graves problèmes de casuistique politique et juridique aux pays du premier monde, également engagés (en théorie) à aider les réfugiés et (en pratique) à empêcher l'immigration économique. À l'exception des États-Unis et, dans une moindre mesure, du Canada et de l'Australie, qui encouragèrent ou autorisèrent une immigration en masse depuis le tiers-monde, ils choisirent de leur fermer la porte sous la pression de la xénophobie croissante de la population autochtone.

VI

L'étonnant « Grand Bond en Avant » de l'économie mondiale (capitaliste) et sa globalisation croissante ne devaient pas seulement diviser et bouleverser la notion même de tiers-monde : ils firent aussi entrer consciemment dans le monde moderne la quasi-totalité de ses habitants. Ce qui n'était pas nécessairement pour leur plaire. En fait, nombre de mouvements dits traditionalistes, « fondamentalistes » ou autres qui gagnèrent alors du terrain dans plusieurs pays du tiers-monde – en particulier, mais pas exclusivement, dans la région islamique – furent précisément des révoltes contre la modernité, bien que ce ne soit certainement pas vrai de tous les mouvements auxquels cette étiquette imprécise est attachée[9]. En revanche, ils savaient qu'ils vivaient dans un monde qui n'était pas celui de leurs pères. Il leur arriva sous la forme de bus ou de camions roulant sur des routes poussiéreuses, de pompes à essence et des postes de radio à piles qui mit la planète à leur portée – peut-être même à la portée des illettrés dans leur langue ou leur dialecte non écrits, bien que ce fût probablement le privilège des immigrés des villes. Mais dans un monde où les ruraux migraient par millions vers les villes, et même dans les pays africains ruraux où des populations urbaines d'un tiers ou plus devinrent courantes – Nigeria, Zaïre, Tanzanie, Sénégal, Ghana, Côte d'Ivoire, Tchad, République centre-africaine, Gabon, Bénin, Zambie, Congo, Somalie, Liberia –, chacun ou presque avait travaillé en ville, ou avait un parent qui y habitait. Le village et la ville étaient dorénavant entremêlés. Même les plus isolés vivaient désormais dans un monde de tôles, de plastique, de bouteilles de Coca-Cola, de montres digitales à deux sous et de fibres artificielles. Par une étrange inversion de l'histoire, l'arrière-pays du tiers-monde commença même à commercialiser ses talents dans le premier monde. Au coin de la rue, dans les villes d'Europe, des petits groupes d'Indiens ambulants originaires des Andes jouaient de leur mélancolique flûte de pan ; sur les trottoirs de New York, de Paris et de Rome, des colporteurs noirs originaires d'Afrique de l'Ouest vendaient leurs colifichets aux autochtones, comme les ancêtres des indigènes l'avaient fait lors de leurs voyages commerciaux sur le Continent Noir.

La grande ville fut très certainement le creuset du changement, ne serait-ce que parce qu'elle était moderne par définition. Comme aimait à le dire à ses enfants un immigré des Andes qui avait réussi, « à Lima, il y a plus de progrès, beaucoup plus de stimulation » *(más roce)* (Julca, 1992). Toutefois, une bonne partie des migrants utilisaient le « kit » de la société traditionnelle pour construire leur existence urbaine, bâtissant et organisant les nouveaux bidonvilles comme les anciennes communautés rurales : trop de choses, en ville, étaient nouvelles et sans précédent, trop souvent les mœurs étaient en contradiction avec celles d'autrefois. Nulle part ce phénomène ne fut plus spectaculaire que dans le comportement attendu des jeunes femmes dont partout, de l'Afrique au Pérou, on déplorait la rupture avec la tradition. Dans un chant *huayno* traditionnel de Lima *(« La gringa »)*, un jeune immigré se plaint :

> *« Quand t'es arrivée de ton pays,*
> *T'étais une jeune fille de la campagne*
> *Maintenant que t'es à Lima,*
> *Tu te passes le peigne dans les cheveux comme à la ville*
> *Tu dis même, une minute « please ». J'vais danser le twist*
> *…*
> *Sois pas prétentieuse, sois moins fière*
> *…*
> *Entre tes cheveux et les miens, y a pas de différence. »*

MANGIN, 1970, p. 31-32

Reste que, même lorsque la vie rurale elle-même ne fut pas transformée par de nouvelles cultures, de nouvelles techniques et de nouvelles formes d'organisation et de commercialisation, la conscience de la modernité se propagea à la campagne depuis la ville. Ce phénomène se produisit à travers la spectaculaire « révolution verte » liée à la culture de variétés de céréales scientifiquement mises au point dans certaines parties de l'Asie à partir des années 1960 ou, un peu plus tard, grâce à l'essor de nouvelles cultures d'exportation pour le marché mondial, rendu possible à la fois par le fret aérien massif des denrées périssables (fruits tropicaux, fleurs) et à l'évolution des goûts des consommateurs dans le monde « développé » (cocaïne). Il ne faut pas sous-estimer l'effet de ces changements ruraux. La collision de l'ancien et du nouveau ne fut nulle part plus frontale que sur la frontière amazonienne de la Colombie qui, dans les années 1970, devint une plaque tournante pour le transport de la coca bolivienne et péruvienne et vit se multiplier les laboratoires de cocaïne. Cela se passa quelques années après que cette plaque tournante eut été installée par des colonies frontalières de paysans fuyant l'État et les propriétaires fonciers, et qui furent défendus par ces protecteurs reconnus du mode de vie paysan que sont les guérilleros (communistes) du FARC. En l'occurrence le marché, sous sa forme la plus implacable, se heurta à ceux qui vivaient de l'agriculture de subsistance et à ce que les hommes pouvaient obtenir avec un fusil, un chien et un filet de pêche. Comment un lopin planté de yuccas et de bananiers aurait-il pu tenir face à la tentation de s'adonner à une culture qui, malgré l'instabilité des prix, était une vraie mine d'or ? Comment l'ancien mode de vie aurait-il pu résister à ce monde de pistes d'atterrissage et de villes champignons qui croissaient dans les colonies de fabricants et de trafiquants de drogue, avec leurs milices, leurs bars et leurs bordels (Molano, 1988) ?

La campagne fut bel et bien transformée, mais sa métamorphose était tributaire de la civilisation urbaine et de ses industries, dans la mesure où, la plupart du temps, son économie dépendait des revenus des émigrants : ainsi en était-il des *black homelands* de l'Afrique du Sud, sous le régime de l'apartheid, qui ne généraient qu'entre 10 et 15 % des revenus de leurs habitants, le reste venant des travailleurs migrants dans les territoires blancs (Ripken et Wellmer, 1978, p. 196). Paradoxalement, dans le tiers-monde comme dans certaines parties du premier, la ville a pu sauver une économie rurale qui, n'était son impact, aurait sans doute été délaissée par une population tirant les leçons de l'expérience de la migration (la sienne ou celle de leurs voisins) qui leur apprenait que les hommes et les femmes avaient d'autres solutions. Ils découvraient qu'ils pouvaient ne pas passer leur vie entière à tirer un maigre revenu d'une terre à faible rendement, caillouteuse et épuisée, comme l'avaient fait leurs ancêtres. Alors, à partir des années 1960, quantité de colonies de peuplement rurales à travers le monde – vivant dans des paysages romantiques, et qui n'avaient donc qu'un intérêt agricole marginal –, se vidèrent de tous leurs habitants, à l'exception des plus âgés. Pourtant, une communauté des hauts plateaux, dont les émigrés trouvèrent dans l'économie de la grande ville une niche qu'ils pouvaient occuper – en l'occurrence, en vendant des fruits ou, plus précisément, des fraises à Lima –, put ainsi conserver ou redonner vie à son caractère pastoral moyennant un glissement des revenus agricoles vers les revenus non agricoles grâce à une symbiose compliquée entre foyers migrants et résidents (Smith, 1989, chapitre 4). Il peut être significatif que, dans ce cas particulier, qui a été exceptionnellement bien étudié, les migrants soient rarement devenus ouvriers. Ils choisirent de « se caser » dans le grand réseau de « l'économie informelle » du tiers-monde en devenant de petits commerçants. Car le grand changement social du tiers-monde fut probablement celui promu par les nouvelles classes de plus en plus nombreuses de migrants de la petite et moyenne bourgeoisie pratiquant quelque méthode, ou plus probablement des méthodes multiples, pour gagner de l'argent. Et, en particulier dans les pays les plus pauvres, l'aspect majeur de leur insertion fut l'économie informelle qui échappe aux statistiques officielles.

Ainsi à un moment ou à un autre, au cours du troisième tiers du siècle, la transformation générale de la société dans le tiers-monde commença à combler le grand fossé qui séparait les petites minorités dirigeantes, modernisatrices ou occidentalisées, de la grande masse de la population. Nous ne savons pas encore comment ni quand cela s'est fait, ni quelles formes a prises la nouvelle conscience de cette transformation, car, à l'époque, la plupart de ces pays n'avaient pas encore de statistiques officielles ni d'outils permettant de réaliser des études de marché ou des enquêtes d'opinion, et encore moins de départements de sciences sociales équipés de chercheurs. En tout état de cause, ce qui se passe à la base des sociétés est difficile à découvrir même dans les pays les mieux connus tant que les choses ne se sont pas produites : c'est bien pourquoi les premières étapes des nouvelles modes sociales et culturelles des jeunes sont imprévisibles et imprévues, et passent souvent inaperçues de ceux-là mêmes qui en font leur gagne-pain (l'industrie de la culture populaire), sans parler de la génération parentale. Pourtant, sous le seuil de la conscience des élites, il se tramait clairement quelque chose dans les cités du tiers-monde, même dans un pays en apparence totalement stagnant comme le Congo belge (Zaïre). Car comment expliquer autrement que le type de musique populaire

qui s'y développa dans l'inertie des années 1950 soit devenu le plus
influent de l'Afrique des années 1960 et 1970 (Manuel, 1988, p. 86,
97-101) ? En l'occurrence, comment expliquer l'essor de la
conscience politique qui, en 1960, conduisit les Belges à consentir
presque du jour au lendemain à l'indépendance du Congo, alors même
que cette colonie, presque aussi hostile à l'éducation qu'à l'activité
politique indigènes, avait jusque-là paru, à la plupart des observateurs,
« devoir rester aussi isolée du reste du monde que le Japon avant la
restauration Meiji » (Calvocoressi, 1989, p. 377) ?

Quels qu'aient été les ferments des années 1950, dans les années
1960 et 1970 les signes d'une transformation sociale majeure étaient
évidents dans l'hémisphère occidental et indéniables dans le monde
islamique et dans les grands pays de l'Asie du Sud et du Sud-Est.
Paradoxalement, c'est sans doute dans les parties du monde socialiste qui correspondaient au tiers-monde – par exemple, en Asie centrale soviétique et au Caucase – qu'ils étaient le moins visibles. Car
on oublie souvent que la révolution communiste fut un agent de
conservation. Tout en entreprenant de transformer divers aspects spécifiques de la vie – la puissance étatique, les rapports de propriété, la
structure économique, etc. –, elle en figea d'autres dans leurs formes
pré-révolutionnaires ou, en tout cas, les protégea de la subversion
permanente et universelle du changement qui secouait les sociétés
capitalistes. Quoi qu'il en soit, la plus forte de ses armes, la puissance étatique, se révéla moins efficace pour transformer les comportements humains que ne se plurent à le croire la rhétorique positive
sur « le nouvel homme socialiste » ou la rhétorique négative sur le
« totalitarisme ». Les Ouzbeks et les Tadjiks qui vivaient au Nord de
la frontière soviéto-afghane étaient certainement plus alphabétisés,
plus sécularisés et mieux lotis que ceux qui vivaient au Sud ; il n'empêche que leurs mœurs ne différaient sans doute pas autant qu'on
aurait pu le croire après soixante-dix ans de socialisme. Les vendet-
tas n'étaient probablement plus un sujet de préoccupation majeure
pour les autorités du Caucase depuis les années 1930 (même si, au
cours de la collectivisation, la mort d'un homme dans un *kolkhoze*,
dans un accident de batteuse, se solda par une vendetta qui entra dans
les annales de la jurisprudence soviétique) ; néanmoins, au début des
années 1990, des observateurs attirèrent l'attention sur les « risques
d'auto-extermination nationale [en Tchétchénie], parce que la majo-

rité des familles tchétchènes s'étaient laissées entraîner dans des relations de type vendetta » (Trofimov/Djangava, 1993).

Les conséquences culturelles de cette transformation sociale attendent leur historien. On ne saurait s'y attarder ici, mais il est avéré que, même dans les sociétés très traditionnelles, le réseau des obligations mutuelles et des coutumes se trouva soumis à des tiraillements croissants. « Au Ghana comme à travers l'Afrique entière, a-t-on observé (Harden, 1990, p. 67), la famille élargie est travaillée par des tensions considérables. Comme un pont qui a supporté trop longtemps un trafic à grande vitesse trop important, ses fondations se fissurent. [...] Des centaines de kilomètres de mauvaises routes et des siècles de développement séparent les vieux des campagnes des jeunes citadins. »

Politiquement, il est plus facile d'en évaluer les conséquences paradoxales. En effet, avec l'entrée des masses de la population, ou tout au moins des jeunes et des citadins dans un monde moderne, le monopole des petites élites occidentalisées qui avaient façonné l'histoire de la première génération postcoloniale se trouva contesté – et avec lui, les programmes, les idéologies, le vocabulaire et la syntaxe mêmes du discours public, sur lesquels reposaient les nouveaux États. Car les nouvelles masses urbaines ou urbanisées, même les massives classes moyennes, si éduquées fussent-elles, ne pouvaient pas, du seul fait de leurs effectifs, se conduire comme les vieilles élites, dont les membres étaient à même de se défendre face aux colons ou à leurs condisciples sortis des écoles américaines et européennes. Souvent – c'était on ne peut plus clair en Asie du Sud – elles les supportaient mal. En tout état de cause, les masses pauvres ne partageaient pas la croyance ni les aspirations au progrès séculier héritées de l'Occident du XIXe siècle. Dans les pays islamiques occidentaux, le conflit entre les anciens chefs séculiers et la nouvelle démocratie de masse islamique devint patent et explosif. De l'Algérie jusqu'à la Turquie, les valeurs qui, dans les pays du libéralisme occidental, sont associées au gouvernement constitutionnel et à l'État de droit, par exemple les droits des femmes, étaient protégées – pour autant qu'ils existaient – contre la démocratie par les forces armées des libérateurs de la nation ou de leurs héritiers.

Le conflit ne se limitait pas aux pays islamiques, ni la réaction contre les vieilles valeurs de progrès aux masses pauvres. En Inde, l'exclusivisme hindou du parti BJP trouva de larges appuis parmi les nouvelles classes moyennes et les nouveaux milieux d'affaires. Le nationalisme ethno-religieux fervent et passionné qui, dans les années 1980, transforma le pacifique Sri Lanka en un champ de carnage, qu'on ne saurait comparer qu'au Salvador, se manifesta, contre toute attente, dans un pays bouddhiste prospère. Il s'enracinait dans deux transformations sociales : la crise identitaire profonde des villages, dont l'ordre social s'était effondré, et l'essor d'une couche massive de jeunes mieux éduqués (Spencer, 1990). Métamorphosés par l'immigration et l'émigration, les villages étaient aussi divisés par les différences croissantes entre les riches et les pauvres qu'entraînait l'économie monétaire. L'inégalité d'une mobilité sociale fondée sur l'éducation, l'effacement des signes physiques et linguistiques des castes et des statuts, qui séparaient les gens mais aussi ne laissaient aucun doute sur leurs positions, avaient créé une situation instable : inévitablement, tous s'inquiétaient de l'avenir de leur communauté. Ainsi a-t-on voulu expliquer, entre autres choses, l'apparition de symboles et de nouveaux rituels d'appartenance qui n'était pas moins inédite, comme le développement soudain, dans les années 1970, de formes collectives de culte bouddhique, remplaçant les formes de dévotion privées et domestiques plus anciennes ; ou l'institution de fêtes sportives scolaires, qui commençaient invariablement par l'hymne national, joué par un orchestre ou préenregistré.

Telles étaient les réalités politiques d'un monde changeant et inflammable. Ce qui les rendait moins prévisibles, c'est qu'en de nombreux pays du tiers-monde, aucun des systèmes politiques nationaux au sens inventé et reconnu en Occident depuis la Révolution française, n'avait jamais existé ou n'avait jamais pu fonctionner. Un certain degré de continuité put être maintenu, lorsqu'une longue tradition politique avec un certain enracinement dans les masses prévalait, ou même lorsque les citoyens passifs acceptaient largement la légitimité des « classes politiques » qui menaient leurs affaires. Comme le savent les lecteurs de Gabriel García Márquez, les Colombiens continuèrent à être de petits libéraux ou de petits conservateurs nés, comme ils l'étaient depuis plus d'un siècle, bien qu'ils pussent changer le contenu des flacons portant ces étiquettes. Le Congrès national indien s'est transformé, a connu des scissions et s'est réformé dans le demi-siècle qui a suivi l'indépendance ; cependant, jusque dans les années 1990, les élections générales – à de rares et éphémères exceptions près – continuèrent à être remportées par ceux qui invoquaient ses traditions historiques. Bien que le communisme se soit partout ailleurs désintégré, la persistance au Bengale occidental – hindou – d'une tradition de gauche profondément enracinée et d'une administration compétente permirent au Parti communiste (marxiste) de conserver, de façon presque permanente, la direction du gouvernement dans l'État où la lutte nationale contre la Grande-Bretagne n'avait pas été conduite par Gandhi ni même par Nehru, mais par les terroristes et Subhas Bose.

De surcroît, le changement structurel lui-même a pu engager la vie politique sur des voies familières dans l'histoire du premier monde. Ainsi que l'histoire du Brésil et de la Corée du Sud, mais aussi celle de l'Europe de l'Est en firent la démonstration, les « pays nouvellement industrialisés » avaient toute chance de voir se former des classes ouvrières industrielles exigeant le respect de leurs droits et la reconnaissance de leurs syndicats. S'ils ne devaient pas forcément donner naissance à des partis politiques ouvriers et populaires rappelant les mouvements sociaux-démocrates de masse de l'Europe d'avant-1914, il n'est pas insignifiant que le Brésil ait vu précisément s'affirmer un parti national de ce type dans les années 1980, le Parti des Travailleurs (PT). (Mais la tradition du mouvement ouvrier dans son fief naturel, l'industrie automobile de São Paulo, mêlait le droit du travail établi par l'ancien gouvernement populiste, le communisme des militants ouvriers et la tradition, clairement à gauche, des intellectuels qui s'y rallièrent massivement, de même que l'idéologie gauchisante du clergé catholique, dont l'appui l'aida à s'organiser[11]). Une fois encore, la croissance industrielle rapide a eu tendance à créer de larges classes de professionnels éduqués qui, sans être subversives, auraient bien accueilli la libéralisation civique des régimes autoritaires présidant à l'industrialisation. Dans les années 1980, ces aspirations à une libéralisation devaient se retrouver, dans des contextes différents et avec des résultats variables, en Amérique latine comme dans les NPI d'Extrême-Orient (Corée du Sud et Taiwan) ou au sein du bloc soviétique.

Dans d'immenses zones du tiers-monde, il n'en était pas moins impossible de prévoir les conséquences politiques de la transformation sociale. La seule chose certaine, c'était l'instabilité et l'inflammabilité de ce monde, dont témoignait le demi-siècle écoulé depuis la fin de la Seconde Guerre mondiale.

Il nous faut maintenant nous tourner vers cette partie du monde qui, pour la majeure partie du tiers-monde après la décolonisation, semblait fournir un modèle de progrès plus approprié et encourageant que l'Occident : le « deuxième monde », celui des systèmes socialistes calqués sur l'Union soviétique.

CHAPITRE 13

LE « SOCIALISME RÉEL »

« La révolution d'Octobre n'a pas seulement créé une division mondial-historique en instaurant le premier État et la première société postcapitalistes, elle a aussi séparé le marxisme des mouvements politiques socialistes. […] Après la révolution d'Octobre, les stratégies et perspectives socialistes commencèrent à s'appuyer sur un exemple politique, plutôt que sur des analyses du capitalisme. »

Göran THERBORN (1985, p. 227)

« Aujourd'hui, les économistes […] comprennent beaucoup mieux qu'autrefois les modes réels de fonctionnement de l'économie, par opposition à ses modes formels. Ils savent l'existence de la "deuxième économie", voire d'une troisième, mais aussi d'un fouillis de pratiques informelles mais généralisées sans lesquelles rien ne marche. »

Moshe LEWIN,
in Kerblay (1983, p. XXII)

I

Quand la poussière des batailles de la guerre et de la guerre civile fut retombée au début des années 1920, quand le sang des cadavres et des blessures fut figé, l'ancien Empire russe orthodoxe des Tsars d'avant 1914 resurgit, pour l'essentiel, intact, mais sous l'autorité des bolcheviks et attelé à la construction du socialisme mondial. De tous les antiques empires dynastiques et religieux, c'était le seul qui eût survécu à la Première Guerre mondiale, qui fit crouler à la fois l'Empire ottoman, dont le sultan était le calife de tous les musulmans, et l'Empire des Habsbourg, qui conservait des liens particuliers avec l'Église de Rome. Tous deux s'effondrèrent sous le poids de la défaite. Si la Russie survécut sous la forme d'une seule entité pluriethnique, s'étendant de la frontière polonaise à l'Ouest aux confins japonais à l'Est, elle le devait très certainement à la révolution d'Octobre, car les tensions qui avaient disloqué ailleurs les autres empires émergèrent ou resurgirent en URSS à la fin des années 1980, lorsque le système communiste qui assurait la cohésion de l'union depuis 1917 abdiqua pour de bon. Quoi que l'avenir dût réserver, il apparut donc au début des années 1920 un État unique, terriblement appauvri et arriéré – bien plus encore que la Russie tsariste –, mais d'une taille considérable : « un sixième de la surface du monde », comme les communistes aimaient à s'en vanter entre les deux guerres, dévoué à la construction d'une société différente, opposée au capitalisme.

En 1945, les frontières de la région coupée du capitalisme mondial se trouvèrent spectaculairement élargies. En Europe, elles enfermaient maintenant toute la région située à l'Est d'une ligne qui allait, *grosso modo*, de l'Elbe, en Allemagne, jusqu'à l'Adriatique, mais aussi toute la péninsule des Balkans, hormis la Grèce et la petite partie de la Turquie qui demeurait sur ce continent. La Pologne, la Tchécoslovaquie, la Hongrie, la Yougoslavie, la Roumanie, la Bulgarie et l'Albanie appartenaient désormais toutes à la zone socialiste, de même que la partie de l'Allemagne occupée par l'Armée rouge après la guerre et transformée en 1949 en République démocratique allemande. Entre 1939 et 1945, l'Union soviétique récupéra ou acquit la plupart des régions perdues par la Russie à la suite de la guerre et de la révolution de 1917, ainsi qu'un ou deux territoires de l'ancien Empire des Habsbourg. Parallèlement, l'Extrême-Orient fut le théâtre d'une nouvelle extension considérable de la future région socialiste, avec le triomphe de régimes communistes en Chine (1949) et dans une partie de la Corée (1945), mais aussi dans l'ancienne Indochine française (Viêt-nam, Laos, Cambodge) au cours de la guerre de trente ans (1945-1975). L'aire communiste devait par la suite connaître de nouvelles extensions, toutes deux dans l'hémisphère occidental – à Cuba (1959) et en Afrique, au cours des années

1970 –, mais, en gros, le secteur socialiste de la planète avait pris sa forme en 1950. Du fait de l'importance de la population chinoise, il rassemblait désormais près d'un tiers de la population mondiale, alors même que la taille moyenne des États socialistes autres que la Chine, l'URSS et le Viêt-nam (58 millions d'habitants) n'était pas particulièrement importante : leurs populations allaient des 1,8 million d'habitants de la Mongolie aux 36 millions de la Pologne.

Dans les années 1960, la terminologie de l'idéologie soviétique devait regrouper les systèmes sociaux de ces pays sous l'appellation de « socialisme réellement existant » : expression ambiguë, qui impliquait ou suggérait qu'il pouvait y avoir d'autres formes de socialisme, voire meilleures, mais, dans les faits, c'était la seule qui fonctionnât. En Europe, la fin des années 1980 devait aussi voir l'effondrement des systèmes économiques et sociaux de cette région en même temps que de ses régimes politiques. En Orient, les systèmes politiques devaient se maintenir, mais la restructuration économique mise en œuvre à des degrés divers équivalait en fait à une liquidation du socialisme tel qu'on l'avait compris jusque-là dans ces régimes, notamment en Chine. Ailleurs, les régimes épars qui imitaient le « socialisme réellement existant » ou s'en inspiraient s'étaient effondrés ou n'en avaient probablement plus pour longtemps.

La première remarque qui s'impose, concernant l'aire socialiste du monde, c'est que pendant le plus clair de son existence elle forma un sous-univers économiquement et politiquement séparé et replié sur lui-même. Ses relations avec le reste de l'économie mondiale, capitaliste ou dominée par le capitalisme des pays développés, étaient étonnamment succinctes. Même au faîte du grand essor du commerce international de l'Âge d'or, 4 % seulement des exportations des économies de marché développées étaient destinées aux « économies planifiées » ; et, dans les années 1980, la part des exportations du tiers-monde vers elles n'était guère plus élevée. Les économies socialistes envoyaient une part relativement plus importante de leurs modestes exportations vers le reste du monde, mais dans les années 1960 (1965) les deux tiers de leur commerce international restaient confinés dans leur secteur[1] (*UN International Trade*, 1983, vol. 1, p. 1046).

Pour des raisons évidentes, les mouvements de population du « premier » monde vers le « deuxième » restèrent limités, bien que certains États d'Europe de l'Est aient commencé à encourager le tourisme de masse à partir des années 1960. L'émigration vers des pays non socialistes et les voyages temporaires étaient strictement contrôlés ; à certaines époques, ils furent même quasiment impossibles. Essentiellement calqués sur le modèle soviétique, les systèmes politiques du monde socialiste n'avaient pas vraiment d'équivalent ailleurs. Ils reposaient sur un parti unique fortement hiérarchisé et autoritaire, qui monopolisait la puissance étatique – dans certains cas, il se substitua même à l'État –, gérant une économie planifiée et obéissante et, tout au moins en théorie, imposant à tous ses habitants une idéologie marxiste-léniniste obligatoire. La ségrégation ou l'auto-ségrégation du « camp socialiste » (pour reprendre la terminologie soviétique qui s'imposa à partir de la fin des années 1940) s'effrita progressivement dans les années 1970 et 1980. Néanmoins, le degré d'ignorance mutuelle et d'incompréhension qui persista entre les deux mondes demeura tout à fait extraordinaire, surtout quand on songe que cette époque fut aussi celle de la révolution des voyages et de la transmission de l'information. De longues périodes durant, ces pays laissèrent filtrer aussi peu d'information sur eux qu'ils n'en laissèrent entrer sur les autres parties du monde. En-dehors des spécialistes, même les citoyens éduqués et éclairés du premier monde avaient souvent du mal à dégager le sens de ce qu'ils voyaient ou entendaient dans des pays dont le passé et le présent étaient si différents des leurs et dont les langues leur étaient souvent incompréhensibles.

La raison de fond de la séparation des deux « camps » était sans nul doute politique. Après la révolution d'Octobre, en effet, la Russie soviétique vit dans le capitalisme mondial l'ennemi à renverser sitôt que ce serait praticable par la révolution mondiale. Comme celle-ci ne se produisit pas, la Russie soviétique se retrouva isolée, entourée par un monde capitaliste dont nombre des gouvernements les plus puissants voulurent d'abord empêcher l'instauration de ce centre de subversion mondiale et, par la suite, l'éliminer dès que possible. Le simple fait que l'URSS n'obtint la reconnaissance diplomatique officielle des États-Unis qu'en 1933 atteste son statut initial de paria. De surcroît, alors même que le toujours réaliste Lénine était prêt, voire avide, de faire des concessions de la plus grande portée aux investisseurs étrangers en contrepartie de leur assistance dans le développement économique de la Russie, en pratique il ne trouva aucun candidat. Ainsi la jeune URSS se trouva nécessairement engagée sur la voie d'un développement indépendant, pratiquement isolée du reste de l'économie mondiale. Paradoxalement, cela devait bientôt lui fournir le plus puissant de ses arguments idéologiques. Elle parut à l'abri de la gigantesque crise économique qui dévasta l'économie capitaliste après le krach de Wall Street en 1929.

Une fois de plus, la politique contribua à isoler l'économie soviétique dans les années 1930 et, de manière plus spectaculaire encore, la sphère soviétique élargie après 1945. La guerre froide gela les relations économiques et politiques entre les deux camps. En pratique, toutes leurs relations économiques, hormis les plus insignifiantes (ou les plus inavouables), devaient passer par les contrôles étatiques imposés de part et d'autre. Le commerce entre les blocs était fonction des relations politiques. Il fallut attendre les années 1970 et 1980 pour voir apparaître les signes de l'intégration de l'univers économique séparé du « camp socialiste » à l'économie mondiale. Avec le recul, on voit bien que, pour le « socialisme réellement existant », ce fut le commencement de la fin. Théoriquement, il n'y avait aucune raison pour que, au sortir de la révolution et de la guerre civile, l'économie soviétique ne pût nouer des liens plus étroits avec le reste de l'économie mondiale. Entre les économies planifiées et celles de type occidental, il peut en effet exister des liens étroits : en 1983, par exemple, l'URSS représentait un quart des importations de la Finlande, qui dirigeait vers elle une part comparable de ses exportations. Cependant, le « camp socialiste » qui intéresse l'historien est celui qui a réellement émergé, non ce qu'il aurait pu être.

Le fait central est que les nouveaux dirigeants de la Russie soviétique, le parti bolchevique, n'avaient jamais imaginé qu'elle devrait survivre dans l'isolement, ni, *a fortiori*, qu'elle deviendrait le noyau d'une économie collectiviste repliée sur elle-même (le « socialisme dans un seul pays »). Aucune des conditions que Marx ou ses disciples avaient jusque-là jugées essentielles à l'instauration d'une économie socialiste n'était présente dans cet immense territoire quasiment synonyme d'arriération économique et sociale en Europe. Les fondateurs du marxisme supposaient que la fonction d'une révolution russe était de déclencher l'explosion révolutionnaire dans les pays industriels plus avancés, où les conditions nécessaires à la construction du socialisme étaient réunies. Or, c'est exactement ce qui sembla se produire en 1917-1918 et qui, apparemment, justifiait la décision hautement contestée de Lénine – tout au moins parmi les marxistes – d'engager les bolcheviks sur la voie de la conquête du pouvoir et du socialisme. Du point de vue de Lénine, Moscou ne devait être que le QG temporaire du socialisme, en attendant qu'il pût installer sa capitale permanente à Berlin. Ce n'est pas un hasard si la langue officielle de l'Internationale communiste, constituée en 1919 sous la forme d'un état-major de la révolution mondiale, était – et resta – non pas le russe, mais l'allemand.

Quand il apparut que la Russie soviétique devait être – pour un temps appelé à durer – le seul pays où la révolution prolétarienne eût triomphé, la politique logique (en vérité la seule convaincante) pour les bolcheviks fut de la transformer au plus vite de pays arriéré en une économie et une société avancées. La voie connue la plus évidente pour y parvenir consistait à mener une offensive tous azimuts contre l'arriération culturelle de masses notoirement « ténébreuses », ignares, analphabètes et superstitieuses, parallèlement à une campagne générale de modernisation technique et de révolution industrielle. Le communisme d'inspiration soviétique allait donc devenir essentiellement un programme de transformation des pays arriérés en pays avancés. En pleine Ère des catastrophes, cette concentration sur une croissance économique ultra-rapide ne fut pas sans attrait jusque dans le monde capitaliste développé, au moment où celui-ci cherchait désespérément le moyen de retrouver son dynamisme économique. Elle présentait un intérêt encore plus direct pour le monde extérieur à l'Europe occidentale et à l'Amérique du Nord, qui pour l'essentiel pouvait se reconnaître dans l'arriération agraire de la Russie soviétique. Sa recette du développement paraissait faite pour ces pays : planification centralisée concentrée sur la construction ultra-rapide des industries de base et de l'infrastructure essentielles à une société industrielle moderne. Moscou n'était pas seulement un modèle plus attrayant que Detroit ou Manchester à cause de son anti-impérialisme, elle apparaissait aussi comme un modèle plus approprié, surtout pour des pays manquant de capitaux privés et d'une solide industrie privée tournée vers la recherche du profit. Le « socialisme », ainsi compris, inspira un certain nombre d'anciennes colonies qui accédèrent à l'indépendance après la Seconde Guerre mondiale et dont les gouvernements rejetaient le système politique communiste (*cf.* chapitre 12). Comme les pays qui adoptèrent ce système étaient aussi arriérés et agraires (à l'exception de la Tchécoslovaquie, de la future République démocratique allemande et, dans une moindre mesure, de la Hongrie), la recette économique soviétique semblait également leur convenir, et c'est donc avec un authentique enthousiasme que leurs nouveaux dirigeants se lancèrent dans cette entreprise de construction. De surcroît, la recette paraissait efficace. Entre les deux guerres, et surtout dans les années 1930, le taux de croissance de l'économie soviétique devait dépasser celui de tous les autres pays, le Japon excepté. Dans les quinze premières années qui suivirent la Seconde Guerre mondiale, les économies du « camp socialiste » enregistrèrent une croissance bien supérieure à celle de l'Ouest, à tel point que des dirigeants soviétiques comme Nikita Khrouchtchev crurent sincèrement que, la courbe de leur croissance se poursuivant sur sa lancée, le socialisme devait distancer le capitalisme dans un avenir prévisible ; de fait, le Premier ministre britannique Harold Macmillan en était lui aussi persuadé. Et, dans les années 1950, plus d'un observateur se demandait si ce n'était pas dans l'ordre des choses possibles.

Assez curieusement, et alors même que la planification est implicite dans une économie socialisée, on en chercherait en vain dans les écrits de Marx et d'Engels la moindre analyse – pas plus qu'on n'y trouvera d'étude de l'industrialisation rapide fondée sur la priorité donnée à l'industrie lourde. Mais, avant 1917, les socialistes, marxistes ou autres, avaient été bien trop occupés par la lutte contre le capitalisme pour réfléchir beaucoup à la nature de l'économie qui le remplacerait. Et, après Octobre, Lénine lui-même, plongeant un pied – suivant sa propre expression – dans les eaux profondes du socialisme, se garda bien de s'immerger dans l'inconnu. C'est la crise de la guerre civile qui força le cours des choses. Elle conduisit en effet à la nationalisation de toutes les industries au milieu de l'année 1918 et au « communisme de guerre », par lequel un État bolchevique acculé organisa la lutte à mort face à la contre-révolution et à l'intervention étrangère et essaya de mobiliser les ressources à cette fin. Toutes les économies de guerre, même dans les pays capitalistes, passent par la planification et le contrôle de l'État. En fait, la conception léniniste de la planification trouva son inspiration dans l'écono-

mie de guerre allemande de 1914-1918 – qui, on l'a vu, n'était probablement pas le meilleur modèle de son époque et de son genre.
Pour des raisons de principe, les économies de guerre communistes
étaient naturellement enclines à remplacer la propriété et la gestion
privées par la propriété et la gestion publiques et à se passer du marché et du mécanisme des prix, d'autant que tous ces instruments
n'étaient guère utiles pour improviser, du jour au lendemain, un
effort de guerre national. Il se trouva même des idéalistes communistes, comme Nikolas Boukharine, pour voir dans la guerre civile
l'occasion de mettre en place les grandes structures d'une Utopie
communiste, mais aussi dans la sinistre économie de la crise, de la
pénurie permanente et universelle, et la répartition non monétaire des
produits de première nécessité rationnés – pain, vêtements, tickets de
bus – une préfiguration spartiate de cet idéal social. En vérité,
lorsque le régime soviétique sortit victorieux des luttes de 1918-
1920, il apparut que le « communisme de guerre », si nécessaire fût-
il pour l'instant, ne pouvait continuer ; d'abord parce que les paysans
se rebelleraient contre la réquisition *manu militari* de leurs grains qui
en avait été la base, et les ouvriers contre ses privations, ensuite parce
qu'il n'offrait aucun moyen efficace de restaurer une économie quasiment détruite. De 4,2 millions de tonnes en 1913, la production de
l'industrie sidérurgique était tombée à 200 000 tonnes en 1920.

Avec son réalisme habituel, Lénine lança en 1921 la NEP, ou nouvelle politique économique, qui eut pour effet de réintroduire le marché et, suivant ses propres termes, marqua une retraite du
« communisme de guerre » vers le « capitalisme d'État ». Or, c'est à
ce moment même, alors que l'économie déjà rétrograde de la Russie
était tombée à 10 % de son niveau d'avant-guerre (*cf.* chapitre 2), que
la nécessité d'une industrialisation massive et planifiée par l'État
devint la priorité évidente des autorités soviétiques. Et tandis que la
NEP démantelait le communisme de guerre, le contrôle étatique et la
contrainte restaient le seul modèle connu d'économie socialisée dans
sa propriété comme dans sa gestion. En 1920, le premier organisme
de planification, la Commission d'État pour l'électrification de la
Russie (GoELRo), avait assez naturellement pour mission de moderniser la technologie, mais le Comité de planification d'État (Gosplan), mis en place en 1921, avait des objectifs plus universels. Il
poursuivit ses activités sous le même nom jusqu'à la fin de l'URSS.

Il devint, au XXe siècle, l'ancêtre et l'inspirateur de toutes les institutions étatiques destinées à planifier les économies, voire à exercer sur elles une surveillance macro-économique.

La NEP fut au centre d'un débat passionné dans la Russie des années 1920 puis dans les années 1980, au début de l'ère Gorbatchev, mais pour des raisons opposées. Dans les années 1920, on y voyait clairement une défaite du communisme ou, tout au moins, de la part des colonnes en marche vers le socialisme, un détour, un éloignement de la route principale à laquelle il faudrait, d'une manière ou d'une autre retourner. Les radicaux, comme les partisans de Trotski, souhaitaient une rupture avec la NEP au plus vite et une campagne massive d'industrialisation : telle fut la politique finalement adoptée sous Staline. Conduits par Boukharine, qui avait tourné le dos à son ultra-radicalisme des années du communisme de guerre, les modérés avaient une conscience aiguë des contraintes politiques et économiques sous lesquelles devait opérer le gouvernement bolchevique dans un pays plus que largement dominé par l'agriculture paysanne avant la révolution. Ils étaient donc favorables à une transformation progressive. Après l'attaque de paralysie qui le frappa en 1922 (il ne devait survivre que jusqu'au début de l'année 1924), Lénine ne put exprimer convenablement ses vues, mais aussi longtemps qu'il put le faire, il semble avoir été lui aussi partisan du gradualisme. Par ailleurs, les débats des années 1980 prirent la forme d'une recherche rétrospective d'une solution de rechange socialiste historique au stalinisme qui avait en fait succédé à la NEP : d'une voie vers le socialisme différente de celle effectivement envisagée par la droite et la gauche bolcheviques dans les années 1920. Avec le recul, Boukharine devint une sorte de proto-Gorbatchev.

Ces débats ont perdu leur pertinence. Avec le recul, on mesure bien que la justification originelle de la décision d'instaurer le pouvoir socialiste en Russie disparut du jour où la « révolution prolétarienne » échoua dans sa conquête de l'Allemagne. Pire encore, la Russie sortit de la guerre civile en ruines et plus arriérée encore qu'elle ne l'avait été sous le tsarisme. Certes, le tsar, la noblesse, la petite aristocratie et la bourgeoisie avaient disparu. Deux millions de personnes avaient émigré, privant ainsi l'Union soviétique d'une bonne partie de son encadrement instruit. Mais c'en était également fini du développement industriel de l'ère tsariste et de la plupart des ouvriers de l'industrie qui formaient la base politique et sociale du parti bolchevique. La révolution ou la guerre civile les avaient tués ou dispersés quand elles ne les avait pas transférés des usines vers les bureaux de l'État ou du parti. Restaient donc une Russie encore plus solidement ancrée dans le passé, la masse immobile et inamovible des paysans dans les communautés villageoises restaurées, auxquelles (contre les jugements marxistes antérieurs) la révolution avait donné la terre, ou plutôt dont, en 1917-1918, elle avait accepté l'occupation et la distribution considérées comme le prix nécessaire de sa victoire et de sa survie. À bien des égards, la NEP fut un bref âge d'or de la Russie paysanne. Le Parti bolchevique était comme suspendu au-dessus de cette masse et ne représentait plus personne. Ainsi que Lénine le reconnut avec sa lucidité coutumière, le Parti n'avait atteint qu'un seul de ses objectifs : il était et avait toute chance de rester le gouvernement accepté et établi du pays. Il n'avait rien d'autre. Et en fait, le pays était gouverné par un fouillis de bureaucrates plus ou moins grands, en moyenne encore moins instruits et qualifiés qu'auparavant.

Quelles options s'offraient donc à ce régime, qui était de surcroît isolé et boycotté par les gouvernements capitalistes et étrangers, qui n'avaient pas accepté l'expropriation de leurs actifs et de leurs investissements en Russie ? En vérité, la NEP réussit brillamment à sortir l'économie soviétique des décombres de 1920. En 1926, la production industrielle soviétique avait plus ou moins retrouvé son niveau d'avant-guerre, même si celui-ci n'était pas très élevé. L'URSS demeurait aussi largement rurale qu'en 1913 – 82 % de la population dans les deux cas (Bergson/Levine, 1983, p. 100 ; Nove, 1969), et en fait 7,5 % seulement de sa population active travaillait hors de l'agriculture. Ce que cette masse de paysans voulait bien vendre aux villes, ce qu'elle voulait bien leur acheter, la part de ses revenus qu'elle voulait bien épargner, et le nombre de ceux qui voulaient bien quitter leur ferme et affronter la misère urbaine plutôt que de se nourrir dans leurs villages – tels étaient les paramètres qui déterminaient l'avenir économique de la Russie, car, hormis les recettes fiscales de l'État, le pays n'avait pas d'autre source d'investissement ou de main-d'œuvre. Toute considération politique mise à part, une continuation de la NEP, modifiée ou non, aurait produit au mieux un rythme d'industrialisation modeste. De surcroît, tant que le développement industriel n'aurait pas pris une tout autre ampleur, il n'y avait pas grand-chose à acheter en ville qui pût tenter les paysans de vendre leur excédent plutôt que de le manger et de le boire dans les villages. Connu sous le nom de « crise des ciseaux », ce phénomène est le nœud coulant qui finit par étrangler la NEP. Soixante ans plus tard, c'est un phénomène de « ciseaux » analogue, mais cette fois prolétarien, qui mina la *perestroïka* de Gorbatchev. À quoi bon, demandaient les ouvriers soviétiques, accroître leur productivité et gagner de plus hauts salaires si l'économie ne produisait pas de biens de consommation à acheter avec cet argent ? Mais comment produire ces biens, sinon en améliorant la productivité ?

Ainsi ne fut-il jamais très vraisemblable que la NEP – c'est-à-dire une croissance économique équilibrée fondée sur une économie de marché paysanne gouvernée par l'État placé au poste de commande – pût être une stratégie durable. Et pour un régime attaché au socialisme, les arguments politiques en sens contraire pesaient en tout cas d'un poids écrasant. La NEP ne mettait-elle pas les faibles forces attachées à la nouvelle société à la merci de la petite production et de la petite entreprise qui allaient régénérer le capitalisme à peine renversé ? Et pourtant, le parti bolchevique hésita devant le coût éventuel de l'autre voie, celle de l'industrialisation forcée : autrement dit, une seconde révolution, qui cette fois ne viendrait pas de la base mais devrait être imposée d'en haut.

Staline, qui présida à l'âge de fer qui suivit en URSS, fut un autocrate d'une férocité, d'une cruauté et d'une absence de scrupule exceptionnelles, pour ne pas dire uniques. Peu d'hommes ont pratiqué la terreur sur une échelle aussi universelle. Nul doute qu'avec un autre dirigeant du Parti bolchevique les souffrances des peuples de l'URSS auraient été moindres et le nombre des victimes plus réduit. Dans les circonstances de l'époque, néanmoins, toute politique de modernisation rapide était nécessairement implacable et jusqu'à un certain point coercitive, parce qu'il fallait l'imposer à la grande masse de la population et qu'elle n'allait pas sans la soumettre à de sérieux sacrifices. En outre, l'économie obéissante centralisée, qui mena cette campagne à travers ses « plans », était, dans son fonctionnement, inévitablement plus proche d'une opération militaire que d'une entreprise économique. Par ailleurs, comme les entreprises militaires qui jouissent d'une authentique légitimité morale populaire, l'industrialisation effrénée des premiers Plans quinquennaux (1929-1941) trouva des soutiens à la faveur même du « sang, de la peine, des larmes et de la sueur » qu'elle imposa au peuple. Churchill le savait : le sacrifice lui-même peut être une motivation. Aussi difficile à croire que ça puisse être, le système stalinien, qui transforma de nouveau les paysans en serfs attachés à la terre et qui rendit de larges pans de l'économie dépendants d'une main-d'œuvre carcérale de quatre à treize millions de détenus (le Goulag ; Van der Linden, 1993), a très certainement bénéficié de larges soutiens, même si, de toute évidence, ce ne fut pas le cas dans la paysannerie (Fitzpatrick, 1994).

L'« économie planifiée » des Plans quinquennaux qui remplaça la NEP en 1928 était nécessairement un instrument grossier : beaucoup plus sommaire que les subtils calculs des économistes pionniers du Gosplan, dans les années 1920, eux-mêmes beaucoup plus rudimentaires que les instruments de planification à la disposition des gouvernements et des grandes sociétés à la fin du XXe siècle. Au fond, son ambition était de créer des industries, plutôt que de les gérer, et elle choisit de donner la priorité absolue aux industries lourdes et à la production énergétique, qui étaient le fondement de toute économie industrielle : charbon, sidérurgie, électricité, pétrole, etc. Étant donné l'exceptionnelle richesse de l'URSS en matières premières, c'était un choix à la fois logique et commode. Comme dans une économie de guerre – et l'économie planifiée soviétique était une espèce d'économie de guerre –, les objectifs de production peuvent et, en fait, doivent souvent être fixés sans considération des coûts et de la rentabilité, le seul critère étant de savoir s'ils peuvent être atteints et quand. Comme dans tous les efforts désespérés, la méthode la plus efficace pour atteindre les objectifs fixés dans les délais voulus consiste à donner des ordres urgents qui débouchent sur une mobilisation générale. Sa forme naturelle de gestion est la crise. L'économie soviétique s'installa ainsi dans un ensemble de routines, rythmée par de fréquents « chocs » presque institutionnalisés, administrés d'en haut. Par la suite, Nikita Khrouchtchev cherchera désespérément un autre moyen de faire marcher le système qu'en « aboyant » des ordres (Khrouchtchev, 1990, p. 18). Auparavant, Staline avait délibérément recouru à la technique des « prises d'assaut » en fixant des objectifs irréalistes qui encourageaient des efforts surhumains.

De surcroît, une fois les objectifs fixés, encore fallait-il qu'ils fussent compris et répercutés – jusque dans les avant-postes les plus lointains au cœur de l'Asie – par des fonctionnaires, des cadres, des techniciens et des ouvriers qui, tout au moins dans la première génération, étaient inexpérimentés, mal formés et habitués à des charrues de bois plutôt qu'aux machines. (Visitant l'URSS au début des années 1930, le caricaturiste David Low dessina ainsi une jeune paysanne d'une ferme collective, « essayant d'un air absent de traire un tracteur ».) Cette situation eut pour résultat de priver le pays des derniers perfectionnements modernes, sauf dans les plus hautes instances qui, pour cette raison même, assumèrent la responsabilité d'une centralisation de plus en plus totale. Comme Napoléon et son chef d'état-major avaient dû autrefois compenser les lacunes techniques des maréchaux – essentiellement des hommes de terrain non formés et promus sur le tas –, les décisions se trouvèrent de plus en plus concentrées au faîte du système soviétique. La surcentralisation du Gosplan compensait la pénurie de cadres. L'inconvénient de cette procédure était l'énorme bureaucratisation de l'appareil économique et de tous les autres pans du système[2].

Tant que l'économie resta à un niveau de semi-subsistance et eut simplement à jeter les bases de l'industrie moderne, ce système rudimentaire, élaboré pour l'essentiel dans les années 1930, fit l'affaire. Il généra même sa propre flexibilité, de manière également sommaire. Fixer une série d'objectifs n'avait pas nécessairement de répercussion sur tous les autres, comme ce serait le cas dans le labyrinthe complexe d'une économie moderne. En fait, pour un pays arriéré et primitif coupé de toute aide étrangère, l'industrialisation forcée, malgré ses gaspillages et ses ratés, obtint des résultats impressionnants. En l'espace de quelques années, elle transforma l'URSS en une grande économie industrielle capable, comme la Russie tsariste ne l'avait jamais été, de survivre et de gagner la guerre contre l'Allemagne en dépit de la perte temporaire de régions contenant un tiers de sa population et, dans bien des secteurs, la moitié de ses installations industrielles. Il faut ajouter que dans peu d'autres pays la population aurait pu ou voulu supporter les sacrifices sans pareil de cet effort de guerre (voir Milward, 1979, p. 92-97) ou ceux des années 1930. Pourtant, si le système maintint la consommation de la population au plus bas – en 1940, l'économie produisait à peine plus d'une paire de chaussures pour chaque habitant de l'URSS –, il garantissait ce minimum social. Il assurait à chacun un travail, des vivres, des vêtements et un logement à des prix et à des loyers contrôlés (c'est-à-dire subventionnés), des pensions, des soins de santé et une égalité approximative ; les choses changèrent après la mort de Staline, lorsque le système de récompenses *via* l'octroi de privilèges spéciaux à la *nomenklatura* échappa à tout contrôle. Sur le plan éducatif, le système se montra beaucoup plus généreux. La transformation d'un pays largement analphabète en une URSS moderne fut en tout état de cause un tour de force. Et pour les millions de villageois pour qui, même aux temps les plus rudes, le développement soviétique fut synonyme de *nouveaux horizons*, d'arrachement aux ténèbres et à l'ignorance, de lumière et de progrès, sans parler d'avancement personnel et de carrières, le bilan de la nouvelle société était tout à fait probant. De toute manière, ils n'en connaissaient pas d'autre.

Toutefois, cette réussite ne devait pas concerner l'agriculture ni ceux qui en vivaient, car l'industrialisation reposait précisément sur le dos d'une paysannerie exploitée. Il n'y a pas grand-chose à dire en faveur de la politique paysanne et agricole des soviets, si ce n'est peut-être que, contrairement à ce qu'on a pu dire, les paysans ne furent pas les seuls à supporter le poids de l'« accumulation primitive socialiste » (l'expression est d'un partisan de Trotski, qui approuvait cette politique[3]). Les ouvriers portèrent eux aussi leur part du fardeau en dégageant des ressources destinées à être réinvesties.

Les paysans – la majorité de la population – avaient non seulement un statut juridique et politique inférieur, tout au moins jusqu'à la Constitution de 1936 (qui demeura lettre morte) ; non seulement ils supportaient des impôts plus lourds tout en bénéficiant d'une sécurité moindre, mais la politique agricole de base qui remplaça la NEP, à savoir la collectivisation forcée dans le cadre de coopératives et de fermes d'État, était et resta désastreuse. Son premier effet fut de faire baisser la production de céréales et de réduire de moitié le cheptel, provoquant ainsi une grande famine dans les années 1932-1933. La collectivisation se solda par une chute de la productivité déjà faible de l'agriculture russe, qui ne retrouva son niveau de la NEP qu'en 1940 ou, compte tenu de désastres de la Seconde Guerre mondiale, qu'en 1950 (Tuma, 1965, p. 102). La mécanisation massive par laquelle on essaya de compenser cette baisse fut aussi, et est restée, largement inefficace. Après les débuts prometteurs de l'après-guerre, où l'agriculture soviétique produisit même un modeste excédent de céréales exportées, sans que l'URSS ne parût jamais devoir être le grand exportateur qu'avait été la Russie tsariste, elle cessa d'être capable de nourrir sa population. À partir du début des années 1970, l'URSS dut s'approvisionner sur le marché mondial des céréales, parfois à concurrence d'un quart de ses besoins. Mais sans le léger relâchement du système collectif, qui permit aux paysans de produire à destination du marché sur de modestes lopins privés – couvrant environ 4 % de la surface cultivée en 1938 –, le consommateur soviétique n'aurait guère mangé que du pain noir. Bref, l'URSS abandonna une agriculture paysanne inefficace pour une agriculture collective inefficace à un coût considérable.

Cela reflétait les conditions politiques et sociales de la Russie soviétique, plutôt que la nature intrinsèque du projet bolchevique. La coopération et la collectivisation, associées à des degrés divers à la culture privée – comme dans les *kibboutzim* israéliens, plus communistes que tout ce qu'on pouvait trouver en URSS – peuvent donner des résultats, tandis que l'agriculture paysanne pure a souvent mieux réussi à arracher des subventions aux pouvoirs publics qu'à tirer des profits de la terre[4]. En URSS, cependant, nul doute que la politique agricole ait été un fiasco. Et un exemple qui ne fut que trop souvent copié, tout au moins initialement, par les autres régimes socialistes.

Il est un autre aspect du développement soviétique qui n'est guère défendable : la bureaucratisation démesurée qu'engendra un gouvernement centralisé, et que même Staline ne put tenir en respect. De fait, on a pu suggérer avec sérieux que la Grande Terreur de la fin des années 1930 avait été, de la part de Staline, un effort désespéré pour « venir à bout du labyrinthe de la bureaucratie et de son habileté à esquiver la plupart des contrôles ou des injonctions du gouvernement » (Lewin, 1991, p. 17), ou tout au moins pour l'empêcher de devenir la classe dirigeante ossifiée qui allait finalement s'imposer sous Brejnev. Chaque effort pour rendre l'administration plus souple et plus efficace ne fit que la gonfler et la rendre plus indispensable. À la fin des années 1930, ses effectifs augmentaient deux fois et demi plus vite que ceux des autres secteurs. À l'approche de la guerre, le pays comptait plus d'un administrateur pour deux cols bleus (Lewin,

1991). Sous Staline, la couche supérieure de ces cadres dirigeants étaient des « esclaves singulièrement puissants, toujours au bord de la catastrophe. Leur pouvoir et leurs privilèges étaient éclipsés par un *memento mori* de tous les instants. » Après Staline, ou plutôt après la mise à l'écart de Nikita Khrouchtchev, le dernier des « grands patrons », tout ce qui dans le système pouvait empêcher la stagnation, disparut.

Le troisième handicap du système, celui qui finit par le couler, était son manque de souplesse. Il était organisé pour assurer la croissance constante d'une production de biens, dont le caractère et la qualité étaient prédéterminés, mais il ne comportait aucun mécanisme intégré permettant d'en modifier la quantité (sinon pour l'augmenter) ou la qualité, ni pour innover. En fait, le système ne savait que faire des inventions et, à la différence du complexe militaro-industriel, il ne les employait pas dans l'économie civile[5]. Quant aux consommateurs, il n'y avait pas de marché pour indiquer leurs préférences, ni le moindre biais en leur faveur au sein du système économique ou, nous le verrons, politique. Au contraire, la machine à planifier hérita du parti pris initial du système pour donner la priorité à la croissance maximale des biens d'équipement. Tout au plus pourrait-on soutenir qu'avec la croissance économique le système produisit davantage de biens de consommation alors même que la structure industrielle continuait à favoriser les biens d'équipement. Reste que le système de distribution était si mauvais et, surtout, le système d'organisation des services si inexistant que le niveau de vie ne put augmenter – des années 1940 aux années 1970, la progression fut en fait très frappante – qu'avec le concours ou qu'à travers une « économie parallèle » (ou d'un « marché noir ») très étendue et qui connut une croissance rapide, en particulier à compter de la fin des années 1960. Les économies parallèles échappant par définition aux documents officiels, nous en sommes réduit à des conjectures ; cependant, à la fin des années 1970, on estimait que la population urbaine soviétique dépensait près de vingt milliards de roubles en biens de consommation privés ou en services médicaux et juridiques, somme à laquelle s'ajoutaient près de sept autres milliards en « pourboires » correspondant à des services divers (Alexeev, 1990). À l'époque, c'était un chiffre comparable au montant total des importations du pays.

Bref, le système soviétique était conçu pour industrialiser le plus vite possible un pays très en retard et sous-développé, dans l'idée que sa population se contenterait d'un niveau de vie garantissant un minimum social et d'un niveau de vie matériel légèrement supérieur au seuil de subsistance (tout dépendait en fait de ce qui filtrerait de la croissance générale d'une économie axée sur la poursuite de l'industrialisation). Si inefficace et peu rentable fût-il, le système atteignit ses objectifs. En 1913, avec 9,4 % de la population mondiale, l'Empire tsariste représentait 6 % du montant total des « revenus nationaux » du monde et 3,6 % de sa production industrielle. En 1986, avec moins de 6 % de la population mondiale, l'URSS produisait 14 % du « revenu national » de la planète et 14,6 % de sa production industrielle, mais une part à peine plus élevée de la production agricole mondiale (Bolotin, 1987, p. 148-152). La Russie avait été transformée en une grande puissance industrielle et, de fait, c'est sur cette réussite que reposait son statut de superpuissance, qu'elle conserva pendant près d'un demi-siècle. Cependant, et contrairement aux espérances des communistes, le moteur du développement économique soviétique était construit de telle manière qu'il avait plutôt tendance à ralentir, lorsque – après que le véhicule eut parcouru une certaine distance – son conducteur accélérait. Son essoufflement était inscrit dans sa dynamique même. Et, c'est ce système qui, après 1944, devint le modèle économique de pays rassemblant un tiers de l'espèce humaine.

Cependant, la révolution soviétique mit également en place un système politique très particulier. Les mouvements populaires européens de gauche, y compris les mouvements ouvriers et socialistes marxistes auxquels le parti bolchevique appartenait, se nourrissaient de deux traditions politiques : la démocratie électorale, et parfois même directe, et les efforts révolutionnaires centralisés et tournés vers l'action hérités de la phase jacobine de la Révolution française. Les mouvements ouvriers et socialistes de masse, qui émergèrent presque partout en Europe à la fin du XIXᵉ siècle, qu'il s'agisse de partis, de syndicats, de coopératives ou de mélanges de toutes ces formes, étaient profondément démocratiques tant dans leur organisation intérieure que dans leurs aspirations politiques. En fait, lorsqu'il n'existait pas encore de constitution reposant sur un large suffrage, ils étaient les principales forces à en revendiquer une et, à la diffé-

rence des anarchistes, les marxistes étaient fondamentalement attachés à l'action *politique*. Le système politique de l'URSS, qui devait
être par la suite transféré au monde socialiste, rompit clairement avec
l'aspect démocratique des mouvements socialistes, tout en protestant, en théorie, d'un attachement de plus en plus formel[6]. Il alla
même au-delà de l'héritage jacobin qui, quel que soit son attachement à la rigueur révolutionnaire et à une action implacable, n'était
pas favorable à une dictature personnelle. Bref, alors que l'économie
soviétique était planifiée, le régime politique soviétique fut un système autoritaire.

Cette évolution fut, pour une part, le reflet de l'histoire du parti
bolchevique, pour une autre celui des crises et des priorités du jeune
régime soviétique et, pour une autre encore, celui des singularités de
l'ex-séminariste géorgien, fils d'un cordonnier ivrogne, qui devint
l'autocrate de l'URSS en se faisant appeler « l'homme d'acier », à
savoir Joseph V. Staline (1879-1953). Le modèle léniniste du « parti
d'avant-garde » – encadrement singulièrement efficace de révolutionnaires professionnels organisés pour exécuter les tâches qui leur
étaient assignées par une direction centrale – était potentiellement
autoritaire et de nombreux autres marxistes russes, tout aussi révolutionnaires, l'avaient fait valoir dès le début. Qu'est-ce qui allait
empêcher le parti de se « substituer » aux masses qu'il prétendait
conduire ? Les comités (élus) des militants ou plutôt les congrès
réguliers exprimant leurs vues ? Le bureau exécutif au comité central ? Et finalement, le chef unique, théoriquement élu, à tous les
autres ? En fait, que Lénine ne voulût pas ou ne fût pas en position
d'être dictateur, ou que le parti bolchevique, comme toutes les organisations de la gauche idéologique, se conduisît beaucoup moins en
état-major militaire qu'en société encline à débattre sans fin ne rendait pas le danger moins réel. Le danger devint plus immédiat après
la révolution d'Octobre, lorsque, de quelques milliers de clandestins, les bolcheviks se transformèrent en un parti de masse, de centaines de milliers, et finalement de millions de militants
professionnels, d'administrateurs, de cadres et de contrôleurs, qui
submergèrent les « Vieux bolcheviks » et autres socialistes d'avant
1917 qui les avaient rejoints, comme Léon Trotski. Ils ne partageaient en rien la vieille culture politique de la gauche. Tout ce
qu'ils savaient, c'est que le parti avait raison, et que les décisions

prises par l'autorité supérieure devaient être exécutées si l'on voulait sauver la révolution.

Quelle que fut l'attitude pré-révolutionnaire des bolcheviks envers la démocratie, dans le parti comme à l'extérieur, envers la liberté d'expression, les libertés civiles et la tolérance, les circonstances des années 1917-1921 imposèrent une forme de gouvernement toujours plus autoritaire à un parti attaché à toute action qui était (ou semblait) nécessaire pour maintenir un pouvoir soviétique fragile et en lutte. S'il n'avait pas été, au départ, un gouvernement de parti unique, s'il n'avait pas non plus, à l'origine, rejeté toute forme d'opposition, le pouvoir soviétique gagna la guerre civile en devenant une dictature de parti unique étayée par un puissant appareil de sécurité et usant de la terreur face aux contre-révolutionnaires. De manière tout aussi décisive, le parti lui-même abandonna la démocratie interne, avec l'interdiction des courants internes et des fractions en son sein (en 1921). Le « centralisme démocratique », qui le gouvernait en théorie devint un simple centralisme. Le parti cessa d'appliquer ses propres statuts. Les congrès « annuels » du parti se firent moins réguliers, avant de devenir imprévisibles et occasionnels sous Staline. Les années de la NEP détendirent l'atmosphère non politique, sans éliminer le sentiment que le parti était une minorité assiégée, qui avait peut-être l'histoire de son côté, mais qui allait à contre-courant des masses et du présent russes. La décision de lancer la révolution industrielle du sommet obligea *ipso facto* le système à imposer son autorité, peut-être même plus implacablement que dans les années de guerre civile, parce que l'appareil qui lui permettait d'exercer le pouvoir de manière continue était désormais bien plus grand. C'est alors que disparurent les derniers éléments de séparation des pouvoirs, la modeste bien que décroissante marge de manœuvre du gouvernement soviétique par rapport au parti. La direction politique unique du parti concentrait désormais entre ses mains le pouvoir absolu et tout lui était subordonné.

C'est à ce stade que le système devint sous la houlette de Staline une autocratie prétendant contrôler la vie et les pensées des citoyens dans tous leurs aspects – toute leur existence étant désormais, autant que possible, subordonnée à la réalisation des objectifs du système, tels qu'ils étaient définis et spécifiés par l'autorité suprême. Ce n'était certainement pas ce qu'avaient envisagé Marx et Engels ni ce qui s'était produit dans la Deuxième Internationale (marxiste) et la plupart de ses partis. Ainsi, Karl Liebknecht, qui, avec Rosa Luxemburg, devint le chef des communistes allemands avant de se faire assassiner avec elle en 1919 par des officiers réactionnaires, ne se réclamait même pas du marxisme, bien qu'il fût le fils d'un fondateur du parti social-démocrate allemand. Quoiqu'attachés à Marx, comme leur nom l'indique, les austro-marxistes ne devaient pas hésiter à suivre leur propre voie, et quand bien même un penseur marxiste était officiellement taxé d'hérésie, comme le fut Eduard Bernstein pour son « révisionnisme », personne ne doutait pour autant qu'il fût un social-démocrate légitime. Il resta d'ailleurs l'un des éditeurs officiels des œuvres de Marx et d'Engels. L'idée qu'un État socialiste dût forcer chaque citoyen à penser les mêmes choses, sans parler de prêter collectivement à ses dirigeants un genre d'infaillibilité pontificale (qu'une seule personne dût exercer cette fonction était impensable), ne serait venue à l'esprit d'aucun dirigeant socialiste avant 1917.

Tout au plus pourrait-on prétendre que le socialisme marxiste était pour ses adeptes un engagement personnel ardent, un système d'espoir et de croyance, qui présentait certains traits caractéristiques d'une religion séculière (mais pas plus que l'idéologie des groupes de croisés non socialistes) ; pour être clair, disons que, sans doute, du jour où il devint un mouvement de masse, la théorie subtile devint au mieux un catéchisme, au pire, un symbole d'identité et de loyauté, comme un drapeau qu'il convient de saluer. Ces mouvements de masse, ainsi que l'avaient observé de longue date les socialistes intelligents d'Europe centrale, avaient aussi tendance à admirer, voire à adorer, leurs chefs, même s'il faut ajouter que la propension notoire aux disputes et aux rivalités dans les partis de gauche avait généralement pour effet de contenir cette tentation. La construction du mausolée de Lénine sur la place Rouge, où le corps embaumé du grand chef devait être à jamais exposé aux fidèles, ne devait rien à la tradition révolutionnaire russe : ce fut clairement un essai pour mobiliser, au bénéfice du régime soviétique, l'attrait des saints chrétiens et de leurs reliques sur une population paysanne arriérée. On pourrait aussi soutenir que, dans le parti bolchevique tel que le construisit Lénine, l'orthodoxie et l'intolérance furent implantées, jusqu'à un certain point, non pas comme des valeurs en soi, mais pour des raisons pragmatiques. Comme un bon général – et Lénine était au fond homme à élaborer des plans d'actions –, il ne voulait pas dans les rangs de discussions susceptibles de contrarier l'efficacité pratique. De surcroît, comme d'autres génies pragmatiques, il était convaincu de savoir mieux que personne à quoi s'en tenir et n'avait guère de temps à perdre à considérer les autres opinions. Marxiste orthodoxe, voire fondamentaliste, tout tripatouillage d'un texte théorique d'essence révolutionnaire ne pouvait, à ses yeux, que faire le jeu des tenants du compromis et des réformistes. En pratique, il modifia sans hésiter les vues de Marx en y ajoutant librement des idées de son cru, sans cesser de protester de sa fidélité absolue au maître. Comme, avant 1917, il avait le plus clair de son temps dirigé et représenté une minorité assiégée de la gauche russe, et même au sein de la social-démocratie russe, il acquit la réputation de ne tolérer aucune dissension ; en revanche, il était aussi prompt à accueillir ses adversaires dès que la situation avait changé, qu'il l'avait été à les dénoncer ; et, même après Octobre, il préféra toujours discuter plutôt que de recourir à sa position d'autorité au sein du parti. Au demeurant, il lui arriva de voir ses positions contestées. Eût-il vécu que Lénine aurait sans doute continué à dénoncer ses adversaires ; et, comme dans la guerre civile, son intolérance pragmatique ne connaissait point de limites. Mais rien ne prouve qu'il ait envisagé ni même qu'il eût toléré le genre de version séculière de religion privée et officielle, universelle et obligatoire, qui se développa après sa mort. Sans doute Staline ne l'a-t-il pas fondée sciemment. Peut-être s'est-il contenté de suivre ce qui était à ses yeux le courant dominant d'une Russie paysanne arriérée avec sa tradition autocratique et orthodoxe. Reste qu'il est peu vraisemblable qu'elle se fût développée sans lui et qu'elle eût jamais été imposée (ou copiée) dans d'autres régimes socialistes.

Mais une remarque s'impose. La possibilité d'une dictature est implicite dans tout régime fondé sur un parti unique irremplaçable. Dans un parti organisé sur la base hiérarchique et centralisée des bolcheviks de Lénine, elle devient une probabilité. Et l'inamovibilité n'était qu'un autre nom de la conviction viscérale des bolcheviks : la Révolution ne devait pas être renversée, son destin était entre leurs mains, et dans celles de personne d'autre. Les bolcheviks soutenaient en effet qu'un régime bourgeois pouvait envisager sans risque la défaite d'un gouvernement conservateur et l'accession au pouvoir d'un gouvernement libéral, puisque cela ne changeait rien au caractère bourgeois de la société ; en revanche, il ne pouvait tolérer un régime communiste, pour la même raison qu'un régime communiste ne pouvait tolérer d'être renversé par une force qui rétablirait l'ordre ancien. Les révolutionnaires, y compris les socialistes révolutionnaires, ne sont pas des démocrates au sens électoral, si sincèrement convaincus soient-ils d'agir dans l'intérêt du « peuple ». Néanmoins, même si nous admettons que le parti était un monopole politique avec un « rôle dirigeant » qui rendait un régime soviétique démocratique aussi improbable qu'une Église catholique démocratique, il n'impliquait pas de dictature personnelle. C'est Joseph Staline qui transforma les systèmes politiques communistes en monarchies non héréditaires[7].

Tout petit[8], cauteleux, peu sûr de lui, cruel, nocturne et d'une méfiance perpétuelle, Staline paraît sortir tout droit de la *Vie des douze César* de Suétone, plutôt qu'appartenir à la vie politique moderne. Extérieurement peu marquant et en fait insignifiant – véritable « nuage gris », pour reprendre le mot d'un observateur contemporain (Soukhanov) en 1917 –, il sut pourtant se montrer conciliant et manœuvrer jusqu'à atteindre le sommet ; mais, naturellement, ses talents considérables l'en avaient rapproché dès avant la Révolution. Il fut membre du premier gouvernement d'après Octobre, avec le titre de Commissaire aux nationalités. Lorsqu'il fut enfin le chef incontesté du parti et, en fait, de l'État, il lui manqua le sens tangible de sa destinée personnelle, le charisme et l'assurance qui fit d'un Hitler le fondateur et le maître accepté de son parti et lui assura, sans contrainte, la loyauté de son entourage. Staline dirigea son parti, comme tout ce qui était à la portée de son pouvoir personnel, par la terreur et par la peur.

En se transformant en une sorte de tsar séculier, défenseur d'une orthodoxie séculière, et en faisant du fondateur de celle-ci une espèce de saint laïque, dont la dépouille mortelle attendait les pèlerins hors du Kremlin, Staline fit montre d'un solide sens des relations publiques. Pour un rassemblement de paysans et de bergers qui, mentalement, vivaient dans l'équivalent du XIᵉ siècle occidental, c'était très certainement la manière la plus efficace d'asseoir la légitimité du nouveau régime ; de même que le catéchisme simple, sommaire et dogmatique à quoi Staline réduisit le « marxisme-léninisme » était idéal pour en inculquer les idées à la première génération alphabéti-sée[9]. On ne saurait davantage voir dans sa politique de terreur la simple affirmation du pouvoir personnel sans limite d'un tyran. Nul doute qu'il ait pris plaisir à ce pouvoir, à la peur qu'il inspirait, à la capacité de donner la vie ou la mort, de même qu'on ne saurait douter de son indifférence aux gratifications matérielles que pouvait obtenir un homme dans sa position. Mais, quelles qu'aient été ses aberrations psychologiques personnelles, la terreur stalinienne était, en théorie, une tactique instrumentale aussi rationnelle que sa prudence quand il n'avait pas la situation en mains. Dans les deux cas, il s'agissait d'éviter les risques – attitude qui reflétait, à son tour, son manque de confiance dans son aptitude à évaluer les situations (« à en faire une analyse marxiste », pour reprendre le jargon des bolcheviks) par quoi Lénine s'était distingué. Sa carrière terrifiante ne prend tout son sens que si l'on y voit la poursuite obstinée et ininterrompue de l'objectif utopique d'une société communiste, à la réaffirmation duquel il consacra la dernière de ses publications, quelques mois avant sa mort (Staline, 1952).

En Union soviétique, le pouvoir était tout ce que les bolcheviks avaient gagné par la révolution d'Octobre. C'était aussi leur seul ins-trument pour changer une société constamment assaillie de difficul-tés multiples sans cesse renouvelées. Tel est le sens de la thèse, par ailleurs absurde, de Staline, suivant laquelle la lutte des classes devait s'intensifier dans les décennies suivant la « prise du pouvoir par le prolétariat ». Seule pouvait garantir le succès final la détermination à user systématiquement et impitoyablement de ce pouvoir afin d'éli-miner tous les obstacles possibles à ce processus.

Trois facteurs expliquent la dérive absurde et meurtrière d'une politique fondée sur cette hypothèse.

En premier lieu, la conviction de Staline : lui seul savait la voie à suivre et était assez déterminé pour s'y maintenir. Beaucoup d'hommes politiques et de généraux ont ce sentiment d'être indispen-sables, mais seuls ceux qui ont le pouvoir absolu sont en position d'amener les autres à partager cette croyance. Ainsi, les grandes purges des années 1930, qui, à la différence des formes de terreur antérieures, étaient dirigées contre le parti lui-même et surtout contre ses dirigeants, commencèrent après que nombre de bolcheviks endur-cis (dont ceux qui l'avaient soutenu contre les diverses oppositions des années 1920 et avaient sincèrement appuyé le Grand Bond en Avant de la collectivisation et du Plan quinquennal) eurent estimé que les cruautés impitoyables de la période et les sacrifices qu'elle imposait étaient plus qu'ils n'en pouvaient accepter. Sans doute beaucoup se souvenaient que Lénine avait refusé de faire de Staline son successeur à cause de sa brutalité excessive. En 1934, le XVIIe Congrès du PCUS (b) mit en évidence l'existence d'une forte opposition à sa personne. Menaçait-elle réellement son pouvoir ? On ne le saura jamais, car entre 1934 et 1939, c'est quelque 4 à 5 millions de membres et de cadres du parti qui furent arrêtés pour des raisons politiques, dont quatre à cinq cent mille furent exécutés sans autre forme de procès ; au XVIIIe Congrès, qui se réunit au printemps 1939, il ne restait plus que trente-sept survivants des 1 827 délégués qui avaient assisté au précédent (Kerblay, 1983, p. 245).

Ce qui donna à cette terreur son caractère d'inhumanité sans précédent, c'est qu'elle ignora toute limite, conventionnelle ou autre. Ce n'était pas tant la conviction qu'une grande fin justifie tous les moyens nécessaires pour l'atteindre (comme le crut peut-être Mao Zedong), ni même que les sacrifices imposés à la génération présente, si grands soient-ils, ne sont rien en comparaison des bénéfices qu'en récolteront les générations futures. C'était l'application du principe de la guerre totale à chaque instant. Peut-être à cause de sa puissante fibre « volontariste » qui avait conduit d'autres marxistes à se méfier de Lénine, qu'ils considéraient comme un « blanquiste » ou un « jacobin », le léninisme raisonnait essentiellement en termes militaires : l'admiration de Lénine pour Clausewitz en est le signe, quand bien même le vocabulaire politique des bolcheviks n'en porte aucun témoignage. « Qui l'emportera sur qui ? », telle était la maxime fondamentale de Lénine : la lutte considérée comme un jeu à somme nulle, dans lequel le gagnant raflait tout, et le perdant perdait tout. Même les États libéraux, on le sait, livrèrent les deux guerres mondiales dans cet esprit et ne reconnurent absolument aucune limite aux souffrances qu'ils étaient disposés à imposer à la population de « l'ennemi » et, au cours de la Première Guerre mondiale, même à leurs armées. En vérité, les représailles, même contre des pans entiers de la population, définis sur des bases *a priori*, devint partie intégrante de l'art de la guerre : ainsi en fut-il, pendant la Seconde Guerre mondiale, de l'internement de tous les citoyens américains d'origine japonaise ou de tous les Allemands et Autrichiens vivant en Grande-Bretagne sous prétexte que pouvaient se cacher parmi eux des agents de l'ennemi. Ce phénomène s'inscrit dans le cadre du coup d'arrêt au progrès civil du XIXe siècle et d'une renaissance de la barbarie, qui courent comme un fil noir tout au long de ce livre.

Par bonheur, il existe des contre-pouvoirs dans les États constitutionnels et de préférence démocratiques où règnent l'État de droit et la liberté de la presse. Il n'en existe aucun dans les systèmes de pouvoir absolu, même si des conventions contraignantes peuvent finalement se développer, ne serait-ce que pour les besoins de la survie et parce que l'exercice du pouvoir total peut être autodestructeur. La paranoïa en est l'aboutissement logique. Après la mort de Staline, ses successeurs s'entendirent tacitement pour mettre un terme à l'ère du sang, même si, jusqu'à l'ère Gorbatchev, ils laissèrent aux dissidents, à l'intérieur, aux chercheurs et aux journalistes, à l'étranger, le soin d'évaluer le coût humain des décennies staliniennes. Désormais, les responsables politiques soviétiques s'éteignirent dans leur lit, parfois même à un âge avancé. Lorsque, à la fin des années 1950, le Goulag se vida, l'URSS était restée, selon les critères occidentaux, une société qui maltraitait ses citoyens mais elle avait cessé de les emprisonner et de les tuer à une échelle exceptionnellement massive. De fait, dans les années 1980, sa population carcérale était nettement inférieure à celle des États-Unis : 268 détenus pour 100 000 habitants, contre 426 (Walker, 1991). De plus, dans les années 1960 et 1970, l'URSS devint bel et bien une société où le citoyen ordinaire courait moins de risques d'être tué – d'être victime d'un crime, d'une guerre civile ou de l'État – que dans bon nombre de pays d'Asie, d'Afrique et des Amériques. Elle n'en demeurait pas moins un État policier et une société autoritaire. Bref, quels que soient les critères réalistes employés, elle restait une société sans liberté. Le citoyen n'avait accès qu'à une information officiellement autorisée ou tolérée – toute autre espèce d'information demeura techniquement passible des rigueurs de la loi, jusqu'à la politique de *glasnost* (« transparence ») mise en œuvre par Gorbatchev –, et la liberté de circulation était subordonnée à une autorisation officielle : une restriction de plus en plus théorique en URSS, mais très réelle quand il fallait passer des frontières, fût-ce pour se rendre dans un pays « socialiste » ami. À tous ces égards, l'URSS demeurait très en deçà de la Russie tsariste. De plus, alors même que l'État de droit était respecté dans l'essentiel des questions de vie quotidienne, la pratique de l'internement administratif, c'est-à-dire arbitraire, ou de l'exil intérieur, subsistait.

Probablement ne sera-t-il jamais possible de calculer convenablement le coût humain des décennies de fer en Russie, puisque même les statistiques officielles des exécutions et de la population du Goulag – telles qu'elles existent ou qu'elles pourraient devenir disponibles – ne sauraient couvrir toutes les pertes ; de plus, les estimations varient considérablement suivant les points de vue retenus. « Par un sinistre paradoxe, a-t-on pu écrire, nous sommes mieux renseignés sur les pertes enregistrées dans le cheptel soviétique à cette époque que sur le nombre d'adversaires du régime qui ont été exterminés » (Kerblay, 1983, p. 26). La seule suppression du recensement de 1937 crée des obstacles presque insurmontables. Reste que, quelles que soient les hypothèses retenues[10], le nombre des victimes directes et indirectes doit se mesurer en huit chiffres plutôt qu'en sept. Dans ces circonstances, il importe peu qu'on retienne une estimation prudente, plus proche de dix millions que de vingt, ou un chiffre plus élevé : dans tous les cas, on a un bilan honteux, que rien ne saurait atténuer ni justifier. J'ajoute, sans commentaire, que la population totale de l'URSS aurait été de 164 millions en 1937, soit 16,7 millions de moins que ne l'annonçaient les prévisions démographiques du deuxième Plan quinquennal (1933-1938).

Si brutal et dictatorial qu'il fût, le système soviétique n'était pas « totalitaire », pour employer un mot en vogue parmi les critiques du communisme après la Seconde Guerre mondiale, mais inventé par le fascisme italien dans les années 1920 pour décrire ses objectifs. Jusque-là, il avait été presque exclusivement employé pour critiquer le fascisme et le nazisme. Il désignait un système centralisé, qui embrassait tous les domaines de la vie : non content de soumettre sa population à un contrôle physique total, son monopole de la propagande et de l'éducation lui permettait de forcer la population à intérioriser ses valeurs. C'est George Orwell, avec *1984* (paru en 1949), qui donna sa forme la plus marquante à cette image occidentale de la société totalitaire : une société où les masses sont soumises à un lavage de cerveau sous l'œil vigilant de « Big Brother », auquel seul peut échapper à l'occasion un rare solitaire.

C'est certainement ce que Staline aurait *voulu* réaliser, même si cette ambition eût révolté Lénine et les autres vieux bolcheviks, sans parler de Marx. S'il s'agissait de quasi déifier le chef (ce qu'on appela par la suite, au prix d'un euphémisme embarrassé, le « culte de la personnalité »), ou tout au moins de le présenter comme un condensé de toutes les vertus, il y eut quelque réussite, dont Orwell a dressé la satire. Paradoxalement, cette situation ne devait pas grand-chose au pouvoir absolu de Staline. En dehors des pays « socialistes », les militants communistes qui versèrent des larmes sincères en apprenant sa mort en 1953 – et ils furent nombreux – s'étaient volontairement convertis au mouvement, et ils voyaient en lui son symbole et son inspirateur. Contrairement à la plupart des étrangers, tous les Russes savaient bien quel avait été et quel était encore leur lot de souffrances. En un sens, pourtant, du seul fait qu'il était le chef puissant et légitime des terres russes et qu'il les avait modernisées, il représentait une part d'eux-mêmes : récemment encore, il avait été leur chef dans une guerre qui, tout au moins pour les Grands Russes, avait été une authentique lutte nationale.

À tous les autres points de vue, cependant, le système n'était pas « totalitaire », ce qui rend l'utilité du terme fort douteuse. Loin d'exercer un « contrôle de la pensée » efficace, sans parler d'assurer une « conversion », le régime eut au contraire pour effet de dépolitiser ses citoyens à un degré étonnant. Les doctrines officielles du marxisme-léninisme ne trouvèrent pratiquement aucun écho auprès du gros de la population, puisqu'elles ne présentaient aucun intérêt concret, sauf pour qui voulait faire une carrière où l'on attendait qu'il maîtrisât ce savoir ésotérique. Sur la place Rouge, à Budapest, après quarante ans d'éducation dans un pays attaché au marxisme, on demanda aux passants qui était Karl Marx :

> « C'était un philosophe soviétique. Engels était son ami. Bien, qu'est-ce que j'en dirais de plus ? Oui, il est mort très vieux.
>
> – *Voix de femme :* Un politicien, naturellement. Et puis vous savez, c'était, comment s'appelle, à voir avec Lénine, oui Lénine, les œuvres de Lénine, oui eh bien, il les a traduites en hongrois. »

Garton Ash, 1990, p. 261 ; trad. fr., p. 272

Pour la majorité des citoyens soviétiques, la plupart des déclarations publiques venant du sommet, qu'elles fussent d'ordre politique ou idéologique, n'étaient probablement pas consciemment assimilées, sauf si elles concernaient leurs problèmes quotidiens – ce qui était rarement le cas. Seuls les intellectuels étaient obligés de les prendre au sérieux dans une société construite sur et autour d'une idéologie qui se voulait rationnelle et « scientifique ». Paradoxalement, le fait même que ce système eût besoin des intellectuels, et accordât des privilèges et des avantages substantiels à ceux qui n'affichaient pas leur dissension, créa un espace social échappant au contrôle de l'État. Seule une terreur aussi implacable que celle de Staline pouvait réduire totalement au silence l'esprit non officiel. En URSS, elle resurgit sitôt que la glace de la peur commença à fondre – *Le Dégel* (1954) est le titre d'un roman à thèse d'Ilya Ehrenbourg (1891-1967), survivant de talent – dans les années 1950. Dans les années 1960 et 1970, la dissidence domina la scène soviétique sous la forme vaguement tolérée d'un communisme réformateur et d'une contestation intellectuelle, politique et culturelle totale. Officiellement, cependant, le pays demeura « monolithique », pour reprendre un mot cher aux bolcheviks. Cela devait devenir évident dans les années 1980.

II

Les États communistes apparus après la Seconde Guerre mondiale, c'est-à-dire tous sauf l'URSS, furent placés sous la coupe de partis communistes formés ou façonnés dans le moule soviétique, c'est-à-dire stalinien. Jusqu'à un certain point, c'était vrai même du Parti communiste chinois, qui, sous la houlette de Mao Zedong, avait assis son autonomie réelle vis-à-vis de Moscou dans les années 1930. C'est peut-être moins vrai des recrues ultérieures du « camp socialiste » dans le tiers-monde : du Cuba de Fidel Castro, et des divers régimes asiatiques, africains et latino-américains plus éphémères, apparus dans les années 1970 et qui eurent tendance à s'assimiler officiellement au modèle soviétique établi. Dans tous, nous trouvons des systèmes politiques de parti unique avec des structures d'autorité hautement centralisées ; une vérité intellectuelle et culturelle officiellement promulguée et déterminée par l'autorité politique ; une économie planifiée et centralisée ; et même, la relique la plus évidente de l'héritage stalinien, des dirigeants suprêmes « fortement profilés ». En fait, dans les États directement occupés par l'armée et les services secrets soviétiques, les gouvernements locaux se virent contraints de suivre le modèle de l'URSS, en organisant par exemple de grands procès et des purges de communistes sur le modèle stalinien – affaire dans laquelle les partis locaux ne montrèrent aucun enthousiasme spontané. En Pologne et en Allemagne de l'Est, ils réussirent même à éviter ces parodies de justice, et aucun dirigeant communiste n'y fut exécuté ou livré aux services secrets soviétiques. En revanche, à la suite de la rupture avec Tito, des dirigeants locaux furent exécutés en Bulgarie (Traicho Kostov) et en Hongrie (Laszlo Rajk), tandis que la dernière année de Staline vit l'organisation d'un procès massif particulièrement invraisemblable, avec un caractère antisémite prononcé, qui décima les rangs des dirigeants communistes tchèques. Peut-être ce procès n'était-il pas sans lien avec la paranoïa croissante de Staline lui-même, qui, dans un état physique et mental dégradé, envisagea d'éliminer jusqu'aux plus loyaux de ses partisans.

En Europe, tous les nouveaux régimes des années 1940 furent rendus possibles par la victoire de l'Armée rouge, mais dans quatre cas seulement ils furent exclusivement imposés par la force : en Pologne ; dans la partie de l'Allemagne occupée ; en Roumanie, où le mouvement communiste local comptait tout au plus quelques centaines de personnes, pour la plupart issues de minorités ethniques ; et, au fond, en Hongrie. En Yougoslavie et en Albanie, l'avènement du nouveau régime demeura très largement un phénomène intérieur ; en Tchécoslovaquie, les 40 % qu'obtint le Parti communiste aux élections de 1947 reflétaient certainement sa force à cette époque ; et en Bulgarie, l'influence communiste profita d'une russophilie de tous ses habitants. En Chine, en Corée et dans l'ancienne Indochine française – ou, plutôt, après la division de la guerre froide, dans les parties nord de ces pays –, le pouvoir communiste ne devait rien aux armes soviétiques, même si, après 1949, les régimes communistes plus petits bénéficièrent, pour un temps, de l'aide chinoise. Les ajouts ultérieurs au « camp socialiste », à commencer par Cuba, avaient suivi leur propre voie, même si, en Afrique, les mouvements de libération pratiquant la guérilla purent compter sur une aide sérieuse du bloc soviétique.

Pourtant, même dans les États où le pouvoir communiste ne s'imposa que grâce à l'Armée rouge, le nouveau régime jouit initialement d'une légitimité temporaire et, pendant quelque temps, d'un authentique soutien. Comme on l'a vu au chapitre 5, l'idée de construire un monde nouveau sur l'évidente ruine totale de l'ancien, inspira de nombreux jeunes et intellectuels. Si impopulaires que fussent le parti et le gouvernement, l'énergie et la détermination mêmes que tous deux mirent à entreprendre la reconstruction de l'après-guerre commandaient un large assentiment, même à contrecœur. En fait, on ne saurait guère nier la réussite des nouveaux régimes dans cette entreprise. Dans les États agraires arriérés, on l'a vu, l'attachement communiste à l'industrialisation, c'est-à-dire au progrès et à la modernité, trouva des échos bien au-delà des rangs du parti. Qui pouvait douter que des pays comme la Bulgarie et la Yougoslavie avançaient beaucoup plus vite qu'on ne l'avait cru probable ou même possible avant la guerre ? Le bilan ne semblait entièrement négatif que lorsque l'URSS avait occupé et absorbé de force des régions moins en retard ou, en tout cas, avec des cités développées, comme dans les zones transférées en 1939-1940 et dans la zone soviétique de l'Allemagne (devenue dans les faits République démocratique allemande après 1949), que l'URSS continua quelque temps à piller après 1945 pour assurer sa propre reconstruction.

Politiquement, les États communistes, autochtones ou imposés, commencèrent par former un bloc unique sous l'autorité de l'URSS, qui, pour des raisons de solidarité anti-occidentale, reçut le soutien du régime communiste qui prit le contrôle de la Chine en 1949 – même si l'influence de Moscou sur le Parti communiste chinois était restée ténue du jour où, au milieu des années 1930, Mao Zedong en était devenu le leader incontestable. Mao suivit sa voie tout en protestant de sa loyauté envers l'URSS et Staline, très réalistement, prit garde de ne pas aggraver les tensions avec son parti frère géant, effectivement indépendant, en Orient. Lorsque, à la fin des années 1960, Nikita Khrouchtchev envenima leurs relations, il en résultat une rupture acrimonieuse, la Chine contestant l'autorité soviétique sur le mouvement communiste international, même si ce fut sans grand succès. Envers les États et les partis communistes des parties de l'Europe occupées par les troupes soviétiques, Staline se montra moins conciliant : parce que ses armées étaient encore présentes en Europe de l'Est, mais aussi parce qu'il estimait pouvoir compter sur la loyauté des communistes locaux tant envers Moscou qu'envers sa propre personne. Il fut très certainement surpris en 1948, lorsque les dirigeants communistes yougoslaves, loyalistes au point que Belgrade était devenue quelques mois plus tôt le QG de l'Internationale communiste reconstituée au moment de la guerre froide (le Kominform, ou « Bureau d'information communiste »), poussèrent la résistance aux directives soviétiques jusqu'à la rupture ouverte, et lorsque l'appel de l'URSS à la loyauté des bons communistes par dessus la tête de Tito n'obtint pratiquement aucun écho sérieux. De manière bien caractéristique, Moscou réagit en étendant les purges et les grands procès aux régimes satellites restants.

La sécession yougoslave fut néanmoins sans effet sur le reste du mouvement communiste. L'émiettement politique du bloc soviétique commença avec la mort de Staline, en 1953, mais surtout avec les attaques officielles contre l'ère stalinienne en général et, avec plus de prudence, contre Staline lui-même au XXe Congrès du PCUS, en 1956. Bien qu'elles fussent destinées à un public soviétique intérieur trié sur le volet – les communistes étrangers furent écartés lorsque Khrouchtchev prononça son discours secret – le bruit ne tarda pas à filtrer que le monolithe soviétique s'était fissuré. Au sein de l'Europe sous domination soviétique, l'effet fut immédiat. En l'espace de quelques mois, en Pologne, une nouvelle direction communiste réformatrice se fit accepter paisiblement par Moscou (vraisemblablement, avec l'aide et les conseils des Chinois) et une révolution éclata en Hongrie. Ici, un nouveau gouvernement conduit par un communiste réformateur, Imre Nagy, annonça la fin du régime de parti unique – chose que les Soviétiques auraient pu tolérer (ils étaient partagés sur la question) – mais en même temps le retrait de la Hongrie du Pacte de Varsovie et sa future neutralité – ce qui leur était intolérable. En novembre 1956, l'armée russe écrasait la révolution.

Que l'alliance occidentale n'ait pas exploité cette crise majeure (si ce n'est à des fins de propagande) démontra la stabilité des relations Est-Ouest. Les deux camps acceptaient tacitement les limites de leurs zones d'influence respectives, et dans les années 1950 et 1960, aucun changement révolutionnaire ne parut sur le point de perturber cet équilibre, sauf à Cuba[11].

Dans des régimes où la vie politique était si manifestement sous contrôle, on ne saurait tracer de ligne de partage bien nette entre évolution politique et développement économique. Ainsi, en Pologne et en Hongrie, le gouvernement ne put faire autrement que d'accorder des concessions économiques à des populations qui avaient si clairement montré leur manque d'enthousiasme pour le communisme. En Pologne, l'agriculture fut décollectivisée, sans qu'elle devînt notablement plus efficace pour autant ; de plus, il fallut aussi reconnaître tacitement le poids politique d'une classe ouvrière considérablement renforcée par le développement accéléré de l'industrie lourde. Après tout, c'est le mouvement ouvrier de Poznan qui avait déclenché les événements de 1956. Dès lors, et jusqu'au triomphe de *Solidarnosc* à la fin des années 1980, la vie politique et économique de la Pologne allait être dominée par la confrontation d'une masse irrésistible, le régime, et d'un objet inamovible, la classe ouvrière, qui, initialement sans organisation, finit par s'organiser en un mouvement ouvrier classique, comme d'habitude allié aux intellectuels, puis par former un mouvement politique, exactement comme Marx l'avait prédit. Sauf que, comme les marxistes devaient l'observer avec mélancolie, l'idéologie de ce mouvement n'était pas anticapitaliste mais antisocialiste. Il est significatif que ces affrontements furent déclenchés par les efforts périodiques du gouvernement polonais pour réduire les fortes subventions publiques dont bénéficiaient les produits de base en relevant les prix. Ces mesures provoquèrent des grèves, habituellement suivies, après une crise gouvernementale, d'un recul. En Hongrie, les dirigeants imposés par les Soviétiques après l'écrasement de la révolution de 1956 furent authentiquement réformistes et efficaces. Sous Janos Kádár (1912-1989), ils entreprirent systématiquement (et peut-être avec le soutien de milieux influents en URSS) de libéraliser le régime, de concilier l'opposition et, en fait, d'atteindre les objectifs de 1956 dans les limites de ce que l'URSS jugeait acceptable. De ce point de vue, ce fut une réussite notable jusque dans les années 1980.

Tel ne fut pas le cas en Tchécoslovaquie, politiquement inerte depuis les purges implacables du début des années 1950, malgré une amorce prudente et timide de déstalinisation. Pour deux raisons, ce processus fit boule de neige dans la seconde moitié des années 1960. Les Slovaques (y compris la composante slovaque du PC), qui ne s'étaient jamais vraiment satisfaits de l'État binational, alimentèrent en fait une opposition potentielle au sein du parti. Ce n'est pas un hasard si l'homme porté au secrétariat général en 1968, à la suite d'un coup de force au sein du parti, était un Slovaque : Alexandre Dubcek.

Dans les années 1960, il devint, toutefois, de plus en plus difficile de résister aux pressions qui poussaient aux réformes de l'économie et à l'introduction d'un peu de rationalité et de souplesse dans le système autoritaire de type soviétique. Ces pressions, on le verra, se manifestèrent dans l'ensemble du bloc communiste. La décentralisation économique, qui n'était pas en soi politiquement explosive, le devint dès lors qu'elle se trouva associée à une exigence de libéralisation intellectuelle et, plus encore, politique. C'est en Tchécoslovaquie que cette demande fut la plus forte : parce que le stalinisme y avait longtemps sévi de manière particulièrement rude, mais aussi parce que nombre de ses communistes (en particulier les intellectuels, issus d'un parti jouissant d'un authentique soutien dans les masses avant comme après l'occupation nazie) furent profondément choqués par le contraste entre les espérances communistes, qu'ils conservaient, et la réalité du régime. Comme bien souvent dans l'Europe occupée par les nazis, là où le parti communiste devint le cœur du mouvement de résistance, il avait attiré de jeunes idéalistes dont l'engagement à cette époque était une garantie de désintéressement. Hormis l'espoir et le risque de connaître la torture et la mort, à quoi pouvait s'attendre celui qui, comme un ami de l'auteur, adhérait au Parti praguois en 1941 ?

Comme toujours – et c'était inévitable compte tenu de la structure des États communistes –, la réforme se fit par le haut, c'est-à-dire du sein même du parti. Précédé et accompagné par une fermentation et une agitation politico-culturelles, le « Printemps de Prague » de 1968 coïncida avec l'explosion générale de radicalisme estudiantin évoquée ailleurs (*cf.* chapitre 10) : l'un des rares événements qui ait traversé les océans et les barrières des systèmes sociaux et qui ait produit des mouvements sociaux simultanés, essentiellement centrés sur les étudiants, de la Californie et du Mexique jusqu'à la Pologne et la Yougoslavie. Même s'il abandonnait la dictature du parti unique pour s'acheminer dangereusement vers une démocratie pluraliste, le « Programme d'Action » du PC tchécoslovaque aurait pu être – fût-ce de justesse – acceptable par les Soviétiques. Mais le « Printemps de Prague » en révélant, et en aggravant, les fissures, parut mettre en jeu la cohésion, voire l'existence même, du bloc soviétique est-européen. D'un côté, les régimes durs sans soutien populaire, comme en Pologne et en Allemagne de l'Est, craignant une déstabilisation intérieure liée à l'exemple tchèque, critiquèrent âprement cette expérience ; de l'autre, la plupart des partis communistes européens, les réformateurs hongrois, et de l'extérieur du bloc, le régime communiste indépendant de Tito en Yougoslavie, mais aussi la Roumanie – qui, depuis 1965, avait commencé pour des raisons nationalistes à prendre ses distances vis-à-vis de Moscou sous la houlette d'un nouveau dirigeant, Nicolae Ceaucescu (1918-1989), qui, sur le plan intérieur, n'avait rien d'un réformateur –, avaient soutenu les Tchécoslovaques avec enthousiasme. Tito et Ceaucescu se rendirent tous deux à Prague, où la population les accueillit en héros. Non sans divisions et hésitations, Moscou se décida dès lors à renverser le régime praguois par la force des armes. Cette intervention sonna pratiquement le glas du mouvement communiste international centré sur Moscou, déjà mis à mal par la crise de 1956. En revanche, elle préserva la cohésion du bloc soviétique pour encore vingt ans, mais désormais uniquement sous la menace d'une intervention militaire soviétique. Il semble, alors, que même les dirigeants des partis communistes au pouvoir aient cessé de croire vraiment à ce qu'ils faisaient.

Dans le même temps, et tout à fait indépendamment de la politique, le besoin de réformer ou de changer le système économique de planification centrale de type soviétique se fit de plus en plus pressant. D'un côté, les économies développées non socialistes connaissaient une croissance et un essor sans précédent (*cf.* chapitre 9), creusant l'écart déjà considérable entre les deux systèmes. (Le phénomène était particulièrement criant en Allemagne, où les deux systèmes coexistaient dans un pays divisé.) De l'autre, le taux de croissance des économies socialistes, qui avait dépassé celui des économies occidentales jusqu'à la fin des années 1950, donnait des signes visibles d'essoufflement. Le PNB soviétique, qui augmenta au rythme de 5,7 % par an dans les années 1950 (presque aussi vite que

dans les douze premières années de l'industrialisation, 1928-1940),
tomba à 5,2 % dans les années 1960, à 3,7 % dans la première moitié
de la décennie 1970, à 2,6 % dans la seconde moitié, puis à 2 % dans
les cinq dernières années précédant l'avènement de Gorbatchev
(1980-1985) (Ofer, 1987, p. 1778). En Europe de l'Est, le bilan était
semblable. Presque partout dans le bloc soviétique, et notamment en
URSS sous la direction du Premier ministre Alexeï Kossyguine, les
années 1960 virent se multiplier les tentatives pour rendre le système
plus souple, essentiellement par la décentralisation. À l'exception de
la Hongrie, ces réformes n'eurent aucun succès notable et dans plusieurs cas, elles restèrent sans lendemain ou, comme en Tchécoslovaquie, ne purent être mises en œuvre pour des raisons politiques.
Membre un peu excentré de la famille socialiste, la Yougoslavie n'eut
guère plus de succès lorsque, par hostilité au stalinisme, elle remplaça l'économie planifiée par un système de coopératives autonomes. Alors que l'économie mondiale s'enfonçait au cours des
années 1970 dans une nouvelle période d'incertitudes, personne, à
l'Est comme à l'Ouest, n'imaginait plus que les économies du
« socialisme réellement existant » puissent rattraper ou dépasser les
économies non socialistes, voire même en suivre le rythme. Cependant, quoique plus problématique qu'autrefois, leur avenir ne semblait pas être une cause de souci immédiat. Cela n'allait pas tarder à
changer.

Notes de la deuxième partie

Chapitre 8. Guerre froide

[1] Le rapport Jdanov sur la situation mondiale qui ouvrit la conférence fondatrice du Bureau d'information communiste (Kominform), en septembre 1947, brillait par l'absence spectaculaire de toute allusion à la Chine, alors même que l'Indonésie et le Viêt-nam étaient comptés parmi les pays « rejoignant le camp anti-impérialiste », et l'Inde, l'Égypte et la Syrie comme « sympathisants » (Spriano, 1983, p. 286). En avril 1949, lorsque Chiang Kai-shek abandonna sa capitale à Nankin, l'ambassadeur soviétique, *seul* de tout le corps diplomatique, trouva encore le moyen de le rejoindre dans sa retraite de Canton. Six mois plus tard, Mao proclamait la République populaire (Walker, 1993, p. 63).

[2] « Qui vous a dit que l'Italie devait survivre ? aurait déclaré Mao à Togliatti, le dirigeant communiste italien. Il restera trois cents millions de Chinois, et cela suffira pour que l'espèce humaine continue. » En 1957, « Mao laissa pantois ses camarades d'autres pays par le joyeux empressement qu'il mettait à accepter l'inévitabilité d'une guerre nucléaire et son utilité possible pour obtenir la défaite finale du capitalisme » (Walker, 1993, p. 126).

[3] Le Soviétique Nikita S. Khrouchtchev décida d'installer des missiles soviétiques à Cuba pour contrebalancer les missiles américains déjà installés en Turquie, sur la frontière avec l'URSS (Burlatsky, 1992). Les États-Unis l'obligèrent à les retirer en brandissant la menace d'une guerre, mais ils retirèrent également leurs missiles de Turquie. Ainsi qu'on l'expliqua alors au président Kennedy, les missiles soviétiques ne changeaient rien à l'équilibre stratégique, alors qu'ils pesaient d'un poids considérable dans les relations publiques de la présidence (Ball, 1992, p. 18 ; Walker, 1988). Les missiles que les Américains retirèrent furent qualifiés d'« obsolètes ».

[4] « L'ennemi est le système communiste lui-même : implacable, insatiable, incessant dans sa course à la domination mondiale. [...] Ce n'est pas une lutte pour la seule suprématie des armes. C'est aussi une lutte pour la suprématie qui oppose deux idéologies rivales : la liberté sous Dieu contre une implacable tyrannie athée » (Walker, 1993, p. 132).

[5] Elle eût été plus méfiante encore si elle avait su que les chefs d'état-major américains élaborèrent un plan de bombardement atomique des vingt principales villes soviétiques dans les dix semaines qui suivirent la fin de la guerre (Walker, 1993, p. 26-27).

[6] Le seul homme politique de poids qui soit sorti des bas-fonds de la chasse aux sorcières est Richard Nixon, la personnalité la plus déplaisante de tous les présidents américains de l'après-guerre (1968-1974).

[7] « Nous allons bander nos forces et devenir à nouveau les premiers. Non pas premiers si. Non pas premiers mais. Mais premiers tout court ! Je veux que le monde ne se demande pas ce que M. Khrouchtchev est en train de faire. Je veux qu'il se demande ce que font les États-Unis » (Beschloss, 1991, p. 28).

8 Dès le départ, cependant, les anciens fascistes furent systématiquement employés par les services secrets et dans d'autres fonctions à l'écart de la scène publique.

9 « Si c'est ce que vous voulez, allez donc vous battre dans les jungles du Viêt-nam. Les Français s'y sont battus sept ans et ont dû tout de même finir par se retirer. Peut-être les Américains parviendront-ils à tenir un peu plus long-temps, mais finalement, ils devront partir eux aussi » : Khrouchtchev à Dean Rusk, en 1961 (Beschloss, 1991, p. 649).

10 Autre illustration caractéristique de cette géopolitique d'atlas scolaire, l'idée que, avec les sandinistes du Nicaragua, le danger militaire n'était plus qu'à quelques jours de camion de la frontière texane.

11 Voir l'usage injurieux que faisaient les Américains du mot « finlandisation ».

12 Pour prendre un cas extrême, la petite République communiste monta-gneuse d'Albanie était pauvre et arriérée, mais elle resta viable aussi longtemps (une trentaine d'années) qu'elle demeura pratiquement isolée du monde. C'est uniquement lorsque les murs qui la protégeaient de l'économie mondiale furent rasés que son économie s'effondra.

13 Goethe, « L'apprenti sorcier », in Ballades et autres poèmes, trad. J. Mala-plate, Paris, Aubier, 1996, p. 136-137.

CHAPITRE 9. L'ÂGE D'OR

1 Dans le discours public, on évitait le mot « capitalisme », de même qu'« impérialisme », qui avaient des associations négatives dans l'esprit public. Il fallut attendre les années 1970 pour voir des hommes politiques et des publi-cistes se déclarer fièrement « capitalistes », devancés de peu (1965) par la devise du magazine économique Forbes qui, retournant une formule du jargon des com-munistes américains, avait commencé à se présenter comme un « instrument capitaliste ».

2 Paradoxalement, White fut par la suite victime de la chasse aux sorcières aux États-Unis : on lui reprocha de prétendues sympathies pour le Parti commu-niste clandestin.

3 Ces estimations sont à utiliser avec prudence et ne sont indiquées que pour donner un ordre de grandeur.

4 Il fallut attendre le début des années 1990 pour que les anciens Étatelets d'Europe – Andorre, Liechtenstein, Monaco et San Marin – soient traités comme membres potentiels des Nations unies.

5 Sur le plan électoral, tous les partis de gauche, si forts fussent-ils, étaient cependant minoritaires. Le plus haut score jamais réalisé par un parti de ce genre fut les 48,8 % du Parti travailliste britannique en 1951, lors d'élections qui virent paradoxalement le succès des conservateurs avec un nombre de voix un peu moins élevé du fait des bizarreries du système électoral.

CHAPITRE 10. LA RÉVOLUTION SOCIALE, 1945-1990

[1] Près des trois cinquièmes des terres de la planète, si l'on omet l'Antarctique, inhabité.

[2] L'introduction systématique, dans diverses parties du tiers-monde, de nouvelles variétés de culture à haut rendement par des méthodes spécifiquement adaptées. Surtout à partir des années 1960.

[3] Ces centres de gratte-ciel, conséquence naturelle du prix élevé de la terre dans ces quartiers, étaient extrêmement rares avant 1950. New York était pratiquement un cas unique. Ils se répandirent à compter des années 1960, où même des villes décentralisées et toutes en longueur comme Los Angeles acquirent un centre-ville *(downtown)* de ce genre.

[4] Là encore, la pression fut moindre dans le monde socialiste.

[5] Parmi ces rares exceptions, nous notons la Russie où, à la différence de tous les autres pays communistes d'Europe de l'Est et de la Chine, les étudiants ne formèrent jamais un groupe très en vue ni très influent dans les années de dislocation du communisme. Ainsi a-t-on pu décrire le mouvement démocratique en Russie comme une « révolution des quadras », observée par une jeunesse dépolitisée et démoralisée (Riordan, 1991).

[6] Belgique, Allemagne de l'Ouest, Grande-Bretagne, France, Suède, Suisse.

[7] Né des efforts de la gauche pour repenser les analyses de la société industrielle, ce terme fut popularisé par Alain Lipietz, qui reprit le mot « fordisme » au penseur marxiste italien, Gramsci.

[8] C'est lui-même qui me l'a dit.

[9] *Cf.* aussi : « La prédominance de l'industrie, avec sa division abrupte entre ouvriers et encadrement, tend à encourager les différentes classes à vivre séparément, au point de transformer un quartier donné en réserve ou en ghetto » (Allen, 1968, p. 32-33).

[10] Ainsi, aux États-Unis, les « artisans et contremaîtres » passèrent de 16 % de la population active totale à 13 % entre 1950 et 1990, tandis que les « manœuvres » passaient dans le même temps de 31 à 18 %.

[11] « Le socialisme de la redistribution, de l'État-providence [...] a reçu un coup dur avec la crise économique des années soixante-dix. D'importants secteurs de la classe moyenne aussi bien que des secteurs des ouvriers les mieux payés coupèrent leurs liens avec les alternatives du socialisme démocratique et, par leurs voix, permirent la formation de nouvelles majorités derrière les gouvernements conservateurs » (*Programma 2000*, 1990).

[12] L'Irlande du Nord, où les catholiques furent systématiquement chassés des activités industrielles qualifiées, qui devinrent alors des monopoles protestants, est une exception.

[13] Ce n'est guère un hasard si les taux de divorce et de remariage en Italie, en Irlande, en Espagne et au Portugal étaient nettement plus bas dans les années 1980 que dans le reste de la zone ouest-européenne et nord-américaine. Taux de divorce : 0,58 pour 1 000 contre une moyenne de 2,5 pour neuf autres pays (Belgique, France, Allemagne fédérale, Pays-Bas, Suède, Suisse, Royaume-Uni, Canada, États-Unis). Taux de remariage en pourcentage du nombre total de mariages : 2,4 contre 18,6.

[14] Interdit par le Code civil allemand, le droit à l'avortement fut un thème d'agitation important pour le Parti communiste, ce qui explique que la République démocratique allemande ait bénéficié d'une législation beaucoup plus libérale que la République fédérale d'Allemagne (sous influence démocrate-chrétienne), compliquant ainsi les problèmes juridiques de l'unification en 1990.

[15] En 1929, au KPD, il y avait six femmes pour soixante-trois membres ou candidats au Comité central. Sur les 504 membres dirigeants du Parti entre 1924 et 1929, les femmes étaient juste 7 %.

[16] Ainsi, l'*affirmative action*, c'est-à-dire le fait d'accorder à un groupe un accès *préférentiel* à une ressource sociale ou à une activité, n'est compatible avec l'égalité que si elle est conçue comme une mesure temporaire, appelée à être progressivement éliminée, dès lors que l'égalité d'accès sera assurée à chacun suivant ses mérites. Autrement dit, cela suppose que le traitement préférentiel se limite à éliminer un handicap injuste frappant certains concurrents seulement. À l'évidence, tel est parfois le cas. Mais cette pratique perd toute pertinence dès que nous avons affaire à des différences permanentes. Même à première vue, il est absurde de donner la priorité aux hommes dans le recrutement de soprano colorature ou d'affirmer qu'il est théoriquement souhaitable, pour des raisons démographiques, que 50 % des généraux de l'armée de terre soient des femmes. Par ailleurs, il est tout à fait légitime de donner sa chance à chaque homme qui en a le désir ou les compétences de chanter la *Norma*, et à chaque femme qualifiée qui le souhaite de diriger une armée.

[17] Bien que plus rares, les cas où le mari se retrouvait en situation de suivre sa femme dans une nouvelle affectation devinrent aussi plus fréquents. Tout universitaire des années 1990 en avait quelques exemples à donner parmi ses connaissances.

CHAPITRE 11. RÉVOLUTION CULTURELLE

[1] En 1990, le marché mondial des « produits personnels » se partageait ainsi : 34 % pour l'Europe non communiste, 30 % pour l'Amérique du Nord et 19 % pour le Japon. Les 85 % de la population mondiale restante se partageaient 16-17 % entre ses membres les plus riches (*Financial Times*, 11/4/91).

[2] À en croire un principal adjoint de cette institution d'élite, les jeunes gens d'Eton s'y mirent à la fin des années 1950.

[3] Chico Buarque de Holanda, la grande figure de la musique pop brésilienne, était le fils d'un éminent historien progressiste qui, dans les années 1930, avait joué un rôle central dans le renouveau intellectuel et culturel de son pays.

[4] Pourtant, il n'y eut pour ainsi dire aucune résurgence de la seule idéologie qui croyait que l'action spontanée, non organisée, antiautoritaire et libertaire ferait naître une société sans État, nouvelle et juste, à savoir l'anarchisme de Bakounine ou de Kropotkine – et ce alors même que celui-ci correspondait beaucoup mieux aux idées de la plupart des étudiants rebelles des années 1960 et 1970 que le marxisme alors à la mode.

[5] La légitimité d'une revendication doit être distinguée clairement des arguments employés pour la justifier. Les relations entre le mari, la femme et les

enfants dans un ménage ne ressemblent en rien à celles des acheteurs et des vendeurs sur un marché, même imaginaire. Pas plus que la décision d'avoir ou non un enfant, même si elle est prise unilatéralement, ne concerne exclusivement l'individu qui la prend. Cette évidence est parfaitement compatible avec le désir de transformer le rôle domestique des femmes ou de faire avancer le droit à l'avortement.

6 Le modèle opératoire de la vraiment grande entreprise avant l'ère du capitalisme des sociétés anonymes (du « capitalisme monopoliste ») ne venait pas de l'expérience de l'entreprise privée, mais de la bureaucratie de l'État ou de l'armée (*cf.* les uniformes des employés de chemins de fer). De fait, souvent, elle était, ou devait être, directement gérée par l'État ou d'autres autorités publiques non guidées par la maximisation du profit, comme les services postaux et la plupart des services du télégraphe et du téléphone.

7 C'est toute la différence entre le langage des « droits » (légaux ou constitutionnels), qui a pris une importance centrale dans la société de l'individualisme exacerbé, en tout cas aux États-Unis, et l'ancien idiome moral, où droits et obligations étaient les deux faces d'une même médaille.

8 Dont l'équivalent était *residuum* (résidu) dans la Grande-Bretagne de la fin du XIXᵉ siècle.

9 Au moment où j'écris ces lignes, l'appellation officiellement préférée est celle d'« Afro-Américains ». Mais ces noms changent – l'auteur en a vu se succéder plusieurs : « gens de couleur », « nègres », « noirs » – et continueront à changer. J'emploie le terme qui a probablement eu cours plus longtemps qu'aucun autre parmi ceux qui souhaitaient montrer quelque respect à l'endroit des descendants des esclaves africains aux Amériques.

CHAPITRE 12. LE TIERS-MONDE

1 Si l'accélération spectaculaire de la croissance que nous avons connue au cours de ce siècle devait se poursuivre, la catastrophe semblerait inévitable. L'humanité a atteint son premier milliard voici deux cents ans. Il lui fallut 120 ans pour atteindre le deuxième milliard, trente-cinq ans le troisième et quinze ans le quatrième. La population mondiale était de 5,2 milliards à la fin des années 1980 et elle a atteint les six milliards en 1999.

2 Avant la chute du communisme, les mots « populaire », « démocratique » ou « socialiste » faisaient partie de l'appellation officielle des États suivants : Albanie, Angola, Algérie, Bangladesh, Bénin, Birmanie, Bulgarie, Cambodge, Chine, Congo, Corée du Nord, Éthiopie, Hongrie, Laos, Libye, Madagascar, Mongolie, Mozambique, Pologne, République démocratique allemande, République populaire du Yémen, Roumanie, Somalie, Sri Lanka, Tchécoslovaquie, URSS, Viêt-nam et Yougoslavie. Le Guyana se voulait une « République coopérative ».

3 On retrouvait des divisions semblables dans quelques régions arriérées des États socialistes, par exemple au Kazakhstan soviétique, où les indigènes ne virent pas l'intérêt d'abandonner leurs fermes et leur cheptel, et laissèrent l'industrialisation et les villes à une population proportionnellement forte d'immigrés (russes).

⁴ Par exemple jusqu'au milieu des années 1980 au Bénin, au Congo, en Guinée, en Somalie, au Soudan, au Mali, au Rwanda et en République centre-africaine (*World Labour*, 1989, p. 49).

⁵ À de très rares exceptions près, notamment l'Argentine qui, bien que riche, ne se remit jamais du déclin et de la chute de l'Empire britannique qui avait assuré jusqu'en 1929 sa prospérité d'exportateur de produits alimentaires.

⁶ L'OCDE, qui rassemble la plupart des pays capitalistes « développés », comprenait, au début des années 1990, l'Allemagne fédérale, la Belgique, le Danemark, la France, la Grande-Bretagne, l'Irlande, l'Islande, l'Italie, le Luxembourg, la Norvège, les Pays-Bas, la Suède, la Suisse, le Canada et les États-Unis, le Japon et l'Australie. Pour des raisons politiques, cette organisation mise en place pendant la guerre froide, compte aussi parmi ses membres la Grèce, le Portugal, l'Espagne et la Turquie.

⁷ Ce phénomène n'est pas l'apanage du tiers-monde. Informé de la richesse des gisements de pétrole britanniques en mer du Nord, un homme politique français joua les prophètes cyniques : « Ils le gaspilleront et s'enfonceront dans la crise. »

⁸ « D'une façon empirique, on peut dire qu'avec 5 % de 200 000 $ on obtient le concours d'un haut fonctionnaire, juste en deçà des plus hautes instances. Le même pourcentage de 2 millions de dollars, et l'on trouve un terrain d'entente avec le secrétaire permanent. À 20 millions, on a accès au cabinet du ministre, tandis qu'un pourcentage sur 200 millions de dollars "justifie l'attention sérieuse du chef de l'État" » (Holman, 1993).

⁹ Ainsi, la conversion à des sectes protestantes « fondamentalistes », qui est courante en Amérique latine, est avant tout une réaction « moderniste » contre l'ancien *statu quo* qu'incarne le catholicisme local. D'autres « fondamentalismes » sont comparables au nationalisme ethnique, par exemple en Inde.

¹⁰ Même chose au Nigeria, dans l'image d'un nouveau type de jeune fille africaine dans la littérature commerciale d'Onitsha : « Les filles ne sont plus les jouets traditionnels, tranquilles, modestes de leurs parents. Elles écrivent des lettres d'amour. Elles sont farouches. Elles exigent des cadeaux de leurs petits amis et de ceux qui succombent à leur charme. Elles vont même jusqu'à tromper les hommes. Elles ne sont plus ces créatures muettes que l'on gagne en passant par leurs parents » (Nwoga, 1965, p. 178-179).

¹¹ Hormis l'orientation socialiste du premier et l'idéologie antisocialiste du second, les similitudes entre le Parti brésilien des travailleurs et le mouvement *Solidarnosc*, contemporain, en Pologne sont frappantes : authentique leader prolétarien – un ouvrier qualifié de l'industrie automobile et un électricien des chantiers navals –, un brain-trust d'intellectuels et un solide appui de l'Église. Elles sont encore plus grandes si on se souvient que le PT ambitionnait de remplacer le parti communiste, qui le combattit.

CHAPITRE 13. LE « SOCIALISME RÉEL »

¹ À rigoureusement parler, ces chiffres ne concernent que l'URSS et ses États associés, mais ils n'en donnent pas moins un ordre de grandeur.

[2] « S'il faut donner des instructions suffisamment claires à chaque grand groupe de produit et à chaque unité de production, et ce en l'absence d'une planification à plusieurs niveaux, alors le centre se retrouvera nécessairement accablé d'une charge de travail colossale » (Dyker, 1985, p. 9).

[3] Dans la terminologie marxienne, l'« accumulation primitive » *via* l'expropriation et le pillage étaient nécessaires pour permettre au capitalisme d'acquérir le capital initial qui suivrait ensuite son propre processus d'accumulation endogène.

[4] Ainsi, dans la première moitié des années 1980, la Hongrie, dont l'agriculture restait largement collectivisée, exportait davantage de produits agricoles que la France avec une superficie agricole à peine supérieure au quart de la superficie française ; de même, elle exportait deux fois plus (en valeur) que la Pologne, dont la superficie agricole était près de trois fois plus grande que la sienne. Comme la France, la Pologne n'avait pas d'agriculture collective (*FAO Production*, 1986, *FAO Trade*, vol. 40, 1986).

[5] « À peine un tiers de toutes les inventions trouvent une application dans l'économie et, même dans ces cas, leur diffusion est rare » (Vernikov, 1989, p. 7). Ces indications semblent se rapporter à 1986.

[6] Ainsi, le centralisme autoritaire si caractéristique des partis communistes conserva l'appellation officielle de « centralisme démocratique », et, sur le papier, la Constitution soviétique de 1936 demeure une constitution démocratique typique, qui laisse par exemple autant de place aux élections pluripartites que la constitution des États-Unis. Ce n'était pourtant pas une pure façade, puisqu'elle avait été rédigée en bonne partie par Nikolas Boukharine qui, en tant que vieux révolutionnaire marxiste d'avant 1917, croyait sans aucun doute que ce type de constitution convenait à une société socialiste.

[7] La similitude avec la monarchie vient de la tendance de certains États de ce genre à évoluer effectivement dans le sens d'une succession héréditaire – évolution qui aurait paru aussi absurde qu'impensable aux socialistes et communistes d'autrefois. La Corée du Nord et la Roumanie en étaient deux cas remarquables.

[8] L'auteur de ces pages a vu le corps de Staline embaumé dans le mausolée de la place Rouge avant qu'il n'en fût retiré en 1961 et se souvient bien du choc qu'il reçut en voyant un homme aussi petit et pourtant tout-puissant. Il est significatif que tous les films et les photographies se soient toujours appliqués à masquer qu'il ne mesurait qu'un mètre soixante.

[9] Et pas seulement à elle. Quels que soient ses mensonges et ses insuffisances intellectuelles, l'*Histoire du Parti communiste de l'Union soviétique* de 1939 (Cours abrégé) était, d'un point de vue pédagogique, un texte magistral.

[10] Sur les incertitudes de cette démarche, voir Kosinski, 1987, p. 151-152.

[11] Contrairement aux craintes occidentales, les révolutions qui se succédèrent au Moyen-Orient dans les années 1950 – en Égypte en 1952, et en Irak en 1958 – ne devaient pas modifier cet équilibre (même si elles ouvrirent un champ plus vaste aux succès diplomatiques de l'URSS), essentiellement parce que, partout où les communistes avaient une certaine influence, comme en Syrie et en Irak, les régimes locaux les éliminèrent impitoyablement.

Troisième partie

La débâcle

Chapitre 14
Les Décennies de crise

« *Alors qu'on m'interrogeait l'autre jour sur la compéti-
tivité des États-Unis, j'ai répondu que c'était le cadet de
mes soucis. Nous autres, à NCR, nous nous considérons
comme une société globalement compétitive, dont il se
trouve que le siège est aux États-Unis.* »

Jonathan SCHELL, *N. Y. Newsday*, 1993

« *À un niveau particulièrement névralgique, l'un des
résultats du chômage massif pourrait être l'aliénation progressive des jeunes, vis-à-vis du reste de la société, et qui,
suivant les enquêtes contemporaines, désirent encore du
travail, si difficile soit-il d'en obtenir, et espèrent encore une
carrière digne de ce nom. Plus généralement, il faut
craindre que la future décennie ne voie l'avènement d'une
société où non seulement "nous" et "eux" se dissocieront
progressivement (les deux divisions représentant, de
manière très approximative, la main-d'œuvre et l'encadrement), mais où les groupes majoritaires seront de plus en
plus éclatés, les jeunes et les travailleurs relativement mal
protégés s'opposant à une main-d'œuvre mieux protégée et
plus expérimentée.* »

Le secrétaire général de l'OCDE
(*Investing*, 1983, p. 15)

I

L'histoire des deux décennies qui commencent en 1973 est celle d'un monde qui a perdu ses repères pour sombrer dans l'instabilité et la crise. Mais il aura fallu attendre les années 1980 pour s'apercevoir à quel point les fondations de l'Âge d'or s'étaient irrémédiablement désagrégées. La nature globale de la crise ne fut en effet reconnue, *a fortiori* admise, dans les régions développées non communistes, qu'après l'effondrement total de l'URSS et de l'Europe du « socialisme réel ». Pendant de longues années, les troubles économiques étaient toujours considérés comme des « récessions ». Un demi-siècle de tabou frappant l'usage des mots « crise » ou « marasme », rappel de l'Ère des catastrophes, n'avait pas été entièrement brisé. Le simple fait d'employer le mot risquait d'entraîner la chose, même si les « récessions » des années 1980 étaient les « plus graves depuis cinquante ans » – formule qui évitait soigneusement de spécifier la période en question, les années 1930. La civilisation qui avait élevé la magie verbale des publicitaires en principe de base de l'économie était prise au piège de sa machine à créer des illusions. Il fallut attendre le début des années 1990 pour que d'aucuns commencent à admettre – par exemple en Finlande – que les troubles économiques actuels étaient en vérité pires que ceux des années 1930.

À bien des égards, c'était déroutant. Pourquoi l'économie mondiale devait-elle devenir moins instable ? Ainsi que l'observèrent les économistes, les éléments de stabilisation de l'économie étaient en fait plus forts qu'ils ne l'avaient jamais été, alors même que des gouvernements partisans du marché libre, comme ceux des présidents Reagan et Bush aux États-Unis, de Mme Thatcher et de son successeur en Grande-Bretagne, s'efforçaient d'en affaiblir certains (*World Economic Survey*, 1989, p. 10-11). La gestion informatisée des stocks, l'amélioration des communications et la plus grande rapidité des transports réduisaient l'importance de l'instabilité des « cycles d'inventaire » de l'ancienne production de masse : on produisait d'énormes stocks « au cas où » ils seraient nécessaires en périodes d'expansion, puis on s'arrêtait brutalement pour les écouler en période de contraction. La nouvelle méthode dite des « flux tendus », dont les Japonais furent les pionniers et qui fut rendue possible par les technologies des années 1970, devait permettre de réduire considérablement les stocks tout en produisant suffisamment pour livrer « dans les délais » et, surtout, donner beaucoup plus de latitude et varier la production à brève échéance au gré des fluctuations de la demande. Ce n'était plus l'âge d'Henry Ford, mais celui de Benetton. En même temps, le seul poids de la consommation publique et de la partie des revenus privés venant de l'État (les « transferts sociaux » : sécurité sociale et protection sociale) stabilisait aussi l'économie. Au total, ils représentaient près d'un tiers du PIB. Et ils eurent même tendance à s'accroître avec la crise, ne serait-ce qu'à cause du coût croissant du chômage, des retraites et des dépenses de santé. Comme cette ère se poursuivait à la fin du Court Vingtième Siècle, peut-être devons-nous attendre encore quelques années avant que les économistes puissent utiliser l'arme ultime des historiens, le recul, et trouver une explication convaincante.

Naturellement, la comparaison des troubles économiques des années 1970-1990 avec ceux de l'entre-deux-guerres est bancale, alors même que la peur d'une nouvelle Grande Crise hanta ces décennies. « Peut-elle se reproduire ? » : beaucoup posèrent la question, surtout après la nouvelle et spectaculaire crise boursière américaine, et mondiale, de 1987, et la grande crise internationale des changes de 1992 (Temin, 1993, p. 99). Les Décennies de crise d'après 1973 ne furent pas plus une « Grande Crise », au sens des années 1930, que ne l'avaient été les décennies d'après 1873, bien qu'on leur eût aussi donné ce nom à l'époque. L'économie mondiale ne s'est pas effondrée, même momentanément, alors que l'Âge d'or s'est terminé en 1973-1975 par un phénomène qui ressemble fort à une récession cyclique classique : la production industrielle mondiale diminua de 10 % en un an, et le commerce international de 13 % (Armstrong, Glyn, 1991, p. 225). Dans le monde capitaliste développé, la croissance économique se poursuivit, quoique à un rythme sensiblement plus lent qu'au cours de l'Âge d'or : seuls firent exception quelques NPI, essentiellement asiatiques (*cf.* chapitre 12), dont la révolution industrielle n'avait commencé que dans les années 1960. Jusqu'en 1991, la croissance du PIB collectif des économies avancées fut à peine interrompue par de brèves périodes de stagnation dans les années de récession 1973-1975 et 1981-1983 (OCDE, 1993, p. 18-19). Moteur de la croissance mondiale, le commerce international des produits industriels continua – et s'accéléra même dans la phase d'expansion des années 1980 – à un rythme comparable à celui de l'Âge d'or. À la fin du Court Vingtième Siècle, les pays du monde capitaliste développé étaient, dans leur ensemble, beaucoup plus riches et productifs qu'au début des années 1970, et l'économie mondiale dont ils formaient encore l'élément central était infiniment plus dynamique.

En revanche, la situation était beaucoup moins rose dans des régions particulières du globe. En Afrique, en Asie occidentale et en Amérique latine, le PIB par tête cessa de croître. La grande majorité de la population s'appauvrit dans les années 1980 ; et, pendant le plus clair de la décennie, la production diminua tant en Afrique qu'en Asie occidentale, alors que la baisse ne dura que quelques années en Amérique latine (*World Economic Survey*, 1989, p. 8, 26). Personne ne doutait sérieusement que les années 1980 ne fussent une période de crise profonde pour ces parties du monde. Quant aux économies de l'ancienne région du « socialisme réel » en Occident, qui avaient enregistré une croissance modeste dans les années 1980, elles connurent un effondrement total après 1989. Dans cette zone, la comparaison de la crise d'après 1989 avec la Grande Crise était parfaitement appropriée, même si elle sous-estimait les ravages du début des années 1990. Le PIB de la Russie chuta de 17 % en 1990-1991, de 19 % en 1991-1992 et de 11 % en 1992-1993. Malgré une amorce de stabilisation au début de la décennie 1990, la Pologne avait perdu plus de 21 % de son PIB entre 1988 et 1992, la Tchécoslovaquie près de 20 %, la Roumanie et la Bulgarie 30 % ou plus. Au milieu de l'année 1992, leur production industrielle se situait entre la moitié et les deux tiers de son niveau de 1989 (*Financial Times*, 24/2/1994 ; EIB *papers*, novembre 1992, p. 10).

Tel ne fut pas le cas en Orient. Rien n'était plus frappant que le contraste entre la désintégration des économies de la région soviétique et la croissance spectaculaire de l'économie chinoise au cours de la même période. Dans ce pays, comme dans une bonne partie de l'Asie du Sud-Est et de l'Est, qui s'affirma comme la région la plus dynamique de l'économie mondiale dans les années 1970, le mot « crise » n'avait aucun sens – sauf, assez curieusement, dans le

Japon du début des années 1990. Reste que, si l'économie capitaliste mondiale était florissante, l'inquiétude régnait. Les problèmes qui avaient dominé la critique du capitalisme avant la guerre, et que l'Âge d'or avait largement éliminés depuis une génération – « la pauvreté, le chômage de masse, la misère, l'instabilité » (voir p. 354) –, resurgirent après 1973. Une fois de plus, la croissance fut interrompue par de profonds marasmes (par opposition aux « récessions mineures ») en 1974-1975, en 1980-1982 et à la fin des années 1980. En Europe occidentale, le chômage passa d'une moyenne de 1,5 % dans les années 1960 à 4,2 dans les années 1970 (Van der Wee, p. 77). Au faîte de l'expansion de la fin des années 1980, il avoisinait les 9,2 % en moyenne dans la Communauté européenne pour atteindre 11 % en 1993. La moitié des chômeurs (en 1986-1987) était sans travail depuis plus d'un an, un tiers depuis plus de deux ans (*Human Development*, 1991, p. 184). Or, puisque le *baby boom* de l'après-guerre avait cessé d'alimenter la population active, comme à l'Âge d'or, et que le chômage des jeunes, quelle que soit la conjoncture, était généralement beaucoup plus élevé que celui des travailleurs plus âgés, on aurait pu s'attendre à une réduction du chômage permanent[1].

Quant à la pauvreté et à la misère, dans les années 1980 même les pays les plus riches et les plus développés s'habituèrent une fois de plus à la vision quotidienne des mendiants et au spectacle plus choquant encore des sans abris emmitouflés dans des cartons, quand la police ne se chargeait pas de les déplacer pour les rendre moins visibles. À New York, en 1993, c'est chaque nuit quelque vingt-trois mille hommes et femmes qui dormaient dans la rue ou dans des refuges publics, c'est-à-dire une petite partie des 3 % d'habitants qui, à un moment ou à un autre, au cours des cinq ans passés, s'étaient retrouvés à la rue (*New York Times*, 16/11/93). Au Royaume-Uni (1989), on comptait officiellement 400 000 « sans domicile fixe » (*Human Development*, 1992, p. 31). Qui l'aurait imaginé dans les années 1950, ou même au début des années 1970 ?

Cette résurgence des sans abris s'inscrit dans le cadre de la montée spectaculaire des inégalités économiques et sociales caractéristique de l'ère nouvelle. Suivant les normes mondiales, les riches « économies de marché développées » n'étaient pas – ou pas encore – particulièrement injustes dans la répartition de leur revenu. Dans les plus inégalitaires d'entre elles (Australie, Nouvelle-Zélande, États-Unis, Suisse), les 20 % des ménages les plus aisés disposaient d'un revenu en moyenne de 8 à 10 fois supérieur à celui des 20 % les moins favorisés, tandis que les 10 % les plus riches engrangeaient de 20 à 25 % du revenu total de leur pays. Seuls dépassaient cette barre les 10 % de Suisses et de Néo-Zélandais les plus riches, ainsi que les privilégiés de Hong-Kong et de Singapour. Mais ce n'était rien en comparaison de l'inégalité de pays comme les Philippines, la Malaisie, le Pérou, la Jamaïque ou le Venezuela, où les 10 % les plus riches se voyaient octroyer plus du tiers du revenu total de leur pays ; sans parler du Guatemala, du Mexique, du Sri Lanka et du Botswana, où l'on dépassait les 40 %. Venait enfin le Brésil, qui pouvait prétendre au titre de champion mondial de l'inégalité économique[2]. Dans ce monument d'injustice sociale, les 20 % de la population les plus défavorisés se partageaient 2,5 % du revenu national, tandis que les 20 % les plus aisés en accaparaient près des deux tiers. À eux seuls, les 10 % les plus riches s'en appropriaient près de la moitié[3] (*World Development*, 1992, p. 276-277 ; *Human Development*, 1991, p. 152-153, 186).

Néanmoins, au cours des Décennies de crise, l'inégalité a sans conteste augmenté dans les « économies de marché développées », d'autant que la hausse quasi automatique des revenus réels à laquelle les classes laborieuses s'étaient habituées à l'Âge d'or avait alors pris fin. Les extrêmes de la richesse et de la pauvreté s'accrurent l'un et l'autre, de même que l'éventail de la répartition des revenus entre deux. Entre 1967 et 1990, le nombre de noirs américains gagnant moins de 5 000 $ et le nombre de ceux qui gagnaient plus de 50 000 dollars se sont accrus aux dépens des revenus intermédiaires (*New York Times*, 25 septembre 1992). Comme les pays capitalistes riches étaient beaucoup plus riches qu'ils ne l'avaient jamais été, et que leur population, dans l'ensemble, bénéficiait désormais des généreux systèmes de couverture et de sécurité sociales de l'Âge d'or (voir p. 375), les troubles sociaux furent moindres qu'on aurait pu l'imaginer. En revanche, les finances publiques se trouvèrent comprimées par d'énormes dépenses sociales, qui augmentaient plus vite que les recettes de l'État dans des économies dont la croissance était plus lente qu'avant 1973. Malgré des efforts soutenus, il n'est guère de gouvernements parmi les pays riches – pour la plupart, démocra-

tiques – et certainement pas les plus hostiles aux dépenses de protection sociale, qui soient parvenus à réduire la proportion considérable
des dépenses affectées à ces fins, ou même à la contenir[4].

Personne n'aurait imaginé une telle situation en 1970, et encore
moins ne l'aurait souhaitée. Au début des années 1990, un climat
d'insécurité et de rancœur s'était propagé à travers une bonne partie
des pays riches. Comme on le verra, cela contribua à l'effondrement
des modèles politiques traditionnels. Entre 1990 et 1993, d'aucuns
allèrent jusqu'à nier que le monde capitaliste développé lui-même
fût en crise. Nul ne prétendait sérieusement savoir que faire, si ce
n'est espérer que ça finirait par passer. Toutefois, l'élément central
des Décennies de crise n'est pas que le capitalisme ne fonctionnait
plus aussi bien qu'à l'Âge d'or, mais qu'il était devenu incontrôlable. Nul ne savait que faire face aux caprices de l'économie mondiale ni ne possédait les instruments qui eussent permis de la gérer.
La politique d'État nationale ou coordonnée sur la scène internationale, qui en avait été l'instrument privilégié à l'Âge d'or, ne marchait plus. L'État national perdit ses pouvoirs économiques.

On ne prit conscience du phénomène qu'avec retard parce que,
comme d'habitude, la plupart des responsables politiques, des économistes et des hommes d'affaires ne perçurent pas le caractère
durable du changement de conjoncture. L'idée que les troubles économiques des années 1970 étaient temporaires présida aux politiques de la plupart des gouvernements au cours de cette décennie et
domina la vie politique de la grande majorité des États. D'ici un ou
deux ans, la prospérité et la croissance seraient de retour comme au
bon vieux temps. Pourquoi changer des politiques qui avaient si bien
réussi depuis une génération ? Au fond, l'histoire de cette décennie
est celle de gouvernements qui cherchèrent à gagner du temps –
quitte à s'endetter lourdement à court terme, on voulait l'espérer,
dans le cas des États du tiers-monde et du monde socialiste – et
appliquèrent les vieilles recettes de l'économie keynésienne. Durant
une bonne partie des années 1970, les pays capitalistes les plus avancés furent conduits par des gouvernements sociaux-démocrates, parfois revenus au pouvoir après d'infructueux interludes conservateurs
(en Grande-Bretagne, en 1974 ; aux États-Unis, en 1976). Et il y
avait peu de chances pour qu'ils abandonnent les politiques de l'Âge
d'or.

La seule autre solution était celle que propageait la minorité des théologiens ultra-libéraux de l'économie. Dès avant le *krach*, cette minorité longtemps isolée des partisans d'une économie de marché sans restriction s'en était pris à la domination des keynésiens et autres champions d'une économie mixte dirigée et du plein-emploi. Surtout après 1973, l'impuissance et l'échec patents des politiques économiques traditionnelles nourrirent la ferveur idéologique des vieux champions de l'individualisme. Nouvellement créé (1969), le prix Nobel d'économie devait soutenir après 1974 le courant néolibéral : Friedrich von Hayek (voir p. 358) le reçut en 1974, deux ans avant Milton Friedman, champion tout aussi militant de l'ultra-libéralisme économique[5]. Les tenants du marché de la concurrence passèrent donc à l'offensive après 1974, même s'ils ne devaient asseoir leur domination que dans les années 1980 : la seule exception est celle du Chili, où une dictature militaire terroriste permit à des conseillers américains d'instaurer une économie de marché sans restriction aucune après le renversement, en 1973, d'un gouvernement populaire. Soit dit par parenthèses, c'était la preuve qu'il n'existe pas de lien intrinsèque entre le marché et la démocratie politique. (Mais rendons justice au professeur von Hayek qui, à la différence du gros des propagandistes occidentaux de la guerre froide, ne l'avait jamais prétendu.)

La bataille entre keynésiens et néolibéraux ne fut ni une confrontation purement technique entre économistes professionnels, ni la quête de moyens de traiter des problèmes économiques inédits et troublants. (Qui s'était donné la peine, par exemple, d'examiner la combinaison de stagnation économique et de hausse rapide des prix, laquelle obligea les économistes à enrichir leur jargon d'un mot nouveau, « stagflation », dans les années 1970 ?) Ce fut une guerre d'idéologies incompatibles. De part et d'autre, on avança des arguments économiques. Les keynésiens prétendaient que les hauts salaires, le plein-emploi et l'État-providence alimentaient la demande, qui avait nourri l'expansion, et qu'accroître la demande était donc le meilleur moyen pour sortir de la crise. Les néolibéraux soutenaient que les systèmes économiques et politiques de l'Âge d'or empêchaient de maîtriser l'inflation et de réduire les coûts des entreprises aussi bien publiques que privées, entravant ainsi l'augmentation des profits, seul véritable moteur de la croissance dans une économie capitaliste. En tout état de cause, à les en croire, la « main invisible » d'Adam Smith était de nature à engendrer la plus forte croissance possible de la « Richesse des Nations » et, dans ce cadre, la meilleure distribution envisageable de la richesse et des revenus. Ce que niaient les keynésiens. Dans les deux cas, pourtant, la science économique rationalisait un engagement idéologique, une vision *a priori* de la société humaine. Spectaculaire réussite économique du XXᵉ siècle, la social-démocratie suédoise n'inspirait que méfiance et aversion aux néolibéraux : non pas en raison des difficultés qu'elle connut – comme tous les autres types d'économie – durant les Décennies de crise, mais parce qu'elle reposait sur le « fameux modèle économique suédois avec ses valeurs collectivistes d'égalité et de solidarité » (*Financial Times*, 11 novembre 1990). Inversement, même dans ses années de réussite économique, le gouvernement de Mme Thatcher eut mauvaise presse à gauche, parce qu'il s'appuyait sur un égoïsme asocial et, en fait, antisocial.

Entre ces positions, la discussion n'était guère possible. Imaginons, par exemple, qu'on puisse démontrer que le meilleur moyen d'accroître les dons du sang serait de rémunérer les donateurs au prix du marché. La justification du système britannique du bénévolat, présentée avec force et éloquence par R. M. Titmuss dans *The Gift Relationship* (Titmuss, 1970), s'en trouverait-elle pour autant compromise ? Certainement pas, bien que Titmuss ait aussi montré que le système britannique était aussi efficace et plus sûr qu'un système commercial[6]. Pour nombre d'entre nous, toutes choses égales par ailleurs, une société dans laquelle les citoyens sont prêts à apporter une aide désintéressée à des concitoyens inconnus, ne fût-ce que symboliquement, vaut mieux qu'une société où ils s'y refusent. Au début des années 1990, la rébellion des électeurs contre une corruption endémique devait ébranler le système politique italien : non que beaucoup d'Italiens en eussent réellement souffert – nombre d'entre eux, sinon une majorité, en avaient même profité –, mais pour des raisons morales. Seuls furent épargnés par cette avalanche les partis politiques qui ne faisaient pas partie du système. Les champions de la liberté individuelle absolue ne se laissaient pas émouvoir par les injustices sociales criantes du capitalisme sauvage, alors même qu'il n'engendrait aucune croissance économique (comme au Brésil, au plus clair des années 1980). Inversement, ceux qui croient à l'égalité et à la justice sociale (comme l'auteur de ces pages) se réjouirent de l'occasion de plaider qu'une répartition relativement égalitaire des revenus, comme au Japon[7] (voir p. 463), pouvait même donner des assises solides à la réussite économique d'un pays capitaliste. Que chaque camp traduisît également ses croyances fondamentales en arguments pragmatiques – par exemple, pour savoir si l'allocation des ressources à travers les prix résultant du libre jeu du marché était ou non optimale –, cela n'avait qu'une importance secondaire. Mais, naturellement, les deux camps durent proposer des solutions pour arracher l'économie à la récession.

À cet égard, les tenants de l'économie de l'Âge d'or ne furent pas très heureux. Ce qui tient, pour une part, à leur attachement politique et idéologique au plein-emploi, à l'État-providence et à la politique du consensus héritée de l'après-guerre. Ou disons plutôt, qu'ils se trouvèrent coincés entre les exigences du capital et celles du travail, alors que la croissance de l'Âge d'or n'était plus là pour permettre aux profits et aux revenus salariaux d'augmenter concurremment sans se nuire. État social-démocrate par excellence, la Suède des années 1970 et 1980 parvint à maintenir le plein-emploi avec une remarquable réussite grâce à diverses mesures – subventions à l'industrie, étalement du travail et augmentation spectaculaire des emplois publics –, rendant ainsi possible une extension notable du système de couverture sociale. Malgré tout, cette politique ne put être mise en œuvre qu'au prix de déficits imposants, d'une fiscalité extrêmement lourde sur les hauts revenus et d'une stabilisation du niveau de vie des employés. En l'absence d'un retour au temps du Grand Bond en Avant, ce ne pouvaient être que des mesures temporaires, qui furent donc annulées à compter du milieu des années 1980. À la fin du Court Vingtième Siècle, le « modèle suédois » battait en retraite jusque dans son propre pays.

Cependant, le modèle pâtit aussi, et encore plus fondamentalement peut-être, de la mondialisation de l'économie. À partir de 1970, en effet, celle-ci mit les gouvernements de tous les États – sauf, peut-être, celui des États-Unis avec leur économie géante – à la merci d'un « marché mondial » incontrôlable. (Par ailleurs, il est indéniable que le marché était beaucoup plus porté à se méfier des gouvernements de gauche que de leurs homologues de droite.) Au début des années 1980, même un pays aussi grand et riche que la

France, alors dirigée par les socialistes, découvrit qu'il lui était impossible de relancer son économie de manière unilatérale. Deux ans après la triomphale élection de François Mitterrand, une crise de la balance des paiements obligeait le pays à dévaluer sa monnaie et à remplacer une politique keynésienne de stimulation de la demande par une politique d'« austérité à visage humain ».

Par ailleurs, la fin des années 1980 allait montrer de plus en plus clairement que les néolibéraux étaient eux aussi à court d'arguments. Ils eurent beau jeu de dénoncer les rigidités, les inefficacités et les gaspillages économiques qui s'étaient si souvent développés à l'abri des politiques de l'Âge d'or, maintenant que la vague de prospérité, de plein-emploi et de croissance des recettes publiques était retombée. Ils ne manquèrent pas d'occasions de passer au détersif néolibéral la coque encroûtée de plus d'un bon vaisseau « Économie mixte », et avec des résultats bénéfiques. La gauche britannique elle-même finit par admettre que certains des chocs impitoyables que Mme Thatcher avait administrés à l'économie étaient probablement nécessaires. La désillusion à l'égard des industries nationalisées et de l'administration, qui se répandit dans les années 1980, se nourrissait de solides raisons.

Pour autant, la seule conviction que l'État était mauvais et l'entreprise privée bonne (« l'État n'est pas la solution, mais le problème » : *dixit* le président Reagan) ne constituait pas une politique économique de rechange. Comment l'aurait-elle pu, au demeurant, dans un monde où, même dans les États-Unis de Reagan, les dépenses publiques centrales représentaient près du quart du PNB ou dépassaient même en moyenne les 40 % dans les pays développés de la Communauté européenne ? (*World Development*, 1992, p. 239.) Certes des pans entiers de l'économie pouvaient être gérés comme une entreprise en prenant dûment en considération la rentabilité (ce qui n'avait pas toujours été le cas), mais, contrairement à ce que voulaient faire croire les idéologues, ils ne fonctionnaient pas ni ne pouvaient fonctionner comme des marchés. En tout état de cause, la plupart des gouvernements néolibéraux furent bien obligés de gérer et de diriger leur économie, tout en prétendant encourager seulement les forces du marché. Qui plus est, il n'y avait pas moyen de réduire le poids de l'État. Après quatorze années de pouvoir, le plus idéologique de ces régimes – la Grande-Bretagne de Mme Thatcher – imposait ses citoyens un peu plus lourdement qu'ils ne l'avaient été sous les travaillistes.

En réalité, il n'y eut jamais de politique économique néolibérale unique ou spécifique – sauf, après 1989, dans les anciens États socialistes de la région soviétique où, sur les conseils des « jeunes prodiges » de la science économique occidentale, on essaya d'abandonner du jour au lendemain l'économie au jeu du marché. Comme c'était à prévoir, l'effet fut désastreux. Certes, le plus grand des régimes néolibéraux – les États-Unis du président Reagan – était officiellement attaché au conservatisme budgétaire (« budgets équilibrés ») et au « monétarisme » de Milton Friedman : en pratique, cependant, il recourut aux méthodes keynésiennes pour sortir de la dépression des années 1979-1982 en acceptant un énorme déficit et en finançant un accroissement non moins gigantesque de son arsenal. Aussi, loin d'abandonner entièrement la valeur du dollar à la rectitude monétaire et au marché, Washington renoua après 1984 avec une gestion délibérée *via* des pressions diplomatiques (Kuttner, 1991, p. 88-94). Dans les faits, les régimes les plus attachés à l'économie du laisser-faire furent parfois aussi profondément et viscéralement nationalistes et méfiants à l'égard du monde extérieur : ainsi des États-Unis de Ronald Reagan ou de la Grande-Bretagne de Mme Thatcher. Force est bien à l'historien de signaler que les deux attitudes sont contradictoires. En tout état de cause, le triomphalisme néolibéral n'a pas survécu aux revers économiques mondiaux du début de la décennie 1990, ni peut-être à cette découverte inattendue : après la chute du communisme soviétique, l'économie la plus dynamique du monde, et celle qui connut la croissance la plus rapide, fut celle de la Chine communiste, ce qui conduisit les enseignants des écoles de commerce occidentales et les auteurs de manuels de management, genre florissant, à éplucher les écrits de Confucius en quête des secrets de la réussite économique.

Ce qui rendit les problèmes économiques des Décennies de crise exceptionnellement troublants, et socialement subversifs, c'est que les fluctuations conjoncturelles coïncidèrent avec des bouleversements structurels. L'économie mondiale qui se trouva confrontée aux problèmes des années 1970 et 1980 n'était plus celle de l'Âge d'or, bien qu'elle en fût, on l'a dit, le résultat prévisible. La révolution technologique avait transformé son système de production : elle l'avait aussi mondialisé ou « transnationalisé » à un point extraordinaire, et avec des conséquences spectaculaires. Qui plus est, dans les années 1970, il était devenu impossible de fermer les yeux sur les conséquences sociales et culturelles révolutionnaires de l'Âge d'or ainsi que sur ses conséquences écologiques potentielles.

La meilleure illustration en est l'exemple du travail et du chômage. La tendance générale de l'industrialisation a été de remplacer les compétences humaines par celles des machines, la main-d'œuvre par des forces mécaniques, mettant ainsi des hommes et des femmes au chômage. On supposait, à juste raison, que la formidable croissance rendue possible par cette révolution industrielle permanente créerait automatiquement bien assez d'emplois pour remplacer les anciens, même si les avis divergeaient quant au nombre de chômeurs nécessaires au bon fonctionnement de cette économie. L'Âge d'or avait apparemment conforté cet optimisme. La croissance industrielle (*cf.* chapitre 10) était si forte que, même dans les pays les plus industrialisés, les effectifs et la proportion des ouvriers de l'industrie ne devaient pas sérieusement chuter. Les Décennies de crise n'en commencèrent pas moins à éliminer la main-d'œuvre à un rythme spectaculaire, même dans les industries clairement en expansion. Entre 1950 et 1970, aux États-Unis, le nombre d'opérateurs de lignes téléphoniques à longue distance baissa de 12 % alors que dans le même temps le nombre d'appels quintuplait ; entre 1970 et 1980, il baissa de 40 % tandis que les appels triplaient (*Technology*, 1986, p. 328). Le nombre d'ouvriers diminua rapidement en termes relatifs aussi bien qu'en termes absolus. Au cours de ces décennies, la montée du chômage ne fut donc pas simplement cyclique, mais structurelle. Les emplois perdus dans les mauvaises passes ne devaient pas être retrouvés avec l'amélioration de la situation : ils ne reviendraient jamais.

Il y avait à cela plusieurs raisons : la nouvelle division internationale du travail transféra les industries des régions, des pays et des continents anciens vers de nouveaux, transformant les vieux centres industriels en « ceintures de rouille » ou, à certains égards, de manière encore plus spectrale, en paysages urbains débarrassés, comme après un « lifting », de toute trace des anciennes industries. L'essor des nouveaux pays industriels est bel et bien frappant. Au milieu des années 1980, sept de ces pays du tiers-monde – Chine,

Corée du Sud, Inde, Mexique, Venezuela, Brésil et Argentine (Piel, 1992, p. 286-289) – consommaient déjà à eux seuls 24 % de l'acier mondial et en produisaient 15 % – ce qui était encore le meilleur indice d'industrialisation. De plus, dans un monde de liberté des flux économiques par-delà les frontières – sauf, de manière caractéristique, des migrants en quête de travail –, les industries à forte intensité de main-d'œuvre ont naturellement émigré des pays à hauts salaires vers ceux à bas salaires, c'est-à-dire du noyau dur des riches pays capitalistes, comme les États-Unis, vers les pays de la périphérie. Employer un ouvrier aux tarifs texans à El Paso était un luxe économique, si de l'autre côté du fleuve, à Juárez, on pouvait en trouver un, même moins qualifié, à un dixième de son salaire.

Cette logique d'airain de l'industrialisation prévalait jusque dans les pays pré-industriels et dans les pays récemment industrialisés : tôt ou tard, elle rendait l'être humain le moins bien payé plus coûteux qu'une machine capable de faire son travail. Tout aussi inflexible, la logique d'airain de la libre concurrence à l'échelle mondiale avait le même effet. Si bon marché que fût la main-d'œuvre au Brésil, en comparaison des salaires pratiqués à Detroit ou à Wolfsburg, l'industrie automobile de São Paulo connut les mêmes problèmes de main-d'œuvre en surnombre, du fait de la mécanisation, que le Michigan ou la Basse-Saxe. C'est du moins ce que leurs dirigeants syndicaux expliquèrent à l'auteur en 1992. Le progrès technique permettait d'augmenter constamment et, en pratique, sans fin la performance et la productivité des machines tout en en réduisant les coûts de manière spectaculaire. Cela n'est pas possible avec les êtres humains : il suffit pour s'en convaincre de comparer la progression de la vitesse des transports aériens et les records du monde du cent mètres. En tout état de cause, on ne saurait faire baisser durablement le coût de la main-d'œuvre en deçà du niveau minimum jugé acceptable dans une société. Les êtres humains ne sont pas conçus pour un système de production capitaliste. Plus la technologie progresse, plus la part humaine de la production devient onéreuse en comparaison de sa composante mécanique.

Telle est la tragédie historique des Décennies de crise : la production a visiblement éliminé les êtres humains plus rapidement que l'économie de marché n'a su leur trouver de nouveaux emplois. De surcroît, divers facteurs ont accéléré ce processus : la concurrence mondiale, les pressions financières pesant sur les pouvoirs publics – qui, directement ou indirectement, étaient de loin les principaux employeurs –, et, *last but not least*, après 1980, l'empire de la théologie du marché qui prônait le transfert d'emplois vers des formes d'entreprise maximisant le profit, en particulier vers les entreprises privées qui, par définition, ne connaissent d'autre intérêt que leur intérêt pécuniaire. Ce qui signifiait, entre autres choses, que les États et autres entités publiques cessèrent d'être ce qu'on a appelé « l'employeur de dernier ressort » (*World Labour*, 1989, p. 48). Le déclin des syndicats, affaiblis par la crise et l'hostilité des gouvernements néolibéraux, ne fit qu'accélérer ce processus, puisque l'une de leurs fonctions les plus appréciées était précisément la protection de l'emploi. L'économie mondiale était certes en expansion, mais le mécanisme automatique par lequel son expansion créait des emplois pour les hommes et les femmes qui entraient sur le marché du travail sans qualifications spéciales était visiblement brisé.

Présentons les choses autrement. La révolution agricole avait rendu surnuméraire la paysannerie, qui avait constitué la majorité de l'espèce humaine tout au long de l'histoire. Mais ces millions d'hommes qui n'étaient plus nécessaires sur les terres avaient autrefois trouvé facilement à s'employer dans d'autres secteurs avides de main-d'œuvre, qui ne demandaient qu'un empressement à travailler, l'adaptation des techniques rurales, par exemple pour creuser la terre et bâtir des murs, ou encore la capacité d'apprendre le métier. Qu'allait-il advenir de ces travailleurs le jour où ils deviendraient à leur tour inutiles ? Même si l'on pouvait en reconvertir certains aux emplois qualifiés de l'âge de l'information qui continuaient sur leur lancée (la plupart exigeant de plus en plus une formation supérieure), ils n'étaient pas assez nombreux pour compenser les emplois perdus (*Technology*, 1986, p. 7-9, 335). Et, en l'occurrence, qu'adviendrait-il des paysans du tiers-monde qui quittaient en masse leurs villages ?

Dans les pays riches du capitalisme, ils pouvaient désormais compter sur des systèmes de protection sociale, même si ceux qui estimaient gagner leur vie en travaillant devaient mal supporter, voire mépriser, les assistés devenus définitivement tributaires de l'aide sociale. Dans les pays pauvres, ils s'en allèrent grossir les rangs d'une économie « informelle » ou « parallèle » aussi vaste

qu'obscure, dans laquelle hommes, femmes et enfants vivaient, nul
ne savait tout à fait comment, d'un mélange de petits boulots, de services, d'expédients, d'achats, de ventes et de revenus divers. Dans
les pays riches, ils commencèrent à former, ou à reformer, une
« sous-classe » de plus en plus distincte et isolée, dont les problèmes
étaient *de facto* jugés insolubles, mais secondaires, puisqu'ils ne
constituaient qu'une minorité permanente. Aux États-Unis, les ghettos noirs américains[8] devinrent l'exemple par excellence des bas-
fonds de la société. Non que le « travail au noir » fût absent de
l'économie du premier monde. Les chercheurs eurent la surprise de
découvrir qu'au début des années 1980 les vingt-deux millions de
foyers britanniques conservaient par-devers eux plus de 10 milliards
de £ en espèces, soit une moyenne de 460 £ par ménage : et d'avancer comme explication que « le marché noir traite largement en
espèces » (*Financial Times*, 18 octobre 1993).

II

L'association de la crise et d'un redéploiement massif de l'économie dans l'intention d'éliminer la main-d'œuvre a créé une tension
lugubre qui a déteint jusque sur la vie politique des Décennies de
crise. Une génération s'était habituée au plein-emploi ou avait vécu
dans la certitude que le genre de travail recherché serait certainement disponible sous peu. Tandis que le marasme du début des
années 1980 avait réintroduit l'insécurité dans la vie des ouvriers des
industries de transformation, de nombreux cols blancs et diplômés,
dans des pays comme la Grande-Bretagne, découvrirent avec le
marasme du début de la décennie suivante que ni leur emploi ni leur
avenir n'étaient plus assurés non plus : dans les régions les plus
prospères du pays, près de la moitié des habitants imaginaient pouvoir perdre leur travail. Alors que leurs anciens modes de vie étaient
déjà minés et de toute façon s'effondraient (*cf.* chapitres 10 et 11), le
risque était que les gens y perdent leurs repères. Est-ce un hasard si,
« sur les dix plus grands meurtres collectifs de l'histoire américaine,
[…] huit se sont produits depuis 1980 » ? En règle générale, ils sont

le fait d'hommes blancs et d'âge moyen (la trentaine ou la quarantaine), dont les actes ont été précipités par une catastrophe (perte d'emploi, divorce) « après une période prolongée de solitude, de frustration et de rage »[9]. La « culture croissante de la haine aux États-Unis », qui a bien pu les encourager, était-elle aussi un hasard (Butterfield, 1991) ? Les chansons populaires des années 1980 témoignent de la montée de cette haine, de même que la cruauté de plus en plus affichée au cinéma et à la télévision.

Ce sentiment de désorientation et d'insécurité produisit des fissures et des glissements tectoniques dans la vie politique des pays développés, avant même que la fin de la guerre froide ne détruisît l'équilibre international sur lequel reposait la stabilité de plus d'une démocratie parlementaire occidentale. En périodes de troubles économiques, l'électorat est notoirement enclin à blâmer le parti ou le régime en place, mais la nouveauté des Décennies de crise, c'est que cette réaction contre les gouvernements n'a pas nécessairement profité aux forces d'opposition établies. Les grands perdants furent les partis sociaux-démocrates ou travaillistes du monde occidental, dont le principal instrument pour satisfaire leurs électeurs – l'action économique et sociale des gouvernements nationaux – perdit de son efficacité alors même que le bloc central de cette population, la classe ouvrière, se morcelait (*cf.* chapitre 10). Dans la nouvelle économie transnationale, les salaires domestiques étaient beaucoup plus directement exposés à la concurrence étrangère qu'auparavant, tandis que les gouvernements avaient beaucoup moins de moyens de les préserver. En même temps, dans une période de crise, les intérêts des diverses parties de la clientèle traditionnelle des sociaux-démocrates devaient diverger : entre ceux dont les emplois étaient relativement sûrs ; ceux dont la situation était mal assurée ; les employés des vieilles régions et industries syndicalisées ; les employés des industries récentes moins menacées des nouvelles zones non syndiquées, et les victimes universellement impopulaires des mauvais temps, qui sombraient dans le « sous-prolétariat ». De surcroît, à partir des années 1970, un certain nombre de soutiens (essentiellement jeunes et/ou bourgeois) se détournèrent des grands partis de gauche pour des mouvements plus spécifiques, notamment « écologistes », « féministes » ou autres. Au début des années 1990, les gouvernements travaillistes et sociaux-démocrates étaient aussi rares que dans les années 1950, car même les pays officiellement dirigés par des socialistes abandonnèrent plus ou moins volontiers leurs politiques traditionnelles.

Les nouvelles forces politiques qui s'engouffrèrent dans ce vide forment un assortiment mélangé : mouvements xénophobes et racistes, à droite ; partis sécessionnistes (essentiellement, mais pas seulement, ethniques et nationalistes) ; et divers partis « verts » et autres « nouveaux mouvements sociaux », qui revendiquaient une place à gauche. Plusieurs d'entre eux devaient réussir à asseoir leur présence politique, voire à dominer la vie politique régionale, même si, à la fin du Court Vingtième Siècle, aucun n'avait réellement remplacé les anciens appareils politiques. La clientèle des autres mouvements était très fluctuante. La plupart des mouvements influents rejetaient l'universalisme de la vie politique démocratique et civique pour défendre quelque identité collective, et partageaient en conséquence une haine viscérale de l'étranger ou du « marginal » et de l'État-nation rassembleur de la tradition révolutionnaire américaine et française. Nous aurons l'occasion de revenir plus loin sur l'essor de la nouvelle « politique identitaire ».

Cependant, l'importance de ces mouvements ne tient pas tant à leur contenu positif qu'à leur rejet de « l'ancien système politique ». Plusieurs des plus puissants d'entre eux se nourrissaient essentiellement de cette attitude négative : la Ligue du Nord, séparatiste, en Italie ; les 20 % d'électeurs américains qui soutinrent un riche candidat texan indépendant à la présidentielle de 1992 ; ou les électeurs brésiliens et péruviens qui, en 1989 et en 1990, portèrent à la présidence des hommes jugés plus dignes de confiance parce qu'ils n'en avaient encore jamais entendu parler. En Grande-Bretagne, seul le système électoral systématiquement non représentatif empêcha à diverses reprises, au cours des années 1970, l'émergence d'un troisième parti de masse, lorsque les libéraux, seuls ou alliés, voire après avoir fusionné avec les sociaux-démocrates modérés qui avaient quitté le Parti travailliste, obtinrent presque autant de voix, sinon plus, que l'un ou l'autre des deux grands partis. Depuis le début des années 1930, autre période de crise, on n'avait rien connu de comparable à l'effondrement spectaculaire de l'électorat des grands partis de gouvernement à la fin des années 1980 et au début de la décennie suivante : le PS en France (1990), les conservateurs au Canada et les grands partis de gouvernement en Italie (1993). Bref, au cours des Décennies de crise, les structures politiques jusque-là stables des pays capitalistes démocratiques commencèrent à se disloquer. Qui plus est, les nouvelles forces qui paraissaient les plus dynamiques étaient celles qui associaient la démagogie populiste à l'hostilité à l'étranger sous la houlette d'un chef bénéficiant d'un large battage publicitaire. Les survivants de l'entre-deux-guerres avaient des raisons d'être découragés.

III

On n'a guère remarqué que, là encore à partir de 1970, une crise semblable avait commencé à miner le « deuxième monde » des « économies planifiées ». La rigidité des systèmes politiques commença par masquer ce fait, avant de le mettre en relief, si bien que, lorsque le changement survint, il fut subit : ainsi en Chine, à la fin des années 1970, après la mort de Mao ; et en 1983-1985, après la disparition de Brejnev, en URSS (*cf.* chapitre 16). Sur le plan économique, il apparut clairement à partir du milieu des années 1960 que le socialisme planifié avait terriblement besoin d'être réformé. À compter des années 1970, on vit se multiplier les signes forts d'une véritable régression. Or, c'est à ce moment même que ces économies se trouvèrent exposées, comme toutes les autres – mais peut-être pas avec la même ampleur –, aux mouvements incontrôlables et aux fluctuations imprévisibles de l'économie transnationale. L'entrée massive de l'URSS sur le marché international des céréales et l'impact des crises pétrolières des années 1970 marquèrent de manière spectaculaire la fin du « camp socialiste », en tant qu'économie régionale pratiquement autonome préservée des aléas de l'économie mondiale (voir p. 486-487).

Curieusement, l'Est et l'Ouest n'étaient pas seulement liés par une économie transnationale que ni l'un ni l'autre ne pouvait maîtriser, mais aussi par l'étrange interdépendance du système de pouvoir de la guerre froide. Celui-ci (*cf.* chapitre 8) avait stabilisé les superpuissances ainsi que le monde qui les séparait, si bien que son effon-

drement sema partout le désordre – politique, mais aussi économique. Car, avec la désintégration soudaine du système politique
soviétique, la division inter-régionale du travail et le réseau de
dépendance mutuelle qui s'étaient développés dans la sphère soviétique s'écroulèrent eux aussi, contraignant les pays et les régions qui
en étaient partie prenante à s'accommoder uniquement d'un marché
mondial pour lequel ils n'étaient pas équipés. Or, même quand il le
désirait – ce qui n'était pas le cas de la Communauté européenne[10] –,
l'Occident était tout aussi mal préparé à intégrer à son propre marché mondial les restes de l'ancien « système parallèle » du monde
communiste. La Finlande, l'une des réussites économiques les plus
spectaculaires de l'après-guerre en Europe, se trouva entraînée dans
un profond marasme suite à l'effondrement soviétique. Première
puissance économique d'Europe, l'Allemagne dut soumettre son
économie, et l'Europe par la même occasion, à de terribles tensions
du seul fait que son gouvernement (malgré les avertissements des
banquiers, il faut le dire) sous-estima dramatiquement la difficulté et
les coûts de l'absorption d'une partie relativement minuscule de
l'économie socialiste : la République démocratique allemande, avec
ses seize millions d'habitants. Telles furent cependant les conséquences imprévues de l'effondrement soviétique, que presque personne n'avait imaginé avant qu'il ne se produisît.

Entre-temps, néanmoins, et comme en Occident, l'impensable
était devenu pensable à l'Est ; les problèmes invisibles étaient devenus visibles. À l'Est comme à l'Ouest, la défense de l'environnement
devint un enjeu électoral important au cours des années 1970, que la
question fût de défendre les baleines ou de protéger le lac Baïkal en
Sibérie. Compte tenu des limites auxquelles était soumis le débat
public, on ne saurait suivre avec précision le cours de la réflexion critique dans ces sociétés. Mais, en 1980, des économistes communistes
de premier ordre et autrefois réformistes, comme János Kornai en
Hongrie, publiaient des analyses particulièrement négatives des systèmes économiques socialistes. De même, au milieu des années 1980,
on prit connaissance d'enquêtes impitoyables sur les défauts du système soviétique, mais ces études étaient de longue date en gestation
parmi les académiciens de Novossibirsk et d'ailleurs. À quel moment
les dirigeants socialistes cessèrent-ils de croire au socialisme ? C'est
encore plus difficile à dire puisqu'après 1989-1991 ils eurent plutôt

intérêt à avancer, rétrospectivement, la date de leur conversion. Comme devait le montrer la *perestroïka* de Gorbatchev, en tout cas dans les pays socialistes occidentaux, ce qui était vrai de l'économie était encore plus flagrant sur le plan politique. Malgré leur admiration historique et leur attachement à Lénine, il n'est guère douteux que maints communistes réformistes eussent souhaité abandonner une bonne part de l'héritage politique du léninisme, même si peu (en dehors du PC italien, qui séduisait les réformateurs de l'Est) étaient prêts à le dire.

Ce qu'auraient souhaité la plupart des réformateurs du monde socialiste, c'était transformer le communisme en un système proche de la social-démocratie occidentale. Leur modèle était Stockholm, plutôt que Los Angeles. Il ne semble pas que Hayek ou Friedman aient eu de nombreux admirateurs secrets à Moscou ou à Budapest. Leur déveine fut que la crise des systèmes communistes ait coïncidé avec la crise du capitalisme de l'Âge d'or, qui fut aussi une crise des systèmes sociaux-démocrates. Mais il y a pire encore : l'effondrement soudain du communisme fit paraître à la fois indésirable et irréalisable un programme de transformation progressive, alors même que le radicalisme viscéral des idéologues du marché connaissait son (éphémère) heure de gloire dans l'Occident capitaliste. Telle fut donc l'inspiration théorique des régimes postcommunistes, même si en pratique ce radicalisme se révéla tout aussi irréaliste que partout ailleurs.

À bien des égards, la crise de l'Est et la crise de l'Ouest suivirent donc des cours parallèles au point de ne faire qu'une seule et même crise mondiale, tant politique qu'économique. Sur deux plans, il y avait cependant une différence majeure. Pour le système communiste, qui, au moins dans la sphère soviétique, était rigide et inférieur, c'était une affaire de vie ou de mort à laquelle il n'allait pas survivre. En revanche, la survie du système économique ne fut jamais réellement en cause dans les pays du capitalisme développé ni, malgré l'émiettement de leurs systèmes politiques, la viabilité de ceux-ci. Cela peut expliquer, sans pour autant la justifier, cette thèse invraisemblable d'un auteur américain qui voulait démontrer qu'avec la fin du communisme, l'histoire future de l'humanité se résumerait à celle de la démocratie libérale. Ces systèmes ne couraient de risques que sur un plan crucial : leur avenir en tant qu'États territoriaux uniques n'était plus garanti. Au début de la décennie 1990, cependant, pas un seul des États-nations occidentaux menacés par des mouvements sécessionnistes n'avait effectivement éclaté.

La fin du capitalisme avait paru proche au cours de l'Ère des catastrophes. Un auteur contemporain avait ainsi pu présenter la Grande Crise comme sa *Crise finale* (Hutt, 1935). Si l'avenir immédiat du capitalisme développé ne devait guère inspirer de prophéties apocalyptiques sérieuses, il se trouva cependant en 1976 un historien et marchand de tableaux français pour annoncer la fin de la civilisation occidentale sur la base d'un argument qui n'est pas indéfendable : le dynamisme de l'économie américaine, qui avait jusque-là entraîné le reste du monde capitaliste, était désormais épuisé (Gimpel, 1992). Et d'annoncer, en conséquence, que la crise actuelle se « poursuivrait jusqu'au prochain millénaire ». En toute justice, il faut ajouter que jusqu'au milieu, voire à la fin, des années 1980, toutes aussi rares furent les prophéties apocalyptiques sur l'avenir de l'URSS.

Du fait, précisément, du dynamisme plus grand et plus incontrôlable de l'économie capitaliste, le tissu social des sociétés occidentales avait été beaucoup plus profondément miné que celui des sociétés socialistes. De ce point de vue, la crise occidentale fut donc plus sévère. Le tissu social de l'URSS et de l'Europe de l'Est partit en lambeaux du fait de l'effondrement du système : il n'en fut pas le préalable. Quand des comparaisons étaient possibles, comme entre la RFA et la RDA, il semblait que les valeurs et les habitudes de l'Allemagne traditionnelle avaient été mieux conservées sous la chape du communisme que dans la région occidentale des miracles économiques. Les Juifs soviétiques émigrés en Israël y réveillèrent le monde de la musique classique, car ils venaient d'un pays où la fréquentation des concerts faisait encore partie de la conduite normale dans les milieux cultivés, tout au moins pour les Juifs. Le public des concerts ne s'était pas encore rétréci à une petite minorité, essentiellement d'âge mûr[11]. Les habitants de Moscou ou de Varsovie étaient moins préoccupés par ce qui troublait ceux de New York ou de Londres : la montée visible de la criminalité, de l'insécurité publique et de la violence imprévisible de jeunes « anomiques ». De toute évidence, on n'étalait guère sur la place publique le genre de comportement qui révoltait les milieux socialement conservateurs ou conventionnels, même en Occident, qui y voyaient la preuve d'un effondrement de la civilisation et marmonnaient « Weimar » d'un air lugubre.

Il est difficile de dire dans quelle mesure cette différence entre l'Est et l'Ouest était due à la plus grande richesse des sociétés occidentales et à la présence à l'Est d'un État beaucoup plus rigide et tatillon. À certains points de vue, l'Est et l'Ouest avaient évolué dans la même direction. De part et d'autre, les familles étaient devenues plus petites, les mariages se brisaient plus librement que partout ailleurs, les populations – ou, en tout cas, celles des régions les plus urbanisées et industrialisées – ne se reproduisaient plus guère, ou plus du tout. Des deux côtés, pour autant qu'on puisse le dire, l'emprise des religions occidentales traditionnelles s'était fortement relâchée, même si des enquêteurs affirmèrent pouvoir diagnostiquer un regain des croyances religieuses, mais non de la pratique, dans la Russie postsoviétique. Ainsi que le prouvèrent les événements d'après 1989, les Polonaises se montrèrent aussi réticentes que les Italiennes à laisser l'Église leur dicter leurs pratiques sexuelles, alors même qu'à l'époque communiste les Polonais avaient fait preuve d'un attachement passionné à l'Église pour des raisons de nationalisme et d'antisoviétisme. À l'évidence, les régimes communistes offraient moins d'espace social aux sous-cultures, contre-cultures et « underground » en tous genres, et réprimaient la dissidence. De plus, les peuples qui avaient vécu des périodes de terreur réellement implacable et systématique, dont l'histoire de la plupart de ces États était jalonnée, étaient enclins à garder la tête basse alors même que l'exercice du pouvoir se faisait plus clément. Toujours est-il que la relative tranquillité de la vie socialiste n'était pas due à la peur. Parce qu'il préservait ses citoyens des effets du capitalisme occidental, le système leur épargnait aussi de ressentir de plein fouet l'impact des transformations sociales de l'Occident. Les changements qu'ils pouvaient connaître s'opéraient par l'État ou *via* leur attitude envers lui. Ce que l'État n'entendait pas changer restait en gros comme avant. Le paradoxe du communisme au pouvoir est d'avoir été conservateur.

IV

S'agissant de l'immense région du tiers-monde (y compris de ses parties en pleine industrialisation), il n'est guère possible de généraliser. Dans les chapitres 7 et 12, j'ai essayé d'en présenter les problèmes pour autant qu'on puisse les appréhender globalement. Les Décennies de crise, on l'a vu, affectèrent ses diverses régions de manière très différente. Comment comparer la Corée du Sud – où le nombre de foyers équipés de postes de télévision est passé de 6,4 à 99,1 % de la population en quinze ans, de 1970 à 1985 (Jon, 1993) – avec un pays comme le Pérou, où plus de la moitié de la population était en deçà du seuil de pauvreté – plus qu'en 1972 – et où la consommation par tête baissait (*Anuario*, 1989), *a fortiori* avec les pays dévastés de l'Afrique sub-saharienne ? Dans un sous-continent comme l'Inde, les tensions étaient celles d'une économie en pleine croissance et d'une société en transformation. En Somalie, en Angola et au Liberia, c'étaient celles de pays en pleine dissolution, sur un continent dont peu envisageaient l'avenir avec optimisme.

On pouvait avancer une seule généralisation sans prendre trop de risques : depuis 1970, la quasi-totalité des pays de cette région s'étaient lourdement endettés. Ainsi, en 1990 : à côté des trois géants de la dette internationale qu'étaient le Brésil, le Mexique et l'Argentine (avec une ardoise de 60 à 110 milliards de dollars), vingt-huit pays avaient une dette supérieure à 10 milliards de dollars, sans compter les plus petits débiteurs à hauteur d'un ou deux milliards. Parmi les 96 économies à revenu « faible » ou « moyen » qu'elle surveillait, la Banque mondiale (bien placée pour le savoir) n'en comptait que 7 dont l'endettement extérieur restât nettement inférieur au milliard de dollars : il s'agit de pays comme le Lesotho et le Tchad, pourtant beaucoup plus endettés qu'ils ne l'étaient vingt ans plus tôt. En 1970, on ne comptait que douze pays dont la dette fût supérieure à un milliard de dollars, tandis que nulle part elle ne dépassait les 10 milliards. En 1980, pour employer un langage plus réaliste, six pays avaient une dette presque aussi importante que leur PNB ; en 1990, vingt-quatre pays devaient plus qu'ils ne produisaient, y compris, si l'on prend la région comme un tout, la *totalité* de l'Afrique sub-saharienne. On ne sera pas surpris de retrouver en Afrique les pays relativement les plus endettés : Mozambique, Tanzanie, Somalie, Zambie, Congo, Côte-d'Ivoire – les uns déchirés par la guerre, les autres victimes de l'effondrement du cours de leurs exportations. Mais les pays qui devaient supporter le service de la dette le plus lourd – ceux où celui-ci représentait un quart ou plus des exportations totales du pays – étaient encore plus également répartis. De fait, l'Afrique sub-saharienne était plutôt en deçà de ce seuil, mieux lotie à cet égard que l'Asie du Sud, l'Amérique latine, les Caraïbes et le Moyen-Orient.

Il y avait peu de chances que ces sommes fussent jamais remboursées, mais du moment que les banques continuaient à toucher leurs intérêts – une moyenne de 9,6 % en 1982 (CNUCED) –, elles ne s'en inquiétaient pas. Un véritable vent de panique souffla au début des années 1980 lorsque, à commencer par le Mexique, les grands débiteurs d'Amérique latine ne furent plus en état de payer, mettant le système bancaire occidental au bord du gouffre, puisque plusieurs des plus grandes banques avaient prêté leur argent avec un tel laxisme dans les années 1970 (alors qu'affluaient les pétrodollars en quête de placements) qu'elles étaient maintenant, techniquement, en faillite. Par chance, pour l'économie des pays riches, les trois géants latins de la dette agirent sans se concerter : des accords séparés de rééchelonnement de la dette furent conclus et les banques, épaulées par les États et les organismes internationaux, furent autorisées à défalquer progressivement leurs mauvaises créances et restèrent donc techniquement solvables. La crise de la dette persista, mais elle n'était plus potentiellement fatale. Pour l'économie capitaliste mondiale, ce fut sans doute la phase la plus dangereuse depuis 1929. Son histoire complète reste à écrire.

La dette des pays pauvres augmentait, mais ce n'était pas le cas de leurs actifs réels ou potentiels. Dans les Décennies de crise, l'économie capitaliste mondiale, qui ne connaît d'autre critère que le profit effectif ou potentiel, décida de passer par pertes et profits une bonne partie du tiers-monde. Parmi les 42 « économies à faible revenu » de 1970, le bilan net des investissements étrangers était nul dans 19 d'entre elles. En fait, il n'y avait d'investissements substantiels (plus de 500 millions de dollars) que dans 14 des quelque 100 pays à revenu faible ou moyen hors de l'Europe, et d'investissements massifs (à partir d'un milliard) que dans 8, dont 4 en Asie de l'Est et du

Sud-Est (Chine, Thaïlande, Malaisie, Indonésie), et trois en Amérique latine (Argentine, Mexique, Brésil)[12]. Pour autant, l'économie mondiale transnationale de plus en plus intégrée ne devait pas entièrement ignorer les régions déshéritées. Les plus petites et les plus pittoresques d'entre elles pouvaient faire des paradis touristiques et des refuges *offshore* permettant d'échapper au contrôle des États, tandis que la découverte de ressources exploitables sur des territoires jusque-là réputés inintéressants pouvait bien changer la situation. Dans l'ensemble, cependant, une bonne partie du monde était exclue de l'économie mondiale. Après l'effondrement du bloc soviétique, il sembla que tel fût aussi le cas de la région comprise entre Trieste et Vladivostok. En 1990, les seuls États socialistes d'Europe de l'Est à bénéficier d'un solde net d'investissements étrangers étaient la Pologne et la Tchécoslovaquie (*World Development*, 1992, tableaux 21, 23, 24). Dans l'immense territoire de l'ex-URSS, il y avait manifestement des régions ou des Républiques riches en ressources, qui attiraient des placements sérieux, à côté de zones abandonnées à leurs maigres moyens. D'une façon ou d'une autre, la majeure partie de l'ancien deuxième monde était assimilée au statut du tiers-monde.

Le principal effet des Décennies de crise fut donc de creuser l'écart entre les pays riches et les pays pauvres. Le PIB par tête de l'Afrique sub-saharienne tomba de 14 % de celui des pays industriels à 8 % entre 1960 et 1987 ; celui des pays « les moins avancés » (comprenant des pays aussi bien africains que non africains), passa de 9 à 5 %[13] (*Human Development*, 1991, tableau 6).

V

En renforçant son emprise sur le monde, l'économie transnationale a miné une institution majeure et, depuis 1945, quasiment universelle : l'État-nation territorial, qui vit la part de ses affaires sur laquelle il exerçait quelque contrôle se réduire. Les organisations dont le champ d'action était effectivement limité par les frontières de leur territoire : syndicats, parlements, et chaînes publiques et nationales de radiodiffusion, se retrouvaient perdantes ; contrairement aux organisations qui n'étaient pas liées de la même façon à l'État-nation, comme les entreprises transnationales, marché international des devises, sans oublier les médias et les communications mondialisés de l'ère des satellites. La disparition des superpuissances, qui pouvaient en tout cas contrôler leurs États satellites, devait renforcer cette tendance. En théorie, même la fonction la plus irremplaçable que les États-nations s'étaient donnée au cours du siècle ne pouvait plus s'exercer dans un cadre territorial autonome : je veux parler de la redistribution des revenus *via* les « transferts sociaux », l'éducation, les soins de santé et autres allocations. Dans les faits, la situation devait rester en l'état, sauf lorsque des entités supranationales comme la Communauté ou l'Union européenne prirent à certains égards la relève. À l'apogée de la théologie du marché, la tendance à démanteler des activités jusque-là dirigées par des organismes publics pour des raisons de principe et à les abandonner au « marché » ne fit que miner davantage encore l'État.

Le fait est paradoxal, mais peut-être pas surprenant : cet affaiblissement de l'État-nation alla de pair avec une mode consistant à découper les anciens États-nations en entités plus petites, pour la plupart fondées sur un groupe revendiquant un monopole ethnico-linguistique. Au départ, la montée de ces mouvements autonomistes et séparatistes, surtout après 1970, fut essentiellement un phénomène occidental, observable en Grande-Bretagne, en Espagne, au Canada, en Belgique, et même en Suisse et au Danemark. À compter du début des années 1990, cependant, ce phénomène gagna le moins centralisé des États socialistes, à savoir la Yougoslavie. La crise du communisme propagea le phénomène à l'Est, où il se forma plus d'États nouveaux, et théoriquement nationaux, après 1991, qu'en aucune autre période du XXᵉ siècle. Jusque dans les années 1990, il épargna pratiquement l'hémisphère occidental au sud de la frontière canadienne. Dans les régions où les années 1980 et 1990 virent l'effondrement et la désintégration des États, comme en Afghanistan et dans certaines parties de l'Afrique, l'alternative était moins entre l'ancien État et une partition en nouveaux États, qu'entre État et anarchie.

Cette évolution est paradoxale, car il était parfaitement clair que les nouveaux mini-États-nations souffraient précisément des mêmes inconvénients que les anciens, et ce d'autant plus qu'ils étaient plus petits. Mais le phénomène est moins surprenant qu'il n'y paraît, pour une raison bien simple : le seul véritable modèle d'État disponible à la fin du XXᵉ siècle était en effet celui du territoire délimité, avec ses institutions autonomes – en un mot, le modèle d'État-nation de l'Ère des révolutions. De surcroît, depuis 1918, tous les régimes avaient proclamé leur attachement au principe de « l'autodétermination nationale », de plus en plus défini en termes ethnico-linguistiques. Lénine et le président Wilson étaient d'accord sur ce point. L'Europe des traités de Versailles comme la future URSS furent en effet conçus comme des groupes d'États-nations de ce genre. Dans le cas de l'URSS et de la Yougoslavie, qui suivit plus tard son exemple, il s'agissait d'unions d'États qui en théorie, mais pas en pratique, conservaient leur droit à la sécession[14]. L'éclatement de ces unions devait naturellement se faire suivant des lignes de fracture prédéterminées.

En réalité cependant, le nouveau nationalisme séparatiste des Décennies de crise fut un phénomène très différent de la création des États-nations au XIXᵉ et au début du XXᵉ siècle. Il s'agissait en fait de la combinaison de trois éléments. Le premier était la résistance des États-nations existants, à leur rétrogradation. Cela apparut de plus en plus clairement dans les années 1980 avec les efforts déployés par divers membres, réels ou potentiels, de la Communauté européenne – parfois de complexions politiques largement différentes comme la Norvège et la Grande-Bretagne de Mme Thatcher – pour conserver leur autonomie, contre la normalisation européenne, dans tous les domaines qu'ils jugeaient importants. Toutefois, il est significatif que le protectionnisme, principal moyen traditionnel d'autodéfense de l'État-nation, fut incomparablement plus faible durant les Décennies de crise qu'il ne l'avait été à l'Ère des catastrophes. Le libre-échange mondial resta l'idéal et, à un point étonnant, la réalité – plus encore après la chute des économies dirigées –, et ce alors même que plusieurs États mirent au point des méthodes inavouées pour se protéger de la concurrence étrangère. Les Japonais et les Français passaient pour des experts en la matière, mais la réussite la plus frappante fut probablement celle des Italiens, dont l'industrie automobile (*i.e.*, Fiat) parvint à conserver la part du lion sur son marché intérieur. Néanmoins, il s'agissait-là de réactions d'arrière-garde, quoique menées avec de plus en plus d'acharnement et parfois couronnées de succès. Probablement la lutte fut-elle d'autant plus âpre que l'enjeu n'était pas simplement économique : il y allait de l'identité culturelle. Les Français et, dans une moindre mesure, les Allemands se battirent pour que leurs paysans continuent à bénéficier d'énormes subventions : parce que leurs voix étaient capitales, mais aussi parce qu'ils avaient le sentiment sincère que la destruction de l'agriculture paysanne, si inefficace ou peu compétitive fût-elle, signifierait la destruction d'un paysage, d'une tradition, d'une partie du caractère national. Soutenus par les Européens, les Français résistèrent à l'exigence américaine de libre-échange concernant les films et les produits audiovisuels : parce que la production américaine aurait envahi les écrans publics et privés, mais aussi parce qu'une industrie du divertissement basée en Amérique (bien que désormais internationale par ses capitaux comme par ses dirigeants) avait reconquis un quasi-monopole mondial à la mesure de l'ancienne puissance d'Hollywood. Ils estimaient aussi, et à juste titre, qu'il était intolérable que de purs calculs de coûts comparés et de rentabilité sonnent le glas de la production cinématographique de langue française. Quels que fussent les arguments économiques, il était des choses à préserver. Un gouvernement envisagerait-il sérieusement d'éventrer la cathédrale de Chartres ou le Taj Mahal s'il était établi que la construction d'un hôtel de luxe, d'un centre commercial et d'un palais des congrès sur le site (à condition qu'il fût cédé à des acheteurs privés) profiterait davantage au PNB que le tourisme actuel ? Il suffit de poser la question pour avoir la réponse.

Le deuxième élément, qu'on ne saurait mieux décrire que sous le nom d'égoïsme collectif de la richesse, reflétait les disparités économiques croissantes à l'intérieur des continents, des pays et des régions. Les gouvernements des États-nations à l'ancienne, centralisés ou fédéraux, aussi bien que des entités supranationales comme la Communauté européenne avaient accepté la responsabilité de développer la totalité de leur territoire, et donc, dans une certaine mesure, de répartir également en leur sein les charges et les avantages. Autrement dit, les régions plus pauvres et retardataires étaient subventionnées (*via* quelque mécanisme central de redistribution) par les régions plus riches et avancées, quand elles ne bénéficiaient pas d'une préférence en matière d'investissements afin de réduire leur retard. La Communauté européenne fut assez réaliste pour n'admettre que des États dont la pauvreté et le retard ne pèseraient pas excessivement sur les autres membres ; en revanche, ce réalisme fait totalement défaut à la *North American Free Trade Area* (ALENA, Accord de libre-échange nord-américain), qui lia les États-Unis et le Canada (avec un PNB par tête d'environ 20 000 $ en 1990) au Mexique, dont le PNB par tête est huit fois moindre[15]. La répugnance des régions riches à subventionner les pauvres était connue de longue date des spécialistes des autorités locales, en particulier aux États-Unis. Le problème des « centre-ville », habités par les pauvres et handicapés par une assiette fiscale qui se réduisait du fait de la fuite vers les banlieues, est largement dû à ce phénomène. Qui avait envie de payer pour les pauvres ? Les banlieues riches de Los Angeles comme Santa Monica et Malibu choisirent de se séparer de la ville ; au début des années 1990, Staten Island envisagea pour la même raison de se séparer de New York.

Le nationalisme séparatiste des Décennies de crise se nourrit, pour une part, de cet égoïsme collectif. C'est la Slovénie et la Croatie « européennes » qui firent pression pour l'éclatement de la Yougoslavie ; la République tchèque, tapageusement « occidentale », qui milita pour la division de la Tchécoslovaquie. La Catalogne et le Pays basque étaient les régions les plus riches et les plus « développées » de l'Espagne ; et, en Amérique latine, les seuls signes de séparatisme significatifs furent le fait du Rio Grande do Sul, l'État le plus riche du Brésil. Le plus pur exemple de ce phénomène fut la montée soudaine, à la fin des années 1980, de la Ligue lombarde (plus tard, Ligue du Nord), qui prônait la sécession de la région centrée sur Milan, « capitale économique » de l'Italie, de Rome, capitale politique. La rhétorique de la Ligue, avec ses références à un glorieux passé médiéval et au dialecte lombard, était celle, habituelle, de l'agitation nationaliste : mais le fond du problème, c'était le désir de cette région riche de garder ses ressources pour elle.

Le troisième et dernier élément était peut-être essentiellement une réponse à la « révolution culturelle » de la seconde moitié du siècle : cette extraordinaire dissolution des normes, des valeurs et des tissus sociaux traditionnels, qui laissa démunis et déboussolés tant d'habitants du monde développé. Jamais on n'employa le mot « communauté » avec moins de discernement et de manière plus gratuite que dans les décennies où les communautés, au sens sociologique, devinrent plus difficiles à trouver dans la réalité : « communauté du renseignement », « communauté des relations publiques », « communauté gay ». Dès la fin des années 1960, des auteurs américains, toujours portés sur l'introspection, avaient diagnostiqué la montée de « groupes d'identité » : d'ensembles humains auxquels on pouvait « appartenir » sans équivoque et sans conteste. Pour des raisons évidentes, la plupart en appelaient à une « ethnicité » commune, bien que d'autres groupes en quête de séparatisme collectif aient recouru au même langage nationaliste (ainsi des militants homosexuels, parlant d'une « nation *queer* [pédé] »).

L'émergence de ce phénomène dans les États les plus systématiquement multi-ethniques le suggère : la politique des groupes d'identité n'avait aucun lien intrinsèque avec « l'autodétermination nationale », c'est-à-dire avec le désir de créer des États territoriaux se confondant avec un « peuple » particulier, qui avait été l'essence du nationalisme. La Sécession n'avait pas de sens pour les Noirs américains ou les Italo-Américains et ne faisait pas partie de leur politique ethnique. Au Canada, la politique de la communauté ukrainienne était non pas ukrainienne, mais canadienne[16]. En vérité, l'essence de la politique ethnique ou similaire dans les sociétés urbaines, hétérogènes presque par définition, consistait à disputer à d'autres groupes du même type une part des ressources de l'État non ethnique, en employant comme moyen de pression politique la loyauté de groupe. Les politiciens élus par les circonscriptions de New York, découpées de manière à assurer une représentation spécifique aux électeurs latinos, orientaux et homosexuels, attendaient plus de la municipalité, non pas moins.

Cette politique de l'identité ethnique avait un point commun avec le nationalisme ethnique « fin-de-siècle » : elle affirmait avec insistance que l'identité de son groupe consistait en certaines caractéristiques personnelles, existentielles, réputées primordiales, immuables et donc permanentes, partagées avec les autres membres du groupe, mais avec personne d'autre. L'exclusivisme était d'autant plus essentiel que les différences effectives qui distinguaient les communautés humaines les unes des autres étaient atténuées. Les jeunes Juifs américains recherchaient leurs « racines » alors que les facteurs qui les avaient marqués de manière indélébile en tant que Juifs n'étaient plus des marqueurs de judéité – notamment la ségrégation et la discrimination qui avaient sévi avant la Seconde Guerre mondiale. Certes, le nationalisme québécois revendiquait la séparation parce qu'il prétendait former une « société distincte » : en réalité, il s'imposa comme une force significative au moment précis où le Québec cessa d'être la « société distincte » qu'il avait été de manière si claire et incontestable jusque dans les années 1960 (Ignatieff, 1993, p. 115-117). Du fait de la fluidité même de l'ethnicité dans les sociétés urbaines, vouloir en faire le seul critère du groupe était arbitraire et artificiel. Aux États-Unis, exception faite des Noirs, des Hispaniques et des populations d'origine anglaise ou allemande, au moins 60 % des femmes nées en Amérique, toutes origines ethniques confondues, se mariaient hors de leur groupe (Lieberson, Waters, 1988, p. 173). De plus en plus, on construisait son identité en soulignant la non-identité des autres. En Allemagne, comment les skinheads néonazis, qui partageaient les uniformes, les styles de coiffure et les goûts musicaux de la jeunesse cosmopolite, auraient-ils pu affirmer leur « germanité » profonde autrement qu'en tabassant les Turcs ou les Albanais ? Comment affirmer le caractère « foncièrement » croate ou serbe d'une région où diverses religions et communautés ethniques cohabitaient depuis des siècles, si ce n'est en éliminant ceux qui « n'en étaient pas » ?

La tragédie de cette politique identitaire exclusive, qu'elle cherchât ou non à instaurer des États indépendants, était qu'elle ne pouvait en aucun cas marcher. Elle ne pouvait que faire semblant. Les Italo-Américains de Brooklyn, qui revendiquaient (peut-être de plus en plus) leur « italianité » et se parlaient en italien, s'excusant de manier malaisément ce qu'ils imaginaient être leur langue maternelle[17], travaillaient dans une économie américaine où l'italianité en tant que telle ne signifiait rien, si ce n'est comme clé d'une niche relativement modeste sur le marché. L'affirmation suivant laquelle il existait une vérité *black*, hindoue, russe ou féminine incompréhensible, partant fondamentalement incommunicable à l'extérieur du groupe, ne pouvait survivre en dehors d'institutions dont la seule fonction était d'encourager ces points de vue. Les fondamentalistes islamiques qui étudiaient la physique n'étudiaient pas une physique islamique ; les ingénieurs juifs n'apprenaient pas le génie hassidique. Même les Français et les Allemands, au nationalisme culturel le plus appuyé, constatèrent que, pour travailler dans le village mondial des scientifiques et des techniciens qui faisaient tourner le monde, il fallait pouvoir communiquer dans une seule langue mondiale analogue au latin médiéval – en l'occurrence, l'anglais. Même un monde divisé en territoires ethniques théoriquement homogènes par le génocide, les expulsions massives et la « purification ethnique » retrouvait inévitablement une certaine hétérogénéité à la faveur des déplacements massifs de population (travailleurs, touristes, hommes d'affaires, techniciens), de la diffusion internationale des styles et des tentacules de l'économie mondiale. Après tout, c'est bien ce qui arriva dans les pays d'Europe centrale, « ethniquement purifiés » durant et après la Seconde Guerre mondiale. Cela ne manquerait pas de se reproduire dans un monde toujours plus urbanisé.

La politique identitaire et le nationalisme fin-de-siècle n'étaient donc pas tant des programmes, encore moins des programmes efficaces pour traiter les problèmes de la fin du XXᵉ siècle, que des réactions émotionnelles. Et pourtant, le siècle touchant à sa fin, l'absence d'institutions et de mécanismes effectivement capables de traiter ces problèmes devint de plus en plus criante. L'État-nation n'étant plus à même de les résoudre, par qui ou par quoi pouvaient-ils l'être ?

Depuis que les Nations unies avaient été créées en 1945 dans l'espoir, aussitôt déçu, que les États-Unis et l'URSS continueraient à s'entendre suffisamment pour prendre des décisions globales, divers dispositifs avaient été inventés à cette fin. Le mieux qu'on puisse dire de cette organisation, c'est que, à la différence de la SDN qui l'avait précédée, elle est restée en vie plus d'un demi-siècle et que, de plus en plus, appartenir à ce club est devenu la preuve, pour un pays, de la reconnaissance officielle de sa souveraineté internationale. Par sa charte, l'ONU ne devait disposer de pouvoirs ni de ressources indépendants de ceux que voulaient bien lui assigner les États membres : partant, son pouvoir d'action indépendante était nul.

Dans les Décennies de crise, la simple nécessité d'une coordination mondiale eut pour effet de multiplier les organisations internationales plus vite que cela ne s'était jamais fait. Au milieu des années 1980, on comptait 365 organisations intergouvernementales et 4 615 ONG, soit deux fois plus qu'au début de la décennie 1970

(Held, 1988, p. 15). De surcroît, on reconnut de plus en plus l'urgence d'une action mondiale pour s'attaquer à des problèmes tels que la protection de l'environnement. Malheureusement, les seules procédures officielles pour y parvenir – des traités internationaux signés et ratifiés séparément par les États souverains – étaient lentes, lourdes et insuffisantes : les efforts pour protéger l'Antarctique et interdire définitivement la chasse aux baleines en firent la démonstration. Le fait même que, dans les années 1980, le gouvernement irakien ait tué plusieurs milliers de ses citoyens en utilisant un gaz toxique, bafouant ainsi l'une des rares conventions authentiquement internationales (le Protocole de Genève contre la guerre chimique de 1925), souligna la faiblesse des instruments internationaux disponibles.

Il existait néanmoins deux moyens d'organiser une action internationale, et tous deux furent largement renforcés au cours des Décennies de crise. Le premier était, s'agissant des États de taille moyenne qui n'étaient plus assez forts pour tenir leur place seuls dans le monde, d'abdiquer leur pouvoir national au profit d'autorités supranationales. La Communauté économique européenne (rebaptisée Communauté européenne dans les années 1980, puis Union européenne dans les années 1990) vit sa taille doubler dans la décennie 1970 et se préparait à un nouvel élargissement dans les années 1990 tout en renforçant son autorité sur les affaires des États membres. Si la réalité de cette double extension n'était pas contestable, elle devait se heurter à une résistance nationale considérable – de la part des gouvernements comme de l'opinion publique des pays concernés. La force de la Communauté ou de l'Union tenait au fait que son autorité centrale non élue de Bruxelles prenait des initiatives politiques indépendantes sans avoir à subir les pressions de la vie politique démocratique – sauf de manière très indirecte, à travers les réunions et négociations périodiques des représentants des gouvernements (élus). Cet état de choses lui permit d'être une véritable autorité supranationale, sauf veto spécifique.

L'autre instrument d'action internationale était également protégé, sinon plus, contre les États-nations et les démocraties. C'était l'autorité des organismes financiers internationaux mis en place au lendemain de la Seconde Guerre mondiale, pour l'essentiel le Fonds monétaire international et la Banque mondiale (p. 363). Épaulées par l'oligarchie des grands pays capitalistes, qui sous la vague appellation de « Groupe des Sept » (G7) devait connaître une institutionnalisation croissante à partir des années 1970, elles acquirent une autorité accrue au cours des Décennies de crise, alors que les caprices incontrôlables des changes mondiaux, la crise de la dette du tiers-monde et, après 1989, l'effondrement des économies du bloc soviétique mirent un nombre croissant de pays à la merci du monde riche et de son empressement à leur accorder des prêts. Ceux-ci devaient être de plus en plus subordonnés à la mise en œuvre de politiques économiques qui agréaient aux dites autorités bancaires mondiales. Le triomphe de la théologie néolibérale des années 1980 trouva ainsi une traduction concrète sous la forme de politiques de privatisation systématique et d'un capitalisme de marché. À chaque fois, ces mesures furent imposées à des gouvernements trop mal en point pour leur résister, et ce, qu'elles eussent un rapport direct avec leurs problèmes économiques ou non (comme dans le cas de la Russie postsoviétique). Il est intéressant mais, hélas, vain de se demander ce qu'auraient pensé John Maynard Keynes ou Harry Dexter White de cette transformation des institutions qu'ils avaient construites avec des objectifs très différents – notamment le plein-emploi – dans leurs pays respectifs.

Ces autorités internationales se révélèrent efficaces, en tout cas pour imposer aux pays pauvres la politique des riches. À la fin du siècle, reste à voir quelles furent les conséquences de ces politiques et quels seront leurs effets sur le développement mondial.

Deux immenses régions du monde étaient sur le point de les tester. La première était celle de l'URSS et de ses économies associées, européennes et asiatiques, maintenant en ruines après la chute des systèmes communistes occidentaux. L'autre était le dépôt d'explosifs sociaux qui couvrait une bonne partie du tiers-monde. Comme on le verra dans le chapitre suivant, celui-ci était depuis les années 1950 le principal facteur d'instabilité politique de la planète.

CHAPITRE 15
LE TIERS-MONDE ET LA RÉVOLUTION

« *En janvier 1974, le général Beleta Abebe, en tournée d'inspection, se rendit dans les casernes de Gode.* [...] *Le lendemain, le Palais recevait un rapport incroyable : le général a été arrêté par les soldats, qui l'obligent à manger leur ordinaire. La nourriture est dans un état de putréfaction si avancé que certains craignent que le général ne tombe malade et meure. L'empereur* [éthiopien] *dépêche une unité aéroportée de sa Garde, qui libère le général et le transporte à l'hôpital.* »

Ryszard KAPUSCINSKI,
The Emperor (1983, p. 120)

« *Nous avons tué tout le bétail* [de la ferme expérimentale de l'université] *que nous pouvions. Mais pendant que nous abattions les bêtes, les paysannes se sont mises à pleurer : ces malheureuses bêtes, pourquoi les tuer comme ça, qu'est-ce qu'elles ont fait ? Quand les dames (señoras) se sont mises à crier, ô misère, nous avons arrêté, mais nous avions déjà tué près d'un quart du bétail, quelque chose comme quatre-vingt têtes. Nous voulions abattre tout le troupeau, mais on n'a pas pu, parce que les paysannes se sont mises à crier.*

On était là depuis un moment quand un monsieur à cheval, venant du côté d'Ayacucho, est allé leur dire ce qui s'était passé. Et le lendemain, ils en parlaient à la radio, au journal La Voz. Alors même qu'on rentrait : des camarades avaient sur eux de petits postes de radio et on a écouté. Eh bien, ça nous a mis du baume au cœur, pas vrai ? »

Un jeune membre du Sentier lumineux,
Tiempos (1990, p. 198)

I

Quelle que soit l'interprétation que l'on donne des changements du tiers-monde, de sa décomposition et de sa fission progressive, il se distinguait du premier monde sur un point fondamental. Il formait une zone mondiale de révolution – que celle-ci vînt de se faire ou qu'elle fût imminente ou encore possible. Au début de la guerre froide planétaire, le premier monde était dans l'ensemble politiquement et socialement stable. La chape du parti et d'une possible intervention de l'armée soviétique contenait ce qui fermentait sous la surface dans le deuxième monde. En revanche, depuis 1950 (ou depuis la date de leur fondation), il est fort peu d'États du tiers-monde de quelque importance qui n'aient connu de révolution – que ce soient des coups d'État militaires pour écraser, prévenir ou faire avancer une révolution, ou que ce soit une quelconque autre forme de conflit armé intérieur. Au début des années 1990, les principales exceptions sont l'Inde et quelques colonies dirigées par de vieux paternalistes autoritaires comme le D\ Hastings Banda du Malawi (connu sous le nom de Nyasaland, avant la décolonisation) et jusqu'en 1994, en Côte-d'Ivoire, l'indestructible Houphouët-Boigny. Cette instabilité sociale et politique du tiers-monde en était donc le dénominateur commun.

Cette instabilité était tout aussi claire pour les États-Unis, protecteurs du *statu quo* mondial, qui l'identifiaient au communisme soviétique ou, du moins, y voyaient un atout potentiel permanent pour le camp adverse dans la grande lutte pour la suprématie mondiale. Presque dès le début de la guerre froide, ils se mirent donc à combattre ce danger par tous les moyens, de l'aide économique et de la propagande idéologique à la guerre, en passant par des opérations de subversion armée, officielle ou non : de préférence avec un régime local ami ou acheté, mais le cas échéant sans soutien sur place. C'est ce qui contribua à faire du tiers-monde une zone de guerre permanente, alors même que les premier et deuxième mondes connaissaient leur plus longue ère de paix depuis le XIXᵉ siècle. Avant l'effondrement du système soviétique, on estimait à près de dix-neuf millions – voire vingt – le nombre de victimes des plus de cent « guerres importantes, actions militaires et conflits » qui s'étaient succédé entre 1945 et 1983, presque tous dans le tiers-monde : plus de neuf millions en Asie de l'Est ; trois millions et demi en Afrique ; deux millions et demi en Asie du Sud ; plus d'un demi-million au Moyen-Orient, sans compter le plus meurtrier, le conflit Iran-Irak de 1980-1988, qui commençait à peine ; et un peu moins d'un demi-million en Amérique latine (*UN World Social Situation*, 1985, p. 14). La guerre de Corée (1950-1953), qui fit entre 3 et 4 millions de morts dans un pays de trente millions d'habitants (Halliday/Cumings, 1988, p. 200-201), et les trente années de guerre du Viêt-nam (1945-1975) furent de loin les conflits les plus grands, et les seuls dans lesquels les États-Unis engagèrent massivement leurs troupes. Dans les deux cas, ceux-ci perdirent environ cinquante mille hommes. Les pertes des Vietnamiens et des autres peuples d'Indochine sont difficiles à estimer, mais se situeraient autour de deux millions suivant les évaluations les plus modestes. Une partie des guerres anticommunistes menées de manière indirecte fut cependant d'une barbarie comparable, surtout en Afrique où, entre 1980 et 1988, elles auraient fait près d'un million et demi de morts au Mozambique et en Angola (pour une population globale de 23 millions d'habitants), et douze millions de personnes déplacées ou menacées par la famine (*UN Africa*, 1989, p. 6).

Le potentiel révolutionnaire du tiers-monde était également évident pour les régimes communistes, ne serait-ce que pour une raison : les chefs de la libération coloniale avaient tendance à se considérer comme socialistes, engagés dans le même type de projet d'émancipation, de progrès et de modernisation que l'Union soviétique, et suivant les mêmes lignes. Éduqués à l'occidentale, ils pouvaient même s'imaginer être inspirés par Marx et Lénine, bien que rares fussent les partis communistes puissants dans le tiers-monde et que, en-dehors de la Mongolie, de la Chine et du Viêt-nam, aucun ne devînt le fer de lance des mouvements de libération nationale. Plusieurs nouveaux régimes saisirent cependant l'utilité du parti de type léniniste et en construisirent un comme l'avait fait Sun Yat-sen en Chine après 1920. Certains partis communistes qui avaient acquis une force et une influence particulières furent marginalisés (comme en Iran et en Irak, dans les années 1950 et 1960) ou massacrés (comme en Indonésie en 1965, où environ un demi-million de communistes, réels ou supposés, furent tués après une tentative de coup

d'État procommuniste : probablement la plus grande boucherie politique de l'histoire).

Plusieurs décennies durant, l'URSS s'en tint à une vision foncièrement pragmatique de ses relations avec les mouvements de libération et révolutionnaires du tiers-monde, puisqu'elle n'entendait ni
n'espérait élargir la région sous contrôle communiste au-delà de la
sphère soviétique occidentale, ou de la zone d'intervention chinoise
(qu'elle ne pouvait contrôler entièrement) en Orient. Cela ne devait
pas changer, même sous Khrouchtchev (1956-1964), lorsqu'un certain nombre de révolutions locales, dans lesquelles les partis communistes ne jouèrent aucun rôle significatif, conquirent le pouvoir
sans aide, notamment à Cuba (1959) et en Algérie (1962). La décolonisation africaine porta aussi au pouvoir des dirigeants nationaux
qui ne demandaient rien de mieux que le titre d'ami anti-impérialiste
et socialiste de l'URSS, en particulier lorsque celle-ci leur apportait
une aide, technique ou autre, qui n'était pas entachée par l'ancien
colonialisme : Kwame Nkrumah au Ghana, Sekou Touré en Guinée,
Modibo Keita au Mali et, au Congo belge, le tragique Patrice
Lumumba, que son assassinat transforma en icône et martyr du tiers-
monde. (L'URSS rebaptisa « Université Lumumba » l'Université
pour l'Amitié entre les peuples créée en 1960 afin d'accueillir les
étudiants du tiers-monde.) Moscou sympathisa avec ces nouveaux
régimes et les aida ; il eut cependant tôt fait de perdre son optimisme
excessif à propos des nouveaux États africains. Dans l'ex-Congo
belge, elle apporta un soutien militaire au camp lumumbiste contre
les clients ou les fantoches des États-Unis et de la Belgique dans la
guerre civile (avec l'intervention de forces armées des Nations
unies, également mal vues par les deux superpuissances) qui suivit
l'indépendance accordée précipitamment à l'immense colonie. Les
résultats furent décevants[1]. Lorsque l'un de ces nouveaux régimes,
en la personne de Fidel Castro à Cuba, se proclama officiellement
communiste, à la surprise générale, l'URSS le prit sous son aile,
mais pas au point de compromettre définitivement ses relations avec
les États-Unis. Néanmoins, rien ne prouve qu'elle ait envisagé de
repousser les frontières du communisme par la révolution jusqu'au
milieu des années 1970 ; et même alors, tout indique que l'URSS ne
fit que profiter d'une conjoncture favorable qu'elle n'avait pas cher-
ché à créer. Les lecteurs plus âgés s'en souviennent : l'espoir de

Khrouchtchev était que la supériorité économique du socialisme finirait par enterrer le capitalisme.

De fait, lorsqu'en 1960 la Chine (pour ne dire mot de divers marxistes dissidents) défia l'autorité des Soviétiques sur le mouvement communiste international au nom de la révolution, les partis communistes liés à Moscou dans le tiers-monde s'en tinrent à leur politique délibérée de modération. Dans ces pays, l'ennemi n'était pas le capitalisme, pour autant qu'il existât, mais le précapitalisme, les intérêts locaux et l'impérialisme (américain) qui les soutenait. La voie d'avenir n'était pas la lutte armée, mais un large front populaire ou national dans lequel la bourgeoisie ou la petite bourgeoisie « nationale » avait sa place en tant qu'alliée. Bref, la stratégie de Moscou dans le tiers-monde restait fidèle à la ligne adoptée par le Komintern dans les années 1930, nonobstant toutes les voix qui s'élevaient pour l'accuser de trahir la cause de la révolution d'Octobre (*cf.* chapitre 5). Cette stratégie, qui exaspérait ceux qui préféraient la voie des armes, sembla parfois gagnante, comme au Brésil et en Indonésie au début des années 1960 et au Chili en 1970. À chaque fois, cependant, un coup d'État militaire, suivi d'une politique de terreur, devait mettre un terme à l'expérience (ce qui n'a peut-être rien d'étonnant) : ainsi au Brésil après 1964, en Indonésie en 1965 et au Chili en 1973.

Le tiers-monde n'en devint pas moins le pilier central de l'espérance et de la foi de ceux qui continuaient à croire en la révolution sociale. Il représentait la grande majorité des êtres humains. On aurait dit un volcan planétaire avant l'éruption, un champ sismique dont les secousses annonçaient les grands tremblements de terre futurs. L'analyste de la « fin des idéologies » lui-même (Bell, 1960) admettait que, là-bas, l'âge des espérances millénaristes et révolutionnaires n'était pas mort. Mais le tiers-monde n'avait pas uniquement de l'importance pour les vieux révolutionnaires de la tradition d'Octobre ou pour les romantiques que la médiocrité clinquante mais prospère des années 1950 indisposait. La gauche entière, y compris les libéraux humanitaires et les sociaux-démocrates modérés, avait besoin de quelque chose de plus que la législation sur la sécurité sociale et l'augmentation des salaires réels. Le tiers-monde pouvait préserver ses idéaux ; et les partis qui se réclamaient de la grande tradition des Lumières avaient besoin d'idéaux et d'objectifs politiques concrets. Ils ne sauraient survivre sans eux. Comment expliquer autrement l'authentique passion de l'aide au tiers-monde dans ces bastions du progrès non révolutionnaire que sont les pays scandinaves, les Pays-Bas et le Conseil mondial des Églises (protestantes), qui fut à la fin du XXe siècle l'équivalent du soutien des missions au XIXe siècle ? À la fin du XXe siècle, cette même ardeur amena les libéraux européens à soutenir ou à appuyer les révolutionnaires et les révolutions du tiers-monde.

II

Ce qui frappait à la fois les partisans et les adversaires de la révolution, c'est qu'après 1945 la guerre de guérilla semblait être devenue dans le tiers-monde la principale forme de lutte révolutionnaire. Une « chronologie des grandes guérillas » dressée au milieu des années 1970 en répertoriait trente-deux depuis la fin de la Seconde Guerre mondiale. Toutes sauf trois (la guerre civile grecque de la fin des années 1940, la lutte de Chypre contre la Grande-Bretagne dans les années 1950 et l'Ulster, depuis 1969) se déroulaient hors de l'Europe et de l'Amérique du Nord (Laqueur, 1977, p. 442). On aurait d'ailleurs pu sans mal prolonger la liste. Cependant, l'image d'une révolution sortant exclusivement des collines n'était pas tout à fait exacte. Elle sous-estimait le rôle des coups d'État militaires de gauche, assez invraisemblables en Europe jusqu'au spectaculaire exemple portugais de 1974, mais courants dans le monde islamique et pas exceptionnels en Amérique latine. La révolution bolivienne de 1952 fut l'œuvre conjointe de mineurs et de militaires insurgés, tandis que la réforme la plus radicale de la société péruvienne fut celle menée par un régime militaire à la fin des années 1960 et dans la décennie 1970. Mais cette vision sous-estimait également le potentiel révolutionnaire des actions des masses urbaines à l'ancienne, dont allaient témoigner la révolution iranienne de 1979, puis les bouleversements en Europe de l'Est. Il n'empêche, dans le troisième quart du siècle, tout le monde avait les yeux braqués sur les guérillas, dont les idéologues de l'extrême gauche, critiques à l'égard de la politique soviétique, propageaient d'ailleurs ardemment les tactiques. Mao Zedong, après sa rupture avec l'URSS, ainsi que Fidel Castro, après 1959, ou, plutôt, son camarade Che Guevara, le beau révolutionnaire itinérant (1928-1967), devaient inspirer ces activistes. Les communistes vietnamiens, qui furent de loin les praticiens les plus formidables et les plus efficaces de la stratégie de guérilla, forçaient l'admiration internationale pour avoir vaincu les Français et la puissance américaine, mais ils se gardèrent bien d'encourager leurs admirateurs à prendre partie dans les guerres civiles idéologiques de la gauche.

Les années 1950 fourmillèrent de guerres de guérilla dans le tiers-monde. Elles eurent presque toutes lieu dans les anciens pays coloniaux où, pour l'une ou l'autre raison, les anciennes métropoles ou les colons locaux refusèrent une décolonisation pacifique : la Malaisie, le Kenya (mouvement des Mau-Mau) et Chypre dans l'Empire britannique en pleine dissolution. En même temps, les guerres beaucoup plus graves d'Algérie et du Viêt-nam se déroulaient dans l'Empire français en décomposition. Assez curieusement, c'est un mouvement relativement petit – plus petit en tout cas, que l'insurrection malaise (Thomas, 1971, p. 1040) – atypique, mais couronné de succès, qui porta la stratégie de la guérilla sur le devant de la scène mondiale : la révolution qui prit le pouvoir à Cuba, dans les Caraïbes, le 1er janvier 1959. Dans la vie politique latino-américaine, Fidel Castro (né en 1927) était une figure assez caractéristique : une forte personnalité charismatique issue d'une bonne famille de propriétaires terriens, dont la ligne politique était nébuleuse, mais qui était résolu à faire montre de son courage personnel et à devenir, au moment opportun, le champion de la liberté contre la tyrannie, sous quelque forme que la cause se présentât. Même ses slogans (« La Patrie ou la Mort » – à l'origine, « La Victoire ou la Mort » – et « Nous vaincrons ») admirables, mais péchant par manque de précision, appartenaient à une ère de libération plus ancienne. Après une période obscure parmi les « bandes à revolvers » caractéristiques de la vie estudiantine à l'Université de la Havane, il choisit la rébellion contre le gouvernement du général Fulgencio Batista : figure familière et tortueuse de la vie politique cubaine depuis son entrée en scène en 1933, en tant que sergent, dans un coup d'État, il avait de nouveau pris le pouvoir en 1952 et abrogé la constitution. L'ap-

proche de Fidel fut celle d'un activiste : attaque contre des casernes
en 1953, prison, exil et invasion de Cuba par des guérilleros qui, à
leur seconde tentative, réussirent à s'implanter dans les montagnes
de la province la plus reculée. Le coup de poker improvisé paya. En
termes purement militaires, le défi était modeste. Che Guevara,
médecin argentin et chef de guérilla très talentueux, entreprit de
conquérir le reste de Cuba avec 148 hommes : ils étaient environ 300
quand ils touchèrent pratiquement au but. Quant aux hommes de
Fidel, ils ne prirent leur première ville de mille habitants qu'en
décembre 1958 (Thomas, 1971, p. 997, 1020, 1024). Au plus avait-il
démontré – mais c'était déjà beaucoup – qu'une force irrégulière
pouvait contrôler un large « territoire libéré » et le défendre contre
l'offensive d'une armée il est vrai démoralisée. Fidel gagna parce
que le régime de Batista était fragile, qu'il manquait de véritables
appuis, hormis ceux qui le soutenaient par commodité ou par intérêt,
et qu'il était dirigé par un homme qu'une longue corruption avait
rendu paresseux. Il s'effondra dès que l'opposition de toutes les
classes politiques, de la bourgeoisie démocrate aux communistes,
s'unit contre lui, et que les agents mêmes du dictateur, ses soldats, sa
police et ses bourreaux en conclurent que son heure était passée.
Fidel en apportait la preuve et c'est assez naturellement que ses
forces héritèrent du gouvernement. Un mauvais régime qui n'avait
guère de soutiens était tombé. La plupart des Cubains vécurent réellement la victoire de l'armée rebelle comme un moment de libération et de promesses infinies qu'incarnait son jeune commandant.
Probablement aucun chef du Court Vingtième Siècle (pourtant riche
en figures charismatiques idolâtrées des masses, qu'elles haran-
guaient du haut de balcons ou devant les micros) ne compta moins
d'auditeurs sceptiques ou hostiles que ce grand barbu jamais à
l'heure et en tenue de campagne froissée, qui parlait des heures d'af-
filée, partageant ses réflexions assez peu systématiques avec des
multitudes attentives et dociles (dont l'auteur de ces pages). Pour
une fois, la révolution fut vécue comme une lune de miel collective.
Où allait-elle conduire ? Très certainement vers un mieux.
    Les rebelles latino-américains des années 1950 devaient inévita-
blement puiser dans la rhétorique de leurs libérateurs historiques, de
Simón Bolívar à José Marti (pour Cuba), mais aussi dans la tradition
anti-impérialiste et socialiste-révolutionnaire de la gauche d'après

1917. Ils étaient partisans d'une « réforme agraire », quoi que celle-ci pût signifier (voir p. 461-462) et, au moins implicitement, contre les États-Unis – en particulier dans une Amérique centrale déshéritée, si loin de Dieu, si proche des États-Unis, pour citer un mot de l'ancien homme fort du Mexique, Porfirio Díaz. Bien que révolutionnaires, ni Fidel ni aucun de ses camarades n'étaient communistes ni même (à deux exceptions près) n'affichaient la moindre sympathie marxiste sous quelle que forme que ce fût. En fait, le Parti socialiste populaire cubain, seul parti de masse de ce type en Amérique latine à l'exception du Parti chilien, ne devait pas dissimuler sa méfiance avant que certaines sections ne le rejoignissent par la suite dans sa campagne. Les relations étaient singulièrement glaciales. Les diplomates et conseillers diplomatiques américains n'en finirent pas de débattre pour savoir si le mouvement était ou non pro-communiste : s'il l'était, la CIA qui avait déjà renversé un gouvernement réformateur au Guatemala en 1954 savait que faire. Mais la conclusion fut clairement que tel n'était pas le cas.

Cependant, tout poussait le mouvement fidéliste dans la direction du communisme – de l'idéologie socialiste-révolutionnaire de ceux qui étaient enclins à se lancer dans des insurrections armées à la ferveur anticommuniste des États-Unis en plein maccarthysme : les rebelles anti-impérialistes ne pouvaient être que favorables à Marx. La guerre froide fit le reste. Si le nouveau régime indisposait Washington – ce qu'il ne manquerait certainement pas de faire, ne serait-ce qu'en menaçant les investissements américains –, il pouvait compter sur la sympathie et le soutien presque garanti de leur grand adversaire. De surcroît, la forme de gouvernement chère à Fidel – à base de monologues informels à l'adresse de millions d'auditeurs – n'était pas une manière de conduire durablement un pays, si petit fût-il, ni une révolution. Même le populisme a besoin d'une organisation. Le Parti communiste était le seul corps du camp révolutionnaire qui pût la lui fournir. Les deux avaient besoin l'un de l'autre et convergèrent. En mars 1960, cependant, bien avant que Fidel ne découvrît que Cuba était socialiste et que lui-même était communiste, quoique d'une manière très idiosyncrasique, les États-Unis avaient décidé de le traiter comme tel et autorisé la CIA à organiser son renversement (Thomas, 1971, p. 1271). En 1961, ce fut l'échec de la tentative de débarquement des exilés dans la Baie des Cochons.

Un Cuba communiste survécut à une centaine de kilomètres de Key West, isolé par le blocus américain et toujours plus dépendant de l'URSS.

Aucune révolution n'était mieux faite pour séduire la gauche de l'hémisphère occidental et des pays développés, à la fin d'une décennie de conservatisme général, ni pour donner une meilleure publicité à la stratégie de la guérilla. La révolution cubaine avait tout pour elle : le romantisme, l'héroïsme dans les montagnes, les anciens dirigeants étudiants avec la générosité désintéressée de la jeunesse – les plus âgés avaient à peine passé le cap de la trentaine –, une population souriante, dans un paradis tropical pour touristes, qui battait au rythme de la rumba. Qui plus est, tous les révolutionnaires de gauche l'acclamaient.

En réalité, elle avait plus de chances de plaire aux détracteurs de Moscou, de longue date mécontents de la priorité que les Soviétiques donnaient à la coexistence pacifique entre le capitalisme et eux. L'exemple de Fidel inspira les intellectuels militants de toute l'Amérique latine : continent d'hommes à la gâchette facile et où on a le goût d'une bravoure désintéressée, en particulier des postures héroïques. Après un certain temps, Cuba se décida à encourager l'insurrection sur le continent, cédant ainsi aux instances pressantes de Che Guevara – champion de la Révolution pan-latino-américaine et partisan de créer « deux, trois, de nombreux Viêt-nam ». Un jeune et brillant gauchiste français (qui d'autre ?) fourbit l'idéologie adéquate en systématisant l'idée que, sur un continent mûr pour la révolution, il suffisait d'importer de petits groupes de militants armés dans des montagnes susceptibles de former des « foyers » *(focos)* de lutte de libération des masses (R. Debray, 1965).

À travers l'Amérique latine entière, des groupes de jeunes gens se lancèrent dans des combats de guérilla à chaque fois condamnés, sous l'étendard de Fidel, de Trotski ou de Mao Zedong. Sauf en Amérique centrale et en Colombie, où les forces armées irrégulières pouvaient s'appuyer sur une vieille base paysanne, la plupart de ces aventures se soldèrent par un échec presque immédiat, laissant derrière elles les cadavres de célébrités – le « Che » lui-même en Bolivie ; le non moins beau et charismatique prêtre-rebelle Camillo Torres, en Colombie – et d'autres inconnus. L'erreur stratégique était d'autant plus spectaculaire que, dans des conditions propices, des mouvements de guérilla efficaces et durables étaient bel et bien possibles en de nombreux pays : témoin les FARC (Forces armées de la Révolution colombienne), communistes, actives en Colombie depuis 1964 et le mouvement (maoïste) du Sentier lumineux *(Sendero Luminoso)* au Pérou dans les années 1980.

Toutefois, même lorsque les paysans suivaient la voie de la guérilla, celle-ci était rarement un mouvement paysan – les FARC étant une exception rare. Le plus souvent, elles furent introduites dans le tiers-monde par de jeunes intellectuels, initialement issus des rangs des classes moyennes bien installées de leur pays, puis renforcés par une nouvelle génération d'étudiants : les fils et, plus rarement, les filles d'une nouvelle petite bourgeoisie en plein essor. Tel fut aussi le cas lorsque la tactique de la guérilla quitta l'arrière-pays rural pour le monde des grandes villes, ainsi que commencèrent à le faire certaines parties de la gauche révolutionnaire du tiers-monde à partir de la fin des années 1960[2] (par exemple, en Argentine, au Brésil, en Uruguay et en Europe). En fait, les actions de guérilla urbaines sont beaucoup plus faciles à monter que les opérations rurales, puisqu'elles ne reposent pas nécessairement sur la solidarité ou la connivence des masses, mais peuvent exploiter l'anonymat de la grande ville, le pouvoir d'achat de l'argent ainsi qu'un minimum de sympathisants, pour l'essentiel des classes moyennes. Ces groupes de « guérilla urbaine » ou de « terroristes » découvrirent qu'il était moins facile de révolutionner leurs pays que de monter des coups ou d'organiser des attentats spectaculaires (comme l'assassinat de l'amiral Carrero Blanco, successeur désigné de Franco, par l'ETA en 1973 ; ou de l'ancien Premier ministre italien Aldo Moro par les Brigades rouges en 1978), pour ne rien dire des raids destinés à collecter des fonds.

Car même en Amérique latine les grandes forces du changement politique furent les responsables politiques civils – et les armées. La vague de régimes militaires de droite qui commença à submerger de grandes parties de l'Amérique du Sud dans les années 1960 – le gouvernement militaire n'était jamais passé de mode en Amérique centrale, sauf dans le Mexique révolutionnaire et le petit Costa Rica, qui supprima bel et bien son armée en 1948 après une révolution – ne fut pas forcément une réponse à des rebelles armés. En Argentine, les militaires renversèrent en 1955 le chef populiste Juan Domingo Perón (1895-1974), dont la force reposait sur l'organisation de la main-d'œuvre et la mobilisation des pauvres (1955) ; par la suite, ils devaient reprendre le pouvoir à plusieurs reprises, puisque le mouvement péroniste de masse se révélait indestructible et qu'aucune solution de rechange civile stable ne pouvait être trouvée. Lorsque Perón revint d'exil en 1972, cette fois avec une bonne partie de la gauche locale accrochée à ses basques, démontrant une fois de plus la prédominance de ses partisans, les militaires reprirent de nouveau le pouvoir à grand renfort de sang versé, de torture et de rhétorique patriotique, avant d'être finalement délogés par leur défaite dans la brève, absurde mais décisive guerre anglo-argentine de 1982.

Les forces armées prirent le pouvoir au Brésil en 1964, contre un ennemi très semblable : les héritiers du grand leader populiste brésilien Getulio Vargas (1883-1954), qui glissaient vers la gauche au début des années 1960, proposaient la démocratisation et la réforme agraire, et se montraient sceptiques à l'égard de la politique américaine. Les petites tentatives de guérilla de la fin des années 1960, qui servirent de prétexte au régime pour lancer des campagnes de répression implacables, ne furent jamais pour les militaires un véritable défi. Mais il faut dire qu'après le début des années 1970 le régime commença à se détendre pour finalement rendre le pouvoir aux civils en 1985. Au Chili, l'ennemi était l'union de la gauche : socialistes communistes et autres progressistes – ce que la tradition européenne, et en l'occurrence chilienne, connaissait sous le nom de « front populaire » (*cf.* chapitre 5). Une alliance de ce type avait déjà gagné les élections au Chili dans les années 1930, époque où Washington était moins nerveuse et où le Chili était synonyme de régime constitutionnel civil. Cette union de la gauche était conduite par le socialiste Salvador Allende, élu président en 1970 : son gouvernement fut d'abord déstabilisé puis, en 1973, renversé par un coup d'État militaire fortement soutenu, sinon organisé, par les États-Unis, et qui introduisit les traits caractéristiques des régimes militaires des années 1970 – exécutions ou massacres, torture, officielle ou para-officielle, systématique des prisonniers, et exil massif des opposants politiques. Le chef des armées, le général Augusto Pinochet, resta au pouvoir dix-sept ans, qu'il mit à profit pour imposer une politique d'ultra-libéralisme économique, démontrant ainsi, entre autres choses, que le libéralisme politique et la démocratie ne sont pas les partenaires naturels du libéralisme économique.

En Bolivie, le renversement du régime révolutionnaire par les militaires après 1964 était peut-être lié aux peurs américaines d'une influence cubaine dans ce pays, où Che Guevara lui-même trouva la mort dans une tentative d'insurrection mal préparée ; mais la Bolivie n'est pas un pays qui se laisse durablement tenir en mains par un soldat local, si brutal soit-il. L'ère militaire prit fin après quinze années qui virent se succéder à un rythme accéléré des généraux de plus en plus obsédés par les profits du trafic de la drogue. Si, en Uruguay, l'armée prétexta d'un mouvement de « guérilla urbaine » singulièrement intelligent et efficace, pour se livrer aux tueries et tortures habituelles, c'est la montée d'un large front populaire de gauche, défiant le système bipartite traditionnel, qui explique probablement le coup d'État militaire de 1972 dans le seul pays sud-américain qu'on pouvait décrire comme une démocratie authentique et durable. Mais les Uruguayens demeuraient suffisamment attachés à leur tradition pour refuser la constitution « menottée » que les militaires soumirent à leurs suffrages et retournèrent en 1985 à un régime civil.

Malgré ses résultats et ses chances de remporter des succès plus spectaculaires en Amérique latine, en Asie et en Afrique, la voie de la guérilla pour provoquer la révolution n'avait guère de sens dans les pays développés. Toutefois, il n'est pas étonnant que, par ses guérillas rurales et urbaines, le tiers-monde ait inspiré le nombre croissant des jeunes rebelles et révolutionnaires du premier monde. Des journalistes de rock devaient comparer les masses juvéniles du festival de Woodstock (1969) à une « armée de guérilleros pacifiques » (Chapple et Garofalo, 1977, p. 144). À Paris comme à Tokyo, les étudiants qui manifestaient portaient les images de Che Guevara comme des icônes : sa barbe, son béret et ses traits incontestablement virils troublaient même les cœurs apolitiques de la contre-culture. Hormis celui de Herbert Marcuse, aucun nom n'est cité aussi souvent que le sien dans le panorama bien informé de la « Nouvelle Gauche » mondiale de 1968 (Katsiaficas, 1987), même si les manifestants scandaient encore plus fréquemment le nom du leader vietnamien Hô Chi Minh (« Hô Hô Hô Chi Minh »). Car c'est le soutien aux guérillas du tiers-monde et, après 1965, le refus des jeunes américains d'être envoyés sur le terrain pour les combattre, qui mobilisa la gauche plus que toute autre cause, excepté l'hostilité aux armes nucléaires. *Les Damnés de la terre*, l'œuvre de Franz

Fanon, psychologue antillais qui avait pris part à la guerre de libération en Algérie, devait avoir un écho considérable parmi les intellectuels militants, que faisait frémir son éloge de la violence conçue comme une forme de libération spirituelle des opprimés.

Bref, l'image de guérilleros à la peau colorée au milieu de la végétation tropicale fut un élément essentiel, sinon la principale source d'inspiration, de la radicalisation du premier monde dans les années 1960. Le « tiers-mondisme », l'idée que l'émancipation de l'humanité passait par la libération de sa « périphérie » agraire et appauvrie, exploitée et condamnée à une dépendance forcée par les pays du « centre » de ce qu'une littérature de plus en plus fournie appelait le « système mondial », séduisit nombre de théoriciens dans la gauche du premier monde. Si, comme le sous-entendaient les théoriciens du « système mondial », les racines des problèmes du monde se trouvaient non pas dans l'essor du capitalisme industriel moderne, mais dans la conquête du tiers-monde par les colonialistes européens du XVIe siècle, le renversement de ce processus historique au XXe siècle offrait aux révolutionnaires démunis du premier monde un formidable moyen de s'arracher à leur impuissance. Il n'est pas étonnant que certains des plaidoyers les plus énergiques à cet effet soient venus des marxistes américains, qui ne pouvaient guère miser sur un triomphe du socialisme par des forces autochtones aux États-Unis.

III

Dans les pays florissants du capitalisme industriel, nul ne prenait encore au sérieux la perspective classique d'une révolution sociale par l'insurrection et l'action des masses. Et pourtant, au faîte même de la prospérité occidentale, au cœur de la société capitaliste, les gouvernements se retrouvèrent soudain confrontés, de manière imprévue et à première vue inexplicable, à ce qui ressemblait fort à une révolution à l'ancienne. Par la même occasion, ils découvrirent la faiblesse de régimes apparemment solides. En 1968-1969, une vague de rébellion balaya les trois mondes, ou une grande partie de ceux-ci ; et le fer de lance en fut essentiellement la nouvelle force sociale des étudiants, dont les effectifs se comptaient désormais en centaines de milliers, bientôt en millions, dans les pays occidentaux de taille moyenne (*cf.* chapitre 10). Qui plus est, trois facteurs devaient démultiplier leur efficacité politique : ils étaient faciles à mobiliser dans les immenses usines à savoir qui les accueillaient et qui leur laissaient beaucoup plus de temps libre qu'aux ouvriers des usines géantes ; en général, on les trouvait dans les capitales, c'est-à-dire sous les yeux des responsables politiques et devant les objectifs des médias. Enfin, comme ils appartenaient aux classes éduquées – c'étaient souvent des rejetons des classes moyennes installées, et presque partout, mais surtout dans le tiers-monde, ils formaient le vivier où se recrutait l'élite dirigeante –, il n'était pas aussi facile d'ouvrir le feu sur eux que sur les classes inférieures. En Europe, de l'Est comme de l'Ouest, il n'y eut pas beaucoup de victimes graves, pas même lors des émeutes et des combats de rue de Paris en mai 1968. Les autorités prirent grand soin de ne pas créer de martyrs. Et après le grand massacre de Mexico en 1968 – le bilan officiel fut de vingt-huit morts et de deux cents blessés lorsque l'armée dispersa une réunion publique (González Casanova, 1975, vol. II, p. 564) – le cours de la vie politique mexicaine en fut définitivement changé.

Les rébellions estudiantines furent donc d'une efficacité hors de proportion surtout là où, comme en France en 1968 ou en Italie pendant « l'automne chaud », elles déclenchèrent d'immenses vagues de grèves ouvrières qui paralysèrent temporairement l'économie. Pour autant, ce n'étaient pas des révolutions authentiques et elles avaient peu de chance de le devenir. Pour les ouvriers, lorsqu'ils y participèrent, ce fut simplement l'occasion de découvrir le pouvoir de négociation qu'ils avaient accumulé à leur insu depuis vingt ans. Mais ils n'étaient pas révolutionnaires. Les étudiants du premier monde se préoccupèrent rarement de choses aussi insignifiantes que de renverser le gouvernement ou de prendre le pouvoir, même si les Français furent tout près de faire tomber le général de Gaulle en mai 1968 et mirent un terme prématuré à son règne (il se retira un an plus tard) ; la même année, la mobilisation des étudiants américains contre la guerre devait coûter son siège au président Lyndon B. Johnson. (Dans le tiers-monde, les étudiants étaient plus proches des réalités du pouvoir, tandis que ceux du deuxième monde s'en

savaient nécessairement éloignés.) À l'Ouest, la rébellion estudiantine fut davantage une révolution culturelle, un rejet de tout ce que
représentaient les valeurs parentales « bourgeoises » (*cf.* chapitres 10
et 11).

Le mouvement n'en contribua pas moins à politiser bon nombre
d'étudiants de cette génération de rebelles. Et c'est tout naturellement qu'ils se tournèrent alors vers les inspirateurs acceptés de la
révolution radicale et d'une transformation totale de la société :
Marx, les icônes non staliniennes de la révolution d'Octobre et Mao.
Pour la première fois depuis l'époque de l'antifascisme, le
marxisme, qui ne se réduisait plus à l'orthodoxie moscovite, séduisit
un fort contingent de jeunes intellectuels occidentaux. (Bien
entendu, il n'avait jamais cessé de les attirer dans le tiers-monde.)
C'était un marxisme particulier, un marxisme de séminaire, associé
à toutes sortes d'autres modes universitaires, parfois à d'autres idéologies, nationalistes ou religieuses, parce qu'il sortait des salles de
classe et non d'une expérience concrète de la vie ouvrière. En vérité,
il n'avait guère de rapport avec la conduite politique concrète de ces
nouveaux disciples de Marx, qui en appelaient généralement à un
genre de militantisme radical qui se passait d'analyse. Lorsque les
espérances utopiques initiales de la rébellion se furent évaporées,
beaucoup retournèrent, ou plutôt se tournèrent vers les vieilles formations de gauche, qui, comme le nouveau Parti socialiste français
ou le Parti communiste italien, furent en partie ranimées par cet
afflux de sang nouveau. Comme il s'agissait largement d'un mouvement d'intellectuels, nombre des recrues appartenaient au corps des
universitaires. Aux États-Unis, celui-ci devait compter en conséquence un contingent sans précédent de « radicaux » politico-culturels. D'autres se voyaient au contraire comme des révolutionnaires
dans la tradition d'Octobre et rejoignirent ou recréèrent de petites
organisations d'« avant-garde » d'inspiration léniniste et de préférence clandestines – soit pour infiltrer des organisations de masse,
soit à des fins terroristes. En l'occurrence, il y eut convergence entre
l'Occident et le tiers-monde, qui fourmillait également d'organisations de combattants illégaux espérant compenser la défaite des
masses par une violence groupusculaire. Les diverses « Brigades
rouges » italiennes des années 1970 furent probablement en Europe
les groupes d'inspiration bolchevique les plus importants. Ainsi se

forma un étrange univers clandestin de conspiration, dans lequel des groupes d'action directe, adhérant à une idéologie nationaliste ou social-révolutionnaire, voire aux deux en même temps, se retrouvèrent associés dans un réseau international de diverses organisations, généralement toutes petites – « Armées rouges », Palestiniens, Basques, IRA, etc. – recoupant d'autres réseaux illégaux, infiltrés par les services secrets, protégés et au besoin assistés par les États arabes ou les pays de l'Est.

C'était un milieu qui convenait à merveille aux auteurs de thrillers et autres romans d'espionnage, dont les années 1970 furent l'Âge d'or. Ce fut aussi l'ère la plus sinistre de torture et de contre-terreur dans l'histoire de l'Occident. Et, dans l'histoire moderne, la période la plus noire jamais connue de torture, d'« escadrons de la mort », d'enlèvements et de commandos de tueurs utilisant des voitures banalisées pour faire disparaître leurs victimes. En principe, ces bandes n'étaient pas identifiables ; en réalité, chacun savait qu'elles faisaient partie de l'armée et de la police, des services secrets et de renseignements, devenus quasiment indépendants des pouvoirs publics et échappant à tout contrôle démocratique au cours de ces « guerres sales »[3] d'une horreur sans nom. Ce phénomène s'observa même dans un pays d'anciennes et puissantes traditions de respect de la loi et des procédures constitutionnelles comme la Grande-Bretagne, où les premières années de conflit en Irlande du Nord donnèrent lieu à de graves abus mis en évidence dans le rapport d'*Amnesty International* sur la torture (1975). Mais probablement est-ce en Amérique latine que la situation fut la pire. Et bien qu'on ne l'ait guère remarqué, les pays socialistes ne furent guère affectés par cette mode singulière. L'âge de la terreur était derrière eux, et ils n'avaient pas de mouvements terroristes à l'intérieur de leurs frontières – juste de tout petits groupes de dissidents qui savaient, dans les circonstances qui étaient les leurs, que la plume était plus puissante que l'épée, ou plutôt que la machine à écrire (accompagnée de la protestation publique de l'Occident) plus efficace que la bombe.

La révolte estudiantine de la fin des années 1960 fut le dernier sursaut de la vieille révolution mondiale. Elle fut révolutionnaire en deux sens : au sens ancien et utopique de la recherche d'un renversement définitif des valeurs et d'une société nouvelle et parfaite ; mais aussi en un sens opérationnel, du recours à l'action de rue et aux barricades, aux attentats et aux embuscades. Elle fut aussi mondiale, non seulement parce que l'idéologie de la tradition révolutionnaire, de 1789 à 1917, était universelle et internationaliste – même un mouvement aussi exclusivement nationaliste que le mouvement séparatiste basque ETA, produit typique des années 1960, se réclamait en un sens du marxisme –, mais parce que, pour la première fois, le monde ou, tout au moins, celui dans lequel vivaient les idéologues estudiantins était authentiquement mondial. Les mêmes livres (dont très certainement ceux d'Herbert Marcuse en 1968) sortaient presque simultanément dans les librairies pour étudiants de Buenos Aires, de Rome et de Hambourg. Les mêmes touristes de la révolution traversaient océans et continents : de Paris à la Havane, de São Paulo jusqu'en Bolivie. Appartenant à la première génération pour qui les voyages en avion et les télécommunications rapides et bon marché allaient de soi, les étudiants de la fin des années 1960 n'eurent aucun mal à reconnaître que ce qui se passait à la Sorbonne, à Berkeley ou à Prague participait d'un seul et même événement, dans le même village mondial dont nous étions tous les habitants, à en croire le gourou canadien Marshall McLuhan (autre nom à la mode des années 1960).

Et pourtant, ce n'était pas la révolution mondiale telle que l'entendait la génération de 1917, mais le rêve de quelque chose qui avait cessé d'exister : comme si, par un effet de magie sympathique, les barricades allaient surgir du simple fait qu'on se conduisait comme si elles étaient là. Conservateur éclairé, Raymond Aron n'avait pas tout à fait tort de parler de théâtre de rue ou de psychodrame à propos des « événements de mai 1968 » à Paris.

Personne n'espérait plus la révolution sociale dans le monde occidental. La plupart des révolutionnaires ne considéraient même plus la classe ouvrière – le « fossoyeur du capitalisme », selon Marx – comme une classe fondamentalement révolutionnaire, si ce n'est par fidélité à l'orthodoxie doctrinale. Dans l'hémisphère occidental, que ce soit du côté de l'extrême gauche théoriquement engagée en Amérique latine ou de celui des étudiants rebelles « athéoriques » d'Amérique du Nord, le vieux « prolétariat » était même rejeté comme un ennemi du radicalisme, qu'on y vît une aristocratie ouvrière privilégiée ou des patriotes partisans de la guerre du Viêt-nam. L'avenir de la révolution se trouvait désormais dans les *hinterlands* paysans du tiers-monde (qui se vidaient à vue d'œil), mais le fait même qu'il ait fallu les apôtres en armes de la révolte, conduits par Castro et Guevara, pour les arracher à leur passivité suggérait un fléchissement de la vieille croyance suivant laquelle l'inéluctabilité historique garantissait que les « damnés de la terre », que chantait l'Internationale, briseraient leurs chaînes tout seuls.

De surcroît, même lorsque la révolution était une réalité, ou une probabilité, était-elle encore authentiquement mondiale ? Les mouvements dans lesquels les révolutionnaires des années 1960 placèrent leurs espérances étaient tout sauf œcuméniques. Les Vietnamiens, les Palestiniens, les divers mouvements de guérilla luttant contre la domination coloniale se souciaient exclusivement de leurs affaires nationales. Ils n'avaient de lien avec le monde extérieur que lorsqu'ils étaient conduits par des communistes animés de préoccupations plus larges, ou dans la mesure où la structure bipolaire du système mondial de la guerre froide en faisait automatiquement les amis de l'ennemi de leur ennemi. Le cas de la Chine communiste montre bien à quel point l'œcuménisme d'antan était devenu obsolète : malgré une rhétorique de révolution mondiale, Pékin poursuivit sans relâche une politique nationale égocentrique qui, dans les années 1970 et 1980, devait la conduire à s'aligner sur la politique des États-Unis contre une URSS communiste, et même à engager les hostilités avec l'Union soviétique et le Viêt-nam. Les ambitions révolutionnaires par-delà les frontières nationales ne survécurent que sous la forme atténuée de mouvements régionaux : pan-africain, pan-arabe et pan-latino-américain. Ces mouvements avaient une certaine réalité, tout au moins pour les intellectuels militants, qui parlaient la même langue (l'espagnol, l'arabe) et, exilés ou organisateurs de révolte, circulaient librement d'un pays à l'autre. On pourrait même plaider que certains d'entre eux – la version cubaine, notamment – contenaient des éléments authentiquement mondialistes. Après tout, Che Guevara lui-même combattit quelque temps au Congo, et, dans les années 1970, Castro envoya ses troupes pour aider les régimes révolutionnaires de la Corne de l'Afrique et de l'Angola. Pourtant, en-dehors de la gauche latino-américaine, combien attendaient réellement ne serait-ce qu'un triomphe pan-africain ou pan-arabe de l'émancipation socialiste ? L'éclatement de

l'éphémère République arabe unie unissant l'Égypte et la Syrie
(1958-1961), et à laquelle le Yémen fut vaguement rattaché, puis les
frictions incessantes entre les régimes syrien et irakien, tous deux
également dirigés par un parti Baas socialiste et pan-arabe, ne
démontraient-ils pas la fragilité, l'irréalité politique même, des révolutions supranationales ?

La preuve la plus spectaculaire de l'extinction de la révolution
mondiale fut la désintégration du mouvement international qui lui
était dévoué. Après 1956, l'URSS et le mouvement qu'elle conduisait perdirent leur monopole de l'attrait révolutionnaire, mais aussi
de la théorie et de l'idéologie qui l'unifiaient. Il y avait désormais de
multiples espèces de marxistes et de marxistes-léninistes, sans
compter les deux ou trois variantes liées aux rares pays communistes
qui, après 1956, gardèrent l'image de Joseph Staline sur leurs étendards : les Chinois, les Albanais et le PC marxiste qui rompit avec le
PC indien orthodoxe.

Ce qu'il restait du mouvement communiste international centré
sur Moscou se désintégra entre 1956 et 1968 : en 1958-1960, la
Chine rompit avec l'URSS et appela, sans grand succès, à la sécession des États du bloc soviétique et à la formation de partis communistes rivaux. Dans le même temps, les partis communistes
(essentiellement occidentaux), à l'exemple des Italiens, commencèrent à prendre ouvertement leurs distances vis-à-vis de Moscou. Et
le « camp socialiste » originel de 1947 éclata lui-même en divers
États plus ou moins fidèles à l'URSS : depuis la Bulgarie[4], incondi-
tionnelle, jusqu'à la Yougoslavie, totalement indépendante. En 1968,
l'invasion de la Tchécoslovaquie par les troupes soviétiques, dans
l'intention de remplacer une forme de politique communiste par une
autre, acheva de clouer le cercueil de « l'internationalisme prolétarien ». Dès lors, il devint normal, même pour les partis communistes
alignés sur Moscou, de critiquer publiquement l'URSS et d'adopter
des politiques divergentes (« l'eurocommunisme »). La fin du mouvement communiste international sonna aussi le glas de toute espèce
d'internationalisme socialiste ou révolutionnaire, car les forces dissidentes et antimoscovites furent incapables de créer des organisations internationales efficaces en-dehors de synodes sectaires. La
seule instance qui rappelât encore discrètement la tradition de libération œcuménique était l'ancienne Internationale socialiste : ressusci-

tée en 1951, elle représentait désormais des partis de gouvernement et autres, pour l'essentiel occidentaux, qui avaient formellement abandonné la révolution, mondiale ou non, et qui, le plus souvent, n'adhéraient même plus aux idées de Marx.

IV

Si la tradition de la révolution sociale, selon le modèle d'Octobre 1917 ou même, d'après certains, selon le modèle des Jacobins de 1793, était épuisée, l'instabilité politique et sociale qui engendrait les révolutions perdurait. Le volcan n'avait pas cessé d'être actif. Comme au début des années 1970, l'Âge d'or du capitalisme mondial touchait à sa fin, une nouvelle vague de révolutions balaya de grandes parties du monde, suivie, dans les années 1980, par la crise des systèmes communistes occidentaux qui, en 1989, mena à leur effondrement.

Bien que surtout concentrées dans le tiers-monde, les révolutions des années 1970 forment un ensemble géographiquement et politiquement disparate. De manière assez surprenante, c'est en Europe qu'elles commencèrent avec le renversement, au Portugal, en avril 1974, du plus vieux régime de droite du continent, suivi, peu après, par l'effondrement, en Grèce, de la dictature militaire d'extrême droite beaucoup plus brève (voir p. 455). Après la mort tant attendue du général Franco en 1975, la transition pacifique de l'Espagne, d'un régime autoritaire à un gouvernement parlementaire, acheva ce retour à la démocratie constitutionnelle dans l'Europe du Sud. On pouvait également considérer ces transformations comme la liquidation de l'héritage de l'ère du fascisme européen et de la Seconde Guerre mondiale.

Le coup d'État des officiers qui révolutionnèrent le Portugal avait mûri aux cours des guerres longues et frustrantes contre les guérillas de libération coloniale que l'armée portugaise livrait en Afrique depuis le début des années 1960. Elle les avait menées sans grosses difficultés, sauf dans la petite colonie de Guinée-Bissau où, à la fin de la décennie 1960, elle avait été tenue en échec par Amilcar Cabral, le plus capable, peut-être, de tous les chefs de mouvements de libération en Afrique. Les guérillas se multiplièrent sur le continent dans les années 1960, à la suite du conflit congolais et du durcissement du régime sud-africain d'*apartheid* (création de *homelands* noirs, massacre de Sharpeville) ; mais ils ne devaient pas obtenir de succès significatifs et pâtirent des rivalités inter-tribales ou sino-soviétiques. Avec l'aide croissante des Soviétiques – la Chine étant par ailleurs occupée par l'étrange cataclysme de la « Grande Révolution culturelle » de Mao –, ces mouvements se réveillèrent au début des années 1970, mais c'est la révolution portugaise qui permit finalement aux colonies d'obtenir leur indépendance en 1975. Mais le Mozambique et l'Angola devaient bientôt plonger dans une guerre civile infiniment plus meurtrière, une fois de plus du fait de l'intervention conjointe des États-Unis et de l'Afrique du Sud.

Cependant, alors que l'empire portugais s'effondrait, une révolution éclatait en Éthiopie, le plus vieil État africain indépendant : l'empereur fut renversé (1974) et finalement remplacé par une junte militaire de gauche alignée sur l'URSS, qui, du coup, se détourna de la dictature militaire somalienne de Siad Barre (1969-1991), lequel proclamait lui aussi son enthousiasme pour Marx et Lénine. Mais le nouveau régime éthiopien se trouva contesté, et finalement renversé (1991), par d'autres mouvements régionaux de libération ou de sécession également marxistes.

Ces changements lancèrent une mode de régimes dévoués, tout au moins sur le papier, à la cause du socialisme. Sans pour autant changer de chef militaire, le Dahomey se proclama République populaire du Bénin. L'île de Madagascar (Malagasy), après le classique coup d'État militaire, embrassa également le socialisme en 1975. Le Congo (à ne pas confondre avec son voisin géant, l'ancien Congo belge devenu le Zaïre sous le régime militariste et pro-américain exceptionnellement rapace de Mobutu) afficha son caractère de République populaire, là encore conduite par des militaires ; et en Rhodésie du Sud (Zimbabwe), les onze années d'efforts pour instaurer un État indépendant dirigé par les blancs tournèrent court en 1976 sous la pression croissante de deux mouvements de guérilla, divisés par leurs identités tribales et leurs allégeances politiques (respectivement russes et chinoises). Le Zimbabwe accéda à l'indépendance, en 1980, sous la houlette de l'un des chefs de la guérilla.

Sur le papier, tous ces mouvements appartenaient certes à la vieille famille révolutionnaire de 1917. En réalité, ils relevaient clairement d'une autre espèce, ce qui était d'ailleurs inévitable compte tenu des différences entre les sociétés de l'Afrique coloniale sub-saharienne et celles auxquelles s'appliquaient les analyses de Marx et de Lénine. Le seul pays africain où fussent réunies quelques-unes des conditions d'application d'une telle théorie était l'Afrique du Sud avec son régime capitaliste de colons, économiquement développé et industrialisé : par-delà les frontières tribales et raciales, devait s'y former un authentique mouvement de libération de masse, le Congrès national africain (ANC), avec le concours d'un véritable mouvement syndical de masse et d'un Parti communiste efficace. Après la fin de la guerre froide, il obligea le régime de l'apartheid à battre en retraite. Mais, là encore, le mouvement était beaucoup mieux implanté dans certaines tribus que dans d'autres (chez les Zoulous, par exemple), et le régime de l'apartheid put exploiter, non sans résultats, cette situation. Partout ailleurs, sauf dans le cadre étroit, voire minuscule, des intellectuels urbains, éduqués et occidentalisés, les mobilisations « nationales » et autres reposaient au fond sur des allégeances ou des alliances tribales, permettant ainsi aux impérialistes de mobiliser d'autres tribus contre les nouveaux régimes. C'est ce qui se passa en Angola. Pour ces pays, le marxisme-léninisme n'avait qu'un seul intérêt, celui de permettre la formation de partis de cadres disciplinés et de gouvernements autoritaires.

Le retrait des Américains d'Indochine renforça le communisme dans la région. Le Viêt-nam était désormais réuni sous un gouvernement communiste incontesté, tandis que des gouvernements analogues s'imposèrent ensuite au Laos et au Cambodge – dans ce dernier cas sous la direction des « Khmers rouges », où le maoïsme de café parisien de leur chef, Pol Pot (1925-1998), devait former un mélange particulièrement meurtrier avec les paysans armés de la brousse appliqués à détruire la civilisation dégénérée des villes. Même selon les critères de notre siècle, le bilan du nouveau régime est effarant : il aurait tué près de 20 % de la population, avant que ses dignitaires ne soient chassés du pouvoir par une invasion vietnamienne qui rétablit un gouvernement humain en 1978. Après quoi, pendant l'un des épisodes les plus déprimants de la diplomatie, la Chine et le bloc américain continuèrent à soutenir les restes du régime de Pol Pot au nom de la lutte contre les Soviétiques et les Vietnamiens.

À la fin des années 1970, l'écume de la vague révolutionnaire atteignit directement les États-Unis : l'Amérique centrale et les Caraïbes, zone de domination incontestée de Washington, semblèrent alors virer à gauche. Pas plus que la révolution cubaine, la révolution nicaraguayenne de 1979, qui renversa la famille Somoza (cheville ouvrière du contrôle américain sur les petites républiques de la région), la montée du mouvement de guérilla au Salvador, ni même le fâcheux général Torrijos, qui s'installa près du canal de Panama, n'entamèrent sérieusement la domination américaine ; ni *a fortiori*, la révolution de la minuscule île de Grenade, contre laquelle le président Reagan mobilisa en 1983 sa puissante armée. Et pourtant, entre le succès de ces mouvements et leur échec des années 1960, il y avait un contraste frappant qui créa, sous la présidence de Reagan (1980-1988), un bref accès d'hystérie à Washington. Ce n'en furent pas moins des phénomènes révolutionnaires incontestables, bien que d'un type latino-américain familier : la grande nouveauté, à la fois déroutante et troublante pour ceux qui se réclamaient de la vieille tradition de gauche foncièrement laïque et anticléricale, fut l'apparition de prêtres catholiques marxistes qui soutinrent ces insurrections, y participèrent ou même les conduisirent. Légitimée par une « théologie de la libération » appuyée par une conférence épiscopale qui avait eu lieu en Colombie (1968), cette tendance était apparue après la révolution cubaine[5], et trouva de solides soutiens intellectuels dans le milieu le plus inattendu, celui des Jésuites, et l'opposition moins inattendue du Vatican.

Alors que l'historien voit à quel point même ces révolutions des années 1970 étaient loin de la révolution d'Octobre (malgré leur affinité revendiquée), les gouvernements américains y décelèrent, inévitablement et fondamentalement, un élément de l'offensive mondiale de la superpuissance communiste. La raison en était, pour une part, la supposée règle du jeu à somme nulle de la guerre froide : ce que perdait un joueur profitait nécessairement à l'autre ; et puisque les États-Unis s'étaient alignés sur les forces conservatrices de la majeure partie du tiers-monde, et ce plus que jamais au cours des années 1970, ils se retrouvèrent du côté des perdants. De surcroît, Washington imaginait avoir des raisons de s'inquiéter des progrès de l'armement nucléaire soviétique. En tout état de cause, l'Âge d'or du capitalisme mondial, et le rôle central qu'y jouait le dollar, touchait à sa fin. De plus, la superpuissance américaine était sortie inévitablement affaiblie de sa défaite universellement annoncée au Viêt-nam (1975), d'où la plus grande puissance militaire du monde avait dû finalement se retirer. Depuis que la fronde de David avait eu raison de Goliath, jamais on n'avait vu pareille débâcle. Est-ce aller trop loin que d'imaginer – surtout à la lumière de la guerre du Golfe de 1991 – que des États-Unis plus assurés n'auraient pas accepté aussi facilement le coup de force de l'OPEP en 1973 ? Après tout, qu'était l'OPEP, sinon un groupe d'États essentiellement arabes, sans autre importance politique que celle que leur donnaient leurs puits de pétrole, et qui n'étaient pas encore armés jusqu'aux dents grâce aux prix élevés du brut qu'ils purent alors exiger ?

Les États-Unis percevaient inévitablement tout affaiblissement de leur suprématie mondiale comme un défi, et un signe de la soif de domination mondiale des Soviétiques. Les révolutions des années 1970 débouchèrent donc sur ce qu'on a appelé la « seconde guerre froide » (Halliday, 1983), que les deux camps menèrent, comme d'habitude, par procuration : essentiellement en Afrique, puis en Afghanistan, où l'armée soviétique se trouva, pour la première fois depuis la Seconde Guerre mondiale, engagée hors de ses frontières. On ne saurait cependant écarter l'affirmation suivant laquelle l'URSS eut le sentiment que ces nouvelles révolutions lui permettaient de modifier légèrement l'équilibre mondial en sa faveur ou, plus précisément, de compenser au moins en partie ses grands échecs diplomatiques des années 1970, à savoir, les revers essuyés en Égypte et en Chine, dont Washington réussit à déplacer les allégeances. L'URSS se tint à l'écart des Amériques, mais elle intervint ailleurs, surtout en Afrique, beaucoup plus largement qu'avant et avec une certaine réussite. Le simple fait qu'elle ait laissé, voire encouragé, Fidel Castro à envoyer des troupes cubaines pour aider, d'une part, l'Éthiopie contre la Somalie – nouvel État client des États-Unis (1977) –, et d'autre part, l'Angola contre l'UNITA – mouvement de rébellion soutenu par les États-Unis et l'armée sud-africaine – est significatif. Dans leurs communiqués, en plus des régimes communistes, les Soviétiques parlaient désormais des « États d'orientation socialiste ». Ce fut à ce titre que l'Angola, le Mozambique, le Nicaragua, le Yémen du Sud et l'Afghanistan assistèrent aux funérailles de Brejnev en 1982.

L'URSS n'avait ni fait ni contrôlé ces révolutions, mais elle avait visiblement mis quelque empressement à les saluer.

La vague suivante d'effondrement ou de renversement de ces régimes prouva néanmoins qu'on ne pouvait imputer ces bouleversements ni à l'ambition soviétique ni à la « conspiration communiste mondiale », ne serait-ce que pour une seule raison : à partir de 1980, le système soviétique lui-même commença à être déstabilisé, avant de se désintégrer à la fin de la décennie. La chute du « socialisme réellement existant » sera évoquée dans un autre chapitre, où l'on verra aussi dans quelle mesure il est permis de parler de « révolutions ». Cependant, même si la grande révolution qui précéda les crises de l'Est, porta un plus grand coup aux États-Unis qu'aucun des autres changements de régime des années 1970, celle-ci n'avait rien à voir avec la guerre froide.

Le renversement du Schah d'Iran en 1979 fut en effet de loin la plus grande révolution des années 1970 et elle entrera dans l'histoire comme l'une des grandes révolutions sociales du XXe siècle. Ce fut une réaction au programme de modernisation et d'industrialisation accélérées (pour ne pas parler de l'armement) lancé par le Schah avec l'aide massive des États-Unis et grâce aux richesses pétrolières du pays dont la révolution de l'OPEP avait multiplié les prix après 1973. Outre les autres signes de mégalomanie typiques des régimes absolutistes appuyés sur une formidable et redoutable police secrète, sans doute le Schah espérait-il faire de son pays la puissance dominante dans l'Ouest de l'Asie. La modernisation était synonyme de réforme agraire telle que le Schah la concevait : transformer un grand nombre de fermiers et de métayers en petits propriétaires d'exploitations non rentables ou d'ouvriers agricoles sans travail qui, dès lors, émigreraient vers les villes. De 1,8 million d'habitants en 1960, Téhéran passa à six millions. L'agrobusiness de haute technologie et à forte intensité de capital que favorisa le gouvernement accrut la main-d'œuvre surnuméraire sans pour autant servir la production agricole par tête, qui déclina tout au long des années 1960 et 1970. À la fin des années 1970, l'Iran importait la majeure partie de ses denrées alimentaires.

Le Schah s'en remit de plus en plus à une industrialisation financée par le pétrole, et protectionniste parce que incapable d'affronter la concurrence mondiale. La combinaison d'une agriculture déclinante, d'une industrie inefficace, d'importations massives – notamment d'armes – et du boom pétrolier alimenta l'inflation. Il est possible que le niveau de vie de la plupart des Iraniens qui n'étaient pas directement impliqués dans le secteur moderne de l'économie, ou qui n'appartenaient pas aux milieux d'affaires prospères et en plein essor des villes, ait bel et bien plongé dans les années qui précédèrent la révolution.

L'énergique modernisation culturelle voulue par le Schah se retourna aussi contre lui. Les efforts sincères que l'impératrice et lui déployèrent pour améliorer le sort des femmes avaient peu de chances d'être populaires dans un pays islamique : les communistes afghans devaient, eux aussi, en faire l'expérience. Et son enthousiasme éducatif, également sincère, qui fit progresser l'alphabétisation des masses (près de la moitié de la population demeurait cependant illettrée), produisit un fort contingent d'étudiants et d'intellectuels révolutionnaires. Enfin, l'industrialisation renforça la position stratégique de la classe ouvrière, surtout dans l'industrie pétrolière.

Depuis que le Schah avait été replacé sur le trône, en 1953, à la faveur d'un coup d'État organisé par la CIA contre un large mouvement populaire, il n'avait guère accumulé un capital de loyauté et de légitimité sur lequel il pût s'appuyer. Sa dynastie elle-même, les Pahlavi, ne remontait qu'au coup d'État fomenté par son fondateur, Rizah Schah, soldat des brigades cosaques qui avait pris le titre impérial en 1925. Dans les années 1960 et 1970, sa police secrète continuait à tenir en échec la vieille opposition communiste et nationale, réprimant les mouvements régionaux et ethniques de même que les habituels groupes de guérilla gauchiste, marxiste orthodoxe ou islamo-marxiste. Ceux-ci ne purent donc servir de détonateur à l'explosion, laquelle fut essentiellement un mouvement des masses urbaines – renouant ainsi avec l'ancienne tradition révolutionnaire, de Paris (1789) à Petrograd (1917). Le calme régnait dans les campagnes.

L'étincelle vint d'une caractéristique propre à la scène iranienne : l'existence d'un clergé islamique organisé et politiquement actif, qui occupait une position publique sans équivalent dans le reste du monde islamique, pas même dans sa partie chiite. Avec les marchands et les artisans des bazars, ces religieux avaient dans le passé formé l'élément activiste de la politique iranienne. Et ce sont eux qui mobilisèrent la nouvelle plèbe des villes – corps immense qui ne manquait pas de raisons de s'opposer au régime.

Leur chef, l'ayatollah Ruholla Khomeiny, était un vieillard éminent et vindicatif, exilé depuis le milieu des années 1960 pour avoir
conduit des manifestations contre un projet de référendum sur la
réforme agraire et contre la répression policière envers les activités
du clergé dans la ville sainte de Qom. Depuis lors, il n'avait cessé de
dénoncer dans la monarchie une force hostile à l'islam. À compter
du début des années 1970, il se mit à prêcher une forme de gouvernement islamique total, rappelant au clergé qu'il avait le devoir de se
rebeller contre des autorités despotiques et, en fait, de prendre le
pouvoir : bref, il en appela à une révolution islamique. C'était une
innovation radicale, même pour un clergé chiite politiquement militant. Ces sentiments furent propagés par la voie post-coranique de
cassettes enregistrées, et les masses écoutèrent. Les jeunes étudiants
religieux de la ville sainte passèrent à l'action en 1978, manifestant
contre un prétendu assassinat organisé par la police secrète. Les
forces de l'ordre ouvrirent le feu. D'autres manifestations furent
organisées pour pleurer les martyrs : elles devaient se renouveler
tous les quarante jours, prenant chaque fois plus d'ampleur. À la fin
de l'année, des millions d'Iraniens descendaient dans la rue pour
manifester contre le régime. Les guérillas passèrent de nouveau à
l'action. Les ouvriers du pétrole se lancèrent dans une grève d'une
portée décisive tandis que les bazars fermaient boutique. Le pays
était paralysé : l'armée fut incapable ou refusa de réprimer le soulèvement. Le 16 janvier 1979, le Schah prenait le chemin de l'exil. La
révolution avait triomphé.

La nouveauté de cette révolution était idéologique. Jusque-là, la
quasi-totalité des phénomènes auxquels on reconnaissait communément un caractère révolutionnaire avaient suivi la tradition, l'idéologie et, d'une manière générale, le vocabulaire de la révolution
occidentale depuis 1789 ; plus précisément, d'une variante de la
gauche laïque, essentiellement socialiste ou communiste. La gauche
traditionnelle fut bel et bien présente et active en Iran ; et son rôle
dans le renversement du Schah, notamment par les grèves ouvrières,
est loin d'avoir été insignifiant. Pourtant, elle fut presque aussitôt éliminée par le nouveau régime. La révolution iranienne est la première
qui ait été accomplie et gagnée sous l'étendard du fondamentalisme
religieux et qui ait remplacé l'ancien régime par une théocratie populiste, dont le programme affiché était d'en revenir au VIIe siècle ou

plutôt à la situation d'après l'hégire *(hijra)*, à l'époque où le Coran fut écrit. Pour les révolutionnaires à l'ancienne, c'était aussi incongru que si Pie IX avait pris la tête de la révolution romaine de 1848.

Cela ne veut pas dire que les mouvements religieux allaient désormais alimenter les révolutions, même si à partir des années 1970, ils devinrent sans conteste, dans le monde islamique, une force politique de masse au sein des classes moyennes et parmi les intellectuels des populations en plein essor, et qu'ils prirent un tour insurrectionnel sous l'influence de la révolution iranienne. Les fondamentalistes islamiques se révoltèrent et furent sauvagement réprimés dans la Syrie baasiste ; ils prirent d'assaut le plus saint des sanctuaires de la pieuse Arabie Saoudite et fomentèrent (sous la direction d'un ingénieur en électricité) l'assassinat du président égyptien Sadate – tout cela entre 1979 et 1982[6]. Il n'y a pas une seule doctrine révolutionnaire qui ait su remplacer la vieille tradition de 1789/1917, ni un seul projet dominant en vue de changer le monde, qui se soit démarqué du simple renversement d'un pouvoir en place.

Cela ne signifie pas que l'ancienne tradition ait disparu de la scène politique ou ait perdu toute force de renverser les régimes, bien que la chute du communisme soviétique l'ait pratiquement éliminée d'une bonne partie du monde. Les anciennes idéologies ont conservé une large influence en Amérique latine, où l'effrayant mouvement insurrectionnel des années 1980, le *Sendero Luminoso* (le Sentier lumineux) péruvien, affichait son maoïsme. Elles étaient bien vivantes en Afrique et en Inde. De plus, à la grande surprise de ceux qui ressortaient les clichés de la guerre froide, les partis dirigeants « d'avant-garde » de type soviétique survécurent à la chute de l'URSS, en particulier dans les pays retardataires et dans le tiers-monde. Ils remportèrent des élections régulières dans le Sud des Balkans, et ils démontrèrent à Cuba et au Nicaragua, en Angola et même, après le retrait des troupes soviétiques, en Afghanistan, qu'ils étaient plus que de simples clients de Moscou. Et pourtant, même là, l'ancienne tradition était usée, voire quasiment détruite de l'intérieur comme en Serbie, où le Parti communiste s'était transformé en parti du chauvinisme de la Grande Serbie, ou dans le mouvement palestinien, dont les dirigeants issus de la gauche laïque se trouvèrent de plus en plus contestés par l'essor du fondamentalisme islamique.

V

Les révolutions de la fin du XXe siècle présentaient donc deux caractéristiques : d'un côté, l'atrophie de la tradition révolutionnaire établie ; de l'autre, le réveil des masses. Depuis 1917-1918, on l'a vu (chapitre 2), peu de révolutions s'étaient faites à la base. La plupart avaient été l'œuvre de minorités militantes, engagées et organisées, ou imposées par le haut, à la faveur de coups d'État ou de conquêtes militaires. Ce qui ne signifie pas que, dans des circonstances propices, elles n'aient pas été authentiquement populaires. Sauf quand elles arrivaient avec des conquérants étrangers, elles n'avaient guère pu triompher autrement. La fin du XXe siècle aura cependant vu les « masses » quitter les seconds rôles pour passer sur le devant de la scène. De son côté, l'activisme des minorités, sous la forme de guérillas urbaines ou rurales et du terrorisme, se poursuivit au point de devenir endémique dans le monde développé et dans de larges parties de l'Asie du Sud et de la zone islamique. Suivant le décompte du Département d'État américain, les incidents terroristes internationaux ont connu une croissance presque continue : de 125 en 1968 à 831 en 1987, le nombre de victimes passant dans le même temps de 251 à 2 905 (*UN World Social Situation*, 1989, p. 165).

La liste des assassinats politiques s'allongea : Anouar el Sadate en Égypte (1981) ; Indira Gandhi (1984) puis Rajiv Gandhi (1991) en Inde, pour n'en citer que quelques-uns. Les activités de l'Armée républicaine irlandaise provisoire (IRA) au Royaume-Uni et de l'ETA basque en Espagne sont caractéristiques de cette forme de violence de petits groupes, qui avait l'avantage de pouvoir être pratiquée par quelques centaines, voire quelques dizaines seulement, de militants, avec l'aide d'explosifs et d'armes très puissants, bon marché et portables, qu'un trafic international florissant disséminait désormais largement à travers le monde. Elles étaient le symptôme de la « barbarisation » croissante des trois mondes et ne firent qu'aggraver l'atmosphère viciée de violence et d'insécurité généralisée que l'humanité urbaine devait apprendre à respirer à la fin du millénaire. Sa contribution à la révolution politique demeura cependant réduite.

Tel ne fut pas le cas en revanche – la révolution iranienne en fit la démonstration – de l'empressement du peuple à descendre par millions dans les rues. Ou, comme en Allemagne de l'Est, dix ans plus tard, de la décision des citoyens de la République démocratique allemande – inorganisée, spontanée, quoique fortement facilitée par l'ouverture des frontières hongroises – de voter contre le régime avec leurs pieds et leurs voitures en émigrant vers l'Allemagne de l'Ouest. Ils furent 130 000 à le faire en deux mois (Umbruch, 1990, p. 7-10), avant que ne tombe le Mur de Berlin. De même, en Roumanie, où pour la première fois la télévision saisit la révolution sur le vif, montrant le visage du dictateur se décomposer alors que la foule convoquée par le régime sur la place publique pour l'acclamer se mit bientôt à le huer. Ou dans les territoires occupés de la Palestine, où l'*intifada*, mouvement de non-coopération de masse né en 1987, démontra que l'occupation israélienne ne reposait que sur la répression active, et non plus sur la passivité ou même l'acceptation tacite. Certes ces populations jusque-là inertes ont pu être stimulées par les médias – avec les moyens de communication modernes comme la télévision et les magnétophones, il est devenu difficile de maintenir dans la réclusion même les populations les plus isolées des affaires du monde –, mais c'est leur empressement à descendre dans la rue qui fut décisif.

Pour autant, ce ne sont pas ces seules actions de masse qui ont fait, ou qui pouvaient faire, tomber ces régimes. La coercition et les armes auraient même pu y mettre un terme ; ainsi en Chine, où le massacre de Tienanmen, à Pékin, mit fin en 1989 à la mobilisation des masses pour la démocratie. (Si ample fût-il, ce mouvement estudiantin et urbain ne représentait qu'une modeste minorité de Chinois ; il n'en fut pas moins assez large pour faire vaciller le régime.) En réalité, le rôle de ces mobilisations fut de démontrer qu'un régime avait perdu sa légitimité. En Iran, comme à Petrograd en 1917, cette perte apparut de la façon la plus classique : le refus de l'armée et de la police d'obéir aux ordres. En Europe de l'Est, elle convainquit les anciens régimes déjà démoralisés par le refus des Soviétiques de leur venir en aide qu'ils avaient fait leur temps. Ce fut la démonstration exemplaire d'une maxime de Lénine : il peut être plus efficace de voter avec ses pieds que de participer aux élections. Naturellement, les semelles des masses ne font pas les révolutions. Ce ne sont pas des armées, mais des foules ou des agrégats statistiques d'individus. Pour être efficaces, il leur faut des chefs, des structures politiques ou des stratégies. En Iran, par exemple, c'est la campagne de protestation lancée par les adversaires du régime qui les mobilisa, mais c'est l'empressement de millions de personnes à s'y joindre qui la transforma en révolution. De la même façon, les exemples antérieurs d'intervention directe des masses avaient pour origine un appel lancé du sommet : ainsi du Congrès national indien, qui avait appelé à refuser de coopérer avec les Britanniques dans les années 1920 et 1930 (*cf.* chapitre 2) ; ou en 1945, des partisans du président Perón descendus le fameux « Jour de la Loyauté » sur la Plaza de Mayo, à Buenos Aires, pour exiger la libération de leur héros emprisonné. De surcroît, l'élément décisif ne fut pas le nombre en soi, mais une situation qui rendait son action réellement efficace.

Nous ne saisissons pas encore très bien pourquoi le vote des masses avec leurs pieds a pris tant d'importance politique dans les dernières décennies du siècle. L'une des raisons en est certainement que le fossé s'est presque partout creusé entre les dirigeants et les dirigés, même s'il était peu probable que ce phénomène débouchât sur une révolution ou une perte de contact totale dans les États dont les citoyens avaient régulièrement l'occasion d'exprimer leurs préférences politiques ou dont divers mécanismes politiques permettaient de sonder l'état d'esprit. Les manifestations de défiance quasi unanimes avaient plus de chance de se produire dans des régimes qui avaient perdu toute légitimité ou qui n'en avaient jamais eue (comme Israël dans les territoires occupés), surtout quand ils avaient fermé les yeux sur cette réalité[7]. Reste que les démonstrations massives de rejet des systèmes politiques ou des partis en place devinrent assez fréquentes jusque dans les systèmes établis et stables de démocratie parlementaire : en témoignent la crise politique italienne de 1992-1993 et l'essor dans divers pays de nouvelles et grandes forces électorales dont le seul dénominateur commun était qu'elles ne s'identifiaient à *aucun* des anciens partis.

Mais il est une autre raison au réveil des masses : l'urbanisation de la planète, et tout particulièrement du tiers-monde. À l'ère classique des révolutions, de 1789 à 1917, les anciens régimes furent renversés dans les grandes villes, tandis que les nouveaux s'imposèrent par les plébiscites silencieux des campagnes. La nouveauté de la phase révolutionnaire d'après les années 1930 est qu'elles se firent dans les campagnes pour n'être importées dans les villes qu'une fois la victoire acquise. À la fin du XXe siècle, quelques régions rétrogrades mises à part, la révolution, même dans le tiers-monde, devait venir une fois de plus de la ville. Il ne pouvait en aller autrement pour une double raison : premièrement, parce que dans tous les grands États, les villes abritaient, ou paraissaient appelées à accueillir une majorité de la population ; et, deuxièmement, parce que la grande ville, siège du pouvoir, aurait pu survivre et se défendre du défi rural grâce à la technologie moderne, tant que les autorités n'avaient pas perdu le loyalisme de leurs populations. La guerre d'Afghanistan (1979-1988) prouva qu'un régime à base urbaine pouvait se maintenir dans un pays de guérilla classique, hérissé d'insurrections rurales, soutenues, financées et équipées d'armes modernes de haute technologie, même après le retrait de l'armée étrangère sur lequel il s'était appuyé. À la surprise générale, le gouvernement du président Najibullah survécut quelques années au retrait de l'armée soviétique. S'il tomba, ce n'est pas que Kaboul ne pouvait plus résister aux armées rurales, mais parce qu'une section de ses militaires de carrière décidèrent de changer de camp. Après la guerre du Golfe (1991), Saddam Hussein parvint à se maintenir au pouvoir en Irak, malgré les grandes insurrections qui éclatèrent dans le Nord et le Sud du pays, et malgré son état de faiblesse militaire ; tout cela, parce qu'il n'avait pas perdu Bagdad. Pour triompher, les révolutions de la fin du XXe siècle doivent être urbaines.

Cet état de faits va-t-il durer ? Les quatre grandes vagues du XXe siècle – 1917-1920, 1944-1962, 1974-1978 et 1989 – seront-elles suivies de nouveaux accès d'effondrement et de renversement ? Quiconque se retourne sur un siècle où rares sont les États qui aient vu le jour ou aient survécu sans révolution, contre-révolution armée, coups d'État militaires ou guerres civiles[8] ne parierait pas lourd sur le triomphe universel du changement pacifique et constitutionnel qu'annoncèrent en 1989 certains adeptes euphoriques de la démocratie libérale. Le monde qui aborde le troisième millénaire n'est pas un monde d'États ni de sociétés stables.

S'il est quasiment certain que la planète, ou tout au moins une grande partie de celle-ci, fourmillera de changements violents, la nature de ces changements demeure obscure. Le monde de la fin du

Court Vingtième Siècle est dans un état d'effondrement social, plutôt que de crise révolutionnaire, même s'il compte naturellement des pays où, comme dans l'Iran des années 1970, les conditions sont réunies pour renverser des régimes honnis, ayant perdu leur légitimité par un soulèvement populaire conduit par des forces capables de les remplacer : tel était le cas, au début des années 1990, de l'Algérie, et, avant l'abdication du régime de l'apartheid, de l'Afrique du Sud. (Que les conditions potentielles ou réelles d'une révolution soient réunies ne signifie pas pour autant que celle-ci triomphera.) Néanmoins, ce genre de mécontentement à l'égard du *statu quo* est moins répandu que le vague rejet du présent, l'absence d'organisation politique, la défiance, ou simplement le processus de désintégration auquel les États, dans leur politique tant nationale qu'internationale, s'adaptent du mieux qu'ils peuvent.

C'est aussi un monde plein de violence – il y a plus de violence que dans le passé – et, ce qui est peut-être tout aussi décisif, plein d'armes. Avant l'accession de Hitler au pouvoir en Allemagne et en Autriche, et si vives que pouvaient êtres les tensions et les haines raciales, on imaginait mal qu'elles pourraient amener des skinheads néonazis à mettre le feu à un foyer d'immigrés, tuant ainsi six membres d'une famille turque. En 1993, pourtant, un tel incident choque, mais ne surprend plus, quand il se produit au cœur d'une Allemagne tranquille, dans une ville (Solingen), soit dit en passant, héritière de l'une des plus anciennes traditions de socialisme ouvrier de ce pays.

Qui plus est, les armes et les explosifs puissants sont devenus si accessibles de nos jours qu'on ne saurait plus tenir pour acquis l'habituel monopole de l'État dans les sociétés développées. Dans l'anarchie de pauvreté et de cupidité qui a remplacé l'ancien bloc soviétique, il n'était même plus inconcevable que des armes nucléaires (ou les moyens de les fabriquer) tombent entre les mains d'autres organisations que les gouvernements.

Le monde du troisième millénaire restera donc très certainement un monde de violences politiques et de changements politiques violents. Seule la direction dans laquelle ils conduiront, reste incertaine.

CHAPITRE 16
LA FIN DU SOCIALISME

« *La santé de ce pays* [la Russie révolutionnaire] *implique comme une condition nécessaire qu'un marché noir du pouvoir ne s'instaure pas (comme celui dont fut victime l'Église elle-même). Si la combinaison européenne du pouvoir et de l'argent pénétrait également en Russie, ce ne serait pas le pays qui serait perdu, peut-être pas même le parti, mais le communisme en Russie.* »

Walter BENJAMIN,
Paysages urbains, 1979, trad. fr., p. 278.

« *Il n'est plus vrai qu'un credo officiel unique soit le seul guide opératoire de l'action. Plus qu'une idéologie, les façons de penser et les cadres de référence se mêlent et coexistent, non seulement dans la société mais aussi au sein du Parti et de la direction.* [...] *Sauf dans la rhétorique officielle, un* « *marxisme-léninisme* » *rigide et codifié ne saurait répondre aux vrais besoins du régime.* »

Moche LEWIN *in* Kerblay, 1983, p. XXVI.

« *La clé de la modernisation est le développement de la science et des techniques... À se répandre en vains bavardages, notre programme de modernisation n'ira nulle part ; nous avons besoin de savoir et de personnel qualifié... Or il apparaît aujourd'hui que la Chine accuse un retard de vingt bonnes années sur les pays développés en matière de science, de technique et d'éducation... Dès la Restauration Meiji, les Japonais ont consenti de gros efforts dans ces domaines. La Restauration Meiji a été, pour ainsi dire, une vague de modernisation promue par la bourgeoisie japonaise naissante. En tant que prolétaires, nous devons, et pouvons, faire mieux.* »

Deng XIAOPING, « *Respecter la connaissance, respecter le personnel qualifié* », 1977.

I

Dans les années 1970, un des pays socialistes s'inquiétait tout particulièrement de sa relative arriération économique, ne serait-ce que
parce qu'il avait pour voisin le Japon, c'est-à-dire la réussite la plus
spectaculaire des États capitalistes. On ne saurait voir dans le communisme chinois une simple variante du communisme soviétique,
encore moins un élément de son système satellite. Pour commencer,
il triompha dans un pays beaucoup plus peuplé que l'URSS et, au
demeurant, qu'aucun autre État. Même en tenant compte des incertitudes de la démographie chinoise, près d'un être humain sur cinq
vivait en Chine continentale. (Il y avait, en plus, une forte diaspora
chinoise en Asie de l'Est et du Sud-Est.) De surcroît, ce pays n'était
pas seulement, d'un point de vue national, beaucoup plus homogène
que la plupart des autres (les Han formaient près de 94 % de sa population), mais depuis probablement deux millénaires au moins, il formait une seule et même entité politique – quelles que soient les
périodes de troubles qu'il avait pu traverser. Mieux encore : pendant
le plus clair de ces deux millénaires, l'Empire chinois, et probablement la plupart de ses habitants qui avaient une idée en la matière,
avaient considéré la Chine comme le centre et le modèle de la civilisation mondiale. À quelques exceptions mineures près, *tous* les autres
pays où avaient triomphé des régimes communistes, à commencer
par l'URSS, étaient culturellement arriérés et marginaux, et se considéraient comme tels, au regard de quelque centre de civilisation plus
avancé et paradigmatique. La véhémence même avec laquelle
l'URSS de Staline insista sur son absence de dépendance intellectuelle et technologique à l'égard de l'Occident et sur la source
autochtone de toutes les grandes inventions, du téléphone à l'aviation, était un symptôme éloquent de ce sentiment d'infériorité[1].

Tel n'était pas le cas de la Chine qui, à juste raison, voyait dans sa
civilisation classique, son art, son écriture et son système de valeurs
sociales une source d'inspiration et un modèle reconnus pour
d'autres – et notamment pour le Japon lui-même. Elle ne souffrait
assurément d'aucun sentiment d'infériorité intellectuelle et culturelle, ni collectivement ni individuellement. Le fait même qu'elle
n'eût pas de voisins susceptibles de la menacer, fût-ce très vague-

ment, et qu'elle n'avait plus eu la moindre difficulté à refouler les barbares à ses frontières depuis qu'elle avait adopté les armes à feu, la confirmait dans son sentiment de supériorité, quand bien même elle n'avait aucunement préparé l'empire à l'expansion impériale de l'Occident. Son retard technique n'était devenu que trop évident au XIXe siècle parce qu'il s'était traduit en infériorité militaire ; mais, loin d'être le fait d'une incapacité technique ou d'un déficit éducatif, il était lié à l'indépendance et à l'assurance mêmes de la civilisation chinoise traditionnelle. D'où sa répugnance à suivre l'exemple des Japonais après la révolution Meiji de 1868 et à se lancer dans la « modernisation » en adoptant systématiquement les modèles européens. Cela ne pouvait se faire et ne se ferait que sur les ruines de l'ancien Empire chinois, gardien de la vieille civilisation, et au prix d'une révolution sociale, qui fut en même temps une révolution culturelle contre le système confucéen.

Le communisme chinois était donc à la fois social, si le mot ne préjuge pas de ce qui est en cause, national. L'explosif social qui alimenta la révolution communiste est la pauvreté et l'oppression extraordinaires du peuple : d'abord des masses laborieuses des grandes villes côtières de Chine centrale et méridionale, qui formaient des enclaves de domination impérialiste et parfois d'industrie moderne – Shanghai, Canton, Hong-Kong –, ensuite de la paysannerie, qui représentait 90 % de l'immense population du pays. La condition de celle-ci était même bien pire que celle de la population urbaine, dont la consommation par tête était près de deux fois et demie plus élevée. Il est difficile aux Occidentaux d'imaginer la pauvreté de la Chine. Ainsi, à l'époque où les communistes prirent le pouvoir (données de 1952), le Chinois moyen vivait essentiellement d'un demi-kilo de riz ou de céréales par jour et consommait moins de 0,08 kilos de thé *par an*. Il s'achetait une nouvelle paire de chaussures une fois tous les cinq ans (*China Statistics*, 1989, tableau 3.1, 15.2, 15.5).

L'élément national du communisme chinois opéra à la fois *via* les intellectuels issus de la haute société ou des classes moyennes, qui fournirent la majeure partie des dirigeants des mouvements politiques au XXe siècle, et à travers le sentiment, sans nul doute généralisé parmi les masses, que les barbares étrangers n'apportaient rien de très positif aux individus avec lesquels ils traitaient, ni à la Chine dans son ensemble. La Chine ayant été agressée, vaincue, partagée et exploitée par tous les États étrangers qui s'en étaient approchés depuis le milieu du XIXᵉ siècle, cette idée n'avait rien d'invraisemblable. Les mouvements anti-impérialistes de masse animés d'une idéologie traditionnelle étaient connus dès avant la fin de l'Empire chinois, comme ce que l'on a appelé la révolte des Boxers, en 1900. Mais c'est sans conteste la résistance à la conquête japonaise qui a changé la situation des communistes chinois et qui, d'agitateurs sociaux voués à l'échec qu'ils étaient au milieu des années 1930, en a fait les chefs et les représentants du peuple tout entier. Auprès des masses (essentiellement rurales), leur appel à une libération et à une régénérescence nationales était d'autant plus convaincant qu'ils réclamaient aussi la libération sociale des pauvres.

C'est ce qui leur donna l'avantage sur leurs adversaires du vieux parti Guomindang, qui avait tenté de reconstruire une seule et puissante République chinoise à partir des débris de l'Empire que les seigneurs de la guerre se disputaient depuis sa chute en 1911. À court terme, les objectifs des deux partis ne semblaient pas incompatibles. Tous deux étaient essentiellement implantés dans les villes plus avancées de la Chine du Sud (où la République instaura sa capitale), et leurs dirigeants se recrutaient largement dans la même élite éduquée, avec une certaine tendance à privilégier les hommes d'affaires dans l'un, les ouvriers et les paysans dans l'autre. Par exemple, tous deux comptaient à peu près le même pourcentage d'hommes issus des rangs des propriétaires fonciers et des lettrés, c'est-à-dire des élites de la Chine impériale, même si les communistes avaient relativement plus de dirigeants qui avaient fait des études supérieures de type occidental (North/Pool, 1966, p. 378-382). Les deux groupes étaient également issus du mouvement anti-impérial des années 1900, renforcé par le « Mouvement de mai », c'est-à-dire la révolte des étudiants et des enseignants à Pékin après 1919. Sun Yat-sen (Sun Wen), le chef du Guomindang, était un patriote, démocrate et socialiste, qui comptait sur l'aide et le soutien de la Russie soviétique – seule puissance révolutionnaire et anti-impérialiste –, et trouvait le modèle bolchevique d'État-parti unique mieux adapté à cette tâche que les modèles occidentaux. De fait, c'est essentiellement grâce à cet amarrage avec les Soviétiques que les communistes purent devenir une force de premier plan, car il leur permit d'être intégré au mouvement national officiel et, après la mort de Sun en 1925, de prendre part à la grande progression vers le Nord qui vit la République étendre son contrôle à la moitié de la Chine qu'elle n'avait pas sous sa coupe. Chiang Kai-shek (Jiang Jieshi, 1887-1975), le successeur de Sun, ne devait jamais parvenir à s'imposer au pays tout entier, alors même qu'en 1927 il rompit avec les Russes et se retourna contre les communistes, essentiellement implantés à cette époque dans la petite classe ouvrière urbaine.

Contraints de faire porter l'essentiel de leur attention sur les campagnes, les communistes se lancèrent alors dans une guerre de guérilla paysanne contre le Guomindang : dans l'ensemble sans grand succès – du fait, notamment, de leurs divisions et de leurs confusions, mais aussi de l'éloignement de Moscou des réalités chinoises. En 1934, leurs armées furent obligées de battre en retraite dans un coin reculé du Nord-Est : ce fut l'héroïque « Longue Marche ». Ces événements firent de Mao Zedong, qui prônait de longue date une stratégie rurale, le chef incontesté du Parti communiste dans son exil de Yan'an. Pour autant, ils n'offraient dans l'immédiat aux communistes aucune perspective de progression. Au contraire, le Guomindang ne cessa d'étendre son contrôle sur la majeure partie du pays jusqu'à l'invasion japonaise de 1937.

Mais le Guomindang manquait de véritable attrait aux yeux des masses chinoises et abandonna son projet révolutionnaire, qui était en même temps un projet de modernisation et de régénérescence : il n'était donc plus de force à lutter contre ses adversaires communistes. Chiang Kai-shek ne devint jamais un Atatürk, autre chef d'une révolution nationale, anti-impérialiste et modernisatrice, qui sut tisser des liens d'amitié avec la jeune République soviétique, utilisant les communistes locaux à ses fins avant de se séparer d'eux, mais de manière moins brutale que Chiang. Comme Atatürk, il avait une armée, mais elle n'était pas animée d'une véritable ferveur nationale et n'avait pas non plus le moral révolutionnaire des armées communistes. C'était une force recrutée parmi des hommes pour qui, en temps de troubles et d'effondrement social, un uniforme et un fusil sont le meilleur moyen de s'en sortir. Quant aux officiers, ils savaient – comme Mao lui-même – que dans ces périodes-là, le pouvoir, de même que le profit et la richesse, sont « au bout du fusil ». Il disposait de larges assises dans la bourgeoisie urbaine et peut-être plus encore parmi les riches Chinois d'outre-mer : mais 90 % des Chinois vivaient loin des villes, qui ne représentaient qu'une infime partie du territoire. Ils étaient contrôlés, s'ils l'étaient, par des notables et des hommes de pouvoir locaux – depuis les seigneurs de la guerre, avec leurs hommes en armes, jusqu'aux familles de propriétaires fonciers et aux reliques du pouvoir impérial, avec qui le Guomindang fut amené à pactiser. Quand les Japonais entreprirent sérieusement de conquérir la Chine, les armées du Guomindang ne purent les empêcher d'occuper presque immédiatement les villes côtières, où étaient concentrées ses véritables forces. Dans le reste du pays, ils devinrent ce qu'ils n'avaient jamais cessé d'être en puissance : un autre régime corrompu de seigneurs de guerre et de propriétaires fonciers, incapable d'opposer une résistance efficace aux envahisseurs. Pendant ce temps, dans les zones occupées, les communistes surent mobiliser efficacement la résistance populaire aux Japonais. Lorsqu'ils prirent le pouvoir, en 1949, après avoir balayé presque d'un revers de main les forces du Guomindang au cours d'une brève guerre civile, ils étaient, sauf pour les dernières forces en fuite de Chiang Kai-shek, le seul gouvernement légitime de la Chine, les véritables successeurs des dynasties impériales après un interrègne de quarante années. Et ils se firent d'autant plus facilement accepter que, grâce à leur expérience de parti marxiste-léniniste, ils se révélèrent capables de forger une organisation disciplinée à l'échelle de la nation et à même de faire appliquer la politique du gouvernement depuis le centre jusqu'aux villages les plus reculés de cet immense pays – ainsi qu'un empire digne de ce nom devait le faire dans l'esprit de la plupart des Chinois. Plutôt que par la doctrine, c'est avant tout par l'*organisation* que le bolchevisme de Lénine aura changé le monde.

Mais, naturellement, ils représentaient bien autre chose que l'Empire ressuscité, même s'ils bénéficièrent incontestablement des formidables continuités de l'histoire, qui définissaient, à la fois, les rapports attendus des Chinois ordinaires avec tout gouvernement disposant d'un « mandat du ciel », et la manière dont ceux qui administraient le pays devaient envisager leur tâche. Dans aucun autre régime communiste, les débats politiques n'auraient pu se référer à l'admonestation d'un loyal mandarin à l'empereur Ming Jiajing, au XVIe siècle[2]. C'est cela que voulait dire, dans les années 1950, un vieil observateur aguerri de la Chine – le correspondant du *Times* (Londres) –, lorsqu'il déclarait, sans craindre de choquer son monde (dont l'auteur de ce livre), que le communisme aurait partout disparu au XXIe siècle, sauf en Chine – où il ne survivrait que sous la forme d'une idéologie nationale. Pour la plupart des Chinois, cette révolution fut avant tout une restauration : de l'ordre et de la paix, du bien-être, d'un système de gouvernement dont les fonctionnaires se référaient aux précédents de la dynastie Tang, mais aussi de la grandeur d'un immense Empire et d'une prestigieuse civilisation.

Et, dans les toutes premières années, il sembla que tel était en effet le cas. Les paysans augmentèrent leur production de céréales alimentaires de plus de 70 % entre 1949 et 1956 (*China Statistics*, 1989, p. 165), vraisemblablement parce qu'ils étaient encore largement livrés à eux-mêmes. Et tandis que l'intervention de la Chine dans la guerre de Corée (1950-1953) créa un vent de panique, l'efficacité de son armée, qui parvint d'abord à vaincre, puis à tenir en respect les puissants États-Unis, ne pouvait manquer d'impressionner. La planification du développement industriel et éducatif commença au début des années 1950. Très tôt, pourtant, sous l'autorité alors incontestée et incontestable de Mao, la nouvelle République populaire inaugurera deux décennies de catastrophes largement arbitraires provoquées par le Grand Timonier. À compter de 1956, la dégradation rapide des relations avec l'URSS, qui aboutit à la rupture fracassante des deux puissances communistes en 1960, se solda par la fin de l'importante aide matérielle, technique et autre, de Moscou. Mais cet épisode ne fit que compliquer, plutôt que provoquer, le chemin de croix du peuple chinois, qui fut marqué par trois grandes stations : la collectivisation ultra-rapide de l'agriculture paysanne dans les années 1955-1957 ; le « Grand Bond en Avant » de l'industrie en 1958, suivi par la famine des années 1959-1961 – probablement la plus grande du XXe siècle[3] – et les dix années de la « Révolution culturelle », qui s'acheva avec la mort de Mao en 1976.

De l'avis général, ces plongées cataclysmiques furent largement l'œuvre de Mao lui-même, dont la politique fut souvent accueillie avec réticence par la direction du parti, voire – notamment dans le cas du « Grand Bond en Avant » - par une franche opposition, qu'il ne parvint à surmonter qu'en lançant la « Révolution culturelle ». Mais on ne saurait comprendre cette situation si l'on n'a pas quelque idée des singularités du communisme chinois, dont Mao lui-même était le porte-parole. À la différence du communisme russe, il n'avait pratiquement aucun lien direct avec Marx et le marxisme. Mouvement de l'après-Octobre, il découvrit Marx *via* Lénine, ou, plus précisément, à travers le « marxisme-léninisme » de Staline.

Apparemment, Mao tenait sa connaissance de la théorie marxiste presque exclusivement d'un ouvrage stalinien de 1939 : l'*Histoire du PCUS (b) : Cours abrégé*. Mais cet habillage marxiste-léniniste dissimulait un utopisme typiquement chinois – particulièrement évident dans le cas de Mao, qui ne devait jamais voyager à l'étranger avant de devenir chef d'État, et dont la formation intellectuelle était entièrement autochtone. Son utopisme avait naturellement des points de rencontre avec le marxisme, car toutes les utopies social-révolutionnaires ont quelque chose en commun, et Mao, sans doute en totale sincérité, s'empara des aspects de la pensée de Marx et de Lénine qui cadraient avec sa vision et s'en servit pour justifier celle-ci. Reste que son idée de société idéale unie par un consensus absolu et dans laquelle « l'abnégation totale de l'individu et son immersion totale dans la collectivité représentent le bien suprême, [...] un genre de mysticisme collectiviste » est aux antipodes du marxisme classique, qui envisageait, au moins en théorie et comme objectif ultime, la libération complète et l'épanouissement de l'individu (Schwartz, 1966). Cette insistance caractéristique sur la force de la transformation spirituelle pour y parvenir en façonnant un homme nouveau se nourrit certes de l'importance que Lénine, puis Staline attachaient à la prise de conscience et au volontarisme, mais elle va bien au-delà. Car s'il croyait au rôle de l'action et de la décision politiques, Lénine ne perdit jamais de vue – comment l'aurait-il pu ? – que les circonstances pratiques imposaient de sévères contraintes à l'efficacité de l'action ; et Staline lui-même reconnut des limites à son pouvoir. Toujours est-il que, sans la conviction que les « forces subjectives » étaient toutes puissantes, que les hommes *pouvaient* déplacer des montagnes et prendre le ciel d'assaut s'ils le voulaient, les folies du Grand Bond en Avant sont inconcevables. Les experts pouvaient bien dire ce qu'il était possible de faire et ce qui ne l'était pas, la ferveur révolutionnaire triompherait de tous les obstacles matériels et l'esprit transformerait la matière. Aussi être « rouge » n'était pas seulement beaucoup plus important que d'être expert : c'était l'autre membre de l'alternative. Ainsi, en 1958, une vague d'enthousiasme unanime allait industrialiser *immédiatement* la Chine, qui rejoindrait d'un bond l'avenir où le communisme s'épanouirait *immédiatement* à plein. Les innombrables petits fourneaux de fond de cour et de piètre qualité grâce auxquels la Chine devait doubler sa production d'acier en un an – elle avait plus que triplé en 1960, avant de rechuter en 1962 à un niveau inférieur à celui d'avant le Grand Bond en Avant – n'étaient qu'un aspect de cette transformation. L'autre était les 24 000 « communes populaires » de paysans mises en place en à peine deux mois en 1958 et entièrement communistes. Tous les aspects de la vie paysanne furent collectivisés, y compris la vie familiale : la création de crèches et de cantines communales permit ainsi de décharger les femmes des corvées domestiques et de la garde des enfants pour les envoyer, enrégimentées, dans les champs, tandis que la fourniture gratuite de six services de base – nourriture, soins médicaux, éducation, obsèques, coupe des cheveux et cinéma – était censée remplacer les salaires et les revenus monétaires. Ce fut un échec retentissant. En quelques mois à peine, la résistance passive força l'abandon des aspects les plus extrêmes du système, bien avant que ses effets (comme la collectivisation de Staline) ne se mêlent à la nature pour produire la famine de 1960-1961.

D'une certaine façon, cette croyance en la capacité d'une transformation volontariste reposait sur une conviction maoïste plus spécifique, à savoir que le « peuple » était prêt à se laisser transformer et donc à prendre part, de manière créative et avec toute l'intelligence et l'ingéniosité traditionnelles des Chinois, à la grande marche en avant. C'était là le point de vue foncièrement romantique d'un artiste, assez médiocre si l'on se fie à ceux qui ont pu juger la poésie et la calligraphie qu'il aimait à pratiquer. (« Pas aussi mauvaise que la peinture de Hitler, mais pas aussi bonne que celle de Churchill », dira l'orientaliste britannique Arthur Waley.) En 1956-1957, cette optique l'amena, contre les conseils sceptiques et réalistes d'autres dirigeants communistes, à inviter les intellectuels de l'ancienne élite à lâcher la bride à leurs talents au cours de la campagne des « Cent fleurs », dans l'idée que la révolution, à commencer par lui peut-être, les avait déjà transformés (« Que cent fleurs s'épanouissent, que cent écoles de pensée rivalisent »). Lorsque, suivant les prédictions de camarades moins inspirés, cette explosion de libre pensée ne se traduisit pas par un enthousiasme unanime pour l'ordre nouveau, Mao y vit la confirmation de sa méfiance viscérale à l'égard des intellectuels. Celle-ci devait trouver une expression spectaculaire dans les dix années de la Grande Révolution culturelle, qui vit la disparition quasi totale de l'enseignement supérieur[4] tandis que les intellectuels étaient massivement astreints au travail forcé à la campagne afin de les « régénérer ». Mais tout cela ne remit nullement en cause la confiance de Mao dans les paysans, qui furent pressés de résoudre tous les problèmes de la production au cours du Grand Bond en Avant, suivant le principe « que toutes les écoles [d'expérience locale] devaient rivaliser ». Car, et c'était là un autre aspect de sa pensée dont il trouvait une confirmation dans sa conception de la dialectique marxiste, Mao était fondamentalement convaincu de l'importance de la lutte, du conflit et des tensions : non seulement, c'était un élément essentiel de la vie, mais seuls ils pouvaient empêcher une rechute dans les faiblesses de l'ancienne société chinoise, qui avait souffert de son insistance même sur l'harmonie et l'immuable permanence. On ne pouvait empêcher la révolution, et le communisme lui-même, de dégénérer en paralysie qu'au prix d'une lutte constamment renouvelée. La révolution ne pouvait avoir de fin.

Telle est la singularité de la politique maoïste : ce fut « à la fois une forme extrême d'occidentalisation et un retour partiel à des modèles traditionnels », sur lesquels elle devait en fait largement s'appuyer, car, tout au moins dans les périodes où l'empereur jouissait d'un pouvoir sûr et fort, donc légitime, l'ancien Empire chinois reposait sur l'autocratie du souverain, et l'acquiescement et l'obéissance des sujets (Hu, 1966, p. 241). Le simple fait que 84 % des foyers de paysans se soient tranquillement laissés collectiviser en l'espace d'un an (1956), apparemment sans aucune des conséquences de la collectivisation soviétique, parle de lui-même. L'industrialisation, sur le modèle soviétique privilégiant l'industrie lourde, était la priorité absolue. Les meurtrières absurdités du Grand Bond s'expliquent essentiellement par la conviction que Pékin partageait avec les Soviétiques : l'agriculture devait à la fois nourrir l'industrialisation et se maintenir, sans pour autant détourner les investissements de l'industrie au profit de l'agriculture. Au fond, cela revenait à substituer des incitations « morales » aux incitations « matérielles », c'est-à-dire, en pratique, à remplacer une technologie absente par une réserve de force musculaire humaine quasiment illimitée. Dans le même temps, la campagne restait le fondement du système maoïste, comme elle n'avait jamais cessé de l'être depuis l'époque de la guérilla. À la différence de l'URSS, le modèle du Grand Bond en Avant devait aussi faire de la campagne le foyer privilégié de l'industrialisation. À la différence de l'URSS, également, la Chine ne connut pas sous Mao d'urbanisation de masse. La population rurale ne tomba au-dessous de la barre des 80 % que dans les années 1980.

On peut légitimement être choqué par le bilan de vingt ans de maoïsme, où l'inhumanité et l'obscurantisme font bon ménage avec les absurdités surréalistes des allégations proférées au nom de la pensée d'un chef déifié. On ne saurait oublier pour autant que, en comparaison d'un tiers-monde miséreux, les Chinois s'en tiraient bien. À la fin de l'ère Mao, la consommation alimentaire moyenne (en calories) se situait juste au-dessus de la médiane pour l'ensemble des pays de la planète : la Chine devançait donc quatorze pays des Amériques et trente-huit d'Afrique ; en Asie, elle se situait dans une honnête moyenne et faisait bien mieux que toute l'Asie du Sud et du Sud-Est, sauf la Malaisie et Singapour (Taylor/Jodice, 1983, tableau 4.4). L'espérance de vie moyenne à la naissance passa de trente-cinq ans en 1949 à soixante-huit en 1982 – essentiellement du fait de la baisse spectaculaire et continue (sauf pendant les années de famine) du taux de mortalité (Liu, 1986, p. 323-324). Puisque la population chinoise, même en tenant compte de la grande famine, passa d'environ 540 à environ 950 millions d'habitants entre 1949 et la mort de Mao, il est clair que l'économie parvint à les nourrir – un peu mieux qu'au début des années 1950. Dans le même temps, l'habillement connut une légère progression (*China Statistics*, tableau T 15.1). L'enseignement, même au niveau élémentaire, souffrit à la fois de la famine, qui réduisit les effectifs de vingt-cinq millions, et de la Révolution culturelle, qui les fit baisser de quinze millions. Il n'en est pas moins indéniable que les enfants fréquentant l'école primaire étaient six fois plus nombreux l'année de la mort de Mao que celle de son accession au pouvoir : 96 % d'enfants scolarisés contre moins de 50 % encore en 1952. Il est vrai qu'en 1987 plus d'un quart de la population de plus de douze ans restait illettrée et « semi illettrée », avec un taux de 38 % chez les femmes. Mais là encore, il ne faut pas perdre de vue que l'alphabétisation en chinois est une tâche exceptionnellement difficile, qui ne pouvait raisonnablement concerner qu'une assez petite fraction des 34 % de Chinois nés avant 1949. Bref, si le bilan de la période maoïste n'était sans doute pas fait pour épater des observateurs occidentaux sceptiques (beaucoup ne l'étaient pas), il ne pouvait manquer d'impressionner des Indiens ou des Indonésiens ; et il ne semblait sans doute pas particulièrement décevant aux 80 % de Chinois ruraux, isolés du monde, dont les espérances restaient celles de leurs pères.

Sur le plan international, il n'en était pas moins indéniable que la Chine avait perdu du terrain depuis la révolution, notamment par rapport à ses voisins non communistes. Si impressionnant fût-il sous Mao (1960-1975), le taux de croissance économique par tête demeura inférieur à celui du Japon, de Hong-Kong, de la Corée du Sud et de Taiwan – pour citer les pays d'Asie de l'Est dont les observateurs chinois devaient certainement suivre l'évolution. Si imposant fût-il, son PNB était à peu près égal à celui du Canada, mais inférieur au PNB de l'Italie et égal au quart de celui du Japon (Taylor/Jodice, tableaux 3.5, 3.6). La désastreuse trajectoire en zigzag suivie depuis le milieu des années 1950 par le Grand Timonier n'avait pu continuer que parce qu'en 1965, avec l'appui de l'armée, Mao avait lancé l'anarchique mouvement des jeunes « Gardes rouges » contre la direction du parti, qui l'avait tranquillement mis sur la touche, et les intellectuels en tous genres. Ce fut la Grande Révolution culturelle, qui dévasta un temps le pays, avant que Mao ne demandât à l'armée de ramener l'ordre et, en tout cas, se trouvât lui-même en mesure de rétablir quelque peu l'autorité du parti. Comme il était manifestement déclinant, et que le maoïsme sans lui avait très peu de soutiens véritables, celui-ci ne survécut point à sa mort, en 1976, et à l'arrestation presque immédiate des ultra maoïstes de la « Bande des Quatre » dirigés par sa veuve, Jiang Quing. La Chine suivit aussitôt un nouveau cours sous la houlette d'un chef pragmatique, Deng Xiaoping.

II

La nouvelle orientation de la Chine en fut l'aveu public le plus franc : le « socialisme réellement existant » nécessitait des changements de structure en profondeur. Mais à mesure qu'on s'éloigna des années 1970 pour entrer dans les années 1980, il devint de plus en plus évident que tous les systèmes qui se réclamaient du socialisme étaient gravement malades. Le ralentissement de l'économie soviétique était tangible : à partir de 1970, le taux de croissance de presque tout ce qui comptait, et pouvait être comptabilisé, baissa régulièrement de cinq ans en cinq ans : produit intérieur brut, productions industrielle et agricole, dépenses d'investissement, productivité du travail, revenu réel par tête. Si elle ne régressait pas, l'économie progressait au rythme d'un bœuf de plus en plus fatigué. De surcroît, loin de devenir l'un des géants industriels du commerce mondial, l'URSS semblait régresser sur la scène internationale. En 1960, elle exportait surtout des machines, des biens d'équipement, des moyens de transport et des métaux ou des articles de métal ; en 1985, elle comptait essentiellement (53 %) sur ses exportations d'énergie (de pétrole et de gaz). Inversement, près de 60 % de ses importations consistaient en machines, en métaux et en biens de consommation industriels (SSSR, 1987, p. 15-17, 32-33). Elle était devenue un genre de colonie productrice d'énergie des économies industrielles plus avancées, c'est-à-dire, en pratique, de ses satellites occidentaux, notamment de la Tchécoslovaquie et de la République démocratique allemande, dont les industries pouvaient compter sur le marché illimité et peu exigeant de l'URSS sans beaucoup remédier à leurs propres lacunes[5].

Dans les années 1970, non seulement la croissance économique était à la traîne, mais même les indicateurs sociaux de base comme le taux de mortalité cessaient de s'améliorer. Cela mina la confiance dans le socialisme peut-être plus que toute autre chose, puisque sa capacité d'améliorer la vie des gens ordinaires par une plus grande justice sociale ne reposait pas essentiellement sur son aptitude à engendrer davantage de richesse. Que l'espérance de vie moyenne à la naissance en URSS, en Pologne et en Hongrie soit restée pratiquement inchangée au cours des vingt dernières années précédant la chute du communisme – et qu'elle ait même plongé par intermittence – était un sujet d'inquiétude d'autant plus grave qu'elle continua à augmenter dans la plupart des autres pays (y compris, il faut le dire, à Cuba et dans les pays communistes d'Asie pour lesquels nous disposons de statistiques). En 1969, les Autrichiens, les Finnois et les Polonais pouvaient espérer mourir au même âge moyen (70,1 ans), mais, en 1989, les Polonais avaient une espérance de vie de quatre années inférieure. Peut-être ces populations étaient-elles en meilleure santé, ainsi que certains démographes devaient le suggérer, mais cela signifiait, en réalité, que des personnes dont la vie aurait pu être prolongée dans les pays capitalistes, mouraient dans les pays socialistes (Riley, 1991). En URSS comme ailleurs, les réformateurs ne manquèrent pas d'observer ces tendances avec une angoisse croissante (*World Bank Atlas*, 1990, p. 6-9 et *World Tables*, 1991, *passim*).

À cette époque, la vogue du terme *nomenklatura* (qui semble avoir atteint l'Occident à travers les écrits des dissidents) devait révéler un autre symptôme du déclin reconnu de l'URSS. Jusque-là, le corps des cadres du parti, qui constituaient le système dirigeant des États léninistes, était considéré à l'étranger avec un mélange de respect et d'admiration réticente, alors que les opposants vaincus de l'intérieur, comme les trotskistes et, en Yougoslavie, Milovan Djilas (Djilas, 1957), avaient attiré l'attention sur les risques de dégénérescence bureaucratique et de corruption personnelle. De fait, dans les années 1950 et jusque dans les années 1960, telle était la tonalité générale des commentaires occidentaux, et surtout américains : le secret de la progression mondiale du communisme résidait dans le système d'organisation des partis communistes et dans son corps de cadres monolithiques et désintéressés, qui appliquaient loyalement « la ligne », même s'ils le faisaient parfois brutalement (Fainsod, 1956 ; Brzezinski, 1962 ; Duverger, 1972).

Par ailleurs, presque inconnu avant 1980, si ce n'est dans le jargon administratif du PCUS, le terme de *nomenklatura* en vint à suggérer précisément les faiblesses de la bureaucratie intéressée du parti de l'ère brejnevienne : un mélange d'incompétence et de corruption. Et il apparut de plus en plus que l'URSS elle-même reposait essentiellement sur un système de clientélisme, de népotisme et de rétributions.

Sauf en Hongrie, tout effort sérieux pour réformer les économies socialistes en Europe avait été en fait abandonné en désespoir de cause après le Printemps de Prague. Quant aux tentatives occasionnelles pour en revenir aux anciennes économies planifiées – sous une forme stalinienne, comme dans la Roumanie de Ceaucescu ; ou à la manière maoïste, comme chez Fidel Castro, où le volontarisme et la ferveur morale putative se substituent à l'économie –, mieux vaut ne pas en parler. C'est essentiellement parce que le régime avait renoncé à tout effort sérieux pour sortir l'économie de son déclin visible, que les réformateurs devaient parler d'« ère de stagnation » pour désigner les années Brejnev. Acheter du blé sur le marché mondial était plus facile que de remédier à l'incapacité apparemment croissante de l'économie soviétique à nourrir la population de l'URSS. Lubrifier le moteur rouillé de l'économie au moyen d'un système universel et omniprésent de pots-de-vin et de corruption était plus facile que de le décrasser et de le réviser, *a fortiori* de le remplacer. Qui savait ce qui se passerait à long terme ? À court terme, il semblait plus important de satisfaire les consommateurs ou, en tout cas, de maintenir leur mécontentement à l'intérieur de certaines limites. C'est pourquoi, dans la première moitié de la décennie 1970, la plupart des habitants de l'URSS étaient et s'estimaient probablement mieux lotis qu'à aucune autre époque dont ils eussent le souvenir.

Le problème du « socialisme réellement existant » en Europe est que, à la différence de l'URSS de l'entre-deux-guerres, qui était quasiment hors de l'économie mondiale et donc à l'abri du Grand Marasme, il était désormais de plus en plus intégré et ne devait pas échapper aux chocs des années 1970. Et, ironie de l'histoire, les économies du « socialisme réel » de l'Europe et de l'URSS, mais aussi de diverses parties du tiers-monde, furent les véritables victimes de la crise capitaliste mondiale d'après l'Âge d'or, tandis que les « économies de marché développées » furent certes ébranlées, mais traversèrent ces années difficiles sans trouble majeur, tout au moins jusqu'au début de la décennie 1990. Jusqu'à cette date, en effet, c'est à peine si certains d'entre eux, comme l'Allemagne et le Japon, furent ralentis dans leur marche en avant. Pendant ce temps, le « socialisme réel » dut affronter non seulement ses propres problèmes systémiques toujours plus insolubles, mais aussi ceux d'une économie mondiale changeante et problématique dans laquelle il était de plus en plus intégré. On peut illustrer cette situation par l'exemple ambigu – par ses effets à la fois positifs et négatifs – de la crise pétrolière internationale qui transforma le marché mondial de l'énergie après 1973. Sous la pression de l'OPEP, le cartel mondial des producteurs de pétrole, le prix du baril qui était faible et, en termes réels, avait baissé depuis la guerre, allait être plus ou moins multiplié par quatre en 1973, puis à nouveau par trois, à la fin des années 1970, au lendemain de la Révolution iranienne. En réalité, l'ampleur des fluctuations fut encore plus spectaculaire : en 1970, le pétrole se vendait au prix moyen de 2,53 $ le baril ; fin 1980, le cours était d'environ 41 $.

La crise pétrolière eut deux conséquences apparemment heureuses. Pour les producteurs de pétrole, dont l'URSS était l'un des plus importants, elle transforma le liquide noir en or. Un genre de billet gagnant garanti à la loterie hebdomadaire. Les millions affluaient sans effort, rendant la réforme économique moins urgente et, au passage, permettant à Moscou de financer la croissance rapide de ses importations de l'Occident capitaliste. Entre 1970 et 1980, les exportations soviétiques vers les « économies de marché développées » passèrent d'un peu moins de 19 % de ses exportations totales à 32 % (SSSR, 1987, p. 32). On a suggéré que cette manne énorme et imprévue avait incité le régime de Brejnev à se lancer dans une politique internationale plus active de rivalité avec les États-Unis au milieu des années 1970, alors qu'une nouvelle vague de troubles révolutionnaires balayait le tiers-monde (*cf.* chapitre 15), et surtout dans une course aux armements suicidaire face à la supériorité américaine (Maksimenko, 1991).

L'autre conséquence apparemment heureuse des crises pétrolières fut le flot de dollars qui jaillit désormais des États multi-milliardaires de l'OPEP, souvent faiblement peuplés, et que le système bancaire international redistribuait sous la forme de prêts à quiconque voulait emprunter. Peu de pays en voie de développement résistèrent à la tentation de prendre les millions ainsi fourrés dans leurs poches, et qui devaient provoquer la crise mondiale de la dette du début des années 1980. Pour les pays socialistes qui y succombèrent – notamment la Pologne et la Hongrie –, ces prêts apparurent comme un moyen providentiel de financer les investissements d'une croissance qui s'accélérait et d'élever le niveau de vie de la population.

Tout cela ne fit que rendre plus aiguë la crise des années 1980, car les économies socialistes – et notamment l'économie polonaise, qui dépensait sans compter – étaient trop rigides pour faire un usage productif de l'afflux de ressources. Le simple fait que la consommation de pétrole d'Europe occidentale (1973-1985) ait chuté de 40 % suite à la hausse du cours, mais d'un peu plus de 20 % seulement en URSS et en Europe de l'Est au cours de la même période, parle de lui-même (Köllö, 1990, p. 39). La forte augmentation des coûts de production et l'assèchement des gisements roumains rendent d'autant plus frappante cette incapacité à économiser l'énergie. Au début des années 1980, l'Europe de l'Est connaissait une grave crise énergétique, qui se solda à son tour par une pénurie de produits alimentaires et manufacturés (sauf lorsque, comme en Hongrie, le pays s'endetta encore plus lourdement, accélérant l'inflation et abaissant les salaires réels). Telle était la situation dans laquelle le « socialisme réellement existant » en Europe aborda ce qui devait être sa dernière décennie. La seule manière immédiate efficace de traiter cette crise était le recours stalinien traditionnel aux ordres stricts du centre et aux restrictions, du moins lorsque la planification centrale était encore opératoire (ce qui n'était plus tout à fait le cas ni en Hongrie ni en Pologne). Cela marcha, entre 1981 et 1984. La dette diminua de 35 à 70 % (sauf dans ces deux pays). Ce qui encouragea même les espoirs illusoires d'un retour à une croissance économique dynamique sans réformes de fond, provoquant un « Grand Bond en arrière vers la crise de la dette et une nouvelle dégradation des perspectives économiques » (Köllö, p. 41). C'est à ce moment là que Mikhaïl Sergueïevitch Gorbatchev prit en main les destinées de l'URSS.

III

C'est ici qu'il nous faut abandonner l'économie pour la politique du « socialisme réellement existant », puisque c'est la politique, tant haute que basse, qui devait entraîner l'effondrement euro-soviétique de 1989-1991.

Politiquement, l'Europe de l'Est était le talon d'Achille du système soviétique, et la Pologne (ainsi que la Hongrie, dans une moindre mesure) son point le plus vulnérable. Après le Printemps de Prague, on l'a vu, les régimes communistes satellites avaient perdu toute légitimité en tant que telle dans la majeure partie de la région[6]. Ils se maintenaient par la coercition et sous la menace d'une intervention soviétique ou, au mieux – comme en Hongrie – en donnant aux citoyens des conditions matérielles et une liberté relative de loin supérieures à la moyenne est-européenne – politique dont la poursuite devait toutefois devenir impossible à cause de la crise économique. À une exception près, cependant, aucune forme sérieuse d'opposition publique, politique ou autre, n'était imaginable. En Pologne, c'est la conjonction de trois facteurs qui permit qu'il en fût autrement. L'opinion publique de ce pays était très largement unie par son hostilité au régime comme par un nationalisme antirusse (et antisémite) et délibérément catholique ; l'Église conservait une organisation nationale indépendante ; et, depuis le milieu des années 1950, la classe ouvrière avait régulièrement démontré sa puissance politique par des grèves massives. Le régime s'était de longue date résigné à une tolérance tacite, voire à un recul (ainsi en 1970, lorsque les grèves acculèrent le dirigeant communiste de l'époque à la démission), tant que l'opposition n'était pas organisée, tandis que sa marge de manœuvre se réduisait dangereusement. Mais à compter du milieu des années 1970, il lui fallut faire face à un mouvement ouvrier politiquement organisé soutenu par un *brains trust* d'intellectuels politiquement avertis, surtout des ex-marxistes, et par une Église de plus en plus agressive, encouragée en 1978 par l'élection du premier pape polonais de l'histoire, Karol Wojtyla (Jean-Paul II).

En 1980, le triomphe du syndicat *Solidarnosc* – mouvement d'opposition publique et nationale disposant de l'arme de la grève massive – démontra deux choses : que le régime communiste polonais était au bout du rouleau, mais, en même temps, que l'agitation populaire ne suffisait pas à le renverser. En 1981, l'État et l'Église s'accordèrent tranquillement pour prévenir le risque d'intervention soviétique armée (qui fut sérieusement envisagée) par quelques années de loi martiale sous la férule du chef des forces armées, qui pouvait plausiblement revendiquer une légitimité aussi bien nationale que communiste. L'ordre fut rétabli sans trop de peine par la police, plutôt que par l'armée, mais le gouvernement, plus démuni que jamais pour traiter les problèmes économiques, n'avait rien à offrir face à une opposition qui restait l'expression organisée de l'opinion publique nationale. Ou les Russes décidaient d'intervenir ou, tôt ou tard, mais le temps était compté, le régime devrait abandonner la clé des régimes communistes, c'est-à-dire le système de parti unique sous le « rôle dirigeant » du parti officiel, en clair, abdiquer. Mais, tandis que les autres gouvernements satellites observaient nerveusement le déroulement de ce scénario tout en essayant, vainement pour la plupart, d'empêcher leur population d'en faire autant, il apparut de plus en plus évident que les Soviétiques n'étaient pas disposés à intervenir.

En 1985, un fervent réformateur, Mikhaïl Gorbatchev, accéda au pouvoir en tant que secrétaire général du Parti communiste soviétique. Ce n'était pas un hasard. En vérité sans la mort du secrétaire général et ancien chef des services de sécurité, Iouri Andropov (1914-1984), qui avait accompli la rupture décisive avec la période Brejnev en 1983, l'ère du changement aurait commencé un ou deux ans plus tôt. Pour tous les autres gouvernements communistes de l'orbite soviétique ou de l'extérieur, il était parfaitement clair que des changements majeurs étaient en cours, bien que personne, pas même le nouveau secrétaire général, ne vît tout à fait ce qu'ils réserveraient.

L'« ère de stagnation » *(zastoi)*, que dénonça Gorbatchev, avait été en réalité une ère de vive fermentation politique et culturelle au sein de l'élite soviétique. Ce phénomène ne concernait pas seulement le groupe relativement restreint des chefs cooptés du Parti au sommet de la hiérarchie de l'Union – la seule instance où se prenaient, où pouvaient se prendre, les véritables décisions politiques. Il toucha également le groupe assez important des classes moyennes éduquées et techniquement exercées aussi bien que les dirigeants économiques qui continuaient à faire marcher le pays : universitaires, intelligentsia technique, experts et dirigeants en tous genres. Par certains côtés, Gorbatchev lui-même représentait cette nouvelle génération de cadres éclairés. Il avait fait des études de droit, alors que la trajectoire classique du vieux cadre stalinien demeurait souvent, de manière un peu surprenante, ce qu'elle avait été autrefois : un ouvrier de la base qui avait passé un diplôme de technicien ou d'agronome avant d'entrer dans l'appareil. On ne saurait mesurer la profondeur de cette fermentation aux effectifs réels des dissidents à l'époque : tout au plus quelques centaines. Interdites ou semi-légalisées (*via* l'influence des courageux rédacteurs en chef de la célèbre « grande revue » *Novy Mir*), la critique et l'autocritique envahirent sous Brejnev les milieux culturels de l'URSS métropolitaine, y compris d'importants secteurs du Parti et de l'État, notamment la sécurité et la diplomatie. On ne saurait guère expliquer autrement la réponse massive et soudaine que suscita l'appel de Gorbatchev à la *glasnost* (« l'ouverture », la « transparence »).

Mais la réponse des couches politiques et intellectuelles n'est pas celle de la masse des peuples soviétiques. Car pour ceux-ci, à la différence des peuples de la plupart des États communistes européens, le régime soviétique était légitime et entièrement accepté, ne serait-ce que parce qu'ils n'en connaissaient et n'avaient pu en connaître d'autres (sauf sous l'occupation allemande des années 1941-1944, qui manquait singulièrement d'attrait). En 1990, tous les Hongrois de plus de soixante ans avaient quelque souvenir, adolescent ou adulte, de l'avant-communisme, alors qu'en URSS aucun habitant de moins de quatre-vingt-huit ans ne pouvait avoir une expérience de première main comparable. Si la continuité du gouvernement de l'État soviétique était assurée depuis la fin de la guerre civile, la continuité territoriale remontait plus loin encore dans le passé, sans interruption ou presque, sauf pour les territoires de la frontière occidentale acquis ou récupérés en 1939-1940. C'était le vieil Empire tsariste sous une nouvelle direction. Par parenthèses, c'est pour cette raison que la fin des années 1980 ne vit aucun signe de séparatisme sérieux, sauf dans les pays baltes (qui avaient été des États indépendants de 1918 à 1940), en Ukraine occidentale (qui, avant 1918, faisait partie de l'Empire des Habsbourg, non de l'Empire russe), et peut-être en Bessarabie (Moldavie), qui avait appartenu à la Roumanie de 1918 à 1940. Même dans les États baltes, il n'y avait guère plus de dissidence déclarée qu'en Russie (Lieven, 1993).

De surcroît, le régime soviétique n'était pas simplement autochtone et enraciné : avec le temps, même le parti, initialement beaucoup plus fort parmi les Grands Russes que parmi les autres nationalités, devait recruter à peu près le même pourcentage dans les Républiques européennes et transcaucasiennes. Mais, d'une manière difficile à préciser, la population elle-même allait s'y faire, tout comme le régime allait s'adapter à elle. Ainsi que le fit remarquer le satiriste dissident Zinoviev, il existait bel et bien un « nouvel homme soviétique » (c'est à peine si l'on considérait les femmes), même s'il ne correspondait pas plus qu'aucune autre chose en URSS à son image publique officielle. Et cet homme était à l'aise dans le système (Zinoviev, 1979). Celui-ci lui assurait des moyens de subsistance garantis et une sécurité sociale complète à un niveau modeste mais réel, une société socialement et économiquement égalitaire, et comblait au moins l'une des aspirations traditionnelles du socialisme, le « droit à la paresse » de Paul Lafargue (Lafargue, 1883). En outre, loin d'être synonyme de « stagnation », l'ère brejnévienne fut pour la plupart des citoyens soviétiques la meilleure époque qu'eux ou leurs parents, voire leurs grands-parents, eussent jamais connue.

Dès lors, on ne s'étonnera guère que les réformateurs se soient heurtés à l'humanité aussi bien qu'à la bureaucratie soviétiques. Voici ce que l'un de ces réformateurs pouvait écrire, sur un ton irrité typique d'un élitisme antiplébéien :

> « *Notre système a engendré une catégorie d'individus assistés, plus intéressée à prendre qu'à donner. Nous voyons là le résultat d'une politique soi-disant égalitariste qui [...] a envahi la société soviétique. [...] Le fait que la société soit divisée en deux parties – d'un côté ceux qui décident et qui distribuent et, de l'autre, ceux qui subissent et qui sont assistés – est l'un des freins majeurs à l'évolution de notre société. L'homo sovieticus [...] est un ballast et un frein qui, d'un côté, s'oppose à la mise en œuvre des réformes, mais, de l'autre, est la base sur laquelle s'appuie le pouvoir existant.* »

> (Afanassiev, 1991, p. 13-14 ;
> version française ici légèrement modifiée.)

D'un point de vue tant politique que social, l'URSS était pour l'essentiel une société stable, sans doute en partie parce que l'autorité et la censure la maintenaient dans l'ignorance des autres pays. Mais c'était loin d'être l'unique raison. Est-ce un hasard si l'URSS, à la différence de la Pologne, de la Tchécoslovaquie et de la Hongrie, ne connut aucun équivalent de la rébellion estudiantine de 1968 ? Si, même sous Gorbatchev, le mouvement réformiste n'a jamais mobilisé largement la jeunesse (sauf dans quelques régions occidentales nationalistes) ? Et si, enfin, ce fut, comme on disait, une « rébellion des trente-quarante ans », c'est-à-dire de la génération née après la fin de la guerre mais avant la torpeur, pas trop inconfortable, des années Brejnev ? D'où qu'aient pu venir en URSS les pressions pour le changement, elles ne sont pas venues de la base.

En réalité elles sont venues du sommet. Et il ne pouvait en être autrement. On ne sait toujours pas très bien comment, le 13 mars 1985, un communiste réformateur manifestement passionné et sincère put devenir le successeur de Staline à la tête du PC soviétique. Et on ne sera guère plus avancé tant que les dernières décennies de l'histoire soviétique ne seront pas devenues un sujet d'histoire, plutôt que d'accusation et d'autojustification. En tout cas, ce qui importe, ce ne sont pas les arcanes de la politique du Kremlin, mais les deux conditions qui ont permis à un homme comme Gorbatchev d'accéder au pouvoir. En premier lieu, la corruption croissante et de plus en plus flagrante de la direction du Parti communiste sous Brejnev ne pouvait que révolter la section du parti qui croyait encore à son idéologie, fût-ce de manière indirecte. Or, un parti communiste, si dégénéré soit-il, sans quelques dirigeants socialistes, n'est pas plus vraisemblable qu'une Église catholique sans quelques évêques et cardinaux chrétiens – les deux institutions reposant sur d'authentiques systèmes de croyance. En second lieu, les couches éduquées et techniquement compétentes qui faisaient effectivement tourner l'économie savaient pertinemment qu'à moins d'un changement drastique, en vérité fondamental, elle finirait inévitablement par s'effondrer tôt ou tard, non seulement du fait de l'inefficacité et de l'inflexibilité intrinsèques du système, mais aussi parce que ses faiblesses étaient aggravées par les exigences d'un statut de superpuissance auxquelles une économie en déclin ne pouvait plus répondre. De fait, les pressions militaires s'étaient dangereusement accrues sur l'économie depuis 1980 lorsque, pour la première fois depuis de longues années, les forces armées soviétiques s'étaient trouvées directement impliquées dans une guerre. L'URSS avait en effet envoyé des troupes en Afghanistan pour imposer une sorte de stabilité à ce pays gouverné depuis

1978 par les communistes locaux du Parti démocratique populaire divisé en factions, qui toutes deux s'aliénaient les propriétaires fonciers, le clergé musulman et les autres partisans du *statu quo* par des activités aussi impies que la réforme agraire et les droits des femmes. Depuis le début des années 1950, le pays relevait tranquillement de la sphère d'influence soviétique sans faire monter la tension du monde occidental. Mais les États-Unis choisirent ou feignirent de voir dans l'initiative soviétique une offensive militaire majeure contre le « monde libre ». À travers le Pakistan, l'argent et les armes affluèrent en quantités illimitées entre les mains de montagnards fondamentalistes. Comme il fallait s'y attendre, le gouvernement afghan, fort de l'aide massive des Soviétiques, n'eut aucun mal à conserver les grandes villes du pays, mais le coût de l'opération pour l'URSS fut exceptionnellement élevé. Comme certains l'avaient espéré à Washington, l'Afghanistan devint ainsi le Viêtnam de l'Union soviétique.

Mais que pouvait faire le nouveau dirigeant pour changer la situation en URSS, mis à part cesser au plus vite la confrontation de la seconde guerre froide avec les États-Unis, qui saignait l'économie à blanc ? Tel fut, naturellement, l'objectif immédiat de Gorbatchev et son plus grand succès car, en un laps de temps étonnamment court, il sut convaincre même les gouvernements occidentaux sceptiques. Cela lui valut en Occident une popularité immense et durable, qui contrastait vivement avec le manque d'enthousiasme de plus en plus marqué qu'il inspirait en URSS, et dont il fut finalement victime en 1991. Reste que si un homme mit fin à quarante années de guerre froide mondiale, c'est bien lui.

Depuis les années 1950, l'ambition des réformateurs de l'économie avait été de rendre les économies obéissantes et planifiées plus rationnelles et plus souples par l'introduction de mécanismes de fixation des prix *via* le marché et de calculs des pertes et des profits dans les entreprises. Les réformateurs hongrois avaient réalisé certains progrès sur cette voie et, sans l'occupation soviétique de 1968, les réformateurs tchèques seraient allés encore plus loin : les uns et les autres espéraient qu'il serait d'autant plus facile de libéraliser et de démocratiser le système politique. Tel était aussi le point de vue de Gorbatchev[7], qui y voyait naturellement une façon de restaurer ou de mettre en place un socialisme meilleur que le « socialisme réellement existant ». Il est possible, mais hautement improbable, qu'un réformateur influent en URSS ait effectivement envisagé l'abandon du socialisme, ne serait-ce que parce que cela paraissait politiquement tout à fait irréalisable. Ailleurs, cependant, certains économistes chevronnés associés à la réforme en arrivèrent à la conclusion qu'il était impossible de réformer de l'intérieur un système dont les défauts commencèrent à être publiquement analysés de l'intérieur au cours des années 1980[8].

IV

Gorbatchev lança sa campagne de transformation du socialisme soviétique par deux slogans : la *perestroïka*, ou restructuration (de l'économie comme de l'appareil politique), et la *glasnost*, ou liberté de l'information[9].

Entre les deux objectifs, il y avait cependant un conflit qui devait se révéler insoluble. La seule chose qui faisait marcher le système soviétique et qui pouvait vraisemblablement le transformer, c'était la structure autoritaire du parti/État héritée de l'époque stalinienne. On avait là un cas de figure familier dans l'histoire russe, même à l'époque des tsars. La réforme venait du sommet. Mais l'appareil du parti/État était en même temps le principal obstacle à la transformation du système qu'il avait créé, auquel il s'était adapté, dans lequel il avait des intérêts acquis importants et auquel il avait du mal à imaginer une solution de rechange[10]. C'était loin d'être le seul obstacle, et les réformateurs, pas seulement en Russie, ont toujours été tentés d'imputer à « la bureaucratie » l'incapacité du pays et de la population à répondre à leurs initiatives. Il est cependant indéniable que de larges pans de l'appareil du parti/État accueillirent toutes les grandes réformes avec une inertie qui dissimulait leur hostilité. Le but de la *glasnost* était précisément de contrer cette résistance en mobilisant des soutiens à l'intérieur comme à l'extérieur du parti. Mais sa conséquence logique fut de miner la seule force capable d'agir. La structure du système soviétique et son *modus operandi*, on l'a vu, étaient essentiellement militaires. Démocratiser les armées n'améliore pas leur efficacité. Par ailleurs, si l'on ne veut pas d'un système militaire, il faut s'assurer qu'une solution de rechange civile est disponible, sans quoi la réforme provoque non pas une reconstruction, mais l'effondrement. C'est dans ce gouffre béant, entre *glasnost* et *perestroïka*, que l'URSS de Gorbatchev est tombée.

Que la *glasnost*, dans l'esprit des réformateurs, fût un programme bien plus précis que la *perestroïka* ne fit qu'empirer la situation. Elle impliquait l'introduction, ou la réintroduction, d'un État constitutionnel et démocratique fondé sur l'État de droit et la jouissance des libertés civiles telles qu'on les comprenait communément. Ce qui passait par la séparation du parti et de l'État et, contrairement à tout ce qui s'était fait depuis l'ascension de Staline, par le déplacement du centre véritable du gouvernement du parti vers l'État. Cela impliquait à son tour la fin du système de parti unique et du « rôle dirigeant » du parti. À l'évidence, cela supposait aussi le réveil des Soviets à tous les niveaux sous la forme d'assemblées représentatives authentiquement élues et couronnées par un Soviet Suprême qui serait une assemblée législative authentiquement souveraine et qui donnerait le pouvoir à un exécutif fort sur lequel elle exercerait un contrôle. Telle était tout au moins la théorie.

En fait, le nouveau système constitutionnel fut finalement mis en place. En revanche, le nouveau système économique de la *perestroïka* était encore à peine esquissé en 1987-1988 par la timide légalisation de la petite entreprise privée (« coopératives ») – c'est-à-dire, d'une bonne partie de la « deuxième économie » – et par la décision de principe d'autoriser la faillite des entreprises publiques systématiquement déficitaires. Dans les faits, l'écart entre la rhétorique de la réforme économique et la réalité d'une économie visiblement déclinante se creusa de jour en jour.

C'était une situation terriblement dangereuse. Car la réforme constitutionnelle ne fit que démanteler un ensemble de mécanismes politiques pour le remplacer par un autre. Elle laissa en suspens la question de ce que feraient les nouvelles institutions, alors même que les processus de décision seraient vraisemblablement plus lourds dans une démocratie que dans un système de commandement militaire. Pour la grande majorité de la population, la seule différence était qu'il lui serait désormais assez souvent donné de se prononcer par la voie des urnes et de choisir entre divers opposants qui

critiquaient le gouvernement. Par ailleurs, la *perestroïka* était jugée
– et devait l'être – non pas sur les principes de mise en marche de
l'économie, mais sur la manière dont cette économie fonctionnait
effectivement au quotidien, et ce à partir de critères spécifiques et
mesurables. Elle ne pouvait être jugée qu'à ses résultats. C'est-à-
dire, pour la plupart des citoyens soviétiques, à l'évolution de leurs
revenus réels, aux efforts nécessaires pour les obtenir, à la quantité et
à la gamme des biens et des services à leur portée, et à la facilité
avec laquelle ils pouvaient se les procurer. Mais alors que les réformateurs économiques avaient une idée très claire de ce qu'ils
condamnaient et voulaient abolir, leur solution de rechange consistait en à peine plus qu'une formule : une « économie de marché
socialiste », avec des entreprises autonomes et économiquement
viables – publiques, privées ou coopératives –, et une gestion macro-
économique assurée par le « centre de décision économique ».
Autrement dit, les réformateurs désiraient les avantages du capitalisme sans perdre pour autant ceux du socialisme. Concrètement, nul
n'avait la moindre idée de la manière d'opérer la transition d'une
économie obéissante et centralisée vers un nouveau système ; de
même, personne ne savait comment fonctionnerait réellement ce qui,
dans un avenir prévisible, resterait inévitablement une économie
« duale », avec un secteur étatique et un secteur non étatique. Aux
yeux des intellectuels réformateurs, l'attrait de l'idéologie du marché ultra-radicale des thatchériens ou des reaganiens était de pro-
mettre à tous ces problèmes une solution certes drastique, mais aussi
automatique. (Comme il était à prévoir, tel ne fut pas le cas.)

Le vague souvenir historique de la Nouvelle Politique économique (NEP) des années 1921-1928 était probablement, pour les
réformateurs de Gorbatchev, ce qui ressemblait le plus à un modèle
de transition. Après tout, celle-ci avait « donné des résultats spectaculaires, ranimant l'agriculture, le commerce, l'industrie et les
finances pour plusieurs années après 1921 » et avait rétabli une économie effondrée en s'en « remettant aux forces du marché » (Vernikov, 1989, p. 13). Par ailleurs, depuis la fin du maoïsme, une
politique très proche de libéralisation du marché et de décentralisation avait donné en Chine des résultats spectaculaires : dans les
années 1980, le taux de croissance du PNB avoisinait les 10 % par
an (seule la Corée du Sud obtenant de meilleurs résultats ; *World*

Bank Atlas, 1990). Reste qu'il n'y avait pas de comparaison possible entre la Russie désespérément pauvre, techniquement arriérée et majoritairement rurale des années 1920 et l'URSS hautement urbanisée et industrialisée des années 1980, dont le secteur industriel le plus avancé, le complexe scientifico-militaro-industriel (y compris le programme spatial), dépendait en tout cas d'un marché qui se résumait à un seul client. On peut assurer sans crainte de se tromper que la *perestroïka* aurait relativement mieux marché si la Russie de 1980 était restée (comme la Chine à cette date) un pays de 80 % de villageois, dont l'idée de la richesse, par-delà les rêves de cupidité, se résumait à un poste de télévision. (Même au début des années 1970, 70 % des Soviétiques regardaient la télévision en moyenne une heure et demie par jour.) (Kerblay, p. 140-141).

Néanmoins, le contraste entre la *perestroïka* soviétique et la restructuration chinoise ne s'explique pas entièrement par ces décalages, ni même par le fait évident que les Chinois prirent grand soin de préserver intact leur système de commandement central. Aux historiens du XXIe siècle de déterminer dans quelle mesure les Chinois ont bénéficié des traditions culturelles de l'Extrême-Orient, qui ont favorisé la croissance économique indépendamment des systèmes sociaux.

Quelqu'un aurait-il sérieusement pu supposer en 1985 que, six ans plus tard, l'URSS et son Parti communiste auraient cessé d'exister ? Que tous les autres régimes communistes d'Europe auraient disparu ? À en juger par l'impréparation totale des gouvernements occidentaux au soudain effondrement de 1989-1991, les prédictions d'une chute imminente de l'ennemi idéologique de l'Occident n'avaient pas plus de poids qu'une légère évolution de la rhétorique publique. Ce qui précipita l'Union soviétique vers l'abîme, c'est l'association de la *glasnost*, synonyme de désintégration de l'autorité, et de la *perestroïka*, qui revenait à détruire les mécanismes anciens qui faisaient marcher l'économie, sans offrir pour autant d'alternative, se soldant en conséquence par une chute toujours plus spectaculaire du niveau de vie des citoyens. Le pays s'acheminait vers un régime électoral pluraliste alors même qu'il s'enfonçait dans l'anarchie économique : pour la première fois depuis la naissance de la planification, la Russie de 1989 n'eut plus de Plan quinquennal (Di Leo, 1992, p. 100 n.). C'était un mélange explosif, car il sapait les fondations peu profondes de l'unité politique et économique de l'URSS.

Car l'URSS avait de plus en plus évolué vers une décentralisation structurelle, la cohésion des différents éléments étant assurée par les institutions communes à toute l'Union : l'armée, le parti, les forces de sécurité et le plan central. Et cette évolution n'avait jamais été plus rapide que sous Brejnev. *De facto*, l'Union soviétique était largement devenue un système de féodalités autonomes. Les chefs locaux – les secrétaires du Parti des Républiques de l'Union avec les commandants territoriaux qui leur étaient subordonnés et les patrons des unités de production plus ou moins grandes, qui faisaient tourner l'économie – n'étaient guère unis que par leur dépendance envers l'appareil central du Parti, à Moscou, qui nommait, déplaçait, déposait et cooptait, et par la nécessité de « réaliser le plan » élaboré dans la capitale. Dans ces limites très larges, les chefs territoriaux jouissaient d'une indépendance considérable. En vérité, l'économie n'aurait jamais fonctionné si ceux qui devaient concrètement diriger les institutions n'avaient tissé un réseau de relations latérales indépendantes du centre. Ce système d'accords, de trocs et d'échanges de faveurs entre cadres placés à des postes semblables, constituait une « deuxième économie » à l'intérieur d'un ensemble théoriquement planifié. On pourrait ajouter que, à mesure que l'URSS devint une société industrielle et urbaine plus complexe, les cadres responsables de la production, de la distribution et du sort général des citoyens, finirent par voir d'un mauvais œil les ministères et les hommes du Parti qui étaient leurs supérieurs, mais dont les fonctions concrètes n'étaient plus claires – si ce n'est celle de « mettre du foin dans leurs bottes », comme beaucoup le firent sous Brejnev, souvent de manière spectaculaire. L'écœurement face à la corruption de plus en plus monumentale et envahissante de la *nomenklatura* fut le premier moteur de la réforme : de fait, la *perestroïka* de Gorbatchev trouva des appuis assez solides parmi les cadres économiques, en particulier ceux du complexe militaro-industriel, qui désiraient sincèrement améliorer la gestion d'une économie stagnante et, en termes scientifiques et techniques, paralysée. Personne n'était mieux placé pour savoir comment on s'était fourré dans cette impasse. De plus, ces cadres n'avaient nul besoin du Parti pour accomplir leurs tâches. Si la bureaucratie du Parti devait disparaître, ils seraient encore là. Ils étaient indispensables, elle ne l'était pas. En fait, lorsque l'URSS avait disparu, ils *étaient toujours là*, désormais organisés en groupe de pression au sein de la nouvelle (1990) « Union scientifique et industrielle » (NPS) et de ses successeurs, ou, après la fin du communisme, en tant que propriétaires (potentiellement) légitimes d'entreprises qu'ils avaient auparavant commandées sans droits de propriété légaux.

Pourtant, si corrompu, inefficace et largement parasitaire qu'avait été le système de commandement du Parti, il n'en demeurait pas moins essentiel dans une économie fondée sur l'obéissance. L'alternative à l'autorité du parti ne fut pas l'autorité démocratique et constitutionnelle : à court terme, ce fut l'absence d'autorité. Et c'est bien ce qui arriva. Comme Eltsine, son successeur, Gorbatchev fit de l'État, et non plus du Parti, la base de son pouvoir. En tant que président constitutionnel, il accumula légalement les pouvoirs de gouverner par décret : à certains égards des pouvoirs théoriquement plus grands que ceux d'aucun autre dirigeant soviétique avant lui, Staline compris (Di Leo, 1992, p. 111). Personne n'y prêta attention endehors des nouvelles assemblées démocratiques, ou plutôt publicoconstitutionnelles, le Congrès du Peuple et le Soviet Suprême (1989). Personne ne gouvernait ou, plutôt, n'obéissait plus en Union soviétique.

Tel un pétrolier géant désemparé entraîné vers les récifs, une Union soviétique sans gouvernail dérivait vers sa désintégration. Les lignes de fracture étaient déjà tracées : d'un côté le système d'autonomie territoriale largement incarné par la structure fédérale de l'État, de l'autre les complexes économiques autonomes. La théorie officielle qui avait présidé à la construction de l'Union était celle de l'autonomie territoriale des groupes nationaux, tant dans les quinze Républiques que dans les régions et territoires autonomes au sein de chacune d'elles[11] : la fracture nationaliste était donc inscrite dans le système même si, à l'exception des trois petits États de la Baltique, le séparatisme n'avait jamais été envisagé avant 1988, lorsque, en réponse à la *glasnost*, se formèrent les premiers « fronts » ou organisations nationalistes (en Estonie, en Lettonie, en Lituanie et en Arménie). À ce stade, cependant, et même dans les États baltes, ils étaient moins dirigés contre le centre que contre les partis communistes gorbatcheviens locaux ou, comme en Arménie, contre l'Azerbaïdjan voisin. L'objectif n'était pas encore l'indépendance, bien que le nationalisme se radicalisât rapidement en 1989-1990 sous l'impact de la concurrence électorale, mais aussi avec la lutte entre les réformateurs radicaux et la résistance organisée de l'ancien establishment du Parti au sein des nouvelles assemblées, et avec les frictions entre Gorbatchev et Boris Eltsine, sa victime rancunière, son rival et finalement son successeur.

Au fond, les réformateurs radicaux, en butte aux hiérarchies retranchées du Parti, en appelèrent aux nationalistes des Républiques. Et, ce faisant, ils les renforcèrent. En Russie même, l'appel aux intérêt russes, contre les Républiques périphériques, subventionnées par la Russie et de plus en plus réputées mieux loties qu'elle, fut une arme puissante dans la lutte des radicaux pour éjecter la bureaucratie du Parti retranchée dans l'appareil de l'État central. Ancien patron du Parti issu de la société docile, Boris Eltsine possédait les dons permettant de réussir dans l'ancien régime (ténacité et habileté) comme dans le nouveau (démagogie, jovialité, sens des médias) : pour lui, la voie du sommet passait par la prise de contrôle de la Fédération russe, lui permettant ainsi de court-circuiter les institutions de l'Union de Gorbatchev. Jusque-là, en effet, il n'y avait jamais eu de distinction bien claire entre l'Union et sa principale composante, la République socialiste fédérative soviétique de Russie (RSFSR). En transformant la Russie en une République comme les autres, Eltsine favorisa *de facto* la désintégration de l'Union, qu'une Russie placée sous sa coupe allait bel et bien supplanter. C'est en effet ce qui se produisit en 1991.

La désintégration économique accéléra la désintégration politique en même temps qu'elle s'en nourrit. La fin du Plan et des ordres centraux du Parti sonna le glas de toute économie *nationale* efficace : dans chaque communauté, chaque territoire ou toute autre unité de gestion, ce fut une course générale au protectionnisme et à l'autonomie, sinon aux échanges bilatéraux. Les commandants des grandes agglomérations provinciales, généralement habitués à de tels arrangements, troquaient des produits industriels contre des denrées alimentaires avec les chefs des fermes collectives régionales : ainsi, pour prendre un exemple spectaculaire, Gidaspov, le chef du parti de Leningrad, remédia à la pénurie aiguë de céréales dont souffrait sa ville en passant un coup de fil à Nazarbayev, son homologue du Kazakhstan, qui arrangea un échange de céréales contre des chaussures et de l'acier (Yu Boldyrev, 1990). Mais même dans ce genre de transaction entre deux hauts responsables de l'ancienne hiérarchie du Parti, le système national de distribution n'avait plus la moindre importance. « Particularismes, autarcies, retours à des pratiques primitives : tels furent en apparence les résultats concrets des lois qui avaient libéralisé les forces économiques locales » (Di Leo, p. 101).

Le point de non-retour fut atteint dans le second semestre de 1989, bicentenaire de la Révolution française, dont des historiens « révisionnistes » français s'appliquaient alors à démontrer l'inexistence ou le manque de pertinence pour la vie politique au XXᵉ siècle. Comme dans la France du XVIIIᵉ siècle, l'effondrement politique suivit la convocation cet été-là de nouvelles assemblées démocratiques, ou largement démocratiques. En l'espace de quelques mois décisifs, entre octobre 1989 et mai 1990, l'effondrement économique devint irréversible. À cette date, cependant, le monde avait les yeux braqués sur un phénomène apparenté, mais secondaire : la dissolution soudaine, et encore une fois imprévue, des régimes communistes satellites d'Europe. Entre août 1989 et la fin de l'année, le pouvoir communiste abdiqua ou cessa d'exister en Pologne, en Tchécoslovaquie, en Hongrie, en Roumanie, en Bulgarie et en République démocratique allemande – et ce sans un seul coup de feu, sauf en Roumanie. Peu après, les deux États des Balkans qui n'étaient pas des satellites soviétiques, la Yougoslavie et l'Albanie, cessèrent à leur tour d'être des régimes communistes. La RDA allait bientôt être annexée à la République fédérale d'Allemagne, et la Yougoslavie se disloquer dans la guerre civile. Le processus fut suivi de près sur les écrans de télévision du monde occidental, mais aussi, avec beaucoup d'attention, par les régimes communistes des autres continents. Qu'ils aient été réformistes à tous crins (tout au moins sur le plan économique) comme la Chine ou fidèles à l'implacable centralisme à l'ancienne, comme Cuba (*cf.* chapitre 15), tous avaient vraisemblablement gardé quelque doute quant à la plongée de l'URSS dans une *glasnost* effrénée et à l'affaiblissement de l'autorité. De l'URSS, le mouvement de libéralisation et de démocratie se propagea à la Chine. Non sans hésitations évidentes et profonds déchirements internes, le gouvernement de Pékin décida finalement de rétablir son autorité de la manière la moins ambiguë qui soit : par une « décharge de mitraille », comme avait dit Napoléon, qui avait lui aussi employé l'armée pour réprimer l'agitation publique au cours de la Révolution française. La troupe dispersa une immense manifestation d'étudiants sur la principale place de la capitale : le bilan fut très lourd – probablement plusieurs centaines de morts, bien qu'on n'ait encore aucun chiffre fiable. Le massacre de la place Tienanmen horrifia l'opinion publique occidentale, et le Parti communiste chinois y perdit sans conteste le peu de légitimité qu'il pouvait encore conserver auprès des jeunes générations d'intellectuels chinois, y compris parmi les membres du Parti. En revanche, il put poursuivre sans problèmes politiques immédiats sa politique féconde de libéralisation économique. L'effondrement du communisme après 1989 resta donc limité à l'URSS et aux États de son orbite (dont la Mongolie extérieure, qui entre les deux guerres avait préféré la protection soviétique à la domination chinoise). Les trois régimes communistes survivant en Asie (Chine, Corée du Nord et Viêt-nam) ainsi que Cuba, lointaine et isolée, n'en furent pas affectés dans l'immédiat.

V

Il semblait naturel, en particulier l'année du bicentenaire de 1789, de décrire les changements de 1989-1990 en Europe de l'Est comme des révolutions. Pour autant que les événements qui se soldent par un renversement complet de régimes soient révolutionnaires, le mot est juste, mais trompeur. Car aucun des régimes d'Europe de l'Est ne fut *renversé*. Aucun, sauf la Pologne, ne possédait la moindre force interne, organisée ou non, susceptible de représenter une menace sérieuse. Le fait même que la Pologne comptât une puissante opposition politique garantissait en fait que le système ne serait pas détruit du jour au lendemain : le changement se fit plutôt dans le cadre d'un processus négocié de compromis et de réforme, assez comparable à la manière dont l'Espagne réalisa sa transition démocratique après la mort du général Franco en 1975. Pour les régimes situés dans l'orbite soviétique, la menace la plus immédiate venait de Moscou, qui leur fit clairement savoir qu'ils ne pourraient plus compter sur une intervention soviétique comme en 1956 et en 1968, ne serait-ce que pour une raison : avec la fin de la guerre froide, ces régimes étaient devenus stratégiquement moins nécessaires pour l'URSS. S'ils voulaient survivre, estimait-on à Moscou, ils seraient bien avisés de suivre la voie de libéralisation, de réforme et de flexibilité des communistes polonais et hongrois. Mais, par la même occasion, il n'était pas question pour Moscou de forcer la main aux durs de Berlin et de Prague. À chacun de suivre sa voie.

Le retrait même de l'URSS ne fit que mettre en évidence leur faillite. Ils ne restaient au pouvoir qu'en vertu du vide qu'ils avaient créé autour d'eux. Il n'y avait pas d'alternative, pas de solution de rechange au *statu quo*, sauf, quand c'était possible, l'émigration ou, pour une poignée, la formation de groupes d'intellectuels marginaux et dissidents. La grande masse des citoyens avait accepté les choses telles quelles : ils n'avaient pas le choix. Il ne manquait pas d'hommes énergiques, doués et ambitieux dans le système, car toute position exigeant ces qualités de même que toute expression publique de quelque talent que ce soit passaient nécessairement par le système ou supposaient son aval : c'était vrai même dans des domaines totalement apolitiques comme le saut à la perche ou les échecs. Cela valait même pour l'opposition autorisée, essentiellement dans les arts, que les systèmes sur le déclin laissèrent se développer : les écrivains dissidents qui avaient refusé d'émigrer en firent la cruelle expérience après la chute du communisme, lorsqu'ils se firent traiter de collaborateurs[12]. Il n'est pas étonnant, dans ces conditions, que la majeure partie de la population ait choisi une vie paisible qui l'astreignait à des gestes formels de soutien à un système auquel plus personne ne croyait en-dehors des petits écoliers, notamment à voter et à manifester, alors même que les sanctions qu'encouraient les dissidents n'étaient plus terrifiantes. Telle est l'une des raisons de la véhémence avec laquelle l'Ancien Régime fut dénoncé après sa chute, en particulier dans les États purs et durs comme la Tchécoslovaquie et l'ex-RDA :

> « *La grande majorité prenait part à des élections truquées pour éviter des conséquences fâcheuses, mais pas très graves ; elle participait aux défilés obligatoires. [...] La*

> *police n'avait aucun mal à recruter des informateurs alléchés*
> *par de pitoyables privilèges : souvent, de très légères pres-*
> *sions suffisaient à arracher leur consentement. »*

(KOLAKOWSKI, 1992, p. 51-56)

Plus personne, cependant, ne croyait encore, au système ni n'éprouvait à son égard la moindre loyauté, pas même ceux qui le gouvernaient. Sans doute les autorités furent-elles étonnées de voir les masses se défaire de leur passivité pour afficher leur dissidence : la caméra a bien saisi ce moment de stupeur sur le visage de Ceaucescu, en décembre 1989, lorsque la foule rassemblée pour l'applaudir se mit à le conspuer. Reste que la surprise n'était pas la dissidence, mais uniquement l'action. À l'heure de vérité, aucun gouvernement est-européen ne donna l'ordre à ses forces de tirer. Tous abdiquèrent tranquillement, sauf en Roumanie – et même là la résistance fut brève. Nulle part des communistes ultras n'étaient prêts à mourir dans le bunker pour leur foi, ni même pour le bilan de quarante années de régime communiste, qui, dans un certain nombre de ces États, était loin d'être insignifiant. Qu'auraient-ils défendu ? Des systèmes économiques dont l'infériorité vis-à-vis de leurs voisins occidentaux sautait aux yeux ? Des systèmes qui s'essoufflaient et qui s'étaient révélés impossibles à réformer, même lorsque des efforts sérieux et intelligents avaient été consentis ? Des systèmes qui avaient visiblement perdu leur justification, même aux yeux des cadres communistes d'antan, à savoir que le socialisme était supérieur au capitalisme et qu'il était appelé à le remplacer ? Qui pouvait encore y croire, quand bien même cela ne parut pas forcément invraisemblable dans les années 1940 ou même 1950 ? Comme les États communistes n'étaient plus unis, et parfois s'affrontaient militairement (comme la Chine et le Viêt-nam au début des années 1980), on ne pouvait même plus parler d'un seul « camp socialiste ». Des espoirs d'antan, seul subsistait le fait que l'URSS, le pays de la révolution d'Octobre, était l'une des deux superpuissances mondiales. Sauf peut-être la Chine, tous les gouvernements communistes et bon nombre de partis communistes, d'États et de mouvements du tiers-monde savaient pertinemment ce qu'ils devaient à l'existence de ce contrepoids à la prédominance économique et stratégique de l'autre camp. Mais l'URSS se délestait visiblement d'un fardeau politico-militaire qu'elle n'était plus en mesure de porter. Et même les États communistes qui n'étaient en aucune façon des dépendances de Moscou (Yougoslavie, Albanie) ne purent que constater à quel point sa disparition devait les affaiblir.

En tout cas, en Europe comme en URSS, la génération des communistes inspirés par les anciennes convictions appartenait au passé. En 1989, rares étaient les moins de soixante ans ayant pu partager l'expérience qui associait communisme et patriotisme dans plusieurs pays, à savoir la Seconde Guerre mondiale et la Résistance. Rares étaient les moins de cinquante ans qui pouvaient même avoir des souvenirs de première main de cette époque. Pour l'immense majorité de la population, le principe de légitimation des États n'était que rhétorique officielle ou radotages des anciens[13]. En-dehors des plus âgés, même les membres du parti avaient toute chance de ne pas être des communistes au sens ancien du terme : c'étaient plutôt des hommes et des femmes (trop peu de femmes, hélas) qui faisaient carrière dans des pays à régime communiste. Lorsque les temps changèrent, et si on leur en laissa la possibilité, ils n'eurent aucune hésitation à retourner leur veste du jour au lendemain. Bref, ceux qui dirigeaient les régimes satellites de l'Union soviétique avaient perdu la foi, pour autant qu'ils l'aient jamais eue. Tant que les systèmes étaient en état de marche, ils les faisaient fonctionner. Lorsqu'il apparut que l'URSS elle-même était à la dérive, les réformateurs (comme en Pologne et en Hongrie) tâchèrent de négocier une transition pacifique. Quant aux durs, comme en Tchécoslovaquie et en RDA, ils refusèrent de bouger, jusqu'au jour où il fut évident que les citoyens n'obéissaient plus, même si l'armée et la police y consentaient encore. Dans les deux cas, les autorités se retirèrent tranquillement lorsqu'elles comprirent que leur temps était passé, prenant ainsi une revanche inconsciente sur les propagandistes occidentaux qui avaient soutenu que pareille chose était précisément inconcevable dans des régimes « totalitaires ».

Elles laissèrent la place, pour un temps très court, à des hommes et des femmes (encore une fois, trop rarement) qui avaient incarné la dissidence ou l'opposition, et avaient organisé ou, mieux peut-être, appelé avec succès aux manifestations de masses qui avaient donné le signal de l'abdication pacifique des anciens régimes. Sauf en Pologne, où l'Église et les syndicats formaient l'épine dorsale de l'opposition, il s'agissait d'une poignée d'intellectuels souvent très courageux, d'une minuscule armée de chefs de file qui se trouvèrent brièvement portés à la tête de leurs peuples : souvent, comme dans les révolutions de 1848 qui viennent immanquablement à l'esprit de l'historien, des universitaires ou des hommes issus du monde des arts. Un moment on songea à faire de philosophes dissidents (Hongrie) ou de médiévistes (Pologne) des présidents ou des Premiers ministres. Un dramaturge, Vaclav Havel, devint bel et bien président de la Tchécoslovaquie, entouré d'un groupe excentrique de conseillers, depuis un rocker américain amateur de scandale jusqu'à un membre de la haute aristocratie des Habsbourg (le prince Schwarzenberg). On assista à une avalanche de discours sur la « société civile », c'est-à-dire sur l'ensemble des organisations volontaires de citoyens ou des activités privées, prenant la place des États autoritaires, et sur le retour aux principes des révolutions avant que le bolchevisme ne les ait dénaturés[14]. Comme en 1848, hélas, le moment de liberté et de vérité ne dura pas. La politique et les affaires de l'État retombèrent entre les mains de ceux qui exercent normalement ces fonctions. Les « fronts » ou « mouvements civiques » *ad hoc* se défirent presque aussi rapidement qu'ils étaient nés.

Tel fut aussi le cas en URSS, où l'effondrement du Parti et de l'État fut plus lent, se poursuivant jusqu'en août 1991. L'échec de la *perestroïka* et le rejet consécutif de Gorbatchev par les citoyens devinrent de plus en plus évidents, même si l'on ne devait pas en prendre toute la mesure à l'Ouest, où Gorbatchev conserva légitimement une grande popularité. Du coup, le chef de l'URSS se trouva réduit à opérer une série de manœuvres d'antichambre et d'alliances mouvantes avec les groupes politiques et de pouvoir nés de la « parlementarisation » de la vie politique soviétique. Ainsi se rendit-il également suspect aux yeux des réformateurs qui s'étaient initialement rassemblés autour de lui – et dont il avait mobilisé les forces pour changer l'État – et à ceux du bloc fragmenté du Parti dont il avait brisé le pouvoir. Il entrera dans l'histoire comme le personnage tragique qu'il a été : un « Tsar libérateur » communiste, qui, comme Alexandre II (1855-1881), détruisit ce qu'il souhaitait réformer et fut emporté par le processus ainsi amorcé[15].

Charmant, sincère, intelligent et authentiquement animé par les idéaux du communisme qu'il jugeait corrompus depuis l'ascension de Staline, Gorbatchev, paradoxalement, était beaucoup trop un homme d'organisation pour le tohu-bohu de la vie politique démocratique qu'il initia et beaucoup trop un homme de commission pour prendre des mesures décisives. Il était aussi trop éloigné des expériences de la Russie industrielle et urbaine, qu'il n'avait jamais dirigée, pour avoir le sens des réalités du terrain d'un ancien patron du Parti. Son problème n'est pas tant son manque de stratégie efficace pour réformer l'économie – personne n'en avait, même après sa chute – que son éloignement de l'expérience quotidienne de son pays.

La comparaison avec un autre dirigeant communiste issu de la génération de l'après-guerre (tous deux avaient la cinquantaine) est riche en enseignements. Nursultan Nazarbayev, qui hérita en 1984 de la République asiatique du Kazakhstan dans le cadre de l'entreprise de réforme, avait commencé par travailler à la base avant de devenir un homme public à plein-temps. En cela, il était pareil à maints responsables politiques soviétiques, mais différent de Gorbatchev et de presque tous les hommes d'État des pays non socialistes. Il passa alors du Parti à l'État, devint président de la République, et survécut à la fois à la chute de Gorbatchev et à celle du Parti de l'Union, deux événements qu'il fut loin d'accueillir avec joie. Après la chute, il demeura l'un des hommes les plus puissants de la nébuleuse « Communauté des États indépendants » (CEI). Mais, toujours pragmatique, Nazarbayev avait systématiquement travaillé à optimiser la position de son fief (et de sa population) ; et il avait pris grand soin que les réformes du marché ne créent pas de troubles sociaux. Des marchés oui, des hausses de prix incontrôlées, certainement pas. Sa stratégie de prédilection consista à passer des accords commerciaux bilatéraux avec d'autres républiques soviétiques (ou ex-soviétiques) – il était favorable à la création d'un marché commun soviétique en Asie centrale – et à mettre sur pied des *joint ventures* (co-entreprises) avec des capitaux étrangers. Il n'était pas opposé aux économistes radicaux, puisqu'il en recruta quelques-uns en Russie ; il embaucha même des non communistes et fit venir l'un des cerveaux du miracle économique sud-coréen – ce qui témoignait d'une appréciation réaliste de la marche réelle des économies capitalistes qui avaient réussi après la Seconde Guerre mondiale. La route de la survie et peut-être de la réussite était moins pavée de bonnes intentions que des durs pavés du réalisme.

Les dernières années de l'Union soviétique furent une lente catastrophe. La chute des régimes satellites européens de 1989 et la réunification de l'Allemagne, que Moscou accepta à contrecœur, démontrèrent que l'Union soviétique avait cessé d'être une puissance internationale, *a fortiori* une superpuissance. Sa totale inaptitude à jouer le moindre rôle dans la crise du golfe Persique, en 1990-1991, mit cette situation en évidence. Sur le plan international, l'URSS ressemblait à un pays complètement défait, comme au lendemain d'une grande guerre – sauf qu'il n'y en avait pas eu. Elle n'en conservait pas moins les forces armées et le complexe militaro-industriel de l'ancienne superpuissance. Et cette situation imposait de sévères limites à sa politique. Cependant, bien que la débâcle internationale ait encouragé le sécessionnisme dans les républiques où le sentiment nationaliste était fort, notamment dans les États baltes et la Géorgie – la Lituanie essuya les plâtres en mars 1990 par une provocatrice déclaration d'indépendance totale[16] – la désintégration de l'Union ne fut pas le fait de forces nationalistes.

Elle s'explique essentiellement par la désintégration de l'autorité centrale, qui obligea chaque région, chaque sous-unité du pays, à penser d'abord à elle, et notamment à sauver d'une économie qui s'enfonçait dans le chaos, ce qui pouvait encore l'être. Derrière les soubresauts des deux dernières années de l'URSS, se profilaient la faim et la pénurie. Issus pour la plupart des rangs des universitaires qui avaient si clairement bénéficié de la *glasnost*, les réformateurs aux abois se trouvèrent acculés à un extrémisme apocalyptique : on ne pouvait rien faire tant que l'ancien système et tout ce qui s'y rapportait n'aurait pas été complètement détruit. Sur le plan économique, il devait être entièrement pulvérisé par la privatisation totale et l'introduction immédiate, à n'importe quel prix, d'un marché libre à 100 %. Ainsi furent proposés des plans radicaux pour parvenir en l'espace de quelques semaines ou de quelques mois (il y eut un « programme de cinq cents jours »). Ces politiques ne s'appuyaient sur aucune connaissance concrète des marchés ou des économies capitalistes : elles n'en furent pas moins vigoureusement recommandées par des économistes et experts financiers britanniques et américains de passage, dont les opinions ne reposaient sur aucune connaissance des réalités soviétiques. Les uns et les autres avaient raison de penser que dans le système existant, ou plutôt, tant qu'il se maintiendrait, l'économie planifiée restait très inférieure aux économies essentiellement fondées sur la propriété et l'entreprise privées, et que cet ancien système, même sous une forme modifiée, était condamné. Mais ni les uns ni les autres ne surent regarder le véritable problème en face, à savoir comment transformer une économie planifiée en l'une ou l'autre version d'une économie dynamisée par le marché ; ils se bornèrent donc à répéter les démonstrations abstraites des vertus du marché que l'on trouve dans les manuels d'économie de première année. À les en croire, dès lors qu'on aurait rendu sa liberté au jeu de l'offre et de la demande, le marché remplirait automatiquement les rayons des magasins de marchandises que les producteurs refusaient de mettre en vente au prix actuel. Habitués de longue date à souffrir, la plupart des citoyens de l'URSS savaient bien qu'il n'en serait rien. Et quand elle eut cessé d'exister, le traitement de choc fut brièvement administré, sans produire les résultats escomptés. De surcroît, aucun observateur sérieux ne pensait qu'en l'an 2000 l'État et le secteur public de l'économie soviétique seraient réduits à la portion congrue. Les disciples de Friedrich Hayek et de Milton Friedman condamnaient l'idée même d'une économie mixte de ce genre. Ils n'avaient aucun conseil à offrir quant aux moyens de la gérer ou de la transformer.

Lorsqu'elle survint, cependant, la crise finale ne fut pas économique mais politique. L'idée d'un effondrement total de l'URSS était inacceptable pour la quasi-totalité de l'*establishment* soviétique : pour le Parti, les planificateurs, les scientifiques et l'État, mais aussi pour les forces armées, l'appareil de sécurité ou les autorités sportives. Cette dislocation fut-elle désirée ou même imaginée par un fort contingent de citoyens soviétiques hors des États baltes, même après 1989 ? On ne saurait le dire, mais c'est peu probable : au référendum de 1991, quelles que soient les réserves que nous puissions faire sur ces chiffres, 76 % des électeurs se prononcèrent pour le maintien de l'URSS sous la forme d'une « Fédération rénovée de Républiques souveraines et égales, où les droits et la liberté de chacun, quelle que soit sa nationalité, soient pleinement protégés » (*Pravda*, 25 janvier 1991). Elle n'était certainement au programme d'aucun homme politique en vue de l'Union. Pourtant, la dissolution du centre paraissait inévitablement renforcer les forces centrifuges et rendre l'éclatement inévitable, notamment en raison de la politique de Boris Eltsine, dont l'étoile montait à mesure que celle de Gorbatchev pâlissait. Désormais, l'Union n'était plus qu'un spectre : seules existaient les républiques. À la fin avril, Gorbatchev, soutenu par les neuf grandes Républiques[17], négocia un « Traité d'Union » qui, un peu à la manière du Compromis austro-hongrois de 1867, était destiné à préserver l'existence d'un pouvoir central fédéral (avec un président fédéral directement élu), en charge des forces armées, de la politique extérieure, de la coordination de la politique financière et des relations économiques avec le reste du monde. Le Traité devait entrer en vigueur le 20 août.

Pour la majorité des membres de l'ancien parti et de l'*establish-ment* soviétique, ce traité relevait de ces formules de papier dont Gorbatchev avait le secret, et condamnées comme toutes les autres. Ils y voyaient donc la pierre tombale de l'Union. Deux jours avant l'entrée en vigueur du Traité, la quasi-totalité des poids lourds de l'Union – les ministres de la Défense et de l'Intérieur, le chef du KGB, le vice-président et le Premier ministre de l'URSS ainsi que les piliers du Parti – proclamèrent qu'un Conseil d'urgence allait prendre le pouvoir en l'absence du président et secrétaire général (en résidence surveillée sur son lieu de villégiature). Ce n'était pas tant un coup d'État – personne ne fut arrêté à Moscou, même les stations de radio et de télévision ne furent pas prises – qu'une proclamation : la mécanique du pouvoir réel était de nouveau en activité, dans l'espoir que les citoyens salueraient, ou tout au moins accepteraient tranquillement, le retour à l'ordre et au gouvernement. L'échec de l'opération ne vint ni d'une révolution ni d'un soulèvement populaire, car la population moscovite resta calme, et l'appel à une grève contre le coup d'État n'eut aucun écho. Comme bien souvent dans l'histoire soviétique, le drame se joua entre une poignée d'acteurs par-dessus la tête d'un peuple habitué de longue date à souffrir.

Mais pas tout à fait. Trente ans, voire dix ans plus tôt, une simple proclamation, rappelant où se trouvait la réalité du pouvoir, aurait suffi. Même dans ces conditions, la plupart des citoyens soviétiques gardèrent la tête basse : 48 % de la population (d'après un sondage) et – de manière moins surprenante – 70 % des comités du Parti approuvèrent le « coup d'État » (Di Leo, 1992, p. 141, 143 n.). De manière tout aussi révélatrice, les gouvernements étrangers furent plus nombreux à croire à sa réussite qu'ils ne voulurent bien l'admettre[18]. Mais l'ancienne manière de réaffirmer le pouvoir du Parti ou de l'État reposait sur l'assentiment universel et automatique : il n'était pas question de compter les troupes. Or, en 1991, il n'y avait plus ni pouvoir central ni obéissance universelle. Un authentique coup d'État aurait pu réussir à s'imposer sur la majeure partie du territoire et de la population de l'URSS ; quelles que soient les divisions et les incertitudes régnant au sein des forces armées et de l'appareil de sécurité, il aurait probablement été possible de trouver suffisamment de troupes fiables pour assurer le succès du *putsch* dans la capitale. Mais la réaffirmation symbolique de l'autorité ne suffisait plus. Gorbatchev avait raison : la *perestroïka* avait déjoué la conjuration en changeant la société. Mais elle avait aussi eu raison de lui.

Une résistance symbolique pouvait triompher d'un coup de force symbolique, car la guerre civile était bien la dernière chose à laquelle les comploteurs étaient préparés ou qu'ils souhaitaient. En vérité, leur geste même était destiné à arrêter ce que la plupart des gens craignaient : un glissement vers un conflit de ce genre. Ainsi, tandis que les vagues institutions de l'URSS se rangeaient derrière les conjurés, tel ne fut pas le cas des institutions à peine moins vagues de la République russe dirigée par Boris Eltsine, qui venait d'être élu président à une large majorité. Il ne restait plus aux conjurés qu'à s'avouer vaincus après que Eltsine, entouré de quelques milliers de partisans venus défendre son QG, eut défié les chars sous l'objectif des caméras de télévision du monde entier. Courageusement, mais sans grand risque, Eltsine, dont les talents politiques et la capacité de décision tranchaient si clairement sur le style de Gorbatchev, saisit aussitôt l'occasion de dissoudre et d'exproprier le Parti communiste, mais aussi de reprendre pour la République de Russie ce qui demeurait des actifs de l'URSS. Quelques mois plus tard, celle-ci disparut officiellement. Gorbatchev lui-même tomba dans l'oubli. Le monde, qui s'était montré tout prêt à accepter le coup d'État, accepta alors le « contre-coup » beaucoup plus efficace d'Eltsine et, aux Nations unies comme ailleurs, traita la Russie comme le successeur naturel de la défunte Union soviétique. La tentative de sauvetage de l'ancienne structure de l'Union soviétique l'avait détruite plus soudainement et irrévocablement que personne ne l'avait prévu.

Pour autant, aucun des problèmes de l'économie, de l'État et de la société n'était résolu. Sur un plan, cela n'avait fait que les aggraver, car les autres républiques craignaient maintenant leur grand frère, la Russie, comme jamais elles n'avaient craint l'URSS non nationale, d'autant que la carte du nationalisme russe était la meilleure que pût jouer Eltsine pour se concilier les forces armées, dont les Grands Russes avaient toujours formé le noyau dur. Comme la plupart des Républiques comptaient de fortes minorités russes, Eltsine accéléra la course à la séparation en laissant entendre qu'il faudrait peut-être renégocier les frontières entre les Républiques. L'Ukraine proclama aussitôt son indépendance. Pour la première fois, des populations habituées à l'oppression impartiale de tous (y compris des Grands Russes) par l'autorité centrale avaient des raisons de craindre l'oppression de Moscou dans l'intérêt d'une seule nation. En réalité, cela ruina tout espoir de préserver ne serait-ce qu'un semblant d'Union, car la nébuleuse « Communauté des États indépendants » qui succéda à l'URSS eut tôt fait de perdre toute réalité. Dernière survivance de l'Union, même l'équipe unie, qui participa avec un immense succès aux Jeux olympiques de 1992 et surpassa les États-Unis, ne semblait guère promise à une longue vie. Ainsi la destruction de l'URSS défit-elle le fruit de près de quatre siècles d'histoire russe, et marqua le retour du pays à quelque chose de comparable aux dimensions et à la stature internationale d'avant Pierre le Grand (1672-1725). Puisque la Russie, sous les tsars comme dans le cadre de l'URSS, avait été une grande puissance depuis le milieu du XVIIIe siècle, sa désintégration laissa un vide international entre Trieste et Vladivostock. Un vide sans précédent dans l'histoire du monde moderne, sauf, brièvement, au cours de la guerre civile de 1918-1920 : une immense zone de désordres, de conflits et de catastrophes potentielles. Tel était l'ordre du jour des diplomates et des chefs des armées à la fin du millénaire.

VI

Deux observations s'imposent pour conclure ce tour d'horizon. La première, pour noter à quel point l'emprise du communisme se révéla superficielle sur l'immense zone qu'il avait conquise plus rapidement qu'aucune autre idéologie depuis le premier siècle de l'Islam. Alors même qu'une version simpliste du marxisme-léninisme était devenue l'orthodoxie dogmatique (séculière) de tous les citoyens entre l'Elbe et les mers de Chine, celle-ci disparut du jour au lendemain avec les régimes politiques qui l'avaient imposée. On peut suggérer deux raisons à ce phénomène historiquement assez déroutant. Loin de reposer sur une conversion en masse, le communisme était une foi de cadres ou, comme disait Lénine, des « avant-gardes ». Même la célèbre formule de Mao, sur les guérillas qui sont dans la paysannerie comme poisson dans l'eau, suppose que l'on distingue l'élément actif (le poisson) de l'élément passif (l'eau). Alors que les mouvements ouvriers et socialistes non officiels (mais aussi certains partis communistes de masse) pouvaient être coextensifs à leur communauté ou à leur clientèle, comme dans les villages charbonniers, tous les partis communistes dirigeants étaient, par choix et par définition, des élites minoritaires. L'assentiment des « masses » au communisme ne dépendait pas de leurs convictions, idéologiques ou autres : les masses jugeaient ce que la vie sous les régimes communistes leur apportait et comparaient leur situation à celle des autres. Du jour où il ne fut plus possible d'isoler ces populations, de les empêcher d'entrer en contact avec d'autres pays ou même de les connaître, le scepticisme gagna. Une fois encore, le communisme était foncièrement une foi instrumentale, où le présent n'avait de valeur que comme un moyen d'atteindre un avenir indéfini. Sauf en de rares cas – par exemple, dans les guerres patriotiques, où la victoire justifie les sacrifices présents –, un tel ensemble de croyances est mieux adapté aux sectes et aux élites qu'à des Églises universelles dont le champ d'opération, quelle que soit leur promesse de salut ultime, est et doit être celui de la vie quotidienne. Même les cadres des partis communistes commencèrent à se focaliser sur les gratifications ordinaires de l'existence dès lors que l'objectif millénariste du salut terrestre, auquel ils avaient consacré leur vie, parut s'éloigner dans un avenir indéfini. Et lorsque cela se produisit, le Parti n'essaya même pas de corriger leur conduite. Là encore, le fait est typique. Bref, par la nature même de son idéologie, le communisme demandait à être jugé à ses réussites et n'avait aucune réserve pour affronter un échec.

Mais pourquoi a-t-il échoué ? Ou, plutôt, pourquoi s'est-il effondré ? Tel est le paradoxe de l'URSS : dans sa mort, elle a apporté l'une des plus solides confirmations de l'analyse de Marx, qu'elle avait prétendue illustrer.

> « *Dans la production sociale de leur existence*, écrivait Marx en 1859, *les hommes nouent des rapports déterminés, nécessaires, indépendants de leur volonté ; ces rapports de production correspondent à un degré donné du développement de leurs forces productives matérielles.* [...] *À un certain degré de leur développement, les forces productives matérielles de la société entrent en collision avec les rapports de production existants, ou avec les rapports de propriété au sein desquels elles s'étaient mues jusqu'alors, et qui n'en sont que l'expression juridique. Hier encore formes de développement des forces productives, ces conditions se changent en lourdes entraves. Alors commence une ère de révolution sociale.* »[19]

Rarement, il y aura eu exemple plus clair du schéma marxien des forces de production entrant en conflit avec la superstructure sociale, institutionnelle et idéologique qui avait transformé des économies agraires arriérées en économies industrielles avancées au point que les forces étaient devenues des entraves à la production. Le premier résultat de l'« ère de révolution sociale » ainsi amorcée fut la désintégration de l'ancien système.

Mais par quoi allait-il être remplacé ? En l'occurrence, il n'est plus possible de suivre l'optimisme typique du XIXe siècle de Marx, convaincu que le renversement de l'ancien système déboucherait sur quelque chose de meilleur, parce que « l'humanité ne se pose jamais que les problèmes qu'elle peut résoudre ». Les problèmes que « l'humanité » ou, plutôt, les bolcheviks se posèrent en 1917 n'étaient pas solubles, ou ne l'étaient que de manière très incomplète, dans les circonstances de leurs temps et lieu. Et aujourd'hui, il faudrait avoir un fort degré de confiance pour entrevoir dans l'avenir prévisible une solution aux problèmes nés de l'effondrement du communisme soviétique, ou pour soutenir qu'une solution susceptible de se dessiner au cours de la prochaine génération apparaîtra comme une amélioration évidente aux habitants de l'ex-URSS et des anciens pays communistes des Balkans.

L'expérience du « socialisme réellement existant » a pris fin avec l'effondrement de l'URSS. Car même lorsque des régimes communistes ont survécu et ont réussi, comme en Chine, ils ont abandonné l'idée initiale d'une économie planifiée, centralisée et dirigée par l'État, fondée sur une économie entièrement collectivisée ou une économie de coopératives, pratiquement sans marché. Cette expérience se renouvellera-t-elle jamais ? De toute évidence, pas sous la forme élaborée en URSS, ni probablement sous aucune forme, sauf dans des conditions proches d'une économie de guerre totale ou dans quelque cas d'urgence analogue.

La raison en est claire. L'expérience soviétique avait été conçue non pas comme une solution de rechange globale au capitalisme, mais comme une série de réponses spécifiques à la situation particulière d'un pays immense et accusant un retard spectaculaire, dans une conjoncture historique particulière et qui ne saurait se répéter. L'échec de la Révolution ailleurs condamnait l'URSS à construire seule le socialisme dans un pays où les conditions n'en étaient pas réunies : en 1917, tous les marxistes, y compris les Russes, en convenaient. L'effort pour y parvenir quand même a donné des résultats remarquables – notamment, la capacité de vaincre l'Allemagne au cours de la Seconde Guerre mondiale –, mais à un coût humain tout à fait immense et insupportable, et au prix de ce qui devait finalement apparaître comme une économie paralysée et un système politique indéfendable. (Georges Plekhanov, le « père du marxisme russe », n'avait-il pas prédit que la révolution d'Octobre ne pouvait déboucher au mieux que sur un « Empire chinois badigeonné de rouge » ?) Les autres socialismes « réellement existants », apparus sous l'aile de l'Union soviétique, souffrirent des mêmes handicaps, mais dans une moindre mesure et – en comparaison de l'URSS – avec des souffrances humaines bien moins importantes. Un renouveau ou une renaissance de ce modèle de socialisme n'est ni possible ni souhaitable, ni nécessaire, à supposer même que les conditions y soient propices.

Dans quelle mesure la faillite de l'expérience soviétique sème le doute sur tout le projet du socialisme traditionnel, d'une économie essentiellement basée sur la propriété sociale et la gestion planifiée des moyens de production, de distribution et d'échange ? C'est là une toute autre question. Que ce projet soit, en théorie, économiquement rationnel, il s'est trouvé des économistes pour l'admettre dès avant la Première Guerre mondiale, même si, assez curieusement, cette théorie fut l'œuvre non pas de socialistes, mais d'économistes purs, non socialistes. Et il était non moins évident qu'il aurait des inconvénients pratiques, ne serait-ce que du fait de la bureaucratie. Il était clair que cette économie devait au moins en partie reposer sur des *prix* – à la fois établis par le marché et sur des « prix comptables » réalistes – si l'on voulait que le socialisme tînt compte des désirs des consommateurs, plutôt que de leur dire ce qui était bon pour eux. En fait, les économistes socialistes occidentaux qui réfléchirent à ces questions dans les années 1930, alors que le sujet était naturellement fort débattu, imaginaient un mélange de planification, de préférence décentralisée – et de prix. Mais démontrer la faisabilité d'une économie socialiste de ce genre, ce n'est pas, bien entendu, démontrer sa nécessaire supériorité sur, par exemple, quelque version socialement plus juste de l'économie mixte de l'Âge d'or. Et c'est encore moins établir qu'elle aurait les préférences de la population. C'est tout simplement dissocier la question du socialisme en général de celle de l'expérience spécifique du « socialisme réellement existant ». L'échec du socialisme soviétique ne préjuge pas de la possibilité d'autres types de socialisme. En vérité, l'incapacité même des économies planifiées et centralisées de type soviétique à se réformer et à se transformer en « socialisme de marché », comme elles le voulaient, met en évidence le fossé qui sépare les deux formes de développement.

La tragédie de la révolution d'Octobre est précisément de n'avoir pu produire qu'un socialisme autoritaire, implacable et brutal. Oskar Lange, l'un des économistes socialistes les plus fins des années 1930, quitta les États-Unis pour aller bâtir le socialisme dans sa Pologne natale avant de s'éteindre dans un hôpital de Londres. Sur son lit de mort, il bavarda avec les amis et admirateurs (dont j'étais), qui étaient venus le voir. Je n'ai pas oublié ses propos :

> « *Si j'avais vécu en Russie dans les années 1920, j'aurais été un gradualiste à la Boukharine. Si j'avais eu mon mot à dire sur l'industrialisation soviétique, j'aurais recommandé une série d'objectifs plus souples et limités, comme le firent en fait les planificateurs avertis de la Russie. Et pourtant, quand j'y songe, je ne cesse de me poser la question : y avait-il une autre solution que la course en avant tous azimuts, brutale et fondamentalement non planifiée du Premier Plan quinquennal ? J'aimerais pouvoir dire oui, mais je ne peux pas. Je n'ai pas de réponse.* »

CHAPITRE 17
L'AVANT-GARDE SE MEURT :
LES ARTS APRÈS 1950

> « *L'art conçu comme un placement est une idée qui n'est guère plus ancienne que le début des années 1950.* »
>
> G. REITLINGER,
> *The Economics of Taste*, vol. 2, 1982, p. 14.

> « *Les grands gros produits blancs, les objets qui maintiennent notre économie à flot – les réfrigérateurs, les poêles, toutes ces choses qui étaient en porcelaine et blanches – sont tous teintés désormais. C'est nouveau. Il y a du pop art là-dedans. Très joli. Mandrake le Magicien qui descend du mur lorsque vous ouvrez le frigo pour vous servir un jus d'orange.* »
>
> Studs TERKEL,
> *Division Street : America*, 1967, p. 127.

I

Les historiens, y compris l'auteur de ce livre, ont pour habitude de traiter de l'évolution des arts, si évidentes et profondes que soient leurs racines dans la société, comme s'ils étaient d'une certaine façon séparables de leur contexte contemporain, comme une branche ou un type d'activités humaines sujet à ses règles propres, et susceptible d'être jugé en conséquence. À l'époque des transformations les plus révolutionnaires de la vie humaine jamais enregistrées, ce principe vieux et commode de structuration des études historiques devient pourtant lui-même de plus en plus irréel. Ce n'est pas seulement que la frontière entre ce qui relève ou non de l'« art », de la « création » ou de l'artifice soit devenue de plus en plus nébuleuse, si elle n'a pas carrément disparu, ou parce qu'une influente école de critique littéraire de cette fin de siècle ait décrété impossible, sans intérêt et antidémocratique de décider que le *Macbeth* de Shakespeare était mieux ou moins bien que *Batman*. C'est aussi que les forces déterminant ce qui s'est produit dans les arts, ou dans ce que les observateurs à l'ancienne auraient appelé de ce nom, ont été très largement exogènes. Comme on pouvait l'attendre en un temps d'extraordinaire révolution techno-scientifique, ces forces ont été à prédominante technologique.

La technologie a révolutionné les arts de manière on ne peut plus évidente en les rendant omniprésents. La radio avait déjà fait entrer les sons – paroles et musiques – dans la plupart des foyers du monde développé et elle continua sa pénétration dans le monde retardataire. Mais ce qui la rendit universelle, c'est le transistor, qui permit la fabrication de postes petits et portables, ainsi que la pile électrique de longue durée, la rendant ainsi indépendante des réseaux officiels (c'est-à-dire essentiellement urbains) d'alimentation électrique. Le gramophone ou le tourne-disque était déjà ancien et, malgré des améliorations techniques, demeurait relativement encombrant. L'enregistrement de longue durée (1948), qui s'imposa rapidement dans les années 1950 (Guiness, 1984, p. 193), bénéficia aux amateurs de musique classique, dont les compositions, à la différence de la musique populaire, s'accommodaient mal de la limite des trois ou cinq minutes des 78 tours ; mais ce qui rendit la musique de son choix réellement transportable, c'est la cassette utilisable sur des magnétophones à piles de plus en plus petits et portables qui déferla sur le monde dans les années 1970 et qui avait l'avantage supplémentaire d'être facile à copier. Dans les années 1980, la musique était virtuellement omniprésente : dans la sphère privée, accompagnant toutes les activités possibles par des écouteurs raccordés à des appareils de poche dont les Japonais furent (comme si souvent) les pionniers, ou diffusée publiquement d'une manière qui n'était que trop efficace par de grands « *ghetto-blasters* » portables (car on n'avait pas encore réussi à miniaturiser les haut-parleurs). Cette révolution technique eut des conséquences politiques aussi bien que culturelles. En 1961, le général de Gaulle en appela avec succès aux troupes françaises contre le coup d'État militaire de leurs chefs, parce que les soldats pouvaient l'entendre sur leurs postes de radio. Dans les années 1970, c'était devenu un jeu d'enfant que de copier les discours de l'ayatollah Khomeiny, chef en exil de la future révolution iranienne, pour les transporter et les diffuser en Iran.

La télévision n'est jamais devenue aussi facile à porter que la radio – du moins souffre-t-elle plus de la réduction que le son –, mais elle a domestiqué l'image animée. De surcroît, alors même que le poste de télévision demeurait un appareil beaucoup plus coûteux et encombrant qu'un poste de radio, la télévision est devenue presque universellement et constamment accessible, même pour les pauvres de certains pays retardataires, chaque fois qu'existait une infrastructure urbaine. Dans les années 1980, quelque 80 % de la population d'un pays comme le Brésil avaient accès à la télévision. Mais il y a encore plus surprenant : aux États-Unis, le nouveau médium a évincé la radio et le cinéma pour s'imposer comme la forme de divertissement populaire standard dans les années 1950 ; pays prospère, la Grande-Bretagne a suivi dans les années 1960. La demande de masse était écrasante. Dans les pays avancés, elle a commencé (*via* le magnétoscope, qui demeurait encore un appareil assez coûteux) à mettre à portée du petit écran tout l'éventail des images cinématographiques. Alors que le répertoire du grand écran souffrait généralement d'être miniaturisé, la vidéocassette avait l'avantage de donner au spectateur un choix théoriquement illimité (ou presque) d'œuvres de son choix à regarder quand il le voulait. Avec l'essor des ordinateurs individuels, le petit écran a paru sur le point de devenir le principal lien de l'individu avec le monde extérieur.

Pourtant, la technologie n'a pas seulement rendu les arts omniprésents, elle a aussi transformé la perception qu'on en a. Pour qui a grandi à une époque où, à travers la pop musique – en concert comme dans les enregistrements, on n'entend plus que des sons d'origine électronique ou mécanique ; où n'importe quel enfant peut faire des arrêts sur image ou repasser un extrait sonore ou visuel comme on peut relire certains passages d'un texte, où l'illusion théâtrale ne pèse plus grand-chose en comparaison de ce que permettent les technologies dans les spots publicitaires (notamment, raconter une dramatique en trente secondes), il n'est guère possible de se faire une idée de la perception linéaire ou séquentielle simple qui était de règle avant que la technologie de pointe ne permît de parcourir en quelques secondes tout l'éventail des chaînes de télévision. La technologie a transformé le monde des arts, mais celui des arts populaires et des divertissements plus tôt et plus complètement que celui des « arts majeurs », en particulier des arts plus traditionnels.

II

Mais qu'était-il advenu de ceux-ci ?

À première vue, le trait le plus frappant de l'histoire des arts majeurs dans le monde d'après l'Ère des catastrophes a été un déplacement géographique marqué au détriment des centres traditionnels (européens) de la culture d'élite et – du fait d'une prospérité mondiale sans précédent – une augmentation considérable des ressources financières disponibles pour les financer. Un examen plus minutieux, nous le verrons, devait se révéler moins encourageant.

Que l'« Europe » (terme par lequel la plupart des Occidentaux, entre 1947 et 1989, entendaient l'« Europe occidentale ») ne fût plus le grand foyer des arts majeurs est devenu un lieu commun. New York se targuait d'être devenue à la place de Paris le centre des arts plastiques, ce qu'il fallait traduire par le marché de l'art, c'est-à-dire l'endroit où les artistes vivants devenaient les denrées les plus prisées. De manière plus significative, le jury du prix Nobel de littérature, organisme dont le sens politique est généralement plus intéressant que les jugements littéraires, commença à prendre au sérieux la littérature non européenne à partir des années 1960, après l'avoir presque entièrement négligée, exception faite de l'Amérique du Nord (qui obtint régulièrement des prix à partir de 1930, lorsque Sinclair Lewis en devint le premier lauréat). Dans les années 1970, aucun lecteur de romans digne de ce nom ne pouvait passer à côté de la brillante école des écrivains latino-américains. Aucun cinéphile ne pouvait manquer d'admirer ou de s'exprimer comme s'il admirait les grands réalisateurs japonais qui, à commencer par Akira Kurosawa (1910-1998) dans les années 1950, partirent à la conquête des festivals internationaux de cinéma, ou le Bengali Satyadjit Ray (1921-1992). En 1986, personne ne s'étonna de voir le prix Nobel décerné pour la première fois à un écrivain d'Afrique sub-saharienne : le Nigérian Wole Soyinka (né en 1934).

L'éclipse de l'Europe a été encore plus claire dans l'art dont la présence visuelle est la plus insistante, à savoir en architecture. Dans ce domaine, on l'a vu, le mouvement moderne avait très peu construit entre les deux guerres. Après 1945, lorsqu'il s'affirma, le « style international » produisit ses monuments les plus imposants et les plus nombreux aux États-Unis, et poursuivit son développement, essentiellement *via* les chaînes hôtelières américaines qui, s'étendant dans le monde comme des toiles d'araignée à partir des années 1970, finirent par exporter une forme particulière de palais des rêves pour cadres en déplacement ou touristes fortunés. Dans leurs versions les plus caractéristiques, ces bâtiments étaient aisément reconnaissables à une sorte de nef centrale ou de serre géante, dont l'intérieur était généralement planté d'arbres, de plantes et orné de fontaines ; des ascenseurs transparents glissant contre les parois, à l'intérieur ou à l'extérieur ; du verre partout et un éclairage théâtral. Pour la société bourgeoise de la fin du XXᵉ siècle, ces hôtels devaient être ce que l'Opéra classique avait été pour son ancêtre du XIXᵉ siècle. Mais le mouvement moderne a partout créé des monuments tout aussi marquants : Le Corbusier (1887-1965) construisit en Inde toute une capitale (Chandigarh) ; Oscar Niemeyer (né en 1907) l'essentiel de la capitale du Brésil (Brasilia) ; tandis que, également financé par l'État plutôt que par des intérêts privés, le Musée national d'Anthropologie de Mexico (1964) est peut-être le plus beau des grands produits du mouvement moderne.

Il semblait non moins évident que les vieux centres artistiques européens montraient des signes de fatigue après la bataille, à l'exception de l'Italie, où le climat de la lutte pour la libération antifasciste, largement sous la direction des communistes, inspira une décennie de renaissance culturelle qui se manifesta sur la scène internationale à travers le cinéma « néoréaliste ». Les arts plastiques français ne purent garder la réputation qui était celle de l'École de

Paris dans l'entre-deux-guerres, et qui n'était elle-même qu'un reflet de son éclat d'avant 1914. Les grands noms de la fiction française furent moins littéraires qu'intellectuels : leur gloire provenait de leurs inventions *gimmicks* (comme le « nouveau roman » des années 1950 et 1960) ou en tant qu'auteurs d'ouvrages de « non-fiction » (voir Jean-Paul Sartre), plutôt que de leur œuvre de création. Est-il un seul romancier français « sérieux » d'après 1945 qui ait acquis en tant que tel une réputation internationale dans les années 1970 ? Probablement pas. La scène artistique britannique avait été sensiblement plus animée, notamment parce que Londres devint après 1950 l'un des grands centres mondiaux de musique et de théâtre, et produisit également une poignée d'architectes d'avant-garde, dont les projets aventureux eurent plus de succès à l'étranger – à Paris ou à Stuttgart – qu'en Angleterre. Néanmoins, si la Grande-Bretagne occupa après la Seconde Guerre mondiale une place moins marginale dans les arts d'Europe occidentale qu'entre les deux guerres, son bilan littéraire (domaine de prédilection de ce pays) n'a pas été particulièrement marquant. En poésie, les écrivains d'après-guerre de la petite Irlande se sont brillamment défendus par rapport au reste du Royaume-Uni. Quant à l'Allemagne fédérale, le contraste entre les ressources du pays et ses réalisations, et entre le passé glorieux de Weimar et l'état actuel de la République de Bonn, a été frappant. Cela ne s'explique pas entièrement par les effets et les contrecoups désastreux de douze années de régime hitlérien. Il est significatif qu'un demi-siècle durant nombre des meilleurs talents de la littérature ouest-allemande aient été non pas des nationaux, mais des immigrés (Celan, Grass et divers transfuges de la RDA).

L'Allemagne fut bien sûr divisée entre 1945 et 1990. Le contraste entre ses deux parties – l'une se réclamant du libéralisme et de la démocratie, tournée vers le marché et occidentale, l'autre figée dans un centralisme communiste de manuel scolaire – illustre un curieux aspect de la migration de la haute culture : son relatif épanouissement sous le communisme, du moins à certaines époques. De toute évidence, cela ne vaut pas pour tous les arts, ni, bien entendu, pour les États placés sous le talon de fer d'une dictature réellement meurtrière, comme celle de Staline ou de Mao, ou encore de moindres tyrannies mégalomaniaques comme celles de Ceaucescu en Roumanie (1961-1989) ou de Kim Il Sung en Corée du Nord (1945-1994).

De surcroît, dans la mesure où les arts dépendaient du secteur public, c'est-à-dire du gouvernement central, la préférence classique des dictateurs pour la pompe et le gigantisme limitait le choix des artistes, de même que l'insistance officielle sur une sorte de mythologie sentimentale fadasse connue sous le nom de « réalisme socialiste ». Il est possible que les grands espaces découverts bordés de tours néovictoriennes si caractéristiques des années 1950 trouvent un jour des admirateurs – on pense à la place Smolensk à Moscou ; laissons donc à l'avenir le soin d'en découvrir les mérites architecturaux. Par ailleurs, il faut bien reconnaître, que lorsque les gouvernements communistes ne se faisaient pas un devoir de dire exactement aux artistes ce qu'ils devaient faire, la générosité de leurs subventions (ou, comme diraient d'autres, leur sens défaillant de la comptabilité) fut profitable aux activités culturelles. Ce n'est probablement pas un hasard si l'Occident importa de Berlin-Est les metteurs en scène typiques de l'Opéra d'avant-garde des années 1980.

L'URSS demeura culturellement en friche, tout au moins en comparaison de ses gloires d'avant 1917 et même de la fermentation des années 1920, sauf peut-être dans le domaine de la poésie, c'est-à-dire l'art qui se pratique le mieux en privé et celui où la grande tradition russe du XXe siècle maintint le mieux sa continuité après 1917 avec Akhmatova (1889-1966), Tsvétaïeva (1892-1941), Pasternak (1890-1960), Blok (1880-1921), Maïakovski (1893-1930), Brodsky (1940-1996), Voznesensky (né en 1933) et Akhmadulina (née en 1937). Les arts plastiques souffrirent particulièrement d'un mélange d'orthodoxie rigide, tant idéologique qu'esthétique et institutionnelle, et d'isolement total du reste du monde. Le nationalisme culturel fervent, qui commença à se manifester dans certaines parties de l'URSS sous Brejnev – orthodoxe et slavophile en Russie (Soljénitsyne, né en 1918), mythico-médiéval en Arménie (avec, par exemple, les films de Sergei Paradjanov, né en 1924) –, émanait de ceux qui, comme tant d'intellectuels, rejetaient tout ce que recommandaient le système ou le parti, et n'avaient d'autres traditions où puiser que les traditions locales conservatrices. De surcroît, les intellectuels soviétiques vivaient dans un isolement spectaculaire : ils étaient coupés du système de gouvernement, mais aussi de la majorité de leurs concitoyens qui, obscurément, en acceptaient la légitimité et s'adaptaient à la seule vie qu'ils connaissaient et qui, dans les années 1960 et 1970, allait en s'améliorant très sensiblement. Les intellectuels haïssaient les dirigeants et méprisaient les dirigés, alors même que (comme les néo-slavophiles) ils idéalisaient l'âme russe à travers l'image d'un paysan russe désormais disparu. Ce n'était pas une atmosphère favorable pour un artiste et, paradoxalement, la dissolution de l'appareil de contrainte intellectuelle détourna les talents de la création vers l'agitation. Le Soljénitsyne qui restera probablement comme l'un des grands écrivains du XXᵉ siècle est celui qui n'avait encore prêché qu'à travers des romans *(Une journée dans la vie d'Ivan Denisovitch, Le Pavillon des cancéreux)* parce qu'il n'avait pas la liberté d'écrire des sermons et des dénonciations historiques.

Jusqu'à la fin des années 1970, la situation en Chine communiste fut dominée par une implacable répression, ponctuée de rares détentes momentanées (« que cent fleurs s'épanouissent »), qui permettaient d'identifier les victimes des épurations ultérieures. Le régime de Mao Zedong atteignit son faîte avec la « Révolution culturelle » de 1966-1976 – campagne contre la culture, l'éducation et l'intelligence sans parallèle dans l'histoire du XXᵉ siècle. Elle eut pour effet de supprimer pratiquement tout enseignement secondaire et universitaire dix années durant, d'interdire la pratique de la musique classique occidentale et autre, au besoin en détruisant les instruments, et de réduire le répertoire national du théâtre et du cinéma à une demi-douzaine de pièces politiquement correctes (aux yeux de l'épouse du Grand Timonier, jadis actrice de cinéma de deuxième ordre à Shanghai), et dès lors inlassablement reprises. Compte tenu de cette expérience et de l'ancienne tradition de l'orthodoxie imposée, qui fut modifiée mais nullement abandonnée après Mao, les lueurs en provenance de la Chine communiste dans le domaine des arts demeurent faibles.

Par ailleurs, la créativité fleurit sous les régimes communistes d'Europe de l'Est, tout au moins dès que l'orthodoxie fut légèrement relâchée, comme cela se produisit sous la déstalinisation. En Pologne, en Tchécoslovaquie et en Hongrie, l'industrie du cinéma, qui ne faisait guère parler d'elle jusque là, même localement, connut un épanouissement inattendu à partir de la fin des années 1950 et, pour un temps, devint l'une des sources les plus éminentes de films intéressants. Jusqu'à l'effondrement du communisme, qui entraîna aussi la dislocation des mécanismes de la production culturelle dans les pays concernés, même le durcissement du régime (après 1968 en Tchécoslovaquie, après 1980 en Pologne) ne put l'arrêter, bien que l'autorité politique eût étouffé l'industrie cinématographique est-allemande qui avait connu des débuts assez prometteurs à l'aube des années 1950. Qu'un art aussi tributaire des investissements lourds de l'État ait pu s'épanouir sous les régimes communistes est plus surprenant que l'essor de la création littéraire car, après tout, même dans les régimes intolérants on peut toujours écrire des livres « pour ses fonds de tiroir » ou un cercle d'amis[1]. Si restreint que fût leur public initial, plusieurs écrivains forcèrent l'admiration sur la scène internationale : les Allemands de l'Est, qui produisirent des talents nettement plus intéressants que la prospère République fédérale, et les Tchèques des années 1960, dont les écrits n'arrivèrent en Occident qu'après 1968, *via* l'émigration interne et externe.

Tous ces talents avaient en commun une chose dont peu d'écrivains et de cinéastes des économies de marché développées jouissaient et dont les hommes de théâtre occidentaux (groupe d'un radicalisme politique peu caractéristique et remontant, aux États-Unis et en Grande-Bretagne, aux années 1930) rêvaient : le sentiment que le public avait besoin d'eux. En vérité, en l'absence d'une vraie vie politique et d'une presse libre, les artistes étaient les *seuls* à dire ce que leur peuple, tout au moins sa frange cultivée, pensait et ressentait. Ces sentiments étaient loin d'être limités aux artistes des régimes communistes : on les retrouvait ailleurs, là où les intellectuels étaient en délicatesse avec le système politique et, sans jouir d'une liberté totale, étaient suffisamment libres de s'exprimer en public. En Afrique du Sud, l'apartheid inspira à ses adversaires plus de bonne littérature que n'en avait produit auparavant le sous-continent. Entre les années 1950 et 1990, la plupart des intellectuels latino-américains au sud du Mexique risquaient, à un moment ou à un autre de leur vie, de devenir des réfugiés politiques, ce qui n'est pas non plus sans rapport avec les réalisations culturelles de cette partie de l'hémisphère occidental. Il en va de même des intellectuels turcs.

La floraison ambiguë de certains arts en Europe de l'Est était cependant loin de se limiter à cette fonction d'opposition tolérée. La plupart des jeunes artistes avaient été inspirés par l'espoir que leurs pays, fût-ce sous des régimes qui laissaient à désirer, allaient entrer tant bien que mal dans une ère nouvelle après les horreurs de la guerre ; certains, plus qu'ils n'aiment qu'on le leur rappelle, avaient bel et bien senti le vent de l'utopie dans les voiles de la jeunesse, tout au moins dans les premières années de l'après-guerre. Quelques-uns continuèrent à être inspirés par leur époque : Ismaïl Kadaré (né en 1930), peut-être le premier romancier albanais à imprimer sa marque sur le monde extérieur, devint le porte-parole non pas tant du régime musclé d'Enver Hodja que d'un petit pays montagneux qui, sous le communisme, se tailla pour la première fois une place dans le monde (il émigra en 1990). Tôt ou tard, la plupart des autres s'engagèrent peu ou prou dans l'opposition – bien que, assez souvent, en rejetant la seule autre solution qui leur était offerte (que ce soit par-delà la frontière ouest-allemande ou par Radio Free Europe), dans un monde marqué par deux pôles mutuellement exclusifs. Et même dans les pays où, comme en Pologne, le régime en place finit par être l'objet d'un rejet total, tous, sauf les plus jeunes, connaissaient assez l'histoire de leur pays depuis 1945 pour saisir les nuances de gris aussi bien que le blanc et noir de la propagande. C'est cela qui donne une dimension tragique aux films d'Andrzej Wajda (né en 1926), leur ambiguïté aux cinéastes tchèques des années 1960, qui avaient franchis la trentaine, et aux auteurs de la RDA – Christa Wolf et Heiner Müller (tous deux nés en 1929) – revenus de leurs illusions sans pour autant avoir oublié leurs rêves.

Paradoxalement, les artistes et intellectuels du deuxième monde (socialiste) comme de diverses parties du tiers-monde jouissaient d'un certain prestige aussi bien que d'une prospérité et de privilèges relatifs, tout au moins entre les accès de persécutions. Dans le monde socialiste, ils pouvaient compter parmi les citoyens les plus riches et jouir de la plus rare de toutes les libertés dans ces prisons collectives : le droit de voyager à l'étranger ou même d'accéder à la littérature étrangère. Sous les régimes socialistes, leur influence politique était nulle, mais dans les divers tiers-mondes (et, après la chute du communisme, en gros dans l'ancien monde du « socialisme réellement existant »), être un intellectuel ou même un artiste était un atout public. En Amérique latine, les grands écrivains, presque indépendamment de leurs opinions politiques, pouvaient espérer des postes de diplomates, de préférence à Paris, où le siège de l'UNESCO donnait à chaque pays qui le désirait plusieurs chances d'envoyer des citoyens dans le voisinage des cafés de la Rive gauche. Les professeurs avaient toujours espéré des postes de ministre, de préférence de l'économie, mais si la mode des années 1980 – qui était, pour les artistes, de se porter candidat à la présidence (à l'exemple d'un bon romancier au Pérou) ou même de devenir président (ce qui fut le cas en Tchécoslovaquie et en Lituanie post-communistes) – semblait nouvelle, elle avait des précédents dans l'histoire des nouveaux États, tant européens qu'africains, enclins à donner une place de choix à leurs rares citoyens connus à l'étrangers : des pianistes, comme en Pologne en 1918 ; des poètes francophones, comme au Sénégal ; ou des danseurs, comme en Guinée. Reste que les romanciers, les dramaturges, les poètes et les musiciens n'avaient aucune chance d'accéder à la scène politique dans la plupart des pays occidentaux développés, même dans les pays où l'art et la littérature ont un grand poids, sauf peut-être au poste de ministre de la Culture (André Malraux en France, Jorge Semprun en Espagne).

Les ressources publiques et privées consacrées aux arts étaient inévitablement plus importantes dans une ère de prospérité sans précédent. Ainsi, même le gouvernement britannique, qui n'a jamais été à l'avant-garde en matière de mécénat public, consacrait bien plus d'un milliard de livres sterling aux arts à la fin des années 1980, contre 900 000 £ en 1939 (*Britain : An Official Handbook*, 1961, p. 222 ; 1990, p. 426). Le mécénat privé avait moins d'importance, sauf aux États-Unis, où les milliardaires, encouragés par des dispositions fiscales appropriées, finançaient l'éducation, la recherche et la culture plus généreusement que partout ailleurs, en partie du fait d'une appréciation sincère des choses les plus hautes de la vie, surtout chez les nababs de la première génération, mais en partie aussi parce que, en l'absence d'une hiérarchie sociale formelle, jouer les Médicis était encore ce qu'il y avait de mieux à faire. De plus en plus, les gros « dépenseurs » ne se contentèrent plus de donner leurs collections aux galeries nationales ou municipales (comme dans le passé), mais voulurent fonder des musées à leur nom ou tout au moins obtenir, dans les musées en place, des ailes ou des sections présentant leurs collections sous la forme qu'ils souhaitaient.

Quant au marché de l'art, il commença à partir des années 1950 à se relever de près d'un demi-siècle de dépression. Les prix, surtout ceux des impressionnistes, des postimpressionnistes et des premiers modernistes les plus éminents de l'École de Paris, montèrent en flèche, jusqu'à ce que, dans les années 1970, le marché international de l'art, dont le centre se déplaça d'abord à Londres puis à New York, eût égalé les records (en termes réels) de l'Ère des empires, voire les eût dépassés sur le marché incontrôlé des années 1980. Entre 1975 et 1989, le prix des impressionnistes et des postimpressionnistes fut multiplié par vingt-trois (Sotheby, 1992). Dès lors, toute comparaison avec les époques antérieures devint impossible. Certes, les riches continuèrent à collectionner – les vieilles fortunes préférant généralement les maîtres anciens, l'argent neuf allant à la nouveauté –, mais de plus en plus les acheteurs se mirent en quête de placements, comme jadis on avait spéculé sur les mines d'or. Le *British Rail Pensions Fund*, qui (bien conseillé) gagna beaucoup d'argent sur le marché de l'art, ne saurait être compté au nombre des amateurs d'art. La transaction suivante est typique des pratiques sur le marché de l'art à la fin des années 1980 : un nouveau riche de l'Australie occidentale acheta un Van Gogh 31 millions de livres sterling, dont une bonne partie lui avait été prêtée par les commissaires-priseurs, les deux parties espérant vraisemblablement une nouvelle envolée des prix qui ferait du tableau une garantie de prix pour les prêts bancaires tout en augmentant les profits futurs du marchand. En fait, tous furent déçus : M. Bond de Perth fit faillite et le marché spéculatif de l'art s'effondra au début des années 1990.

La relation entre l'argent et les arts est toujours ambiguë. Que les grandes œuvres artistiques de la seconde moitié du siècle lui doivent beaucoup est loin d'être évident ; sauf en architecture où, dans l'ensemble, *big is beautiful*, ou, en tout cas, plus susceptible de trouver une place dans les guides. Par ailleurs, une autre forme de développement économique affecta sans conteste en profondeur la plupart des arts : leur intégration dans la vie universitaire, dans les établissements d'enseignement supérieur dont nous avons déjà signalé ailleurs (*cf.* chapitre 10) l'extraordinaire expansion. Cette évolution décisive de la culture du XXe siècle et l'essor d'une industrie révolutionnaire du divertissement populaire tournée vers le marché de masse ont relégué les formes traditionnelles du grand art à des élites, voire à des ghettos, dont les membres, depuis le milieu du siècle, étaient essentiellement des gens qui avaient fait des études supérieures. Le public du théâtre et de l'opéra, les lecteurs des classiques de la littérature de leur pays et du genre de poésie et de prose que la critique prend au sérieux, les visiteurs des musées et des galeries d'art étaient issus, dans leur écrasante majorité, des rangs de ceux qui avaient au moins accompli des études secondaires – sauf dans le monde socialiste où, avant sa chute, l'industrie du divertissement fondée sur le profit fut toujours tenue à distance. La culture commune de tout pays urbanisé de la fin du XXe siècle reposait sur l'industrie du divertissement de masse – cinéma, radio, télévision, pop music – à laquelle l'élite prit part, assurément à compter du triomphe du rock, tandis que les intellectuels s'empressèrent de l'intellectualiser pour la mettre au goût de l'élite. Au-delà de ce phénomène, la ségrégation devint de plus en plus complète, car le gros du public auquel s'adresse l'industrie de masse ne rencontra que par accident les genres qui font les délices des « intellos » : ainsi lorsque une aria de Puccini chantée par Pavarotti se trouva associée à la Coupe du monde de football en 1990, ou que de brefs thèmes de Haendel ou de Bach apparurent incognito dans les spots publicitaires de la télévision. Si l'on n'avait pas envie de faire partie des classes moyennes, on ne se donnait pas la peine de voir les pièces de Shakespeare. Inversement, si on le souhaitait, le moyen le plus évident étant de faire des études secondaires, on ne pouvait éviter de les voir : elles étaient au programme des examens. Dans les cas extrêmes, dont la société de classe britannique était un exemple notable, la presse s'adressait aux deux publics – ceux qui avaient fait des études et les autres – comme aux ressortissants de deux univers pour ainsi dire différents.

Plus précisément, l'extraordinaire expansion de l'enseignement supérieur multiplia les emplois et constitua le marché pour des hommes et des femmes qui de prime abord n'auraient pas répondu aux critères habituels de sélection commerciale. Nulle part ce phénomène ne fut aussi spectaculaire que dans le domaine de la littérature. Des poètes enseignèrent, ou tout au moins furent nommés résidents dans les collèges. Dans certains pays, les activités de romancier et de professeur se chevauchaient à tel point qu'un genre entièrement nouveau apparut dans les années 1960 et, compte tenu des effectifs considérables de lecteurs potentiels familiers du milieu, s'épanouit : le roman de campus qui, hormis le thème habituel de la fiction, à savoir les rapports entre les sexes, traitait de questions d'intérêt plus ésotérique tels que les échanges universitaux, les colloques internationaux, les commérages universitaires et les particularités des étudiants. Plus dangereusement, la demande universitaire encouragea la production de « créations littéraires », une forme de production qui se prêtait à la dissection en séminaire et, en conséquence, profitait de la complexité, sinon de l'incompréhensibilité, suivant l'exemple du grand James Joyce, dont les dernières œuvres eurent autant de commentateurs que de lecteurs véritables. Les poètes écrivirent pour d'autres poètes, ou pour des étudiants habitués à discuter de leurs œuvres. Sous la protection de salaires, de bourses et de listes de lectures obligatoires, les arts créatifs non commerciaux pouvaient espérer, sinon nécessairement fleurir, tout au moins survivre confortablement. Un autre sous-produit de l'essor des universités vint hélas miner leur position, car les glossateurs et les scoliastes s'émancipèrent de leurs sujets en prétendant qu'un texte n'est jamais que ce que son lecteur en fait. Pour eux, le critique qui interprétait Flaubert était tout autant le créateur de madame Bovary que l'auteur, plus encore que lui peut-être, puisque ce roman n'a survécu qu'à travers les lectures des autres, essentiellement à des fins universitaires. C'est une théorie qui jouissait de longue date des faveurs des producteurs de théâtre d'avant-garde (anticipés par les agents et les magnats du cinéma d'autrefois) pour qui Shakespeare ou Verdi n'étaient au fond que matière première pour leurs interprétations aventureuses et, de préférence, provocatrices. Si triomphantes que fussent parfois celles-ci, elles soulignaient bel et bien l'ésotérisme croissant des arts pour intellos, car elles n'étaient elles-mêmes que des commentaires et des critiques d'interprétations antérieures et compréhensibles seulement des seuls initiés. La mode gagna même les films populistes, genre où des réalisateurs subtils jouèrent de leur érudition cinématographique pour adresser des clins d'œil à une élite comprenant leurs allusions tout en rassasiant les masses de sang et de sperme (dans l'espoir que le box office suive)[2].

Peut-on imaginer quel jugement les histoires culturelles du XXIe siècle porteront sur les réalisations artistiques des grands arts de la seconde moitié du XXe siècle ? Assurément non, mais elles ne manqueront pas d'observer le déclin, tout au moins régional, des genres caractéristiques qui avaient connu un essor considérable au XIXe siècle, puis survécu dans la première moitié du siècle suivant. L'exemple de la sculpture vient aussitôt à l'esprit, ne serait-ce que parce que la principale expression de cet art, le monument public, s'est pratiquement éteinte après la Première Guerre mondiale, sauf dans les dictatures, où, de l'avis général, la qualité n'était pas à la hauteur de la quantité. On se défend mal de l'impression que la peinture n'était plus ce qu'elle avait été entre les deux guerres. En tout état de cause, il serait difficile de dresser une liste de peintres des années 1950-1990 acceptés comme des figures majeures (c'est-à-dire dignes d'être exposés dans d'autres musées que ceux de leur pays natal) comparable à une liste du même genre pour l'entre-deux-guerres, laquelle aurait inclus au moins Picasso (1881-1973), Matisse (1869-1954), Soutine (1894-1943), Chagall (1889-1985) et Rouault (1871-1958) pour l'École de Paris ; mais aussi Klee (1879-1940), peut-être deux ou trois Russes ou Allemands, et un ou deux Espagnols et Mexicains. En comparaison, de quoi aurait l'air une liste d'artistes de la fin du XXe siècle, même si elle comprenait plusieurs chefs de file de l'école des « expressionnistes abstraits » de New York, Francis Bacon et deux Allemands ?

En musique classique, une fois encore, le déclin des genres anciens fut dissimulé par leur exécution toujours plus fréquente, mais essentiellement sous la forme d'un répertoire de classiques morts. Combien d'opéras nouveaux, écrits après 1950, s'étaient imposés dans les répertoires internationaux, ou même nationaux, qui recyclaient sans fin les productions de compositeurs dont les plus jeunes étaient nés en 1860 ? Sauf en Allemagne et en Grande-Bretagne (Henze, Britten et au mieux deux ou trois autres), très rares sont même les compositeurs qui créèrent de grands opéras. Les Américains, comme Leonard Bernstein (1918-1990), préférèrent le genre moins formel de la comédie musicale. Les Russes mis à part, combien de compositeurs écrivaient encore des symphonies, considérées comme le couronnement de la musique instrumentale au XIXe siècle[3] ? Le talent musical, dont l'offre demeura aussi abondante que distinguée, eut simplement tendance à abandonner les formes traditionnelles d'expression, alors même que celles-ci exerçaient une domination écrasante sur le marché du grand art.

Dans le domaine du roman, la régression du genre du XIXe siècle n'est pas moins évidente. Naturellement, il continua à s'en écrire, à s'en acheter et à s'en lire des quantités immenses. Mais si l'on recherche les grands romans et les grands romanciers de la seconde moitié du siècle, ceux qui ont pris pour sujet toute une société ou une période historique entière, nous les trouvons hors des régions centrales de la culture occidentale – sauf, une fois encore, en Russie, où le roman a refait surface, avec le premier Soljénitsyne, en s'affirmant comme la principale manière créatrice de s'accommoder de l'expérience du stalinisme. Sans doute trouvons-nous des romans de la grande tradition en Sicile (*Le Guépard*, de Lampedusa), en Yougoslavie (Ivo Andritch, Miroslav Karleja) et en Turquie. Nous les trouverons certainement en Amérique latine, dont la fiction, jusque-là inconnue en-dehors des pays latinos, s'empara du monde international des lettres à compter des années 1950. Le roman dans lequel la plupart reconnurent aussitôt et sans hésiter un chef-d'œuvre nous est venu de Colombie, c'est-à-dire d'un pays que les gens les plus cultivés du monde développé avaient même du mal à situer sur une carte avant qu'on ne finît par l'identifier avec la cocaïne : *Cent ans de solitude*, de Gabriel García Marquéz. Le remarquable essor du roman juif dans plusieurs pays, notamment aux États-Unis et en Israël, réfléchit le traumatisme exceptionnel de ce peuple sous Hitler – une expérience à laquelle, directement ou indirectement, les écrivains juifs ont cru devoir se mesurer.

Le déclin des genres classiques dans le grand art et la littérature n'est certainement pas le fait d'une quelconque pénurie de talents. Car même si nous ne savons pas grand-chose de la distribution des dons exceptionnels parmi les êtres humains et sa variation, il est plus sûr de supposer qu'il est des changements rapides dans les sollicitations à les exprimer, les débouchés possibles ou les encouragements à l'originalité, plutôt que de spéculer sur la quantité de talents disponibles. On n'a aucune bonne raison de supposer que les Toscans d'aujourd'hui soient moins talentueux ou même aient un sens esthétique moins développé qu'au siècle de la Renaissance florentine. Le talent dans les arts a déserté les anciens modes d'expression parce que de nouvelles voies étaient disponibles ou attrayantes, voire gratifiantes : ainsi en fut-il, même dans l'entre-deux-guerres, de jeunes compositeurs d'avant-garde qui ont pu être tentés, à l'exemple d'Auric et de Britten, d'écrire des musiques de film plutôt que des quatuors à corde. En peinture comme en dessin, une bonne partie du travail de routine a été remplacé par le triomphe de l'appareil photo qui, pour ne donner qu'un seul exemple, s'est emparé presque entièrement de la représentation de la mode. Genre déjà moribond entre les deux guerres, le roman feuilleton s'est effacé, à l'âge de la télévision, devant la série télé. Le cinéma a ouvert un espace beaucoup plus large à la création individuelle après l'effondrement de la production industrielle des grands studios d'Hollywood, et tandis que le grand public s'est claquemuré chez soi pour regarder la télévision puis des cassettes vidéo, a pris la place occupée naguère par le roman et par le théâtre. Pour chaque amateur de culture capable d'attacher deux titres aux noms de ne serait-ce que cinq dramaturges vivants, il y en avait cinquante capables d'égrener la liste des principaux films d'une douzaine de cinéastes ou plus. Rien n'était plus naturel. Seul le statut social associé à la « haute culture » à l'ancienne a pu empêcher un déclin plus rapide encore de ses genres traditionnels[4].

Il est cependant deux facteurs encore plus importants qui ont miné la haute culture classique. Le premier a été le triomphe universel de la société de consommation de masse. Depuis les années 1960, les images qui accompagnent les êtres humains dans le monde occidental – et de plus en plus dans le tiers-monde urbanisé – de la naissance à la mort, sont celles qui encouragent ou incarnent la consommation, ou encore celles qui sont consacrées au divertissement commercial des masses. Les sons de la vie urbaine, privée comme publique, étaient ceux de la pop musique commerciale. En comparaison, l'impact des « grands arts », fût-ce sur les plus « cultivés », était au mieux occasionnel, d'autant que, s'appuyant sur la technologie, le triomphe du son et de l'image exerçait de fortes pressions sur ce qui avait été autrefois le principal médium de l'expérience continue de la grande culture, à savoir l'écrit. Exception faite de divertissements légers – essentiellement des histoires d'amour pour un public féminin, divers types de thrillers pour hommes et peut-être, à l'ère de la libéralisation, les livres érotiques ou pornographiques – ceux qui lisent sérieusement des livres pour des raisons étrangères à leur profession ou à leurs études, étaient une infime minorité. Bien que la révolution de l'enseignement ait accru les effectifs, en niveau absolu, la facilité de lecture a régressé dans les pays d'alphabétisation théoriquement universelle, lorsque l'imprimerie a cessé d'être la principale porte du monde au-delà de la communication du bouche à oreille. Après les années 1950, même les

enfants des classes aisées et cultivées du monde occidental ne se mettaient plus à la lecture aussi spontanément que leurs parents.

Les mots dominant les sociétés de consommation occidentales
n'étaient plus ceux des livres saints, encore moins ceux des auteurs
profanes, mais les noms de marques de biens de consommation. Ils
étaient imprimés sur les T-shirts ou attachés à d'autres vêtements
tels des portes-bonheur grâce auxquels le porteur se retrouvait
investi des valeurs immatérielles propres au mode de vie (généralement juvénile) qu'ils symbolisaient ou promettaient. Les images
devenues les icônes de ces sociétés étaient celles du divertissement
ou de la consommation de masse : stars et boîtes de conserve. Il
n'est pas étonnant que dans les années 1950, au cœur même de la
démocratie de consommation, la principale école picturale ait abdi-
qué devant les faiseurs d'images tellement plus puissants que l'art à
l'ancienne. Les tenants du « pop art » (Warhol, Lichtenstein, Rau-
schenberg, Oldenburg) ont passé leur temps à reproduire avec autant
d'exactitude et de détachement que possible l'apparat visuel du mer-
cantilisme américain : boîtes de soupe, drapeaux, bouteilles de
Coca-Cola ou images de Marilyn Monroe.

Si négligeable qu'elle soit en tant qu'art (au sens que l'on donnait
à ce mot au XIXe siècle), cette mode n'en a pas moins reconnu que le
triomphe du marché de masse reposait fondamentalement et de
diverses manières, sur la satisfaction des besoins spirituels autant que
matériels des consommateurs – un fait dont les agences de publicité
étaient depuis longtemps vaguement conscientes lorsqu'elles orches-
traient leurs campagnes pour vendre « non pas le steak mais le gré-
sillement », non pas le savon mais un rêve de beauté, non pas des
boîtes de soupe mais le bonheur familial. Dans les années 1950, tout
cela comportait ce qu'on pourrait appeler une dimension esthétique,
une créativité populaire, parfois active mais le plus souvent passive,
que les producteurs en rivalité se devaient d'offrir. C'est exactement à
cela que visaient les excès baroques du design automobile à Detroit
dans les années 1950 ; et dans les années 1960, quelques critiques
intelligents commencèrent à étudier ce que l'on avait largement rejeté
jusque-là, le jugeant « mercantile » ou esthétiquement nul, à savoir ce
qui attirait effectivement les hommes et les femmes de la rue (Banham, 1971). Désormais de plus en plus taxés d'« élitisme » (mot
adopté avec enthousiasme par le nouveau radicalisme des années

1960), les intellectuels plus âgés avaient posé un regard condescendant sur les masses, auxquelles ils reprochaient de recevoir passivement ce que le grand capital voulait leur faire acheter. Mais à travers le triomphe du rock-and-roll, idiome adolescent dérivé du blues urbain né spontanément dans les ghettos noirs d'Amérique du Nord, les années 1950 ont montré que les masses elles-mêmes savaient ou tout au moins reconnaissaient ce qu'elles aimaient. L'industrie du disque, dont la musique rock fit la fortune, ne l'a pas créée et encore moins prévue : elle s'est contentée de la reprendre des amateurs et des petits brasseurs d'affaires du coin de la rue qui l'ont découverte. Nul doute que le rock ait été corrompu en cours de route. L'« art » (si c'était le mot juste) était censé naître du sol, plutôt que des fleurs exceptionnelles qui poussaient sur celui-ci. De surcroît, ainsi que le voulait le populisme, commun au marché et au radicalisme anti-élitiste, l'important n'était pas de discerner le bon du mauvais, le subtil du simple, mais tout au plus de voir ce qui séduisait plus ou moins de gens. Ceci ne laissait plus guère de place à l'ancienne conception des arts.

Reste qu'une force encore plus puissante a miné les grands arts : la mort du « modernisme » qui, depuis la fin du XIXe siècle, avait légitimé la pratique de la création artistique non utilitaire et avait certainement justifié la prétention des artistes à se libérer de toutes les contraintes. L'innovation en avait été le cœur. Par analogie avec la science et les techniques, la « modernité » supposait tacitement que l'art était progressiste et que le style d'aujourd'hui était donc supérieur à celui d'hier. Il avait été, par définition, l'art d'avant-garde – expression entrée dans le vocabulaire de la critique au cours des années 1880 –, c'est-à-dire un art de minorités qui, en principe, attendait le jour où il s'imposerait à la majorité, mais qui dans les faits était satisfait de n'en avoir encore rien fait. Quelle que fût sa forme spécifique, le « modernisme » reposait sur le rejet des conventions libérales et bourgeoises du XIXe siècle dans la société comme en art, et sur la nécessité éprouvée de créer un art d'une certaine façon adapté à un XXe siècle techniquement et socialement révolutionnaire, et auquel les arts et les modes de vie de la reine Victoria, du Kaiser Guillaume II et du président Theodore Roosevelt étaient si manifestement inadaptés (voir *L'Ère des empires*, chapitre 9). Dans l'idéal, les deux objectifs allaient de pair : le cubisme fut tout à la fois un rejet et une critique de la peinture figurative victorienne et une solution de rechange, mais aussi une collection d'« œuvres d'art » d'« artistes » à part entière. En pratique, il n'y avait pas forcément coïncidence : le nihilisme artistique (délibéré) de l'urinoir de Marcel Duchamp ou de Dada en avait fait de longue date la démonstration. Loin de se donner comme une forme d'art, il prétendait à l'anti-art. Une fois encore, dans l'idéal, les valeurs sociales que recherchaient les artistes « modernistes » au XXe siècle et les manières de les exprimer en mots, en sons, en images et en formes devaient se fondre les unes dans les autres, comme tel fut largement le cas dans l'architecture moderniste qui était au fond un style prétendument adapté à la construction d'utopies sociales. Mais en pratique, une fois de plus, la forme et le fond n'étaient pas logiquement associés. Pourquoi fallait-il, par exemple, que la « cité radieuse » de Le Corbusier consistât en immeubles aux toits plats plutôt qu'en pente ?

Reste que dans la première moitié du siècle, on l'a vu, le « modernisme » a fonctionné sans qu'on s'arrêtât sur la fragilité de ses fondements théoriques, sans qu'eût été encore totalement parcouru l'espace réduit permis par ses formules (par exemple, la musique dodécaphonique ou l'art abstrait) et sans que son tissu n'eût été encore déchiré par des contradictions internes ou des fissures potentielles. L'innovation formelle d'avant-garde et l'espérance sociale devaient être encore soudées par l'expérience de la guerre puis de la crise mondiale et d'une révolution potentielle à l'échelle de la planète. L'ère de l'antifascisme différa la réflexion. Le modernisme appartenait encore à l'avant-garde et à l'opposition, sauf parmi les designers industriels et les agences de publicité. Il n'avait pas gagné.

Sauf dans les régimes socialistes, il prit part à la victoire sur Hitler. Le modernisme en art et en architecture conquit les États-Unis, emplissant les galeries et les sièges sociaux de prestige, d'« expressionnistes abstraits », et les quartiers d'affaires des villes américaines de symboles du « style international » – des boîtes rectangulaires allongées debout, non pas « grattant » le ciel mais plutôt « aplatissant leurs toits » contre lui : avec une grande élégance, comme dans l'immeuble Seagram de Mies van der Rohe, ou simplement très élevés, comme le World Trade Center (tous deux à New York). Sur le vieux Continent, suivant jusqu'à un certain point le courant américain,

maintenant enclin à associer le modernisme aux « valeurs occidentales », l'abstraction (l'« art non figuratif ») dans les arts plastiques et
le modernisme en architecture devinrent une partie – parfois la partie
dominante – de la scène culturelle établie, allant même jusqu'à la
ranimer dans certains pays comme la Grande-Bretagne, où elle avait
paru stagner.

À compter de la fin des années 1960, il se manifesta une réaction
de plus en plus marquée, et devenue à la mode au cours des années
1980 sous des étiquettes comme celle de « postmodernisme ». Ce
n'était pas tant un « mouvement » qu'un refus de tout critère prééta-
bli de jugement et de valeur dans les arts, voire en fait de la possibilité même de tels jugements. En architecture, où cette réaction
s'amorça et fut la plus visible, elle coiffa les gratte-ciel de frontons
« Chippendale »[5], d'autant plus provocateurs qu'ils avaient été
construits par le co-inventeur même de l'expression « style international », Philip Johnson (né en 1906). Des critiques pour qui la ligne
d'horizon spontanément formée de Manhattan avait été autrefois le
modèle du paysage urbain moderne découvrirent les vertus d'une
ville totalement déstructurée comme Los Angeles, un désert de
détails dépourvus de forme, le paradis (ou l'enfer) de ceux qui « faisaient leurs propres affaires ». Des règles esthétiques et morales, si
irrationnelles fussent-elles, avaient bel et bien gouverné l'architecture
moderne ; mais dorénavant n'importe quoi pouvait convenir.

En architecture, le mouvement moderne avait eu un bilan impressionnant. Depuis 1945, il avait construit les aéroports qui reliaient le
monde, ses usines, ses immeubles de bureaux et les édifices publics
qui restaient à ériger : les capitales du tiers-monde, les musées, les
universités et les théâtres du premier monde. Il avait présidé à la
reconstruction massive et globale des villes dans les années 1960,
car, même dans le monde socialiste, ses innovations techniques, qui
se prêtaient à la construction rapide et bon marché de logements de
masse, laissèrent leur empreinte. Il avait sans nul doute produit un
nombre substantiel de très beaux édifices ou même de chefs-
d'œuvre, mais aussi bon nombre d'affreuses cages à lapin, et une
très grande quantité de bâtiments inhumains et qui ne ressemblent à
rien. Les réalisations de la peinture et de la sculpture modernistes
d'après-guerre furent incomparablement moins nombreuses et,
d'une manière générale, très inférieures à celles de l'avant-guerre :

la comparaison de l'art parisien des années 1950 à celui des années 1920 en fait la démonstration. Il consistait largement en une série de trucs de plus en plus désespérés par lesquels les artistes cherchaient à donner à leur œuvre une « marque de fabrique » individuelle, immédiatement reconnaissable ; une suite de manifestes de désespoir ou d'abdication face à des avalanches de non-art qui submergèrent l'artiste à l'ancienne (pop art, l'art brut de Dubuffet, etc.) ; l'assimilation des griffonnages et autres morceaux de bric et de broc, ou de gestes revenant à réduire *ad absurdum* le genre d'art qui était essentiellement produit pour constituer des placements, par exemple en ajoutant un nom à un tas de briques ou de terre (« art minimal ») ou en l'empêchant de devenir une marchandise en le rendant éphémère (« performance art »).

Il s'est dégagé de ces avant-gardes une odeur de mort imminente. L'avenir ne leur appartenait plus, bien que personne ne sût à qui il pouvait appartenir. Plus que jamais, elles se savaient en marge. En comparaison de la véritable révolution de la perception et de la représentation accomplie *via* la technologie par ceux qui savent « faire de l'argent », les innovations formelles de la bohème d'atelier ont toujours été un jeu d'enfant. À quoi ressemblaient les imitations futuristes de la vitesse sur la toile en comparaison de la vraie vitesse, ou même de l'installation d'une caméra sur le marchepied d'un train, ce qui était à la portée de tout le monde ? Que pesaient les concerts expérimentaux avec leurs sons électroniques de compositions modernistes, que chaque imprésario savait être le poison du box office, en comparaison du rock qui transformait en millions le son électronique ? Si tous les « grands arts » étaient enfermés dans des ghettos, pouvait-il échapper aux avant-gardes que leurs sections de ce ghetto étaient minuscules et de plus en plus petites, ainsi que le confirmait n'importe quelle comparaison avec les ventes de Chopin ou de Schönberg ? Avec l'essor du pop art, même l'abstraction, le grand rempart du modernisme dans les arts plastiques, a perdu son hégémonie. Une fois encore, la représentation est redevenue légitime.

Le « postmodernisme » s'en est donc pris à la fois aux styles reconnus ou dépassés, ou plutôt aux façons de les exercer dans des activités comme la construction et les travaux publics, et aux productions artisanales qui avaient perdu leur utilité, comme les tableaux de chevalet vendus à la pièce. Il serait donc trompeur d'y voir essentiellement un courant interne aux arts, comparable à l'essor des avant-gardes antérieures. En fait, nous savons tous que le terme de « postmodernisme » s'est propagé à toutes sortes de domaines sans rapport aucun avec les arts. Et dans les années 1990, on a vu se réclamer du « postmodernisme » des philosophes, des sociologues, des anthropologues, des historiens et d'autres praticiens de disciplines qui n'avaient jamais été tentées jusque-là d'emprunter leur terminologie aux arts d'avant-garde, quand bien même elles leur étaient associées. La critique littéraire, naturellement, s'en est emparée avec enthousiasme. De fait, diverses modes « postmodernes », dont l'intelligentsia francophone s'est faite le héraut sous diverses appellations (« déconstruction », « poststructuralisme », etc.), se frayèrent un chemin dans les départements (américains) de littérature, puis dans le reste du champ des lettres classiques et des sciences sociales.

Tous les « postmodernismes » avaient en commun un même scepticisme foncier face à l'existence d'une réalité objective, ou quant à la possibilité de s'accorder sur une approche commune par des moyens rationnels. Tous tendaient à un relativisme radical. Tous contestaient donc l'essence d'un monde qui reposait sur des postulats opposés, à savoir un monde transformé par la science et la technologie qui s'en inspirait, et l'idéologie du progrès qui le reflétait. Nous reviendrons dans le chapitre suivant sur le développement de cette contradiction étrange sans être pour autant inattendue. Dans le champ plus restreint du grand art, la contradiction n'était pas si extrême depuis que, comme on l'a vu (*L'Ère des empires*, chapitre 9), les avant-gardes modernistes avaient déjà repoussé presque à l'infini les limites de ce qui pouvait prétendre être de « l'art » (ou, en tout cas, avaient donné des produits qui, sous ce label, pouvaient être vendus, loués ou cédés de quelque façon, mais toujours avec profit, par leurs créateurs). Ce qu'a produit le « postmodernisme », c'est plutôt un large écart de génération, entre ceux que rebutait ce qu'ils percevaient comme la frivolité nihiliste de la nouvelle mode et ceux qui pensaient que prendre les arts « au sérieux » n'était qu'un vestige de plus d'un passé obsolète. Et de demander ce qu'on pouvait bien reprocher aux « décharges de la civilisation […] camouflées par du plastique », qui mettaient hors de lui le philosophe Jürgen Habermas, dernier avant-poste de la célèbre École de Francfort. (Hughes, 1988, p. 146.)

Le « postmodernisme » n'est donc pas demeuré confiné aux arts. Probablement y avait-il néanmoins de bonnes raisons pour que le terme même soit né de la scène artistique. Car l'essence des arts d'avant-garde est la recherche de façons d'exprimer ce qui ne pouvait l'être dans le langage du passé, à savoir la réalité du XXᵉ siècle. Ce fut l'une des deux divisions du grand rêve de ce siècle, l'autre étant la recherche de la transformation radicale de cette réalité. Les deux furent révolutionnaires en des sens différents du mot, mais toutes deux portaient sur le même monde. Toutes deux coïncidèrent jusqu'à un certain point dans les années 1880 et 1890, et à nouveau entre 1914 et la défaite du fascisme, à une époque où les talents créatifs étaient si souvent révolutionnaires, ou tout au moins radicaux, dans les deux acceptions du terme – habituellement, mais pas toujours, il s'en faut de beaucoup, de gauche. Toutes deux devaient échouer, bien qu'ils aient modifié si profondément le monde qu'on imagine mal que leur empreinte puisse être effacée.

Avec le recul, il apparaît que le projet de révolution d'avant-garde était d'avance voué à l'échec, tant du fait de son arbitraire intellectuel que par la nature même du mode de production que représentaient les arts créatifs dans une société bourgeoise libérale. Les nombreux manifestes à travers lesquels les artistes d'avant-garde ont proclamé leurs intentions au cours des cent dernières années accusent presque tous un manque de cohérence entre les fins et les moyens, l'objectif et les méthodes pour y parvenir. Telle ou telle version de la nouveauté ne résulte pas nécessairement du choix de rejeter le vieux. La musique qui évite délibérément la tonalité n'est pas nécessairement la musique sérielle de Schönberg, fondée sur les permutations des douze notes de la gamme chromatique ; pas plus que celle-ci n'est l'unique base de la musique sérielle ou que la musique sérielle soit nécessairement atonale. Si séduisant soit-il, le cubisme n'avait aucune justification théorique. En vérité, la décision même d'abandonner les procédés et les règles traditionnels pour de nouveaux est sans doute tout aussi arbitraire que le choix de telle nouveauté en particulier. L'équivalent du « modernisme » aux échecs, l'école de joueurs dite « hyper-moderne » des années 1920 (Réti, Grünfeld, Nimzowitsch, etc.) ne proposait pas de changer les règles du jeu, comme d'aucuns l'ont fait. Ils n'ont fait que réagir contre la convention (l'école « classique » de Tarrasch) en exploitant les para-doxes – choisissant des ouvertures non conventionnelles (« après 1, P-K4, le jeu des blancs est aux abois ») et observant le centre, au lieu de l'occuper. En pratique, la plupart des écrivains, et certainement des poètes, ont fait de même. Ils ont continué à accepter les règles traditionnelles, par exemple les rimes et la métrique, quand elles leur semblaient appropriées pour rompre avec la convention à d'autres égards. Kafka n'était pas moins « moderne » que Joyce sous prétexte que sa prose était moins aventureuse. De surcroît, alors que le style moderniste se prévalait d'une justification intellectuelle, par exemple en prétendant exprimer l'ère de la machine et (plus tard) de l'ordinateur, le lien était purement métaphorique. En tout état de cause, les efforts pour assimiler « l'œuvre d'art à l'époque de sa reproduction mécanisée » (Benjamin, 1991) au vieux modèle du créateur individuel qui ne reconnaît que son inspiration personnelle étaient voués à l'échec. Désormais, la création était essentiellement un travail de coopération plutôt qu'individuel, un travail technique plutôt que manuel. Les jeunes critiques français de cinéma qui, dans les années 1950, élaborèrent une théorie du film envisagé comme la création d'un seul auteur, le metteur en scène, sur la foi, avant toutes choses, de leur passion pour les films hollywoodiens de série B des années 1930 et 1940, étaient absurdes parce que la coopération coor-donnée et la division du travail étaient et demeurent l'essence de l'activité de ceux dont le métier est de remplir les soirées sur les écrans publics et privés, ou de produire quelque autre série régulière de produits de consommation mentale, tels que des journaux ou des magazines. Les talents qui sont entrés dans les formes caractéris-tiques de la création au XXe siècle, essentiellement des produits des-tinés au marché de masse, ou des sous-produits de celui-ci, ne sont aucunement inférieurs à ceux du modèle bourgeois classique du XIXe siècle, même si le rôle de solitaire dévolu à l'artiste classique n'était plus à leur portée. Leur seul lien direct avec leurs prédécesseurs clas-siques passait par ce secteur limité du « grand art » classique qui avait toujours opéré par collectifs : la scène. Si Akira Kurosawa (1910-1998), Luchino Visconti (1906-1976) ou Serguei Eisenstein (1898-1948) – pour ne citer que trois grands artistes incontestables du siècle, tous passés par le théâtre – avaient souhaité créer à la manière de Flaubert, de Courbet ou même de Dickens, aucun ne serait allé bien loin.

Pourtant, ainsi que l'observe Walter Benjamin, la « reproductibilité technique » ne transforma pas seulement la manière dont fonctionnait la création – faisant ainsi du cinéma et de ses dérivés (télévision, vidéo) l'art central du siècle –, mais aussi la façon dont les êtres humains percevaient la réalité et recevaient les œuvres de création. Ce n'était plus *via* les prières et les actes de culte séculiers, dont les musées, les galeries, les salles de concert et les théâtres publics, si typiques de la civilisation bourgeoise du XIXe siècle, constituaient les églises. Le tourisme, qui emplit désormais ces établissements d'étrangers plutôt que d'autochtones, et l'enseignement auront été les derniers bastions de cette forme de consommation artistique. Les masses vivant cette expérience furent bien sûr infiniment plus nombreuses que jamais, mais même ceux qui, après avoir joué des coudes pour apercevoir le *Printemps* au musée des Offices à Florence, gardaient un silence plein de respect, ou ceux qui étaient émus en lisant les pièces de Shakespeare inscrites au programme, vivaient habituellement dans un tout autre univers de perception, multiple et varié. Les impressions sensorielles, voire les idées les assaillaient simultanément de tous côtés – à travers le mélange des titres et des images, le texte et les publicités dans les journaux, le son du casque audio pendant qu'ils parcouraient la page des yeux, mais aussi par la juxtaposition de l'image, de la voix, de l'imprimé et du son –, le tout absorbé souvent de manière périphérique à moins que, l'espace d'un instant, l'attention ne se focalisât sur un point particulier. Telle était de longue date la façon dont les citadins vivaient la rue, dont fonctionnaient les spectacles de foire et de cirque, bien connue des artistes et de la critique depuis les romantiques. La nouveauté, c'est que la technologie avait saturé d'art la vie quotidienne, tant privée que publique. Jamais il n'aura été plus difficile d'éviter l'expérience esthétique. « L'œuvre d'art » s'est perdue dans un flot de mots, de sons et d'images, dans l'environnement universel de ce qu'on aurait autrefois baptisé du nom d'art.

Pourrait-on encore l'appeler ainsi ? Ceux qui s'en soucient pourraient encore identifier des œuvres grandes et durables, même si dans le monde développé, les œuvres créées par un seul individu au point de n'être identifiables que par lui sont devenues de plus en plus marginales. Il en va de même, à l'exception des bâtiments, des œuvres de création ou de construction qui n'étaient pas vouées à la reproduction. Pouvait-on encore juger et classer les œuvres suivant les normes qui avaient régi leur évaluation à l'apogée de la civilisation bourgeoise ? Oui et non. Mesurer le mérite à la chronologie n'a jamais eu de sens en matière artistique : les œuvres d'art n'ont jamais été meilleures du seul fait qu'elles étaient anciennes, comme on a pu le penser à la Renaissance, ou qu'elles étaient plus récentes, comme l'ont prétendu les avant-gardes. Ce dernier critère est devenu absurde en cette fin de XXe siècle, quand il a fusionné avec les intérêts économiques des industries de consommation, dont le profit se nourrit du renouvellement rapide des modes et de la vente massive et instantanée d'articles destinés à un usage intensif mais bref.

Par ailleurs, il était encore tout à la fois possible et nécessaire d'appliquer la distinction entre le sérieux et l'insignifiant, le bon et le mauvais, le professionnel et l'amateur dans les arts, et il l'était d'autant plus qu'un certain nombre de parties intéressées refusaient les distinctions de ce genre sous prétexte que la seule mesure du mérite était les chiffres de ventes, ou que ces distinctions étaient élitistes, ou que, comme le soutenait le postmodernisme, il était impossible de faire la moindre distinction objective. En fait, les idéologues et les vendeurs étaient seuls à soutenir publiquement de tels points de vue alors qu'en privé la plupart d'entre eux savaient bien qu'ils différenciaient le bon du mauvais. En 1991, un joaillier britannique qui produisait avec beaucoup de succès des bijoux à destination du marché de masse fit scandale en déclarant, lors d'une réunion d'hommes d'affaires, qu'il tirait son profit de la vente de camelote, présentée comme pièces de qualité à des gens qui n'avaient aucun goût. À la différence des théoriciens postmodernistes, il savait bien que les jugements de qualité font partie de la vie.

Mais si de tels jugements étaient possibles, demeuraient-ils encore pertinents dans un monde où, pour la plupart des citadins, les sphères de la vie et de l'art, de l'émotion intérieure et de celle induite par l'extérieur, ou encore du travail et du loisir, étaient de plus en plus indifférenciables ? Ou plutôt, gardaient-ils une pertinence hors de l'enceinte des écoles et des académies où cherchait refuge une bonne partie des arts traditionnels ? C'est difficile à dire, parce que le fait même d'essayer de répondre à cette question, voire de la formuler, suppose acquis ce qui est en question. Il est on ne peut plus facile d'écrire l'histoire du jazz ou de débattre de ses réalisations en des termes tout à fait semblables à ceux qu'on applique à la musique classique, en tenant compte de la différence considérable de milieu social, de public et de l'économie propre à cette forme d'art. Il est loin d'être évident que cette démarche ait un sens pour le rock, quand bien même celui-ci dérive également de la musique noire américaine. Ce qu'ont apporté Louis Armstrong ou Charlie Parker, en quoi consiste leur supériorité sur d'autres contemporains, est une chose claire ou qu'on peut préciser. En revanche, il semble bien plus difficile à quelqu'un dont la vie n'est pas amalgamée à une musique particulière de distinguer tel ou tel groupe de rock du torrent qui a balayé la vallée de la musique depuis quarante ans. Au moins jusqu'à l'heure où j'écris, Billie Holiday aura su communiquer avec des auditeurs nés longtemps après sa disparition. Quand on n'est pas contemporain des Rolling Stones, peut-on participer à l'ardente ferveur que ce groupe a suscitée au milieu des années 1960 ? Cela demeure obscur tant qu'on n'a pas répondu à cette autre question : jusqu'où la passion actuelle du son ou de l'image ne repose-t-elle pas sur l'identification : ce n'est pas que cette chanson soit admirable, mais « c'est la nôtre » ? Pour l'heure, le rôle, voire la survie, des arts vivants au XXIᵉ siècle demeure obscur. Tel n'est pas le cas pour les sciences.

CHAPITRE 18
SORCIERS ET APPRENTIS :
LES SCIENCES NATURELLES

« – Est-ce qu'à vos yeux la philosophie garde une place dans le monde d'aujourd'hui ?

– Bien sûr, mais à la condition de fonder sa réflexion sur la connaissance scientifique en cours et sur ses acquis. [...] Les philosophes ne peuvent s'isoler d'une science qui a non seulement élargi immensément et transformé notre vision de la vie et du monde, mais qui a bouleversé les règles du fonctionnement de la pensée. »

Claude LÉVI-STRAUSS (1990, p. 167)

« De l'aveu même de son auteur, bénéficiant alors d'une Guggenheim Fellowship, la forme du texte classique en matière de dynamique des gaz fut dictée par les besoins de l'industrie. Dans ce cadre, la confirmation de la théorie de la relativité générale d'Einstein devait apparaître comme une étape critique pour améliorer "la précision des missiles balistiques en rendant compte d'infimes effets gravitationnels". Après la guerre, la physique s'est de plus en plus confinée aux domaines réputés susceptibles de trouver une application militaire. »

Margaret JACOB (1993, p. 66-67)

I

Aucune période de l'histoire n'a été plus envahie par les sciences naturelles ni plus dépendante d'elles que le XXe siècle. Mais aucune, depuis la rétractation de Galilée, n'a été moins à l'aise avec elle. Tel est le paradoxe auquel doit s'attaquer l'historien du siècle. Mais avant de m'y essayer, il importe de bien prendre la mesure du phénomène.

En 1910, le nombre total de physiciens et de chimistes allemands et britanniques ne dépassait sans doute pas 8 000. À la fin des années 1980, on estimait le nombre des scientifiques et des ingénieurs effectivement engagés dans la recherche et le développement expérimental à près de *cinq millions*, dont près d'un million aux États-Unis, première puissance scientifique du monde, et un peu plus dans les États européens[1]. Même dans les pays développés, la communauté scientifique est certes demeurée une toute petite fraction de la population, mais ses effectifs ont poursuivi une croissance tout à fait spectaculaire doublant plus ou moins en vingt ans après 1970, même dans les économies les plus avancées. À la fin des années 1980, elle formait cependant la pointe de l'iceberg, autrement plus important, de ce qu'on pourrait appeler la main-d'œuvre scientifique et technologique potentielle – qui était, au fond, le reflet de la révolution éducative de la seconde moitié du siècle (*cf.* chapitre 10). Elle représentait peut-être 2 % de la population mondiale et peut-être 5 % de la population nord-américaine (UNESCO, 1991, tableau 5.1). De plus en plus, le recrutement des scientifiques se faisait *via* la présentation d'un « doctorat », véritable ticket d'entrée dans la profession. Dans les années 1980, le pays occidental avancé type produisait entre 130 et 140 doctorats ès sciences par an pour chaque million d'habitants (*Observatoire*, 1991). Et ces pays consacraient à ces activités des sommes astronomiques : essentiellement des fonds publics, même dans les pays les plus capitalistes. En fait, les formes les plus coûteuses de la *big science* étaient hors de portée d'un seul pays, sauf les États-Unis (jusque dans les années 1990).

Il y eut cependant une grande nouveauté. Alors même que quatre langues (l'anglais, le russe, le français et l'allemand) se partageaient 90 % des publications scientifiques (dont le nombre doublait tous les dix ans), le xxe siècle aura vu la fin de la science eurocentrée. L'Ère des catastrophes, surtout avec le triomphe temporaire du fascisme, devait en déplacer le centre de gravité aux États-Unis, où il resta. Entre 1900 et 1933, les prix Nobel de science n'avaient récompensé que sept Américains ; entre 1933 et 1970, ils devaient en distinguer soixante-dix-sept. Les autres pays de peuplement européen s'affirmèrent aussi comme des centres de recherche indépendants – le Canada, l'Australie et l'Argentine souvent sous-évaluée[2] –, même si certains, pour des raisons de taille ou de politique, exportaient la plupart de leurs grands scientifiques (Nouvelle-Zélande, Afrique du Sud). Dans le même temps, la communauté scientifique non européenne connut un essor frappant, en particulier en Asie de l'Est et dans le sous-continent indien. Avant la fin de la Seconde Guerre mondiale, le Nobel n'avait couronné qu'un seul Asiatique (C. Raman, en physique, 1930). Depuis 1946, le prix a récompensé plus de dix chercheurs portant des noms manifestement chinois, indiens et pakistanais, bien que ce chiffre sous-estime l'essor de la science asiatique tout aussi clairement que le bilan d'avant 1933 sous-estimait celui de la science américaine. À la fin du siècle, certaines parties du monde – la majeure partie de l'Afrique et de l'Amérique latine – continuent à produire fort peu d'hommes de science en termes absolus, et leur retard est encore plus marqué en termes relatifs.

Par ailleurs, au moins un tiers des lauréats asiatiques ne figurent pas sous le nom de leur pays d'origine, mais en tant qu'hommes de science américains. (Parmi les lauréats américains, vingt-sept sont en fait des immigrants de la première génération.) Car, en un temps de mondialisation croissante, le fait même que les sciences naturelles parlent une seule et même langue universelle et appliquent une seule et même méthodologie a paradoxalement aidé à les concentrer en un nombre relativement restreint de centres disposant de ressources suffisantes pour leur développement : c'est-à-dire, dans une poignée d'États riches et hautement développés, et par-dessus tout aux États-Unis. À l'Ère des catastrophes, les cerveaux avaient fui l'Europe pour des raisons politiques ; après 1945, en revanche, l'exode des pays pauvres vers les pays riches s'explique essentiellement par des raisons économiques[3]. Quoi de plus naturel, quand on sait que dans les années 1970 et 1980 les pays capitalistes dévelop pés dépensaient près des trois-quarts des frais mondiaux de la recherche-développement, contre 2 à 3 % pour les pays pauvres (« en voie de développement ») (*UN World Social Situation*, 1989, p. 103) ?

Pourtant, y compris dans le monde développé, la science a progressivement perdu son caractère dispersé : en partie du fait de la concentration des hommes et des ressources – pour des raisons d'efficacité – et en partie parce que le formidable essor de l'enseignement supérieur a inévitablement créé une hiérarchie ou, plus exactement, une oligarchie parmi ses instituts. Aux États-Unis, dans les années 1950 et 1960, la moitié des doctorats venaient des quinze universités les plus prestigieuses, vers lesquelles affluaient en conséquence les jeunes les plus capables. Dans un monde démocratique et populiste, les scientifiques formaient une élite concentrée dans un nombre relativement restreint de centres subventionnés. En tant qu'espèce, ils vivaient en groupes, car la communication (« quelqu'un à qui parler ») était centrale pour leurs activités. Avec le temps, ces activités devinrent de plus en plus incompréhensibles aux non initiés, même si les profanes essayaient désespérément de comprendre en s'aidant d'une abondance de textes de vulgarisation, parfois écrits par les meilleurs scientifiques. En fait, avec les progrès de la spécialisation, les scientifiques eux-mêmes eurent de plus en plus besoin de revues pour comprendre ce qui se passait hors de leur domaine.

Que le XXe siècle ait reposé sur la science n'a guère besoin de preuves. Jusqu'à la fin du XIXe siècle, la science « avancée » – c'est-à-dire le genre de connaissance qui ne pouvait ni s'acquérir par une expérience quotidienne, ni se pratiquer, ni même se comprendre sans de longues années d'études couronnées par une formation supérieure ésotérique – n'avait qu'une gamme d'applications pratiques relativement restreinte. La physique et les mathématiques du XVIIe siècle continuaient à gouverner les ingénieurs. Au milieu du règne de Victoria, cependant, les découvertes chimiques et électriques de la fin du XVIIIe et du début du XIXe siècle étaient déjà essentielles pour l'industrie et les communications, tandis que les explorations des chercheurs professionnels étaient perçues comme le nécessaire fer de lance du progrès technique lui-même. En un mot, la technologie à assise scientifique était déjà au cœur du monde bourgeois du XIXe siècle, alors même que les esprits pratiques ne savaient trop que faire des triomphes de la théorie scientifique, si ce n'est, dans des cas appropriés, les transformer en idéologie : comme le XVIIIe siècle l'avait fait avec Newton, et comme la fin du XIXe siècle le fit avec Darwin. Reste que de larges pans de la vie humaine continuaient à être régis par l'expérience, l'expérimentation, la compétence, le bon sens exercé et, dans le meilleur des cas, par la diffusion systématique des connaissances relatives aux meilleures pratiques et techniques disponibles. C'était à l'évidence le cas dans l'agriculture, la construction et la médecine, et dans un immense éventail d'activités qui comblaient les besoins des êtres humains ou leur assuraient quelque luxe.

Cela avait commencé à changer quelque part au cours du dernier tiers du siècle. À l'Ère des empires, commencent à apparaître non seulement les grandes lignes de la technologie de pointe moderne – il suffit de penser aux automobiles, à l'aviation, à la radio et au cinéma –, mais aussi celles de la théorie scientifique moderne : la relativité, la physique quantique et la génétique. De surcroît, on percevait désormais le potentiel technique immédiat des découvertes les plus ésotériques et les plus révolutionnaires – de la télégraphie sans fil à l'utilisation médicale des rayons X, toutes deux fondées sur des découvertes des années 1890. Néanmoins, alors que la science de pointe du Court Vingtième Siècle était visible dès avant 1914, et que la haute technologie du XXe siècle était déjà implicite, la science de pointe n'était pas encore devenue cette chose sans laquelle la vie quotidienne était inconcevable *partout* dans le monde.

Tel est aujourd'hui le cas alors que le millénaire touche à sa fin. La technologie fondée sur la théorie et la recherche scientifiques de pointe, on l'a dit (*cf.* chapitre 9), aura dominé l'essor économique de la seconde moitié du XXe siècle, et plus seulement dans le monde développé. Sans la génétique moderne, l'Inde et l'Indonésie n'auraient pu produire suffisamment de vivres pour leurs populations en pleine explosion démographique. À la fin du siècle, la biotechnologie est devenue un élément significatif de l'agriculture et de la médecine. Et ces technologies reposaient sur des découvertes et des théories si éloignées de l'univers du citoyen ordinaire, même dans les pays développés les plus sophistiqués, qu'à peine quelques douzaines de personnes, tout au plus quelques centaines, pouvaient initialement en deviner les applications pratiques. Quand le physicien allemand Otto Hahn découvrit la fission nucléaire en 1937, il se trouva même quelques-uns des scientifiques les plus actifs en ce domaine, comme le grand Niels Bohr (1885-1962), pour douter qu'elle puisse avoir des applications pratiques dans la paix ou dans la guerre, tout au moins dans un avenir prévisible. Et si les physiciens qui en saisirent les potentialités n'en avaient rien dit à leurs généraux et à leurs hommes politiques, ceux-ci seraient eux-mêmes restés dans l'ignorance – sauf à avoir fait des études supérieures de physique, ce qui était peu probable. De même, le célèbre article, dans lequel, en 1935, Alan Turing exposa les fondements de la théorie informatique moderne, était à l'origine une spéculation destinée aux spécialistes de logique mathématique. C'est la guerre qui lui offrit l'occasion, ainsi qu'à d'autres, de donner à cette théorie une ébauche de traduction concrète afin de déchiffrer les codes de l'ennemi ; mais lorsque ce texte était paru, personne ne l'avait lu, encore moins remarqué, hormis une poignée de mathématiciens. Même dans son propre collège, ce génie pâle et empoté, alors simple chargé de cours qui se distinguait par son goût du *jogging* et qui devint à titre posthume quelque chose comme une icône des homosexuels, n'avait rien de très remarquable. Du moins n'en ai-je pas gardé le souvenir[4]. Alors même que des scientifiques tâchaient manifestement de résoudre des problèmes d'une importance capitale avérée, seul un petit comité de cerveaux d'un milieu intellectuel isolé comprenaient ce qu'ils faisaient. L'auteur du présent ouvrage était ainsi *Fellow* d'un collège de Cambridge à l'époque où Crick et Watson préparaient leur triomphale découverte de la structure de l'ADN (la « Double Hélice »), aussitôt saluée comme l'une des percées cruciales du siècle. Pourtant, alors même que je me souviens avoir rencontré Crick en société, la plupart d'entre nous ignorions purement et simplement que ces extraordinaires développements couvaient à quelques dizaines de mètres des portes de mon collège, dans des laboratoires devant lesquels nous passions régulièrement ou dans les pubs que nous fréquentions. Ceux qui poursuivaient ces recherches ne voyaient pas l'intérêt de nous en parler, puisque nous n'aurions pu les aider dans leur travail ni probablement comprendre au juste quelles étaient leurs difficultés.

Néanmoins, si ésotériques et incompréhensibles qu'aient été les innovations de la science, elles devaient trouver une traduction technologique concrète presque immédiatement. Ainsi l'apparition des transistors, en 1948, fut-elle un sous-produit des recherches sur la physique des états solides, c'est-à-dire sur les propriétés électromagnétiques de cristaux légèrement imparfaits (leurs inventeurs reçurent le prix Nobel huit ans plus tard) ; il en va de même des lasers (1960), issus non pas d'études optiques, mais de recherches pour faire vibrer les molécules en résonance avec un champ électrique (Bernal, 1967, p. 563). Leurs inventeurs furent aussi rapidement reconnus par le Nobel, tout comme – un peu tard – le physicien cambridgien et soviétique Peter Kapitsa (1978) pour son travail sur la physique des basses températures à l'origine des supraconducteurs. L'expérience de la recherche menée au cours des années 1939-1946 a démontré – du moins aux Anglo-Américains – qu'une importante concentration de ressources permettait de résoudre les problèmes technologiques les plus délicats, dans un temps record[5], et d'encourager les innovations technologiques de pointe sans égard pour les coûts, que ce soit à des fins militaires ou de prestige national (par exemple, l'exploration de l'espace). Cela ne fit qu'accélérer, à son tour, la transformation de la science de laboratoire en technologie, parfois avec un large champ d'application possible pour les besoins de la vie quotidienne. Les lasers sont un exemple de cette rapidité. Vus pour la première fois en laboratoire en 1960, ils avaient atteints le consommateur au début des années 1980 sous la forme du compact disc. Dans le domaine de la biotechnologie, le mouvement fut encore plus rapide. C'est en 1973 que les techniques de recombinaison de l'ADN, de mélange de gènes d'une espèce avec ceux d'une autre, apparurent pour la première fois relativement praticables. Moins de vingt ans plus tard, la biotechnologie était l'un des grands postes d'investissement médical et agricole.

De surcroît, essentiellement du fait de l'étonnante explosion de l'informatique théorique et pratique, les nouvelles avancées de la science devaient être traduites, dans des délais toujours plus courts, en une technologie que les utilisateurs finaux n'avaient aucun besoin de comprendre. Le résultat consistait en une série de boutons ou un clavier permettant au premier imbécile venu, pour peu qu'il appuyât au bon endroit, d'activer une procédure automatique, autocorrectrice et, autant que possible, capable de prendre des décisions, sans exiger d'*inputs* supplémentaires de l'être humain ordinaire, avec ses compétences et son intelligence limitées et peu fiables. Dans l'idéal, la programmation permettait de se passer de toute intervention humaine, sauf défaillance. Les caisses des supermarchés des années 1990 illustrent cette élimination. Il suffit désormais à l'opérateur humain de reconnaître les billets et les pièces de monnaie locale et d'entrer la quantité offerte par le client. Un scanner automatique traduit le code-barre en prix, calcule le montant total des achats, établit la différence entre la somme donnée par le client et la somme due et indique à la caissière la monnaie à rendre. La procédure permettant d'y parvenir est d'une extraordinaire complexité et repose sur l'association d'un matériel terriblement sophistiqué et d'une programmation très élaborée. Reste que, sauf pépin, ces miracles de la technologie scientifique de la fin du XXe siècle n'exigent pas plus de la caissière que la reconnaissance des nombres cardinaux, un minimum d'attention et une plus grande capacité de tolérance à l'ennui. Il n'est même pas nécessaire de savoir lire et écrire. Pour la plupart des opérateurs concernés, les forces qui leur indiquent de dire au client qu'il doit 2,15 £ et de lui rendre 7,85 £ sur un billet de 10 £ sont aussi dénuées d'intérêt qu'incompréhensibles. Ils n'ont nul besoin d'y comprendre quoi que ce soit pour les faire marcher. L'apprenti sorcier n'a plus à s'inquiéter de son manque de connaissance.

La situation de la caissière de supermarché représente la norme humaine de la fin du XXe siècle, l'accomplissement de miracles de la technologie scientifique d'avant-garde, qu'il n'est pas nécessaire de comprendre ou de modifier, quand bien même saurions-nous, ou croirions-nous savoir ce qui se passe. Un autre le fera ou l'a fait pour nous. Car même si nous nous croyons expert dans tel ou tel domaine particulier – c'est-à-dire être du genre à savoir arranger les choses si ça se passe mal, à concevoir ou à construire le dispositif en question –, nous sommes des profanes, des ignorants face à la plupart des autres produits quotidiens de la science et des techniques. Et même si tel n'est pas le cas, notre compréhension de ce qui fait marcher l'objet que nous utilisons, et des principes qui en sont à la base, présente tout aussi peu d'intérêt que le processus de fabrication des cartes à jouer pour le joueur de poker (honnête). Les télécopies sont destinées à des gens qui n'ont aucune idée des raisons pour lesquelles un appareil de Londres ressort un texte entré dans un appareil semblable à Los Angeles. Ils ne fonctionnent pas mieux quand ce sont des professeurs d'électronique qui y recourent.

À travers le tissu de la vie humaine saturé de technologie, la science fait donc une démonstration quotidienne de ses miracles dans le monde de la fin du XXᵉ siècle. Elle est aussi indispensable et omniprésente – car même les coins de la planète les plus reculés connaissent le transistor et la calculette électronique – qu'Allah pour le pieux musulman. Nous pouvons nous interroger sur le moment où cette capacité de certaines activités humaines à produire des résultats surhumains est entrée dans la conscience collective, tout au moins dans celle des zones urbaines des sociétés industrielles « développées ». C'est certainement après l'explosion de la première bombe nucléaire en 1945. On ne saurait cependant douter que le XXᵉ siècle est celui où la science a transformé à la fois le monde et la connaissance que nous en avons.

On aurait dû s'attendre à voir les idéologies du XXᵉ siècle se faire gloire des triomphes de la science, qui sont autant de victoires de l'esprit humain, comme l'avaient fait les idéologies séculières du XIXᵉ. En vérité, on aurait même dû s'attendre à voir faiblir la résistance des idéologies religieuses traditionnelles, qui avaient été au siècle précédent les grandes redoutes de la résistance à la science. Car non seulement l'emprise des religions traditionnelles n'a cessé de se relâcher pendant la majeure partie du siècle, mais la religion elle-même est devenue tout aussi tributaire que n'importe quelle activité du monde développé de la technologie née d'une science de pointe. Au besoin, un évêque, un imam ou un saint homme des années 1900 aurait pu vaquer à ses occupations comme si Galilée, Newton, Faraday ou Lavoisier n'avaient jamais existé, c'est-à-dire sur la base des techniques du XVᵉ siècle ; et, en tant que telle, la technologie du XIXᵉ siècle n'a posé aucun problème de compatibilité avec la théologie et les textes sacrés. Il est devenu beaucoup plus difficile de fermer les yeux sur le conflit entre la science et les écritures saintes à une époque qui a vu le Vatican obligé de recourir à la communication par satellite ou de tester l'authenticité du saint suaire de Turin au carbone 14 ; où l'ayatollah Khomeiny, exilé à l'étranger, a diffusé ses messages en Iran sur cassettes, et où des États attachés à la loi coranique ont en même temps essayé de se doter de l'arme nucléaire. L'acceptation *de facto* de la science contemporaine la plus sophistiquée, *via* la technologie qui en était issue, était telle que, dans la New York *fin-de-siècle*, la vente de matériel électronique et photographique de pointe est largement devenue la spécialité des Hassidim – forme de judaïsme messianique oriental surtout connue par la préférence donnée à l'émotion extatique sur la recherche intellectuelle (outre son ritualisme intense et son attachement à un type de costume polonais du XVIIIe siècle). À certains égards, la supériorité de la « science » fut même officiellement reconnue. Aux États-Unis, les fondamentalistes protestants, qui rejetaient la théorie de l'évolution jugée contraire aux Écritures (le monde ayant été créé, dans sa version présente, en six jours), exigeaient que l'enseignement du darwinisme soit sinon remplacé, du moins contré par l'enseignement de ce qu'ils ont qualifié de « science de la création ».

Pourtant, le XXe siècle n'aura jamais été à l'aise avec la science, qui a été sa réalisation la plus extraordinaire et dont il est devenu si dépendant. Le progrès des sciences naturelles s'est fait sur fond général de méfiance et de crainte, provoquant à l'occasion des flambées de haine et de rejet de la raison et de toutes ses productions. Et dans l'espace indéfini qui sépare la science de l'antiscience, parmi les chercheurs de la vérité ultime par l'absurde et les prophètes d'un monde composé exclusivement de fictions, nous trouvons de plus en plus ce produit caractéristique et largement anglo-américain du siècle, en particulier de sa seconde moitié : la « science-fiction ». Anticipé par Jules Verne (1828-1905), le genre fut lancé par H. G. Wells (1866-1946) à la fin du XIXe siècle. Tandis que ses formes plus juvéniles, comme les westerns spatiaux familiers de la télévision ou du grand écran, avec les capsules cosmiques à la place des chevaux et les rayons de la mort en guise de revolvers à six coups, ont perpétué la vieille tradition des aventures fabuleuses avec des gadgets *high-tech*, les contributions plus sérieuses de la seconde moitié du siècle ont cultivé une vision plus sombre ou, en tout cas, plus ambiguë de la condition humaine et de ses perspectives.

Quatre sentiments ont nourri cette méfiance et cette peur. La science est incompréhensible. Ses conséquences tant morales que pratiques sont imprévisibles et probablement catastrophiques. Elle souligne l'impuissance de l'individu et sape l'autorité. Enfin, il ne faut pas oublier le sentiment que, dans la mesure où elle interférait avec l'ordre naturel des choses, la science était intrinsèquement dangereuse. Les deux premiers sentiments étaient communs aux hommes de science et aux profanes, les deux derniers étaient essentiellement l'apanage des non-initiés. Les profanes en étaient réduits à se défendre de leur sentiment d'impuissance en recherchant tout ce que la « science ne saurait expliquer », dans l'esprit de ces vers de Hamlet : « Il est plus de choses au ciel et sur la terre [...] que n'en rêve ta philosophie » (*Hamlet*, I, v, 167) ; en refusant de croire que la « science officielle » parviendrait jamais à les expliquer ; bref, en ne demandant qu'à croire à l'inexplicable *parce que*, précisément, il semblait absurde. Dans un monde inconnu et inconnaissable, nous serions tous au moins également démunis. Plus grands étaient les triomphes tangibles de la science, plus grande était la soif d'inexplicable. Peu après la Seconde Guerre mondiale, dont la bombe atomique marqua le point culminant, en 1947, les Américains – plus tard relayés, comme d'habitude, par leurs suiveurs culturels attitrés que sont les Britanniques – se mirent à observer l'arrivée en masse d'« objets volants non identifiés », manifestement inspirés par la science-fiction. Ceux-ci, voulait-on croire, venaient de civilisations extraterrestres différentes et supérieures aux nôtres. Les plus enthousiastes avaient vu, de leurs yeux vu, leurs étranges habitants sortir de ces « soucoupes volantes » ; et un ou deux prétendirent même être montés à bord pour une petite promenade. Le phénomène devint universel, bien qu'une carte de la répartition des lieux d'atterrissage ou de survol de ces extraterrestres indiquerait une très nette préférence pour les territoires anglo-saxons. Tout scepticisme quant à ces OVNI s'expliquait forcément par la jalousie de scientifiques étriqués, bien incapables d'expliquer des phénomènes qui sortaient de leurs horizons bornés, voire par la conspiration de tous ceux qui voulaient maintenir l'homme ordinaire dans un état de servitude intellectuelle et le priver d'une sagesse supérieure.

Cela n'avait plus rien à voir avec la croyance à la magie et aux miracles des sociétés traditionnelles, pour lesquelles ces interventions dans la réalité faisaient partie de vies très incomplètement contrôlables et étaient beaucoup moins stupéfiantes que la vue d'un avion ou l'expérience d'une conversation téléphonique. Cela ne relevait pas non plus de la fascination universelle et permanente des êtres humains pour le monstrueux, le fantastique et le merveilleux, dont témoigne la littérature populaire depuis l'invention de l'imprimerie, depuis les bois gravés sur feuille volante aux magazines mis en vente aux caisses des supermarchés. Tous ces phénomènes exprimaient bien plutôt un rejet des prétentions et de la domination de la science. Et ce rejet prenait parfois un caractère très délibéré : ainsi dans le cas de l'extraordinaire rébellion (une fois encore centrée sur les États-Unis) de groupes marginaux contre l'habitude de mettre du fluorure dans l'eau courante après qu'on eut découvert que cela réduisait de manière spectaculaire les affections dentaires chez les populations urbaines modernes. Cette pratique suscita une résistance farouche, non pas simplement au nom de la liberté d'avoir des caries (revendiquée par les plus irréductibles), mais parce qu'on soupçonnait quelque infâme complot destiné à affaiblir les êtres humains moyennant un empoisonnement obligatoire. Dans cette réaction, dont le cinéaste Stanley Kubrick a donné une illustration saisissante dans son *D*r *Folamour* (1963), la méfiance à l'égard de la science se mêlait à la peur de ses conséquences pratiques.

L'hypocondrie naturelle de la culture nord-américaine a également propagé ces craintes, alors que la vie était toujours plus submergée par la technologie moderne, y compris par la technologie médicale, avec son lot de risques. Le penchant peu commun des États-Unis pour laisser à la justice le soin de trancher toutes les questions controversées nous permet de suivre la progression de ces peurs (Huber, 1990, p. 97-118). Les spermicides sont-ils responsables de malformations congénitales ? Les lignes de haute tension sont-elles préjudiciables à la santé des riverains ? Le fossé entre les experts, qui avaient déterminé certains critères de jugement, et les profanes, qui n'avaient que l'espoir ou la peur, devait être creusé par un autre facteur : la différence entre une évaluation détachée, qui pouvait bien conclure à l'acceptation d'un léger risque pour un bénéfice plus important, et le désir individuel bien compréhensible d'un risque zéro (du moins en théorie[6]).

En fait, il s'agissait là de peurs d'hommes et de femmes confrontés à la menace inconnue d'une science dont ils ne savaient qu'une chose : qu'elle les dominait ; des peurs dont l'intensité et la focalisation différaient selon la nature de leurs vues ; des peurs concernant la société contemporaine (voir à ce sujet : Fischhof *et al.*, 1978, p. 127-152[7]).

Dans la première moitié du siècle, cependant, les grands dangers auxquels la science a été exposée ne sont pas venus de ceux qui se sentaient humiliés par ses pouvoirs illimités et incontrôlables, mais de ceux qui croyaient pouvoir les contrôler. Les deux seuls types de régimes politiques (hormis les retours, alors rares, au fondamentalisme religieux) qui devaient s'immiscer dans la recherche scientifique *pour des raisons de principe*, étaient tous deux profondément attachés au progrès technique illimité. Dans un cas, l'idéologie identifiait même le régime à la « science » et saluait la conquête du monde par la raison et l'expérience. De manières différentes, le stalinisme et le nazisme n'en devaient pas moins rejeter la science alors même qu'ils la mettaient au service de leurs desseins technologiques. Ils lui reprochaient en fait de contester des visions du monde et des valeurs exprimées sous forme de vérités *a priori*.

Ainsi, les deux régimes eurent du mal à se faire à la physique post-einsteinienne. Les nazis la rejetaient comme une science « juive », tandis que les idéologues soviétiques la jugeaient insuffisamment « matérialiste » au sens léniniste du mot. En pratique, les uns et les autres devaient la tolérer, puisque les États modernes ne pouvaient se passer des physiciens post-einsteiniens. Les nazis se privèrent cependant de la fine fleur des physiciens de l'Europe continentale en obligeant à l'exil les Juifs et leurs adversaires idéologiques, ruinant au passage la suprématie scientifique qu'avait exercée l'Allemagne au début du siècle. Entre 1900 et 1933, vingt-cinq des trente-six prix Nobel de physique et de chimie avaient couronné des Allemands. Depuis 1933, ceux-ci ne devaient plus recevoir qu'un prix sur dix. Aucun des deux régimes ne fut non plus en phase avec les sciences biologiques. La politique raciale de l'Allemagne nazie horrifiait les généticiens dignes de ce nom, qui – essentiellement du fait des enthousiasmes eugéniques des racistes – avaient commencé, au lendemain de la Première Guerre mondiale, à prendre leurs distances vis-à-vis des politiques de sélection génétique appliquées à l'homme (et impliquant l'élimination des « inaptes »). Mais il faut hélas admettre que le racisme nazi trouva tout de même de nombreux soutiens dans les milieux biologiques et médicaux allemands (Proctor, 1988). Sous Staline, le régime soviétique se trouva en désaccord avec la génétique pour des raisons idéologiques et parce que la politique officielle était attachée au principe suivant lequel, moyennant un effort suffisant, *tout* changement était réalisable, alors que cette science faisait valoir que, dans le champ de l'évolution en général et dans l'agriculture en particulier, tel n'était pas le cas. En d'autres circonstances, la controverse, parmi les biologistes évolutionnistes, entre darwiniens (pour qui l'hérédité était génétique) et lamarckiens (qui croyaient à l'hérédité des caractères acquis et pratiqués par une créature de son vivant) aurait été réglée dans le cadre de séminaires et en laboratoire. En fait, la plupart des hommes de science estimaient l'affaire réglée en faveur de Darwin, ne serait-ce que parce que l'on n'avait trouvé aucune preuve concluante de l'hérédité des caractères acquis. Sous Staline, un biologiste marginal, Trofim Denisovitch Lyssenko (1898-1976) avait obtenu l'appui des autorités politiques en expliquant qu'il était possible de multiplier la production agricole par des méthodes lamarckiennes qui court-circuitaient les procédures orthodoxes de reproduction végétale et animale. En ce temps-là, il était mal venu de contester l'autorité. L'académicien Nikolaï Ivanovitch Vavilov (1885-1943), le plus célèbre des généticiens soviétiques, trouva la mort dans un camp de travail pour avoir critiqué Lyssenko (les autres généticiens soviétiques dignes de ce nom partageaient son point de vue). Mais ce n'est qu'au lendemain de la Seconde Guerre mondiale que la biologie soviétique se prononça officiellement pour le rejet obligatoire de la génétique, telle qu'on la comprenait dans le reste du monde, et ce au moins jusqu'à la disparition du dictateur. Comme il était à prévoir, cette politique eut des effets désastreux pour la science soviétique.

Si totalement différents qu'ils fussent à maints égards, les régimes de type national-socialiste et communiste soviétique se rejoignaient sur ce point : leurs citoyens étaient censés approuver une « doctrine vraie », cependant formulée et imposée par les autorités politico-idéologiques séculières. Dès lors, l'ambiguïté et la gêne à l'égard de la science, éprouvée dans tant de sociétés, trouvèrent dans ces États une expression *officielle* – à la différence des régimes politiques dont les gouvernements laïques avaient appris au cours du XIXe siècle à faire profession d'agnosticisme face aux convictions personnelles de leurs citoyens. La montée des régimes d'orthodoxie séculière fut un sous-produit de l'Ère des catastrophes (*cf.* chapitres 4 et 13), et ils n'eurent qu'un temps. En tout état de cause, la volonté de faire entrer la science dans le carcan de l'idéologie fut manifestement contre-productive, partout où l'on s'y essaya sérieusement (comme dans la biologie soviétique), ou ridicule, quand on laissa la science suivre son cours tout en se bornant à proclamer la supériorité de l'idéologie (comme dans le cas de la physique tant allemande que soviétique[8]). À la fin du XXᵉ siècle, l'imposition officielle de divers critères à la théorie scientifique sont à nouveau l'apanage de régimes se réclamant d'un fondamentalisme religieux. Le malaise n'en persiste pas moins, ne serait-ce que parce que la science elle-même devient toujours plus incroyable et incertaine. Jusqu'à la seconde moitié du siècle, cependant, elle ne devait rien à la peur de ses résultats pratiques.

Certes, les scientifiques eux-mêmes surent mieux et plus tôt que quiconque quelles pouvaient être les conséquences potentielles de leurs découvertes. Depuis que la première bombe atomique était devenue opérationnelle (1945), certains d'entre eux avaient prévenu leurs maîtres – leurs gouvernements – des forces de destruction que le monde avait désormais à sa disposition. Mais l'idée que la science est synonyme de catastrophe en puissance appartient fondamentalement à la seconde moitié du siècle : dans sa première phase – le cauchemar de la guerre nucléaire – à l'ère de la confrontation des superpuissances qui commença après 1945 ; dans sa phase ultérieure et plus universelle, à l'ère de la crise qui s'est déclarée dans les années 1970. Mais, peut-être parce qu'elle a sensiblement ralenti la croissance économique mondiale, l'Ère des catastrophes était encore une ère d'autosatisfaction ; celle d'une science assurée de la capacité de l'homme à maîtriser les forces de la nature ou, plus grave, de la capacité de la nature à s'adapter aux pires choses que l'homme pourrait faire[9]. En revanche, les scientifiques eux-mêmes devaient être de plus en plus gênés par l'incertitude entourant l'usage potentiel de leurs théories et de leurs découvertes.

II

C'est au cours de l'Ère des empires que les liens avaient été rompus entre les découvertes des scientifiques et la réalité fondée sur l'expérience des sens ou susceptible d'être imaginée à partir de celle-ci. Il en va de même pour les relations entre la science et le genre de logique qui se fonde sur le bon sens ou que l'on peut imaginer à partir de celui-ci. Les deux cassures se renforcèrent mutuellement, d'autant que les progrès des sciences naturelles furent de plus en plus tributaires de gens qui couvraient d'équations (c'est-à-dire d'énoncés mathématiques) des blocs de papier, plutôt que d'expériences menées en laboratoire. Le XXᵉ siècle devait être le siècle des théoriciens indiquant aux praticiens ce qu'il fallait chercher et ce qu'ils devaient trouver à la lumière de leurs théories. Autrement dit, ce fut le siècle des mathématiciens. La biologie moléculaire où, si j'en crois un avis autorisé, il y a encore fort peu de théorie, est une exception. Non que l'observation et l'expérience fussent secondaires. Leur technologie fut au contraire plus profondément révolutionnée qu'à aucune autre époque depuis le XVIIᵉ siècle par de nouveaux appareils et de nouvelles techniques, dont plusieurs devaient recevoir la consécration scientifique suprême du prix Nobel[10]. En voici un seul exemple : le microscope électronique (1937) et le radiotélescope (1957) ont permis de dépasser les limites du grossissement optique, et ce faisant ont rendu possible une observation beaucoup plus poussée dans le champ moléculaire, ou même atomique, et dans l'univers le plus lointain. Dans les dernières décennies, l'automatisation de la routine et les formes toujours plus complexes des activités de laboratoire et de calculs, notamment par ordinateur, ont encore démultiplié les capacités des expérimentateurs, des observateurs et, de plus en plus, des théoriciens modélisateurs. Dans certains domaines, en particulier en astronomie, cela s'est soldé par des découvertes, parfois dues au hasard, qui ont par la suite imposé des innovations théoriques. La cosmologie moderne est au fond le résultat de deux découvertes de ce type : l'analyse des spectres des galaxies qui amena Hubble à conclure que l'univers devait être en expansion (1929) ; et la découverte du rayonnement cosmique (interférence radioélectrique) par Penzias et Wilson en 1965. Alors que la science est et doit être une collaboration entre théoriciens et praticiens, ce sont les premiers qui, dans le Court Vingtième Siècle, ont occupé le siège du pilote.

Pour les scientifiques eux-mêmes, la rupture avec l'expérience des sens et le sens commun a été une rupture avec les certitudes traditionnelles de leur domaine et de leur méthodologie. On peut en illustrer avec éclat les conséquences en suivant le cours de la physique, reine incontestée des sciences dans la première moitié du siècle. En vérité, pour autant que cette discipline reste celle qui s'intéresse à la fois aux plus petits éléments de la matière, vivante ou morte, ainsi qu'à la constitution et à la structure du plus grand ensemble de matière, à savoir l'univers, la physique est restée le pilier central des sciences naturelles jusqu'à la fin du siècle, même si, dans la seconde moitié, elle a dû faire face à la concurrence croissante des sciences de la vie, transformées après les années 1950 par la révolution de la biologie moléculaire.

Aucun domaine des sciences ne paraissait plus solide, cohérent et méthodologiquement certain que la physique newtonienne, dont les fondations mêmes devaient être minées par les théories de Planck et d'Einstein ainsi que par la transformation de la théorie atomique consécutive à la découverte de la radioactivité dans les années 1890. Elle était objective : elle se prêtait à des observations convenables. Elle était sujette à des contraintes techniques résultant du matériel d'observation : par exemple, le microscope optique et le télescope. Elle était dénuée d'ambiguïté : un objet ou un phénomène était soit une chose, soit une autre, et la distinction était nécessairement claire Ses lois étaient universelles, également valables au niveau cosmique et au niveau microcosmique. Les mécanismes liant divers phénomènes étaient compréhensibles : par exemple, susceptibles d'être exprimés sous la forme de relations de « cause à effet ». En conséquence, le système tout entier était en principe déterministe, et la fin de toute expérience en laboratoire était de démontrer cette détermination en éliminant autant que possible le fouillis complexe de la vie ordinaire qui la dissimulait. Seul un fou ou un enfant prétendrait que le vol des oiseaux ou des papillons nient les lois de la gravitation. Les hommes de science savaient fort bien l'existence d'énoncés « non scientifiques », mais en tant que scientifiques, ils n'en avaient rien à faire.

Toutes ces caractéristiques allaient être remises en question entre 1895 et 1914. La lumière était-elle un mouvement ondulatoire continu ou une émission de particules discrètes (photons) ainsi que l'affirmait Einstein à la suite de Planck ? Il était plus fécond d'adopter tantôt la première approche, tantôt la seconde, mais comment les rattacher, à supposer que la chose fût possible ? Qu'était « réellement » la lumière ? Ainsi que le grand Einstein lui-même le déclara, vingt ans après avoir créé l'énigme : « Nous disposons désormais de deux théories de la lumière, toutes deux indispensables, mais dont il faut reconnaître l'absence de connexion logique, en dépit de vingt années de labeurs titanesques de la part des spécialistes en physique théorique » (cité par Holton, 1970, p. 1017 ; trad. fr., p. 77). Que se passait-il à l'intérieur de l'atome, dans lequel on ne voyait plus (comme le sous-entendait son nom d'origine grecque) la plus petite unité de matière possible, partant indivisible, mais un système complexe consistant en toute une variété de particules encore plus élémentaires ? C'est en 1911, à Manchester, que Rutherford avait fait la découverte capitale du noyau atomique, marquant ainsi le triomphe de l'imagination expérimentale, mais aussi la fondation de la physique nucléaire moderne et de ce qui allait finalement devenir la *big science*. La première hypothèse fut donc que les électrons circulaient en orbites autour de ce noyau à la manière d'un système solaire miniature. On étudia, ensuite, la structure des atomes individuels : ainsi en fut-il des atomes d'hydrogène sur lesquels Niels Bohr, qui connaissait les « quanta » de Max Planck, se pencha en 1912-1913. Et, une fois de plus, les résultats firent apparaître un conflit profond entre ce que faisaient ses électrons et – pour reprendre ses propres mots – « le groupe de conceptions admirablement cohérent qu'on nomme, avec raison, la théorie classique de l'électrodynamique » (Holton, 1970, p. 1028 ; trad. fr., p. 94). Le modèle de Bohr marchait, autrement dit il avait une remarquable vertu prédictive et explicative, mais il était « tout à fait irrationnel et absurde » du point de vue de la mécanique classique newtonienne et, en tout cas, il ne pouvait dire ce qui se passait effectivement à l'intérieur de l'atome lorsque l'électron « sautait » d'une orbite à l'autre, ni ce qui se passait entre le moment où on le découvrait dans une orbite et celui où il apparaissait dans une autre.

En vérité, ce sont les certitudes mêmes de la science qui furent ébranlées lorsqu'il apparut que le processus même d'observation affecte les phénomènes au niveau subatomique : ainsi, plus nous voulons connaître avec précision la position d'une particule subatomique, plus sa vitesse doit être incertaine. « L'observer, c'est le knockouter », a-t-on pu dire à propos de tout moyen d'observation minutieux pour découvrir où est « vraiment » un électron (Weisskopf, 1980, p. 37). Tel est le paradoxe que Werner Heisenberg, jeune et brillant physicien allemand, devait généraliser en 1927 sous la forme du fameux « principe d'incertitude » qui porte son nom. L'insistance même sur le terme *incertitude* est significative, puisqu'elle indique ce qui préoccupait les explorateurs du nouvel univers scientifique lorsqu'ils laissèrent derrière eux les certitudes de l'ancien. Non qu'eux-mêmes fussent incertains ou que leurs résultats fussent douteux. Si invraisemblables et bizarres fussent-elles, leurs prédictions théoriques devaient être au contraire confirmées par l'observation et les expériences banales – à commencer par la théorie de la relativité générale d'Einstein (1915) que sembla corroborer en 1919 une expédition britannique : étudiant une éclipse, elle constata en effet que la lumière venue d'étoiles lointaines était déviée vers le soleil ainsi que le prédisait la théorie. En pratique, la physique des particules était aussi sujette à des régularités et aussi prévisible que la physique newtonienne, bien que de façon différente. Au niveau supra-atomique, en tout cas, Newton et Galilée demeuraient parfaitement valables. C'est le fait de ne pas savoir comment faire cadrer l'ancien et le nouveau qui inquiétait les hommes de science.

Entre 1924 et 1927, un brillant coup de physique mathématique – la construction de la « mécanique quantique », élaborée presque simultanément dans plusieurs pays – devait éliminer, ou plutôt esquiver, les dualités qui avaient tant troublé les physiciens du premier quart du siècle. La « réalité » vraie, à l'intérieur de l'atome, n'était ni l'onde ni la particule, mais des « états quantiques » indivisibles, qui pouvaient se manifester sous l'une et l'autre forme, voire sous les deux. Il ne rimait à rien d'y voir un mouvement continu ou discontinu, parce qu'il nous serait à jamais impossible de suivre la trajectoire d'un électron « pas à pas ». Le fait est simplement que les concepts de la physique classique comme la position, la vitesse ou l'élan ne s'appliquent pas au-delà de certains points, marqués par le « principe d'incertitude » d'Heisenberg. Au-delà de ces points, bien entendu, d'autres concepts s'appliquent, qui sont loin de donner des résultats incertains. Ceux-ci naissent des configurations *(patterns)* spécifiques produites par les « ondes » ou vibrations d'électrons (à charge négative), maintenues dans l'espace confiné de l'atome près du noyau (positif). Les « états quantiques » successifs au sein de cet espace confiné produisent des configurations bien définies de fréquences différentes, dont Schrödinger démontra en 1926 qu'on pouvait les calculer, de même que l'énergie correspondant à chacune d'elles (« mécanique ondulatoire »). Ces modèles se distinguaient par une remarquable force prédictive et explicative. De longues années plus tard, lorsque, dans le cadre des recherches poursuivies pour la mise au point de la bombe atomique, on produisit pour la première fois du plutonium dans des réactions nucléaires à Los Alamos, les quantités étaient si petites qu'il était impossible d'en observer les propriétés. À partir du nombre d'électrons dans l'atome de cet élément et des configurations de ces quatre-vingt quatorze électrons vibrant autour du noyau, *et de rien d'autre*, les scientifiques prédirent (sans se tromper) que le plutonium serait un métal brun avec une masse spécifique d'une vingtaine de grammes par centimètre cube, et qu'il posséderait une certaine conductivité et élasticité électriques et thermiques. La mécanique quantique expliqua également pourquoi les atomes (les molécules et les combinaisons plus grandes) demeurent stables, ou plutôt quel apport d'énergie supplémentaire serait nécessaire pour les changer. De fait, on a pu dire que :

> *« même les phénomènes de la vie – la forme de l'ADN et le fait que les différents nucléotides soient résistants aux changements thermiques – reposent sur ces structures primaires. Le fait qu'à chaque printemps apparaissent les mêmes fleurs repose sur la stabilité des structures des différents nucléotides. »*

(WEISSKOPF, 1980, p. 35-38.)

Reste que cette avancée considérable et étonnamment féconde dans l'exploration de la nature se fit sur les décombres de tout ce que l'on jugeait jusque-là certain et adéquat dans la théorie scientifique, et au prix d'une suspension délibérée de l'incrédulité, que les scientifiques plus âgés ne furent pas seuls à trouver embarrassante. Prenons « l'antimatière » que Paul Dirac proposa depuis Cambridge, après avoir découvert (en 1928) que ses équations avaient des solutions correspondant à des états d'électron avec une énergie *inférieure* à l'énergie zéro de l'espace vide. Par la suite, les physiciens devaient manipuler avec bonheur ce concept d'« antimatière », qui n'a aucun sens dans le langage quotidien (Steven Weinberg, 1977, p. 23-24). Le mot même impliquait un refus délibéré de laisser quelque notion préconçue de la réalité infléchir le progrès du calcul théorique : quelle que puisse être la réalité, elle rattraperait les équations. Ce qui n'était pas facile à accepter, même pour les hommes de science qui avaient de longue date abandonné l'idée chère au grand Rutherford : il n'est de bonne physique que celle que l'on peut expliquer à un garçon de café.

Il se trouva des pionniers de la nouvelle science pour juger purement et simplement impossible d'accepter la fin des vieilles incertitudes. Ainsi, en particulier, de ses fondateurs, Max Planck et Einstein lui-même, dont la formule célèbre, « Dieu ne joue pas aux dés », résume bien la méfiance à l'égard des lois purement probabilistes censées remplacer la causalité déterministe. Il n'avait pas d'arguments probants à opposer, mais « une voix intérieure me dit que ce n'est pas encore le *nec plus ultra (doch nicht der wahre Jakob)* » (cité *in* M. Jammer, 1966, p. 358). Plus d'un auteur de la révolution quantique avait rêvé d'éliminer les contradictions en subsumant un aspect sous l'autre : Schrödinger espérait que sa « mécanique quantique » avait dissout les « sauts » supposés des électrons d'une orbite atomique à l'autre en un processus *continu* de changement énergétique et, ce faisant, avait préservé l'espace, le temps et la causalité classiques. Les pionniers réticents de cette révolution, notamment Planck et Einstein, poussèrent un soupir de soulagement, mais en vain. C'était une nouvelle partie. Les règles d'autrefois avaient fait leur temps.

Les physiciens pourraient-ils s'accommoder de la contradiction permanente ? Étant donné la nature du langage humain, il n'y avait pas moyen d'exprimer la totalité de la nature dans une seule description. Il ne pouvait y avoir de modèle unique, d'emblée complet. La seule manière de saisir la réalité était d'en rendre compte de différentes façons, de les réunir afin qu'elles se complètent en une « superposition exhaustive de descriptions divergentes qui intègrent des notions en apparence contradictoires » (Holton, 1970, p. 1018, trad. fr., p. 79, ici légèrement modifiée). Tel était le principe de « complémentarité » de Bohr, concept métaphysique proche de la relativité qu'il dériva d'auteurs très éloignés de la physique et auquel il prêtait un champ d'application universel. La « complémentarité » de Bohr n'était pas destinée à faire avancer les recherches des spécialistes de l'atome, mais plutôt à les réconforter en justifiant leurs confusions. Son attrait sort du champ de la raison. Car si nous savons tous, et les hommes de science intelligents les premiers, qu'il est différentes façons de percevoir la même réalité, qu'elles sont même parfois incomparables, voire contradictoires, nous savons aussi qu'il est toujours nécessaire de la saisir dans sa totalité, mais nous n'avons encore aucune idée de la manière de les rattacher les unes aux autres. L'effet d'une sonate de Beethoven est passible d'une analyse physique, physiologique et psychologique ; on peut aussi l'assimiler en l'écoutant : mais comment se rattachent ces divers modes de compréhension ? Nul ne le sait.

Le malaise n'en persista pas moins. D'un côté, il y avait donc la synthèse de la nouvelle physique élaborée dans les années 1920, et qui offrait un moyen extraordinairement efficace de faire irruption dans les chambres fortes de la nature. À la fin du XXe siècle, on continuait d'appliquer les concepts fondamentaux de la révolution quantique. À moins de suivre ceux qui voient dans l'analyse linéaire rendue possible par l'informatique un départ radicalement nouveau, il n'y a pas eu de révolution en physique depuis les années 1900-1927, mais seulement d'immenses progrès évolutifs à l'intérieur du même cadre conceptuel. De l'autre côté, régnait une incohérence généralisée. En 1931, cette incohérence gagna l'ultime redoute de la certitude : les mathématiques. Un mathématicien autrichien, Kurt Gödel, établit qu'on ne saurait en aucun cas fonder un système d'axiomes sur lui-même. Si l'on veut en montrer la cohérence, il faut recourir à des propositions extérieures au système. Suivant le théorème de Gödel, on ne saurait même imaginer un monde intérieurement cohérent et non contradictoire.

Telle était la « crise de la physique », pour citer le titre du livre du marxiste britannique Christopher Caudwell (1907-1937), jeune intellectuel autodidacte qui trouva la mort en Espagne. Ce n'était pas seulement une « crise des fondements », comme les années 1900-1930 l'avaient été en mathématiques (voir *L'Ère des empires*, chapitre 10), mais une crise de « l'image du monde » générale des scientifiques. Le second aspect de cette crise devint plus flagrant que jamais, alors que les physiciens prenaient l'habitude d'évacuer les questions philosophiques d'un simple haussement d'épaules au moment même où ils plongeaient dans le nouveau territoire qui s'ouvrait devant eux. Dans les années 1930 et 1940, la structure de l'atome devait, en effet, se compliquer d'année en année. Oubliée la dualité élémentaire du noyau positif et des électrons négatifs : les atomes se peuplèrent alors d'une faune et d'une flore croissantes de particules élémentaires, pour certaines en vérité fort étranges. Chadwick, à Cambridge, découvrit la première d'entre elles en 1932 – les neutrons électriquement neutres –, alors même que sur des bases théoriques on en avait déjà prédit d'autres, comme le neutrino, sans masse et électriquement neutre. Presque toutes éphémères et fugitives, ces particules subatomiques se multiplièrent, en particulier sous l'effet du bombardement des accélérateurs de haute énergie chers à la *big science*, qui devinrent disponibles au lendemain de la Seconde Guerre mondiale. À la fin des années 1950, il y avait plus d'une centaine d'accélérateurs, et l'on n'en voyait pas la fin. À compter du début des années 1930, le tableau se trouva compliqué davantage encore par la découverte de deux forces inconnues et obscures à l'œuvre au sein de l'atome – en sus des forces électriques qui liaient le noyau aux électrons. Ce que l'on a appelé la « force forte » liait le neutron et le proton, à charge positive, dans le noyau atomique, et la « force faible » était responsable de certaines formes de décomposition des particules.

Au sein des débris conceptuels sur lesquels s'édifièrent les sciences du XXe siècle, il reste cependant une hypothèse fondamentale, foncièrement esthétique, qui n'a pas été contestée. Alors que l'incertitude voilait toutes les autres, elle devait en vérité prendre une importance centrale pour les scientifiques. Comme Keats, ils croyaient que la « beauté est vérité, la vérité beauté », même si leur critère n'était pas celui du poète. Une belle théorie – ce qui était en soi une présomption de vérité – devait être élégante, économique et générale. Elle devait unifier et simplifier, comme l'avaient fait jusqu'ici tous les grands triomphes de la théorie scientifique. La révolution de Galilée et de Newton avait démontré que les mêmes lois régissaient le ciel et la terre. La révolution chimique avait réduit l'infinie diversité des formes sous lesquelles la matière apparaissait à quatre-vingt-douze éléments liés de manière systématique. Le triomphe de la physique du XIXe siècle avait été de montrer que l'électricité, le magnétisme et les phénomènes optiques avaient les mêmes racines. Or loin de simplifier, la nouvelle révolution scientifique créa de la complication. La merveilleuse théorie einsteinienne de la relativité, qui décrivait la gravitation comme une manifestation de la courbure de l'espace-temps, introduisit en fait dans la nature une dualité troublante : « D'un côté, la scène – l'espace-temps courbe, la gravité ; de l'autre, les acteurs – les électrons, les protons, les champs électromagnétiques, sans qu'il y eût entre eux le moindre lien » (Steven Weinberg, 1979, p. 43). Einstein, le Newton du XXe siècle, devait passer les quarante dernières années de sa vie à élaborer une « théorie du champ unitaire » qui unifierait l'électromagnétisme et la gravitation, mais il échoua. Il y avait désormais dans la nature deux nouvelles classes de force apparemment indépendantes, et sans relations visibles avec l'électromagnétisme et la gravitation. Si excitante fût-elle, la multiplication des particules subatomiques ne pouvait être qu'une vérité temporaire, préliminaire parce que, si jolie qu'elle pût être dans le détail, il n'y avait pas dans le nouvel atome la beauté de l'ancien. Même le pragmatiste pur de l'époque où le seul critère de validité d'une hypothèse était son caractère opératoire, devait au moins quelquefois rêver d'une noble et belle théorie générale, d'une « théorie du tout » (*theory of everything*, pour employer la formule d'un physicien de Cambridge, Stephen Hawking). Mais cette perspective paraissait s'éloigner alors même qu'à partir des années 1960 les physiciens commencèrent de nouveau à entrevoir la possibilité d'une synthèse de ce genre. Dans les années 1990, ils s'accordaient assez généralement à penser qu'ils étaient presque descendus à un niveau réellement fondamental et que la multiplicité des particules élémentaires pouvait être ramenée à un ensemble de groupes relativement simple et cohérent.

Dans le même temps, une nouveau genre de synthèse apparaissait – ou réapparaissait – sous le nom quelque peu trompeur de « théorie du chaos » aux frontières indéfinies entre des sujets aussi disparates que la météorologie, l'écologie, la physique non nucléaire, l'astronomie, la dynamique des fluides et diverses branches des mathématiques (dont les pionniers poursuivirent leurs travaux de manière indépendante en Union soviétique et, un peu plus tard, en Occident). Cette synthèse profita de l'extraordinaire développement des ordinateurs – à la fois instrument d'analyse et source d'inspiration visuelle. Ce qu'elle révéla, ce n'est pas tant les résultats imprévisibles de procédures scientifiques parfaitement déterministes que l'extraordinaire universalité des formes et des

configurations de la nature dans ses manifestations les plus disparates et apparemment sans suite[11]. La théorie du chaos contribua à
donner à nouveau de l'effet, si l'on peut dire, à l'ancienne causalité.
Elle a brisé les liens entre la causalité et la prédictibilité, car son
essence n'était pas que les événements étaient fortuits, mais que les
effets qui suivaient des causes spécifiables ne pouvaient être pré-
dits. Elle renforça une autre voie de recherche, dont les paléonto-
logues furent les pionniers et qui présente un intérêt considérable
pour les historiens. Cette approche suggère, en effet, que les
chaînes de développement historique ou évolutif sont parfaitement
cohérentes et susceptibles d'une explication *après-coup*, mais
qu'on ne saurait en prévoir de prime abord les résultats. Car, quand
bien même cette chaîne suivrait de nouveau le même cours, il suffi-
rait d'un changement précoce, si mince et si insignifiant qu'il
paraisse sur le coup, pour produire une « évolution en cascade dans
une voie radicalement différente » (Gould, 1989, p. 51). Une telle
approche est sans doute lourde de conséquences politiques, économiques et sociales.

De surcroît, une bonne partie du nouveau monde des physiciens
paraissait purement et simplement absurde. Tant qu'elle était confinée à l'atome, elle n'affectait pas directement la vie ordinaire, qui
est aussi celle des scientifiques. Mais il est au moins une découverte
non assimilée qu'il était impossible de mettre ainsi en quarantaine :
l'expansion de l'univers entier à un rythme vertigineux – fait extraordinaire que d'aucuns avaient annoncé sur la base de la théorie de
la relativité, mais que l'astronome américain E. Hubble observa en
1929. Cette expansion, que de nombreux scientifiques eux-mêmes
eurent du mal à avaler (certains élaborant au contraire une théorie de
« l'état régulier » du cosmos), allait être confirmée par d'autres données astronomiques dans les années 1960. Comment ne pas se
demander où cette expansion conduisait l'univers (et nous, par la
même occasion), et quand et comment elle avait commencé ? Comment ne pas s'interroger sur l'histoire de l'univers, à commencer par
le « Big Bang » initial ? Toutes ces spéculations débouchèrent sur le
champ florissant de la cosmologie – ce pan de la science du XXe
siècle qui se révéla la plus propice aux best-sellers. Elles ont aussi
considérablement accru la part de l'histoire dans les sciences naturelles, qui (la géologie et ses sous-produits exceptés) s'en désintéres-

saient avec superbe. Et, par parenthèses, elles ont amoindri l'identi-fication entre la science « dure » et l'expérience, c'est-à-dire la reproduction des phénomènes naturels. Car comment répéter des événements par définition uniques ? L'univers en expansion ne fit donc qu'aggraver la confusion chez les scientifiques comme chez les profanes.

Cette confusion confirma ceux qui vécurent l'Ère des catas-trophes, et qui se penchèrent sur ces questions, dans la conviction qu'un vieux monde était fini ou, tout au moins, vivait ses ultimes soubresauts, sans que les contours du nouveau fussent encore claire-ment discernables. Le grand Max Planck ne doutait pas du lien entre la crise de la science et celle affectant les autres domaines de la vie :

> « *Nous vivons dans un moment très singulier de l'histoire.*
> *C'est un moment de crise, au sens littéral de ce mot. Dans*
> *chaque branche de notre civilisation matérielle et spirituelle,*
> *nous en sommes arrivés à un tournant critique. Cet esprit se*
> *manifeste dans l'état des affaires publiques, mais aussi dans*
> *l'attitude générale envers les valeurs fondamentales dans la*
> *vie individuelle et sociale.* [...] *L'iconoclaste est entré dans le*
> *temple de la science. Il n'est guère un axiome scientifique qui*
> *ne trouve aujourd'hui son détracteur. Et, dans le même temps,*
> *n'importe quelle théorie absurde ou presque est pratiquement*
> *assurée de trouver des sectateurs et des adeptes.* »

(Planck, 1933, p. 64).

Il était tout naturel qu'un Allemand issu des classes moyennes et qui avait grandi dans les certitudes du XIXe siècle exprimât des senti-ments de ce genre à l'époque du Grand Marasme et de l'accession de Hitler au pouvoir.

Reste que la plupart des hommes de science étaient loin d'éprou-ver cette morosité, au contraire. Ils étaient d'accord avec Rutherford, lorsqu'il déclarait à la British Association (1923) que « nous vivons dans l'Âge héroïque de la physique » (Howarth, 1978, p. 92). Chaque livraison des revues scientifiques, chaque colloque – car, plus que jamais, la grande majorité des scientifiques aimaient à mêler coopération et compétition – se traduisaient par des avancées, excitantes et profondes. La communauté scientifique était encore assez petite, tout au moins dans des secteurs aussi pointus que la physique nucléaire et la cristallographie, pour offrir à chaque jeune chercheur ou presque la possibilité de devenir une star. Être un scientifique était une position enviée. Ceux d'entre nous qui firent leurs études à Cambridge – qui donna la plupart des trente prix Nobel britanniques de la première moitié du siècle et qui, en pratique, représentait bel et bien la science britannique à cette époque – savaient ce qu'ils auraient voulu étudier si leurs mathématiques avaient été assez bonnes.

En vérité, les sciences naturelles ne pouvaient s'attendre qu'à de nouveaux triomphes et à de nouvelles percées intellectuelles, ce qui rendait tolérables le manque d'harmonie, les imperfections et les improvisations de la théorie actuelle puisqu'elles étaient forcément temporaires. Pourquoi les prix Nobel qui avaient vu couronner un travail poursuivi entre leurs vingt et trente ans auraient-ils manqué de confiance en l'avenir[12] ? Et pourtant, comment même les hommes (et les rares femmes) qui continuaient à prouver la réalité d'une idée de « progrès » fort ébranlée dans leur champ d'activité humaine auraient-ils pu rester à l'abri de l'époque de crise et de catastrophe qui était la leur ?

C'était naturellement impossible. L'Ère des catastrophes fut donc aussi l'une de ces époques relativement rares de politisation des milieux scientifiques, et pas uniquement parce que l'immigration massive d'une bonne partie de l'Europe d'hommes de science racialement ou idéologiquement inacceptables prouvait qu'ils ne pouvaient tenir leur immunité personnelle pour acquise. En tout état de cause, l'homme de science britannique typique des années 1930 appartenait au *Cambridge Scientists' Anti-War Group* (de gauche). Et il était confirmé dans son radicalisme par les sympathies non dissimulées de ses aînés éminents, membres de la Royal Academy ou prix Nobel : Bernal (cristallographie), Haldane (génétique), Needham (embryologie chimique[13]), Blackett (physique), Dirac (physique) et G. H. Hardy (mathématiques), aux yeux de qui Lénine et Einstein étaient les deux seules autres personnalités du XXe siècle de la classe de l'Australien Don Bradman, son joueur de cricket préféré. Quant au jeune physicien américain typique des années 1930, ses sympathies radicales, anciennes ou persistantes, avaient toute chance de lui valoir des ennuis politiques dans les années de guerre froide : ainsi en fut-il de Robert Oppenheimer (1904-1967), le principal artisan de la bombe atomique, et du chimiste Linus Pauling (1901-1994), qui reçut deux prix Nobel, dont celui de la Paix, et un prix Lénine. En France, l'homme de science typique commença par sympathiser avec le Front populaire des années 1930 avant de s'engager activement dans la Résistance (ce que les Français furent peu nombreux à faire). Quand bien même il se désintéressait des affaires publiques, l'homme de science réfugié d'Europe centrale ne pouvait guère ne pas être hostile au fascisme. Quelles que fussent leurs sympathies, ceux restés dans les grands pays fascistes et en URSS, ou qui furent empêchés d'émigrer, ne pouvaient pas non plus éviter d'être impliqués dans la politique officielle, ne serait-ce qu'en raison des gestes publics auxquels ils étaient astreints, comme le salut hitlérien en Allemagne, que le grand physicien Max von Laue (1897-1960) parvint à éviter en portant quelque chose dans les deux mains chaque fois qu'il quittait son domicile. À la différence des sciences sociales ou humaines, cette politisation était inhabituelle dans les sciences naturelles, dont le sujet ne nécessite (sauf dans certains pans des sciences de la vie) ni même ne suggère des points de vue sur les affaires humaines, alors même qu'il en suggère souvent sur Dieu.

Convaincus, à juste titre, de l'extraordinaire potentiel que la science moderne, bien employée, mettait à la disposition de la société, les scientifiques furent plus directement politisés que les profanes – y compris les politiques – qui n'en avaient aucune idée. L'effondrement de l'économie mondiale et l'ascension de Hitler semblèrent confirmer cette conviction de diverses manières. (Inversement, bien des hommes de science occidentaux se laissèrent à l'époque abuser par la place qu'avaient les sciences naturelles dans le marxisme officiel de l'Union soviétique et dans son idéologie ; ils crurent avoir affaire à un régime qui avait à cœur d'en exploiter les possibilités.) La technocratie et le radicalisme convergeaient parce que, à ce point, c'était la gauche politique, avec son attachement idéologique à la science, au rationalisme et au progrès (brocardé par les conservateurs, qui forgèrent à cet effet le néologisme de « scientisme »[14]) qui représentait et illustrait naturellement la « fonction sociale de la science », pour citer le titre d'un livre-manifeste qui eut un grand écho à l'époque (Bernal, 1939). Fait caractéristique, il était l'œuvre d'un physicien brillant doublé d'un marxiste militant. Il est tout aussi caractéristique que le gouvernement du Front populaire (1936-1939) ait créé le premier poste de sous-secrétaire d'État à la recherche scientifique, confié au prix Nobel Irène Joliot-Curie, et ait mis en place ce qui reste le principal mécanisme de financement de la recherche en France : le Centre national de la recherche scientifique (CNRS). De fait, il apparut de plus en plus clairement, du moins à la communauté scientifique, que la recherche nécessitait des fonds publics, mais aussi une organisation publique. Les services scientifiques du gouvernement britannique qui, en 1930, employaient au grand maximum 734 scientifiques ne pouvaient suffire : trente ans plus tard, ils en employaient plus de 7 000 (Bernal, 1967, p. 931).

L'époque de la science politisée atteignit son apogée pendant la Seconde Guerre mondiale, premier conflit, depuis la phase jacobine de la Révolution française, qui vit la mobilisation systématique et *centrale* de la communauté scientifique à des fins militaires. Et probablement celle-ci fut-elle plus efficace du côté des Alliés que de l'Allemagne, de l'Italie et du Japon, parce qu'elle n'avait jamais espéré remporter une victoire rapide avec les ressources et les méthodes immédiatement disponibles (*cf.* chapitre 1). La guerre nucléaire elle-même fut, tragiquement, la fille de l'antifascisme. Un simple affrontement entre États-nations n'aurait très certainement pas conduit l'avant-garde des physiciens nucléaires, en bonne partie des réfugiés ou des exilés qui avaient fui le fascisme, à presser les gouvernements britanniques et américains de fabriquer une bombe atomique. L'horreur même qu'ils éprouvèrent devant le fruit de leurs travaux, leurs efforts désespérés de dernière minute pour empêcher les hommes politiques et les généraux d'y recourir, puis pour s'opposer à la construction d'une bombe à hydrogène témoignent de la vigueur des passions *politiques*. Si les campagnes antinucléaires d'après la Seconde Guerre mondiale trouvèrent de larges appuis dans la communauté scientifique, c'est avant tout aux membres des générations antifascistes et politisées qu'elles le doivent.

En même temps, la guerre acheva de convaincre les gouvernements que la mobilisation de ressources jusqu'ici inimaginables au profit de la recherche scientifique était tout à la fois praticable et, à terme, essentielle. Aucune économie, en-dehors de celle des États-

Unis, n'aurait pu trouver les deux milliards de dollars (de l'époque) pour fabriquer la bombe atomique au cours de la guerre. Mais il est également vrai qu'avant 1940 aucun gouvernement n'aurait imaginé consacrer ne fût-ce qu'une petite fraction de cet argent à un projet spéculatif fondé sur les calculs incompréhensibles de chercheurs aux cheveux en bataille. Après la guerre, c'est le ciel, ou plutôt la dimension de l'économie, seule, qui fixa la limite des dépenses et des emplois scientifiques des pouvoirs publics. Dans les années 1970, les autorités fédérales américaines finançaient les deux tiers de la recherche fondamentale de ce pays, soit cinq milliards de dollars *par an*, et employaient quelque chose comme un million de scientifiques et d'ingénieurs (Holton, 1978, p. 227-228).

III

La température politique de la science devait baisser après la Seconde Guerre mondiale. Dans les laboratoires, le radicalisme reflua rapidement dans les années 1947-1949, alors même qu'en URSS les scientifiques étaient tenus d'adhérer à des points de vue qui semblaient ailleurs dénués de fondement et incongrus. Même les communistes jusque-là fidèles eurent du mal à avaler le « lyssenkisme » (voir p. 686). De surcroît, il apparut que les régimes inspirés du modèle soviétique n'étaient ni matériellement ni moralement attrayants, tout au moins aux yeux de la grande majorité des hommes de science. Par ailleurs, malgré la propagande, la guerre froide ne devait jamais susciter dans la communauté scientifique des passions comparables à celles qu'avait enflammées le fascisme. Il y a sans doute plusieurs raisons à cela : l'affinité traditionnelle entre le rationalisme libéral et le rationalisme marxiste, mais aussi le fait que l'URSS, à la différence de l'Allemagne nazie, n'avait jamais paru en position de conquérir l'Occident – même si elle l'avait voulu, ce dont on avait de bonnes raisons de douter. Aux yeux de la grande majorité des scientifiques occidentaux, l'URSS, ses satellites et la Chine communiste étaient de mauvais États, dont les scientifiques faisaient pitié, plutôt que des empires du mal justifiant une croisade.

Dans l'Occident développé, les sciences naturelles restèrent politiquement et idéologiquement tranquilles l'espace d'une génération, jouissant de leurs triomphes intellectuels et des ressources mises à leur disposition, désormais considérablement accrues. Les largesses des pouvoirs publics et des grandes sociétés donnèrent naissance à une race de chercheurs pour qui la ligne politique des financiers était un fait acquis et qui préféraient ne pas réfléchir aux implications plus générales de leur travail, surtout quand elles relevaient du domaine militaire. Tout au plus s'indignaient-ils quand on ne les autorisait pas à publier le fruit de leurs recherches. La plupart des membres de l'armée désormais très imposante des docteurs travaillant pour la NASA (*National Aeronautics and Space Administration*), créée en 1958 pour relever le défi soviétique, ne s'interrogeaient pas plus sur la raison d'être de leurs activités que les membres d'aucune autre armée. À la fin des années 1940, d'aucuns se demandaient encore s'ils devaient rejoindre des organismes publics spécialisés dans la recherche sur la guerre chimique et biologique. C'était pour eux un véritable problème de conscience[15]. Que je sache, ces institutions n'ont eu par la suite aucun mal à recruter leur personnel.

De manière un peu inattendue, c'est dans la zone soviétique que la science eut tendance à se politiser dans la seconde moitié du siècle. Ce n'est pas un hasard si le grand porte-parole national, et international, de la dissidence en URSS fut un homme de science : Andreï Sakharov (1921-1989), le père de la bombe à hydrogène soviétique à la fin des années 1940. Les scientifiques appartenaient par excellence à cette nouvelle et grande classe moyenne éduquée et techniquement éprouvée qui était l'un des grands acquis du système soviétique. En même temps, cette classe avait une conscience aiguë des faiblesses et des limites de ce système. Ces hommes y jouaient un rôle plus essentiel que leurs homologues occidentaux, puisqu'eux seuls permettaient à une économie par ailleurs arriérée de faire face à la superpuissance américaine. Ils se révélèrent même indispensables en permettant brièvement à l'URSS de devancer l'Occident dans la plus avancée de toutes les technologies : l'exploration de l'espace extra-atmosphérique. Le premier satellite artificiel (Spoutnik, 1957), le premier vol habité par un homme puis par une femme (1961, 1963) et les premières sorties dans l'espace sont tous à mettre à l'actif des Russes. Concentré dans des instituts de recherche ou des « cités scientifiques », sachant se faire entendre, nécessairement choyé et jouissant d'une certaine marge de liberté après la mort de Staline, c'est tout naturellement que ce milieu de la recherche, plus prestigieux en tout cas qu'aucun autre secteur d'activité, donna naissance à des opinions critiques.

IV

Est-ce à dire que les variations de la température politique et idéologique ont affecté les progrès des sciences naturelles ? En tout état de cause, elles les ont beaucoup moins marquées que les sciences sociales et humaines, sans parler des idéologies et des philosophies. Les sciences naturelles ne pouvaient porter l'empreinte du siècle que dans les limites de la méthodologie empirique qui s'imposa inéluctablement en un temps d'incertitude épistémologique : celle d'hypothèses vérifiables – ou, dans la terminologie de Karl Popper (1902-1994), que nombre de scientifiques firent leur, « falsifiables » – par des tests pratiques. Ce qui imposait des limites à l'idéologisation. Bien qu'elle soit soumise à des impératifs de cohérence et de logique, la science économique a été une forme de théologie florissante – sans doute, dans le monde occidental, la branche la plus influente de la théologie séculière – parce qu'elle peut être formulée, et l'est habituellement, de manière à échapper à toute espèce de contrôle. Tel n'est pas de la cas de la physique. On n'a aucune peine à montrer ce que les écoles de pensée et les caprices de la mode en économie doivent à l'air du temps et au débat idéologique. On ne saurait en dire autant avec la cosmologie.

La science n'en fit pas moins écho à son temps, quand bien même on ne saurait nier le caractère endogène de certains mouvements scientifiques importants. Ainsi, il était presque inévitable que la multiplication désordonnée des particules subatomiques, surtout après l'accélération des années 1950, conduisît des théoriciens à un travail de simplification. La nature (initialement) arbitraire de la nouvelle et hypothétique particule « ultime », dont les protons, les électrons, les neutrons et les autres étaient désormais censés être faits, apparaît dans son nom même – le *quark* (1963) – emprunté au *Finnegan's Wake* de James Joyce. Elle ne devait pas tarder à être divisée en trois ou quatre sous-espèces (avec leurs « antiquarks ») : les quarks *u (up), d (down)* et *s* (*sideways* ou *strange*), sans oublier les quarks *c* (porteurs de charme ; ou « particules charmées »), chacune étant pourvue d'une propriété désignée sous le nom de « couleur ». Aucun de ces mots n'était pris dans leurs acceptions courantes. Comme d'habitude, les prédictions fondées sur cette théorie se révélèrent fécondes, masquant ainsi le fait que dans les années 1990 on n'avait encore trouvé aucune preuve expérimentale que ce soit de l'existence des quarks[16]. Il appartient aux physiciens qualifiés de juger si ces développements représentent une simplification de la masse subatomique ou la recouvrent d'une nouvelle couche de complexité. À l'observateur profane, admiratif mais sceptique, on rappellera parfois les trésors d'ingéniosité et d'intelligence déployés à la fin du XIXe siècle pour défendre la croyance scientifique en « l'éther », avant que les travaux de Planck et d'Einstein ne la relèguent au musée des pseudo-théories au même titre que le « phlogiston » (voir *L'Ère des empires*, chapitre 10).

L'absence même de contact entre ces constructions théoriques et la réalité qu'elles se proposent d'expliquer (sauf sous la forme d'hypothèses falsifiables) les a exposées aux influences du monde extérieur. En un siècle à ce point dominé par la technologie, n'était-il pas naturel que les analogies mécaniques contribuent à nouveau à les façonner, quoique sous la forme des techniques de communication et de contrôle (des animaux comme des machines) qui, à partir des années 1940, donnèrent naissance à un ensemble théorique connu sous des appellations diverses (cybernétique, théorie générale des systèmes, théorie de l'information, etc.) ? Les calculateurs électroniques, qui se développèrent à une vitesse vertigineuse après la Seconde Guerre mondiale, surtout après la découverte du transistor, se distinguaient par une formidable capacité de simulation qui permit beaucoup plus facilement qu'autrefois d'élaborer des modèles mécaniques de ce que l'on tenait jusque-là pour les rouages physiques et mentaux des organismes, notamment humains. Les hommes de science de la fin du siècle parlent du cerveau comme s'il devait essentiellement être un système élaboré de traitement de l'information. Et l'un des débats philosophiques familiers de la deuxième moitié du siècle est de savoir si, et comment, l'on peut distinguer l'intelligence humaine de « l'intelligence artificielle » : autrement dit, s'il y a dans l'esprit humain quelque chose qui n'est pas théoriquement programmable sur ordinateur. Que des modèles technologiques de ce genre aient fait avancer la recherche, on ne saurait en douter. Que serait l'étude du système nerveux (des impulsions nerveuses électriques) sans l'électronique ? Au fond, ce ne sont cependant jamais que des analogies réductionnistes qui pourraient bien paraître un jour aussi datées que la description, chère au XVIIIe siècle, du mouvement humain comme un système de leviers.

Ces analogies ont été utiles dans la formulation de modèles particuliers. Au-delà, l'expérience concrète même des scientifiques ne pouvait qu'affecter leur regard sur la nature. Pour citer un scientifique évoquant le travail d'un confrère, notre siècle aura vu « le conflit entre gradualistes et catastrophisme envahir l'expérience humaine » (Steve Jones, 1992, p. 12). Dès lors, il n'est pas étonnant qu'il ait aussi pénétré le champ de la science.

Au XIXe siècle, siècle d'amélioration et de progrès bourgeois, la continuité et le gradualisme avaient dominé les paradigmes scientifiques. Quel que fût le mode de locomotion de la nature, il ne faisait aucune place au saut. Le changement géologique et l'évolution de la vie sur terre avaient progressé sans catastrophes, par infimes accroissements (incréments). Même la fin prévisible de l'univers dans quelque avenir lointain serait progressive et, suivant le second principe de la thermodynamique (la « mort thermique de l'univers ») se ferait *via* la transformation insensible mais inévitable de l'énergie en chaleur. La science du XXe siècle a élaboré une image du monde très différente.

Notre univers est né voici quinze millions d'années d'une superexplosion massive. D'après les spéculations cosmologiques qui ont cours à l'heure l'actuelle, il pourrait bien finir de manière tout aussi spectaculaire. Dans cet univers, la vie des étoiles, et donc de leurs planètes, est également riche en cataclysmes : novas, supernovas, géantes rouges, naines blanches, trous noirs, etc. Mais aucun de ces phénomènes n'était reconnu avant les années 1920 ; au mieux y voyait-on des manifestations astronomiques périphériques. Alors même que les éléments de preuve étaient très probants, la plupart des géologues résistèrent longtemps à l'idée des grands déplacements latéraux que supposait la dérive des continents au cours de l'histoire de la planète. À en juger par l'extrême âpreté de la polémique visant Alfred Wegener, principal représentant de cette école de pensée, leurs raisons étaient essentiellement de nature idéologique. En tout cas, l'argument suivant lequel il ne pouvait avoir raison parce qu'on ne connaissait pas de mécanismes géophysiques capables de produire de tels mouvements n'était pas plus convaincant *a priori* que l'argument avancé au XIXe siècle par Lord Kelvin : l'échelle de temps alors postulée par les géologues devait être erronée parce que la physique, telle qu'on la comprenait alors, rendait la terre beaucoup plus jeune que ne l'exigeait la géologie. Dans les années 1960, l'impensable d'autrefois était cependant devenu l'orthodoxie quotidienne de la géologie : un globe formé de plaques géantes qui se déplaçaient, parfois très vite[17] (la « tectonique des plaques »).

Plus pertinent encore est peut-être, depuis les années 1960, le retour du catastrophisme direct dans la géologie et la théorie de l'évolution *via* la paléontologie. Là encore, les éléments de preuve à première vue étaient de longue date familiers : quel enfant ne sait que les dinosaures se sont éteints à la fin du crétacé ? La force de la conviction darwinienne – loin d'être le fruit de catastrophes (ou de la création), l'évolution était le fruit de changements lents et infimes intervenus tout au long de l'histoire géologique – était telle que cet évident cataclysme biologique ne devait guère retenir l'attention. On voulait croire que le temps géologique était suffisamment lent pour permettre n'importe quel changement évolutif observé. Est-il si surprenant, dans une période de l'histoire humaine si franchement cataclysmique, que l'on ait de nouveau prêté attention aux discontinuités de l'évolution ? On pourrait même aller plus loin. À l'heure actuelle, le mécanisme auquel se rallient le plus volontiers les tenants de l'école catastrophiste en géologie et en paléontologie est celui d'un bombardement depuis l'espace intersidéral, c'est-à-dire la collision de la terre avec un ou plusieurs météorites de très grande taille. D'après certains calculs, un astéroïde assez gros pour détruire toute civilisation – soit l'équivalent de huit millions d'Hiroshima – est susceptible d'arriver tous les trois cent mille ans. Des scénarios de ce genre ont toujours eu leur place aux marges de la préhistoire. Mais, avant l'époque de la guerre nucléaire, un scientifique sérieux aurait-

il jamais raisonné en ces termes ? Si ces théories de l'évolution envisagée comme un changement lent, de temps à autre interrompu par
un changement relativement soudain (« équilibre ponctué »),
demeuraient controversées dans les années 1990, elles n'en étaient
pas moins débattues *au sein* même de la communauté scientifique.
Là encore, le profane ne peut faire autrement que de noter l'émergence, dans le champ de pensée le plus éloigné de la vie humaine de
chair et de sang, de deux domaines mathématiques connus respectivement sous le nom de « théorie des catastrophes » (à partir des
années 1960) et de « théorie du chaos » (années 1980) (voir p. 697
sq.). Issue de la topologie dans la France des années 1960, la première branche se proposait d'étudier les situations où un changement progressif produit des ruptures soudaines, c'est-à-dire
l'interrelation entre le changement continu et discontinu. L'autre
branche, d'origine américaine, s'efforçait de modéliser l'incertitude
et l'imprévisibilité de situations dans lesquelles des événements
apparemment infimes (le battement d'ailes d'un papillon) pourraient
avoir ailleurs des effets considérables (un ouragan). Ceux qui ont
vécu les dernières décennies du siècle n'ont aucun mal à comprendre pourquoi ces images de chaos et de catastrophe ont aussi fait
leur chemin dans l'esprit des scientifiques et des mathématiciens.

V

À compter des années 1970, toutefois, le monde extérieur a commencé à entrer en collision avec les laboratoires et les salles de séminaire. Cette confrontation s'est opérée de manière plus indirecte,
mais aussi plus puissante, à travers la découverte que la technologie
fondée sur la science (et dont l'explosion économique mondiale
multipliait la force) avait tout l'air de faire subir à la planète Terre –
tout au moins à la Terre considérée comme l'habitat des organismes
vivants – des changements fondamentaux, peut-être irréversibles. Le
fait était plus inquiétant encore que la perspective d'une catastrophe
nucléaire d'origine humaine, qui hanta les imaginations et les
consciences tout au long de la guerre froide : car la guerre nucléaire

américano-soviétique était évitable et fut bel et bien évitée. En revanche, il n'était pas si facile d'échapper aux sous-produits de la croissance économique liée à la science. Pour la première fois en 1973, deux chimistes, Rowland et Molina, observèrent que les fluorocarbones (largement employés dans la réfrigération et les aérosols, depuis peu en vogue) attaquaient la couche d'ozone. On n'aurait guère pu le remarquer plus tôt, puisque, au total, le dégagement de ces produits chimiques (CFC 11 et CFC 12) n'avait pas dépassé les quarante mille tonnes avant le début des années 1950. Entre 1960 et 1972, en revanche, c'est plus de 3,6 millions de tonnes qui avaient été libérées dans l'atmosphère[18]. Et au début des années 1990, l'existence de trous dans la couche d'ozone étant connue du grand public, la seule question était désormais de savoir à quelle vitesse le phénomène allait progresser et à quel moment il dépasserait les capacités de récupération naturelle de la terre. Sauf à éliminer les CFC, personne ne doutait que le problème se poserait à nouveau. L'« effet de serre », c'est-à-dire le réchauffement incontrôlable de la température du globe du fait de l'émission de gaz produits par l'homme, dont on commença à discuter sérieusement autour de 1970, devint une préoccupation majeure des spécialistes et de la classe politique dans les années 1980 (Smil, 1990). Le danger était réel, quoique parfois très exagéré.

C'est à peu près à la même époque que le mot « écologie », forgé en 1873 pour désigner la branche de la biologie qui s'intéressait aux interactions des organismes et de leur milieu, acquit sa signification quasi politique aujourd'hui familière (E. M. Nicholson, 1970[19]). Telles furent donc les conséquences naturelles du superboom économique du siècle (*cf.* chapitre 9).

Ces inquiétudes suffiraient à expliquer que la politique et l'idéologie se soient de nouveau emparées des sciences naturelles dans les années 1970. Mais elles commencèrent à s'insinuer jusque dans certains bastions de la science sous la forme de débats sur la nécessité d'assigner des limites pratiques et morales à la recherche.

Depuis la fin de l'hégémonie théologique, jamais de pareilles questions n'avaient été sérieusement abordées. On ne s'étonnera pas qu'elles soient venues de la discipline qui avait toujours eu, ou semblé avoir, des implications directes pour les affaires humaines : la génétique et la biologie de l'évolution. Car dans les dix ans qui suivirent la Seconde Guerre mondiale les sciences de la vie connurent une véritable révolution avec les progrès stupéfiants de la biologie moléculaire, qui dévoila le mécanisme universel de l'hérédité : le « code génétique ».

Cette révolution de la biologie moléculaire n'était pas inattendue. Après 1914, il était acquis que la vie devait et pouvait s'expliquer en termes de physique et de chimie, plutôt qu'en invoquant quelque essence propre aux êtres vivants[20]. De fait, c'est dans les années 1920, et largement avec des intentions antireligieuses, que furent proposés et sérieusement discutés en Russie soviétique et en Grande-Bretagne les premiers modèles biochimiques des origines possibles de la vie sur terre, à commencer par la lumière du soleil, le méthane, l'ammoniaque et l'eau. Par parenthèses, l'hostilité à la religion continua à animer les chercheurs en ce domaine : Crick et Linus Pauling en sont des exemples insignes (Olby, 1970, p. 943). Depuis des décennies, la recherche biologique avait fait la part belle à la biochimie et, de plus en plus, à la physique, du jour où l'on comprit qu'il était possible de cristalliser les molécules de protéines et, en conséquence, de les soumettre à une analyse cristallographique. On savait qu'une substance, l'acide désoxyribonucléique (ADN), jouait un rôle central, sinon le rôle central, dans l'hérédité : c'était apparemment la composante de base du gène, l'unité même de l'hérédité. Dès la fin des années 1930, on s'était attaqué sérieusement à un autre problème : comment le gène « provoquait la synthèse d'une autre structure pareille à lui, au cours de laquelle même les mutations du gène d'origine sont copiées » (Muller, 1951, p. 95) ? Autrement dit, comment fonctionnait l'hérédité ? Après la guerre, pour reprendre un mot de Crick, de « grandes choses étaient à portée de main ». Que plusieurs chercheurs aient convergé vers les mêmes résultats au début des années 1950 n'enlève rien à la brillante découverte de Crick et Watson – la structure en double hélice de l'ADN – ni à leur explication de la « copie génétique » par un élégant modèle chimico-mathématique.

La révolution de l'ADN, « de loin la plus grande découverte biologique » (J. D. Bernal), qui a dominé les sciences de la vie dans la seconde moitié du XXe siècle, concernait essentiellement la génétique et, puisque le darwinisme du XXe siècle est exclusivement génétique, l'évolution[21]. Pour une double raison, ce sont là des domaines sensibles : parce que les modèles scientifiques sont eux-mêmes souvent idéologiques – souvenons-nous de la dette de Darwin envers Malthus (Desmond/Moore, chapitre 18) ; et parce qu'elles ont souvent un effet de *feed-back* politique (« darwinisme social »). La notion de « race » illustre cette interaction : le souvenir de la politique raciale des nazis aidant, il est devenu presque impensable que des intellectuels libéraux (catégorie qui comprend la plupart des scientifiques) puissent encore y recourir. En vérité, beaucoup doutaient même qu'il fût légitime d'étudier systématiquement les différences génétiquement déterminées des groupes humains, de crainte que les résultats ne fissent le jeu du racisme. Plus généralement, dans les pays occidentaux, l'idéologie postfaciste de la démocratie et de l'égalité, a ressuscité de vieux débats : nature/culture, hérédité/milieu. À l'évidence, l'être humain porte la marque de l'hérédité et du milieu, de ses gènes et de la culture. Mais les conservateurs n'ont mis que trop d'empressement à accepter une société d'inégalités irréductibles, c'est-à-dire génétiquement déterminées, tandis que la gauche, attachée à l'égalité, soutenait que l'action sociale permettait d'éliminer toutes les inégalités – fondamentalement déterminées par le milieu. La controverse se déchaîna autour de la question de l'intelligence humaine – question hautement politique en raison de ses implications en matière d'éducation sélective ou universelle. Elle souleva des problèmes beaucoup plus larges que ceux de la race, même s'ils n'étaient pas sans rapports avec ceux-ci. On devait en prendre la pleine mesure avec l'émergence du mouvement féministe (*cf.* chapitre 10), dont plusieurs idéologues n'étaient pas loin de prétendre que toutes les différences mentales entre hommes et femmes étaient fondamentalement déterminées par la culture, c'est-à-dire liées au milieu. La notion de « genre », qu'il devint à la mode de substituer à celle de « sexe », sous-entend que la « femme » n'est pas tant une catégorie biologique qu'un rôle social. Tout chercheur tenté de se pencher sur des sujets aussi délicats savait qu'il s'aventurait sur un véritable champ de mines politiques. Même ceux qui le firent délibérément, comme le « champion de la sociobiologie » E. O. Wilson (Harvard, né en 1929), se gardèrent bien de parler sans détours[22].

Ce qui a rendu l'atmosphère encore plus explosive, c'est que les scientifiques eux-mêmes, en particulier dans l'aile la plus manifestement sociale des sciences de la vie (la théorie de l'évolution, l'écologie, l'éthologie, c'est-à-dire l'étude du comportement des sociétés animales, etc.) n'ont été que trop enclins à employer des métaphores anthropomorphiques ou à tirer des conclusions humaines. Les sociobiologistes, ou leurs vulgarisateurs, devaient ainsi suggérer que notre existence sociale restait dominée par les traits (mâles) hérités des millénaires au cours desquels la sélection avait forcé l'homme à s'adapter, en tant que chasseur, à une existence plus prédatrice dans des habitats ouverts (Wilson, *ibid.*) Les femmes, mais aussi les historiens s'en irritèrent. À la lumière de la grande révolution biologique, des théoriciens de l'évolution devaient analyser la sélection naturelle comme une lutte pour la survie du « gène égoïste » (Dawkins, 1976). Parmi les adeptes du darwinisme, dans sa version la plus dure, il s'en trouva même pour s'interroger sur la pertinence de la sélection génétique dans les débats relatifs à l'égoïsme humain, à la concurrence et à la coopération. Une fois de plus, la science était la cible des critiques, même s'il est significatif qu'elle n'essuyait plus sérieusement le feu de la religion traditionnelle, en-dehors de groupes fondamentalistes intellectuellement négligeables. Le clergé acceptait désormais l'hégémonie du laboratoire, s'efforçant de trouver quelque réconfort dans la cosmologie scientifique, dont les théories du « Big Bang », avec l'œil de la foi, pouvaient passer pour la preuve qu'un Dieu avait créé le monde. Par ailleurs, la révolution culturelle de l'Occident des années 1960 et 1970 devait engendrer un fort courant de critique néoromantique et irrationaliste de la vision scientifique du monde, où l'on pouvait facilement glisser d'une critique gauchisante à une critique réactionnaire.

À la différence des tranchées exposées des sciences de la vie, la grande forteresse de la recherche pure dans les sciences « dures » ne fut guère troublée par ces tirs d'embuscade jusqu'au jour où, dans les années 1970, il apparut clairement qu'on ne pouvait dissocier la recherche des conséquences sociales des technologies qu'elle engendrait désormais presque immédiatement. C'est la perspective du « génie génétique » – en toute logique, des humains comme des autres formes de vie – qui posa véritablement la question immédiate des limites qu'il fallait envisager d'assigner à la recherche scientifique. Pour la première fois, il se trouva des scientifiques, notamment des biologistes, pour formuler des opinions de cette espèce :

désormais, en effet, certains éléments essentiels des technologies frankensteiniennes n'étaient plus dissociables de la recherche pure. Loin d'en être une conséquence, ils *représentaient* la recherche fondamentale elle-même : ainsi en est-il du projet Génome qui se propose de dresser la carte de tous les gènes de l'hérédité humaine. Ces critiques sapaient ce que tous les scientifiques avaient jusqu'ici tenu, et qu'une grande majorité tenait encore, pour un principe fondamental, à savoir que la science devait poursuivre la vérité, où que cette poursuite pût les conduire, en n'acceptant que les concessions les plus marginales aux convictions morales de la société[23]. Ils n'avaient aucune responsabilité dans l'usage que les non-scientifiques faisaient de leurs résultats. Comme l'observait un homme de science américain en 1992, « je ne connais aucun biologiste moléculaire qui n'ait des intérêts financiers dans les biotechnologies » (Lewontin, 1992, p. 37) ; ou, pour en citer un autre, « la question [de la propriété] est au cœur de tout ce que nous faisons » (*ibid.*, p. 38). Tout cela rendait les protestations de pureté d'autant plus douteuses.

Ce qui était désormais en question, ce n'était donc plus la poursuite de la vérité, mais l'impossibilité même de la séparer de ses conditions et de ses conséquences. Dans le même temps, le débat opposait au fond les optimistes à ceux qui portaient un regard pessimiste sur l'espèce humaine. Car l'idée de base de ceux qui envisageaient des restrictions ou une autolimitation de la recherche était que, dans son organisation présente, l'humanité était incapable de gérer les pouvoirs de transformation de la terre qui étaient les siens, ou même de prendre la mesure des risques qu'elle courait. Même les sorciers qui refusaient toute limitation de leur recherche ne faisaient pas confiance à leurs apprentis. Les arguments contre toute limitation « concernent la recherche scientifique fondamentale, non les applications technologiques de la science, qui, pour certaines devraient être restreintes » (Baltimore, 1978).

Tous ces arguments passaient pourtant à côté de l'essentiel. Tous les scientifiques le savaient : la recherche *n'était pas* illimitée et libre, ne serait-ce que parce qu'elle avait besoin de ressources, qui leur seraient fournies en quantité limitée. La question n'était pas de savoir si quelqu'un devait dire aux chercheurs ce qu'ils doivent faire ou ne pas faire, mais de déterminer qui imposait ces limites et ces orientations, et suivant quels critères. Pour la plupart des scienti-

fiques, dont les institutions étaient directement ou indirectement
financées par l'État, ces « contrôleurs » n'étaient autres que les gouvernements, dont les critères n'étaient pas ceux d'un Planck, d'un
Rutherford ou d'un Einstein, si sincère que fût leur attachement aux
valeurs de la libre investigation.

Par définition, leurs priorités n'étaient pas celles de la recherche
« pure », surtout quand elle était onéreuse. Et après la fin du grand
boom mondial, même les gouvernements les plus riches, dont les
recettes ne caracolaient plus en tête des dépenses, durent établir des
budgets. Ces priorités n'étaient pas et ne pouvaient être non plus
celles de la recherche « appliquée », qui employait la grande majorité des scientifiques, car celles-ci n'étaient pas fixées en termes de
« progrès des connaissances » en général (même si tel pouvait être le
résultat), mais dictées par la nécessité d'atteindre certains résultats
pratiques : par exemple, des moyens de guérir le cancer ou le SIDA.
Dans ces domaines, les chercheurs ne travaillaient pas nécessairement à ce qui les intéressait, mais à ce qui était socialement utile ou
économiquement rentable, ou au moins à ce pour quoi on leur donnait de l'argent, même s'ils espéraient que cela les ramènerait sur la
voie de la recherche fondamentale. Dans ces conditions, prétendre
qu'il était intolérable de restreindre la recherche parce que l'homme
est par nature une espèce qui a besoin d'« assouvir sa curiosité, d'ex-
plorer et d'expérimenter » (Lewis Thomas, *in* Baltimore, p. 44), ou
qu'il faut escalader les cimes du savoir « parce qu'elles sont là »,
suivant la formule classique de l'alpiniste, n'était que pure rhétorique.

La vérité est que la « science » (par quoi la plupart des gens
entendaient les sciences « dures », c'est-à-dire les sciences naturelles) était trop importante, trop puissante, trop indispensable à la
société en général, et à ses trésoriers en particulier, pour être abandonnée à elle-même. Sa situation devenait paradoxale : l'immense
« centrale » de la technologie du XXe siècle, et l'économie qu'elle
rendait possible, dépendait de plus en plus d'une communauté relativement minuscule de gens pour qui ces conséquences titanesques de
leurs activités étaient secondaires et souvent triviales. Pour eux, la
possibilité d'aller sur la lune ou de diffuser par satellite à Düsseldorf
les images d'un match de football joué au Brésil était bien moins
intéressante que la découverte de quelque bruit de fond cosmique,

qui fut identifié au cours de la recherche des phénomènes troublant la communication, mais qui confirmait une théorie sur les origines de l'univers. Comme Archimède, ils savaient pourtant qu'ils habitaient et contribuaient à façonner un monde qui ne comprenait rien à ce qu'ils faisaient et n'en avait rien à faire. Leur appel à la liberté de la recherche ressemblait au cri du cœur d'Archimède face aux envahisseurs contre qui il avait mis au point des machines de guerre pour défendre sa ville de Syracuse et qui n'y firent aucune attention au moment de le trucider : « Au nom du ciel, n'abîmez pas mes diagrammes ! » C'était compréhensible, mais pas nécessairement réaliste.

Seuls les pouvoirs de changer le monde dont ils avaient la clé les protégeaient ; ce qui supposait qu'on laissât une élite apparemment privilégiée et incompréhensible, jusque dans son relatif désintérêt pour les signes extérieurs de pouvoir et de richesse, suivre sa voie jusqu'à la fin du siècle. Tous les gouvernements du XXᵉ siècle qui avaient agi autrement devaient le regretter. Tous les États soutenaient donc la science, qui, à la différence des arts et de la plupart des humanités, ne pouvait fonctionner efficacement sans ce soutien, tout en évitant autant que possible les interférences. Mais ils n'ont que faire de la vérité ultime (sauf celles de l'idéologie et de la religion) : seule les intéresse la vérité instrumentale. Tout au plus peuvent-ils encourager la recherche « pure » (c'est-à-dire pour l'heure « inutile ») parce qu'elle pourrait se révéler un jour féconde ou pour des raisons de prestige national – domaine où la quête de prix Nobel précédait celle des médailles olympiques et demeure encore plus appréciée. Telles étaient les fondations sur lesquelles furent érigés les édifices triomphaux de la recherche et de la théorie scientifiques et grâce auxquelles on se souviendra du XXᵉ siècle comme d'une ère non pas essentiellement de tragédie humaine, mais de progrès humain.

Chapitre 19
Vers le nouveau millénaire

« Nous sommes à l'aube d'une ère nouvelle qui se caractérise par une grande insécurité, une crise permanente et l'absence de toute espèce de statu quo. [...] Il faut bien voir que nous nous trouvons dans l'une de ces crises de l'histoire mondiale que Jakob Burckhardt a décrites. Elle n'est pas moins significative que celle d'après 1945, même si les conditions initiales pour la surmonter paraissent meilleures aujourd'hui. Il n'est pas de vainqueurs ni de puissances défaites aujourd'hui, pas même en Europe de l'Est. »

M. Stürmer, *in Bergedorf*, 1993, p. 59

« Bien que l'idéal terrestre du socialisme et du communisme se soit effondré, les problèmes qu'ils prétendaient résoudre demeurent : l'exploitation impudente des avantages sociaux et le pouvoir démesuré de l'argent, qui souvent dirigent le cours des événements. Et si la leçon globale du XXᵉ siècle ne sert pas de vaccin, l'immense ouragan pourrait bien se renouveler dans sa totalité. »

Alexandre Soljénitsyne,
New York Times, 28 novembre 1993

« C'est un privilège, pour un écrivain, que d'avoir vécu la fin de trois États : la République de Weimar, l'État fasciste et la RDA. Je n'imagine pas vivre assez longtemps pour voir la fin de la République fédérale. »

Heiner Müller, 1992, p. 361

I

Le Court Vingtième Siècle s'achève dans des problèmes pour lesquels personne n'a ni ne prétend avoir de solutions. Tandis que les citoyens de la fin du siècle tâtonnent en direction du troisième millénaire, à travers le brouillard planétaire qui les enveloppe, leur seule certitude est qu'une époque de l'histoire s'est terminée. Ils ne savent pas grand-chose d'autre.

Ainsi, pour la première fois depuis deux siècles, le monde des années 1990 manque de tout système international, de toute structure. Le fait même que, après 1989, de nouveaux États territoriaux soient apparus par dizaines sans aucun mécanisme indépendant pour en déterminer les frontières – sans même que les tierces parties soient acceptées comme suffisamment impartiales pour jouer les médiateurs – parle de lui-même. Qu'est-il devenu du consortium des grandes puissances qui avaient jadis établi ou tout au moins officiellement ratifié des frontières contestées ? Où sont les vainqueurs de la Première Guerre mondiale sous la surveillance desquels avait été redessinée la carte de l'Europe et du monde, fixant une frontière ici, imposant un plébiscite là ? Où sont passées ces conférences de travail internationales, si familières aux diplomates du passé, si différentes des courts sommets qui ont pris leur place, ces brèves opérations de relations publiques accompagnées de séances photo ?

À la fin du millénaire, quelles sont les puissances, réellement, internationales, anciennes ou nouvelles ? Le seul État restant qui soit réellement reconnu comme une grande puissance, au sens où l'on employait ce mot en 1914, ce sont les États-Unis. Ce que cela signifie en pratique demeure tout à fait obscur. La Russie a été réduite à la taille qui était la sienne au milieu du XVIIe siècle. Jamais depuis Pierre le Grand elle n'a été à ce point négligeable. La Grande-Bretagne et la France n'ont plus qu'un statut purement régional, que cache mal leur possession d'armes nucléaires. L'Allemagne et le Japon sont certainement de grandes « puissances économiques », mais aucun de ces deux pays n'a éprouvé le besoin d'appuyer ses immenses ressources économiques sur des forces armées, à la manière traditionnelle, même lorsqu'ils sont devenus libres de le faire, bien que nul ne sache ce qu'ils pourraient vouloir faire à l'avenir. Quel est le statut politique international de la nouvelle Union européenne qui aspire à une ligne politique commune, mais s'avère spectaculairement incapable ne fût-ce que de faire semblant d'en avoir une, excepté dans le domaine économique ? Il n'est même pas certain que tous les États, hormis une poignée, existeront sous leur forme présente lorsque le XXIᵉ siècle atteindra ses vingt-cinq premières années.

Si la nature des acteurs de la scène internationale n'est pas claire, celle des dangers auxquels le monde se trouve confronté ne l'est pas davantage. Le Court Vingtième Siècle a été un siècle de Guerres mondiales, chaudes ou froides, menées par les grandes puissances ou leurs alliés, avec des scénarios de destruction massive toujours plus apocalyptiques, dont le point d'orgue, par bonheur évité, fut l'holocauste nucléaire. Ce danger a manifestement disparu. Quoi que réserve l'avenir, la disparition même ou la transformation de tous les anciens acteurs du drame mondial, sauf un, signifie qu'une Troisième Guerre mondiale à l'ancienne est une perspective des moins probables.

À l'évidence, cela ne veut pas dire que l'ère des conflits soit terminée. Avec la guerre des Malouines (1993) entre la Grande-Bretagne et l'Argentine et la guerre Iran-Irak de 1980-1988, les années 1980 ont déjà démontré que les guerres étrangères à l'affrontement des superpuissances restent une possibilité toujours ouverte. L'après-1989 a vu plus d'opérations militaires dans plus de parties de l'Europe, de l'Asie et de l'Afrique qu'on ne pourrait s'en souvenir, même si toutes ne furent pas considérées officiellement comme des guerres : au Liberia, en Angola, au Soudan et dans la Corne de l'Afrique ; dans l'ex-Yougoslavie, en Moldavie, dans divers pays du Caucase et de Transcaucasie ; au Moyen-Orient, toujours explosif, mais aussi dans l'ex-Asie centrale soviétique et en Afghanistan. Puisque, dans les situations de plus en plus fréquentes d'effondrement national et de désintégration, on ne sait pas toujours très bien qui combat, ni pourquoi, ces activités s'accommodent mal des catégories classiques de la « guerre », internationale ou civile. Reste que les habitants de la région concernée ne peuvent guère avoir le sentiment de vivre un temps de paix, surtout quand, comme en Bosnie, au Tadjikistan ou au Liberia, ils ont naguère vécu d'incontestables temps de paix. En outre, comme l'ont montré les Balkans au début des années 1990, il n'y a pas de lignes bien tracées entre les guerres civiles régionales et celles de type ancien plus reconnaissables, en quoi elles pourraient aisément se transformer. Bref, le danger global de guerre n'a pas disparu. Il a simplement changé.

Sans doute les habitants d'États stables, forts et favorisés (l'Union européenne par opposition aux zones adjacentes de troubles ; la Scandinavie par opposition aux rives de la Baltique de l'ex-Union soviétique) peuvent-ils se croire à l'abri de l'insécurité et des carnages sévissant dans les parties malheureuses du tiers-monde et de l'ex-monde socialiste, mais si tel est le cas, ils se fourvoient. La crise économique des États-nations traditionnels suffit à les rendre vulnérables. Tout à fait indépendamment de la possibilité que certains États ne se scindent ou n'éclatent à leur tour, une innovation capitale (mais souvent demeurée inaperçue) de la seconde moitié du siècle, les a affaiblis, ne serait-ce qu'en les privant du monopole de la force efficace, qui avait été le critère de la puissance de l'État dans toutes les régions de peuplement permanent. Je veux parler de la démocratisation ou de la privatisation des moyens de destruction, qui ont transformé les perspectives de violence ou de naufrage *partout* dans le monde.

Il est désormais possible à de tout petits groupes de dissidents politiques ou autres de perturber ou d'opérer n'importe où : je n'en veux pour preuve que les activités de l'IRA en Grande-Bretagne et l'attentat contre le World Trade Center de New York, en 1993. Jusqu'à la fin du Court Vingtième Siècle, les coûts de ces activités, sauf pour les compagnies d'assurance, sont restés modestes puisque, contrairement à une idée reçue, le terrorisme non étatique a été beaucoup moins aveugle que les bombardements de la guerre officielle, ne fût-ce que parce que son objectif (s'il en avait un) était essentiellement politique plutôt que militaire. De surcroît, exception faite des charges explosives, il opérait habituellement avec des armes de poing faites pour tuer sur une petite échelle plutôt que pour le meurtre de masse. Cependant, il n'y a aucune raison pour que les armes nucléaires elles-mêmes, ainsi que les matériaux et le savoir-faire nécessaire à leur fabrication, tous largement disponibles, ne puissent être adaptés à un usage plus ciblé.

De surcroît, la démocratisation des moyens de destruction a augmenté les coûts de maîtrise de la violence non officielle de manière spectaculaire. Ainsi, confronté aux quelques centaines seulement de combattants des groupes paramilitaires catholiques et protestants d'Irlande du Nord, les autorités britanniques n'ont pu se maintenir dans cette province qu'au prix de la présence permanente de quelque vingt mille soldats et huit mille policiers et de dépenses s'élevant à trois milliards de livres par an. Ce qui est vrai des petites rébellions ou d'autres formes de violence intérieure l'est encore davantage des petits conflits hors des frontières. Il n'est pas beaucoup de situations internationales dans lesquelles même les États riches soient disposés à assumer de pareils coûts sans limite.

Diverses situations, au lendemain de la guerre froide, ont mis en évidence cette limitation inattendue de la puissance étatique, notamment en Bosnie et en Somalie. Elles ont aussi mis en lumière ce qui pourrait devenir la cause majeure de tensions internationales dans le nouveau millénaire, à savoir l'écart rapidement croissant entre les parties riches et pauvres du monde, qui s'exaspèrent mutuellement. La montée du fondamentalisme islamique est manifestement dirigé contre l'idéologie de la modernisation par l'occidentalisation, mais aussi contre l'« Occident » lui-même. Ce n'est pas un hasard si les militants de ces mouvements poursuivent leurs fins en perturbant les visites de touristes occidentaux, comme en Égypte, ou en multipliant les assassinats de résidents occidentaux, comme en Algérie. Réciproquement, l'arête la plus vive de la xénophobie populaire dans les pays riches est dirigée contre les étrangers du tiers-monde, et l'Union européenne a décidé de fermer ses frontières à l'afflux de pauvres du tiers-monde en quête de travail. Même aux États-Unis, les signes d'une opposition sérieuse à la tolérance *de facto* de l'immigration sans limite commencent à se manifester.

Et pourtant, politiquement comme en termes militaires, chaque camp demeure hors de portée de l'autre. Dans presque tout conflit ouvert concevable entre les États du Nord et du Sud, le Nord, avec sa supériorité technique écrasante et sa richesse, est voué à triompher : la guerre du Golfe, en 1991, en a fait la démonstration concluante. Même la possession de quelques missiles nucléaires par un pays du tiers-monde – à supposer qu'il eût aussi les moyens de les entretenir et de les lancer – a peu de chance d'être véritablement dissuasive, puisque les États occidentaux, comme l'ont prouvé Israël ou la coalition de la guerre contre l'Irak, sont à la fois prêts et capables de mener des attaques préventives contre des ennemis potentiels trop faibles pour être véritablement menaçants. D'un point de vue militaire, le premier monde peut sans risque traiter le tiers-monde comme un « tigre de papier », selon la formule de Mao.

Dans la dernière moitié du Court Vingtième Siècle, il est devenu cependant plus clair que le premier monde peut gagner des batailles contre le tiers-monde, pas des guerres. Et même s'il gagnait des guerres, sa victoire ne pourrait lui garantir le contrôle de tels territoires. Le grand atout de l'impérialisme a disparu, à savoir l'empressement des populations coloniales, une fois conquises, à se laisser paisiblement administrer par une poignée d'occupants. L'Empire des Habsbourg n'avait eu aucun mal à diriger la Bosnie-Herzégovine, mais au début des années 1980 les conseillers militaires ont expliqué à tous leurs gouvernements que pacifier ce malheureux pays déchiré par la guerre nécessiterait la présence de plusieurs centaines de milliers de soldats, c'est-à-dire une mobilisation comparable à celle d'une grande guerre et ce pour une durée indéfinie. La Somalie a toujours été une colonie difficile, et, autrefois, elle a même nécessité, pendant une courte période, l'intervention de forces britanniques dirigées par un général de division. Mais, à Rome ou à Londres, il n'était encore venu à l'esprit de personne que même Muhammad ben Abdallah, le célèbre « Mad Mullah », poserait des problèmes insolubles aux gouvernements coloniaux britanniques et italiens. Au début des années 1990, pourtant, les États-Unis et le reste des troupes d'occupation des Nations unies – plusieurs dizaines de milliers d'hommes – ont dû battre ignominieusement en retraite lorsqu'ils se sont trouvés confrontés à la perspective d'une occupation indéfinie sans objectifs bien clairs. Les puissants États-Unis eux-mêmes ont blêmi lorsqu'à Haïti – satellite traditionnel de Washington – un général du pays, à la tête d'une armée formée et équipée par l'Amérique, a empêché un président élu et soutenu (à contrecœur) par les Américains de rentrer, et a mis les États-Unis au défi d'occuper de nouveau son pays. Ils s'y sont refusés, alors qu'ils s'y étaient résolus de 1915 à 1934 : non que le millier de *thugs* [spadassins] de l'armée haïtienne leur aurait posé un sérieux problème militaire, mais parce qu'ils n'étaient plus capables de régler la question haïtienne par la force.

Bref, le siècle se termine dans un désordre général, dont la nature n'est pas claire, et sans mécanisme évident pour y mettre un terme ou pour le maîtriser.

II

La raison de cette impuissance ne réside pas seulement dans la profondeur et la complexité bien réelles des crises mondiales, mais également dans l'échec patent de tous les programmes, anciens ou nouveaux, pour gérer ou améliorer les affaires de l'espèce humaine.

Le Court Vingtième Siècle a été une ère de guerres de religion, bien que les plus militantes et assoiffées de sang de ces religions aient été les idéologies séculières du XIXe siècle, tels que le socialisme et le nationalisme, qui avaient remplacé les dieux par des abstractions ou par des hommes politiques vénérés comme des divinités. Probablement les extrêmes de cette dévotion séculière étaient-ils déjà sur le déclin avant même la fin de la guerre froide, y compris les divers cultes de la personnalité. Ou plutôt les Églises universelles avaient-elles éclaté en sectes rivales. Néanmoins, leur force ne résidait pas tant dans leur aptitude à mobiliser des émotions proches de celles de la religion traditionnelle – le libéralisme idéologique ne s'y essaya guère – que dans leur promesse d'apporter des solutions durables aux problèmes d'un monde en crise. C'est précisément ce qu'elles ne parviennent plus à faire alors que le siècle touche à sa fin.

L'effondrement de l'URSS a naturellement focalisé l'attention sur l'échec du communisme soviétique, c'est-à-dire de l'effort pour asseoir toute une économie sur la propriété étatique universelle des moyens de production et une planification centrale totale, sans le moindre recours véritable au marché ou aux mécanismes de fixation des prix. Toutes les autres formes historiques de l'idéal socialiste avaient supposé une économie fondée sur la propriété sociale de tous les moyens de production, de distribution et d'échange (mais pas nécessairement de propriété étatique centralisée), ainsi que l'élimination de l'entreprise privée et de l'allocation des ressources par un marché de concurrence. Aussi cet échec a-t-il miné les aspirations du socialisme non communiste, marxiste ou autre, alors même qu'aucun régime ou gouvernement de ce type n'avait réellement prétendu instaurer une économie socialiste. Quant à la question de savoir si ou sous quelle forme le marxisme survivrait, elle demeure en suspens. Il est cependant évident que si Marx restera comme un penseur éminent, ce dont nul ne doute vraiment, aucune des versions du marxisme formulées, depuis les années 1880, comme doctrines d'action politique et aspiration de mouvements socialistes n'a des chances de persister sous ses formes d'origine.

Par ailleurs, la contre-utopie opposée à l'utopie soviétique a connu un échec tout aussi flagrant. Il s'agit de la foi théologique en une économie dans laquelle les ressources seraient *entièrement* allouées par un marché sans restriction aucune, dans des conditions de concurrence illimitée – état de choses censé produire non seulement un maximum de biens et de services, mais aussi un maximum de bonheur et la seule espèce de société méritant le qualificatif de « libre ». Aucune société de laisser-faire pur de ce genre n'a jamais existé. Par bonheur, à la différence de l'utopie soviétique, on n'avait encore jamais essayé d'instaurer, en pratique, l'utopie ultra-libérale avant les années 1980. Cette utopie avait survécu au plus clair du Court Vingtième Siècle sous la forme d'un principe de critique des ratés des économies existantes ainsi que de l'essor de la puissance étatique et de la bureaucratie. En Occident, l'effort le plus systématique pour y parvenir, le régime de Mme Thatcher en Grande-Bretagne, dont on s'accordait généralement à reconnaître l'échec économique au moment où elle a été renversée, dut opérer avec un certain gradualisme. Cependant, lorsque l'on voulut instituer de telles économies du laisser-faire pour remplacer à bref délai les anciennes économies soviétiques et socialistes par des « thérapies de choc » prônées par les conseillers occidentaux, les résultats en furent économiquement épouvantables, mais aussi socialement et politiquement désastreux. Si élégantes fussent-elles, les théories sur lesquelles se fondait la théologie néolibérale étaient sans grand rapport avec la réalité.

Le fiasco du modèle soviétique conforta les partisans du capitalisme dans leur conviction qu'aucune économie ne pouvait se passer de marché boursier. Le fiasco du modèle ultra-libéral conforta les socialistes dans leur croyance, plus justifiée, que les affaires humaines, y compris l'économie, étaient trop importantes pour qu'on les abandonnât au marché. Il donna aussi du poids à ce soupçon des économistes sceptiques : il n'y avait pas de corrélation visible entre la réussite ou l'échec économique d'un pays et l'éminence de ses théoriciens de l'économie[1]. Toutefois, il est fort possible que, dans le débat qui a opposé le capitalisme au socialisme, les générations futures ne voient qu'un vestige des guerres de religion idéologiques au XXe siècle. Au troisième millénaire, il pourrait bien se révéler aussi dérisoire qu'aux XVIIIe et XIXe siècles la controverse qui, au XVIIe siècle, avait opposé les catholiques et les réformateurs divers sur le « vrai » christianisme.

Plus grave que l'évident effondrement des deux extrêmes est la désorientation des programmes et des politiques intermédiaires ou mixtes qui avaient présidé aux miracles économiques les plus marquants du siècle. Dans un esprit pragmatique, ceux-ci avaient mêlé public et privé, marché et planification, État et entreprise, au gré des circonstances et de l'idéologie locale. En l'occurrence, le problème n'était pas dans l'application de quelque théorie intellectuellement séduisante ou marquante, que celle-ci fût on non défendable dans l'abstrait, car la force de ces programmes avait été leur réussite pratique, plutôt que la cohérence intellectuelle. Le problème était l'érosion de leur réussite. Les Décennies de crise ont mis en évidence les limites des diverses politiques de l'Âge d'or, sans encore engendrer de solutions de rechange convaincantes. Elles ont aussi révélé les conséquences sociales et culturelles imprévues, mais spectaculaires, de l'ère de la révolution économique mondiale qui a commencé en 1945, aussi bien que leur coût écologique virtuellement catastrophique. Bref, elles ont fait apparaître que les institutions humaines collectives ne maîtrisaient plus les résultats collectifs de l'action humaine. En vérité, l'une des séductions intellectuelles de l'utopie néolibérale, qui explique pour une part sa vogue éphémère, tient précisément à ce qu'elle prétendait court-circuiter les décisions collectives. Qu'on laisse chacun quêter sa satisfaction sans entrave et, le résultat, quel qu'il soit, sera le meilleur possible. Toute autre voie, assure-t-on au risque de l'invraisemblance, serait pire.

Si les idéologies « programmatiques » nées de l'Ère des révolutions et du XIXe siècle se trouvent en panne à la fin du XXe siècle, la plupart des anciens guides des égarés de ce monde – les religions traditionnelles – n'apportent aucune solution de rechange plausible. Les religions occidentales sont en désarroi, même dans les rares pays – avec, en tête, cette étrange anomalie que sont les États-Unis où l'adhésion aux églises et la fréquentation des offices religieux restent à leurs niveaux habituels (Kosmin, Lachmann, 1993). Le déclin des diverses confessions protestantes s'accélère, les églises et les chapelles, construites au début du siècle, demeurent désertes, ou sont vendues à quelque autre fin, même dans des États comme le Pays de Galles, où elles avaient contribué à façonner l'identité nationale. À compter des années 1960, on l'a vu, le déclin du catholicisme s'est précipité. Même dans les anciens pays communistes, où l'Église avait eu l'avantage de symboliser l'opposition à des régimes profondément impopulaires, les brebis catholiques post-communistes ont montré la même propension qu'ailleurs à s'éloigner du berger. Des observateurs religieux ont cru parfois y détecter un retour à la religion orthodoxe, mais, à la fin du siècle, les signes de cette évolution improbable, sans être impossible, ne sont pas très probants. Un nombre décroissant d'hommes et de femmes prêtent l'oreille aux doctrines de ces diverses confessions chrétiennes, qu'elles qu'en soient les mérites.

Le déclin et la chute des religions traditionnelles n'ont pas été compensés (tout au moins dans la société urbaine du monde développé) par l'essor des religions militantes et sectaires, ni par la montée en puissance de nouveaux cultes ou de nouvelles communautés, encore moins par le désir évident de tant d'hommes et de femmes de fuir un monde qu'ils ne peuvent comprendre ni maîtriser pour se réfugier dans un large éventail de croyances dont l'irrationalité même constitue la force. La visibilité publique de ces sectes, de ces cultes et de ces croyances ne doit pas faire perdre de vue la relative faiblesse de leur recrutement. Entre trois et quatre pour cent seulement des Juifs britanniques appartiennent à une secte ou à un groupe ultra-orthodoxe quelconque. Pas plus de cinq pour cent de la population américaine adulte appartient à des sectes militantes et missionnaires[2] (Kosmin, Lachmann, 1993, p. 15-16).

Dans le tiers-monde et sur ses franges, la situation est différente, sauf dans l'immense population d'Extrême-Orient que la tradition confucéenne a préservé de la religion officielle depuis des millénaires, mais pas des cultes officieux. Ici, on aurait pu s'attendre à ce que les traditions religieuses, qui représentent les manières populaires de penser le monde, soient désormais sur le devant de la scène publique, dès lors que le commun des mortels en est devenu un acteur établi. C'est ce qui s'est produit dans les dernières décennies du siècle, tandis que les petites élites minoritaires sécularisées et moder-

nisatrices qui avaient entraîné leur pays dans le monde moderne sont
marginalisées (*cf.* chapitre 12). L'attrait de la religion politisée est
d'autant plus grand que les anciennes religions sont, presque par définition, des ennemis de la civilisation occidentale, agent de la perturbation sociale, ainsi que des pays riches et athées qui, plus que
jamais, font figure d'exploiteurs du monde pauvre. Que les cibles
locales de ces mouvements soient les riches occidentalisés avec leurs
Mercedes et leurs femmes émancipées ajoute un soupçon de lutte des
classes. On les connait en Occident sous le nom familier, mais trompeur, de « fondamentalisme ». Quel que soit le nom en vogue, ces
mouvements regardent avec nostalgie, pour ainsi dire *ex officio*,
quelque passé imaginaire plus simple, plus stable et plus compréhensible. Puisqu'il n'y a pas moyen d'y revenir, et que ces idéologies
n'ont rien de pertinent à dire à propos des problèmes concrets de
sociétés très différentes des communautés nomades et pastorales de
l'ancien Moyen-Orient, elles n'apportent aucune lumière permettant
de résoudre ces problèmes. Elles sont, pour reprendre l'image du spi-
rituel Karl Kraus à propos de la psychanalyse, des symptômes de
« cette maladie qui prétend être sa propre thérapie ».

Tel est également le cas de l'amalgame de slogans et d'émotions –
on ne saurait guère parler d'idéologie – qui fleurit sur les ruines des
institutions et des idéologies anciennes, un peu comme les mauvaises herbes avaient colonisé les ruines des villes européennes
après les bombardements de la Seconde Guerre mondiale. Je veux
parler de la xénophobie et de la politique identitaire. Rejeter un présent inacceptable, ce n'est pas nécessairement formuler, et encore
moins apporter une solution à ses problèmes (*cf.* chapitre 14, section V). En fait, l'approximation la plus proche d'un programme
politique reflétant une telle vision, le droit wilsonien et léniniste à
« l'autodétermination nationale » pour les « nations » ethniques, linguistiques et culturelles soi-disant homogènes, tourne clairement à
l'absurdité sauvage et tragique au seuil du nouveau millénaire. Au
début des années 1990, peut-être pour la première fois, des observateurs raisonnables, en-dehors du champ politique (en-dehors des
groupes nationalistes militants), ont commencé à proposer publiquement l'abandon du « droit à l'autodétermination »[3].

Ce n'est pas la première fois que le mélange de nullité intellectuelle et d'émotion forte, voire désespérée, des masses a été politi-

quement puissant en temps de crise, d'insécurité et – sur de grandes parties du globe – de désintégration des États et des institutions. Comme les mouvements de ressentiment de l'entre-deux-guerres, qui avaient engendré le fascisme, les protestations religieuses et politiques du tiers-monde et la soif d'une identité et d'un ordre social sûrs dans un monde en voie de désintégration (l'appel à la « communauté » va habituellement de pair avec l'appel au maintien de « l'ordre public ») sont un humus propice à la croissance de forces politiques efficaces, celles-ci sont à même, à leur tour, de renverser les anciens régimes pour en instaurer de nouveaux. Cependant, elles n'ont pas plus de chances d'apporter des solutions au prochain millénaire que le fascisme n'en avait de produire des solutions à l'Ère des catastrophes. À la fin du Court Vingtième Siècle, il n'est même pas clair qu'ils puissent engendrer des mouvements de masse nationaux organisés comme ceux qui avaient donné au fascisme une force politique formidable avant même qu'il n'acquière l'arme décisive du pouvoir étatique. Leur atout majeur reste probablement l'immunité à la science économique officielle et à la rhétorique anti-étatique d'un libéralisme identifié au marché. Si la politique devait dicter la renationalisation d'une industrie, ils se laisseraient d'autant moins dissuader par des arguments en sens contraire qu'ils ne pourraient les comprendre. Et pourtant, s'ils sont prêts à faire n'importe quoi, ils ne savent pas plus que quiconque ce qu'il faudrait faire.

III

Pas plus, naturellement, que l'auteur de ce livre. Et pourtant, certaines tendances à long terme de l'évolution sont si flagrantes qu'elles nous permettent d'esquisser à la fois quelques-uns des problèmes majeurs du monde et au moins certaines conditions de leur résolution.

Les deux problèmes centraux et, à la longue, décisifs sont démographiques et écologiques. On s'accordait généralement à penser que la population mondiale, dont la croissance a été explosive depuis le milieu du XXe siècle, se stabiliserait aux alentours de dix milliards d'êtres humains, soit cinq fois ce qu'elle était en 1950, quelque part autour de 2030, essentiellement du fait d'un déclin du taux de natalité du tiers-monde. Si cette prévision devait se révéler erronée, tous les paris sur l'avenir seraient caducs. Même si elle se révélait *grosso modo* réaliste, cela poserait le problème, qui n'a encore jamais été traité sur une échelle globale, des moyens de maintenir une population mondiale stable ou, plus probablement, fluctuant autour d'un niveau ou d'une tendance légèrement croissante (ou décroissante). Improbable mais pas inconcevable, une chute spectaculaire de la population mondiale introduirait encore d'autres complications. Cependant, stable ou non, les mouvements prévisibles de la population mondiale ne peuvent qu'accroître les déséquilibres parmi les différentes régions. Dans l'ensemble, comme au long du Court Vingtième Siècle, la population des pays riches et développés serait la première à se stabiliser, ou même à ne plus se reproduire : tel est d'ailleurs le cas dans plusieurs pays depuis les années 1990.

Entouré de pays pauvres, avec d'immenses armées de jeunes, prétendant aux emplois modestes du monde nanti, qui rendent les hommes et les femmes riches en comparaison des normes qui prévalent au Salvador et au Maroc, ces pays comptant de nombreuses personnes âgées et peu d'enfants devraient choisir : admettre une immigration massive (source de troubles politiques à l'intérieur), se barricader contre les immigrés dont ils ont besoin (solution sans doute impraticable à la longue), ou trouver d'autres formules. La plus vraisemblable serait de permettre une immigration temporaire et conditionnelle, sans donner aux étrangers les droits politiques et sociaux des citoyens, c'est-à-dire créer des sociétés foncièrement inégalitaires. Celles-ci pourraient aller des sociétés d'*apartheid* déclaré, comme celles de l'Afrique du Sud, naguère et d'Israël (déclinantes dans certaines parties du monde, mais aucunement exclues en d'autres), à la tolérance informelle des immigrés ne faisant valoir aucun droit auprès du pays d'accueil, parce qu'ils y verraient simplement un lieu où gagner de l'argent de temps à autre, tout en demeurant fondamentalement enracinés dans leur patrie. À la fin du XXe siècle, les transports et les communications, ainsi que l'écart considérable des revenus dans les pays riches et les pays pauvres, ont rendu cette solution plus viable qu'autrefois. Qu'à long terme, voire à moyen terme, cela puisse rendre moins incendiaires les frictions entre autochtones et étrangers demeure une pomme de discorde entre les éternels optimistes et les sceptiques sans illusion.

On ne peut guère douter que ces frictions seront un facteur majeur de la politique, nationale ou mondiale, des prochaines décennies.

Si décisifs fussent-ils à long terme, les problèmes écologiques ne sont pas à ce point explosifs dans l'immédiat. Ce n'est pas les sous-estimer, même si, du jour où ils ont fait leur entrée dans la conscience et le débat publics au cours des années 1970, on en a généralement débattu, à tort, comme si l'apocalypse était imminente. Cependant, que « l'effet de serre » ne puisse peut-être pas faire monter le niveau des mers assez haut d'ici demain pour noyer le Bangladesh et les Pays-Bas, ou que la disparition journalière d'un nombre inconnu d'espèces ne soit pas sans précédent, n'était pas une raison pour s'autosatisfaire. S'il se maintenait indéfiniment, à supposer que ce soit possible, un taux de croissance économique semblable à celui de la seconde moitié du Court Vingtième Siècle, cela aurait forcément des conséquences irréversibles et catastrophiques pour l'environnement, y compris pour l'espèce humaine qui en fait partie. Cela ne détruirait pas la planète ni ne la rendrait absolument inhabitable, mais cela changerait certainement le mode de vie sur la biosphère, et peut-être même la rendrait inhabitable par l'espèce humaine telle que nous la connaissons avec ses effectifs actuels. De surcroît, le rythme auquel la technologie moderne a accru la capacité de notre espèce à transformer l'environnement est tel que, à supposer même qu'il ne s'accélère pas, le temps disponible pour traiter du problème doit se mesurer en décennies, plutôt qu'en siècles.

Pour ce qui est de la réponse à cette crise écologique imminente, il n'est que trois choses qu'on puisse dire avec une certitude raisonnable. Premièrement, elle doit être globale plutôt que locale, alors même qu'on gagnerait plus de temps si la plus grande source de pollution mondiale, les 4 % de la population mondiale qui vivent aux États-Unis, payait à un prix réaliste le pétrole qu'elle consomme. Deuxièmement, l'objectif de la politique écologique doit être à la fois radical et réaliste. Les solutions qui passent par le marché, c'est-à-dire l'inclusion des coûts des externalités pour l'environnement dans le prix auquel les consommateurs paient leurs biens et services, ne sont ni l'un ni l'autre. Comme le montre l'exemple des États-

Unis, même un modeste effort pour augmenter les taxes sur l'énergie peut susciter des difficultés politiques insurmontables. Le mouvement des prix du pétrole depuis 1973 prouve que, dans une société de libre concurrence, la multiplication par douze ou quinze des coûts de l'énergie en six ans n'a pas pour effet de diminuer la consommation d'énergie : elle la rend plus efficace, tout en encourageant des investissements massifs dans des sources nouvelles et écologiquement douteuses de combustibles fossiles irremplaçables. Ceux-ci feraient à leur tour baisser les prix et encourageraient une fois de plus le gaspillage. Par ailleurs, des propositions du type croissance zéro, pour ne dire mot des chimères d'un retour à la prétendue symbiose primitive entre l'homme et la nature, seraient certes radicales, mais totalement impraticables. Dans les conditions actuelles, la croissance zéro figerait les inégalités présentes entre les pays – situation plus tolérable pour le Suisse moyen que pour l'homme de la rue en Inde. Que les politiques écologiques trouvent le gros de leurs partisans dans les pays riches et dans les classes aisées et moyennes de tous les pays (exceptés les hommes d'affaires qui espèrent faire de l'argent par des activités polluantes) ne doit rien au hasard. Les pauvres, toujours plus nombreux et sous-employés, souhaitent plus de « développement », non moins.

Riches ou non, les partisans des politiques écologiques ont cependant raison. Le rythme de développement devrait être réduit à ce qui serait « soutenable » à moyen terme – expression intentionnellement dénuée de sens ; à long terme, un équilibre devrait être trouvé entre l'humanité, les ressources (renouvelables) qu'elle consomme et l'effet de ses activités sur l'environnement. Personne ne sait et peu oseraient demander comment s'y prendre et à quel niveau de population, de technique et de consommation un tel équilibre serait possible. L'expertise scientifique pourrait sans doute établir ce qu'il faudrait faire pour éviter une crise irréversible : toutefois, le problème pour instaurer un pareil équilibre n'est pas scientifique et technique, mais politique et social. Une chose reste cependant indéniable : cet équilibre serait incompatible avec une économie mondiale fondée sur la quête illimitée du profit par des entreprises économiques vouées, par définition, à cet objectif et rivalisant sur le marché mondial. Du point de vue écologique, si l'humanité doit avoir un avenir, le capitalisme des Décennies de crise ne saurait en avoir.

IV

Traités isolément, les problèmes de l'économie mondiale sont, à une exception près, moins graves. Même livrée à elle-même, cette économie continuerait à croître. Si les cycles de Kondratiev ont quelque fondement (voir p. 125), cette économie mondiale devrait entrer dans une nouvelle ère de prospérité et d'expansion avant la fin du millénaire, bien que celle-ci pût être entravée pour un temps par les contrecoups de la désintégration du socialisme soviétique, par l'effondrement de régions entières du monde dans l'anarchie et la guerre, et peut-être par un attachement excessif à la liberté mondiale des échanges, dont les économistes sont plus enclins à s'extasier que les historiens de l'économie. Le champ d'expansion n'en est pas moins considérable. L'Âge d'or, on l'a vu, a été essentiellement le Grand Bond en Avant des « économies de marché développées » – une vingtaine de pays rassemblant près de 600 millions d'habitants (1960). La mondialisation et la redistribution internationale de la production continueraient à entraîner dans l'économie mondiale la majeure partie du reste des six milliards d'habitants du monde. Même les pessimistes congénitaux doivent reconnaître que cela ouvrirait aux affaires des perspectives alléchantes.

La grande exception est l'élargissement, apparemment irréversible, de l'abîme entre les pays riches et les pays pauvres – processus quelque peu accéléré par l'impact désastreux des années 1980 sur une bonne partie du tiers-monde et la paupérisation de maints ex-pays socialistes. À moins d'une chute spectaculaire du taux de croissance démographique du tiers-monde, l'écart paraît devoir se creuser. La conviction, chère à la science économique néoclassique, qu'un commerce international entièrement libre permettrait aux pays plus pauvres de se rapprocher des riches est contraire à l'expérience historique non moins qu'au sens commun[4]. Une économie mondiale qui se développe en engendrant des inégalités croissantes de ce type accumule, presque inévitablement, de futurs problèmes.

Quoi qu'il en soit, les activités économiques ne sont pas ni ne pourraient être isolées de leur contexte ni de leurs conséquences. À la fin du XXe siècle, trois aspects de l'économie mondiale sont alarmants. En premier lieu, la technique continue à chasser la main-d'œuvre de la production de biens et de services, sans créer suffisamment de postes de travail de même nature que ceux qu'elle élimine ni garantir un taux de croissance économique suffisant pour les absorber. Très rares ont été les observateurs qui prévoyaient sérieusement un retour ne fût-ce que temporaire au plein-emploi de l'Âge d'or en Occident. En deuxième lieu, tandis que la main-d'œuvre demeure un grand facteur de production, la mondialisation de l'économie déplace l'industrie de ses anciens centres, dans les pays riches aux salaires élevés, vers des pays dont le principal atout, toutes choses égales par ailleurs, sont des mains et des têtes bon marché. S'ensuivent nécessairement l'une ou l'autre de ces conséquences : le transfert d'emplois vers les régions à bas salaires et (conformément aux principes du marché) la chute des salaires dans les régions à hauts salaires sous la pression de la concurrence salariale mondiale. Les vieux pays industriels comme la Grande-Bretagne peuvent donc se transformer en pays à main-d'œuvre bon marché, bien qu'avec des résultats socialement explosifs et sans grande chance de rivaliser sur cette base avec les pays d'industrialisation récente. Par le passé, l'État a fait obstacle à ces pressions en recourant au protectionnisme. Mais, et c'est là le troisième aspect préoccupant de l'économie mondiale fin-de-siècle, son triomphe et celui de l'idéologie du marché sans entrave ont affaibli, voire supprimé totalement la plupart des instruments qui permettaient de gérer les effets sociaux des bouleversements économiques. L'économie mondiale est un moteur de plus en plus puissant et incontrôlé. Pourrait-il être contrôlé et, si oui, par qui ?

Cela n'a pas manqué de créer des problèmes économiques et sociaux, même si, dans l'immédiat, ils ont été manifestement beaucoup plus pressants dans certains pays qu'en d'autres.

Les miracles économiques de l'Âge d'or se sont nourris d'une augmentation des revenus réels dans les « économies de marché développées », car les économies de consommation de masse ont besoin de consommateurs de masse avec des revenus suffisants pour acheter des produits de consommation durables de haute technologie[5]. L'essentiel de ces revenus a été gagné sous forme de salaires sur des marchés du travail à hauts salaires. Or, ceux-ci sont maintenant compromis, bien que les consommateurs de masse soient plus que jamais essentiels à l'économie. Dans les pays riches, bien entendu, le marché de masse a été stabilisé grâce au déplacement de la main-d'œuvre de l'industrie vers le tertiaire, où, en règle générale, l'emploi est beaucoup plus stable, et à l'augmentation considérable des transferts sociaux (pour l'essentiel, sécurité sociale et aide sociale). Ceux-ci représentaient près de 30 % du PNB total des pays occidentaux développés à la fin des années 1980, contre probablement moins de 4 % dans les années 1920 (Bairoch, 1993, p. 174). Cela pourrait bien expliquer que l'effondrement de Wall Street en 1987, le plus fort depuis 1929, ne se soit pas soldé par un marasme du capitalisme mondial comparable à celui des années 1930.

Ces deux stabilisateurs n'en sont pas moins minés. Le Court Vingtième Siècle touchant à sa fin, les gouvernements occidentaux et l'orthodoxie économique sont d'accord pour dire que le coût de la sécurité et de la protection sociales est trop élevé et devrait être réduit, et la réduction massive de l'emploi dans les secteurs d'activités tertiaires jusque-là les plus stables – l'administration, la banque et la finance, les emplois de bureau rendus superflus par les progrès techniques – devient un phénomène courant. Ce ne sont pas là des dangers immédiats pour l'économie mondiale, dès lors que le déclin relatif des anciens marchés est compensé par l'expansion du reste du monde, ou tant que le nombre global de ceux dont les revenus réels augmentent poursuit une croissance plus rapide que celle de la moyenne. Pour dire les choses brutalement, si l'économie mondiale peut mettre sur la touche une minorité de pays pauvres jugés économiquement sans intérêt et négligeables, elle peut également se passer des plus pauvres à l'intérieur même de ses frontières, du moment que le nombre de consommateurs potentiellement intéressants reste suffisamment important. Vu des cimes impersonnelles d'où les économistes et les comptables d'entreprise considèrent la situation, qui donc a besoin des 10 % de la population américaine dont les gains horaires réels ont *baissé* jusqu'à 16 % depuis 1979 ?

Une fois encore, dans la perspective globale implicite du modèle économique libéral, les inégalités de développement sont négligeables, à moins qu'on puisse démontrer qu'elles produisent, au total, plus d'effets négatifs que de résultats positifs[6]. Dans cette optique, rien n'interdirait à la France, si les coûts comparés y invitaient, de condamner son agriculture pour importer toutes ses denrées alimentaires. De même, si c'était techniquement possible et d'un bon rapport coût/efficacité, tous les programmes de télévision du monde pourraient être réalisés à Mexico. Ce n'est cependant pas un point de vue auquel puissent adhérer sans réserves ceux qui vivent à la fois dans l'économie nationale et dans l'économie mondiale : autrement dit, tous les gouvernements nationaux et l'immense majorité des habitants de leurs pays. Notamment, parce que nous ne saurions éviter les conséquences politiques et sociales de bouleversements mondiaux.

Quelle que fût la nature de ces problèmes, une économie mondiale de marché sans restriction ni contrôle ne leur apporterait aucune solution. À la limite, elle risquerait même d'aggraver des phénomènes tels que la croissance du chômage de longue durée et du sous-emploi, puisque le choix rationnel des entreprises en quête de profit consiste (a) à limiter autant que possible leurs effectifs, les êtres humains étant plus chers que les ordinateurs, et (b) à réduire autant que possible leurs cotisations sociales. On n'a pas non plus de bonne raison de penser que l'économie mondiale de marché pourrait résoudre ces problèmes. Jusque dans les années 1970, le capitalisme national et mondial n'a jamais opéré dans des conditions pareilles ou, s'il l'a fait, n'en a pas nécessairement bénéficié. S'agissant du XIXe siècle, on peut au moins soutenir que, « contrairement au modèle classique, le libre-échange a coïncidé avec la crise, et en fut probablement la principale cause, et que le protectionnisme fut probablement la principale raison de développement de la plupart des actuels pays développés » (Bairoch, 1993, p. 164). Pour ce qui est du XXe siècle, ses miracles économiques se sont produits non pas à la faveur du laisser-faire, mais contre lui.

Il était donc à prévoir que la vogue de libéralisation économique et de « markétisation », qui avait dominé les années 1980 pour atteindre des sommets d'autosatisfaction idéologique après la chute du système soviétique, ne durerait pas longtemps. La crise mondiale du début des années 1990 et l'échec spectaculaire des « thérapies de choc » appliquées dans les ex-pays socialistes avaient déjà semé le doute chez certains de ses anciens thuriféraires : qui aurait cru qu'en 1993 des conseillers économiques poseraient la question de savoir « si après tout, Marx n'avait peut-être pas eu raison » ? Deux obstacles majeurs se sont opposés cependant à un retour au réalisme. Le premier a été l'absence d'une menace politique crédible pesant sur le système – tels que le communisme ou l'existence de l'URSS ou, à l'opposé, la conquête de l'Allemagne par les nazis. Ces menaces, j'ai essayé de le montrer dans ces pages, avaient incité le capitalisme à s'amender. L'effondrement de l'URSS, le déclin et la fragmentation de la classe ouvrière et de ses mouvements, l'insignifiance militaire du tiers-monde dans la guerre conventionnelle, la réduction des plus pauvres, dans les pays développés, à un « sous-prolétariat » minoritaire ont été autant de facteurs dissuasifs pour une réforme. Néanmoins, la montée des mouvements d'extrême droite et le retour en grâce inattendu des héritiers de l'ancien régime dans les anciens pays communistes ont été des avertissements – qui furent perçus comme tels au début des années 1990. Le second obstacle fut le processus même de la mondialisation, renforcé par le démantèlement des mécanismes nationaux permettant de protéger les victimes de l'économie mondiale libre des coûts sociaux de ce que l'on appelait fièrement le « système de création de richesse [...] désormais universellement considéré comme le plus efficace que l'humanité ait jamais conçu ».

Car, comme l'a admis le même éditorial du *Financial Times* (24 décembre 1993),

> « *il demeure, cependant, une force imparfaite. [...] Près des deux tiers de la population mondiale n'ont pas gagné grand-chose ou n'ont tiré aucun avantage substantiel de la croissance économique rapide. Dans le monde développé, le dernier quartile a même vu ses revenus fondre.* »

À l'approche du millenium, il est devenu de plus en plus clair qu'il ne s'agit pas de se réjouir de l'effondrement du communisme soviétique, mais de se pencher, une fois encore, sur les défauts inhérents au capitalisme. Quels changements nécessiterait leur élimination ? Serait-il encore le même après cette suppression ? Car ainsi que l'a observé Joseph Schumpeter à propos des fluctuations cycliques de l'économie capitaliste, ce ne « sont pas des amygdales qu'on puisse traiter en elles-mêmes : elles ressemblent plutôt au battement du cœur, à l'essence de l'organisme qui les manifeste » (Schumpeter, 1939, I, v).

V

La première réaction des commentateurs occidentaux à l'effondrement du système soviétique fut que celui-ci ratifiait le triomphe définitif du capitalisme et de la démocratie libérale – deux notions que les moins subtils des observateurs nord-américains du monde avaient tendance à confondre. Bien que le capitalisme n'est certainement pas au meilleur de sa forme à la fin du Court Vingtième Siècle, le communisme de type soviétique est mort et enterré et n'a guère de chances de se réveiller. Par ailleurs, aucun observateur sérieux du début de la décennie 1990 ne pouvait être aussi optimiste pour la démocratie libérale que pour le capitalisme. Tout au plus pouvait-on prédire avec quelque assurance (sauf, peut-être, pour les régimes fondamentalistes d'inspiration plus religieuse) que presque tous les États continueraient à proclamer leur attachement profond à la démocratie et à organiser des élections d'une espèce ou d'une autre en tolérant plus ou moins une opposition quelquefois hypothétique – et toujours en donnant à ce mot le sens qui leur convenait[7].

En vérité, le trait le plus saillant de la situation politique des États du monde, c'est l'instabilité. Dans la plupart d'entre eux, les chances de survie du régime en place au cours des dix ou quinze prochaines années sont, suivant les calculs les plus optimistes, assez médiocres. Même dans les pays pourvus d'un système de gouvernement relativement prévisible, comme le Canada, la Belgique ou l'Espagne, leur existence d'ici dix à quinze ans sous forme d'États uniques peut être incertaine ; ainsi en est-il, par voie de conséquence, de la nature des régimes qui, le cas échéant, leur succéderaient. Bref, la politique n'est pas un domaine encourageant pour la futurologie.

Quelques traits du paysage politique mondial n'en ressortent pas moins. Le premier, on l'a vu, a été l'affaiblissement de l'État-nation, institution centrale de la vie politique depuis l'Ère des révolutions, tant en raison de son monopole de la puissance publique et de la loi, que parce qu'il était, dans maints domaines, le champ effectif de l'action politique. L'État-nation s'est érodé par le haut et par le bas. Il a rapidement perdu ses pouvoirs et ses fonctions au profit de diverses entités supranationales et parallèlement, la désintégration des grands États et des Empires a engendré une multiplicité d'États plus petits, trop faibles pour se défendre dans une période d'anarchie internationale. L'État-nation aussi a perdu son monopole de la force effective et ses privilèges à l'intérieur des frontières : l'essor de la sécurité ou de la protection privées et l'envol des messageries privées concurrentes de la poste, jusque-là presque partout dirigée par un ministère, en témoignent.

Ces phénomènes n'ont pas rendu l'État superflu ni inefficace. En vérité, à certains égards, la technologie a renforcé sa capacité de surveiller et de contrôler la vie de ses administrés, puisque la quasi-totalité de leurs transactions financières et administratives (hormis les petits versements en espèces) sont désormais susceptibles d'être enregistrés par un ordinateur, et que toutes leurs communications (hormis la plupart des communications face-à-face en plein air) peuvent dorénavant être interceptées et enregistrées. Et pourtant, sa position a changé. Du XVIIIe à la seconde moitié du XXe siècle, l'État-nation avait élargi presque continûment sa portée, ses pouvoirs et ses fonctions. Ce fut un aspect essentiel de la « modernisation ». Que les gouvernements fussent libéraux, conservateurs, sociaux-démocrates, fascistes ou communistes, à l'apogée de cette tendance, les paramètres de la vie des citoyens dans les États « modernes » étaient presque exclusivement déterminés (sauf dans les conflits inter-étatiques) par l'activité ou la passivité de l'État. Même l'impact des forces mondiales, comme les booms ou les récessions économiques, leur parvenait filtré par la politique et les institutions de leur État[8]. À la fin du siècle, l'État-nation est sur la défensive face à une économie mondiale qu'il ne peut contrôler ; face à des institutions qu'il a construites, comme l'Union européenne, pour remédier à sa faiblesse internationale ; face à son apparente incapacité financière à continuer d'assurer des services mis en place voici quelques décennies ; et face à sa réelle incapacité à remplir ce qui, d'après ses propres critères, était sa fonction majeure : le maintien de l'ordre public. Le fait même que, dans la phase de son essor, l'État eût adopté et centralisé tant de fonctions et se soit fixé des normes aussi ambitieuses en matière d'ordre public et de contrôle a rendu cette incapacité doublement douloureuse.

Et pourtant, l'État, ou quelque autre forme d'autorité publique représentant l'intérêt public, est plus indispensable que jamais pour contrer les iniquités sociales et écologiques de l'économie de marché ou même, comme l'avait montré la réforme du capitalisme dans les années 1940, pour faire fonctionner de manière satisfaisante le système économique. Sans quelque allocation de l'État et une redistribution du revenu national, qu'adviendrait-il, par exemple, des populations des vieux pays développés, dont l'économie repose sur une base d'actifs qui a tendance à se rétrécir, pressée entre le nombre croissant de ceux que l'économie de haute technologie exclut du marché du travail et la proportion toujours plus grande des personnes âgées inactives ? Il est absurde de prétendre que les citoyens de la Communauté européenne, dont la part de revenu national par tête avait augmenté de 80 % entre 1970 à 1990, ne peuvent « se permettre » en 1990 le niveau de revenu et de protection sociale tenu pour acquis en 1970 (*World Tables*, 1991, p. 8-9). Mais cela est impossible sans l'État. Imaginez – le scénario n'est pas absolument fantaisiste – que les tendances actuelles se poursuivent et conduisent à des économies où un tiers de la population exerce une activité rémunérée quand les deux tiers restants sont inactifs, mais où, au bout de vingt ans, l'économie produise un revenu national par tête deux fois plus élevé qu'avant. Qui, en dehors de l'autorité publique, assurerait et pourrait assurer un minimum de revenu et de bien-être à tous ? Qui pourrait contrer les tendances à l'inégalité si frappantes dans les Décennies de crise ? Certainement pas le marché, à en juger d'après l'expérience des années 1970 et 1980. S'il est une chose que ces décennies ont prouvé, c'est que le problème politique majeur du monde, et certainement du monde développé, n'est pas comment démultiplier la richesse des nations, mais comment la distribuer au bénéfice de leurs habitants. C'est vrai même dans les pays pauvres « en voie de développement », qui ont besoin de davantage de croissance économique. Véritable monument élevé à l'indifférence sociale, le Brésil, en 1939, avait un PNB par tête presque deux fois plus élevé que celui du Sri Lanka, et six fois plus important à la fin des années 1980. Au Sri Lanka, qui avait subventionné les denrées alimentaires de base et assuré un enseignement et des soins de santé gratuits jusqu'à la fin des années 1970, le nouveau-né moyen pouvait espérer vivre plusieurs années de plus que le Brésilien moyen ; quant à la mortalité infantile, elle était moitié moins élevée qu'au Brésil en 1969 et trois fois moins en 1989 (*World Tables*, p. 144-147, 524-527). Toujours en 1989, le pourcentage d'analphabètes était presque deux fois plus élevé au Brésil que dans l'île asiatique.

La distribution sociale, plutôt que la croissance, devrait dominer la vie politique du prochain millénaire. L'allocation des ressources hors du marché ou, tout au moins, la limitation sévère de l'allocation par le marché est essentielle pour conjurer la crise écologique imminente. D'une manière ou d'une autre, le sort de l'humanité dépend de la restauration des autorités publiques.

VI

Ce qui nous laisse aux prises avec un double problème. Quelle serait la nature et le champ des autorités décisionnelles – supranationales, nationales, subnationales et mondiales, seules ou en association ? Quels rapports entretiendraient-elles avec leurs administrés ?

Le premier problème est, en un sens, une question technique, puisque les autorités existent déjà, ainsi qu'en principe – même si c'est loin d'être le cas en pratique – les modèles de relations entre elles. L'Union européenne en expansion offre quantité de matériaux intéressants, même si chaque proposition spécifique de division du travail entre autorités mondiales, supranationales, nationales et subnationales a toute chance d'être prise en mauvaise part par l'une ou l'autre. Les autorités mondiales existantes sont sans doute trop spécialisées dans leurs fonctions, même si elles essayent d'étendre leur champ d'action en imposant leurs choix politiques et écologiques aux pays qui ont besoin d'emprunter. L'Union européenne est seule et, étant la fille de circonstances historiques spécifiques qui n'ont guère de chances de se répéter, risque fort de demeurer seule, à moins qu'une organisation semblable puisse se former sur les décombres de l'ancienne URSS. Il est impossible de prédire à quel rythme progressera la décision supranationale. Elle n'en progressera pas moins et l'on devine quelles voies elle pourrait emprunter. Elle opère déjà, *via* les banquiers mondiaux gérant les grandes agences internationales de prêt et représentant les ressources communes de l'oligarchie des pays les plus riches, qui de fait réunissent aussi les plus puissants. L'écart entre les riches et les pauvres se creusant, le champ d'exercice de ce pouvoir global semble croissant. L'ennui est que, depuis les années 1970, la Banque mondiale et le Fonds monétaire international, politiquement épaulés par les États-Unis, ont poursuivi une politique systématiquement favorable à l'orthodoxie du marché, à l'entreprise privée et au libre-échange, qui convient à l'économie américaine de la fin du XXᵉ siècle comme à l'économie britannique du milieu du XIXᵉ siècle, mais pas nécessairement au monde. Pour que la décision globale puisse donner sa pleine mesure, il faudrait changer ces politiques. Il ne semble pas que ce soit pour tout de suite.

Le second problème n'a rien de technique. Il naît du dilemme d'un monde attaché, à la fin du siècle, à une forme bien particulière de démocratie politique, mais également confronté à des problèmes politiques, face auxquels l'élection de présidents et d'assemblées pluripartites semblent sans effet, quand elle ne complique pas leurs solutions. Sur un plan plus général, il s'agit de savoir quel rôle donner au commun des mortels, dans ce qu'on a appelé – en des temps pré-féministes – « le siècle de l'homme ordinaire ». C'est le dilemme d'une époque où un gouvernement peut – d'aucuns diraient, doit – exister « par le peuple » et « pour le peuple », alors que « par le peuple », voire par des assemblées représentatives élues, n'a plus de sens opératoire. Le dilemme n'est pas nouveau. Les difficultés de la vie politique démocratique sont bien connues des politologues et des satiristes depuis que le suffrage universel a cessé d'être une singularité des États-Unis.

La situation difficile de la démocratie s'est encore aggravée par le fait que, surveillée par les sondages, amplifiée par des médias omniprésents, l'opinion publique se révèle maintenant incontournable, mais aussi parce que les autorités politiques doivent prendre beaucoup plus de décisions sur lesquelles l'opinion publique ne peut les guider. Souvent, il leur faut prendre des décisions auxquelles la majorité de l'électorat risque de s'opposer, chaque électeur en redoutant l'effet sur ses affaires privées, même s'il les croit souhaitables dans l'intérêt général. Ainsi, à la fin du siècle, les responsables politiques de certains pays démocratiques en sont arrivés à la conclusion que toute proposition visant à augmenter les impôts, à quelque fin que ce soit, est synonyme de suicide électoral. Les élections deviennent ainsi des concours de parjure fiscal. En même temps, les électeurs et les parlements sont constamment appelés à se prononcer sur des questions au sujet desquelles les profanes – l'immense majorité des électeurs et des élus – ne sont pas qualifiés pour exprimer une opinion : l'avenir de l'industrie nucléaire, par exemple.

Il y a eu des temps, même dans les États démocratiques, où le corps civique s'identifiait si bien aux fins d'un gouvernement jouissant de la légitimité et de la confiance publiques qu'un sens de l'intérêt commun prévalait, comme en Grande-Bretagne au cours de la Seconde Guerre mondiale. Il y a eu d'autres situations qui rendaient possible un consensus fondamental entre les adversaires politiques, laissant une fois encore les gouvernements libres de poursuivre leurs objectifs généraux, sur lesquels n'existait pas de désaccord majeur. Comme nous l'avons vu, ce fut le cas dans un certain nombre de pays occidentaux au cours de l'Âge d'or. Assez souvent, les gouvernements ont aussi pu s'appuyer sur le consensus de leurs conseillers techniques et scientifiques, indispensables à l'administrateur profane. Quand ils parlaient d'une même voix ou, en tout cas, que leur consensus l'emportait sur les voix dissidentes, la controverse politique se réduisait. Dans le cas contraire, les décideurs tâtonnaient dans les ténèbres, comme les jurés face aux psychologues cités par l'accusation et la défense, sans qu'ils eussent de bonne raison de croire l'un plutôt que l'autre.

Mais les Décennies de crise ont miné le consensus politique ainsi que les vérités généralement reçues, plus particulièrement dans les domaines touchant la politique. Quant aux peuples que ne travaille aucune division et qui s'identifient fermement à leur gouvernement (à moins que ce ne soit l'inverse), ils sont bien rares dans les années 1990. Certes, il reste encore de nombreux pays où les citoyens acceptent l'idée d'un État fort, actif et socialement responsable, et méritant quelque liberté d'action, parce qu'il sert le bien-être général. Malheureusement, les gouvernements de cette fin de siècle approchent rarement de cet idéal. Quant aux pays où le gouvernement en tant que tel est suspect, il y a ceux qui ont pris modèle sur l'anarchisme individualiste des États-Unis, tempéré par les procédures judiciaires et la politique de l'assiette au beurre, et ceux, bien plus nombreux, où l'État est si faible ou si corrompu que les citoyens n'en attendent aucun bien public. Ils sont monnaie courante dans certaines parties du tiers-monde, sans être inconnus du premier : l'Italie des années 1980 en est la preuve.

Ainsi les décideurs les plus tranquilles sont ceux qui échappent à toute vie politique démocratique : les sociétés privées, les autorités supranationales et, bien entendu, les régimes non démocratiques. Au sein des systèmes démocratiques, il n'est pas si facile de prendre des décisions en court-circuitant les responsables politiques, bien que les banques centrales aient été soustraites à leur autorité dans certains pays et qu'une vulgate voudrait que cet exemple fût suivi partout ailleurs. De plus en plus, cependant, les gouvernements contournent à la fois l'électorat et ses assemblées représentatives, ou tout au moins prennent leurs décisions avant de mettre ces derniers au défi de revenir sur un fait accompli, comptant alors sur l'instabilité, les divisions ou l'inertie de l'opinion publique. De plus en plus, la politique est devenue un exercice de dérobade, les hommes politiques craignant de dire aux électeurs ce qu'ils n'ont pas envie d'entendre. Après la fin de la guerre froide, il n'est plus si facile de cacher des actions inavouables derrière le rideau de fer de la « sécurité nationale ». Cette stratégie de fuite va très certainement continuer à gagner du terrain. Même dans les pays démocratiques, des instances de décisions toujours plus nombreuses pourraient être soustraites au contrôle électoral, si ce n'est au sens le plus indirect où les gouvernements qui nomment ces corps ont eux-mêmes été élus. Les gouvernements centralisateurs, comme ceux de la Grande-Bretagne des années 1980 et du début des années 1990, ont été particulièrement enclins à multiplier des autorités *ad hoc* de ce genre qui n'avaient aucun compte à rendre aux électeurs : les « *quangos* »[9]. Même les pays sans division effective des pouvoirs ont trouvé commode cette réduction tacite de la démocratie. Dans des pays comme les États-Unis, c'était indispensable, puisque le conflit intégré entre l'exécutif et le corps législatif interdisait pratiquement de prendre des décisions dans des conditions normales, sauf en coulisses.

En cette fin de siècle, bon nombre de citoyens se détournent de la vie politique, laissant les affaires de l'État à la « classe politique » – il semble que l'expression soit née en Italie –, c'est-à-dire à un petit groupe d'hommes qui lisent les discours et les éditoriaux de leurs pareils, un groupe d'intérêt bien particulier réunissant des politiciens, des journalistes, des lobbyistes et d'autres, dont les activités se classent tout en bas de l'échelle de confiance dans les enquêtes sociologiques. Pour bien des gens, le système politique est sans intérêt ou est simplement quelque chose qui affecte favorablement ou non leur existence personnelle. Par ailleurs, la richesse, la privatisation de la vie et du divertissement, et l'égoïsme du consommateur la rendent moins importante et moins attrayante. Quant à ceux qui estiment n'avoir pas grand-chose à tirer des élections, ils leur tournent le dos. Entre 1960 et 1988, la proportion de cols bleus qui ont participé à l'élection présidentielle aux États-Unis a baissé d'un tiers (Leighly, Naylor, 1992, p. 731). Le déclin des partis de masse organisés, fondés sur l'appartenance de classe, sur l'idéologie ou sur les deux à la fois, a grippé le principal moteur social qui transformait les hommes et les femmes en citoyens politiquement actifs. Pour la plupart des gens, même l'identification collective avec leur pays passe désormais plus facilement par les équipes de sport nationales et les symboles non politiques, que par l'État.

On aurait pu penser que la dépolitisation laisserait les autorités plus libres de prendre leurs décisions. En fait, elle a eu l'effet opposé. Les minorités qui menaient campagne, parfois sur des questions spécifiques d'intérêt public, plus souvent pour défendre quelque intérêt catégoriel, peuvent s'immiscer dans les processus lisses du gouvernement tout aussi efficacement, sinon plus, que les partis politiques « généralistes » puisque, à la différence de ceux-ci, chaque groupe de pression peut concentrer son énergie sur la poursuite d'un seul objectif. De surcroît, la tendance de plus en plus systématique des gouvernements à contourner le processus électoral n'a fait qu'amplifier la fonction politique des mass media, qui pénètrent désormais dans chaque foyer, offrant les moyens de communication de loin les plus puissants de la sphère publique à l'adresse de la sphère privée : hommes, femmes et enfants. Leur capacité de découvrir et de divulguer ce que l'autorité souhaite passer sous silence, et de donner une expression publique à des sentiments qui ne sont pas ou ne peuvent plus être exprimés par les mécanismes formels de la démocratie a fait d'eux des acteurs de poids sur la scène publique. Les hommes politiques s'en servent en même temps qu'ils en ont peur. Le progrès technique les a rendus de plus en plus difficiles à contrôler, même dans des pays fortement autoritaires. Avec le déclin de la puissance étatique, ils sont devenus de plus en plus difficiles à monopoliser dans les pays non autoritaires. Le siècle touchant à sa fin, il est devenu évident que les médias sont une composante plus importante du processus politique que les partis et les systèmes électoraux et qu'ils ont toute chance de le rester, à moins d'un virage antidémocratique. Cependant, s'ils constituent un formidable contrepoids au goût du secret des pouvoirs publics, ils ne sont en aucune façon un moyen de gouvernement démocratique.

Ni les médias, ni les assemblées élues au suffrage universel, ni « le peuple » lui-même ne peuvent, en fait, gouverner en quelque sens réaliste de ce terme. Par ailleurs, le gouvernement, ou toute forme analogue de décision publique, ne peut plus gouverner contre le peuple, ou même sans lui, pas plus que « le peuple » ne peut vivre sans ou contre le gouvernement. Pour le meilleur ou pour le pire, le commun du peuple est entré dans l'histoire comme acteur collectif à part entière et de plein droit. La théocratie exceptée, chaque régime tire désormais son autorité de lui, même ceux qui terrorisent et tuent massivement leurs citoyens. Le concept même de ce qu'il était jadis « à la mode » d'appeler le « totalitarisme » implique le populisme, car si ce que pense « le peuple » de ceux qui gouvernent en son nom n'a aucune importance, pourquoi se soucier de lui inculquer les pensées que les gouvernants jugent appropriées ? Les gouvernements dont l'autorité procède de l'obéissance aveugle à quelque divinité, à la tradition, ou de la déférence des inférieurs envers leurs supérieurs dans une société hiérarchique, sont en recul. Même le « fondamentalisme » islamique, la forme de théocratie la plus florissante, progresse non point par la volonté d'Allah, mais par la mobilisation massive du petit peuple contre des gouvernements impopulaires. Que « le peuple » ait le droit d'élire son gouvernement ou non, ses interventions dans les affaires publiques, actives ou passives, sont décisives.

En vérité, ne serait-ce que parce qu'il n'a pas manqué de régimes implacables ou cherchant à imposer de force aux majorités le pouvoir d'une minorité – comme l'apartheid en Afrique du Sud –, le XXᵉ siècle a mis en évidence les limites du pouvoir coercitif pur. Même les régimes les plus implacables et les plus brutaux savaient parfaitement que le seul pouvoir absolu ne pouvait supplanter les atouts et les techniques politiques de l'autorité : le sentiment public de la légitimité du régime, un certain degré de soutien populaire actif, l'aptitude à diviser pour régner et – surtout en temps de crise – l'obéissance volontaire des citoyens. Lorsque, comme en 1989, les régimes d'Europe de l'Est se sont visiblement aliéné cette obéissance, il leur a fallu abdiquer, quand bien même ils avaient encore le soutien sans réserve de leurs fonctionnaires, de leurs armées et de leurs services de sécurité. Bref, contrairement aux apparences, le XXᵉ siècle a prouvé qu'on peut gouverner contre le peuple un certain temps, contre une partie du peuple tout le temps, mais pas tout le temps contre le peuple tout entier. Ce n'est pas une consolation, il est vrai, pour les minorités opprimées en permanence ni pour les peuples qui ont souffert durant une génération ou plus d'une oppression quasi universelle.

Reste que tout ceci n'a pas répondu à la question : que devrait être la relation entre les décideurs et les populations ? Ce que l'on vient de passer en revue ne fait que souligner la difficulté de la réponse. Dans leurs politiques, les autorités ont dû prendre en compte ce que le peuple, ou tout au moins une majorité de citoyens, voulait ou ne voulait pas, même s'il n'était pas dans leur intention de refléter les vœux populaires. En même temps, ils ne pouvaient gouverner en se bornant à leur poser des questions. De surcroît, les décisions impopulaires sont plus difficiles à imposer aux masses qu'à des groupes de pouvoir. Il est infiniment plus facile d'imposer des normes impératives en matière de gaz d'échappement à une poignée de géants de l'automobile que de persuader des millions d'automobilistes de réduire de moitié leur consommation d'essence. Tous les gouvernements d'Europe ont découvert qu'à laisser l'avenir de la Communauté européenne à des votes populaires ils obtenaient des résultats défavorables, ou au mieux imprévisibles. Tout observateur sérieux sait que nombre des décisions politiques qu'il faudrait prendre au début du XXIᵉ siècle seraient impopulaires. Peut-être une autre ère de détente, de prospérité et d'amélioration générales, comme l'Âge d'or, rendrait les citoyens plus conciliants, mais il ne faut compter ni sur un retour aux années 1960 ni sur une atténuation des insécurités sociales et culturelles des Décennies de crise.

Si le suffrage universel demeure la règle générale – comme c'est probable –, deux grandes options paraissent possibles. Lorsque la décision reste du ressort de la politique, elle pourrait, de plus en plus, court-circuiter le processus électoral, ou plutôt la surveillance constante du gouvernement qui en est un élément indissociable. Quant aux autorités qui devraient se faire élire, elles pourraient, de plus en plus, se dissimuler, comme le poulpe, derrière un nuage d'encre noire pour donner le change au corps électoral. L'autre option consisterait à recréer le genre de consensus qui laisse aux autorités une grande liberté d'action, tout au moins tant que le gros des citoyens n'a pas trop de motifs de mécontentement. Depuis Napoléon III, il existe un vénérable modèle politique : l'élection démocratique d'un sauveur du peuple ou d'un régime qui sauverait la nation – il s'agit de la « démocratie plébiscitaire ». Un tel régime pourrait ou non s'imposer par des moyens constitutionnels, mais, s'il était ratifié par une élection relativement honnête avec un choix entre divers candidats et quelque place faite à l'opposition, il satisferait aux critères fin-de-siècle de la légitimité démocratique. Mais cette perspective n'est guère encourageante pour l'avenir de la démocratie parlementaire de type libéral.

VII

Tout ce que j'écris n'explique pas si, ni comment, l'humanité pourrait résoudre les problèmes auxquels elle est confrontée en cette fin de millénaire. Peut-être, ces éléments peuvent-ils nous aider à comprendre ce que sont ces problèmes et quelles devraient être les conditions de leur solution, mais ils ne nous expliquent pas pour autant dans quelle mesure ces conditions sont réunies ou sur le point de l'être. Ils nous montrent combien notre savoir est maigre, et combien est limitée la capacité de compréhension des hommes et des femmes qui ont pris les grandes décisions publiques du siècle ; ils nous indiquent, enfin, à quel point ces derniers ont peu envisagé, et encore moins prévu, ce qui allait se passer, surtout dans la seconde moitié de ce siècle. Ce livre peut donc confirmer ce que beaucoup soupçonnent depuis toujours, à savoir que l'histoire – parmi bien d'autres choses, et des plus importantes – reste la chronique des crimes et des folies de l'humanité. Et, qu'elle n'est d'aucune aide en matière de prophéties.

Il serait donc déraisonnable de terminer ce livre en essayant de prédire à quoi ressemblera un paysage, déjà rendu méconnaissable par les secousses tectoniques du Court Vingtième Siècle et que les bouleversements actuels rendront plus méconnaissable encore. Il y a moins de raisons d'envisager l'avenir avec optimisme que dans les années 1980, lorsque l'auteur de ces pages concluait en ces termes sa trilogie sur l'histoire du « long XIXᵉ siècle » (1789-1914) :

> « *L'avenir reste ouvert* [...]. *Si le monde d'aujourd'hui parvient à ne pas s'autodétruire* [i.e., par une guerre nucléaire], *celui du XXIᵉ aura de fortes chances d'être meilleur.* »

(L'Ère des empires, trad. fr., p. 436.)

Néanmoins, même un historien à qui son âge interdit d'attendre des changements spectaculaires meilleurs dans le temps qu'il lui reste à vivre ne saurait raisonnablement nier que, en l'espace d'un tiers ou d'un demi-siècle, les choses peuvent prendre un tour plus prometteur. En tout état de cause, il est fort probable que l'actuelle phase d'effondrement consécutif à la guerre froide sera temporaire, même si elle semble d'ores et déjà durer plus longtemps que les phases d'effondrement et d'éclatement qui ont suivi les deux guerres mondiales « chaudes ». Cependant, ni les espoirs ni les peurs ne sont des prédictions. Nous savons que derrière le nuage opaque de notre ignorance et l'incertitude des issues exactes, les forces historiques qui ont façonné le siècle continuent d'opérer. Nous vivons dans un monde capturé, déraciné, transformé par le titanesque processus économique et technico-scientifique du développement capitaliste qui a dominé les deux ou trois derniers siècles. Nous savons, ou tout au moins nous pouvons raisonnablement supposer, qu'il ne saurait durer *ad infinitum*. L'avenir ne saurait être la continuation du passé, et il ne manque pas de signes, tant externes que, pour ainsi dire, internes, pour nous indiquer que nous avons atteint un point de crise historique. Les forces engendrées par l'économie technico-scientifique sont désormais assez grandes pour détruire l'environnement, c'est-à-dire les fondements matériels de la vie humaine. Les structures des sociétés humaines elles-mêmes, y compris même une partie des fondements sociaux de l'économie capitaliste, sont sur le point d'être détruites par l'érosion de ce que nous avions reçu en héritage. Notre monde court un double risque d'implosion et d'explosion. Il doit changer.

Nous ne savons pas où nous allons. Nous savons seulement que l'histoire nous a conduits à ce point et – si les lecteurs partagent le raisonnement de ce livre – pour quelles raisons. Cependant, une chose est claire. Si l'humanité doit avoir un semblant d'avenir, ce ne saurait être en prolongeant le passé ou le présent. Si nous essayons de construire le troisième millénaire sur cette base, nous échouerons. Et la rançon de l'échec, c'est-à-dire du refus de changer la société, ce sont les ténèbres.

NOTES DE LA TROISIÈME PARTIE

CHAPITRE 14. LES DÉCENNIES DE CRISE

[1] Entre 1960 et 1975, la population des 15-24 ans augmenta de quelque vingt-neuf millions dans les « économies de marché développées », mais de six millions seulement entre 1970 et 1990. Par parenthèses, le taux de chômage des jeunes était exceptionnellement élevé dans l'Europe des années 1980, sauf dans les social-démocraties suédoise et ouest-allemande. Entre 1982 et 1988, il s'élevait à plus de 20 % en Grande-Bretagne, à plus de 40 % en Espagne ou à 46 % en Norvège (*UN World Survey*, 1989, p. 15-16).

[2] Les véritables champions, c'est-à-dire ceux dont le coefficient de Gini dépasse 0,6 %, étaient en fait des pays plus petits, également aux Amériques. Indicateur commode de l'inégalité, ce coefficient mesure l'inégalité sur une échelle qui va de 0,0 – répartition égale du revenu – à 1,0 – inégalité maximale. Dans les années 1967-1982, ce coefficient était de 0,62 pour le Honduras et de 0,66 pour la Jamaïque (*Human Development*, 1990, p. 158-159).

[3] On manque de données comparables pour quelques-uns des pays les plus inégalitaires. Dans cette liste, on trouverait certainement plusieurs autres États africains et latino-américains ainsi que la Turquie et le Népal, en Asie.

[4] En 1972, quatorze de ces États consacraient en moyenne 48 % de leur budget au logement, à la sécurité sociale, à la protection sociale et à la santé. En 1991, cette moyenne se situait à 51 %. Les États en question sont les suivants : Australie et Nouvelle-Zélande, États-Unis et Canada, Allemagne fédérale, Autriche, Belgique, Danemark, Finlande, Grande-Bretagne, Italie, Pays-Bas, Norvège et Suède (calculs effectués d'après *World Development*, 1992, tableau 11).

[5] Jusque-là, le prix avait été décerné à des hommes clairement étrangers au « laisser-faire ».

[6] On devait en avoir la confirmation au début des années 1990, lorsque les services de transfusion sanguine de certains pays, mais pas en Grande-Bretagne, s'aperçurent que certains patients avaient été contaminés par le virus du SIDA à la suite de transfusions à base de sang acquis sur le marché.

[7] Dans les années 1980, les 20 % de Japonais les plus riches gagnaient 4,3 fois plus que les 20 % les plus pauvres – proportion inférieure à celle de tous les autres pays capitalistes, y compris la Suède. La moyenne était de 6 pour les huit pays les plus industrialisés de la Communauté européenne, contre 8,9 aux États-Unis (Kidron/Segal, 1991, p. 36-37). Pour dire les choses autrement : en 1990, les États-Unis comptaient 93 milliardaires en dollars, la Communauté européenne 59, sans compter les trente-trois domiciliés en Suisse et au Liechtenstein. Le Japon en avait 9 *(ibid.)*.

[8] Aux États-Unis, les immigrés noirs des Caraïbes et de l'Amérique hispanique devaient se conduire, au fond, comme les autres communautés immigrées, sans pour autant se laisser exclure aussi largement du marché du travail.

⁹ « C'est surtout vrai [...] pour une partie des millions de personnes qui ont commencé une nouvelle vie et déménagé. Elles partent et, si elles perdent leur travail, n'ont plus personne vers qui se tourner. »

¹⁰ Je me souviens du cri d'angoisse d'un Bulgare en 1993, lors d'un colloque international : « Que voulez-vous de nous ? Nous avons perdu nos marchés dans les anciens pays socialistes. La Communauté européenne ne veut pas de nos exportations. En tant que membres loyaux des Nations unies, nous ne pouvons même pas vendre à la Serbie aujourd'hui, à cause du blocus bosniaque. Où allons-nous ? »

¹¹ À New York, l'un des deux grands centres musicaux du monde, le public des concerts de musique classique, au début des années 1990, se résumait à vingt ou trente mille personnes sur une population de dix millions.

¹² De manière un peu surprenante, l'autre grand pays à attirer les investissements était l'Égypte.

¹³ Les « pays les moins avancés » (PMA) est une catégorie des Nations unies. La plupart se distinguent par un PIB par tête inférieur à 300 $. Le « PIB réel par tête » exprime ce chiffre en termes de pouvoir d'achat local, plutôt qu'uniquement en fonction des taux de change officiels, suivant une grille de « parités internationales de pouvoir d'achat ».

¹⁴ En quoi ils différaient des États-Unis, dont les États, depuis la fin de la guerre de Sécession en 1864, avaient perdu ce droit – sauf, peut-être, le Texas.

¹⁵ En 1990, le PNB du membre le plus pauvre de la Communauté européenne équivalait au tiers de la moyenne communautaire.

¹⁶ Tout au plus les communautés locales d'immigrés pouvaient-elles cultiver ce qu'on a appelé un « nationalisme à longue distance » au nom de leurs pays d'origine ou d'accueil, se situant généralement aux extrêmes de la politique nationaliste de ces pays. Les Irlandais et les Juifs d'Amérique ont fait œuvre de pionniers en ce domaine, mais les diasporas mondiales créées par les migrations ont multiplié les organisations de ce genre : ainsi en est-il des immigrés sikhs originaires de l'Inde. Le nationalisme à longue distance devait s'imposer avec l'effondrement du système socialiste.

¹⁷ J'ai surpris des conversations de ce genre dans un grand magasin de New York. Leurs parents ou grands-parents immigrés ne parlaient très certainement pas italien, mais napolitain, sicilien ou calabrais.

CHAPITRE 15. LE TIERS-MONDE ET LA RÉVOLUTION

¹ On doit à un brillant journaliste polonais en reportage dans la province (théoriquement) lumumbiste le tableau le plus vivant de la tragique anarchie congolaise (Kapuscinski, 1990).

² La grande exception est celle des mouvements de guérilla des ghettos, comme l'IRA Provisoire en Ulster, les éphémères « Panthères Noires » aux États-Unis, et les guérilleros palestiniens, enfants de la diaspora des camps de réfugiés, qui se recrutent sans doute largement, sinon en totalité, parmi les

enfants des rues, non dans les séminaires, surtout quand lesdits ghettos ne comptent pas de bourgeoisie significative.

[3] On estime à dix mille environ le nombre de personnes « disparues » ou assassinées au cours de la « guerre sale » des années 1976-1982 en Argentine (*Las Cifras*, 1988, p. 33).

[4] Il semble que la Bulgarie ait bel et bien demandé son intégration à l'URSS sous la forme d'une République soviétique, mais que sa candidature ait été rejetée pour des raisons diplomatiques.

[5] L'auteur de ces pages se souvient d'avoir entendu Fidel Castro lui-même s'étonner de cette évolution dans l'un de ses grands monologues publics de la Havane, et inviter ses auditeurs à réserver un bon accueil à ces nouveaux alliés surprenants.

[6] D'autres mouvements apparemment religieux et pratiquant la violence gagnèrent du terrain à cette époque, mais il leur manquait ce caractère universaliste. En fait, ils l'excluaient délibérément. Il vaut donc mieux y voir des formes de mobilisation ethnique : ainsi en est-il du bouddhisme militant des Cinghalais au Sri Lanka, et des extrémistes hindouistes et sikhs en Inde.

[7] Quatre mois avant l'effondrement de la République démocratique allemande, le parti au pouvoir avait obtenu 98,85 % des voix aux élections locales.

[8] Si l'on excepte les mini-États de moins d'un demi-million d'habitants, les seuls États qui aient gardé un caractère systématiquement « constitutionnel » sont les États-Unis, l'Australie, le Canada, la Nouvelle-Zélande, l'Irlande, la Suède, la Suisse et la Grande-Bretagne (y compris l'Irlande du Nord). Sont naturellement exclus de cette liste les États occupés pendant ou après la Seconde Guerre mondiale. À la limite, on pourrait aussi ranger parmi les régimes « non révolutionnaires » quelques anciennes colonies ou « trous perdus » qui n'ont jamais connu ni coups d'État militaires ni contestation intérieure armée : par exemple, le Guyana, le Bhoutan et les Émirats Arabes Unis.

CHAPITRE 16. LA FIN DU SOCIALISME

[1] Le bilan intellectuel et scientifique de la Russie entre 1830 environ et 1930 fut bel et bien extraordinaire ; on lui doit entre autres quelques innovations techniques frappantes, dont son arriération permit rarement de faire une exploitation économique. Reste que l'éclat et la renommée mondiale de quelques Russes ne font que rendre d'autant plus évidente l'infériorité générale de l'URSS vis-à-vis de l'Occident.

[2] Voir l'article « Hai Rui semonce l'empereur », paru dans le *Quotidien du Peuple* en 1959. Son auteur, Wu Han, devait composer en 1960 un livret d'opéra (opéra classique de Pékin), *La Destitution de Hai Rui*. Quelques années plus tard, il servit de prétexte au déclenchement de la « Révolution culturelle » (Leys, 1975, p. 44 *sq.*, 49).

[3] D'après les statistiques chinoises officielles, le pays comptait 672,07 millions d'habitants en 1959. Au rythme de croissance naturel des sept années pré-

cédentes, qui était d'au moins 20 pour 1 000 par an (en fait, une moyenne de 21,7), la population chinoise aurait dû être de 699 millions en 1961. Or elle était de 658,59, soit *quarante millions* de moins que prévu (*China Statistics*, 1989, tableaux T 3.1 et T 3.2).

[4] En 1970, les « Institutions de formation supérieure » de toute la Chine accueillaient 48 000 étudiants ; les écoles techniques 23 000 (1969) ; et les Collèges de formation des maîtres 15 000 (1969). En 1970, 4 260 jeunes gens, au total, commençaient des études supérieures de sciences naturelles, 90 des études de sciences sociales. Ceci dans un pays de 830 millions d'habitants, à l'époque (*China Statistics*, tableaux T 17.4, T 17.8, T 17.10).

[5] « Aux yeux des responsables de la politique économique, à cette époque, il semblait que le marché soviétique était inépuisable et que l'Union soviétique pouvait assurer la quantité d'énergie et de matières premières nécessaire à une croissance économique soutenue et durable » (D. Rosati et K. Mizsei, 1989, p. 10).

[6] Les parties les moins développées de la péninsule balkanique – Albanie, Yougoslavie du Sud, Bulgarie – constituent peut-être l'exception, puisque les communistes y remportèrent encore après 1989 les premières élections pluripartites. Même ici, cependant, la faiblesse du système devint bientôt flagrante.

[7] Avant même son élection officielle, il s'était publiquement identifié à la position extrêmement « large » et quasiment social-démocrate du Parti communiste italien (Montagni, 1989, p. 85).

[8] Les textes essentiels sont, en l'occurrence, ceux du hongrois Janos Kornaï, notamment son *Socialisme et économie de la pénurie* (1984).

[9] C'est là un signe intéressant de l'interpénétration des réformateurs officiels et de la dissidence dans les années Brejnev : c'est précisément la *glasnost* qu'Alexandre Soljénitsyne avait réclamée en 1967, dans sa lettre ouverte au Congrès de l'Union des Écrivains soviétiques, avant son expulsion de l'URSS

[10] C'est ce qu'un bureaucrate communiste chinois expliqua en 1984 à l'auteur en plein milieu d'une « restructuration » similaire : « Nous sommes en train de réintroduire dans notre système des éléments de capitalisme, mais comment savoir où tout cela va nous conduire ? Sauf peut-être quelques vieillards de Shanghai, personne en Chine, depuis 1949, n'a eu la moindre expérience de ce qu'est le capitalisme. »

[11] Outre la RSFSR (Fédération russe), de loin la plus importante par son territoire comme par sa démographie, il y avait l'Arménie, l'Azerbaïdjan, la Biélorussie, l'Estonie, la Géorgie, le Kazakhstan, le Kirghizistan, la Lettonie, la Lituanie, la Moldavie, le Tadjikistan, le Turkménistan, l'Ukraine et l'Ouzbékistan.

[12] Même un adversaire du communisme aussi fervent qu'Alexandre Soljénitsyne avait commencé sa carrière d'écrivain à travers le système, qui permit ou encouragea la publication de ses premiers romans à des fins réformistes.

[13] À l'évidence, tel n'était pas le cas dans des États communistes du tiersmonde comme le Viêt-nam, où les luttes de libération s'étaient poursuivies jusqu'au milieu des années 1970. Mais, en ce cas, le souvenir des divisions civiles

des guerres de libération était probablement également plus vif dans l'esprit des gens.

[14] L'auteur se rappelle l'une de ces discussions lors d'une conférence qui se tint à Washington en 1991, et où l'ambassadeur d'Espagne aux États-Unis ramena les choses à leurs justes proportions. Il se souvenait que les jeunes étudiants et ex-étudiants (à l'époque essentiellement communistes libéraux) avaient éprouvé en gros les mêmes sentiments après la mort du général Franco en 1975. La « société civile », pensait-il, signifiait simplement que les jeunes idéologues qui, pour l'heure, parlaient effectivement au nom du peuple tout entier, étaient tentés de considérer cette situation comme permanente.

[15] Alexandre II affranchit les serfs et lança un certain nombre d'autres réformes, mais se fit assassiner par des membres du mouvement révolutionnaire, qui, pour la première fois, devinrent sous son règne une véritable force.

[16] Bien qu'il ait provoqué l'effondrement de l'Union en réclamant à l'Azerbaïdjan la région du Karabakh, le nationalisme arménien n'était pas extravagant au point de *désirer* la disparition de l'URSS, sans l'existence de laquelle il n'y aurait pas eu d'Arménie.

[17] Toutes, sauf les trois États baltes, la Moldavie et la Géorgie, mais aussi, pour d'obscures raisons, le Kirghizistan.

[18] Le premier jour du « coup d'État », le bulletin d'information officiel du gouvernement finnois signala brièvement, sans commentaire, l'arrestation du président Gorbatchev, au milieu de la page 3 d'un bulletin de quatre pages. Il fallut attendre l'échec patent de l'opération pour voir apparaître les premières opinions.

[19] K. Marx, *Critique de l'économie politique*, in *Œuvres. Économie*, vol. I, éd. M. Rubel, Paris, Gallimard, 1965, p. 272-273.

CHAPITRE 17. L'AVANT-GARDE SE MEURT : LES ARTS APRÈS 1950

[1] La copie n'en demeurait pas moins un travail extrêmement laborieux, puisqu'il n'était d'autre solution que la machine à écrire manuelle et le papier carbone. Pour des raisons politiques, le monde communiste d'avant la *perestroïka* ignorait la photocopie.

[2] Ainsi, *Les Incorruptibles* (*The Untouchables*, 1987) de Brian de Palma, qui se donnait pour un film entraînant de flics et de truands sur Chicago au temps d'Al Capone (tout en pastichant en fait le genre original), contient une citation littérale du *Cuirassé Potemkine* d'Eisenstein, laquelle est incompréhensible à tous ceux qui n'auraient pas vu la scène célèbre de la voiture d'enfant dégringolant les escaliers d'Odessa.

[3] Prokofiev en écrivit sept, Chostakovitch quinze, et même Stravinsky en écrivit trois : mais tous trois étaient de la première partie du siècle, ou avaient été formés à cette époque.

[4] Le brillant sociologue Pierre Bourdieu a analysé l'usage de la culture comme marqueur de classe dans *La Distinction*, 1979.

[5] Du nom d'un ébéniste anglais du XVIIIe siècle, désigne un style de construction caractérisé par des lignes élégantes, souvent par une ornementation rococo. (*N.d.T.*)

Chapitre 18. Sorciers et apprentis : les sciences naturelles

[1] Les effectifs étaient encore plus importants en URSS (près de 1,5 million), mais ils n'étaient sans doute pas entièrement comparables (UNESCO, 1991, tableaux 5.2, 5.4, 5.16).

[2] Trois prix Nobel, tous décernés après 1947.

[3] On peut signaler le léger exode temporaire que connurent les États-Unis sous le maccarthysme, et les exodes politiques occasionnels, mais plus massifs, de la région soviétique (Hongrie, 1956 ; Pologne et Tchécoslovaquie, 1968 ; Chine et URSS à la fin des années 1980) et l'hémorragie régulière de la République démocratique allemande vers la République fédérale d'Allemagne.

[4] Turing devait se suicider en 1954, après avoir été convaincu d'homosexualité, chose alors officiellement considérée comme un crime et une pathologie passible d'un traitement médical ou psychologique. Il ne put supporter la « cure » obligatoire qu'on prétendait lui imposer. Il fut, cependant, moins une victime de la criminalisation de l'homosexualité (masculine) en Grande-Bretagne, que de son incapacité à la reconnaître. Ses penchants homosexuels n'avaient pas soulevé le moindre problème dans le pensionnat du King's College de Cambridge, ni dans la série notoire de bizarreries et d'excentricités de l'équipe chargée pendant la guerre de déchiffrer les codes ennemis à Bletchley, où il avait passé sa vie avant de s'installer à Manchester après la guerre. Seul un homme qui n'avait pas tout à fait conscience du monde dans lequel vivaient la plupart de ses congénères serait allé se plaindre à la police qu'un petit ami (temporaire) avait cambriolé son appartement, donnant ainsi l'occasion à la police de pincer les deux délinquants en même temps.

[5] Au fond, il est désormais prouvé que, si l'Allemagne nazie n'a pas réussi à fabriquer une bombe nucléaire, ce n'est pas parce que les scientifiques allemands ne savaient comment faire ou qu'ils n'avaient pas essayé (avec peu ou prou de réticence), mais tout simplement parce que la machine de guerre allemande n'a pas voulu ou n'a pas pu y consacrer les ressources nécessaires. Ils délaissèrent cet effort pour concentrer leurs moyens à la fabrication de fusées, qui paraissait plus rentable en termes de coût/efficacité et qui promettait des rendements plus rapides.

[6] En ce domaine, l'écart entre théorie et pratique est considérable, parce que les mêmes qui sont prêts à courir en pratique des risques très significatifs (par exemple en roulant sur une autoroute ou en prenant le métro à New York) peuvent refuser l'aspirine sous prétexte que, dans des cas assez rares, elle a des effets secondaires indésirables.

[7] Le livre cité reprend une table ronde lors de laquelle les participants évaluèrent les risques et les avantages de vingt-cinq techniques : réfrigérateurs,

machines à photocopier, contraceptifs, ponts suspendus, énergie nucléaire, radios aux rayons X, armes nucléaires, ordinateurs, vaccination, fluoruration de l'eau, capteurs solaires, lasers, tranquillisants, Polaroïds, énergies fossiles, véhicules à moteur, effets spéciaux cinématographiques, pesticides, opiacés, agents de conservation des aliments, opérations à cœur ouvert, aviation commerciale, génie génétique et moulins à vent (voir également Wildavsky, 1990, p. 41-60).

[8] Ainsi, dans l'Allemagne nazie, Werner Heisenberg fut autorisé à enseigner la relativité, mais à condition de ne pas mentionner le nom d'Einstein (Peierls, 1992, p. 44).

[9] « On peut dormir en paix avec la conviction que le Créateur a introduit dans son ouvrage des éléments à toute épreuve et que l'homme n'est pas en mesure de lui infliger des dégâts titanesques », écrivait Robert Millikan de Caltech (prix Nobel, 1923) dans les années 1930.

[10] Depuis la Première Guerre mondiale, plus de vingt prix Nobel de physique et de chimie ont couronné, en tout ou en partie, des méthodes de recherches, des techniques et des appareils nouveaux.

[11] Le développement de la « théorie du chaos » dans les années 1970 et 1980 n'est pas sans points communs avec l'apparition, au début du XIXe siècle, d'une école scientifique « romantique », dont l'Allemagne était le centre principal *(Naturphilosophie)*, en réaction à la science « classique » dominante, essentiellement représentée par la France et la Grande-Bretagne. On observera avec intérêt que deux pionniers éminents des nouvelles recherches (Feigenbaum, Libchaber – voir Gleick, p. 163, 197 ; trad. fr., p. 211, 250-251) furent en fait inspirés par la théorie des couleurs, farouchement antinewtonienne, de Goethe, et par son traité *Sur la transformation des plantes*, que l'on peut considérer comme une théorie anti-darwinienne ou anti-évolutionniste avant l'heure (Sur la *Naturphilosophie*, voir *L'Ère des révolutions*, chapitre 15).

[12] La révolution de la physique des années 1924-1928 fut l'œuvre d'hommes nés entre 1900 et 1902 : Heisenberg, Pauli, Dirac, Fermi, Joliot. Schrödinger, de Broglie et Max Born avaient tous la trentaine.

[13] C'est le même qui devint par la suite l'éminent historien de la science chinoise.

[14] C'est en France, en 1936, que le mot apparaît pour la première fois (Guerlac, 1951, p. 93-94). [*N.d.T.* : après que Bergson l'eut employé dans ses conférences de 1911 reprises en 1924 dans *La Pensée et le mouvant*.]

[15] Je me souviens de l'embarras d'un ami biochimiste (d'abord pacifiste, puis communiste) qui avait accepté un poste de cette nature dans les services britanniques concernés.

[16] Tout dépend de ce qu'on entend par « trouvé », observe John Maddox. Si l'on a bel et bien identifié les effets particuliers des quarks, il semble qu'on ne les trouve jamais « seuls », mais toujours par deux ou par trois. Ce qui intrigue les physiciens, ce n'est pas que les quarks soient là, c'est qu'ils ne soient jamais seuls.

[17] À première vue, il y avait trois éléments de preuve : a) « l'ajustement » du littoral de continents éloignés – notamment de la côte ouest de l'Afrique et de la

côte est de l'Amérique du Sud ; b) la similitude des couches géologiques dans les cas de ce genre ; c) la distribution géographique de certaines espèces animales et végétales. Je me souviens de ma surprise devant le refus sans appel d'un collègue géophysicien dans les années 1950, peu avant la percée de la tectonique des plaques : de son point de vue, tout cela n'appelait même pas une explication.

[18] *World Resources,* 1986, tableau 11.1, p. 119.

[19] « L'écologie [...] est aussi la grande discipline intellectuelle, l'instrument qui nous permet d'espérer qu'il sera possible d'infléchir l'évolution humaine, de l'engager sur un nouveau cours, en sorte que l'homme cesse de maltraiter l'environnement dont dépend son avenir. »

[20] « Comment rendre compte par la physique et la chimie des événements spatiaux et temporels qui se produisent dans la limite spatiale d'un organisme vivant ? » (E. Schrödinger, 1944, p. 2.)

[21] Elle « concernait » aussi la variante essentiellement mathématico-mécanique de la science expérimentale. Sans doute est-ce pourquoi elle ne fut pas accueillie avec un enthousiasme sans réserve dans les sciences de la vie moins facilement quantifiables ou moins expérimentales comme la zoologie et la paléontologie (voir R. C. Lewontin, *The Genetic Basis for Evolutionary Change*).

[22] « À partir des éléments disponibles, mon impression d'ensemble est que l'*Homo Sapiens* est une espèce animale typique au regard de la qualité et de l'ampleur de la diversité génétique affectant le comportement. Si la comparaison est juste, l'unité psychique de l'espèce humaine a rétrogradé du rang de dogme à celui d'hypothèse testable. Ce n'est pas facile à dire dans le climat politique qui règne actuellement aux États-Unis ; dans certains milieux universitaires, on y a même vu une hérésie qui méritait d'être châtiée. Il convient pourtant de regarder l'idée en face si l'on veut que les sciences sociales soient tout à fait honnêtes. [...] Mieux vaudrait que les scientifiques se penchent sur la question de la diversité génétique des comportements plutôt que de maintenir une conspiration du silence au nom de bonnes intentions » (Wilson, 1977, *Biology and the Social Sciences*, p. 133).

En clair, ce passage plein de circonvolutions veut dire qu'il existe des races et que, pour des raisons génétiques, elles sont définitivement inégales par certains aspects spécifiables.

[23] Notamment s'agissant des expériences sur des êtres humains.

CHAPITRE 19. VERS LE NOUVEAU MILLÉNAIRE

[1] On pourrait même, à la limite, suggérer une corrélation inverse. L'Autriche n'était pas un symbole de réussite économique au temps (avant 1938) où elle possédait l'une des écoles de théoriciens les plus éminentes ; elle en devint un après la Seconde Guerre mondiale, alors qu'elle ne comptait plus guère d'économistes dont la réputation sortît de ses frontières. L'Allemagne, qui refusa

même de reconnaître dans ses universités la marque internationalement reconnue de la théorie économique, ne semble pas en avoir souffert. Combien d'économistes coréens ou japonais sont cités en moyenne dans les livraisons de l'*American Economic Review* ? À l'inverse, on pourrait mentionner la Scandinavie, pays social-démocrate, prospère et riche en théoriciens de l'économie parmi les plus respectés sur la scène internationale.

[2] Dans ces chiffres figurent les Pentecôtistes, les Églises du Christ, les Témoins de Jéhovah, les Adventistes du Septième Jour, les Assemblées de Dieu, les Églises de la Sainteté, les « Renés » et les « Charismatiques ».

[3] *Cf.* la prévision faite en 1949 par un Russe anticommuniste en exil, Ivan Ilyine (1882-1954), qui envisageait les conséquences d'une impossible « subdivision ethnique et territoriale rigoureuse » de la Russie postbolchevique. « Selon les estimations les plus modestes, nous aurions une vingtaine d'États séparés, dont aucun ne jouirait d'un territoire incontesté : ni gouvernement bénéficiant de quelque autorité, ni lois, ni tribunaux, ni armée, ni population ethniquement définie. Une vingtaine d'étiquettes sans contenu. Et lentement, au cours des décennies suivantes, de nouveaux États se formeraient, par séparation ou désintégration. Chacun d'eux mènerait une longue lutte avec ses voisins, dont l'enjeu serait le territoire et la population et qui se solderait par une série sans fin de guerres civiles en Russie » (cité *in* Chiesa, 1993, p. 34, 36-37).

[4] Les exemples habituellement cités d'industrialisation réussie fondée sur l'exportation – Hong-Kong, Singapour, Taiwan et la Corée du Sud – représentent moins de 2 % de la population du tiers-monde.

[5] On a trop peu remarqué qu'en 1990 les pays développés, sauf les États-Unis, envoyaient vers le tiers-monde une fraction *plus réduite* de leurs exportations. Les pays occidentaux (États-Unis compris) y expédiaient moins d'un cinquième de leurs exportations en 1990 (Bairoch, 1993, tableau 6.1, p. 75).

[6] Ce qui, en fait, se laisse souvent démontrer.

[7] Ainsi, un diplomate de Singapour prétendit que les pays en voie de développement pourraient profiter d'un « ajournement » de la démocratie, mais que, une fois celle-ci en place, elle serait moins permissive que la démocratie de type occidental, plus autoritaire, privilégiant le bien commun plutôt que les droits de l'individu, souvent avec un parti unique dominant, et presque toujours une bureaucratie centralisée et un « État fort ».

[8] Si le PNB suisse par tête a baissé dans les années 1930 tandis que celui des Suédois augmentait – alors même que la Crise des années 1930 a été beaucoup moins grave en Suisse –, la raison en serait largement due, selon Bairoch, « au vaste éventail de mesures socio-économiques adoptées par le gouvernement suédois et au refus d'intervenir des autorités fédérales suisses » (Bairoch, 1993, p. 9).

[9] « Quasi-organisations non gouvernementales » financées par l'État, et organisées hors de l'administration alors même que le gouvernement en désignait les membres. *(N.d.T.)*

Références bibliographiques

ABRAMS, 1945 : Mark Abrams, *The Condition of the British People, 1911-1945*, Londres, 1945.

ACHESON, 1970 : Dean Acheson, *Present at the Creation : My Years in the State Department*, New York, 1970.

AFANASSIEV, 1991 : Iuri Afanassiev, *in* M. Paquet, éd., *Le Court Vingtième Siècle,* préface d'Alexandre Adler, La Tour d'Aigues/Paris, Éditions de l'Aube, 1991.

AGOSTI, BORGESE, 1992 : Paola Agosti, Giovanna Borgese, *Mi pare un secolo : Ritratti e parole di centosei protagonisti del Novecento*, Turin, 1992.

ALBERS, GOLDSCHMIDT, OEHLKE, 1971 : *Klassenkämpfe in Westeuropa*, Hambourg, 1971.

ALEXEEV, 1990 : M. Alexeev, compte rendu *in Journal of Comparative Economics*, vol. 14, p. 171-173, 1990.

ALLEN, 1968 : D. Elliston Allen, *British Tastes : An Enquiry into the Likes and Dislikes of the Regional Consumer,* Londres, 1968.

Amnesty, 1975 : Amnesty International, *Rapport sur la torture*, Paris, Gallimard, 1975.

ANDRITCH, 1990 : Ivo Andritch, *Conversation with Goya : Bridges, Signs*, Londres, 1990 ; *Signes au bord du chemin*, trad. du serbe par H. Wybrands, Lausanne, L'Âge d'homme, 1997.

ANDREW, 1985 : Christopher Andrew, *Secret Service : The Making of the British Intelligence Community,* Londres, 1985.

ANDREW, GORDIEVSKY, 1991 : Christopher Andrew et Oleg Gordievsky, *KGB : The Inside Story of its Foreign Operations from Lenin to Gorbachev,* Londres, 1991 ; *Le KGB dans le monde*, Fayard, 1991.

Anuario, 1989 : *Comisión Económica para America Latina y el Caribe, Anuario Estadístico de America Latina y el Caribe : Edición 1989*, Santiago du Chili, 1989.

ARLACCHI, 1983 : Pino Arlacchi, *Mafia Business,* Londres, 1983.

ARMSTRONG, GLYN, HARRISON, 1991 : Philip Armstrong, Andrew Glyn, John Harrison, *Capitalism since 1945*, Oxford, éd. de 1991.

ARNDT, 1944 : H. W Arndt, *The Economic Lessons of the 1930s,* Londres, 1944.

ASBECK, 1939 : Baron F. M. van Asbeck, *The Netherlands Indies' Foreign Relations*, Amsterdam, 1939.

Atlas, 1992 : A. Fréron, R. Hérin, J. July, éd., *Atlas de la France universitaire*, Paris, 1992.

AUDEN : Wystan Hugh Auden, *Spain,* Londres, 1937.

BABEL, 1923 : Isaac Babel, *Konarmiya*, Moscou, 1923 ; *Red Cavalry,* Londres, 1929 ; *Cavalerie rouge*, trad. fr., Lausanne, L'Âge d'homme, 1972.

BAIROCH, 1985 : Paul Bairoch, *De Jéricho à Mexico : villes et économie dans l'histoire*, Paris, Gallimard, 1985.

BAIROCH, 1988 : Paul Bairoch, *Two Major Shifts in Western European Labour Force : the Decline of the Manufacturing Industries of the Working Class*, Genève, 1988, ronéo.

BAIROCH, 1993 : Paul Bairoch, *Economics and World History : Myths and Paradoxes*, Hemel Hempstead, 1993 ; *Mythes et paradoxes de l'histoire économique*, trad. A. Saint-Girons, postface de J.-Ch. Asselain, Paris, La Découverte, 1999.

BALL, 1992 : George W. Ball, « JFK's Big Moment », *New York Review of Books,* 13 février 1992, p. 16-20.

BALL, 1993 : George W. Ball, « The Rationalist in Power », *New York Review of Books,* 22 avril 1993, p. 30-36.

BALTIMORE, 1978 : David Baltimore, « Limiting Science : A Biologists Perspective », *Daedalus*, 107/2, printemps 1978, p. 37-46.

BANHAM, 1971 : Reyner Banham, *Los Angeles*, Harmondsworth, 1973.

BANHAM, 1975 : Reyner Banham, *in* C. W. E. Bigsby, éd., *Superculture : American Popular Culture and Europe,* p. 69-82, Londres, 1975.

BANKS, 1971 : A. S. Banks, *Cross-Polity Time Series Data*, Cambridge, MA, et Londres, 1971.

BARGHAVA, SINGH GILL, 1988 : Motilal Barghava et Americk Singh Gill, *Indian National Army Secret Service*, New Delhi, 1988.

BARNET, 1981 : Richard Barnet, *Real Security*, New York, 1981.

BECKER, 1980 : Jean-Jacques Becker, *Les Français dans la Grande Guerre*, Paris, Robert Laffont, 1980.

BÉDARIDA, 1992 : François Bédarida, *Le Génocide et le nazisme : Histoire et témoignages*, Paris, 1992 ; réédation, Paris, Pocket, 1997.

BEINART, 1984 : William Beinart, « Soil Erosion, Conservationism and Ideas about Development : A Southern African Exploration, 1900-1960 », *Journal of Southern African Studies*, 11, 1984, p. 52-83.

BELL, 1960 : Daniel Bell, *The End of Ideology*, Glencoe, 1960.

BELL, 1976 : Daniel Bell, *The Cultural Contradictions of Capitalism*, New York, 1976 ; *Les Contradictions culturelles du capitalisme,* Paris, PUF, 1979.

BENJAMIN, 1961 : Walter Benjamin, « Das Kunstwerk im Zeitalter seiner Reproduzierbarkeit », *in Illuminationen : Ausgewählte Schriften,* p. 148-184, Francfort, 1961 ; « L'œuvre d'art à l'époque de sa reproduction mécanisée », *in* W. Benjamin, *Écrits français*, présentés par J.-M. Monnoyer, Paris, Gallimard, 1991, p. 117-192.

BENJAMIN, 1971 : Walter Benjamin, *Zur Kritik der Gewalt und andere Aufsätze*, p. 84-85, Francfort, 1971.

BENJAMIN, 1979 : Walter Benjamin, *One-Way Street, and Other Writings*, Londres, 1979 ; *Sens unique*, trad. J. Lacoste, Paris, Lettres Nouvelles, 1978.

BENJAMIN, *Paysages urbains*, trad. *in Sens unique* ; voir Benjamin, 1979.

BERGSON, LEVINE, 1983 : A. Bergson et H. S. Levine, éd., *The Soviet Economy : Towards the Year 2000,* Londres, 1983.

BERMAN : Paul Berman, « The Face of Downtown », *Dissent*, automne 1987, p. 569-573.

BERNAL, 1939 : J. D. Bernal, *The Social Function of Science,* Londres, 1939.

BERNAL, 1967 : J. D. Bernal, *Science in History,* Londres, 1967.

BERNIER, BOILY : Gérard Bernier, Robert Boily *et al.*, *Le Québec en chiffres de 1850 à nos jours,* p. 228, Montréal, 1986.

BERNSTORFF, 1970 : Dagmar Bernstorff, « Candidates for the 1967 General Election in Hyderabad », *in* E. Leach et S. N. Mukherjee, éd., *Elites in South Asia*, Cambridge, 1970.

BESCHLOSS, 1991 : Michael R. Beschloss, *The Crisis Years : Kennedy and Khrushchev 1960-1963*, New York, 1991.

BEYER, 1981 : Gunther Beyer, « The Political Refugee : 35 Years Later », *International Migration Review*, vol. XV, p. 1-219.

BLOCK, 1977 : Fred L. Block, *The Origins of International Economic Disorder : A Study of United States International Monetary Policy from World War II to the Present*, Berkeley, 1977.

BOBINSKA, PILCH, 1975 : Celina Bobinska, Andrzej Pilch, *Employment-Seeking Emigrations of the Poles World-Wide XIX and XX C,* Cracovie, 1975.

BOCCA, 1966 : Giorgio Bocca, *Storia dell'Italia Partigiana Settembre 1943-Maggio 1945,* Bari, 1966.

BOKHARI, 1993 : Farhan Bokhari, « Afghan Border Focus of Region's Woes », *Financial Times,* 12 août 1993.

BOLDYREV, 1990 : Yu Boldyrev, *in Literaturnaya Gazeta,* 19 décembre 1990, cité *in* Di Leo, 1992.

BOLOTIN, 1987 : B. Bolotin, *in World Economy and International Relations,* n° 11, 1987, p. 148-152 (en russe).

BOURDIEU, 1979 : Pierre Bourdieu, *La Distinction : Critique sociale du Jugement,* Paris, Minuit, 1979.

BOURDIEU, HAACKE, 1994 : Pierre Bourdieu, Hans Haacke, *Libre-Échange,* Paris, Seuil/Presses du réel, 1994.

BRECHT, 1964 : Bertolt Brecht, *Über Lyrik,* Francfort, 1964.

BRECHT, 1976 : Bertolt Brecht, *Gesammelte Gedichte,* 4 vol., Francfort, 1976.

Britain : *Britain : An Official Handbook 1961*, éd. 1990, Londres, Central Office for Information.

BRIGGS, 1961 : Asa Briggs, *The History of Broadcasting in the United Kingdom,* vol. 1, Londres, 1961 ; vol. 2, 1965 ; vol. 3, 1970 ; vol. 4, 1979.

BROWN, 1963 : Michael Barratt Brown, *After Imperialism,* Londres-Melbourne-Toronto, 1963.

BRZEZINSKI, 1962 : Zbigniew Brzezinski, *Ideology and Power in Soviet Politics,* New York, 1962.

BRZEZINSKI, 1993 : Zbigniew Brzezinski, *Out of Control. Global Turmoil on the Eve of the Twenty-first Century,* New York, 1993.

BURKS, 1961 : R. V. Burks, *The Dynamics of Communism in Eastern Europe,* Princeton, 1961.

BURLATSKY, 1992 : Fedor Burlatsky, « The Lessons of Personal Diplomacy », *Problems of Communism,* vol. XVI, 41, 1992.

BURLOIU, 1983 : Petre Burloiu, *Higher Education and Economic Development in Europe 1975-80,* UNESCO, Bucarest, 1983.

BUTTERFIELD, 1991 : Fox Butterfield, « Experts Explore Rise in Mass Murder », *New York Times,* 19 octobre 1991, p. 6.

CALVOCORESSI, 1987 : Peter Calvocoressi, *A Time for Peace : Pacifism, Internationalism and Protest Forces in the Reduction of War,* Londres, 1987.

CALVOCORESSI, 1989 : Peter Calvocoressi, *World Politics Since 1945*, Londres, éd. de 1989.

CARRITT, 1985 : Michael Carritt, *A Mole in the Crown*, Hove, 1980.

CARR-SAUNDERS, CARADOG, JONES, MOSER, 1958 : A. M. Carr-Saunders, D. Caradog Jones, C. A. Moser, *A Survey of Social Conditions in England and Wales*, Oxford, 1958.

Catholic : *The Official Catholic Directory*, New York, annuaire.

CHAMBERLIN, 1933 : W. H. Chamberlin, *The Theory of Monopolistic Competition*, Cambridge, MA, 1933.

CHAMBERLIN, 1965 : W. H. Chamberlin, *The Russian Revolution, 1917-1921*, 2 vol., New York, éd. de 1965.

CHANDLER, 1977 : Alfred D. Chandler Jr., *The Visible Hand : The Managerial Revolution in American Business*, Cambridge, MA, 1977.

CHAPPLE, GAROFALO, 1977 : S. Chapple et R. Garofalo, *Rock'n Roll is here to pay*, Chicago, 1977.

CHIESA, 1993 : Giulietta Chiesa, « Era una fine inevitabile ? », *Il Passagio : rivista di dibattito politico e culturale*, VI, juillet-octobre, p. 27-37.

CHILDERS, 1983 : Thomas Childers, *The Nazi Voter : The Social Foundations of Fascism in Germany, 1919-1933*, Chapel Hill, 1983.

CHILDERS, 1991 : « The *Sonderweg* controversy and the Rise of German Fascism », *in* Minutes inédites de la conférence *Germany and Russia in the 20th Century in Comparative Perspective*, p. 8, 14-15, Philadelphie, 1991.

China Statistics, 1989 : State Statistical Bureau of the People's Republic of China, *China Statistical Yearbook 1989*, New York, 1990.

CICONTE, 1992 : Enzo Ciconte, *N'drangheta dall' Unita a oggi*, Bari, 1992.

Cmd 1586, 1992 : British Parliamentary Papers cmd 1586 : *East India (Non-Cooperation)*, XVI, p. 579, 1922 (correspondance télégraphique concernant la situation en Inde).

CONSIDINE, 1982 : Douglas M. Considine et Glenn Considine, *Food and Food Production Encyclopedia*, New York, Cincinnati, etc., 1982. Article « meat », section « Formed, Fabricated and Restructured Meat Products ».

CROSLAND, 1957 : Anthony Crosland, *The Future of Socialism*, Londres, 1957.

DAWKINS, 1976 : Richard Dawkins, *The Selfish Gene*, Oxford, 1976 ; *Le Gène égoïste*, trad. L. Ovion, Paris, Odile Jacob, 1996.

DEAKIN, STORRY, 1966 : F. W. Deakin et G. R. Storry, *The Case of Richard Sorge*, Londres, 1966.

DEBRAY, 1965 : Régis Debray, *Révolution dans la révolution*, Paris, Maspero, 1965.

DEBRAY, 1990 : Régis Debray, *À demain de Gaulle*, Paris, Gallimard, coll. « Folio Actuel », 1990.

DEGLER, 1987 : Carl N. Degler, « On re-reading "The Woman in America" », *Daedalus*, automne 1987.

DELGADO, 1992 : Manuel Delgado, *La Ira Sagrada : Anticlericalismo, iconoclastia y antiritualismo en la España contemporanea*, Barcelone, 1992.

DELZELL, 1970 : Charles E. Delzell, éd., *Mediterranean Fascism, 1919-1945*, New York, 1970.

DENG, 1984 : Deng Xiaoping, *Selected Works of Deng Xiaoping (1975-1984)*, Pékin, 1984.

DESMOND, MOORE : Adrian Desmond et James Moore, *Darwin,* Londres, 1991.

Destabilization, 1989 : United Nations Inter-Agency Task Force, Africa Recovery Programme/Economic Commission for Africa, *South African Destabilization : The Economic Cost of Frontline Resistance to Apartheid*, New York, 1989.

Deux Ans, 1990 : Ministère de l'Éducation nationale : Enseignement Supérieur, *Deux ans d'action, 1988-1990*, Paris, 1990.

DI LEO, 1992 : Rita di Leo, *Vecchi quadri e nuovi politici : Chi commanda davvero nell'ex-Urss ?*, Bologne, 1992.

DIN, 1989 : Kadir Din, « Islam and Tourism », *Annals of Tourism Research*, vol. 16/4, 1989, p. 542 *sq.*

DJILAS, 1957 : Milovan Djilas, *The New Class*, Londres, 1957 ; *La Nouvelle Classe dirigeante*, Paris, 1957.

DJILAS, 1962 : Milovan Djilas, *Conversations with Stalin*, Londres, 1962 : *Conversations avec Staline*, Paris, Gallimard, 1971.

DJILAS, 1977 : Milovan Djilas, *Wartime*, New York, 1977.

DRELL, 1977 : Sidney D. Drell, « Elementary Particle Physics », *Daedalus*, 106/3, été 1977, p. 15-32.

DUBERMAN *et al.,* 1989 : M. Duberman, M. Vicinus et G. Chauncey, *Hidden from History : Reclaiming the Gay and Lesbian Past*, New York, 1989.

DUTT, 1945 : Kalpana Dutt, *Chittagong Armoury Raiders : Reminiscences*, Bombay, 1945.

DUVERGER, 1972 : Maurice Duverger, *Party Politics and Pressure Groups : A Comparative Introduction*, New York, 1972.

DYKER, 1985 : D. A. Dyker, *The Future of the Soviet Economic Planning System,* Londres, 1985.

ECHENBERG, 1992 : Myron Echenberg, *Colonial Conscripts : The Tirailleurs Sénégalais in French West Africa, 1857-1960,* Londres, 1992.

EIB Papers, 1992 : European Investment Bank, Cahiers BEI/EIB Papers, J. Girard, *De la récession à la reprise en Europe centrale et orientale,* p. 9-22, Luxembourg, 1992.

Encyclopedia Britannica, article « war », 11ᵉ éd., 1911.

ERCOLI, 1936 : Ercoli, *On the Peculiarity of the Spanish Revolution,* New York, 1936 ; repris *in* Palmiro Togliatti, *Opere IV/1,* p. 139-154, Rome, 1979.

ESMAN, 1990 : Aaron H. Esman, *Adolescence and Culture,* New York, 1990.

ESTRIN, HOLMES, 1990 : Saul Estrin et Peter Holmes, « Indicative Planning in Developed Economies », *Journal of Comparative Economics,* 14/4 décembre 1990, p. 531-554.

Eurostat : *Eurostat. Statistiques de base de la Communauté européenne.* Publications officielles de la Communauté européenne, Luxembourg, annuel depuis 1957.

EVANS, 1989 : Richard Evans, *In Hitlers Shadow : West German Historians and the Attempt to Escape from the Nazi Past,* New York, 1989.

FAINSOD, 1956 : Merle Fainsod, *How Russia is Ruled,* Cambridge, MA, 1956.

FAO, 1989 : FAO (Organisation des Nations unies pour l'alimentation et l'agriculture), *La Situation mondiale de l'alimentation et de l'agriculture : développement soutenable et gestion des ressources humaines,* Rome, 1989.

FAO Production : FAO, *Publication annuelle,* 1986.

FAO Trade : FAO, *Trade Yearbook,* vol. 40, 1986.

FITZPATRICK, 1994 : Sheila Fitzpatrick, *Stalin's Peasants,* Oxford, 1994.

FIRTH, 1954 : Raymond Firth, « Money, Work and Social Change in Indo-Pacific Economic Systems », *International Social Science Bulletin,* vol. 6, 1954, p. 400-410.

FISCHHOF *et al.,* 1978 : B. Fischhof, R. Slovic, Sarah Lichtenstein, S. Read, Barbara Coombs, « How Safe is Safe Enough ? A Psychometric Study of Attitudes towards Technological Risks and Benefits », *Policy Sciences,* 9, 1978, p. 127-152.

FLORA, 1983 : Peter Flora *et al.*, *State, Economy and Society in Western Europe 1815-1975 : A Data Handbook in Two Volumes,* Francfort-Londres-Chicago, 1983.

FLOUD *et al.*, 1990 : Roderick Floud, Annabel Gregory, Kenneth Wachter, *Height, Health and History : Nutritional Status in the United Kingdom 1750-1980*, Cambridge, 1990.

FONTANA, 1977 : Alan Bullock et Oliver Stallybrass, éd., *The Fontana Dictionary of Modern Ideas*, Londres, 1977.

FOOT, 1976 : M. R. D. Foot, *Resistance : An Analysis of European Resistance to Nazism 1940-1945,* Londres, 1976.

FRANCIA, MUZZIOLI, 1984 : Mauro Francia, Giuliano Muzzioli, *Cent'anni di cooperazione : La cooperazione di consuma modenese aderente alla Lega dalle origini all'unificazione*, Bologne, 1984.

FRAZIER, 1957 : Franklin Frazier, *The Negro in the United States*, New York, 1957.

FREEDMAN, 1959 : Maurice Freedman, « The Handling of Money : A Note on the Background to the Economic Sophistication of the Overseas Chinese », *Man*, vol. 59, avril 1959, p. 64-65.

FRIEDAN, 1963 : Betty Friedan, *The Feminine Mystique*, New York, 1963 ; *La Femme mystifiée*, Paris, Gonthier, 1966 ; *Les Femmes à la recherche d'une quatrième dimension*, Paris, Denoël, 1969.

FRIEDMAN, 1968 : Milton Friedman, « The Role of Monetary Policy », *American Economic Review,* vol. LVIII, n° 1, mars 1968, p. 1-17.

FRÖBEL, HEINRICHS, KREYE, 1986 : Folker Fröbel, Jürgen Heinrichs, Otto Kreye, *Umbruch in der Weltwirtschaft*, Hambourg, 1986.

GALBRAITH, 1974 : J. K. Galbraith, *The New Industrial State*, 2ᵉ éd., Harmondsworth, 1974 ; *Le Nouvel État industriel*, Paris, Seuil, 1974.

GALLAGHER, 1971 : M. D. Gallagher, « Léon Blum and the Spanish Civil War », *Journal of Contemporary History*, vol. 6, n° 3, 1971, p. 56-64.

GARTON ASH, 1990 : Timothy Garton Ash, *The Uses of Adversity : Essays on the Fate of Central Europe*, New York, 1990 ; trad. fr. *in La Chaudière. Europe centrale, 1980-1990*, Paris, Gallimard, 1990.

GATRELL, HARRISON, 1993 : Peter Gatrell et Mark Harrison, « The Russian and Soviet Economies in Two World Wars : A Comparative View », *Economic History Review*, XLVI, 3, 1993, p. 424-452.

GIEDION, 1948 : S. Giedion, *Mechanisation Takes Command*, New York, 1948 ; *La Mécanisation au pouvoir*, Paris, Denoël, 1983, 3 vol.

GILLIS, 1974 : John R. Gillis, *Youth and History*, New York, 1974.

GILLIS, 1985 : John R. Gillis, *For Better, For Worse : British Marriages 1600 to the Present*, New York, 1985.

GILLOIS, 1973 : André Gillois, *Histoire secrète des Français à Londres de 1940 à 1944*, Paris, 1973 ; rééd., Hachette Littératures, 1992.

GIMPEL, 1992 : « Prediction or Forecast ? Jean Gimpel interviewed by Sanda Miller », *The New European*, vol. 5/2, 1992, p. 7-12.

GINNEKEN, HEUVEN, 1989 : Wouter van Ginneken et Rolph van der Heuven, « Industrialisation, Employment and Earnings (1950-87) : An International Survey », *International Labour Review*, vol. 128, 1989/5, p. 571-599.

GLEICK, 1988 : James Gleick, *Chaos : Making a New Science*, Londres, 1988 ; *La Théorie du chaos. Vers une nouvelle science*, trad. Ch. Jeanmougin, Paris, Albin Michel, 1989 ; rééd., Flammarion, 1991.

GLENNY, 1992 : Misha Glenny, *The Fall of Yugoslavia : The Third Balkan War*, Londres, 1992.

GLYN, HUGHES, LIPIETZ, SINGH, 1990 : Andrew Glyn, Alan Hughes, Alain Lipietz, Ajit Singh, *The Rise and Fail of the Golden Age*, *in* Marglin et Schor, 1990, p. 39-125.

GÓMEZ RODRÍGUEZ, 1977 : Juan de la Cruz Gómez Rodríguez, « Comunidades de pastores y reforma agraria en la sierra sur peru-ana », *in* Jorge A. Flores Ochoa, *Pastores de puna*, Lima, 1977.

GONZÁLEZ CASANOVA, 1975 : Pablo González Casanova, éd., *Cronologia de la violencia política en America Latina, 1945-1970*, 2 vol., Mexico DF, 1975.

GOODY, 1968 : Jack Goody, « Kinship : Descent groups », *International Encyclopedia of Social Sciences*, vol. 8, p. 402-403, New York, 1968.

GOODY, 1990 : Jack Goody, *The Oriental, the Ancient and the Primitive : Systems of Marriage and the Family in the Pre-Industrial Societies of Eurasia*, Cambridge, 1990.

GOPAL, 1979 : Sarvepalli Gopal, *Jawaharlal Nehru : A Biography*, vol. II, *1947-1956*, Londres, 1979.

GOULD, 1989 : Stephen Jay Gould, *Wonderful Life : The Burgess Shale and the Nature of History*, Londres, 1990 ; *La vie est belle : les surprises de l'évolution*, trad. M. Blanc, Paris, Seuil, 1991.

GRAVES, HODGE, 1941 : Robert Graves et Alan Hodge, *The Long Week-End : A Social History of Great Britain 1918-1939*, Londres, 1941.

GRAY, 1970 : Hugh Gray, « The Landed Gentry of Telengana », *in* E. Leach et S. N. Mukherjee, éd., *Elites in South Asia*, Cambridge, 1970.

GUERLAC, 1951 : Henry E. Guerlac, « Science and French National Strength », *in* Edward Meade Earle, éd., *Modern France : Problems of the Third and Fourth Republics*, Princeton, 1951.

GUIDETTI, STAHL, 1977 : M. Guidetti et Paul M. Stahl, éd., *Il sangue e la terra : Comunità di villagio e comunità familiari nell Europa dell 800*, Milan, 1977.

Guinness, 1984 : Robert et Celia Dearling, *The Guinness Book of Recorded Sound*, Enfield, 1984.

HAIMSON, 1964/1965 : Leopold Haimson, « The Problem of Social Stability in Urban Russia 1905-1917 », *Slavic Review*, décembre 1964, p. 619-664 ; mars 1965, p. 1-22.

HALLIDAY, 1983 : Fred Halliday, *The Making of the Second Cold War,* Londres, 1983.

HALLIDAY, CUMINGS, 1988 : Jon Halliday et Bruce Cumings, *Korea : The Unknown War*, Londres, 1988.

HALLIWELL, 1988 : *Leslie Halliwell's Filmgoers' Guide Companion*, 9e éd., 1988, p. 321.

HÀNAK, 1970 : Peter Hànak, « Die Volksmeinung während des letzten Kriegsjahres in Österreich-Ungarn », *in Die Aufläsung des Habsburgerreiches. Zusammenbruch und Neuorientierung im Donauraum, Schriftenreihe des österreichischen Ost-und Südosteuropainstituts*, vol. III, p. 58, Vienne, 1970.

HARDEN, 1990 : Blaine Harden, *Africa, Despatches from a Fragile Continent*, New York, 1990.

HARFF, GURR, 1988 : Barbara Harff et Ted Robert Gurr, « Victims of the State : Genocides, Politicides and Group Repression since 1945 », *International Review of Victimology*, 1, 1989, p. 23-41.

HARFF, GURR, 1989 : Barbara Harff et Ted Robert Gurr, « Toward Empirical Theory of Genocides and Politicides : Identification and Measurement of Cases since 1945 », *International Studies Quarterly*, 32, 1988, p. 359-371.

HARRIS, 1987 : Nigel Harris, *The End of the Third World*, Harmondsworth, 1987.

HAYEK, 1944 : Friedrich von Hayek, *The Road to Serfdom*, Londres, 1944 ; *La Route de la servitude*, Paris, PUF, 1993.

HEILBRONER, 1993 : Robert Heilbroner, *Twenty-first Century Capitalism*, New York, 1993.

HILBERG 1985 : Raul Hilberg, *The Destruction of the European Jews*, New York, 1985 ; *La Destruction des Juifs d'Europe*, trad. M.-Fr. de Paloméra et A. Charpentier, Paris, Fayard, 1988.

HILGERDT : Sec. Société des Nations, 1945.

HILL, 1988 : Kim Quaile Hill, *Democracies in Crisis : Public Policy Responses to the Great Depression*, Boulder et Londres, 1988.

HIRSCHFELD, 1986 : G. Hirschfeld, éd., *The Policies of Genocide : Jews and Soviet Prisoners of War in Nazi Germany*, Boston, 1986.

Historical Statistics of the United States : Colonial Times to 1970, part Ic, 89-101, p. 105, Washington DC, 1975.

HOBBES : Thomas Hobbes, *Leviathan,* Londres, 1651 ; *Léviathan*, trad. Fr. Tricaud, Paris, Sirey, 1971.

HOBSBAWM, 1974 : Eric J. Hobsbawm, « Peasant Land Occupations », *Past & Present*, 62, février 1974, p. 120-152.

HOBSBAWM, 1986 : Eric J. Hobsbawm, « The Moscow Line and International Communist Policy 1933-47 », *in* Chris Wrigley, éd.,*Warfare, Diplomacy and Politics : Essays in Honour of A. J. P Taylor,* p. 163-188, Londres, 1986.

HOBSBAWM, 1987 : Eric J. Hobsbawm, *The Age of Empire, 1870-1914,* Londres, 1987 ; *L'Ère des empires, 1875-1914*, trad. J. Carnaud et J. Lahana, Paris, Fayard, 1989 ; rééd., coll. Pluriel, 1997.

HOBSBAWM, 1990 : Eric J. Hobsbawm, *Nations and Nationalism since 1780 : Programme, Myth, Reality*, Cambridge, 1990 ; *Nations et nationalismes depuis 1780*, trad. D. Peters, Paris, Gallimard, 1992.

HOBSBAWM, 1993 : Eric J. Hobsbawm, *The Jazz Scene*, New York, 1993.

HODGKIN, 1961 : Thomas Hodgkin, *African Political Parties : An Introductory Guide*, Harmondsworth, 1961.

HOGGART, 1958 : Richard Hoggart, *The Uses of Literacy*, Harmondsworth, 1958.

HOLBORN, 1968 : Louise W. Holborn, « Refugees 1 : World Problems », *in International Encyclopedia of the Social Sciences*, vol. XIII, p. 363.

HOLLAND, R. F., 1985 : R. F. Holland, *European Decolonization 1918-1981 : An Introductory Survey*, Basingstoke, 1985.

HOLMAN, 1993 : Michael Holman, « New Group Targets the Roots of Corruption », *Financial Times,* 5 mai 1993.

HOLTON, 1970 : Gerald Holton, « The Roots of Complementarity », *Daedalus,* automne 1978, p. 1017 ; « Les racines de la complémentarité », *in* Gerald Holton, *L'Imagination scientifique*, trad. J.-Fr. Roberts, Paris, Gallimard, 1981, p. 74-129.

HOLTON, 1972 : Gerald Holton, éd., *The Twentieth-Century Sciences : Studies in the Biography of Ideas*, New York, 1972.

HOLTON, 1978 : Gerald Holton, « Conclusion », *Daedalus*, 2, 1978 p. 227-228 (numéro spécial sur les sciences).

HORNE, 1989 : Alistair Horne, *Macmillan*, 2 vol., Londres, 1989.

HOUSMAN, 1988 : A. E. Housman, *Collected Poems and Selected Prose*, édition, introduction et notes de Christopher Ricks, Londres, 1988.

HOWARTH, 1978 : T. E. B. Howarth, *Cambridge between Two Wars,* Londres, 1978.

HU, 1966 : C. T. Hu, « Communist Education : Theory and Practice », *in* R. MacFarquhar, éd., *China under Mao : Politics Takes Command*, Cambridge, MA, 1966.

HUBER, 1990 : Peter W. Huber, « Pathological Science in Court », *Daedalus,* vol. 119, n° 4, automne 1990, p. 97-118.

HUGHES, 1969 : H. Stuart Hughes, « The Second Year of the Cold War : A Memoir and an Anticipation », *Commentary*, août 1969.

HUGHES, 1983 : H. Stuart Hughes, *Prisoners of Hope : The Silver Age of the Italian Jews 1924-1947*, Cambridge, MA, 1983.

HUGHES, 1988 : H. Stuart Hughes, *Sophisticated Rebels*, Cambridge et Londres, 1988.

Human Development : United Nations Development Programme (UNDP), *Human Development Report*, New York, 1990, 1991, 1992.

HUTT, 1935 : Allen Hutt, *This Final Crisis,* Londres, 1935.

IGNATIEFF, 1993 : Michael Ignatieff, *Blood and Belonging : Journeys into the New Nationalism*, Londres, 1993.

ILO, 1990 : ILO (OIT), *Yearbook of Labour Statistics : Retrospective edition on Population Censuses 1945-1989*, Genève, 1990.

IMF, 1990 : International Monetary Fund (FMI), Washington : *World Economic Outlook : A Survey by the Staff of the International Monetary Fund,* Table 18 : Selected Macro-economic Indicators 1950-1988, IMF, Washington, mai 1990.

Investing : *Investing in Europes Future*, éd. Arnold Heertje for the European Investment Bank, Oxford, 1983.

ISOLA, 1990 : Gianni Isola, *Abbassa la tua radio, per favore. Storia dell'ascolto radiofonico nell'Italia fascista*, Florence, 1990.

JACOB, 1993 : Margaret C. Jacob, « Hubris about Science », *Contention*, vol. 2, n° 3, printemps 1993.

JACOBMEYER, 1985 : Wolfgang Jacobmeyer, *Vom Zwangsarbeiter zum heimatlosen Ausländer*, Göttingen, 1985.

JAMMER, 1966 : M. Jammer, *The Conceptual Development of Quantum Mechanics*, New York, 1966.

JAYAWARDENA, 1993 : Lal Jayawardena, *The Potential of Development Contracts and Towards Sustainable Development Contracts, UNU/WIDER : Research for Action*, Helsinki, 1993.

JENSEN, 1991 : K. M. Jensen, éd., *Origins of the Cold War : The Novikov, Kennan and Roberts « Long Telegrams » of 1946*, United States Institute of Peace, Washington, DC, 1991.

JOHANSSON, PERCY, 1990 : Warren Johansson et William A. Percy, éd., *Encyclopedia of Homosexuality,* 2 vol., New York et Londres, 1990.

JOHNSON, 1972 : Harry G. Johnson, *Inflation and the Monetarist Controvery*, Amsterdam, 1972.

JON, 1993 : Jon Byong-je, *Culture and Development : South Korean Experience,* International Inter-Agency Forum on Culture and Development, 20-22 septembre 1993, Séoul.

JONES, 1992 : Steve Jones, compte rendu de David Raup, *Extinction : Bad Genes or Bad Luck ?, in London Review of Books,* 23 avril 1992.

JOWITT, 1991 : Ken Jowitt, « The Leninist Extinction », *in* Daniel Chirot éd., *The Crisis of Leninism and the Decline of the Left,* Seattle, 1991.

JULCA, 1993 : Alex Julca, *From the Highlands to the City*, inédit, 1993.

KAKWANI, 1980 : Nanak Kakwani, *Income Inequality and Poverty*, Cambridge, 1980.

KAPUCZINSKI, 1983 : Ryszard Kapuczinski, *The Emperor,* Londres, 1983 ; *Le Négus*, Paris, coll. 10/18, 1994.

KAPUCZINSKI, 1990 : Ryszard Kapuczinski, *The Soccer War*, Londres, 1990.

KATER, 1985 : Michael Kater, « Professoren und Studenten im dritten Reich », *Archiv für Kulturgeschichte*, 67/1985, n° 2, p. 467.

KATSIAFICAS, 1987 : George Katsiaficas, *The Imagination of the New Left : A Global Analysis of 1968*, Boston, 1987.

KEDWARD, 1971 : R. H. Kedward, *Fascism in Western Europe 1900-1945,* New York, 1971.

KEENE, 1984 : Donald Keene, *Japanese Literature of the Modern Era,* New York, 1984.

KELLEY, 1988 : Allen C. Kelley, « Economic Consequences of Population Change in the Third World », *Journal of Economic Literature*, XXVI, décembre 1988, p. 1685-1728.

KENNEDY, 1987 : Paul Kennedy, *The Rise and Fall of the Great Powers*, New York, 1987 ; *Naissance et déclin des grandes puissances*, trad. M.-A. Cochez, J.-L. Lebrave, Paris, Payot, 1991.

KERBLAY, 1983 : Basile Kerblay, *Modern Soviet Society*, New York, 1983 ; *La Société soviétique*, Paris, Armand Colin, 1985.

KERSHAW, 1983 : Ian Kershaw, *Popular Opinion and Political Dissent in the Third Reich : Bavaria 1933-1945*, Oxford, 1983 ; *L'Opinion allemande sous le nazisme. Bavière, 1933-1945*, trad. P.-E. Dauzat, Paris, CNRS Éditions.

KERSHAW, 1993 : Ian Kershaw, *The Nazi Dictatorship : Perspectives of Interpretation,* 3ᵉ éd., Londres, 1993 ; *Qu'est-ce que le nazisme ?*, trad. J. Carnaud, Paris, Gallimard, 1997.

KERSHAW, LEWIN, 1997 : Ian Kershaw et Moshe Lewin, éd., *Stalinism and Nazism : Dictatorships in Comparison*, Cambridge, 1997.

KHRUSHCHEV, 1990 : Sergei Khrushchev, *Khrushchev on Khrushchev : An Inside Account of the Man and his Era*, Boston, 1990.

KIDRON, SEGAL, 1991 : Michael Kidron et Ronald Segal, *The New State of the World Atlas*, 4ᵉ éd., Londres, 1991 ; Atlas du Nouvel État du monde, Paris, Autrement, 1992.

KINDLEBERGER, 1973 : Charles P. Kindleberger, *The World in Depression 1919-1939,* Londres et New York, 1973 ; *La Grande Crise mondiale*, trad. H.-P. Bernard, Paris, Economica, 1988.

KOIVISTO, 1983 : Peter Koivisto, « The Decline of the Finnish-American Left 1925-1945 », *International Migration Review*, XVII, 1, 1983.

KOLAKOWSKI, 1992 : Leszek Kolakowski, « Amidst Moving Ruins », *Daedalus*, 121/ 2, printemps 1992.

KOLKO, 1969 : Gabriel Kolko, *The Politics of War : Allied Diplomacy and the World Crisis of 1943-45*, Londres, 1969.

KÖLLÖ, 1990 : Jànos Köllö, « After a dark golden age – Eastern Europe », in *WIDER Working Papers*, duplicata, Helsinki, 1990.

KORNAI : Jànos Kornai, *The Economics of Shortage*, Amsterdam, 1980 ; *Socialisme et économie de la pénurie*, présentation de M. Lavigne, Paris, Economica, 1984.

KOSINSKI, 1987 : L. A. Kosinski, compte rendu de Robert Conquest, *The Harvest of Sorrow : Soviet Collectivisation and the Terror Famine in Population and Development Review*, vol. 13, n° 1, 1987.

KOSMIN, LACHMAN, 1993 : Barry A. Kosmin et Seymour P. Lachman, *One Nation Under God : Religion in Contemporary American Society*, New York, 1993.

KRAUS, 1922 : Karl Kraus, *Die letzten Tage der Menschheit : Tragödie in fünf Akten mit Vorspiel und Epilog*, Vienne-Leipzig, 1922 ; version scénique de J.-L. Besson et H. Schwarzinger, *Les Derniers Jours de l'humanité*, Rouen, Université de Rouen, 1986.

KULISCHER, 1948 : Eugene M. Kulischer, *Europe on the Move : War and Population Changes 1917-1947*, New York, 1948.

KUTTNER, 1991 : Robert Kuttner, *The End of Laissez-Faire : National Purpose and the Global Economy after the Cold War*, New York, 1991.

KUZNETS, 1956 : Simon Kuznets, « Quantitative Aspects of the Economic Growth of Nations », *Economic Development and Culture Change*, vol. 5, n° 1, 1956, p. 5-94

KYLE, 1990 : Keith Kyle, *Suez*, Londres, 1990.

LADURIE, 1982 : Emmanuel Le Roy Ladurie, *Paris-Montpellier : PC-PSU 1945-1963*, Paris, Gallimard, 1982.

LAFARGUE : Paul Lafargue, *Le droit à la paresse*, Paris, 1883 ; *The Right to be Lazy and Other Studies*, Chicago, 1907.

Land Reform : Philip M. Raup, « Land Reform », *in* art. « Land Tenure », *International Encyclopaedia of Social Sciences*, vol. 8, p. 571-575, New York, 1968.

LAPIDUS, 1988 : Ira Lapidus, *A History of Islamic Societies*, Cambridge, 1988.

LAQUEUR, 1977 : Walter Laqueur, *Guerrilla : A Historical and Critical Study*, Londres, 1977.

LARKIN, 1988 : Philip Larkin, *Collected Poems*, édition et introduction d'Anthony Thwaite, Londres, 1988.

LARSEN E., 1978 : Egon Larsen, *A Flame in Barbed Wire : The Story of Amnesty International,* Londres, 1978.

LARSEN S. *et al.,* 1980 : Stein Ugevik Larsen, Bernt Hagtvet, Jan Petter, My Klebost *et al.*, *Who were the Fascists ?*, Bergen-Oslo-Tromsö, 1980.

LARY, 1943 : Hal B. Lary and Associates, *The United States in the World Economy : The International Transactions of the United States during the Interwar Period*, US Dept. of Commerce, Washington, DC, 1943.

Las Cifras, 1988 : *Asamblea Permanente para los Derechos Humanos, Las Cifras de la Guerra Sucia*, Buenos Aires, 1988.

LATHAM, 1981 : A. J. H. Latham, *The Depression and the Developing World, 1914-1939,* Londres et Totowa, NJ, 1981.

League of Nations (SDN), 1931 : *The Course and Phases of the World Depression*, Genève, 1931 ; rééd. 1972.

League of Nations (SDN), 1945 : *Industrialisation and Foreign Trade*, Genève, 1945.

LEAMAN, 1988 : Jeremy Leaman, *The Political Economy of West Germany 1945-1985,* Londres, 1988.

LEIGHLY, NAYLOR, 1992 : J. E. Leighly et J. Naylor, « Socioeconomic Class Bias in Turnout 1964-1988 : the voters remain the same », *American Political Science Review*, 86/3, septembre, 1992, p. 725-736.

LENIN, 1970 : Vladimir I. Lenin, *Selected Works in 3 Volumes*, Moscou, 1970 : « Letter to the Central Committee, the Moscow and Petrograd Committees and the Bolshevik Members of the Petrograd and Moscow Soviets », 1/14 octobre 1917, V. I. Lenin, *op. cit.*, vol. 2, p. 435 ; Draft Resolution for the Extraordinary All-Russia Congress of Soviets of Peasant Deputies, 14/27 novembre 1917, V. I. Lenin, *loc. cit.*, p. 496 ; Report on the Activities of the Council of People's Commissars, 12/24 janvier 1918, *loc. cit.*, p. 546.

LEONTIEV, 1977 : Wassily Leontiev, « The Significance of Marxian Economics for Present-Day Economic Theory », *American Economic Review Supplement*, vol. XXVIII, 1er mars 1938, repris *in Essays in Economics : Theories and Theorizing*, vol. 1, p. 78, White Plains, 1977.

Lettere : P. Malvezzi et G. Pirelli, éd., *Lettere di condannati a morte della Resistenza europea*, p. 306, Turin, 1954.

LÉVI-STRAUSS : Claude Lévi-Strauss, Didier Eribon, *De près et de loin*, Paris, 1988 ; rééd., 1990, suivi de « Deux ans après », Paris, Odile Jacob, 1990.

LEWIN, 1991 : Moshe Lewin, « Bureaucracy and the Stalinist State », *in Germany and Russia in the 20th Century in Comparative Perspective*, Philadelphie, 1991 ; Ian Kershaw et Moshe Lewin, éd., *Stalinism and Nazism : Dictatorships in Comparison*, Cambridge, 1997.

LEWIS A., 1981 : Arthur Lewis, « The Rate of Growth of World Trade 1830-1973 », *in* Sven Grassman et Erik Lundberg, éd., *The World Economic Order : Past and Prospects*, Londres, 1981.

LEWIS C., 1938 : Cleona Lewis, *Americas Stake in International Investments*, Brookings Institution, Washington, DC, 1938.

LEWIS S., 1935 : Sinclair Lewis, *It Can't Happen Here*, New York, 1935.

LEWONTIN, 1973 : R. C. Lewontin, *The Genetic Basis of Evolutionary Change*, New York, 1973.

LEWONTIN, 1992 : R. C. Lewontin, « The Dream of the Human Genome », *New York Review of Books*, 28 mai 1992, p. 31-40.

LEYS, 1977 : Simon Leys, *Les Habits neufs du président Mao. Chronique de la révolution culturelle*, Paris, Champ Libre, 1975 ; rééd. Robert Laffont, 1998.

LIEBERSON, WATERS, 1988 : Stanley Lieberson et Mary C. Waters, *From Many Strands : Ethnic and Racial Groups in Contemporary America*, New York, 1988.

LIEBMAN, WALKER, GLAZER : Arthur Liebman, Kenneth Walker, Myron Glazer, *Latin American University Students : A Six-nation Study*, Cambridge, MA, 1972.

LIEVEN, 1993 : Anatol Lieven, *The Baltic Revolution : Estonia, Latvia, Lithuania and the Path to Independence*, New Haven et Londres, 1993.

LINZ, 1975 : Juan J. Linz, « Totalitarian and Authoritarian Regims », *in* Fred J. Greenstein et Nelson W. Polsby, éd., *Handbook of Political Science*, vol. 3, *Macropolitical Theory*, Reading, MA, 1975.

LIU, 1986 : Alan R. L. Liu, *How China is Ruled*, Englewood Cliffs, 1986.

LOTH, 1988 : Wilfried Loth, *The Division of the World 1941-1955*, Londres, 1988.

LU HSÜN (Lu Xun), cité par Victor Nee et James Peck, éd., *China's Uninterrupted Revolution : From 1840 to the Present,* p. 23, New York, 1975.

LYNCH, 1990 : Nicolas Lynch Gamero, *Los jovenes rojos de San Marcos : El radicalismo universitario de los años setenta*, Lima, 1990.

McCRACKEN, 1977 : Paul McCracken *et al.*, *Towards Full Employment and Price Stability*, Paris, OCDE, 1977.

MACLUHAN, 1962 : Marshall MacLuhan, *The Gutenberg Galaxy*, New York, 1962 ; *La Galaxie Gutenberg*, Paris, Hurubise, 1967.

MACLUHAN, 1967 : Marshall MacLuhan et Quentin Fiore, *The Medium is the Message*, New York, 1967.

McNEILL, 1982 : William H. McNeill, *The Pursuit of Power : Technology, Armed Force and Society since AD 1000*, Chicago, 1982.

MADDISON, 1969 : Angus Maddison, *Economic Growth in Japan and the USSR,* Londres, 1969.

MADDISON, 1982 : Angus Maddison, *Phases of Capitalist Economic Development*, Oxford, 1982.

MADDISON, 1987 : Angus Maddison, « Growth and Slowdown in Advanced Capitalist Economies : Techniques of Quantitative Assessment », *Journal of Economic Literature*, vol. XXV, juin 1987.

MAIER, 1987 : Charles S. Maier, *In Search of Stability : Explorations in Historical Political Economy*, Cambridge, 1987.

MAKSIMENKO, 1991 : V. I. Maksimenko, « Stalinism without Stalin : the Mechanism of *"zastoi"* », intervention à la conférence *Germany and Russia in the 20th Century in Comparative Perspective,* Philadelphie, 1991.

MANGIN, 1970 : William Mangin, éd., *Peasants in Cities : Readings in the Anthropology of Urbanization*, Boston, 1970.

MANUEL, 1988 : Peter Manuel, *Popular Musics of the Non-Western Word : An Introductory Survey*, Oxford, 1988.

MARGLIN et SCHOR, 1990 : S. Marglin et J. Schor, éd., *The Golden Age of Capitalism*, Oxford, 1990.

MARRUS, 1985 : Michael R. Marrus, *European Refugees in the Twentieth Century*, Oxford, 1985.

MARTINS RODRIGUES, 1984 : « O PCB : os dirigentes e a organização », *O Brasil Republicano,* vol. X, tome III de Sergio Buarque de Holanda, éd., *Historia Geral da Civilizacào Brasilesira*, p. 390-397, Saõ Paulo, 1960-1984.

MENCKEN, 1959 : Alistair Cooke, éd., *The Viking Mencken*, New York, 1959.

Jean A. MEYER, *La Cristiada*, 3 vol., Mexico, D. F., 1973-1979 ; en anglais : *The Cristero Rebellion : The Mexican People between Church and State 1926-1929*, Cambridge, 1976.

MEYER-LEVINÉ, 1973 : Rosa Meyer-Leviné, *Leviné : The Life of a Revolutionary,* Londres, 1973.

MILES *et al.*, 1991 : M. Miles, E. Malizia, Marc A. Weiss, G. Behrens, G. Travis, *Real Estate Development : Principles and Process*, Washington, DC, 1991.

MILLER, 1989 : James Edward Miller, « Roughhouse Diplomacy : the United States confronts Italian Communism 1945-1958 », *in Storia delle relazioni internazionali*, V/1989/2, p. 279-312.

MILLIKAN, 1930 : R. A. Millikan, « Alleged Sins of Science », *Scribners Magazine*, 87/2, 1930, p. 119-130.

MILWARD, 1979 : Alan Milward, *War, Economy and Society 1939-45,* Londres, 1979.

MILWARD, 1984 : Alan Milward, *The Reconstruction of Western Europe 1945-51*, Londres, 1984.

MINAULT, 1982 : Gail Minault, *The Khilafat Movement : Religious Symbolism and Political Mobilization in India*, New York, 1982.

MISRA, 1961 : B. B. Misra, *The Indian Middle Classes : Their Growth in Modern Times*, Londres, 1961.

MITCHELL, JONES : B. R. Mitchell et H. G. Jones, *Second Abstract of British Historical Statistics*, Cambridge, 1971.

MITCHELL, 1975 : B. R. Mitchell, *European Historical Statistics*, Londres, 1975.

MOÏSI, 1981 : Dominique Moïsi, éd., *Crises et guerres au XXe siècle*, Paris, Economica, 1981.

MOLANO, 1988 : Alfredo Molano, « Violencia y colonización », *Revista Foro : Fundación Foro Nacional por Colombia*, 6 juin 1988, p. 25-37.

MONTAGNI, 1989 : Gianni Montagni, *Effetto Gorbaciov : La politica internazionale degli anni ottanta. Storia di quattro vertici da Gineva a Mosca*, Bari, 1989.

MORAWETZ, 1977 : David Morawetz, *Twenty-five Years of Economic Development 1950-1975*, Johns Hopkins, for the World Bank, 1977.

MORTIMER, 1925 : Raymond Mortimer, « Les Matelots », *New Statesman*, 4 juillet 1925, p. 338.

MULLER, 1951 : H. J. Muller *in* L. C. Dunn, éd., *Genetics in the 20th Century : Essays on the Progress of Genetics during the First Fifty Years*, New York, 1951.

MÜLLER, 1992 : Heiner Müller, *Krieg ohne Schlacht : Leben in zwei Diktaturen*, Cologne, 1992.

MUZZIOLI, 1993 : Giuliano Muzzioli, *Modena*, Bari, 1993.

NEHRU, 1936 : Jawaharlal Nehru, *An Autobiography, with Musings on Recent Events in India*, Londres, 1936.

NICHOLSON, 1970 : E. M. Nicholson cité *in Fontana Dictionary of Modern Thought* : « Ecology », Londres, 1977.

NOELLE, NEUMANN, 1967 : Elisabeth Noelle et Erich Peter Neumann, éd., *The Germans : Public Opinion Polls 1947-1966*, p. 196, Allensbach et Bonn, 1967.

NOLTE, 1987 : Ernst Nolte, *Der europäische Bürgerkrieg, 1917-1945 : National-sozialismus und Bolschewismus*, Stuttgart, 1987.

NORTH, POOL, 1966 : Robert North et Ithiel de Sola Pool, « Kuomintang and Chinese Communist Elites », *in* Harold D. Lasswell et Daniel Lerner, éd., *World Revolutionary Elites : Studies in Coercive Ideological Movements*, Cambridge, MA, 1966.

NOVE, 1969 : Alec Nove, *An Economic History of the USSR*, Londres, 1969 ; *L'Économie soviétique*, Economica, 1981.

NWOGA, 1970 : Donatus I. Nwoga, « Onitsha Market Literature », *in* Mangin, 1970

Observatoire, 1991 : Comité scientifique auprès du ministère de l'Éducation nationale, document inédit, Observatoire des thèses, Paris, 1991.

OCDE, Impact : OECD (OCDE) : *The Impact of the Newly Industrializing Countries on Production and Trade in Manufactures : Report by the Secretary-General*, Paris, 1979.

OCDE, National Accounts : *OECD National Accounts 1960-1991*, vol. 1, Paris, 1993 ; Annuaire bilingue (« Les Comptes nationaux : 1960-1991 »).

OFER, 1987 : Gur Ofer, « Soviet Economic Growth, 1928-1985 », *Journal of Economic Literature,* XXV/4, décembre 1987, p. 1778.

OHLIN, 1931 : Bertil Ohlin, pour la Société des Nations, *The Course and Phases of the World Depression*, 1931 ; rééd. Arno Press, New York, 1972.

OLBY, 1970 : Robert Olby, « Francis Crick, DNA, and the Central Dogma », *in* Holton, 1972, p. 227-280.

ORBACH, 1978 : Susie Orbach, *Fat is a Feminist Issue : The Anti-diet Guide to Permanent Weight Loss*, New York et Londres, 1978.

ORY, 1976 : Pascal Ory, *Les Collaborateurs : 1940-1945*, Paris, Seuil, 1976.

PAUCKER, 1991 : Arnold Paucker, *Jewish Resistance in Germany : The Facts and the Problems*, Gedenkstaette Deutscher Widerstand, Berlin, 1991.

PAVONE, 1991 : Claudio Pavone, *Una guerra civile : Saggio storico sulla moralità nella Resistenza*, Milan, 1991.

PEIERLS, 1992 : Peierls, compte rendu de D. C. Cassidy, *Uncertainty : The Life of Werner Heisenberg, in New York Review of Books,* 23 avril 1992, p. 44.

People's Daily, 1959 : « Hai Jui reprimands the Emperor », *People's Daily (Quotidien du Peuple)*, Pékin, 1959, cité *in* Leys, 1977.

Perrault, 1984 : Gilles Perrault, *Un homme à part*, Paris, Barrault, 1984.

PETERS, 1985 : Edward Peters, *Torture*, New York, 1985.

PETERSEN, 1986 : W. et R. Petersen, *Dictionary of Demography,* vol. 2, art : « War », New York-Westport-Londres, 1986.

PIEL, 1992 : Gerard Piel, *Only One World : Our Own to Make and to Keep*, New York, 1992.

PLANCK, 1933 : Max Planck, *Where is Science Going ?,* avec une préface d'Albert Einstein, traduit et édité par James Murphy, New York, 1933.

POLANYI, 1945 : Karl Polanyi, *The Great Transformation,* Londres, 1945 ; *La Grande Transformation*, trad. C. Malamoud, préface de Louis Dumont, Paris, Gallimard, 1983.

PONS PRADES, 1975 : E. Pons Prades, *Republicanos Españoles en la 2a Guerra Mundial*, Barcelone, 1975.

Population, 1984 : UN Dept of International Economic and Social Affairs : *Population Distribution, Migration and Development. Proceedings of the Expert Group, Hammamet, Tunisia, 21-25 march 1983*, New York, 1984.

POTTS, 1990 : Lydia Potts, *The World Labour Market : A History of Migration,* Londres et New Jersey, 1990.

Pravda, 25 janvier 1991.

PROCTOR, 1988 : Robert N. Proctor, *Racial Hygiene : Medicine under the Nazis*, Cambridge, MA, 1988.

Programma 2000 : PSOE (Parti socialiste espagnol), *Manifesto of Programme : Draft for Discussion,* janvier 1990, Madrid, 1990.

PROST : A. Prost, « Frontières et espaces du privé », *in Histoire de la vie privée de la Première Guerre mondiale à nos jours*, vol. 5 de *Histoire de la vie privée*, p. 13-153, Paris, Seuil, 1987.

RADO, 1962 : A. Rado, éd., *Welthandbuch : internationaler politischer und wirtschaftlicher Almanach 1962*, Budapest, 1962.

RANKI, 1971 : George Ranki, *in* Peter E. Sugar, éd., *Native Fascism in the Successor States : 1918-1945*, Santa Barbara, 1971.

RANSOME, 1919 : Arthur Ransome, *Six Weeks in Russia in 1919,* Londres, 1919.

Räte-China, 1973 : Manfred Hinz, éd., *Räte-China : Dokumente der chinesischen Revolution*, 1927-31, Berlin, 1973.

RAW, PAGE, HODGSON, 1972 : Charles Raw, Bruce Page, Godfrey Hodgson, *Do You Sincerely Want to Be Rich ?,* Londres, 1972.

REALE, 1954 : Eugenio Reale, *Avec Jacques Duclos au banc des accusés à la réunion constitutive du Kominform*, Paris, 1958.

REED, 1919 : John Reed, *Ten Days That Shook The World*, New York, 1919 et nombreuses éditions ; *Dix Jours qui ébranlèrent le monde*, Paris, Scanéditions-Éditions Sociales, 1982.

REINHARD *et al.,* 1968 : M. Reinhard, A. Armengaud, J. Dupâquier, *Histoire générale de la population mondiale,* 3ᵉ éd., Paris, PUF, 1968.

REITLINGER, 1982 : Gerald Reitlinger, *The Economics of Taste : The Rise and Fall of Picture Prices 1760-1960*, 3 vol., New York, 1982.

RILEY, 1991 : C. Riley, « The Prevalence of Chronic Disease during Mortality Increase : Hungary in the 1980s », *Population Studies*, 45/3, novembre 1991, p. 489-497.

RIORDAN, 1991 : J. Riordan, *Life After Communism*, inaugural lecture, University of Surrey, Guildford, 1991.

RIPKEN, WELLMER, 1978 : Peter Ripken et Gottfried Wellmer, « Bantustans und ihre Funktion für das südafrikanische Herrschaftssystem », *in* Peter Ripken, *Südliches Afrika : Geschichte, Wirtschaft, politische Zukunft*, p. 194-203, Berlin, 1978.

ROBERTS, 1991 : Frank Roberts, *Dealing with the Dictators : The Destruction and Revival of Europe 1930-1970*, Londres, 1991.

ROSATI, MIZSEI, 1989 : Darius Rosati et Kalman Mizsei, *Adjustment through opening of Socialist Economies, in* UNU/WIDER, Working Paper 52, Helsinki, 1989.

ROSTOW, 1978 : W. W. Rostow, *The World Economy : History and Prospect*, Austin, 1978.

RUSSELL PASHA, 1949 : Sir Thomas Russell Pasha, *Egyptian Service, 1902-1946*, Londres, 1949.

SAMUELSON, 1943 : Paul Samuelson, « Full employment after the war », *in* S. Harris, éd., *Post-war Economic Problems*, New York, 1943, p. 27-53.

SAREEN, 1988 : T. R. Sareen, *Select Documents on Indian National Army*, New Delhi, 1988.

SASSOON, 1947 : Siegfried Sassoon, *Collected Poems*, Londres, 1947.

SCHATZ, 1983 : Ronald W Schatz, *The Electrical Workers : A History of Labor at General Electric and Westinghouse*, University of Illinois Press, 1983.

SCHELL, 1993 : Jonathan Schell, « A Foreign Policy of Buy and Sell », *New York Newsday*, 21 novembre 1993.

SCHRAM, 1966 : Stuart Schram, *Mao Tse Tung*, Baltimore, 1966.

SCHRÖDINGER, 1944 : Erwin Schrödinger, *What is Life : The Physical Aspects of the Living Cell*, Cambridge, 1944.

SCHUMPETER, 1939 : Joseph A. Schumpeter, *Business Cycles : A Theoretical, Historical and Statistical Analysis of the Capitalist Process*, 2 vol., New York, 1939.

SCHUMPETER, 1954 : Joseph A. Schumpeter, *History of Economic Analysis*, New York, 1954 ; *Histoire de l'analyse économique*, préf. de Raymond Barre, 3 vol. Paris, Gallimard, 1983.

SCHWARTZ, 1966 : Benjamin Schwartz, « Modernisation and the Maoist Vision », *in* Roderick MacFarquhar, éd., *China under Mao : Politics Takes Command*, Cambridge, MA, 1966.

SCOTT, 1985 : James C. Scott, *Weapons of the Weak : Everyday Forms of Peasant Resistance*, New Haven et Londres, 1985.

SEAL, 1968 : Anil Seal, *The Emergence of Indian Nationalism : Competition and Collaboration in the later Nineteenth Century*, Cambridge, 1968.

SINCLAIR, 1982 : Stuart Sinclair, *The World Economic Handbook*, Londres, 1982.

SINGER, 1972 : J. David Singer, *The Wages of War 1816-1965 : A Statistical Handbook*, New York-Londres-Sydney-Toronto, 1972.

SMIL, 1990 : Vaclav Smil, « Planetary Warming : Realities and Responses », *Population and Development Review,* vol. 16, n° 1, mars 1990.

SMITH, 1989 : Gavin Alderson Smith, *Livelihood and Resistance : Peasants and the Politics of the Land in Peru,* Berkeley, 1989.

SNYDER, 1940 : R. C. Snyder, « Commercial Policy as reflected in Treaties from 1931 to 1939 », *American Economic Review,* 30, 1940, p. 782-802.

Social Trends : UK Central Statistical Office, *Social Trends 1980,* Londres, annuel.

SOLJÉNITSYNE, 1993 : Alexander Soljénitsyne, *in New York Times,* 28 novembre 1993.

SOMARY, 1929 : Felix Somary, *Wandlungen der Weltwirtschaft seit dem Kriege,* Tübingen, 1929.

Sotheby, 1992 : *Art Market Bulletin,* A Sotheby's Research Department Publication, End of Season Review, 1992.

SPENCER, 1990 : Jonathan Spencer, *A Sinhala Village in Time of Trouble : Politics and Change in Rural Sri Lanka,* New Delhi, 1990.

SPERO, 1977 : Joan Edelman Spero, *The Politics of International Economic Relation,* New York, 1977.

SPRIANO, 1969 : Paolo Spriano, *Storia del Partito comunista italiano,* vol. II, Turin, 1969.

SPRIANO, 1983 : Paolo Spriano, *I comunisti europei e Stalin,* Turin, 1983.

SSSR, 1987 : *SSSR v. Tsifrakh v.,* 1987, p. 15-17, 32-33.

STALEY, 1939 : Eugene Staley, *The World Economy in Transition,* New York, 1939.

STALIN, 1952 : Joseph V. Stalin, *Economic Problems of Socialism in the USSR,* Moscou, 1952.

STAROBIN, 1972 : Joseph Starobin, *American Communism in Crisis,* Cambridge, MA, 1972.

STARR, 1983 : Frederick Starr, *Red and Hot : The Fate of Jazz in the Soviet Union 1917-1980,* New York, 1983.

Stat. Jahrbuch : République fédérale d'Allemagne, Bundesamt für Statistik, *Statistisches Jahrbuch für das Ausland,* Bonn, 1990.

STEINBERG, 1990 : Jonathan Steinberg, *All or Nothing : The Axis and the Holocaust, 1941-43,* Londres, 1990.

STEVENSON, 1984 : John Stevenson, *British Society 1914-1945,* Harmondsworth, 1984.

STOLL, 1990 : David Stoll, *Is Latin America Turning Protestant : The Politics Evangelical Growth*, Berkeley-Los Angeles-Oxford, 1992.

STOUFFER, LAZARSFELD, 1937 : S. Stouffer et R. Lazarsfeld, *Research Memorandum on the Family in the Depression,* Social Science Research Council, New York, 1937.

STÜRMER, 1993 : Michael Stürmer *in* « Orientierungskrise in Politik und Gesellschaft ? Perspektiven der Demokratie an der Schwelle zum 21. Jahrhundert », *in Bergedorfer Gesprächskreis, Protokoll Nr 98*, Hambourg-Bergedorf, 1993.

STÜRMER, 1993 : Michael Stürmer, *99 Bergedorfer Gesprächskreis*, 22-23 mai, Ditchley Park : *Wird der Westen den Zerfall des Ostens überleben ? Politische und ökonomische Herausforderungen für Amerika und Europa*, Hambourg, 1993.

TANNER, 1962 : J. M. Tanner, *Growth at Adolescence,* 2ᵉ éd., Oxford, 1962.

TAYLOR, JODICE, 1983 : C. L. Taylor et D. A. Jodice, *World Handbook of Political and Social Indicators,* 3ᵉ éd., New Haven et Londres, 1983.

TAYLOR, 1990 : Trevor Taylor, « Defence Industries in International Relations », *in Rev. Internat. Studies*, 16, 1990, p. 59-73.

Technology, 1986 : US Congress, Office of Technology Assessment, *Technology and Structural Unemployment : Reemploying Displaced Adults*, Washington, DC, 1986.

TEMIN, 1993 : Peter Temin, « Transmission of the Great Depression », *Journal of Economic Perspectives,* vol. 7/2, printemps 1993, p. 87-102.

TERKEL, 1967 : Studs Terkel, *Division Street : America*, New York, 1967.

TERKEL, 1970 : Studs Terkel, *Hard Times : An Oral History of the Great Depression*, New York, 1970.

THERBORN, 1984 : Göran Therborn, « Classes and States, Welfare State Developments 1881-1981 », *Studies in Political Economy : A Socialist Review*, n° 13, printemps 1984, p. 7-41.

THERBORN, 1985 : Göran Therborn, « Leaving the Post Office Behind », *in* M. Nikolic, éd., *Socialism in the Twenty-first Century*, p. 225-251, Londres, 1985.

THOMAS, 1971 : Hugh Thomas, *Cuba or the Pursuit of Freedom,* Londres, 1971.

THOMAS, 1977 : Hugh Thomas, *The Spanish Civil War*, Harmondsworth, éd. de 1977 ; *La Guerre d'Espagne : juillet 1936-mars 1939*, trad. J. Brousse, L. Hess, Ch. Bounay, Paris, Robert Laffont, 1985.

Tiempos, 1990 : Carlos Ivan Degregori, Marfil Francke, José López Ricci, Nelson Manrique, Gonzalo Portocarrero, Patricia Ruiz Bravo, Abelardo Sánchez León, Antonio Zapata, *Tiempos de Ira y Amor : Nuevos Actores para viejos problemas,* DESCO, Lima, 1990.

TILLY, SCOTT, 1987 : Louise Tilly et Joan W. Scott, *Women, Work and Family,* 2e édition, Londres, 1987.

TITMUSS, 1970 : Richard Titmuss, *The Gift Relationship : From Human Blood to Social Policy,* Londres, 1970.

TOMLINSON, 1976 : B. R. Tomlinson, *The Indian National Congress and the Raj 1929-1942 : The Penultimate Phase,* Londres, 1976.

TOUCHARD, 1977 : Jean Touchard, *La Gauche en France*, Paris, Seuil, 1977.

TOWNSHEND, 1986 : Charles Townshend, « Civilization and Frightfulness : Air Control in the Middle East Between the Wars », *in* C. Wrigley, éd. ; voir Hobsbawm, 1986.

TROFIMOV, DJANGAVA, 1993 : Dmitry Trofimov et Gia Djangava, *Some Reflections on Current Geopolitical Situation in the North Caucasus,* Londres, 1993, ronéo.

TUMA, 1965 : Elias H. Tuma, *Twenty-six Centuries of Agrarian Reform : A Comparative Analysis,* Berkeley et Los Angeles, 1965.

Umbruch 1986 : voir Fröbel, Heinrichs, Kreye, 1986.

Umbruch, 1990 : République fédérale d'Allemagne, *Umbruch in Europa : Die Ereignisse im 2. Halbjahr 1989. Eine Dokumentation, herausgegeben vom Auswärtigen Amt,* Bonn, 1990.

UN Africa, 1989 : UN Economic Commission for Africa, Inter-Agency Task Force, Africa Recovery Programme, *South African Destabilization : The Economic Cost of Frontline Resistance to Apartheid,* New York, 1989.

UN Dept. of International Economic and Social Affairs, 1984 : voir Population, 1984.

UN International Trade 1983 : *UN International Trade Statistics Yearbook,* 1983 ; Annuaire statistique du commerce international.

UN Statistical Yearbook, annuel ; Annuaire statistique des Nations unies.

UN Transnational, 1988 : United Nations Centre on Transnational Corporations, *Transnational Corporations in World Development : Trends and Prospects*, New York, 1988.

UN World Social Situation, 1970 : UN Department of Economic and Social Affairs, *1970 Report on the World Social Situation,* New York, 1971 ; Rapport sur la situation sociale dans le monde, 1970.

UN World Social Situation 1985 : UN Dept. of International Economic and Social Affairs : *1985 Report on the World Social Situation*, New York, 1985.

UN World Social Situation 1989 : UN Dept. of International Economic and Social Affairs : *1989 Report on the World Social Situation*, New York, 1989 ; Rapport sur la situation sociale dans le monde, 1989.

UN World's Women : UN Social Statistics and Indicators Series K n° 8 : *The World's Women 1970-1990 : Trends and Statistics*, New York, 1991 ; *Les Femmes dans le monde – des chiffres et des idées, 1970-1990.*

UNCTAD : UNCTAD (CNUCED, Conférence des Nations unies sur le commerce et le développement), *Statistical Pocket Book 1989*, New York, 1989.

UNESCO : UNESCO, *Statistical Yearbook*, pour les années concernées ; Annuaire statistique (bilingue).

US Historical Statistics : US Dept of Commerce. Bureau of the Census, *Historical Statistics of the United States : Colonial Times to 1970*, 3 vol., Washington, DC, 1975.

VAN DER LINDEN, 1993 : « Forced labour and non-capitalist industrialization : the case of Stalinism », *in* Tom Brass, Marcel van der Linden, Jan Lucassen, *Free and Unfree Labour*, IISH, Amsterdam, 1993.

VAN DER WEE, 1987 : Herman Van der Wee, *Prosperity and Upheaval. The World Economy 1945-1980*, Harmondsworth, 1987.

VEILLON, 1992 : Dominique Veillon, « Le quotidien », *in Écrire l'histoire du temps présent. En hommage à Francois Bédarida : Actes de la journée d'études de l'IHTP*, p. 315-328, Paris CNRS, 1993.

VERNIKOV, 1989 : Andrei Vernikov, « Reforming Process and Consolidation in the Soviet Economy », *WIDER Working Papers*, WP 53, Helsinki, 1989.

WALKER, 1988 : Martin Walker, « Russian Diary », *The Guardian,* 21 mars 1988, p. 19.

WALKER, 1991 : Martin Walker, « Sentencing System Blights Land of the Free », *The Guardian,* 19 juin 1991, p. 11.

WALKER, 1993 : Martin Walker, *The Cold War : And the Making of the Modern World,* Londres, 1993.

WARD, 1976 : Benjamin Ward, « National Economic Planning and Politics », *in* Carlo Cipolla, éd., *Fontana Economic History of Europe : The Twentieth Century,* vol. 6/1, Londres, 1976.

WATT, 1989 : D. C. Watt, *How War Came,* Londres, 1989.

WEBER, 1969 : Hermann Weber, *Die Wandlung des deutschen Kommunismus : Die Stalinisierung der KPD in der Weimarer Republik*, 2 vol., Francfort, 1969.

WEINBERG, 1977 : Steven Weinberg, « The Search for Unity : Notes for a History of Quantum Field Theory », *Daedalus*, automne 1977.

WEINBERG, 1979 : Steven Weinberg, « Einstein and Spacetime Then and Now », *Bulletin, American Academy of Arts and Sciences*, XXXIII, 2 novembre 1979.

WEISSKOPF, 1980 : V. Weisskopf, « What is Quantum Mechanics ? », *Bulletin, American Academy of Arts and Sciences*, XXXIII, avril 1980.

WIENER, 1984 : Jon Wiener, *Come Together : John Lennon in his Time*, New York, 1984.

WILDAVSKY, 1990 : Aaron Wildavsky et Karl Dake, « Theories of Risk Perception : Who Fears What and Why ? », *Daedalus,* vol. 119, n° 4, automne 1990, p. 41-60.

WILLETT, 1978 : John Willett, *The New Sobriety : Art and Politics in the Weimar Period*, Londres, 1978 ; *L'Esprit de Weimar : avant-gardes et politiques, 1917-1933*, trad. C. Cler, Paris, Seuil, 1991.

WILSON, 1977 : E. O. Wilson, « Biology and the Social Sciences », *Daedalus*, 106/4, automne 1977, p. 127-140.

WINTER, 1986 : Jay Winter, *War and the British People,* Londres, 1986.

« Woman », 1964 : « The Woman in America », *Daedalus*, 1964.

The World Almanack, New York, 1964, 1993.

World Bank Atlas : *The World Bank Atlas 1990*, Washington, 1990 ; Atlas de la Banque mondiale, 1990.

World Development : World Bank : *World Development Report*, New York, annuel ; Rapport sur le développement de la banque mondiale, annuel.

World Economic Survey, 1989 : UN Dept. of International Economic and Social Affairs, *World Economic Survey 1989 : Current Trends and Policies in the World Economy*, New York, 1989.

World Labour, 1989 : International Labour Office (ILO/OIT), *World Labour Report 1989*, Genève, 1989 ; Études sur l'économie mondiale – 1989 – : Tendances et politiques économiques actuelles dans le monde.

World Resources, 1986 : *A Report by the World Resources Institute and the International Institute for Environment and Development*, New York, 1986.

World Tables, 1991 : The World Bank : *World Tables 1991*, Baltimore et Washington, DC, 1991.

World's Women : voir UN World's Women.

ZETKIN, 1968 : Clara Zetkin, « Reminiscences of Lenin », *in They knew Lenin : Reminiscences of Foreign Contemporaries*, Moscou, 1968.

ZIEBURA, 1990 : Gilbert Ziebura, *World Economy and World Politics 1924-1931 : From Reconstruction to Collapse*, Oxford, New York, Munich, 1990.

ZINOVIEV, 1979 : Aleksandr Zinoviev, *The Yawning Heights*, Harmondsworth, 1979 ; *Les Hauteurs béantes*, trad. W. Berelowitch, Lausanne, L'Âge d'homme, 1979 ; rééd. Paris, Robert Laffont, coll. « Bouquins », 1990.

INDEX

TABLE DES MATIÈRES

PREMIÈRE PARTIE
L'ÈRE DES CATASTROPHES

DEUXIÈME PARTIE
L'ÂGE D'OR

TROISIÈME PARTIE
LA DÉBÂCLE

Achevé d'imprimer
en janvier 2000
sur les presses
de l'imprimerie Brodard et Taupin
en France (CEE)

© Éditions Complexe, 1999
SA Diffusion Promotion Information
24, rue de Bosnie
1060 Bruxelles

 n° 755